中國典籍與文化論叢

第十五輯

中國典籍與文化 增刊

全國高等院校古籍整理研究工作委員會
《中國典籍與文化》編輯部

CHINESE CLASSICS & CULTURE
ESSAYS COLLECTION

2013

目 録

主 办 者:全國高等院校古籍整理研究工作委員會
編 輯 者:《中國典籍與文化》編輯部
地　　址:北京大學校内哲學樓 328 號
通　　訊:北京大學中文系轉
（郵政編碼 100871　電話 62751189　傳真 62751190）
E—mail:ccc@pku.edu.cn
出 版 者:鳳凰出版社
（南京市中央路 165 號　郵政編碼 210009）
集團地址:鳳凰出版傳媒集團
（南京市中央路 165 號　郵政編碼 210009）
集團網址:鳳凰出版傳媒網　http://www.ppm.cn

照　　排:南京凱建圖文製作有限公司
印 刷 者:江蘇鳳凰通達印刷有限公司
國内發行:江蘇省郵政局
增刊刊號:(2008)京新出版報刊增准字第(520)號
郵發代號:28—210
國外發行:中國國際圖書貿易總公司(北京 399 信箱)
國際標準刊號:ISSN1004—3241
國外代號:Q1207
出版時間:2013 年 12 月
責任編輯:郭馨馨
定　　價:96.00 圓

《尚書》之擬史小説考辨

馬振方

【提　要】 作爲五經之一的《尚書》並非都是"古之號令"。其《堯典》、《臯陶謨》出自戰國，通篇敘事，作者以有限的傳説構想堯舜時代選賢任能、禮讓天下的言行事迹，顯非史實，而爲虛擬古史的早期小説。周書《金縢》故事離奇，多悖情理，也是後人美化周公虛造的擬史之作。《大禹謨》、《太甲》、《説命》三篇屬後世魏晋人僞造的敘事體"古文尚書"，自然屬於虛擬夏、商史事的小説類作品。

【關鍵詞】 戰國時期　文體　傳説　擬史小説

《尚書》在先秦名《書》，是與《詩》並列的早期文獻，最遲孔子時就已成書，至戰國又有續作或改作，計百篇之多。秦焚書後，被伏生保存並傳授二十九篇，因用其時通行的隸書寫成，後稱"今文尚書"，西漢即被立於學官。漢景帝時[①]，從孔子堂壁中又得到一批用先秦古文字書寫的典籍，其中《尚書》較今文篇數多十六篇(其《九共》九篇合一，實爲二十四篇)，稱"古文尚書"，東漢始興。後經戰亂與時代變遷，兩者逐漸散逸。東晋元帝時，豫章内史梅賾(或作梅頤)獻古文尚書五十八篇，並流傳下來，即今所見《尚書》文本。其中略同於伏生所傳的二十九篇被分爲三十三篇，仍習稱"今文尚書"，另二十五篇被稱爲"古文尚書"。這二十五篇從宋代就有人質疑其爲魏晋人僞作，至清乾隆間閻若璩刊出《尚書古文疏證》，逐篇逐條考辨其造僞根底——文句出處，遂被多數學者視爲定讞，至今依然。

統觀《尚書》文體，多爲誥、命與誓辭，即王公發表的各類文告，《漢志》所謂"古之號令"。無論真僞，多非紀事之文，與本文要考辨的小説文體相去甚遠。但這只是概而論之。仔細考較，今存《尚書》各篇不僅産生的時代不同，真僞紛紜，文體差異也不可以道里計，少數幾篇不僅通篇敘事，還是有意虛擬、首尾完整且非寓言的擬史之文。這就不僅走近了小説，就文體要素而言，與小説實無質的差别。此等堪稱擬史小説的篇章在今文《尚書》和僞古文《尚書》中都有存在。

---

① 《漢書藝文志》作"武帝末"，誤。參見屈萬里《尚書集釋·概説》，臺北，經聯出版事業公司1983年版，卷首，頁18。

一 今文《尚書》中的擬史小説

虞書首篇《堯典》，屬今文《尚書》，原與現存的《舜典》本爲一篇，被梅氏所獻之書照《堯典》開篇樣式加了"曰若稽古，帝舜曰重華"等二十八字而分出《舜典》。今復其原，以辨其文體。《堯典》全文約一千二三百字，分三部分：一是帝堯派四位屬官住於四方，恭奉上天，"歷象日月星辰"，以正四時；二是物色並考察帝位的繼承人舜；三是舜攝政後巡視四方，處置"四罪"，爲帝之後逐一商討、確定禹、棄、契、皋陶、垂、伯夷、夔、龍等的職務和具體職責。除第一部分，後兩部分大半是堯、舜與臣工的簡短對話。顯而易見，這篇叙事之文決非堯舜時所作，以"曰若稽古"開篇就清楚表明是遥遠後世人的述古之作。但究作於何時？郭沫若先生在《釋祖妣》中通過對《周易》、《詩經》和兩周金文的考證，認定"考妣連文爲後起之事"，"當系戰國時人語"，並指出："《尚書・帝典》'帝(放勳)乃殂落，百姓如喪考妣三載'，不獨百姓字古無有(金文中作'百生')，三年之喪古無有(《孟子・滕文公上》定爲三年之喪，父兄百官皆不欲……)，即此考妣二字連文，亦可知《帝典》諸篇爲孔門所僞託。"[①]屈萬里先生在《尚書集釋》之《堯典》篇首更列舉十證"以明其爲戰國時人述古之作"[②]。戰國上距夏禹一千五六百年，距堯、舜更遠。即便有些傳説，史官也無法將它變成信史。謂"《堯典》所記堯舜禹的史迹基本上是可信的"，只是一種主觀願望。仔細推敲三個部分，主要是儒家作者或憑有限的傳説和周代的諸多現實、觀念對遠古社會和君臣關係所作的理想化虚擬。

第一部分，寫堯命羲仲、羲叔、和仲、和叔分居四方，敬日觀星，以正仲春、仲夏、仲秋和仲冬，導引農事。如此將四方與四時相配，乃是五行説日趨興時的産物，也應出在戰國時代，堯舜時不可能有此。據甲骨學家考證，在殷虛卜辭中，表示季節的"春"和"秋"兩字甚夥，而無表示季節的"夏"字和"冬"字，可見其時一年中只有春秋兩季。陳夢家和于省吾對此都作了有力的論證。後者在《歲時起源初考》中寫道："《堯典》四時之説，人多信以爲真，其實初民只有周而復始的歲度或某些節候觀念，後來因爲生産和生活的需要，才有春秋二時的劃分。由於卜辭中只有春秋而無冬夏"，並且"往往以春和秋爲對貞"，由此"可以看出商代的一歲只分爲二時"。在對周代的金文、《詩》、《書》作了考察之後又説：西周上承商代"只實行著二時制，四時制當發生在西周末葉"[③]。這就從根本上否定了《堯典》第一部分的真實性，堯所説的"以閏月定四時成歲"當是作者以東周的四季觀念想像遠古時代虚構出來的。又者，文中處於東西南北之人分别被寫作"厥民析"、"厥民因"、"厥民夷"、"厥民隩"，此與《山海經》中寫

---

① 《郭沫若全集・考古編》第1卷，北京，科學出版社2002年版，頁20—21。

② 參見屈萬里《尚書集釋》，頁4—6。

③ 《歷史研究》1961年第4期，頁102、106。

的四方名即四方神名“東方曰折”、“南方曰因”、西方“有人曰石夷”、“北方曰鵷”恰好相應。胡厚宣先生對此作了縝密的考辨,不僅辨明《山海經》中的四方名源自殷墟卜辭,還進一步辨明《堯典》中四方之人的“析”、“因”、“夷”、“隩”乃從《山海經》的四方之神名變化而出:“在甲骨文僅爲四方名某風某,《山海經》文略同,惟將四方之名神人化,至《堯典》則演爲堯命羲、和四子掌四時星曆,教民耕作之事”①。這種化用《山海經》神話内容之文,未必是“作者硬把他們不懂的神話材料變成歷史的事實”②,而很可能是蓄意將這種神話材料歷史化亦現實化,以渲染、虛擬古之聖人堯所治理的時代。此外,羲和也是《山海經》中的神話人物,她是“帝俊之妻,生十日(太陽)”。郭樸注曰:“羲和蓋天地始生主日月者也……故堯因此立羲和之官以主四時。”③郭樸如此將羲和與《堯典》相連繫,並非穿鑿。《堯典》將羲和化爲羲、和四子,也是特地將神話人物歷史化,是作者蓄意創造這段小説類文字的又一明證。

第二部分著意表現帝堯物色、考察繼承人。物色由一系列對話構成。堯子丹朱和共工先被提出,被堯否定。四嶽(四方諸侯之長)中有人舉鲧治水,堯聽取建議後同意試用,結果九載而“績用不成”。堯便要把帝位讓給四嶽,被辭以“否德”。衆臣遂舉出鰥夫舜,謂其“瞽子。父頑,母嚚,象傲。克諧以孝,烝烝乂不格奸”。堯同意“試哉”,便妻以二女,開始考察。結果“慎徽五典,五典克從;納於百揆,百揆時叙;賓於四門,四門穆穆;納於大麓,烈風雷雨弗迷”。如此三載,堯便要舜“陟帝位”,舜“讓於德,弗嗣”,而代堯執政。堯禪帝位於舜,應該是有傳説作基礎的,但内容只能是個輪廓。禪讓的具體方式、過程,以至衆多人物的對話,多非傳説所能提供,只能由作者以虛想進行創造。“五典”,也稱“五教”,或以《左傳》文公十八年之謂“父義、母慈、兄友、弟恭、子孝”爲解④,或引《孟子·滕文公上》之謂“父子有親、君臣有義、夫婦有别、長幼有叙、朋友有信”作傳⑤。無論何者,都是儒家所宣導的成熟的封建倫理道德,堯時斷不會有。顧頡剛先生寫道:“戰國時不但隨便編造‘僞事’,而且已在著作‘僞書’了。試看舜,在孔子時只是一個没有事迹的古帝,門弟子問孝的這般多,孔子絶没有説到舜身上,可見舜在那時還没有孝的名望。孔子之後,有人做了一部《堯典》,説了‘父頑,母嚚,象傲,克諧以孝’一句話,在做書人原是要表出堯舉舜的緣故,但舜從此成了一個孝子。”⑥這也充分説明《堯典》中舜的形象在很大程度上是戰國時人的蓄意造作。

第三部分可分爲兩段。前段寫舜受命代堯理政,叙述簡略:巡四方,修五

---

① 《甲骨文四方風名考證》,載《甲骨學商史論叢》初集,民國三十三年(1944)齊魯大學圖書研究所影印本。

② 劉起釪《尚書研究要論》,濟南,齊魯書社 1996 年版,頁 77。

③ 郭樸注《山海經》,上海古籍出版社 1989 年版,頁 109。

④ 《尚書正義》卷三署漢孔氏《傳》,載《十三經注疏》,北京,中華書局 1980 年影印本,頁 125。

⑤ (宋)蔡沈《書集傳》卷一,明正統十二年(1447)刊本。

⑥ 《論孔子删述六經説及戰國著作僞書書》,《古史辨》第 1 册,海口,海南出版社影印本,頁 55。

禮，設五刑，處置“四罪”。其間內容，如“五禮”、“五刑”、“同律度量衡”、“撲作教刑”、“金作贖刑”之類，也是周代特別是春秋、戰國封建制度相當發達之時才有可能產生的規定，大多是從周禮或周後期現實敷衍而生。堯舜時尚無學校（後稱序、庠），哪有“教刑”？“金”未作幣，怎能“贖刑”？梁啓超説：“三代以前未有金屬貨幣，此語恐出春秋以後人手筆。”[①]言頗中肯。此段文字雖不多，也處處露出虛構的時代馬脚。後段寫舜爲帝之後商討、任命諸多官員，幾乎全是人物對話，只此即可知其出自意想、虛擬無可避免。司徒、司空周代始有，舜豈能設？理州之牧、掌管山林之虞，商代卜辭均無，而《周官》則有，應非舜時之官。典帝三禮的“秩宗”大約也是從周之“宗伯”變化而出。在人的進化過程中，説話比造字不知要早多少年。如果“斷竹，續竹，飛土，逐宍（肉）”真是黃帝時的古歌[②]，則應早於漢字的產生。即便如此，我們還是難以想像在那漢字史家認爲很可能尚無漢字的時代，舜就説出“詩言志，歌永（詠）言，聲依永，律和聲，八音和諧，不可奪倫”一番話，那應是詩與樂相當發達、八音具備，而且產生了《詩》以後的春秋戰國時期頗有理論頭腦的人的總結性言論。至於對諸官進行“三年考績，三考，黜陟幽冥”，恐怕也是《周官》中“三歲則大計群吏而誅賞之”的翻版。

不但此也，典籍中還有與堯舜禪讓悖逆的記述。《史記·五帝記》張守節《正義》引《括地志》曰：“《竹書》云：‘昔堯德衰，爲舜所囚也。’……《竹書》云：‘舜囚堯，復偃塞丹朱，使不與父相見也。’”《廣弘明集》卷十一法琳《對傅奕廢佛僧表》引《汲塚竹書》云：“舜囚堯於平陽，取之帝位。”謂“今見有囚堯城。”劉知幾《史通·疑古篇》引《汲塚書》亦有“舜放堯於平陽”之語。上列唐人所引《竹書》或《汲塚書》後被學者輯入《古本竹書紀年》[③]，而洪頤煊《經典集林》和嚴可均《全上古三代文》均集入《汲塚瑣語》。《瑣語》和《紀年》均出自魏襄王（卒於紀元前269年）墓，前者雖屬“諸國卜夢妖怪相書”[④]，其某些歷史性記述仍有相當的史料價值。舜囚堯而取天下並“偃塞”丹朱，自然也是根據戰國時的傳説或傳説的記録，其與被儒家虛構的理想化的《堯典》大相抵牾卻很值得關注，並被一些史家用作否定堯舜禪讓的史料依據。中國自夏代開始從原始社會的推選制進入奴隸社會“家天下”的繼承制。而據《尚書》，堯、舜、禹是同時人，故孫淼先生寫道：“堯舜生活在原始社會的最後階段，即將進入奴隸社會時期。這個時期，私有制已經形成了，階級壓迫已成爲殘酷的現實，戰爭也不斷地出現，人與人的關係也發生了根本的變化。”在這樣的背景下，上述記載“在一定程度上揭露了當時的歷史真象。”[⑤]如果考慮到堯舜之間這種尖鋭複

① 梁啓超《中國歷史研究法》，北京，東方出版社1996年版，頁117。

② （漢）趙曄《吳越春秋》，南京，江蘇古籍出版社1999年版，頁149。

③ 參見方詩銘、王修齡《古本竹書紀年輯證·附五帝紀》，上海古籍出版社1981年版，頁63、65。

④ （清）嚴可均《全上古三代秦漢三國六朝文》卷十五《汲塚瑣語》題注，北京，中華書局1958年影印本，頁107。

⑤ 《夏商史稿》，北京，文物出版社1987年版，頁178。

雜的鬥争,《堯典》中的禪讓描述就更是地道的虛擬小説,其傳説也只是反映了原始社會推選制的影子罷了。

綜上所述,無論堯與舜相繼爲帝的真實情況如何,《堯典》全然不是史實的記録,學人謂之"述古之作",實是虛構的擬古之作,是虛擬遠古歷史的小説。

這裏連帶談談逸書《舜典》的文體。《舜典》雖逸,《孟子》、《史記》和《尚書大傳》(佚文)還保存了它的不少佚文。《孟子·萬章上》有關舜的問答頗多,有的明載於《堯典》或《書》,有的被孟子斥爲傳言的"齊東野語"。而如下兩段令人矚目:

> 堯使其子九男二女,百官、牛羊、倉廩備,以事舜於畎畝之中。天下之士多就之者。
>
> 父母使舜完廩,捐階,瞽瞍焚廩;使浚井,出,從而揜之。象曰:"謨蓋都君咸我績。牛羊,父母;倉廩,父母。干戈,朕;琴,朕;弤,朕;二嫂使治朕棲。"象往入舜宫,舜在床琴。象曰:"鬱陶思君爾。"忸怩。舜曰:"惟兹臣庶,汝其於予治。"

前者爲孟子所言,後者爲萬章所言而爲孟子確認者。趙岐注云:"孟子時,《尚書》凡百二十篇,逸書有《舜典》之叙,亡失其文,孟子諸所言舜事,皆《堯典》及逸書所載。"[①]若然,上引文字既不見於《堯典》,即爲逸書《舜典》之文。又據閻百詩考證,"父母使舜完廩一段,文辭古崛,不類《孟子》本文……其爲《舜典》無疑。"[②]《史記·五帝本記·舜紀》也有類似記述,兩者同屬《舜典》,互爲旁證。《堯典》謂舜"父頑,母嚚,象傲";又謂堯"釐降二女","嬪於虞"。上引兩段文字與《堯典》這些語句有著明顯的承遞關係。可見《舜典》系承《堯典》而作,也是戰國儒士的擬古之作。

再看上列具體描述,遠非現實性文字。内中顯示的堯對舜的器重與考察以及舜所受的磨難大爲具體化並漫畫化了。帝堯嫁二女給舜,已屬非常之舉,且讓九子事舜(《尚書大傳》也有"屬其九子"之語),豈可思議?舜被帝堯如此器重,又賜百官、牛羊、倉廩,俗陋的瞽瞍夫婦及象非但不欣喜,不親近,反倒謀其命而分其物,象還聲言使堯二女"治朕棲",怎麽可能?只有誇誕小説之類多有諸如此類的情節,象等"人物"只是考驗舜的工具而已。後至五代的《舜子變》和明代小説《盤古至唐虞傳》,又從《孟子》和《史記》中拾起這些"人物"、情節,並大力生發,其爲非現實的誇誕小説一目了然。

《五帝本紀》據《舜典》又有如下叙述:"舜耕歷山,歷山之人皆讓畔;漁雷澤,雷澤之人皆讓居;陶河濱,河濱器皆無苦窳。一年而所居成聚,二年而所居成市,三年而所居成都。"[③]這是誰都做不到的,卻是後世誇誕文學常用的筆

① 《孟子》卷九,上海,商務印書館,1936年縮印本,頁72。
② 閻若璩《尚書古文疏證》卷二第十八,清乾隆十年(1745)朱續晫刊本。
③ 《史記》卷一,中華書局1959年版,頁34。

法。可見《舜典》不僅是虛擬古史的小説類作品，還應是誇誕型擬史小説，至少有較多的誇誕之筆。

《尚書大傳·虞夏傳》還記有舜在禪位於禹之際與百官同唱"卿雲"歌的熱烈場景，隨即寫道："於時八風循通，卿雲藂藂。蟠龍賁信於其藏，蛟魚踴躍於其淵，龜鱉咸出於其穴，遷虞而事夏也。"[①]此等超現實的渲染筆墨，也很像是《舜典》的原文，倘此判斷不錯，則是誇誕的又一顯例。

綜上之辨，《舜典》應是多有誇誕之筆的擬史小説。

另一篇屬今文《尚書》的《皋陶謨》原包括現存《尚書》中的《益稷》，梅賾所獻之書分後者獨立成篇，不僅無據，也毫無道理。因爲後者全文很長，而全是皋陶、禹同舜的對話，益、稷不但未出現，言談中提及兩人也各只一句[②]。序者謂"以下文禹稱益、稷二人佐其成功，因以名篇"[③]，乃曲爲彌合，強爲解説。現仍復其原狀，以辨其文體。

《皋陶謨》的產生時代，屈萬里亦有考辨，舉出本篇與《堯典》雷同的多個語句及"俞"、"都"、"亮采"等獨特用語，結論是"約與堯典同時而稍後"，"如非同出一手，亦必同地區之人所作也"[④]。如此戰國時人的述古之作，依據只能是某些遠古的傳説或記述這類傳説的簡單文字。而這篇作品，從頭至尾幾乎全由對話構成，没有什麽可供傳説的故事性内容。它所依據的傳説最多也只有題材的意義，不能爲其提供具體内容。人物的言語都須作者發揮自覺的想像虛構出來。

全篇分爲兩部分。第一部分即"帝曰"之前，很像皋陶與禹的單獨答問與交談，實際還是兩人在帝舜前的談話，只是未著筆於舜而已。故《史記》轉述本篇以"帝舜朝，禹、伯夷、皋陶相與語帝前"作開始語[⑤]。皋陶陳述的是治天下"安民"之道，倡言"九德"，以德爲本，"兢兢業業"，和衷共濟，謂"天聰明，自我民聰明；天明畏，自我民明威"，集中闡釋了儒家德治和民本的施政理念。宋儒史浩評曰："竊嘗謂《禹謨》、《益稷》君臣之間皆有褒頌歸美之詞，獨《皋陶謨》一篇（實即本篇第一部分）其始以正心誠意種明德之根本，其中以知人安民彰明德之功用，其末以恐懼修省保明德之欽崇，迄無一言見於褒美頌揚者。蓋如是，然後可以爲嘉謨也。"[⑥]由此足見這部分對話儒道之重、儒氣之純，確是儒者假借皋陶與禹問答的形式表達其施政理念之筆，雖乏小説意味，亦有虛擬對話的小説體式，多個嘆詞和語氣詞的使用也增加了小説語言的切實感。

從"帝曰：'來，禹！汝亦昌言'"轉入較爲活潑的第二部分。禹的答話兩次

---

① 陳壽祺輯《尚書大傳》卷一下《虞夏傳》，四部叢刊本。

② 禹曰："洪水滔天……予乘四載，隨山刊木。暨益奏庶鮮食。予決九川……暨稷播奏庶艱食、鮮食，懋（貿）遷有無化（貨）居。"言中關乎益、稷各一句。

③ 蔡沈《書集傳》卷一《益稷》題序。

④ 《尚書集釋》，頁 32。

⑤ 《史記·五帝紀》，北京，中華書局 1959 年版，頁 77。

⑥ 《尚書講議》卷四，民國二十四年（1935）四明張氏約園刊本。

講到治水的奔波與勤苦，至“啓呱呱而泣”而不顧。這應是最具傳説基礎的内容，也增加了本篇的叙事成分。禹提醒舜：“都！帝。慎乃在位”，“惟幾惟康”；“敷納以言，明庶以功”；“無若丹朱傲，惟慢遊是好”。舜告戒禹：“吁！臣哉鄰哉！鄰哉臣哉！”“作朕股肱耳目”，“予違，汝弼。汝無面從，退有後言。”此真所謂“君臣一堂之上，更相戒飭”[①]，平善而誠摯，似乎透露出原始社會部落首領與左右的平等關係，實際則是儒家理想中聖君賢臣融洽和諧關係的最高境界。最後，以舜和皋陶的謳歌把君臣振興天下的一番謀議推到高潮：

> 帝……乃歌曰：“股肱喜哉，元首起哉，百工熙哉。”皋陶拜手稽首，揚言曰：“念哉！率作興事，慎乃憲，欽哉！屢省乃成，欽哉！”乃賡載歌曰：“元首明哉，股肱良哉，庶事康哉。”又歌曰：“元首叢脞哉，股肱惰哉，萬事墮哉。”帝拜曰：“俞。往，欽哉！”

作者懷著滿腔熱情爲皋陶和帝舜創造了這幾首歌，以爲這篇虚構作品富於韻味的結尾。黄以周説它們“爲十五國風之濫觴”[②]，顯然是把《皋陶謨》看作遠古紀實之作的産物。如今知道它是春秋之後戰國時期擬古的造作，這幾首歌就不是《詩》之濫觴，而成了十五國風的繼承和發展，將它們用之於虚構的叙事作品，爲創造聖君賢臣的高美形象、歌頌“舜之致治曠古而獨絶”大添光彩[③]。這在早期小説中更是一種具有開拓性的藝術創造。

周書《金縢》是今存《尚書》中故事性最强的一篇，也是今文《尚書》中被歷代學者斥爲僞書最集中的一篇。它寫周武王“克商二年”，患了重病，太公、召公欲卜，周公謂“未可以戚我先王”。隨後周公築壇，秉圭置璧，禱告於太王、王季與文王，命史官“祝册”，謂姬旦“能多材多藝，能事鬼神”，請代武王去死；又卜以三龜，皆吉，歸“乃納册於金縢之中”。武王“翼日”即愈。武王死後，管叔等人散布流言，説周公“將不利於孺子”成王。周公避而“居東二年，則罪人斯得”，於是作詩《鴟鴞》給王，王仍不悟。再後天降大風雷，偃禾拔木，“邦人大恐”，王與大夫遂開金縢之匱，發現了周公請代武王之文，成王感泣，乃親迎周公。“王出郊，天乃雨，反風，禾則盡起。”情節如此離奇、玄虚，自然會不斷有人提出質疑。唐宋以前的經學家大多曲爲解釋，而程頤已有“《金縢》尤不可信”之語[④]，明代馬明衡則謂此篇“大有難曉”，説周公“多材多藝，能事鬼神自是鬼話”[⑤]；王夫之《尚書稗疏》更提出十三點“可疑”之處。至袁枚撰《金縢辨》，開宗明義，否定其爲史實，謂其“雖今文亦僞書也”。這些質疑和否定，大都由於作品情節、言語諸多悖理：周公以“未可戚我先王”爲由阻止召公、太公卜，自己

① (明)梅鷟《尚書考異》卷三，清道光五年(1825)立本齋刊本。

② (清)黄以周《敬季雜著・尚書講義》，清光緒二十至二十一年(1894—1895)江蘇南菁講舍刊本。

③ (清)崔述《唐虞考信録》卷四，清嘉慶二十二年(1817)陳履和刊本。

④ 《河南程氏遺書》卷二十二《伊川語録》，明成化十年(1474)張氏刊本。

⑤ 《尚書疑義》卷五，民國二十四年(1935)商務印書館影印本。

卻仍求卜於三位先王,前後抵牾;"'爾'、'汝'者古人挾長之稱,而圭璧者所以將敬之物也",周公"呼先王爲'爾'不敬,自誇才藝不謙,終以圭璧要之不順,若曰'許我則以璧與圭,不許我則屏璧與圭',如握果餌以劫嬰兒,既驕且吝,慢神蔑祖,而太王、王季、文王甘其爾汝之稱,又貪其圭璧之誘,於昭於天者,何其啓寵納汙之甚也?"武王病瘉,後至亡故,周公私禱之册卻始終不毁,一直藏於太廟之金縢,"預爲日後邀功免罪之計",此豈合於聖人之居心?册祝者乃爲史官,百執事均在場,何能保密多年?① 諸如此類,不一而足。至於《鴟鴞》,乃是豳風民歌,弱者以禽言詩抨擊壓迫者。《詩序》據《尚書》此篇將它安在周公身上,謂其"救亂",不倫不類,而歷代多因之。如今論《詩》之文一般不再作此等牽强附會的理解。

上述悖謬都是社會性的,此外還有悖於自然性的迷信情節:大病不愈,册祝後"翼日乃瘳",豈非神力?周公受冤,天即"大雷電以風";其冤得雪,"天乃雨,反風",偃禾"盡起"。古之學者反復爲此辨説:"周公之精誠上通於天"②,"聖人之學可以轉移造化"③,而今誰信?此種情事都成了後人肆意虚造的明證。

總之,無論周公當初是否有求代武王去死之舉,《金縢》叙述的離奇故事都不可能是史事的寫照。它非但不是周公所作,也不是西周人所作。屈萬里説:"孟子公孫丑上引鴟鴞'迨天之未陰雨'五句後復引孔子曰:'爲此詩者,其知道乎?'尚未以鴟鴞之詩爲周公所作,似孔子孟子,均未見本篇。疑本篇之著成,蓋當戰國時也。"④可見《金縢》也應是上距周初數百年後的儒者爲宣揚周公聖德大力虚構的産物,是一篇地道的擬史小説。

二　僞古文《尚書》中的擬史小説

據宋以來經學家的大量考辨,今存古文《尚書》二十五篇,乃魏晋間人所作,各篇除作者的虚擬成分之外,還綴集了先秦古書中大量相關語句,其中一部分是古書引用的《尚書》逸句。如此撰著的古文《尚書》,在經學家看來自是僞作。其中多數篇章,都是誥、命與誓詞,本文不論。而《大禹謨》、《太甲》、《説命》則是以記述歷史人物事迹的形式呈現給讀者,那事迹屬於後世作者對某些歷史傳説或逸書内容的蓄意造作與仿擬,寫出的自然是仿擬的"僞史",倒成了實在的擬史小説。

被編入《虞書》的《大禹謨》也以"曰若稽古"四字開篇,"都"、"俞"等類用語也同於《堯典》和《皋陶謨》。如果説同出戰國時代的《皋陶謨》與《堯典》開頭及

① 參見《小倉山房集》文集卷二《金縢辨上》,清乾隆三十四年(1769)錢塘袁氏刊本。
② (宋)李杞《用易詳解》卷三,民國二十四年(1935)商務印書館影印本。
③ (宋)陳經《尚書詳解》卷二十六,清光緒二十一年(1895)福建布政司署刊本。
④ 《尚書集釋》,頁127。

用語相類，可能是同出一人之手，遠出於後世的《大禹謨》的這種狀況就只能是仿擬之筆。作品由三個部分構成。第一部分是禹和益同帝舜談理政安民之"謨"，即"德惟善政，政在養民"，"儆戒無虞，罔失法度，罔游於逸，罔淫於樂"之類，與《皋陶謨》之義多有雷同。另如"萬邦咸寧"，"舍己從人"，"不虐無告，不廢困窮"，"水、火、木、金、土、穀"，"正德、利用、厚生"，"六府三事"之類，則是分別襲用《周易》、《孟子》、《莊子》、《左傳》之文。"帝德廣運，乃聖乃神，乃武乃文"；"戒之用休，董之用威，勸之以《九歌》，俾勿壞"，分别本於《吕氏春秋・諭大》及《左傳》文公七年所引《夏書》逸文，略作變改。這些襲用，明清多人都已指明。黄以周説：《大禹謨》乃是"後人攟摭古語補綴成文。觀其節次，摹撫《皋陶謨》爲之"①。從這方面看，它具有仿擬、集句的特徵。以虚擬的文句粘合諸多集句以成文章，費了很大功夫，卻少鮮明的意象。謂其小説，亦屬仿襲之筆。

第二部分寫舜禪讓天下給禹。這自然有傳説的基礎，但如堯禪讓舜一樣，把遠古的傳説變成禪讓的對話場面就只能借助想像和虚擬。舜提出禪讓給禹，禹讓皋陶，舜與皋陶交談後，對禹説了如下的話：

> 來，禹！洚水儆予，成允成功，惟汝賢。克勤於邦，克儉於家，不自滿假，惟汝賢。汝惟不矜，天下莫與汝争能；汝惟不伐，天下莫與汝争功。予懋乃德，嘉乃丕績。天之歷數在汝躬，汝終陟元后。人心惟危，道心惟微，惟精惟一，允執厥中。無稽之言勿聽，弗詢之謀勿庸。可愛非君？可畏非民？衆非元后何戴？后非衆罔與守邦。欽哉！慎乃有位，敬修其可願。四海困窮，天禄永終。惟口出好興戎，朕言不再。

這裏除了嵌入多種先秦古書文句或其所引《夏書》、"先王書"逸句，最引人注目的是其竟將《荀子》所引《道經》之文——"人心之危，道心之微"——充作舜言，並將《論語》堯命舜之文斷爲三截以命禹。《荀子・解蔽篇》曰："昔者舜之治天下也，不以事詔而萬物成。處一之危，其榮滿側；養一之微，榮矣而未知。故《道經》曰：'人心之微，道心之微，危微之幾，惟明君子，而後能知之。'"梅鷟在比較上述兩文關係時中肯地指出："荀卿稱'《道經》曰'，初未嘗以爲舜之言，作古文者見其首稱'舜之治天下'，遂改二'之'字爲二'惟'字，而直以爲大舜之言"；"至於'惟精惟一'，則直抄略荀卿前後文字而攘以爲己有"②，即閻若璩之謂《荀子》"此篇前又有'精於道'、'一於道'之語，隱括爲四字。"③梅、閻還特别指明：《荀子》引《書》若干，非曰'《書》云'，即稱篇名，無一不言明出處，此二語獨標《道經》，至爲可信。僞古文《大禹謨》"襲用"《荀子》當屬顯見。《論語》末篇堯曰："咨，爾舜！天之歷數在爾躬，允執厥中。四海困窮，天禄永終。"躬、中、窮、終四字諧韻，由於下文有"舜亦以命禹"之語，《大禹謨》便將《論語》中堯

① 《敬季雜著・尚書講義》。

② 《尚書考異》卷二。

③ 《尚書古文疏證》卷三第三十一。

的這三句話納入舜口以命禹。但若《論語》之"堯曰"出《大禹謨》,三句話應未增減一字,而本篇上列所引舜語,將三句分置三處,其間分别相隔四句與九句。這就如閻氏所説,"不惟其詞之費、意之重,而於古人以韻成文亦大不識之矣。"[①]不惟説明乃是《大禹謨》改用《論語》,也充分顯出其妄改妄增、蓄意造作的小説本質。

第三部分寫禹執政後,按舜的囑咐征討三苗,禹乃誓師出征,三旬而苗"逆命"。益曰:"惟德動天,無遠弗届",禹即"班師","帝乃誕敷文德,舞干戚於兩階"。七旬,有苗來服。有關舜、禹服苗之事,古書有多種記載。首先,虞書幾篇就有五記:《堯典》記舜先"竄三苗於三危",後又"分北三苗";《皋陶謨》中禹謂"苗頑不即工,帝其念哉";《禹貢》中記禹治黑水於雍州,"三危既宅,三苗丕叙";至《大禹謨》,舜又謂"有苗弗率",命禹"徂征"。其間不無齟齬,梅鷟、惠棟、崔述等對"丕叙"與"徂征"的矛盾就責有煩言。其實,前三篇也都是戰國時人想像、虛擬的遠古人事,除去《禹貢》多記地理山川,另兩篇與《大禹謨》一樣,都是後人造作的擬史小説,對傳説的處理、發揮有很大的隨意性,其間齟齬難合自然不免,無須頂真。再看他書的相關記載,《韓非子·五蠹》記云:"當舜之時,有苗不服,禹將伐之。舜曰:'不可。上德不厚而行武,非道也。'乃修教三年,執干戚舞,有苗乃服。"這記載與本篇有相似點,又很不同:阻止禹伐三苗的不是益,而是舜,他是以德服人的聖君,禹的征討並未成行。這或許出自先秦的《大禹謨》,而那也不是上古的紀實,而是戰國時期儒者對舜與三苗關係的另一種合於理想的虛擬罷了。另一些相反的記載或能開闊我們的思路。《尚書·吕刑》載:"苗民……惟時庶威奪貨,斷制五刑,以亂無辜。上帝不蠲,降咎於苗,苗民無辭於罰,乃絶厥世。"《戰國策·魏策二》載:"禹攻三苗,而東夷之民不起。"《淮南子·修務訓》載:"舜……南征三苗,死蒼梧。"《史記·吴起傳》載:吴起對魏武侯曰:"昔三苗氏左洞庭,右彭蠡,德義不修,禹滅之。"這些史書的記載雖也多有參差,卻顯示一個共同的結果:頑而不馴的三苗受到舜、禹的攻伐和嚴懲。這或許更近乎歷史的實際。本篇和多種以德服苗的記述不過的儒者有意虛托的小説之筆。

商書《太甲》三篇。上篇寫湯的嫡孫太甲嗣王位後不從於伊尹,伊尹作書警示,太甲置若罔聞;伊尹陳先王之德,望其仿效,太甲仍不悔改。伊尹曰:"予弗狎於弗順",遂營桐宫而放太甲"居憂,克終允德"。中篇寫三年後"伊尹以冕服奉嗣王歸於亳",太甲"拜手稽首"認錯,伊尹乃予勉勵,謂:"先王子惠困窮,民服厥命,罔有不悦。並其有邦。厥鄰乃曰:'徯我後,後來無罰。'"下篇寫伊尹申誥於王:"惟天無親,克敬惟親,民罔常懷,懷於有仁";"德惟治,否德亂";以"一人元良,萬邦以貞"褒之,勉之。這裏所寫的太甲失德被伊尹放逐、悔過後重掌王權的故事輪廓,與《孟子》和《史記》所記合榫。後兩者所據或即《史記》之謂《太甲訓》三篇,其與今存之《太甲》的差别比合榫之處更多。《孟子·

① 《尚書古文疏證》卷五下第七十四。

萬章上》謂“太甲顛覆湯之典刑”，被放後“於桐處仁遷義”；《盡心上》公孫丑復述太甲被放與返亳皆有“民大悦”之語。凡此，本篇皆無。《史記》記太甲“既立三年，不明，暴虐，不遵湯法，亂德”；被放期間（三年）“伊尹攝行政當國，以朝諸侯”；歸政以後，“太甲修德，諸侯咸歸殷，百姓以寧”，伊尹尊王爲“高宗”。本篇也全無這些文字。説明今之《太甲》非孟子、史遷所見之者。閻若璩曰：“二十五篇之書其最背理者在太甲稽首邀於伊尹”，而伊尹“稱字於君，冠履倒置，莫此爲甚”，更舉移自他書而所用失當之語，以證其僞。“《文王世子》（《禮記》卷二十）語曰：‘樂正司業，父師司成，一有元良，萬國以貞，世子之謂也。’今入‘元良’二語於伊尹口中，以訓長君”，殊屬“不倫”。《孟子·梁惠王下》“齊人伐燕”章引《書》曰“徯我後，後來其蘇”，與卷六《滕文公上》“宋小國”章引《書》曰“徯我後，後來其無罰”，兩者系引同一篇逸書的同一文句，意謂當初“湯一征自葛始，天下信之”，都希望湯來征討自己所在之國，以解民困。兩處詞語小有差異“乃古人文章不拘之處，亦何得疑其出於兩書耶？……奈何‘後來其蘇’既竄入《仲虺之誥》中，‘後來其無罰’復竄入《太甲》中篇中耶？”況且，此語“僅可仲虺用之，以解湯慚，今重出於伊尹口中以訓太甲，迂遠不切，殊屬無聊填寫”①。諸如此類，足見本篇乃後人所撰之“僞書”，同時也可見出内容大半出自作者自覺的虚構與拼湊，實是以所傳伊尹與太甲故事爲輪廓造作的擬史小説。

不但此也，西晉太康間汲塚出土的戰國時期魏人所記編年史書《竹書紀年》於商太甲之下還有如下記載：

> 殷仲壬即位，居亳，其卿士伊尹。仲壬崩，伊尹放太甲於桐，乃自立也。伊尹即位，放太甲。七年，太甲潛出自桐，殺伊尹，乃立其子伊陟、伊奮，命復其父之田宅而中分之。②

汲塚出土的另一文獻《瑣語》也有“仲壬崩，伊尹放太甲，自立四年”之語③。仲壬方崩，太甲未承大位就被放逐，自然也是伊尹篡權所致，故與《紀年》所記相合。此等記述，“大與《尚書》叙説太甲事乖異”，也與《孟子》、《史記》的相關記述大相徑庭。如果伊尹確是《太甲》所述的聖人，《紀年》似無理由寫其因篡權而被殺。史學家孫淼認爲，《紀年》、《瑣語》之記才更可信，因爲“所謂‘放太甲’，就是把太甲禁閉起來，自己掌握政權，且歷時數年之久。其性質很明顯，這就是篡權。”而類似《紀年》所記這種篡權與反篡權的鬥争，“在階級社會的歷史中，是常見的現象”④。倘從這種視點考量，就不只梅賾所獻的《太甲》屬於僞史類小説，司馬遷所記的《太甲訓》也都出自後人的造作，是與史相悖的小説類作品。

《説命》也是《商書》，上、中、下三篇。上篇寫殷高宗武丁即位，三年不言，

---

① 參見《尚書古文疏證》卷二第三十一、卷四第六十一、卷二第二十七、卷一第十一。

② （晉）杜預《春秋經傳集解·後序》，民國十八年（1929）商務印書館影印本。

③ 《太平御覽》卷八三《皇王部八》，北京，中華書局 1960 年版，頁 390。

④ 孫淼《夏商史稿》，頁 328、330。

“恭默思道”。群臣“咸諫於王”,王説“惟恐德不類”,貽誤四方,故而不言。他夢見天帝賜與“良弼”,可代其言,便畫影圖形,“旁求於天下”,乃得“築傅岩之野”的説,“惟肖,爰立爲相”,置諸左右,“朝夕納誨”,以輔其德。中篇與下篇寫武丁與傅説的言語交流,前者重在順應天道,用賢理政;後者重在學法先王,師古多聞。君臣投合,融洽無間。這三篇摭拾或略改《國語・楚語》、《禮記・緇衣、學記》等書所引多處《説命》之文,故能使讀者看到一些與先秦《説命》相類的故事與文字。但仍與《史記》顯示的傅説與武丁的故事有著明顯的不同。《殷本紀》載:

> 武丁夜夢得聖人,名曰“説”,以夢所見視群臣百吏,皆非也。於是乃使百工營求之野,得説於傅險中——是時説爲胥靡,築於傅險。見於武丁,武丁曰:“是也!”得而與之語,果聖人,舉以爲相,殷國大治。

此言夢中得其名“説”,今存《説命》無之,至“説築傅岩之野”始出其名,甚是突兀。以夢所見視群臣,皆非,乃自然之事,而今《説命》亦無。相見曰“是也!”乃驚喜必有之語,今《説命》無此語。武丁“與之語”,始認定“果聖人”,今《説命》未交一言就“爰立爲相”,豈合事理?《殷本紀》這些記載也應本於先秦産生的《説命》,而與今存《説命》偌多差異,足見後者並非前者。加之,“惟木從繩則正,后從諫則聖”改自《説苑》卷三引孔子語“木受繩則直,人受諫則聖”;“若作和羹,爾惟鹽梅”改自《左傳》昭公二十年“和如羹焉,水火醯醢鹽梅以烹魚肉”;“若撻於市”改自《孟子・公孫丑上》“若撻之於市朝”;“非知之艱,行之惟艱”改自《司馬法・嚴位篇》“非知之難,行之難”……[1]此篇的集句和造作顯而易見。它也就成了以傅説輔佐武丁的故事傳説爲題材的有意虚構的擬史小説。

不僅如此,本篇最富小説意味的還是武丁尋求夢裏天帝所賜聖人的虚無飄渺情節,它有無可爭辯的虚構性和迷信色彩,是把聖人傅説大力神化的産物。而這一情節在真僞《説命》中是一致的,所以兩者都是後人虚造的擬史小説作品。

結　語

我國漢字的産生被一些文字史家審慎地推定在夏代,而至今還未被實物證實。偃師二里頭遺址被考古學家認定爲夏的都城,出土文物甚夥,也只發現二十幾個各自孤立的刻畫符號,似非文字。殷代的文字狀況表明,上推數百年前夏代産生的文字,應不可能達到寫出虞書和夏書的水準。《堯典》、《皋陶謨》、《禹貢》等雖屬今文《尚書》,也都出自東周中後期人的手筆,比之二十五篇僞古文《尚書》雖早出六七百年,而兩者内容的實質,並無真與假的分别。前者也是一千幾百年後之人憑藉遠古傳説與現實狀況大力虚想、造作的産物,與今

---

① 参見惠棟《古文尚書考》卷下,清乾隆間(1736—1795)宋廷弼刊本。

文《尚書》中另一些紀實之作有質的不同。其中的紀事之文也就成了早期的擬史小説。

需要指出的是,文明發展到産生私人著述的戰國時代,文化人的思想空前活躍,浮想聯翩,面對日積月累的《詩》、《書》篇章、“春秋”實録和某些遠古的帝王傳説,自然就會遥想那没有文字記載的時代,並會生出將那時代述諸文字的企望。但要具體描述那全無文字憑據的遠古人事,除借助主觀想像和虚擬以豐富傳説,别無他途。這就是戰國時人創作《堯典》、《皋陶謨》等作品的根本原因。那應是古人積極探求、追述遠祖狀況莫可如何的産物。所塑造的堯、舜等人物形象及其時代背景雖然只是作者的理想,卻也多少反映了帝王“家天下”以前遠古部族選賢任能乃至禪讓之類的推選制度,其想像與虚擬雖使描述遠離實際,仍是難能可貴的創造,不僅爲當時和後世瞭解遠古祖先提供了一種虚想的參照,而且成爲漫長的封建社會中人們渴望與追求的社會理想。就此而言,它雖是擬史小説,卻非後世歷史小説的價值所能比擬,成爲兩千多年的經典文獻實所必然。想像與虚構在追述無文字材料可考的古史創作中發揮了無可代替的獨特作用。

魏晉間人辛辛苦苦湊成的二十五篇僞《尚書》,自有歷史學家予以評價。其中《大禹謨》、《太甲》、《説命》三者,又應視爲後世的擬史小説。其中《大禹謨》,人物也處於尚無文字記録的時代,無論戰國期間還是更早産生的出自孔壁的真古文《尚書》的《大禹謨》,絶不可能是嚴肅史官的記録之筆,也只能是《堯典》類的另一篇擬史之作,由於失傳,後出的《大禹謨》如能突出傳説中大禹的特色,亦可填補逸書的空白,有與《堯典》相類的價值。但它既屬拼湊,又無特色,便落下乘。雖混同於經典流傳百世,卻影響有限,倒是《堯典》、《皋陶謨》、《禹貢》以及據漢存虞夏書撰寫的《夏本紀》中的大禹成了後世人心目中的光輝形象。《太甲》與《説命》則不然,由於其基本内容和故事輪廓同於先秦之逸書,雖是拼湊之作,也在一定程度上填補了逸書的空白,其中的伊尹和傅説對後世産生了廣泛的影響,兩文都不是一個“僞”字可以了得。

【作者簡介】 馬振方,1933 年生,遼寧凌海市人,北京大學中文系教授。

論平水本《尚書注疏》

杜澤遜

【提　要】 平水本《尚書注疏》刊刻於蒙古定宗四年前後，其中避金諱多處，應是金遺民思想的反映。國圖藏本卷三至卷六不是“影蒙古鈔本”，只是坊間質量很低的鈔配本。平水本的刊刻者未必是“平水劉敏仲”。平水本的經、注部分與八行本接近，而不如八行本原始；疏文則較八行本更接近單疏本；後附《釋文》與宋版《經典釋文》同樣具有校勘價值。平水本校勘不精，較之八行本，錯誤明顯較多。

【關鍵詞】 平水　尚書注疏　版本　校勘　避諱

中國國家圖書館藏蒙古平水刻本《尚書注疏》二十卷《新彫尚書纂圖》一卷，是《尚書注疏》傳世四種最早刻本之一，另外三種是南宋刻單疏本（日本宫内廳藏）、南宋兩浙東路茶鹽司刻八行本（國圖、日本足利學校各藏一部）、南宋福建魏縣尉宅刻本（臺灣“故宫”藏）。對於這部珍貴的平水本《尚書注疏》，至今還存在不少值得進一步深入探討的問題。本文討論的是：一、平水本的刊刻時間。二、平水本避諱的問題。三、四卷“影蒙古鈔”配本，是否真是影蒙古鈔，鈔寫質量如何。四、平水本的刊刻人問題。五、平水本的淵源。六、平水本的校勘質量問題。其他問題也有所涉及。

一　平水本的刊刻時間

關於平水本的刊刻時間，本文所持的觀點與前人基本一致。由於相關的綫索對探討下面的問題形成前提，因此不得不首先理清這個問題。

蒙古平水刻本《尚書注疏》共八册，半頁十三行，行大字二十六至二十九字，小字雙行，行三十五字，白口，雙魚尾，四周雙邊。版心下有刻工：張一、張二、李成、何川、鄧恩、楊三、吉一、趙一、梁、薛等。卷三至六鈔配，《北京圖書館古籍善本書目》、《中國古籍善本書目》等均謂“配清影蒙古鈔本”。《中華再造善本》影印。原書鈐“應召珍藏”、“振宜之印”、“揚州季氏”、“滄葦”、“汪士鐘讀”、“平陽汪氏藏書印”、“王文琛印”、“菰里瞿鏞”、“恬裕齋鏡之氏珍藏”、“瞿啓科印”、“良士眼福”、“鐵琴銅劍樓”、“祁陽陳澄中藏書記”、“陳清華印”、“郇齋”、“綬珊經眼”等印記，鈔配部分亦有季振宜等印，流傳有緒。此帙《鐵琴銅劍樓藏書目録》著録爲金刻本，《藏園群書經眼録》亦著録爲金刻本。張秀民

《中國印刷史》謂《纂圖》内《禹貢九州地理圖》有“平水劉敏仲編”小字一行。“劉敏仲爲藏書家翰林劉祖謙之子，祖謙與元好問、劉祁友善，祖謙金末爲兵士所殺。元氏稱‘子敏仲今在平陽’（澤遜按：此見《中州集》‘劉鄧州祖謙’條），與書中《地理圖》一行曰‘平水劉敏仲編’合。版心下有‘張一’字。大蒙古（壬寅）刊本《孔氏祖庭廣記》也有刻工張一名，故此當爲元初蒙古刊本。國圖舊目作金刊本非。”《祁陽陳澄中舊藏善本古籍圖録》著録此本，云刻工“何川、鄧恩等曾雕蒙古刻本《證類備用本草》。”按：《藏園群書經眼録》著録《重修政和經史證類備用本草》三十卷，蒙古定宗四年己酉張存惠魏卿晦明軒刊本，云“此書刊工與平水刊《尚書》相似，歷來定爲金刊本。書中題金泰和甲子後己酉平陽張存惠魏卿晦明軒刊，書名下亦標己酉新增衍義，當刊於己酉歲。考泰和甲子後己酉當南宋淳祐九年，蒙古定宗四年，非金刊明矣。”考彭元瑞等《天禄琳琅書目後編》卷八《金版子部》著録《重修政和經史證類備用本草》已發此議：“前有己酉麻革序，稱今平陽張存惠，字魏卿，因龐氏本附以寇氏衍義，比舊益備云。”“又重修本草之記略云……泰和甲子下己酉冬日南至晦明軒謹記。蓋存惠自記金章宗泰和四年爲甲子，其下己酉則金已亡十五年矣。麻革序但書己酉，存惠記上溯泰和，蓋皆金源遺民所爲也。革，字信之，號貽溪，臨晋人，兵部侍郎秉彝孫，金末在太學有聲，與元好問、劉祁齊名，後隱居不仕，見《歸潛志》。”依《天禄琳琅書目後編》之意，《證類備用本草》爲蒙古平水張存惠刊本，傅沅叔之見當從《天禄後目》出。唯傅氏指出《證類備用本草》“刊工與平水刊《尚書》相似”，極爲重要。張秀民未見其説，故僅指出刻工“張一”與《祖庭廣記》同。《祁陽陳澄中舊藏善本古籍圖録》則沿傅沅叔見解，明指其刻工何川、鄧恩等相同。余與郭沖君比對《中華再造善本》影印《尚書注疏》、《重修政和經史證類備用本草》二書，其刻工張一、張二、何川、鄧恩、楊三、吉一、趙一、梁、薛等皆同，刻工姓名字體寫法亦多相同。又請楊亮君相其刀法，長横收筆、横折、長捺等刀法相近。知二書爲同一批刻工所刻，傅氏之見確切無疑。

二　平書本的避諱問題

關於平水本《尚書注疏》之避諱，前人未作討論。余率門生從事《尚書注疏彙校》，平水本《尚書注疏》先後通校三遍，發現其中避金諱多處。今列舉如下：(一) 避“盛”字，缺筆作“盛”。蓋以金太宗完顔晟，盛、晟同音，爲嫌名。卷六《禹貢》第六頁後半面第八行疏“此物又以篚盛之”，卷十五第十一頁後半面第五行“功德盛隆”，第十五卷第十三頁末行“盛酒”，皆其例。(二) 避“堯”字，缺筆作“尭”。金世宗完顔雍的生父完顔宗堯，追廟號睿宗，因避其諱。如卷六第一頁第十一行“是尭末時事”，同頁後半面倒四行“尭所都也”（國圖第 9583 號卷六鈔配，第 013 號殘本則有卷六《禹貢》平水刻本，《禹貢》用例均據 013 號，其餘各例仍據 9583 號）、卷八第五頁第二行“尭典”，同頁後半面第十行“尭曰”，卷十二第一頁後半面第十三行“尭舜”，卷十五第十一頁後半面第九行“尭典”(本行凡三見皆缺末筆),卷十九第八頁第一行“弃舜”。(三)避“曉”,缺筆作“睁”,爲避睿宗完顔宗堯之嫌名也。如卷八第十五頁後半面第一行“睁解”。(四)避“恭”字,缺筆作“㳟”。金章宗完顔憬生父完顔允恭,追廟號顯宗,因以避諱。如卷十五第十三頁第五行“㳟奉”,同頁第七行“㳟敬之王”,又“被人㳟敬”,同頁第十行“虔㳟 ”。此一頁之中凡五見。又作“㳟”,缺末筆,似亦爲避諱。如卷十五第十二頁後半頁第七行“㳟奉”,第九行“㳟敬”,第十三頁“㳟奉”。當然,平水本《尚書注疏》一向認爲是坊刻本,避諱是客觀存在,但並不嚴格,就以上各字來論,缺筆的還是少數。

張秀民《中國印刷史》述金刻本避諱:“其見於刻本者,如《明秀集注》凡曉字均作睁。崇慶本《五音集韻》十二笑,堯字作垚。《增廣分門字林雜記》堯字亦缺筆。這些都是避世宗之父宗堯(睿宗)諱。《明秀集注》恭字作㳟,供字亦減筆,避顯宗允恭(世宗第二子)諱。”版本學界很少討論金刻本避金諱的問題。對於蒙古時期平水本《尚書注疏》之避金諱的原因,我們也只能用《天禄琳琅書目後編》對張存惠追用金章宗“泰和”年號的解釋,即“金源遺民所爲”。這種金滅之後刊本仍避金諱的情況前人也未之及。

平水本《尚書注疏》還有避宋諱的情況,如卷十一第十二頁後半面第十三行“筐篚”之“筐”,缺筆,是趙匡胤嫌名。卷前孔穎達《正義序》第五行“百度惟貞”,貞字缺筆,是宋仁宗趙禎的嫌名。這種情況可能是由於平水本以宋刻本爲底本,當然也有記載説金與宋有互相避諱的情況,或者也是一種遺留,不敢過多推測。

三 平水本的鈔配問題

國圖藏平水本《尚書注疏》(9583號)卷三至六爲鈔配,鈐有“季振宜讀書”印,國圖定爲“清影蒙古鈔本”,《中國古籍善本書目》、《第三批國家珍貴古籍名録圖録》、《祁陽陳澄中舊藏善本古籍圖録》都是這樣著録的。而《藏園群書經眼録》則稱“卷三至六精鈔配入”。究竟是“影蒙古鈔”還是“精鈔”呢?我們在校勘中發現,這四卷鈔配雖然從行款上儘量仿平水本,而且書法也努力模仿平水本,但文字上卻並非出於平水本,其中訛奪甚多,在《尚書注疏》傳世各本中尚未見如此之劣者。如卷三《堯典》“堯聞之聰明,將使嗣位,歷試諸難”下孔傳:“嗣,繼也。試以治民之難事。”十字,鈔配本脱。“四門穆穆”孔傳:“穆穆,美也。……凶人。”疏:“皆是王朝之臣,舜流王朝之臣,而言諸侯無凶人者。”鈔配本脱“舜流王朝之臣”六字。“同律度量衡。”孔傳:“合四時……均同。”疏:“《漢書律曆志》云:度量衡出於黄鐘之律也。度者,分寸尺丈引,所以度長短也,本起于黄鐘之管長。”鈔配本脱“之律也。度者,分寸尺丈引,所以度長短也,本起于黄鐘”二十一字。又同條疏文:“本起于黄鐘之龠,以子穀稻黍中者,千有二百實爲一龠。十龠爲合,十合爲升,十升爲斗,十斗爲斛,而五量嘉矣。權者銖兩斤鈞石,所以稱物知輕重也。本起于黄鐘之龠。一龠容千二百黍。”“本起于黄鐘之龠”下“十龠爲合”至“黄鐘之龠”共五十八字,鈔配本脱。此類例子不止這些,其餘一二字之脱訛不再列舉。所幸卷六《禹貢》在國圖的另一平水本(013號)殘帙内得到保存,我們用平水本《禹貢》與鈔配本《禹貢》校對,發現二本面目大相徑庭,其文字多異,行款亦不合,根本不是“影蒙古鈔本”。如開篇第一頁第三行平水本題“禹貢第一,夏書”,鈔配本“夏”作“禹”。第五行疏平水本“任其土地所有,定其貢賦之差”,鈔配本脱“定其”二字。第七行疏平水本:“濬川,深其流也,隨山本爲濬川,故連言之。”鈔配本脱“深其流也,隨山本爲濬川”十字。第十二行疏平水本:“而在《夏書》之首,禹之得王天下,以是治水之功,故以爲《夏書》之首。此篇史述時事。”鈔配本脱“禹之”至“之首”十九字。半頁之内脱誤如此,他可知也。令人費解的是,在鈔配的四卷中,疏文之末偶有反切注音,這些反切與《經典釋文》不是一個系統,這在注疏本中未見過,不知其來歷。我們可以確認,所謂“影蒙古鈔本”不成立,而傅沅叔所謂“精鈔”也完全不成立。這四卷只是坊間質量很低的鈔配本。

四 關於刊刻者“平水劉敏仲”

關於刊刻者“平水劉敏仲”,還要再做討論。平水本《尚書注疏》刊刻地點是平陽府(平水),刊刻時間在蒙古定宗四年前後,已没有大的分歧。但刊刻者則並無定論。《鐵琴銅劍樓藏書目録》認爲“《地理圖》中有款一行曰‘平水劉敏仲編’,蓋即校刻之人也。”這種推測影響到後人,張秀民《中國印刷史》羅列元代平陽書坊就有“平水劉敏仲”。但平心而論,這個説法難成定論。“劉敏仲編”的是《尚書注疏》卷前《纂圖》部分的一幅圖和説明,該圖叫《禹貢九州地理圖》。就是説,平水本的《纂圖》基本上沿用了前人的成果,中間加上了一幅《禹貢九州地理圖》。從劉敏仲可以編繪這樣的歷史地圖來看,他是有學問的人,張秀民認爲他是金代藏書家翰林劉祖謙的兒子劉敏仲,有一定的可信度。劉敏仲應書坊之約補繪一幅地圖,應當比較合乎情理。至於由此而推斷全書都是劉敏仲刻的,就這種署名方式來看,可能性較小。因爲平水本的習慣是加牌記,劉敏仲刊刻《尚書注疏》,做一些編輯增補的工作,作爲一名學者,是自然而然的行爲。如果全書的校刊功勞都是他的,用不着專門在一幅地圖上署上他的名字,表明他的著作權。恰恰可以推測,正因爲不是劉敏仲校刻的,刻書方爲了尊重他的學問和勞動,才特别在他繪製的那幅圖上署上他的名字。我認爲談平水刻書書坊的時候,最好不要加“平水劉敏仲”這一條。

平水本《尚書注疏》的這一幅《禹貢九州地理圖》應當是特意加上去的。因爲在短短的四行説明中,特别指出了“及堯遭洪水,區域湮滅。禹平水土,復帝嚳之迹。舜禪之位,國號夏,都於平陽。”平陽爲古帝王之都,是值得驕傲的地方,平陽張存惠在蒙古憲宗三年至五年刻《增節標目音注精議資治通鑒》時,就特别加牌記:“時泰和甲子下乙卯歲季秋朔日工畢,堯都張宅晦明軒記。”用“泰和甲子”紀年,强調自己是“堯都”平水人,都有遺老的氣息。與《禹貢九州地理圖》説明中特别指出“都於平陽”是一種心情。這是平水刻書留下的地方特徵之一,不應當忽視。

五　平水本的淵源

平水本的正文是經、注、疏合編本,每卷之後附有陸德明《經典釋文》。這裏所説的淵源主要有三點:一、經、注部分的源頭。二、疏的源頭。三、釋文的源頭。這三個問題涉及平水本的地位和價值,前人没有予以關注。

首先看“經、注”部分的源頭。《舜典》:“肆類於上帝。”孔傳:“堯不聽舜讓,使之攝位。舜察天文,考齊七政而當天心,故引其事。肆,遂也。類,謂攝位事類。遂以攝告天及五帝。王云:上帝,天也。馬云:上帝,太一神,在紫微宫,天之最尊者。”按:“王云”至“尊者”二十二字爲《釋文》文。故八行本無。魏縣尉宅本有釋文,但亦未收此條。王朋甫本有此條釋文,但有明確標誌,與孔傳不混。纂圖互注本、平水本、十行本均有此二十二字,並且與孔傳“遂以攝告天及五帝”直接,未加區别,遂使釋文二十二字誤爲孔傳。其下閩、監、毛、阮諸本皆然。唯殿本發現其誤,列入“音義”之下。阮元不校殿本,故沿十行本之誤而不出校記,知阮元於《經典釋文》亦未細校也。

考平水本之體例,“釋文”附於各卷之末,未散入正文。其正文則包括經、孔安國傳、孔穎達疏三個部分。與八行本相似。從表面看,平水本應由一個經注疏合刻本附上《經典釋文》而成。這個經注疏本則應是經注本加上疏而成。問題在於,該經注本是否爲原始經注本?從上面所舉出“釋文”二十二字誤與孔傳混合看,作爲平水本源頭之一的經注本應來源於一個包含經、注、音義的文本。當從包含經、注、音義的文本中剥離出經、注時,這二十二字“釋文”因爲没有明顯與孔傳區分,被留在經注本中。這樣平水本之形成過程可推測爲:包含經注音義的文本→經注本→經注疏本→經注疏附《釋文》本。所謂“包含經注音義的文本”,應與纂圖互注本接近,理由是纂圖互注本恰恰把這二十二字釋文與孔傳混合了。

至於元刊十行本,宋代避諱仍有保留,敦、慎等字缺末筆,應當來自宋本。該宋本應由經注釋文本加上疏而構成的。而該經注釋文本應與纂圖互注本接近,理由同樣是纂圖互注本這二十二字《釋文》與孔傳混合。由此似乎可以發現,纂圖互注本與平水本、十行本之間有着特殊關係。平水本除去各卷後附的《釋文》以外,表面上與八行本相近,而事實上,平水本的“經、注”不如八行本原始。

再來看“疏”的源頭。平水本的“疏”,也與八行本的“疏”有一定距離。這表現在“疏”的位置有時不同。此舉二例。

例一,卷十九《畢命》經文“我聞曰世禄之家”至“不由古訓,于何其訓”,“其訓”後孔傳“以富資”至“其能順手”。後有疏文四節:一、“我聞”至“其訓”,經文之疏也;二、傳“特言”至“天道”之疏;三、傳“此殷”至“僭上”之疏;四、傳

“言股”至“惟難”之疏。皆孔傳之疏文。此四節疏文平水本位置恰當。而八行本置此四節疏文於以下經文“王曰嗚呼”至“休於前政”及孔傳“敬順文武”至“至以勉畢公”之後，則不妥。“王曰嗚呼”以下經文無疏，孔傳九節，亦僅末節有疏，似爲八行本置疏於全篇之末之原因。十行元本、閩、監、毛、阮本沿八行之式。唯殿本同平水本，似乾隆間翰林所校改，非親見平水本也。於此益可見平水本此條之優長。

例二，卷十九《君牙》叙“穆王命君牙爲周大司徒，作《君牙》。《君牙》”下傳文：“命以其名，遂以名篇。”平水本下有疏文：“穆王至君牙，正義曰……”觀其疏文，即針對此段叙而發，平水本位置妥當。八行本則後移至下文“涉于春冰”傳“危懼之甚”下，提示語亦作“穆王至春冰，正義曰……”實則“王若曰嗚呼”至“涉於春冰”一段經文原無疏，八行本此節疏文位置不妥。檢單疏本，提示語作“穆王至君牙”，知平水本源於單疏本。八行本的疏則另有改動。十行、閩、監、毛、阮皆同八行，則平水本自成系統似較明顯。殿本改同平水，當爲暗合，可見殿本不苟。

至於平水本《尚書注疏》各卷所附《釋文》，則取自《經典釋文》中的《尚書音義》，無異於一部《尚書音義》的平水單刻本。傳世《經典釋文》宋本只有一種，再後就是康熙間徐乾學通志堂刊本。現在至少可以增加《尚書音義》的平水本了。黄焯先生《經典釋文彙校》没有利用平水本《尚書音義》，顯然是一個缺陷。

總之，平水本的“經注”部分較八行本的“經注”部分面貌稍晚。平水本的“疏”似較八行本的“疏”面貌更接近單疏本。平水本的《釋文》彌足珍貴，對《經典釋文》的校勘有特殊價值。

六　平水本的校勘質量

平水本《尚書注疏》校勘的質量，很少有人討論。版本鑒定的任務應當包括三條：一、刊鈔的年代；二、刊鈔的源流；三、刊鈔的質量。因此，對平水本《尚書注疏》校勘質量的討論十分重要。《鐵琴銅劍樓藏書目録》嘗舉平水本《尚書注疏》若干條優長，謂平水本與山井鼎《七經孟子考文》“所載宋板合者什九。”瞿氏的結論可以説有誇大平水本優勢的傾向。

首先説平水本與宋本（山井鼎指的是足利學所藏八行本）關係是不是近。由於平水本刊刻的時期大抵相當於南宋理宗淳祐九年前後，那它當然只能與宋本近。究竟距離如何，要從校勘入手。我們以現存的南宋刊單疏本、南宋刊八行本相較，參照元十行本、明萬曆北監本，舉卷一《尚書序》孔疏爲例，可發現，當平水本與後來的元十行本、明北監本有分歧時，平水本有時與宋單疏本、八行本近。

（一）平水本與八行本同，並且文字優勝者：

1. 第一頁第五行：“則書者寫其言。”北監本無“者”字。單疏、八行、十行本有“者”字,與平水本同。

2. 第二頁後半面第一行:“言及便稱,不爲義例。”北監本“便稱”作“稱便”。單疏、八行、十行本作“便稱”,與平水同。

3. 同上第八行:“是五典爲五帝之書。”北監本無“是五典”三字。單疏、八行、十行本有此三字,與平水同。

4. 第四頁第二行:“春秋至遺書也。”北監本無“遺”字。單疏、八行、十行本有“遺”字,與平水同。

5. 第五頁第六行:“天下學士逃難解散。”北監本無“天下”二字。單疏、八行、十行本有“天下”二字,與平水同。

6. 第六頁第五行:“尚者上也。”北監本“者”作“書”。單疏、八行、十行本作“者”,與平水同。

7. 第八頁後半面第三行:“此序宜各與其本篇相從附近。”北監本、十行本無“此序”二字。單疏、八行本有“此序”二字,與平水同。

以上7條,大都是北監本錯誤,平水本與單疏、八行本相同,並且正確。

(二) 平水本與八行本同,但文字可以兩通者:

1. 第二頁第三行:“循飛七也。”北監本“飛”作“蜚”。單疏、八行、十行本作“飛”,與平水本同。

2. 同行:“流訖十也。”北監本作“疏仡”。單疏、八行、十行本作“流訖”,與平水本同。

3. 第三頁第八行:“舜非三王亦非五帝。”北監本“王”作“皇”。單疏、八行、十行本均作“王”,與平水同。

4. 第四頁第四行:“彼子革荅王云。”北監本、十行本“荅”作“答”。單疏、八行本作“荅”,與平水同。

5. 第四頁後半面第一行:“則致仕時年七十以後脩述也。”北監本“脩”作“修”。單疏、八行、十行本作“脩”,與平水同。

6. 第六頁第一行:“但於先有張霸之徒。”北監本“於”作“此”。單疏、八行、十行本作“於”,與平水同。

7. 同頁第十三行:“故欲褒益。”北監本“褒”作“裒”,宋魏縣尉宅本作“裒”,十行本作“哀”。單疏、八行作“襃”。褒、襃爲異體字,亦可視爲與平水同。

8. 第七頁第十一行:“伏生之本亦壁内古文,而合者。”北監本“合”下有“之”字。十行本“合者”作“合者者”。單疏、八行本無“之”字,與平水同。

9. 同上第九行:“不勝而出走,奔湖關自殺。”北監本“關”作“遂”。單疏、八行、十行本作“關”,與平水同。

以上9條,平水本與八行本同,但與其他版本文字義可兩通,還不能算作平水本的優長。

(三) 平水本與八行本同，但二本均誤者：

1. 第一頁第八行："序者，言序述《尚書》起記存亡注説之由。"十行本、北監本無"記"字。單疏、八行本有"記"字，與平水本同。阮校引浦鏜云："記疑訖之誤。"阮元云："訖字是也。"

2. 第五頁後半面第五行："其後兵火起流。"北監本"火"作"大"，"流"下有"亡"字。單疏、八行、十行均作"火"，無"亡"字，與平水本同。

3. 同上第十一行："宣帝泰和元年。"北監本"泰和"作"本始"。單疏、八行、十行本均作"泰和"，與平水同。阮校云本始是。

4. 第八頁第八行："即詔丞相劉屈鼇發三輔兵討之。"監本"鼇"作"氂"。單疏、八行本作"鼇"，與平水近。十行本作"鼇"，與平水同。

以上 4 條，平水本與八行本同或近，但平水、八行均誤。

以上平水本與八行本同或近者共 20 條，其中平水本是者 7 條，非者 4 條，兩通者 9 條。

那麽，平水本與八行本異者又是什麽情況呢？

(一) 平水本與八行本異，而平水本非者：

1. 第一頁第五行："又劉《釋名》云。"監本"劉"下有"熙"字。單疏、八行、十行本均有"熙"字，與平水異。

2. 第二頁第一行："司馬遷班固諱誕宋忠傅玄皆云。"北監本"諱"作"韋"。單疏、八行、十行本均作"韋"，與平水異。

3. 第二頁後半面第七行："推比二典而上。"北監本"比"作"此"。單疏、八行、十行本均作"此"，與平水異。

4. 第三頁後半面第二行："即謂典之謂也。"北監本"即謂"作"即爲 "。單疏、八行、十行本均作"即爲"，與平水異。

5. 同上："要六經皆是。"北監本"經"作"藝"。單疏、八行、十行本均作"藝"，與平水異。

6. 第四頁第二行："以上固成文以證結之。"北監本"固"作"因"。單疏、八行、十行本均作"因"，與平水異。

7. 同上第十一行："維依其事曰約。"北監本"維"作"準"。八行、十行本作"準"，單疏本作"準"。與平水異。

8. 第五頁第十二行："褢生中，中生武。"北監本"褢"作"襄"。單疏、八行、十行本均作"襄"，與平水異。

9. 第六頁第二行："大勳末集。"北監本"末"作"未"。單疏、八行、十行本均作"未"，與平水異。

10. 同上："肆子小子發。"北監本"子"作"予"。單疏、十行均作"予"，八行本模糊，似"予"字。與平水異。

11. 同頁第十一行"虞夏商周之書反傳。"北監本"反"作"及"。八行、十行本均作"及",與平水異。

12. 第六頁後半面第二行"直云書序,皆無尚序。"北監本"尚序"作"尚字"。單疏、八行、十行本均作"尚字",與平水異。

13. 同上第三行:"正《論語》《孝經》是傳也。"北監本"正"下有"謂"字。單疏、八行、十行本皆有"謂"字,與平水異。

14. 第七頁第一行:"案班固《漢忘》及許氏《説文》。"北監本"忘"作"志",單疏、八行、十行本均作"志",與平水異。

15. 同上第五行:"下社人程邈所作也。"北監本"社"作"杜"。單疏、八行、十行本均作"杜",與平水異。

16. 同上第六行:"去其大篆刻符及書署書。"北監本"及"作"殳"。單疏、八行、十行均作"殳",與平水異。

17. 同上第七行:"故乃周古文與奇字。"北監本"周"作"用"。單疏、八行、十行本均作"用",與平水異。

18. 同上第九行:"鄭玄云周之象形又字者。"北監本"又"作"文"。單疏、八行、十行本均作"文",與平水異。

19. 第七頁後半面第二行:"則又減四篇。"北監本"篇"作"通"。單疏、八行、十行均作"通",與平水異。

20. 第八頁第七行:"先於太子宫理桐人。"北監本作"埋"。單疏、八行均作"埋",與平水異。十行本作"理",與平水同誤。

21. 同上第八行:"承相劉屈釐。"北監本"承"作"丞"。單疏、八行、十行均作"丞",與平水異。

22. 同上第八行:"太子赦長安因與鬬。"北監本"赦"作"釋","因"作"囚"。八行本作"赦"、"囚"。單疏本作"赦"、"因"。十行本"赦"作"肴","因"同。八行本"囚"與平水"因"不同,平水本誤。

以上22例,皆平水本與八行本異,而平水本非。

(二) 平水本與八行本異,而義可兩通者:

1. 第六頁後半面第一行:"聞金鍾石磬絲琴竹管之音。"北監本"鍾"作"鐘"。單疏、八行均作"鐘",與平水異。十行本作"鍾",與平水同。

2. 第七頁後半面第三行:"以不可復知,亦上送官。"魏縣、十行、北監本同。單疏、八行本均作"悉",與平水異。

以上2條平水本與八行本異,而義可兩通。平水本與八行本異者共計24條,其中22條平水本誤,2條兩通。而平水本是者未見。

總之,平水本與八行本同者20條,其中平水本與八行本皆是者7條,皆非者4條,與他本兩通者9條。平水本與八行本異者24條,其中平水本非者22條,兩通者2條。知平水本與八行本同者約占45%,所謂與八行本"合者什九",是不成立的。況且其中同且是者約占16%。平水本與八行本異者約占55%,且平水本誤者占絶大多數。《鐵琴銅劍樓藏書目録》的結論是不成立的。

我們在校勘平水本卷十九時,發現“正義曰”之“正”字大量闕漏,變成了“義曰”。初步統計,卷十九共闕 45 處。依例平水本“正義曰”上均空一字,此“正”字既闕,而“義曰”上空白僅可容一字,實不得其解。疑寫工疏忽,“正義曰”上初未留空,刻畢而後覺之。此本密行細字,改刻爲難,因剷去“正”字,蒙混過關也。

總的來看,平水本校勘不精,較之八行本,平水本錯誤明顯較多。

另外,平水本《尚書注疏》作爲平陽坊刻本,像福建坊刻本一樣,在使用俗體字方面特徵鮮明。仍以《尚書序》孔疏爲例,指作指,登作登 ,厥作厥 ,關作閞,斷作断,籀作籒,冀作兾,旨作盲,屬作属,鬭作鬦,觀作観等,而且正俗字交替使用。《鐵琴銅劍樓藏書目録》稱此本“蠅頭小楷,雕鏤極工,雖南宋精槧不能及也”。傅沅叔《藏園群書經眼録》亦謂此本“刊印精美絶倫”。這些稱讚都有誇大之嫌。本書刷印較早,版面完整而清朗,密行細字,很少模糊漫漶,應是觀感較好的原因。

由此可見,全面校勘仍是版本學研究的重要方法。平水本《尚書注疏》是存世《尚書》版本當中非常珍貴的一種,從版本系統上來看,與其他《尚書》版本有相當的距離,很難説它直接來自哪個版本,也很難説哪個版本直接來源於它,從這個意義上説,平水本《尚書注疏》自成系統。

2013 年 5 月 15 日

【作者簡介】 杜澤遜,山東大學儒學高等研究院古典文獻研究所教授。

六朝舊鈔本《禮記子本疏義》研究史略

——兼論“講疏”、“義疏”之别

童 嶺

【提 要】 在敦煌六朝經部文獻殘卷與日藏漢籍舊鈔本被清末民初學界獲知之前，欲究六朝諸儒三禮之遺説，所據之典籍頗鮮。自20世紀初葉，六朝舊鈔本《禮記子本疏義》被中、日兩國學界所關注以來，雙方第一流的學者，輪番考證，令人目不暇接。本文將梳理其發現、影印之經緯，爭論、考訂之異同。且將其納入從傳統“經學”向現代學術意義之“經學史”轉變的視野中。而筆者對於此殘卷涉及的六朝義疏體“講”、“義”等核心概念的若干考證，也一併附説其中，以供稽古者查考。

【關鍵詞】 義疏體 舊鈔本 禮記子本疏義 三禮 講疏

一 古剎遺蹤

——義疏體《禮記》舊鈔本發現之經緯

章太炎先生《經學略説》稱：“《禮記》最難辨别。”①黄季剛先生《禮學略説》則云：“禮學所以難治，其故可約説也。一曰古書殘缺。”②經學或經學史的研究中，“三禮之學”素爲難治，此學者之通言。尤其是《禮記》一書，其地位之升降，文本之存佚，於經學文獻中頗爲複雜。聚焦到六朝時代，一方面是禮學達到了極盛，另一方面則是禮學開始逐步消解。在這一起承轉合的關鍵時代裏面，失而復得的禮學佚籍尤其爲歷代學者所珍視。

《北史・儒林傳》有云：

※本文係2010年度中國國家社會科學基金青年項目“域外漢籍與六朝隋唐文學綜合研究”(10CZW037)成果之一。在寫作過程中，先後承蒙北京大學中文系劉玉才先生、日本國文學資料館陳捷先生、台灣大學中文系陳志信先生、上海師範大學石立善先生、台灣中研院文哲所蔣秋華先生提供信息或惠賜資料，謹表謝忱之意。

① 章太炎講，王乘六、諸祖耿記，孫世揚校，吴永坤、程千帆重校《章太炎先生國學講演録》，南京，南京大學中文系、《南京大學學報》編輯部，1980年代初内部發行，頁48。

② 黄侃《禮學略説》，載其著《黄侃論學雜著》，上海，上海古籍出版社，1980年，頁444。又可參池田秀三《黄侃〈禮學略説〉詳注稿(一)》，文載京都大學中國哲學史研究會編《中國思想史研究》第28號，2006年3月刊，頁250—263。

大抵南人約簡，得其英華。北學深蕪，窺其枝葉。[①]

這裏“約簡”與“深蕪”，並非簡單地指文字之繁蕪與否，自有其學術理路在內。隋唐一統後，南北私家禮學均逐漸式微。然而從唐人修《北史》的這段論述可知，隋初唐學界之所宗，猶是南學。相對於漢儒之説經，六朝南方學界之經疏可謂義崇玄虚、辭尚駢腴，此固爲學者所熟稔，毋庸贅言。然南朝義疏僅存於今，且堪稱完帙者僅有皇侃《論語義疏》，此外尚有殘卷數種藏於日本，如：《講周易疏論家義記》、《孝經述議》、《禮記喪服小記子本疏義》（或稱《禮記子本疏義》）等。雖皆非全本，然其中文字，斷非六朝以下人可爲。亦可以借此窺見漢唐注疏之推衍，意義極大。[②]

在敦煌六朝經部文獻殘卷與日藏漢籍舊鈔本被清末民初學界獲知之前，清儒想要研究六朝諸儒對於《左傳》的遺説，《禮記正義》似乎成了唯一的選擇，如劉文淇《左傳舊疏考正・序》開篇即有云：“六朝諸儒説經之書，百不存一，使後人略有所考見者，則以唐人《正義》備載諸儒之説也。”[③]然考通行本阮刻唐人孔穎達《禮記正義》，文意繁廣，“可議者誠不少”[④]。吉川幸次郎謂：“唐人三禮之疏，莫難讀於孔氏《禮記正義》。”[⑤]這一“難讀”之嘆，很大程度上即源於黄季剛先生所謂的“古書殘缺”，或者説，清儒所常用的阮刻本《禮記正義》，是不是唐人採集六朝諸儒經説的原貌呢？

中古時代的四部漢籍中，佚存於東亞文明圈“東極”（扶桑）或“西陲”（敦煌）的漢籍舊鈔本，經過近現代學者的前後考量，價值誠如潘重規所云：“（其）壞爛不全，遠過於宋元傳本，其獨善絶佳處，亦迥非宋元傳本所能及。”[⑥]六朝隋唐舊鈔本殘卷所具有的學術意義，的確在某些方面遠超宋元刊本。下面，首先略述日本藏六朝舊鈔本《禮記子本疏義》之發現、影印經緯。

檢山田孝雄《典籍説稿》所附《國寶典籍目録》之“東京府”條下，涉及《禮記》的“國寶”舊鈔本有二：

禮記正義卷第五殘卷　一卷　（昭和6、12）　東京市男爵　岩崎

---

① 李延壽《北史》，北京，中華書局，1974年，卷81《儒林傳》，頁2709。

② 對於《論語義疏》的研究，中日學者已多有弘論，恕不枚舉。其在近代東亞學術上的傳承研究，特別請參考藤冢鄰：《皇侃の論語義疏と其の日本刻本の清朝經學に及ぼせる影響》，文載其著《論語總説》（東京：弘文堂，1949），頁167－219。關於《講周易疏論家義記》，近期的研究則可參考拙作：《六朝後期江南義疏體〈易〉學譾論——以日藏漢籍舊鈔本〈講周易疏論家義記〉殘卷爲中心》，文載臺灣中研院史語所編：《歷史語言研究所集刊》第八十一本第二分，2010年6月刊。而《孝經述議》殘卷最早由武内義雄在上世紀40年代發現，其研究的集大成之作是：林秀一《孝経述議復原に関する研究》，東京，文求堂，1953年。

③ 劉文淇《左傳舊疏考正》，載王先謙編《皇清經解續編》，上海，上海書店，1988年，卷七四七，頁881。

④ 皮錫瑞著、周予同注釋《經學歷史》，北京，中華書局，2004年，頁145。

⑤ 吉川幸次郎《禮記注疏曲禮篇校記》，文載《吉川幸次郎全集》第21卷，東京，筑摩書房，1975年，頁598。

⑥ 潘重規《敦煌詩經卷子研究論文集》，香港，新亞研究所，1970年，頁1。

久彌

禮記子本疏義卷第五十九　一卷　(昭和6、12)　東京市　早稻田大學[1]

第一種《禮記正義》殘卷,目前藏於東洋文庫[2]。第二種即本文所討論之《六朝寫本禮記子本疏義》,現藏於早稻田大學,在1931年(中華民國廿年,彼邦昭和六年)12月被日本政府定爲"國寶"。

目前,早稻田大學這份殘卷以卷子裝的形式鄭重保存於該校圖書館。共一卷,卷寬:28.5 cm,卷長642.4 cm。筆者粗點之下,全殘卷當有450餘行,行約二十九、三十字,間有小注。書風則多用連筆,間有朱筆勾乙符號。卷末間隔一行,題"喪服小記子本疏義弟五十九"12字。今天的研究者已經可以使用早稻田大學向世人公開的清晰圖版。殘卷的大致體例是:先鈔《禮記·喪服小記》經文,然後空約一二字,再列義疏之文,或再列鄭玄注文;再空一字後,再又列疏、注文。在撰述方式上,非常類似於中古佛教科判文辭,筆者粗點此殘卷,當有科段70餘條。

其實在這份殘卷成爲國寶之前,已經在中日學人之間流傳了。據羅振玉《六朝寫本禮記子本疏義殘卷跋》云:

> 《禮記子本疏義》殘卷,日本田中伯光顯所藏,今捐贈早稻田大學。[3]

案,羅振玉所稱"田中伯"者,即田中光顯(1843—1939),生於日本武士家族,後升爲"従一位勲一等伯爵",故羅振玉序跋中尊稱之。作爲明治維新的風雲人物,田中光顯曾是日本首相伊藤博文的内閣書記官長。田中氏於政務之外頗留心古籍,現早稻田大學圖書館尚藏有田中光顯輯本《古經題跋隨見録》兩卷[4]。

這份《禮記喪服小記子本疏義》殘卷,最初由一位未透露法號姓氏的僧人賣給東京琳琅閣書店。這一經緯頗爲奇特,這位僧人姓甚名誰?法號如何?出自何座古刹?——至今一無所知。唐人張繼詩云:"白馬馱經事已空,斷碑殘刹見遺蹤。"對於《禮記子本疏義》殘卷最初面世的這一段"事已空"之往事,

---

① 山田孝雄《典籍説稿》,東京,西東書房,1934年,附録《國寶典籍目録》,頁378、381。

② 可能緣於未能親睹等緣故,國内有一些學者往往誤將東洋文庫藏《禮記正義》殘卷與早稻田大學藏《禮記子本疏義》殘卷混爲一談。今案,東洋文庫藏《禮記正義》存卷第五《曲禮》上、下,1卷1軸,紙背爲"賢聖略問答卷第一",書寫於天延五年(975)。可參:《東洋文庫の名品》,東京,財團法人東洋文庫,2007年,頁50—51。整體殘卷的影印本,收載於:《禮記正義卷第五》,京都,狩野教授還曆記念會用東京巖崎氏藏鈔本,1928年,此影印件附有内藤湖南《禮記正義卷第五跋》,對這一殘卷之流傳有所考證。又案,台北藝文印書館出版過《禮記正義》(殘本)綫裝三册,台北,藝文印書館,1976年,第一册即爲東洋文庫舊鈔本《禮記正義》,但藝文印書館將原鈔本一行拆成兩行,再外加書框綫重排,頗失原貌(《四部叢刊三編》影印本亦犯此癥)。

③ 羅振玉《六朝寫本禮記子本疏義殘卷跋》,文載其著《羅振玉校刊群書叙録》,南京,江蘇古籍出版社,1998年影印版,頁352。

④ 田中光顯《古今題跋隨見録》(卷一、卷二),早稻田大學圖書館藏,1932年鈔本。

只能以俟來哲索隱矣。

田中光顯即從這位僧人販賣的琳琅閣書店購得此殘卷，大喜之餘，他復製影印了少量的玻璃版贈送友人，隨後將原本殘卷轉贈早稻田大學收藏。關於田中光顯將殘卷寄贈早稻田大學的經緯，最初由中島謙吉提及，近陳捷教授對此也有詳細研究[①]。考羅振玉序跋中的"今"，據書末題"丙辰"二字[②]，當指1916年。也就在同一年，羅振玉將此書冠以《六朝寫本禮記子本疏義》之名，附上序跋，影印出版，即通常文獻版本學上所謂的"民國五年上虞羅氏影印珂羅本"。羅氏珂羅本正文共十五頁，蝴蝶裝，長約35.5 cm，寬約24 cm。

羅氏珂羅版對於民國初年的中日學者來説，並非稀覯之物。然而因珂羅版紙張易脆、穿綫易爛等原委，到了百年後的今天，"民國五年上虞羅氏影印珂羅本"也是高供於拍賣行内，學者罕能問津矣。約十年前，筆者曾經於金陵舊書肆低價購得羅氏影印珂羅本（參附圖一），得之狂喜。總之，羅振玉影印本雖有不可避免的時代缺陷，但存古草創之功至鉅。其後此殘卷又收載於《羅雪堂先生全集》第七編。[③]

又，考殘卷中有數方印章。但是除卷末"内家私印"（光明皇后私印）一方印記被學者提及外[④]，此殘卷上尚有數種印章，迄今無人述及。其一、爲第一行右下方的"伯爵田中光顯氏寄贈"，"伯爵"二字陰刻白文，餘七字陽刻朱文；其二，是在這一方印章下方的"早稻田文庫"騎縫半印，陽刻朱文。今案，江户以來日人刻印，用篆書時，往往比較險怪，有時喜用類似《説文》中附載的古文字形，流於異誕，甚至背離文字構形，如圖畫，而匠氣重。所以從某種意義上考察，晚清吴昌碩印學從漢印、封泥、石鼓中變化而來，大行於扶桑，亦有其内在理路[⑤]。且"田中光顯"四字下面有一個壓縮過的"氏"字，很容易被忽視。在姓名後附一"氏"字，中國古代戰國秦漢常有此例[⑥]，印章中尤多見。隋唐以後漸稀，但日本則此習仍在，以致有些人誤認爲這種稱謂法是日式的。

此外，卷軸外部亦有上下兩方印記。其一，爲"特别圖書"；其二，爲"早稻田大學圖書"，皆陽刻朱文，其中"特别"二字即屬於上文所述的《説文》附載古文體。再觀筆者所購得之羅振玉影印珂羅版，則將殘卷折爲15頁，頁16、17行不等，原殘卷朱筆處則統一套印爲墨色。除卷末"内家私印"一方外，羅本其

---

① 陳捷：《明治前期日中學術交流の研究——清國駐日公使館の文化活動》，東京，汲古書院，2003年，頁330—351。

② 案，羅振玉以清朝遺老自居，故其序跋於"宣統三年"之後，皆用干支紀年。

③ 羅振玉《羅雪堂先生全集》第七編，台北，大通書局，1976年。但《全集》本影印時，將原珂羅版作了整體縮小處理。

④ 如：中田勇次郎監修《唐鈔本》，大阪，大阪市立美術館，1981年，頁161。

⑤ 陳振濂主編《日本藏吴昌碩金石書畫精選》，杭州，西泠印社，2004年，頁390—406。

⑥ 參考羅福頤主編《古璽文編》，北京，文物出版社，1981年，頁293；許雄志主編《秦印文字彙編》，鄭州，河南美術出版社，2001年，頁243；羅福頤編《漢印文字徵・第十二》，北京，文物出版社，1978年，頁16。此外，清人所集的一些古印譜中也偶有見之，如：汪啓淑編《漢銅印原》，杭州，西泠印社，1996年，頁153。

餘諸印皆未收録。

二 六朝舊鈔、唐鈔抑或日本傳鈔?
——20世紀早期東亞學界諸儒之考證

日本的漢籍傳存,有一個不同於古代中國的特殊性:即寺廟、私宅所藏漢籍,視以爲傳燈或傳家之秘笈①,即便曉以"學術天下之公器",亦罕以示人。

山井鼎(1681—1728)在其著《七經孟子考文》中,曾經使用足利學校的古本《禮記》校勘了通行本《禮記注疏》,並逐一下了斷案,但他没有看見過《禮記子本疏義》。② 可以推測,中古以來,這份《禮記喪服小記子本疏義》殘卷以某種途徑從皇室進入寺廟後,就一直秘存于寺廟中,號稱博及群書的江户、明治諸儒,也没有能目睹此殘卷之形態。比如森立之(1807—1885)的《經籍訪古志》中,除了《禮記正義零本》(舊鈔本,桐山元仲藏,題"未見"二字)和足利宋槧本《禮記注疏》外,未見《禮記子本疏義》殘卷的著録③。又如,桂十五郎(1878—1930)的《漢籍解題》"禮記"條下,亦未提及此份殘卷。④

德富蘇峰(1863—1957)曾經在身延山文庫中發現宋版單疏本《禮記正義》殘卷,其經緯就多有偶然。德富蘇峰提及上文所舉岩崎久彌家藏《禮記正義》卷子本,爲狩谷棭齋(1775—1835)之舊藏⑤。内藤湖南等編輯的市野迷庵(1765—1826)《讀書指南》,在"禮記"條下卻記録有:"古鈔本 棭齋藏書"⑥,但狩谷棭齋所藏的這一古鈔本一定不是本文所論之殘卷,對此我有一鐵證,即根據狩谷棭齋手稿整理成書的《日本現在書目證注稿》,於《禮記子本疏義》條下有批語云:"子本二字恐誤字"⑦——倘若狩谷棭齋看過此殘卷,就絶不會下此斷語了。

要之,狩谷棭齋爲江户藏書之翹楚,開啓了扶桑舊鈔本研究之先河,以其

---

① 拙作,《扶桑留珎:日藏六朝隋唐漢籍舊鈔本佚存初考(附録兩種)》,文載《國際漢學研究通訊》第二期,北京,中華書局,2011年,頁113。

② 山井鼎輯、物觀等補遺《七經孟子考文補遺》,上海,商務印書館,1936年,頁741。在山井鼎《禮記正義》校勘的"存舊"條目下,没有出現這份殘卷。

③ 森立之《經籍訪古志》,東京,國書刊行會《解題叢書》本,1916年,頁19—21。案:台灣影印《經籍訪古志》初稿本,台北,廣文書局,1967年亦無著録。

④ 桂十五郎《漢籍解題》,東京,弘文堂,1905年,頁22—24。關於這部解題書在日本書誌學史上之地位,請參長澤規矩也著、童嶺譯注《日本書誌學研究史》,文載張伯偉主編《域外漢籍研究集刊》第五輯,北京,中華書局,2009年,頁189—211。

⑤ 德富蘇峰:《身延本〈禮記正義〉殘卷》,文載其著《讀書法》,東京,講談社學術文庫,1981年,頁222—225。關於這一版本的校勘,又可參:安井小太郎《身延本禮記正義殘卷校勘記》,東京,東方文化學院東方文化叢書第二種,1936年。

⑥ 市野迷庵著,内藤虎次郎、小島祐馬編《讀書指南》,東京,弘文堂,1935年,頁48。案,據附録所言,此書原爲内藤湖南所獲森立之所藏手稿本,市野迷庵的治學特色是"提倡樸學,根本漢唐。"頁63。

⑦ 狩谷棭齋著、正宗敦夫編纂校訂:《日本國現在書目證注稿》,東京,日本古典全集刊行會,1928年,頁21。

目睹舊鈔本之精、之鉅，藏書中亦難以確見《禮記子本疏義》殘卷，可謂難乎哉！又如，清末東瀛訪書大家楊守敬，雖然觀得狩谷望之舊藏本單疏《禮記正義》殘卷及森立之摹本古鈔《禮記》殘卷[①]，但也未得見《禮記子本疏義》殘卷。

另外值得一提的是，竹添光鴻(1842－1917)藏本《日本國見在書目録》上有其批識云：

> 明治二十三年(1890)四月二日，余訪南村島田蕃根翁雨之草庵，彼出懷中一卷古書以示予。熟視之，乃此書目中所載《周禮喪服小記子本義疏》。雖卷首斷滅，然讀至卷尾，知其爲卷第五十九之零本。吾思之，此爲唐人或奈良超以前人之古寫本也。得鬼神之護佑，存之今日耳。

筆者未親見竹添光鴻藏本《日本國見在書目録》，此處乃是據今人山本岩論文所引日語原文[②]，揣度其義，聊譯爲晚清民國文言文體。目前，似乎没有找到竹添光鴻其他關於此殘卷研究考訂的具體文字，僅此一例。譬如批語中，竹添光鴻認爲此殘卷是《周禮》，恐是一時之誤也。

總之，關於這一殘卷的研究，前賢雖有佳論，但尚無人系統梳理它的研究史，加之有些題跋文字，散見清末民初學人札記中，搜羅齊全頗爲難事。故下文從學術史發展脉絡角度，簡要叙述一下近代以來，中、日兩國前輩學人先行性研究的内在理路。主要有：羅振玉(1866－1940)、孫詒讓(1848－1908)、胡玉縉(1859－1940)、島田翰(1874－1915)、服部宇之吉(1867－1939)等氏。叙述順序先中後日，並且以對這份殘卷的研究時間排列。

(一) 羅振玉

羅氏對於這份殘卷最重要的考訂文字，即附於 1916 年珂羅版後的跋文，後又收録於《海東古籍殘叢》[③]。在這篇千字不到的序跋中，羅氏揭櫫了三個重要的學術信息，現逐一分析如次。

第一、在卷端殘缺不全，殘卷書名和撰者題名不可見的情況下，根據本證，考訂出作者乃南朝後期之鄭灼，并初步探究出鄭灼與皇侃《禮記義疏》之關係。序跋有云：

> 書中每見灼案字，考《陳書・鄭灼傳》言："灼少受業於皇侃，尤明三禮。家貧，鈔《義疏》，以日繼夜"云云，則此卷者，鄭灼所鈔之《義疏》，而灼案諸條，則灼鈔時所增益也。《傳》言灼鈔《義疏》，不言鈔何人所作，今驗此卷，參以歷代史誌所記，確知所鈔爲皇侃《義疏》。[④]

---

① 楊守敬《留真譜》，北京，北京圖書館出版社，2004 年，頁 157－160。

② 山本岩《禮記子本疏義考》，文載《宇都宫大學教育學部紀要》第 1 部(37)，1987 年 2 月刊，頁 15。

③ 羅振玉輯《海東古籍殘叢》，民國丙辰年上虞羅氏景印本，南京大學圖書館古籍部藏。

④ 羅振玉影印《六朝寫本禮記子本疏義》(1916 年上虞羅氏影印珂羅本)所附序跋。又可参：上揭本《羅振玉校刊群書叙録》，頁 352－353。

第二、針對隋唐書誌所著録皇侃有《禮記義疏》與《禮記講疏》兩種，羅振玉傾向於陸德明的判斷。此外，羅氏認爲此份《禮記子本疏義》殘卷乃鄭灼合鈔兩種義疏而成，其有云：

> 以意斷之，陸氏《釋文》成書于隋唐之際，所言當可信。意侃之所箸，當是《禮記義疏》五十卷，及《喪服義疏》。《梁書》侃傳與《釋文》亦合。《隋志》别出九十九卷，《新唐志》别出百卷之本，殆即鄭灼所鈔，必是合兩《義疏》而成，又益以己説，遂多至百卷。此殘卷者，即百卷之一也。[①]

考《經典釋文序録》有云："梁國子助教皇侃撰《禮記義疏》五十卷，又傳《喪服義疏》，並行於世。"即爲羅振玉論説所據。又，吴承仕《疏證》云："今日本藏舊寫《喪服小記》殘卷中有'灼案'之文，陳有鄭灼，皇氏之徒，此之寫本蓋鄭氏敷衍師説以爲講疏者也。"[②]吴承仕對於《禮記子本疏義》的判斷，即基本同於羅振玉説。

第三、根據紙張、避諱和書風，並且結合羅氏自己親睹的大量敦煌魏晋南北朝古鈔本，考訂出這份殘卷乃六朝人手筆，其有云：

> 此卷用紙，質松而薄，色竊黄，與唐代麻紙滑澤堅厚而色褐或深黄者大異。予見西陲所出六朝人寫經卷軸皆然，又以書體斷之，出六朝人手無疑。卷中不避陳、隋、唐諸帝諱。灼卒於陳，而在梁已官西省，其家貧，寫書殆當梁世，必不在宦成之後，則此卷者，殆即灼所手書耶！[③]

羅振玉對殘卷的三點考證，奠定了今後研究的基礎。其中可以繼續深究的問題點雖然很多，但羅氏敏鋭的洞察力讓人歎爲觀止。張舜徽曾經總結羅振玉的學術成就之六端，曰甲骨，曰金石，曰簡牘云云[④]，獨不及日藏漢籍舊鈔本，實爲一忽也[⑤]。讀羅振玉此殘卷跋文，可深知其對於晋唐鈔本的精熟程度。筆者對這份《禮記子本疏義》鈔本年代的斷限，也基本上信服羅振玉的"六朝舊鈔説"。

後羅振玉之子羅福葆輯有《貞松堂校刊群書解題》，在第三大類"日本古寫本"中有此殘卷之解題，不過乃是上舉跋文的簡化版[⑥]。除此之外，似未見羅振玉有其他關於《禮記子本疏義》的研究。

---

① 上揭本《羅振玉校刊群書叙録》，頁 354—355。

② 吴承仕《經典釋文序録疏證》，北京，中華書局，1984 年，頁 113—114。

③ 上揭本《羅振玉校刊群書叙録》，頁 355。

④ 大陸新近出版《羅振玉學術論著集》，上海，上海古籍出版社，2010 年，16 册，原先序文即由張舜徽所作，理應對羅氏的學術成就有全面之關照。惜其對羅氏日藏舊鈔本之功，認識不夠，或因張氏本人目睹不夥之故。又可參張舜徽《考古學者羅振玉對整理文化遺産的貢獻》，文載其著《中國史論文集》，武漢，湖北人民出版社，1956 年，頁 140—161。

⑤ 拙作，《草創期的日藏漢籍舊鈔本研究——以狩野直喜、羅振玉等五人爲例》，文載澳門大學編《南國人文學刊》2011 年第 1 期，頁 67—81。

⑥ 羅福葆編《貞松堂校刊群書解題》，載《雪堂類稿・戊・長物簿録》，瀋陽：遼寧教育出版社，2003 年，頁 1361。

(二) 孫詒讓

孫詒讓於光緒二年丙子(1876)草撰《撢藝宧雜著》,時年二十九歲,三十歲後將此書改署《籀廎述林》①,卷六收有《禮記子本疏義殘本跋》一文,約數百字。孫氏盛讚此殘卷可以窺見六朝義疏舊式:"六朝舊帙存者,惟皇侃《論語義疏》猶完具,而徐彦《公羊疏》,或謂即徐遵明,則苦無塙證。此外湮滅不傳。"②

孫氏序跋的貢獻在於對"子本"二字的初步考訂,並且在殘卷體例上,認爲署名與否,即是區別皇侃與鄭灼文字之處,其文曰:

> "子本"之名,他書未見,疑即灼所題,以别于皇疏原本者。"子本"猶"别本"云爾。大抵六朝經儒,喜爲鈔集義疏之學,故隋、唐《志》箸録一經,有多至數十家者,或不箸録姓名,或一人之書而有數帙,職是故也。灼爲皇氏弟子,此本即全録師説,其所增補及駁正他説者,皆箸名以别之,則知凡不箸名者,皆皇義也。③

同時對比了唐人《三禮義疏》,指出孔穎達《禮記正義》有抄襲此殘卷之可能,其文曰:

> 唐修《三禮義疏》,孔氏《禮記》最爲詳博,即以皇氏與熊安生兩家爲藍本,以此卷校之,剽襲之迹昭然,足以發沖遠之覆矣。其"税服"《疏義》引《左氏僖三十三年傳》"無禮則脱",服本作"兑",注云:"兑,不慮也。"與杜本作"脱"異。今孔疏不載,近人采輯《左傳賈服解詁》者,皆未見此條,亦可據以校文補闕,蓋不徒禮服古義藉存一二而已。④

這些考訂頗爲精彩,所謂"近人"雖未點名,但度之當指李貽德(1783—1832)的《春秋左傳賈服注輯述》,此書收入王先謙所編《皇清經解續編》中。此外,如洪亮吉(1746—1809)《春秋左傳詁》、劉文淇(1789—1854)《左傳舊疏考正》等書亦未收得此條,後兩種亦收載於《皇清經解續編》中。而自稿本整理成書的劉文淇《春秋左氏傳舊注疏證》⑤也未輯得此條。

今案,日本學者重澤俊郎編有《左傳賈服注攟逸》⑥,重澤俊郎此書作爲東方文化研究院的研究報告第八種綫裝兩册發行。此書除參考清儒輯佚典籍外,尚利用了日藏漢籍如《玉燭寶典》等等,但筆者曾粗檢一過,亦似無此條。於時《禮記子本疏義》殘卷已捐入早稻田大學,且羅振玉珂羅本已出,重澤氏或能見之,未審何故而未輯録。

① 孫詒讓著、雪克點校《籀廎述林·點校説明》,北京,中華書局,2010年,頁1。
② 上揭本《籀廎述林》卷六《禮記子本疏義殘本跋》,頁182。
③ 同上。
④ 同上。
⑤ 劉文淇《春秋左氏傳舊注疏證》,北京,科學出版社,1959年。此書香港、台灣均有印本,然皆套印科學出版社之底本。
⑥ 重澤俊郎編《左傳賈服祖攟逸》,京都,東方文化學院京都研究所,1936年。

章太炎曾經說孫詒讓的這種研究是:“每下一義,妥聑寧極,淖入凑理。”[①]從這篇簡短的跋文來考察,孫詒讓的確解決了一些重要的問題點。但是,因爲孫詒讓並非親睹此殘卷原貌,也没有見過羅振玉的珂羅版——雖然據《籀廎述林》點校者雪克所言,此書有民國丙辰五年刊本,即同於羅氏影印珂羅本的時間,但劉師培的《籀廎述林序》卻題爲“民國六年四月”(1917年)[②]。跋文還有云:

> 是書爲日本國島田翰所得殘本,僅存弟五十九卷《喪服小記》半篇,疏中有“灼案”云云。島田氏據《陳書·儒林傳》定爲鄭灼鈔皇侃《疏》爲之。[③]

從這些記述中可知,孫詒讓雖然有見到珂羅版的可能,但實際上孫詒讓只是讀到了島田翰的排印本而已,並且對於殘卷的保有者也做出了錯誤的推論。因此,孫詒讓並没有從書風上對殘卷進行年代推測。

又檢孙氏遺著《十三經注疏校記》[④],其於《禮記正義》部分,從卷三十一《明堂位第十四校勘記》直接跳到卷三十四《大傳第十六校勘記》,恰恰略去了卷三十二、三十三《喪服小記第十五》這兩卷。雪克言,此稿“包含了他(孫詒讓)晚年校經的手筆”[⑤],但爲何獨獨不見《喪服小記》,這恐怕有諸多原委,而未能親睹《禮記子本疏義》殘卷原貌,以及未能獲見羅振玉珂羅本,恐怕是一個重要理由。

(三)胡玉縉

胡玉縉爲吴中人士,曾任京師大學堂文科教授,國立歷史博物館籌備處主任、處長,故其親睹古玩器物、稀覯漢籍的機會,當多於孫詒讓。據盧弼云,因戰亂之故,胡玉縉著作多有散逸,賴王欣夫之力,得以保全。今有《許廎學林》一種,卷十五即收有《殘本禮記子本疏義跋》一篇。據其所述,胡玉縉所見殘卷,當爲羅振玉珂羅本:

> 案是書原爲寫本,卷端已斷爛。書題及撰人姓名不可見。末題“喪服小記子本疏義弟五十九”。爲日本田中光顯舊藏,旋捐置早稻田大學。羅振玉據以影印,後有丙辰九月跋。[⑥]

---

① 章太炎《孫詒讓傳》,文載其著《章太炎全集》第四卷《太炎文録初編》,上海,上海人民出版社,1985年,頁213。

② 劉師培《籀廎述林序》,上揭本《籀廎述林》,頁1。然檢《劉申叔遺書》本所載《籀廎述林序》,末並無日期,唯在《左盦外集》目次頁,此序下有小注“抄本 又國故四 八年”8字,見《劉申叔遺書》,南京,江蘇古籍出版社,1997年,頁1296。據此影印版《劉申叔遺書》,似乎此序當作於1919年。

③ 上揭本《籀廎述林》卷六《禮記子本疏義殘本跋》,頁182。

④ 孫詒讓撰、雪克輯點《十三經注疏校記》,濟南,齊魯書社,1983年。

⑤ 上揭本《十三經注疏校記·輯點説明》,頁3。

⑥ 胡玉縉撰、王欣夫輯《許廎學林》,上海,中華書局,1958年,卷十五《殘本禮記子本疏義跋》,頁351—352。

但胡玉縉對於羅振玉的考證,卻認爲是:"其説有得有失。"具體考察,有如下數點。

其一、對於《隋書經籍志》、《唐志》分别著録皇侃《禮記講疏》與《禮記義疏》的情況,提出不同於羅振玉的看法,文曰:

> 《唐志》《講疏》與《義疏》並列,《隋志》同。是《講疏》非即《義疏》。今阮刻《禮記》孔疏,凡六十三卷,《喪服小記》爲第三十二,此卷爲第五十九,以此差之,全書當爲百卷。但此由案語之增益,必謂合《喪服義疏》,未免臆測。①

今案,胡玉縉這裏所微諷的"臆測"之説,即上舉羅振玉跋文中的"《新唐志》别出百卷之本,殆及鄭灼所鈔,必是合兩《義疏》而成,又益以己説,遂多至百卷。"

胡玉縉對於中古諸史志、書志不見"子本"二字,也作出了類似孫詒讓的推測,認爲:"諸志無有稱皇疏爲'子本疏義'者。'子本'二字,殆即灼以之爲區别以示謙。"②雖然胡玉縉過目的古書畫亦多,但他對於這份殘卷的斷代,非常謹慎地只用"舊本"二字,案,考民初學人論古書版本,凡用"舊(鈔)本"者,不外六朝鈔或唐人鈔。實際上,細繹胡氏文義,當是對羅振玉的"六朝説"有所保留,可能更傾向於"唐鈔"。其文有云:

> 書法草率中仍具合古雅之致,塙是舊本,良足寶貴。③

但是,"唐鈔"説的軟肋是:殘卷中不避隋唐諸帝諱,如何解釋?實際上,所有持唐鈔説的學者,至今都没有正面回應羅振玉提出的這一疑問。

胡氏在研究方法上還有一明顯之特色,即初步梳理出此份殘卷中所徵引六朝遺説,並且加以統計。其有云:

> 其中稱灼案者三;稱灼者四;稱賀瑒云、賀云者各一;庾云者六,即蔚之;崔云者三,即靈恩;稱或問者九;稱問者一,皆灼引成説,及設爲問答以暢其旨。④

另外,胡玉縉也舉出了幾個例證,證明這份殘卷的價值是"可稱一字千金",例如:

> 賈逵、服虔云:"桓公之薨,至是年三月期而小祥(《詩南山》疏引)。"亦與鄭云:"親亡至今而期"互相發,而"父税喪"注讀如"無禮則税"。今云服注曰:"兑,不慮也",杜傳作"脱"字,足補李貽德《左傳賈服注輯述》所未及,亦可稱一字千金者矣。⑤

據以校文補闕的這一條例證,上舉孫詒讓也已指出。乾嘉道光以下的清儒,即便精於左氏學,然苦於文獻散逸,不能親睹此殘卷者,則斷然無法搜輯全佚文

① 上揭本《許廎學林》卷十五《殘本禮記子本疏義跋》,頁 352。
②③④⑤ 同上。

矣。如阮元《春秋左傳正義校勘記》對此條亦無校語，故胡玉縉則將這樣的六朝舊説尊爲“一字千金”。

王欣夫輯胡玉縉《許廎學林》的這篇序跋，後又收載於《續修四庫全書總目提要》，復旦大學吴格整理《續修四庫提要三種》也據以收録[①]。

（四）島田翰

北京圖書館藏有一部明治三十八年（1905）東京民友社出版的島田翰《古文舊書考》，其中第一卷爲《舊鈔本考》，收載《禮記子本疏義跋》及排印録文。在跋文中，島田翰也開宗明義就説：“禮記子本疏義，陳鄭灼所撰。”這一點與羅振玉跋文相同，但與羅振玉跋文有一個非常明显的區别，即島田翰不僅不認爲這是六朝舊鈔，而且考證出乃是“學唐人者”所書，與日本天平時代書風相近。其文曰：

其紙質，則似麻牋，而闕黄潤。字樣雖雄偉，而眉間乏老蒼之氣，與此間所傳唐人真迹，自有逕庭矣。筆者其在於天平寶字、神護景雲之間乎！（中略）是書，今雖不知其出於誰手，筆力沉著，字體謹嚴，波撇之末，咸有法度。妙妙不可思議，非學唐人者，决所不能。大抵與有棲川親王家所藏小野道風《秋荻帖》背記郭注《莊子》殘篇、及秘府《本朝文粹》相似。[②]

案，島田翰是江户著名漢學家島田篁村之子，又受過大名鼎鼎的竹添進一郎之指導[③]，對於舊鈔本有著非常獨到的見解。所謂“天平寶字、神護景雲之間”之説，“天平寶字”是指日本孝謙天皇開始的公元757至765年；“神護景雲”是指稱德天皇的公元767至770年。

島田翰在跋文後便對殘卷進行了録文，頗方便一些無緣親見此殘卷的學者進行研究（如上舉孫詒讓），在録文之後，以雙行小注的形式，加上了一段“又案”，權且稱之爲“島田翰案語”，在這一段案語中，又揭櫫了此殘卷兩個重要問題。

第一、《隋書經籍志》著録皇侃有《禮記義疏》和《禮記講疏》兩種，實爲重録，其中有一種即鄭灼所鈔，《隋書經籍志》有誤，《唐志》及《日本國見在書目録》皆承其誤。其文曰：

（鄭）灼之書雖《隋志》不載之，而兩載皇侃之書，云：《禮記義疏》九十九卷；《禮記講疏》四十八卷。侃之《禮》疏，實爲重録。意者《講疏》即侃之作，《義疏》即當鄭灼撰之誤也。[④]

---

① 《續修四庫全書總目提要》，北京，中華書局，1993年，頁545；胡玉縉撰、吴格整理《續四庫提要三種》，上海，上海書店出版社，2002年，頁844－845。

② 島田翰《漢籍善本考》，北京，北京圖書館出版社，2003年，卷一《舊鈔本考》，頁77－78。

③ 參：竹添光鴻《重刻宋本寒山集并永和本薩天錫佚集序》，載薩都剌著，島田翰校，李佩倫校注《永和本薩天錫逸詩》，太原，山西古籍出版社，1993年。

④ 島田翰《漢籍善本考》，頁115。

第二、對於殘卷末行題"喪服小記子本疏義弟五十九",析前當有"大名",此爲"小名"。其文曰:

> 卷尾題"喪服小記子本疏義第五十九",蓋卷首下方當有"禮記"云云"大名",而是即卷尾之"小名"也。至若後世,必云《禮記子本疏義》第幾矣。①

總之,島田翰關於這份殘卷的研究中,最讓人矚目的是提出了"日本傳鈔説"。不過在島田翰對其他舊鈔本的題跋中,偶及《禮記子本疏義》時,並不嚴格遵照這份跋文中的觀點②。從中可見日藏漢籍舊鈔本斷代之難。

(五) 服部宇之吉

昭和八年(1933),服部宇之吉受日本外務省文化事業部之托,出版過一部《佚存書目》,此書的實際編纂者是著名的書誌學家神田喜一郎和長澤規矩也二氏。神田、長澤二氏在"經部"的著録中,十分敏鋭地收入了日本所藏的幾部六朝義疏體舊鈔本(如《論語義疏》、《講周易疏論家義記》等)。現將《禮記子本疏義》一條的日文著録翻譯如次:

> 禮記子本疏義零本一卷不著撰人名氏
> 奈良朝鈔本(早大)
> 羅氏影印早大所藏鈔本
> 卷五十九《喪服小記》(首缺)殘存。書中有"灼案"之語。前人考證爲梁皇侃《疏義》、陳鄭灼所補。原一百卷。詳考見羅氏跋文。只是羅氏以爲晋人所寫耳。③

服部宇之吉《佚存書目》的叙述邏輯非常有意思,初看之下,以爲全遵羅振玉之説(即著録中的"前人考證"),其實頗與羅氏説相抵牾。最明顯的不同在於這份殘卷的斷代。前文已述,羅氏執"六朝説",而《佚存書目》的實際操刀者神田喜一郎和長澤規矩也則共同以爲是"日本傳鈔",而且定義爲"奈良朝鈔本",比島田翰的"學唐人者"年代要早一些。同時,神田與長澤以爲羅振玉所持乃"晋人所寫"。據上文所舉羅氏跋文,知羅氏雖持"六朝説",但並未言"晋人"(與撰者爲陳代人邏輯上相抵牾),故此處恐有誤也。

但是,編纂者之一的神田喜一郎,晚年爲《書道全集》補遺卷所撰寫的《舊鈔本について》解説中,又認爲《禮記子本疏義》殘卷是古代傳到日本的,時間

---

① 島田翰《漢籍善本考》,頁116。

② 如島田翰在《春秋經傳集解三十卷跋》中,説道:"則又若《禮記子本疏義》卷第五十九、若《群書治要》殘本四十七卷、及若《文館詞林》,皆是當日使臣所齎而來,裝成卷子,實六朝之舊容。"上揭本《漢籍善本考》,頁117。則這一説法又同於羅振玉的"六朝説"了。

③ 服部宇之吉《佚存書目》,東京,春山治部左衛門,1933年,京都大學文學部圖書館藏服部宇之吉寄贈本,頁4。

上則明確標爲"唐"鈔本。[①] 案,爲《書道全集》補遺卷撰文時,神田喜一郎已近70歲,或當比早年爲《佚存書目》撰稿時看法更爲成熟。

三 徘徊在"經學"與"經學史"之間
——現當代以來東亞學界研究述略

以上爲清末民初,中、日學界關於這份殘卷的前賢研究文字述要。雖諸説有分歧之處,但總體上均有兩大特徵,其一是大多親睹過此殘卷(尤其是日方),故而敢於對殘卷進行斷代;其二是用傳統序跋、札記的形式進行考證,有不少精義含而未發。

進入現當代[②]學術史以來,這一時期的研究除了偶見題跋外,大多以現代論文的形式發表。在日本出版的,迄今爲止的重要論著有:吉川幸次郎《禮記喪服小記子本疏義解説》(文 1961)[③];鈴木由次郎《禮記子本疏義殘卷考文》(文 1970)[④];中田勇次郎《禮記子本疏義解説》(文 1981)[⑤];山本岩《禮記子本疏義考》(文 1987)[⑥];木島史雄《六朝前期の孝と喪服》(文 1995)[⑦];野間文史《五經正義の研究》(書 1998)對鈴木由次郎文章的解説[⑧];喬秀岩《義疏學衰亡史論》(書 2001)第四章第一節[⑨];陳捷《明治前期日中學術交流の研究》(書 2003)專著中的《唐鈔本〈禮記子本疏義〉の賣買をめぐって》專節[⑩];大坊真伸《〈禮記子本疏義〉と〈禮記正義〉との比較研究》(文 2004)[⑪];古勝隆一《中國中

---

① 神田喜一郎《舊鈔本について》,載《書道全集》第 26 卷,東京,平凡社,1967 年,頁 15－16。案,神田喜一郎誤將"舊鈔本"的"鈔"字解釋爲"謄寫",此乃神田氏疏於小學,頗爲失考也。我撰有《"鈔"、"寫"有別論——六朝書籍文化史識小録一種》一文(載臺灣漢學研究中心編,《漢學研究》第 29 卷第 1 期,2011 年 3 月刊),已詳駁此類"鈔"、"寫"不分者。

② 近代與現當代的劃分,不僅中日學界不同,僅國内文、史學界也有差異,此處爲討論方便,且以 1949 年爲界。

③ 吉川幸次郎《禮記喪服小記子本疏義解説》,文載編《國寶事典》,東京,文化財保護委員會,1961 年。案,此《解説》似未收于上揭本筑摩書房 24 卷本《吉川幸次郎全集》。

④ 鈴木由次郎《禮記子本疏義殘卷考文》(附《礼記子本疏義残巻の解説》),文載《中央大學文學部紀要》第 56 卷,1970 年 3 月刊,頁 1－179。

⑤ 上揭本《唐鈔本》,頁 161。

⑥ 上揭山本岩《禮記子本疏義考》,頁 15－28。

⑦ 木島史雄《六朝前期の孝と喪服——禮學の目的・機能・手法》,文載小南一郎編《中國古代禮制研究》,京都,京都大學人文科學研究所,1995 年,頁 355－486。木島史雄該篇文章雖然不是專論《禮記子本疏義》,但對於六朝前期的喪服禮之文獻梳理,可謂非常詳盡。又案,早期對於六朝前期(魏晋)喪服禮的研究,亦可參:藤川正數《魏晋時代における喪服禮の研究》,東京,敬文社,1960 年。

⑧ 野間文史:《五經正義の研究:その成立と展開》,東京,研文出版,1998 年,序説第二章《五經正義研究史》,頁 54。

⑨ 喬秀岩《義疏學衰亡史論》,東京,東京大學東洋文化研究所,2001 年,第四章《佚書による驗證》第一節《禮記子本疏義》,頁 179－195。

⑩ 上揭本《明治前期日中學術交流の研究——清國駐日公使館の文化活動》,頁 331－351。

⑪ 大坊真伸《〈禮記子本疏義〉と〈禮記正義〉との比較研究》,文載《大東文化大学漢学会誌》第 43 卷,2004 年 3 月刊,頁 79－110。

古の學術》(書 2006)中對殘卷非雙行注形式的注釋①,等等。

現代文、史、哲學術體制建立後,"經學"的處境一直頗爲尷尬。在研究理路上,是"接著講"還是"照著講"也是一個問題。如果説能夠"接著"晚清民國"經學",那麽不論是在方式(論文體、題跋體、札記體等),還是在問題表述上,毋寧説用"經學史"——即從屬於廣義的學術史——來稱之更爲妥貼。"三禮"中的《禮記子本疏義》之研究亦然。

以下述略之辭,因或涉及褒貶之辭,故謹仿六朝人《文選》、《詩品》"不録存者"之體例,詳於歿者,略於存者,盼讀者審焉。

陋見所及,鈴木由次郎(1901—1976)《禮記子本疏義殘卷考文》承前啓後,是上舉諸文中最下功力的一篇,謂其是現當代迄今爲止之最高水準,恐亦非諛辭。鈴木由次郎此文全用古漢語毛筆手寫而成,近 180 頁,煌煌一册矣。這篇長文由:《序》、《凡例》、《考文》正文、《解説》四部分構成(第四部分《解説》爲日文)。

在"序"中,鈴木由次郎否定了島田翰的"日本傳鈔説",而傾向於贊同羅振玉的"六朝説",其文曰:

> (殘卷末)上邊有"内家私印",乃光明皇后私印。島田翰《古文舊書考》定爲"天平寶字、神護景雲間之筆"。皇后崩於天平寶字四年,何得降於神護景雲乎? 羅叔言考其紙質、書躰,定爲出於六朝人之手,似可從。②

案,天平寶字四年(760),即唐肅宗上元元年。上據羅振玉所言"六朝説",時隔近兩百年,書風變遷,其間不可能完全相同,二説必有一誤也。

其次,鈴木氏對於此殘卷在中土消失的時間,以及著録情況做出了初步推斷:

> 案,隋唐書志,均著録皇疏,而於名目卷數,不無參差。至宋元以後書志,絶不著録,知是書既散亡於兩宋之際也。我邦著録此書,有《日本國見在書目録》,曰:《禮記子本義疏》百卷。《通憲入道藏書目録》曰:《禮記子本疏》兩帙。一帙缺第八卷,二帙缺第四卷。知是卷乃爲《疏義》一百卷殘本也。③

目前藏於日本的六朝隋唐漢籍舊鈔本,多有在唐宋之際不見於中土著録者④,估計《禮記子本疏義》也當是在此前後時間於中土散佚。

---

① 古勝隆一《中國中古の學術》,東京,研文出版,2006 年,頁 130。古勝氏提出了在形式上,這份殘卷與成玄英的《莊子疏》有相似性。又案,古勝隆一氏近年陸續新撰有關於此份殘卷的札記,筆者已請託古勝氏將其系統成文,計劃今後刊發於《域外漢籍研究集刊》。

② 上揭本《禮記子本疏義殘卷考文·序》。

③ 同上。

④ 如《琱玉集》、《翰苑》等残卷的散佚時間,与這裏《禮記子本疏義》皆有類似性。參考拙作:《六朝時代古類書〈琱玉集〉殘卷考》,文載《域外漢籍研究集刊》第六輯,北京,中華書局,2010 年;《唐鈔本〈翰苑〉殘卷考正》,文載《國際漢學研究通訊》第五期,北京,北京大學出版社,2012 年。

鈴木氏《考文》的凡例是：先列鄭注、再列殘卷《疏義》、末列孔穎達《正義》；且於天頭上批以鈴木氏自己之考證語。總之，此《考文》眉目清晰，功力頗鉅，甚利于中、日兩國學者參考。尤其方便今後深入研究的是，鈴木氏將《正義》襲取殘卷《疏義》之處，全部用紅筆標出，前後百餘頁，一絲不苟，實得清儒家法之真傳也。試舉一例如下：

《鄭注》：祖父在，則其服如父在爲母也。

《疏義》：亦謂無父者也。

《正義》：言亦謂無父者，若父在則不然也。[①]

加著重號的文字，即鈴木氏所標紅者，使學者一目了然孔穎達《禮記正義》所襲《禮記子本疏義》文字之所在。並且在這一條的天頭，鈴木氏還有案語云："'亦謂'，至'父者'，與《疏義》同。"

又如：

《經》：庶子王亦如之。

《疏義》：天位尊重，故雖庶而爲王者則郊祀立廟，事事亦如適子爲王也。

《正義》：庶子亦如之者，天位尊重，故雖庶子而爲王者則郊天，立祀五廟，事事亦如適子爲王，嫌其不得，故特明之。[②]

諸如這樣孔穎達《禮記正義》轉鈔《禮記子本疏義》而文字有差異處，鈴木氏則案語云："《疏義》'庶'下無'子'字；《疏義》無'天立'二字；《疏義》'五'作'立'。"據此可知，當是唐人轉鈔六朝人舊疏時，文字之訛誤也。

在《考文》全文之末，鈴木氏附有一篇用日語寫成的《解説》。從六朝義疏學之概觀、殘卷書風等考證、與《禮記正義》之異同等三個方面，對《禮記子本疏義》進行了的探討。審其文脉，主要是《序》和《考文》的深化和延續。

鈴木由次郎治漢易、《太玄經》等頗爲知名，但是這份《禮記子本疏義殘卷考文》也堪稱力作，其後人弟子作回憶文字總結鈴木氏學術成就時，或有忽之者[③]，實不妥也。

這一時期還有一篇重要的研究文獻，即中田勇次郎(1905—1998)的《禮記子本疏義解説》，這篇文章收載《唐鈔本》版圖附録上。他同時涉及了《禮記子本疏義》和東洋文庫藏《禮記正義》殘本的考證，中田勇次郎最大的特色在於否定羅振玉的"六朝説"，提出了類似于上舉胡玉縉所推測的"唐鈔"説，其文曰：

---

① 上揭本《禮記子本疏義殘卷考文》，頁 28。

② 上揭本《禮記子本疏義殘卷考文》，頁 56—57。

③ 鈴木由次郎成書的著作如：《太玄經》，東京，明德出版社，1972 年；《漢易研究》，東京，明德出版社，1974)；《周易參同契》，東京，明德出版社，1977 年。但是如濱久雄《鈴木由次郎先生との思い出と學問》中即没有提及《禮記子本疏義考文》這篇長文，見《大東文化大學漢學會誌》第 43 號，2004 年 3 月刊，頁 3—8。

> 羅振玉從此卷中避隋唐諸帝之諱出發，提出這是六朝人的寫本，但不是鄭灼自己的親筆之作云云。然而，這份殘卷的字體、書風都缺乏六朝的古意，應該是唐鈔本吧。①

此外，對於隋唐書志兩録皇侃《禮記講疏》、《禮記義疏》之事，中田勇次郎的觀點是均爲皇侃所撰，五十卷本爲皇侃原著，一百卷本爲鄭灼增益所成。但是，中田勇次郎也有失考之處，如他認爲楊守敬《留真譜》影寫過《禮記子本疏義》②，實際上如前所述，楊守敬並没有看見過《禮記子本疏義》，也就無從影印之。

總之，中田勇次郎自己是《書道全集》的主要編撰者之一，寓目的古書畫甚多，他從書風上對羅振玉的否定，讓今天的學者也難下是非之斷。但是，中田勇次郎的"唐鈔説"在日本影響較大，目前早稻田大學圖書館關於此份殘卷的著録，就採用了"唐鈔説"。

上世紀80年代另一篇重要論文即山本岩的《禮記子本疏義考》，山本岩也舉例詳細地比勘了《疏義》殘卷與《孔疏》的異同，并指出"或問曰"、"答曰"爲此殘卷獨自的叙述系統。在鄭灼與皇侃關係、《隋志》著録等問題上大抵贊同羅振玉説，然而在斷代問題上，引證狩野直喜《唐鈔古本尚書釋文考》對於"朱字辨注"的考訂③，否定了"六朝説"。然而山本岩本人卻没有進一步對此進行年代考訂。

現當代的研究中，除上舉鈴木由次郎、山本岩和中田勇次郎等專文、解説之外，以專書中章節形式列論者，可以舉出喬秀岩的《義疏學衰亡史論》。喬秀岩在其著中專列《禮記子本疏義》這一節，是爲了驗證此書正文所討論皇侃《論語義疏》學術特徵等相關問題。喬秀岩平議了羅振玉、胡玉縉的序跋後，則重點討論了殘卷與孔穎達《禮記正義》的削删關係，得出的結論是孔穎達完全不能理解皇侃的本義，且孔穎達之文辭完全不能像皇侃那樣注意修飾。④

以上是日本在這一時期的研究述要。

出於諸種原委，現當代中方對此殘卷的研究除了偶見於目録外⑤，論述之文章數量和質量都有所偏弱，難以出現第一時期羅振玉、孫詒讓這樣與日方分庭抗禮的學者。雖然近年以來，大陸學界出版過數種魏晋南北朝禮學通論或釋義方面的專著，也有大量的論文産生，但除極少數外⑥，大多皆是直接進行

① 上揭本《唐鈔本》，頁161（原爲日語，筆者草譯爲中文）。

② 上揭本《唐鈔本》，頁192。

③ 上揭《禮記子本疏義考》，頁27。

④ 上揭本《義疏學衰亡史論》，頁194—195。

⑤ 如嚴紹璗《日本漢籍善本書録》，北京，中華書局，2007年，頁107。嚴紹璗對此殘卷年代的著録，同於早稻田大學圖書館所公布的"唐寫本"。

⑥ 近期讀到的關於《禮記子本疏義》的研究有：張帥、丁鼎《〈禮記正義〉二次徵引〈禮記〉舊疏探析》，文載《古籍整理研究學刊》第三期，2012年5月刊，頁96—99。當然，因爲筆者自己疏於禮學，恐會有更多的類似研究没有看到。又，同二氏《〈禮記正義〉據皇侃〈禮記義疏〉删理成書考述》，文載《古典文獻研究》第十五輯，南京，鳳凰出版社，2012年，頁500—513。

"經義"研究,有些則是用現代學科意義上的"中國哲學史"去處理傳統的"經學"問題,這樣的結果:一來與清儒的治學傳統産生了斷層,不能"接著講";二來是文獻學的考訂明顯不足,使得立論基礎薄弱,尤其對域外所藏的禮學文獻之關照不夠。不過,2012年有一份基於文獻學的最新研究成果:華喆的《〈禮記子本疏義〉校録》①,作者在録文的同時,將殘卷與八行本《禮記正義》進行了校對。在校勘的審慎方面,比島田翰僅録原文更進了一步。

當然,就《禮記子本疏義》本身的研究來説,最大的原因是此前"文獻不足徵"——羅振玉影印珂羅本難以入手之故。比如簡博賢《今存南北朝經學遺籍考》,可謂台灣學界早年的一部力作,但對於《禮記子本疏義》殘卷,簡博賢也只説道:"惜周訪未見,無從置喙耳。"②又如,台灣還有兩份關於《禮記正義》引書的考訂著作,其中:熊公哲指導何希淳所作的《禮記正義引佚書考》,於"皇侃禮記義疏"一節,未見殘卷之利用③;後葉程義《禮記正義引書考》亦未見《禮記子本疏義》之考訂④。但是近年情況有所好轉,林慶彰先生在《日本所藏中國經籍及其學術價值》一文中對這份殘卷做出了介紹⑤。據聞在2012年4月,北京清華大學主辦的"禮學國際學術研討會"上,林慶彰先生還宣讀了《〈禮記喪服小記子本疏義〉的學術價值》一文。由此可見,相信隨著早稻田大學將殘卷清晰版圖的公開,校勘、整理、研究的工作陸續展開,今後兩岸學界可以期待有更好的成果出現。

此外,新近筆者因受清華大學《中國經學》雜誌編輯顧濤學兄之托,翻譯野間文史先生鴻文《近代以來日本的十三經注疏校勘記研究》,承蒙野間先生惠寄2012年新作之抽印本,諸如《義疏學から五經正義へ》⑥系列論文中,皆有不少涉及《禮記子本疏義》殘卷處,從問答體、科段法等多處考訂,均頗爲精當。

總之,對於第一階段的研究者羅振玉、孫詒讓等氏來説,他們處於舊學消解之前夜,廣義上來講,其關於殘卷的研究依然屬於"經學"畛域内,而其留存至今的文字,多爲序跋、札記,點到即止、含而未發之處尚多;對於第二階段的研究者來説,傳統意義上的"經學"難以完全恢復,在"經學"與"經學史"的徘徊之間,雖然多有長篇弘論,但從總體上看,是在第一階段即已開拓的問題上繼續延伸。

---

① 華喆《〈禮記子本疏義〉校録》,文載《中國典籍與文化論叢》第十四輯,南京,鳳凰出版社,2012年,頁33—56。

② 簡博賢《今存南北朝經學遺籍考》,台北,黎明文化事業股份有限公司,1975年,頁81。

③ 何希淳《禮記正義引佚書考》,台北,嘉新水泥公司文化基金會,1964年,頁79—136。

④ 葉程義《禮記正義引書考》,台北,義聲出版社,1969年,頁377—434;此外,早期台灣學界尚有著作數種,尚未獲覩,或有涉及此殘卷者,如:阮廷焯:《古抄本禮記正義殘卷校記》,文載《孔孟學報》第17期,1969年刊。

⑤ 林慶彰《日本所藏中國經籍及其學術價值》,文載《第一届東亞漢文文獻整理研究國際學術研討會論文集》,台北,新文豐出版股份有限公司,2011年,頁168—169。

⑥ 野間文史《義疏學から五經正義へ——科段法の行方》,文載《東洋古典學研究》第33輯,2012年3月刊,頁23—32;同氏《義疏學から五經正義へ——問答體の行方》,文載《日本中國學會報》第64集,2012年10月刊,頁51—66。

四 “講”、“義”有别
——歇在汪中《講學釋義》的站上

雖然前兩個時期,特别是在第一時期,中、日雙方“登場”的學者們,皆一時之選的學界巨擘。但倘若説對《禮記子本疏義》殘卷的研究業已殆盡,甚至退一步説,重要問題業已全部闡發——此吾不敢苟同也。

今後可以深入處,大致可分爲二,其一,是“懸而難決”的問題;其二,是屬於“懸而待決”的問題。在本文行將結束的時候,兹略舉一二以作申議。

其一,所謂“懸而難決”的問題,即對此殘卷書風的斷代。

對於此前中日學界所呈現出來的諸種斷代:“六朝舊鈔説”、“唐鈔説”、“日本傳鈔説”,目前遠未到下判語的時候。在諸種斷代的提出者中,羅振玉過目敦煌、扶桑六朝舊鈔本真迹無數,自不待言;島田翰爲漢學名家之子,有心在舊鈔本漢藉收藏上與楊守敬一較高下[①];神田喜一郎、中田勇次郎則又主事過享譽世界書法界的《書道全集》……無論是其中哪一位,今人都罕有與其抗論之鑒别力。故定論只能俟以來哲續徵之。

尚可略述者,乃前文所舉島田翰“天平寶字、神護景雲之間”之説,其前後時間略相當於我國唐肅宗至德二年至唐代宗大曆五年。這一時期雖然唐帝國的對外精神與前期相比有所萎縮,但其强大的文化影響力依舊波及東亞諸國,故而此時扶桑出現高水平的唐風寫手——“學唐人者”[②],亦非不可能之事。又,島田翰跋中所及《秋荻帖》現藏東京国立博物館,筆者於 2007 曾經赴東京觀摩過,乃行草之風,慕二王筆意,與《禮記子本疏義》迥異。

至於説到中古時代日本書風中的“王(羲之)様”,饒宗頤認爲,和銅年間是日本書風從北朝書體開始向王羲之過渡的分水嶺[③]。考和銅共七年(708—714),相當於唐中宗景龍二年至唐玄宗開元二年。目前奈良正倉院藏有聖武天皇手書的《雜集》與光明皇后手書的《樂毅論》,因後者與《禮記子本疏義》有關連,筆者頗想一睹爲快,曾經去觀摩過“平成十九年 第 59 回正倉院展”,不過頗爲可惜,那一次没有展出《樂毅論》。聊以慰藉的是展出了同爲光明皇后

---

① 島田翰曾云:“昔遵義黎蓴齋駐節我邦,與宜都楊君惺吾購求古書,一時爲之都市一空。數窮必複,陸氏之書,雖缺其四庫附存本、道藏及明季野乘,不無遺憾。而予知今之所獲,倍蓰於昔日所失也。然則此舉也,雖曰於國有光可矣。”文載其著《皕宋樓藏書源流考》,上海,古典文學出版社,1957年,頁 37。

② 愛德温·賴肖爾(Edwin Oldfather Reischauer)認爲,在公元九世紀結束時,日本需要將從中國學來的東西進行適合自身的轉化。Edwin Oldfather Reischauer, *Ennin's Travel in T'ang China*, Ronald Press :New York, 1955。日譯本題爲《円仁　唐代中国への旅》(田村完誓譯),東京,講談社學術文庫,1999 年,頁 100。這一論斷非常精闢,從書風考察,平安之後的日本書法開始漸有自己的特色,而在此之前,則以模擬六朝隋唐人爲準則。又,尾上八郎認爲日本書法的轉變則早在奈良時代以後,説見其文《日本書道史 2》,文載《書道全集》第 11 卷,東京,平凡社,1955 年,頁 4。

③ 饒宗頤《早期中日書法之關係》,文載其著《饒宗頤史學論著選》,上海,上海古籍出版社,1993年,頁 446。

所鈔録的《四分律》(卷第二十七),爲黄麻紙,保存頗好。觀卷末題有天平十二年,即唐玄宗開元廿八載(740),確實已經是非常明顯的模仿王羲之書風了。

但是,正如川瀨一馬氏所云,奈良朝以前的書風深受六朝之影響,與唐人之作幾乎一樣。特别是寫經卷子,幾乎與唐人手迹如出一轍。① 所以我對於這一殘卷的書風問題,暫歸於"懸而難決"類。

其二,屬於"懸而待決"的問題尚有不少。

譬如,系統爬梳《禮記子本疏義》與孔穎達《禮記正義》之關係,接而能對比馬國翰等清儒輯本皇侃《禮記義疏》、敦煌本《禮記正義》殘卷等等;又譬如隋唐書志中鄭灼老師皇侃的"講疏"、"義疏"二出,到底與當時學術史有何聯繫? 等等。關於前者,非能在這篇小文結尾處可以展開,容筆者今後另作一文論之;關於後者,即"講"、"義"之異同,尚可於文末略作考證如次。

《隋書經籍志》"禮經"内關於皇侃著作確有二:

禮記義疏　　九十九卷　　皇侃撰
禮記講疏　　四十八卷　　皇侃撰②

此後鄭樵《通志》的著録也同於《隋志》。《義疏》馬國翰有輯本,《講疏》則無。前舉島田翰認爲"講疏"是皇侃所作,"義疏"乃鄭灼所作。那麽,是否確如其所言呢? 考《舊唐書經籍志》與《新唐書藝文志》有云:

禮記講疏　　一百卷　　皇侃撰
禮記義疏　　五十卷　　皇侃撰(以上《舊唐書》)

皇侃禮記講疏　　一百卷
又義疏　　五十卷(以上《新唐書》)③

可見在著録模式上,《隋志》是一個系統,兩《唐志》又是一個系統。總之,現存中古書志均未見"子本疏義"之著作。時代介於隋唐書志之間,另有《日本國見在書目録》,則著録爲:"禮記子本義疏百卷　梁國子助教皇侃撰"④。是否在隋唐之際傳入扶桑,尚待考論。

針對隋唐書志中兩録情况,在《禮記子本疏義》尚未被中國學者所知之前,較有代表性的説法是清儒朱彝尊的《經義考》,其在"皇氏侃禮記義疏"與"禮記

① 川瀨一馬《日本書誌學之研究》,東京,大日本雄辯會講談社,1943年,頁28—29。

② 興膳宏、川合康三著《隋書經籍志詳考》,東京,汲古書院,1995年,頁106—107。

③ 劉昫、歐陽修等撰《唐書經籍藝文合志》,上海,商務印書館,1956年,頁26。

④ 小長谷惠吉《日本書見在書目録解説稿》,東京,小宫山書店,1956年,第十三節《舊鈔本との關係》,頁60。另外,小長谷惠吉也贊同此殘卷爲中國之物,非日本傳鈔,並引安井息軒《書見在書目後》云:"其亡於漢而存於我,若《玉燭寶典》、《玉篇》之屬,予亦嘗一覩之,皆大楷濃墨,裝爲横軸,非今日板本所得而仿佛。"小長谷惠吉在這一節首舉中土舊鈔本殘卷即《禮記子本疏義》。今案,《日本國見在書目録》將此書排在"禮家"條下,前爲"《禮記抄》一卷　鄭氏注",後爲"《禮記正義》七十卷　孔穎達撰",這樣的順序應該反映了漢唐學術史的變遷情況,而非無序排列。

講疏”的著録之後，有案語云：

> 按，隋唐志二書卷數懸殊。蓋以“義”爲“講”，以“講”爲“義”也。[①]

朱彝尊其實採取了一種調和的（毋寧説是“迴避的”）態度來處理“講疏”與“義疏”的意義差别以及卷數差别。而實際上，朱彝尊并没有將這一問題解決。近人中採取調和説的代表是戴君仁，他在《經疏的衍成》一文中説道：

> 皇侃有《禮記義疏》九十九卷，又有《禮記講疏》四十八卷，這兩種可能是一書，或有詳略之别，而性質當是相同的。[②]

戴君仁還説：“可見義疏是講的，那麽，講疏即是義疏。”“義”疏雖然與“講”疏有淵源（詳下），但卻不能簡單認爲是一回事，更不能據此調和《隋書經籍志》的兩出。

我對此問題的基本看法是：《隋書經籍志》有誤，兩唐志不誤。

現簡述如下，考《梁書·武帝本紀》云：“（大同四年）冬十二月丁亥，兼國子助教皇侃表上所撰《禮記義疏》五十卷。”[③]《梁書》所記與兩唐志合，當不誤也。案：《隋書經籍志》作者題魏徵，亦有李延壽等助其事，彼皆河隴之人，其於南朝學術史之沿革，必不如由南入北的《梁書》作者姚思廉熟稔。

且又有一證，爲姚振宗《隋書經籍志考證》，姚氏在“禮記義疏　九十九卷　皇侃撰”下批語“義當作講”，又在“禮記講疏　四十八卷　皇侃撰”下批語“講當作義”[④]，當可信從。上舉朱彝尊、戴君仁之説則難以成立。陳鴻森教授曾云：“《隋志》本爲《五代史志》，於南人之書稍疏。”[⑤]這一評判是很精准的。

唯産生“講”、“義”混淆的緣故，除了鈔本文獻學上的考量外，尚有涉及先唐學術史之瓜葛，故再略述如次。劉師培《國學發微》對“講”、“義”之别有非常精當的解釋，劉氏首先梳理了南朝“升座説經”之例，然後加以辨析道：

> 雖爲口耳相傳之學，然開堂升座，頗與太西學校教授法相符，講學之風，於斯爲盛。竊謂南朝説經之書有講疏、義疏二體。義疏者，筆之於書者也；講疏者，宣之於口者也。
>
> 至於隋人平陳，敦崇北學（北朝説經之書，無“講義”一體）。士尚樸訥，不復以才辯逞長，而士大夫之講學者鮮矣。然學必賴講而後明，故孔子以學之不講爲己憂。乃近儒不察，力斥南朝講學之風（趙氏《廿二史札記》斥之最力），豈不惑與？[⑥]

---

① 朱彝尊著、林慶彰等點校《經義考新校》，上海，上海古籍出版社，2010年，頁2588—2589。

② 戴君仁《經疏的衍成》，文載其著《梅園論學續集》，台北，藝文印書館，1974年，頁112。

③ 姚思廉《梁書》，北京，中華書局，1973年，卷3《武帝紀》，頁82。

④ 姚振宗《隋書經籍志考證》，載《二十五史補編》，北京，中華書局，1957年，頁5111。

⑤ 陳鴻森《隋志所載劉先生尚書義作者考》，文載《歷史語言研究所集刊》第六十九本第四分，1998年刊，頁837。

⑥ 劉師培《國學發微》，文載其著《劉申叔遺書》，南京，江蘇古籍出版社，1997年，頁492。

劉師培這篇文章指出了"講"、"義"之别，雖然唐人著録書志或有遺誤，但並不能簡單地認爲"講疏"就是"義疏"。漢魏六朝儒家講經體制頗繁[①]，然而如《陳書》鄭灼本傳所云，他"看"過皇侃之《義疏》，但一定也"聽"過皇侃之《講疏》。我以爲只有基於這一認識，方才能對隋唐書志不同名稱和不同卷數的差異做出一個較爲合理的解釋。

吕思勉嘗云："南北朝儒家最爲後人推服者曰勤於三禮之學，儀郊廟典禮，辨喪服精粗，果有益于生民乎？曷怪才智之士，望望然去之也。"[②]考察今本孔穎達《禮記正義》，乃是以皇侃義疏爲底本，輔以六朝崔靈恩、庾蔚之、賀瑒、賀循（以上南人）、徐道明、李業興、熊安生（以上北人）諸儒之辭（其中，馬國翰輯北人《禮記義疏》條目最多者爲熊安生）。而這些六朝人的名字，也屢屢見於《禮記子本疏義》殘卷中，無怪乎讓人懷疑，孔穎達編纂《禮記正義》時，是否有可能看過鄭灼這部書。

今粗檢《隋書經籍志》，即可見東漢魏晉南北朝人講三禮，尤其是《喪服》的著作極多，我們謹先將"經傳"、"集解"、"義疏"等類别，羅列至皇侃爲止：

《喪服經傳》 一卷 馬融注※
《喪服經傳》 一卷 鄭玄注
《喪服經傳》 一卷 王肅注※
《喪服經傳》 一卷 晋給事中袁準注
《集注喪服經傳》 一卷 晋廬陵太守孔倫撰※
《喪服經傳》 一卷 陳銓注※
《集注喪服經傳》 一卷 宋太中大夫裴松之注※
《略注喪服經傳》 一卷 雷次宗注※
《集注喪服經傳》 二卷 宋丞相諮議參軍蔡超注
《喪服經傳》 一卷 宋徵士劉道拔注
《集解喪服經傳》 二卷 齊東平太守田僧紹解
《喪服經傳義疏》 五卷 齊散騎郎司馬憲撰
《喪服經傳義疏》 二卷 齊給事中樓幼瑜撰
《喪服經傳義疏》 一卷 劉瓛撰
《喪服經傳義疏》 一卷 齊徵士沈驎士撰
《喪服義疏》 二卷 梁步兵校尉五經博士賀瑒撰
《喪服經傳義疏》 一卷 梁尚書左丞何佟之撰
《喪服傳》 一卷 梁通直郎裴子野撰

① 比如"都講"一稱的演變等等，可参牟潤孫《論儒釋兩家之講經與義疏》，文載其著《注史齋叢稿》，北京，中華書局，1987年，頁272—279。此外，余嘉錫、湯用彤、孫楷第、福井文雅、荒牧典俊均對此有考論，學術史的梳理請參古勝隆一《都講の再檢討》，文載上揭本《中國中古の學術》，頁169—195。

② 吕思勉：《兩晋南北朝史》，上海，上海古籍出版社，1983年，第二十三章《晋南北朝學術》，頁1374。

《喪服文句義疏》 十卷 梁國子助教皇侃撰①

……

上舉書名後標有"※"者,代表馬國翰《玉函山房輯佚書》有輯本。當然,列舉這些大多不復存在的書名後,我們除了有吕思勉的感慨之外,當意識到:在唐以前,某部書的某卷或某幾卷,因爲極其重要,大多能獨立出來,單行成書,以供學人閲讀。余嘉錫《古書通例》曾言之②。上舉議《喪服》諸書,九成以上皆是一卷單行也。這恐也是《禮記子本疏義》今日僅僅留下《喪服小記》一卷的原委,或許光明皇后當日所藏,就是這一以單卷而成書的《疏義》。

章太炎先生云:"魏晋間議《喪服》諸文,雖以汪中之能文,亦不能爲其後世也。"③其實,江都汪中自己對於盛行於魏晋南北朝的"講"學之義也嘗有精論。汪中有云:

> 講,習也;習,肄也;肄,講也。(中略)古之爲教也,以四術。《書》則讀之,《詩》、《樂》同物,誦之歌之,弦之舞之,揖讓周旋,是以行禮。故其習之也,恒與人共之。(中略)學人習之,其師則從而告之。《記》曰:"小學正學干,大胥贊之。籥師學戈,籥師丞贊之。春誦夏弦,大師詔之。瞽宗秋學禮,執禮者詔之。冬讀書,典書者詔之。"曰學,曰贊,曰詔,必皆有言,故於文,"講"從"言",其行禮也,或謂之"相",或謂之"傅",一也。④

汪中居母憂時,曾經撰寫過一部《喪服答問紀實》,此書清代在我家鄉的"實晋書院"有刊本。固然與皇侃、鄭灼先儒相較,恐不免章太炎先生所謂:"雖以汪中之能文,亦不能爲其後世也。"但從汪中的這篇《講學釋義》來看,深得漢魏六朝諸儒之"講"義心法,完全不同於某些清儒隨意批駁南朝學術之態⑤。

那麽,就權且將小文暫歇在汪中《講學釋義》這一站上。

三禮之學,雖在文獻形式上,或播於天涯海隅,重獲之可校讎補闕;但在"禮之義"⑥的傳承上,今之學者,則不當使其沈淪於無何有之鄉也。

---

① 上揭本《隋書經籍志詳考》,頁 93—95。

② 余嘉錫謂:"古人著書,本無專集,往往隨作數篇,即以行世。"説見《余嘉錫説文獻學》,上海,上海古籍出版社,2001 年,頁 200。又可參:李零《出土發現與古書年代的再認識》,文載其著《待兔軒文存·讀史卷》,桂林,廣西師範大學出版社,2011 年,頁 10。

③ 章太炎講演、朱希祖等記録、童嶺點校《章太炎先生〈文心雕龍〉講録兩種》,文載上海圖書館歷史文獻研究所編:《歷史文獻》第九輯,上海,上海古籍出版社,2005 年,"稿本乙種·論説第十八",頁 10。

④ 汪中著、田漢云點校《新編汪中集》,揚州,廣陵書社,2005 年,頁 354。

⑤ 如趙翼云:"是當時(南朝)雖從事於經義,亦皆口耳之學,開堂升座,以才辯相争勝,與晋人清談無異,特所談者不同耳。"趙翼著、王樹民校證《廿二史札記校證》,北京,中華書局,1984 年,卷八《六朝清談之習》,頁 169。趙翼這種將南朝諸儒"講"學之義不加考察,等同於魏晋人之清談,接而"一竿子打死"的論辭,影響後來史家極大,包括治六朝史的名家如唐長孺等。參唐長孺《魏晋南北朝隋唐史三論》,武漢,武漢大學出版社,1993 年,頁 224。

⑥ 《禮記·郊特牲篇》云:"禮之所尊,尊其義也。失其義,陳其數,祝史之事也。"鄭玄注、孔穎達疏、龔抗雲整理、王文錦審定《禮記正義》,北京,北京大學出版社,2000 年,卷二十六,頁 946。

【作者簡介】 童嶺，1981年生，江蘇鎮江人，文學博士，日本京都大學留學。現爲南京大學文學院副教授、南京大學人文社會科學高級研究院駐院學者。研究方向：六朝隋唐時代的學術、思想與文學；古代東亞史與域外漢籍；五胡十六國及北朝文化史；《文選》學。

近年發表的經學論文有：《隸古定本、不絶若綫——唐鈔本"僞〈古文尚書〉"九條、神田二種考銓》（文載《域外漢籍研究集刊》第9輯，2013）、《六朝後期江南義疏〈易〉學譾論——以日藏漢籍舊鈔本〈講周易疏論家義記〉殘卷爲中心》（文載《歷史語言研究所集刊》第81本第2分，2010）。並譯有：《魏晉經書解釋所顯示之方向》（加賀榮治著、童嶺譯），文載《中國經學》第9輯（2012）、《近代以來日本的十三經注疏校勘記研究》（野間文史著、童嶺譯），文載《中國經學》第11輯（2013）。

附圖一：筆者所藏 1916 年羅振玉珂羅本
《六朝寫本禮記子本疏義》扉頁

附圖二：早稻田大學公布《禮記子本疏義》殘卷首頁及末頁

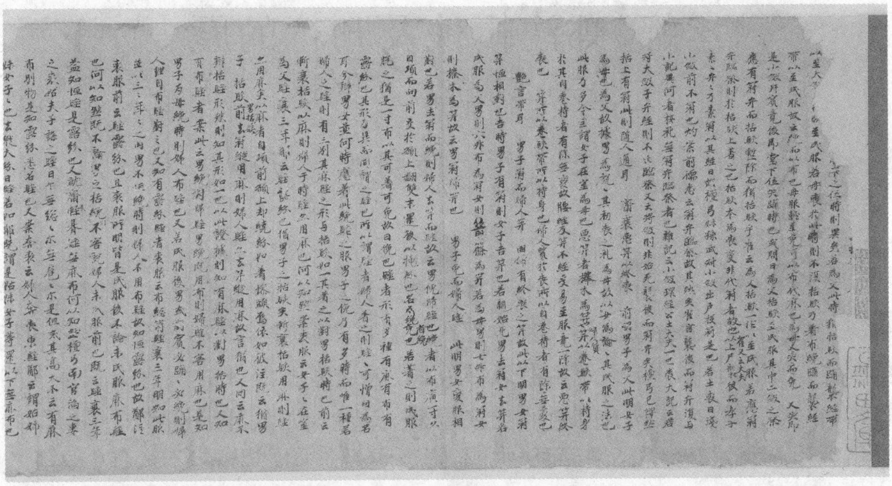

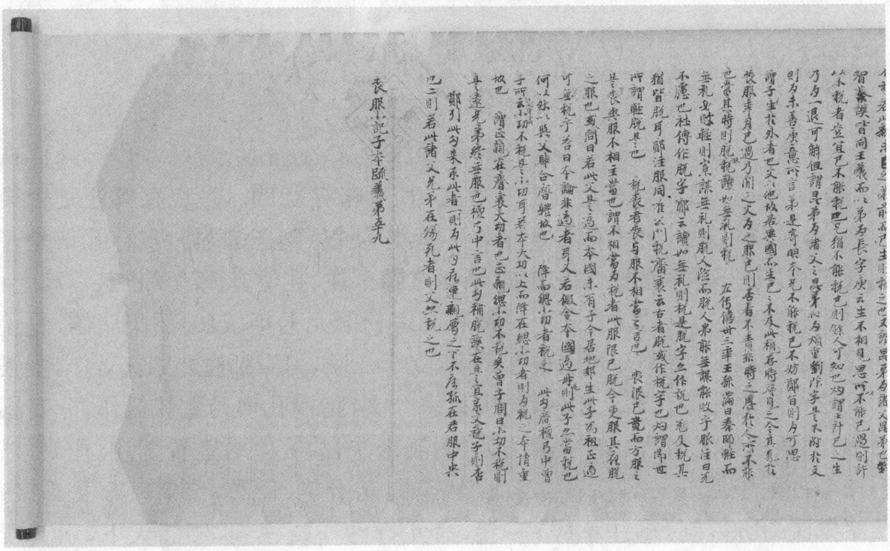

《孝經》鄭注輯佚及刊行的歷史
——以日本爲中心

【日】 林秀一 撰　陸明波　刁小龍 譯

本文是昭和十一年(1936)十一月二十一日於京都帝國大學文學部支那學會三十周紀念演講會演講稿。其主旨在説明自實曆三年(1753)良野芸之刊行僞鄭注至昭和十年(1935)筆者發表《補訂敦煌遺書孝經鄭注》,前後二百年間日本《孝經》鄭注之輯佚及刊行歷史之概要。其中,尤其詳述寬政六年(1794)岡田宜生刊行之《孝經鄭注》回傳中國,影響更及彼國之學界,不啻日中文化交流之一端。

一　孝經鄭注之亡佚

《孝經》有今文、古文之别,史稱鄭玄注今文(《後漢書》卷六十五本傳),孔安國傳古文(《隋志》卷一經部)。然而鄭玄是否果注今文,其事略存疑問。且現存鄭注是否後漢之作,尤爲可疑。而孔安國傳古文一事,即便以《隋志》爲據,現存孔傳是否前漢之物,古來亦存異説。在中國,隋唐之際鄭注、孔傳真僞論争已甚囂塵上;就立學官一事,乃生種種疑義。於是唐玄宗於開元七年(719)詔集諸儒,質論鄭注、孔傳是非。時劉知幾以古文爲宗,立十二驗,力證鄭注非鄭玄著作,主張用劉炫校訂之孔傳。與之相對,司馬貞宗今文,指摘孔傳乃劉炫僞作,非安國舊本,固執用鄭注如舊。然甲論乙駁,兩議未決,故玄宗暫並置鄭注、孔傳,以慰撫今古兩學派(《唐會要》卷七十七《論經義》)。然至開元十年(722),玄宗以今文爲宗,參諸鄭注、孔傳,制《御注孝經》一卷,命元行沖作疏三卷,頒諸天下,示其所據(《唐會要》卷三十六《修撰》)。是所謂"開元始注"。後天寶二年(743)玄宗重注《孝經》,補始注不備,頒諸中外(《唐會要》卷三十六《修撰》);并於四年(745)刻之於石,建諸大學。是所謂"天寶重注"。於是,御注一出,鄭注、孔傳俱衰,竟亡佚於五代之亂。其後,雍熙元年(984)日僧奝然入宋,獻鄭注一本於太宗(《宋史》卷四百九十一《日本傳》)。太宗悦之,藏諸秘府。司馬光《古文孝經指解序》所云"今秘閣所藏,止有鄭注、明皇及古文三家而已"者即是。降及南宋乾道年間(1165—1173),熊克自袁樞處得秘閣轉寫本鄭注,刻諸京口學官,見録陳振孫《直齋書録解題》卷二。此後更無言及鄭注所在者,殆再次亡佚。

《孝經》何時傳來日本,未可定知。而《大寶令》之《學令》有云,"《孝經》、《論語》,學者兼習之,凡教授正業,《孝經》孔安國、鄭玄注",則當時通行鄭注、孔傳,可以想見。降及清和天皇貞觀元年(859),效仿開元敕定,廢鄭注、孔傳,改用御注(《三代實録》卷四)。爾後,不僅學校講義,即朝廷儀式(御讀書始、御湯殿始、釋奠之論義等)中亦專行御注。孔傳於民間尚存傳續,鄭注則於朝廷、民間皆不振,漸次衰微。雖然,尚亦未至全然亡佚。寬平年間(889—897)藤原佐世奉勅撰《日本國見在書目録》尚著録鄭注、孔傳;而永觀二年(984)東大寺僧奝然則進獻鄭注於宋太宗。凡此種種,散見史傳,可爲徵驗。然以傳續之微,鄭注原本終至亡佚。

二 清朝考證學與孝經鄭注輯佚

以此,鄭注全貌曾一度消失於吾人視野之外。及至清朝考證學之勃興,自諸書輯佚所引《孝經》鄭注、并還原其舊貌之研究亦得興起。清朝考證學高舉"實事求是"、"無徵不信"之旗,欲恢復兩漢之古學;而復歸兩漢經學,終致其大宗鄭玄學術之復興。此鄭玄學術復興之潮流與輯佚學勃興之支脉兩相合會,乃使鄭玄諸佚書陸續輯刊。爲之推波助瀾者,乃乾隆帝四庫開館,廣求遺書。地方藏書家因是陸續進獻遺書,民間古書熱亦方興未艾,此亦鄭注輯佚流行之一因。中國鄭玄佚書之輯佚、尤其《孝經》鄭注之輯佚搜求,流風所及更促進日本鄭注之輯佚刊行。下文略述日本鄭注輯佚之概況。

三 孝經鄭注輯佚及刊行之端緒

(一) 元和本《群書治要》之刊行

日本《孝經》鄭注輯佚及刊行之端緒,在元和本《群書治要》之刊行與太宰純《孝經孔傳》之刊行。《群書治要》五十卷,唐太宗貞觀五年(631)魏徵奉勅自經、史百家中萃集爲政要訣編纂而成。是書宋代早期既已亡佚,《文獻通考》以下無言及者。然在日本,因本書爲歷代天皇所尊信,故未至亡佚。元和二年(1616)正月,德川家康於金澤文庫中發現《群書治要》古鈔本,乃命儒官林信勝等以朝鮮銅活字印刷。未幾,家康過世,從事諸人克盡其事,三年(1617)五月乃付梓竣工。世謂元和本《群書治要》(缺四、十三、二十凡三卷)是也(參近藤正齋《右文故事》卷五"群書治要"條)。《治要》之付梓乃奉將軍家康之命而行,世人遂得深知《治要》,竟成鄭注輯佚之端緒。

然則《治要》與鄭注之關係如何?今細讀《治要》卷九所收《孝經》,知其經文乃今文系統,而删略《卿大夫》、《三才》、《聖治》、《諫争》、《事君》諸章部分及《喪親章》全部文字。經文雖施注,然未明記其注者。慮及《治要》之編纂乃在貞觀五年,其時鄭注未佚,且同時人陸德明於《經典釋文序録》云,"古文《孝經》世既不行,今隨俗用鄭注十八章本"。則《治要》之用《孝經》鄭注,具眼之士俱存此念。然《治要》既佚於中國,故其發現遂全爲日本學士獨享。

(二) 太宰純《孝經孔傳》之刊行

次述太宰純《孝經孔傳》之刊行。本書後西傳,收録清人鮑廷博《知不足齋叢書》,於後世鄭注之輯佚,亦與力焉。太宰氏獲知中國既佚之孔傳獨存日本,乃校讎諸家藏本,仿陸德明《音義》,於經傳施以音義,刻諸家塾。時爲享保十七年(1732)十一月。太宰自序述鄭注、孔傳亡佚之迹,并及奝然獻書事,有云:"夫古書之亡於中夏,而存於我日本者頗多。"

(三)《孝經孔傳》之西渡[①]及其影響

其後,太宰因沼田侯,通過長崎府尹,託商賈將《孔傳》運至中國,然其書終落誰手,不可確知(參大塩良《翻雕知不足齋本孔傳跋》)。另有由汪鵬自長崎攜歸者,後收録鮑氏《知不足齋叢書本》。

前此,清廷開四庫之館,徵求天下遺書,鮑氏獻上藏書六百餘種。於是知不足齋之名,上達天聽,并蒙恩賜。鮑氏感懷,欲刊行叢書,遂廣求國内外之佚本珍籍。偶憶《宋史・日本傳》奝然獻書之事,以爲彼國或尚存此書,乃因汪鵬遠航日本市易之際,託以搜求鄭注之事。然鄭注未獲,所得者則太宰之《孔傳》。鮑氏初未冀得獲孔傳,喜不能禁,收録叢書第一集中。時乾隆四十一年(1776)七月,即我國永安五年。盧文弨序云:"此書亡逸,殆及千年,而一旦復得之,此豈非天下學士所同聲稱快者哉。"據此,可知此書於彼地學界之衝擊。千歲之下士人得讀此書,同聲稱快。

鮑氏叢書於翌永安六年(1777)初舶入我國(東條耕《先哲叢談年表》),又天明元年(1781)八月,由書肆嘉靖堂摘出此書所收《孔傳》之序跋,以《古文孝經序跋》一卷刊行。又翌二年三月,書肆小林新兵衛翻刻叢書所收《孔傳》,刊行《古文孝經》一卷。由諸書籍之刊行可知:(一) 太宰之業績獲中國之認可,乃本國學士之無上榮耀。(二) 日本尚存中國已佚之珍貴文獻。(三) 鮑氏搜求鄭注不獲,反得孔傳,遂使世人期待日本必尚存鄭注之本。終乃促使鄭注之發現。

四　孝經鄭注輯佚刊行之先驅

(一) 良野芸之僞鄭注之刊行

前揭諸事之中,開鄭注發現之先聲者,乃良野芸之。彼於寶曆三年(1753)一月,由書肆中西卯兵衛、山田三郎兵衛處刊行《孝經古注》一卷。良野自序云"孔傳既梓,而鄭注未行,予適得奝然之遺本",誇稱發現鄭注。實則本書之僞,迥異鄭注,先儒既已辯明。東條弘於《增考孝經鄭氏解補證提要》中,指摘其乃

① 關於《孔傳》西傳之始末,詳見《内藤博士還曆祝賀支那學論叢》所載狩野直喜博士《山井鼎與七經孟子考文補遺》一文。

襲取明許朝宗贋作而成，然許朝宗爲何人，其書現存與否，皆無由得知；然良野急欲貪鄭注發現之功，終至孟浪之謬。

(二) 伊奈忠賢之鄭注輯佚

伊奈忠賢與良野同時。雖亦有輯佚之遺珍，然竟至無聞。關於伊奈之生平經歷、著述存佚，皆不可知，幸有東條弘《增考孝經鄭氏解補證提要》略述其概略云：

> 曩時，伊奈忠賢著《鄭氏遺注》，其意在訐趙、許之僞，而未知《治要》有鄭注，故其所證引，不外邢疏、《釋文》，是未足以稱鄭注也。（中略）向使忠賢索搜稍博，則其先鳴之功不寡矣。

據此，其輯佚之目的在辯訐趙岐蛟（撰《孝經集解》十八卷，中引御注爲鄭注）、許朝宗之僞書，故未覺知《治要》之《孝經》爲鄭注，以致證引不出《釋文》、邢疏之囿。是終未免粗疏之誹，然優於良野之僞鄭注者甚多。名古屋服部富三郎所藏《增考補證》云，"集録孝經鄭氏遺注，寶曆甲戌季秋日，伊奈忠賢識"，則伊奈之《遺注》成立於寶曆四年(1754)九月可知矣。末尾謂"忠賢識"，恐爲序跋之年號，而刊年之有無已不可知。

五 《群書治要》本《孝經鄭注》之發現與刊行企圖

(一) 松平龔之鄭注發現

至此，湮沒已久之《群書治要》本《孝經鄭注》遂得重現天日。其別具隻眼者何人？松平龔及宇佐美惠是也。

明和二年(1765)春，三河松平龔得今文《孝經》一本，據數本試爲校勘。其校勘諸本中，《群書治要》之存在，頗可注目。松平偶得今文《孝經》一本，誤以爲鄭注原本，激動萬分，其緒言云：

> 時所見古本中，有鄭氏注《孝經》。（中略）今尋之都鄙萬里，無得一本。且海外不存鄭注《孝經》也。

松平思及《治要》之《孝經》爲鄭注，遂欲試爲校合，驗其真僞。松平緒言云：

> 是故唐魏徵（原文誤作徵）《群書治要》所收鄭注《孝經》，雖有略文衍字爲考證。

此在當時誠爲卓見。然校勘之結果則大違其願，此前所冀獲鄭注之喜悦也幻滅殆盡。最終乃知其僅爲一今文《孝經》而已。初校定本版心所題"今文孝經鄭注之序"亦皆抹去，改書"別本今文孝經之緒言"，卷末又云：

> 此今文孝經者，（中略）見《群書治要》中鄭玄注《孝經》有大異。（中

略)此是今文,非鄭氏之注也。

悲從中來,感慨繫之。仔細吟味彼所謂今文《孝經》者,不過良野僞鄭注之亞流耳①。

(二) 宇佐美惠之鄭注發現與刊行企圖

《治要》本鄭注之發現,須與松平同論者,乃上總之宇佐美惠(字灊水)。宇佐美乃荻生雙松晚年弟子。荻生没後,校刊乃師遺著,乃徂徠學之忠臣。宇佐美於所著《灊水雜著》中,因《治要》本《孝經》與陸德明《音義》一致,斷定爲鄭注。其云:

> 又往年,書賈持來《群書治要》一書。(中略)魏徵當時若用今文《孝經》鄭注,則《群書治要》中《孝經》之注,當爲鄭注。既以爲是鄭注,復檢陸氏《音義》,《音義》之文字注中亦有。然則正如我所想,其爲鄭注,可以《音義》爲證。

《灊水雜著》著作年代不詳,故難遽歸先鳴之功;然宇佐美之發現鄭注,與前揭松平皆爲當時所當銘記者。又據《灊水雜著》,宇佐美有將《群書治要》本《孝經鄭注》與劉炫《孝經孔序直解》(足利學校所藏)、陸德明《經典釋文·孝經音義》三書合刻之志。然終未果,甚爲可惜。

(三) 片山世璠之孝經鄭注刊行企圖

不久,明和七年(1770)八月,上野片山世璠(號兼山)欲刊行《群書治要》本《孝經鄭注》。據傳記知片山撰有《古文孝經標注》一卷、《古文孝經孔傳參疏》三卷、《附録》、《管見》各一卷(參東條弘《先哲叢談續編》卷十)。《標注》、《參疏》二書由書肆小林新兵衛刊行,《附録》、《管見》二書之刊本則未聞。明和七年八月,小林新兵衛所刊《古文孝經國字解》卷末特施附箋云:

> 古文孝經參疏三卷　兼山宇子造　追鐫
>
> 同附録一卷　足利學校所藏隋劉炫孝經孔安國序直解
唐魏徵群書治要所收鄭玄注孝經　兼山宇子校訂追鐫

乃《參疏》三卷、《附録》一卷之出版預告。據此可知,《附録》一卷内容爲劉炫《孔序直解》與《治要》之《孝經鄭注》。既預告"追鐫",其後理當有付梓刊行。然《參疏》至天明八年(1788)乃獲刊布,而《附録》竟至中綴。今就未得刊行之理由略作推論。蓋彼時片山爲宇佐美之義子,然明和九年(1772)即永安元年,其與宇佐美齟齬不合,回改本姓片山。如前所述,宇佐美曾欲合刻劉炫《直解》與《治要》之《鄭注》。故片山刊行二書之企圖,恐非其本意,乃發自宇佐美。故此,及片山與宇佐美齟齬不合,刊書遂罷。明和七年刊《孝經國字解》附箋所云

① 松平韅親筆校定本現歸長澤規矩也博士所藏。

“兼山宇子校定”,亦即“宇佐美兼山先生校定”,恢復本姓之後則徑作“兼山先生校定”。由此或可推測其間經緯。

六 《群書治要》本《孝經鄭注》之刊行

(一)《孝經鄭注》刊行之導火綫

於是,《治要》本《鄭注》刊行之時機漸趨成熟,而其直接原因,則爲天明本《群書治要》之刊於尾張,及松平秀雲《孝經直解》之刊布二端。

1. 天明本《群書治要》之刊行

家康所刊元和本《群書治要》部數極少,遂致抄本出現。然書寫之間,訛誤轉生,故尾張藩有再版之望。藩主德川宗睦以細井德民爲主持,命岡田宜生、人見恭、深田正純、關嘉等,借覽御府所藏金澤本《群書治要》及公卿大夫家藏本,爲之校定(參細井德民《刊群書治要考例》)。據《尾州御日記》,其竣工在天明七年(1787)十月。此天明本《治要》校刊之際,值得注目者,乃片山世璠參與校定一事。然片山校定《治要》,自安永九年(1780)至天明二年(1782)三月(片山卒年),僅一年時間(參《先哲叢談續編》卷十)。如前所述,片山嘗欲刊行《治要》本《鄭注》,故可推想其嘗就《孝經》鄭注或給予尾張學者若干教示,今暫闕疑不論。更當矚目者,在表彰《治要》本《鄭注》之岡田宜生後期亦與乎校定者之列。據《書誌學》第六卷第四號所載福井保氏《天明版群書治要校刊始末》一文,知天明本《治要》校刊所用稿本一部,今藏大阪朝日新聞社圖書室,每卷卷首標明校定者名,其中卷一至卷三十皆標記岡田宜生及關嘉之名。果如此,則卷九之《孝經》乃由岡田宜生校定可知。此乃岡田本《孝經鄭注》刊行之直接原因。

2. 松平秀雲《孝經直解》之刊行

次述天明元年(1780)十一月尾張書肆藤屋吉兵衛刊行松平雲秀《孝經直解》一卷。據書中所附門人岡田宜生序,松平治家必本以孝弟,授徒必始以《孝經》。故至其後承其學統之岡田宜生、河村益根,分別刊行《孝經鄭注》,絶非偶然。又據同書載門人磯谷正卿序,磯谷以《治要》本《孝經》與諸書所引鄭注吻合之故,斷定其爲鄭注。其云:

> (孔傳、鄭注)海外久失其傳,明朝諸儒,無有覩之者。惟我日本,君子之國,神明所護。古文孔傳,出自博士之家。今文鄭注,群書治要所載者,雖不著其姓名,而與諸書所引康成注吻合,但殘闕可憾,然足以見其概矣。

磯谷之序撰於天明五年(1785)五月。當此之時,尾藩之《治要》校定亦在進行。然而,磯谷之名未見於天明本《治要》校定者中。雖難以遽言其確實受到《治要》校定之直接影響,然《治要》校定之間接影響所及或是當然。故知,《治要》本《孝經》爲鄭注之事,於《治要》之校定者之間自毋庸言,其時之尾張學者間亦已早知其事,成爲常識。

(二) 河村益根《孝經鄭注》之刊行

幾度付梓未果之後,期待已久之《治要》本《鄭注》終得刊布。此即寬政三年(1791)冬至(序)河村益根家刻《孝經鄭注》一卷是也。據細野忠陳《尾張名家志》,河村乃岡田宜生弟子,亦即岡田之師松平雲秀之再傳弟子。故河村亦間接受松平學派影響,以《孝經》爲初學入門必讀書,讀其所著《家塾録》可知。因此,不難想像平素尊信《孝經》之河村讀畢松平《孝經直解》及磯谷序文,必深知《治要》本之《孝經》。即未見其書,亦必從天明本《治要》校定者岡田處聽聞《治要》本《孝經》之事。河村遂表彰《治要》本《鄭注》,刻諸家塾,以饗同好。其間消息,據自序所云可知:

> 孔、鄭之廢,始於貞觀。然安國之傳,行於世;康成之注,廢於時。今所傳《群書治要》載存十七章,遂刻於家塾,以示同好。

然則,河村表彰之際,以何本《治要》爲底本?今檢凡例云:

> 一、《群書治要》,寫本八行十七字。今因舊存古。原不載章名,及喪親章經文,據注疏本全之。
>
> 一、參校數本。若其注文,間有疑滯,存俟他日。

據此可知,河村乃以八行十七字之寫本爲底本,以其他數本校勘,其删略章名及經文處,據注疏本補。刊行之際,存寫本舊態,不妄删改,見其留真之意。然則,彼所謂"寫本八行十七字"者何謂?此即現藏名古屋市立圖書館之河村本《群書治要》寫本是也。據尾跋所言,本書乃益根伯父河村秀穎於安永五年(1776)以九條家本校勘之本。據此,可知河村以伯父秀穎校勘家藏本爲底本。

(三) 岡田宜生《孝經鄭注》之刊行

河村本刊行後三年,即寬政六年(1794)正月,尾張書肆片山東四郎刊布岡田宜生(字挺之,號新川)《孝經鄭注》一卷。如前所述,岡田乃松平弟子,故受松平影響,平素尊信《孝經》,偶然校定天明本《群書治要》,乃知《治要》本《孝經》爲鄭注。正如《尾張名家志》"博覽洽聞"之言,以博識著稱之岡田於海外之事素來洞察敏鋭,見《知不足齋叢書》中《孔傳》所附鮑廷博、盧文弨序跋,知鮑氏求《鄭注》不獲而得《孔傳》之事。於是表彰天明本《治要》之《孝經》,撰《鄭注孝經》一卷,欲使之傳諸瀛海之西,收録鮑氏叢書,冀其發現之榮與西傳之功。其間消息,徵諸自序可明,其云:

> 頃者,讀知不足齋叢書所載古文《孝經》鮑、盧諸家序跋,乃知惟得《孔傳》,未得《鄭注》。瀛海之西,其亡已久。嗚呼!書之災厄,不獨水火。靳秘之甚,其極有至澌滅者,豈不悲乎?今刻是本,予之志在傳諸瀛海之西,與天下人共之,家置數通,人挾一本,讀之誦之,則聖人之道,由是而弘,悠久無窮。海舶之載而西者,保其無恙,冀賴神明護持之力。鮑、盧諸家得

是本，再附剞劂，則流傳遍於寰宇。當我世見其收在叢書中，所翹跂以俟之也。

岡田欲是書西傳之望，觀其序殷勤懇切之意，可以想見。又，討論岡田本之際，特具興味者，乃其與河村本之比較。河村所用爲家藏八行十七字寫本，而岡田所據乃九行十八字之天明刊本。岡田作爲天明本校定者，據以爲書，固不足怪。河村本施以章次、句讀，省略返點（標示讀音順序的符號——譯者）、送假名（日文注音假名——譯者），與之相異，岡田本則省略章次、句讀，施加返點、送假名，終有標新立異之感。

（四）岡田本之西傳

然則，岡田本如何西傳？今就其過程略作考察。近藤守重《右文故事》（附録卷四"古文孝經"條下）云：

寬政乙卯（七年）（1795），守重出赴長崎之役，道經熱田，自尾張大納言宗睦卿處，獲賜其國校刊本《群書治要》。後又郵致長崎，欲此書之傳清朝。聞彼土無此珍籍，闕卷亦足珍。守重又請鎮尹中川忠英命唐商費肇陽諸人（中略）。其時，熱田儒臣岡田氏新刊《孝經》鄭注，受彼之托，乃攜數部至長崎。後不知爲何人運至彼邦，今爲《知不足齋》叢書所收者，即此本是也。嗚呼，聖經之西傳，至可貴矣！

據此可知，當時近藤假道熱田，得藩主德川宗睦賜天明本《治要》一部；同時受託岡田，攜新刊《孝經鄭注》數部至長崎。作爲亟盼《鄭注》西傳之岡田，此亦當然之舉。然則，近藤又如何處理此《鄭注》？推想蓋持此書與《治要》一同呈交長崎鎮尹中川忠英，由中川託中國商人費肇陽等人西傳。而近藤自謂"不知爲何人運至彼邦"，則其間事情已不可知。然據錢侗《重刊鄭注孝經序》云：

往歲，平湖賈舶自日本國購得《孝經鄭注》歸，時余寓居杭州萬松山館，客有攜以相示者。前有岡田挺之序。

則傳至中國之岡田本中，有平湖（屬浙江省嘉興府）賈舶攜來者無疑。但其書是否岡田委託本，及持示其書之客爲何人，皆不可知。然則，平湖賈舶所攜是否岡田所託雖不可知，而獲得岡田本者有二人，則確實無疑。一者焦循所見武康徐熊飛（參焦循《勘僞本鄭注孝經議》），一者即岡田夢寐所思之歙縣鮑廷博。

由此，鮑廷博實現搜求《鄭注》之宿願，與洪頤煊《孝經鄭注補證》一卷、臧鏞堂《孝經鄭氏解輯》一卷一共，收載《知不足齋叢書》第廿一集。時值嘉慶六年（1801）八月（鮑廷博跋），即我國享和元年，距岡田本刊行以來正七年。西傳之願竟成，岡田之得意亦可想見。然而，願望"當我世見其收在叢書中"之岡田未及榮光之日，僅兩年之差，逝世於寬政十一年（1799），深爲痛惜。

七 岡田本於中國之反響

先是，中國《孝經》鄭注之輯佚以朱彝尊《經義考》、余蕭客《古經解鉤沉》發其端；次以鮑廷博《孝經》鄭注搜羅之影響，乾隆四十七年(1782)(陳鱣序)陳鱣刊行《孝經鄭氏注》一卷；繼以鄭玄學術復興之潮流，乾隆六十年(1795)(袁鈞序)袁鈞《鄭氏佚書》所收《孝經注》一卷略成；更藉輯佚學之勃興，嘉慶三年(1798)(王謨序)王謨《漢魏遺書鈔》所收《孝經鄭注》一卷刊行。諸輯本於蒐集之廣狹、考證之粗密，固不一致，而皆以《經典釋文》、《孝經正義》爲首要資料，補以諸書所引鄭注。而其蒐集之範圍，從《毛詩》、《周禮》、《儀禮》、《禮記》、《春秋公羊傳》諸正義，及至《廣韻》、《史記集解》、《補後漢書注》、《宋書》、《南齊書》、《舊唐書》、《唐會要》、《通典》、《五經算術》、《北堂書鈔》、《文選李善注》、《初學記》、《太平御覽》、《玉海》、《困學紀聞》諸書。然諸資料較之《群書治要》，皆不過瑣屑斷片耳。因此，雖盡輯佚之勞，終不能克。換言之，若無《群書治要》之類重要新資料之出現，鄭注輯佚可謂駐足難前。此轉折之出現，即岡田本是也。以下就岡田本在中國學界引起之反響，略作考察。

(一) 岡田本之肯定者

肯定岡田本，視之爲鄭注輯佚重要資料者，洪頤煊、錢侗是也。洪頤煊一見岡田本，即肯定其爲鄭注，並以之爲底本，補以《釋文》、邢疏以下諸書所引鄭注，別撰《孝經鄭注補證》一卷。而當時學界則傾向於否定岡田本。值此之際，洪氏毅然採用之，其卓識令人感佩。然洪氏亦不妄信岡田本，堅持批判之態度。或補章名，或訂誤字，或於類似字句揭櫫異同以供參考，一一考證其疑難之處以期精確。洪氏此般補證，使以《群書治要》爲底本之岡田本，與取材《釋文》、邢疏之陳鱣、王謨等輯本渾然融合，成就鄭注輯佚事業之一大飛躍。其後嚴可均道光十四年傳撰(嚴可均後序)、黃奭光緒十九年刊，漢學堂叢書所收、皮錫瑞光緒廿一年師伏堂刊、孫季咸光緒廿二年刊(孫葆田跋)、曹元弼民國廿三年刊等輯本輩出。除冥頑之曹元弼外，皆採用岡田本，岡田本之價值得到公認。由此觀之，洪氏率先採用岡田本之功績，亦不可没。

次述另一具眼之士錢侗。其不僅肯定岡田本，且進而一掃對岡田本之宿疑，辯白其真。今檢《知不足齋叢書》收岡田本所附錢侗嘉慶七年(1802)識語《重刊鄭注孝經序》，錢氏先叙獲見岡田本之經緯，復述岡田本之體裁云：

> 前有岡田挺之序，後稱寬政六年(1794)寅正月梓。其題首云"新川先生校"，驗序末小印，知新川即挺之之字。寬政六年歲在癸丑，以甲子計之，實皇朝乾隆五十八年也。

據此序可知，傳播於中國者乃名古屋一柳知成氏所藏刊記"寬政六年寅正月梓"、襯頁題"新川先生校，孝經鄭注，張藩書肆永樂堂梓"之原刊本(管見所及,岡田本中襯紙現存者惟一柳氏藏本)。而一柳本惟一之疑問在其序文闕佚。據"前有岡田挺之序"之言,可知一柳本不知何故欠缺序文,此亦意外之獲。錢氏更以岡田本與《釋文》、邢疏等所引鄭注大體符合之故,斷言絶非岡田僞作,有云:

> 此本與《經典釋文》、《孝經正義》所述鄭注,大半皆合。初疑彼國稍知經學者,抄撮而成,繼細讀之,如《孝治章》以昔訓古,見《公羊傳》疏。(中略)《聖治章》"上帝者,天之别名也",見《南齊書·禮志》暨《困學紀聞》。俱《釋文》、《正義》所未引,而此本秩然具載,不謀而合,恐非作僞者所能出也。

與阮元、焦循之僞作説相比,(詳參下節"岡田本之半肯定者"、"否定者"條詳述),是説一雪岡田之冤;更就鮑廷博於山井《考文》、太宰《孔傳》未言及《鄭注》之疑,考證其理由(詳見下節"岡田本之半肯定者"條),推論岡田本之出現乃在二書刊行之後,又申説岡田之所以表彰《治要》本《鄭注》,乃因天明本《治要》之校勘。凡此之類,推論之精,誠足驚歎。錢氏更以岡田本經文與《石臺孝經》、《開成石經》一致,力證其爲宋以前古本。又甚慰《鄭注》自雍熙元年奝然獻本以來,歷八百六十年於右文稽古之世重出;與《論語義疏》、《孝經孔傳》等數千百年來沉淪之秘籍,一時間發其光於鯨波鮫室之中,藉海舶而登秘閣,誠如神佛之加護。又論岡田校刊之功云:

> 然彼國好古之士,於漢唐經解,知所服膺,并不惜校録而考訂之,若太宰純、山井鼎、岡田挺之者,其亦深足嘉尚已。

與阮元、焦循等誤執國粹主義、一概排棄我國學士業績者相比(參下節),誠爲的論。岡田若地下有知,亦必感泣錢侗知遇之情。而更具興味者,乃錢氏於岡田本摹刻之肯定。錢氏序末云:

> 余曾印鈔一册置篋中,友人見之,傳録者頗衆。因授剞氏,用公同好。並記所見於簡端,以質博雅君子。至原刻經注,字句之下,多有點乙,譯其意義,殆爲便於蒙誦而設,無裨經學。今亦仿而摹之,使存其舊焉。

此所謂"多有點乙",指岡田本所施返點、送假名。所謂"仿而摹之",則錢侗於岡田本之返點、送假名亦存其原貌。果如此,則錢氏之摹刻誠爲中國書籍翻刻史上無匹之珍本矣。徵諸《涉聞梓舊》所收陳鱣《孝經鄭注》附蔣光煦跋文云:

> 日本岡田嘗於其國《群書治要》中,補輯成書,流入中國,錢氏、鮑氏,並爲刊行。

則錢氏之摹刻岡田本當爲最早。惜余未能目寓其書,記此以俟方家教示。

(二) 岡田本之半肯定者

對此重要之岡田本躊躇不定,持半信半疑態度者,鮑廷博、焦循是也。鮑廷博收岡田本於《知不足齋叢書》,介紹於天下。以此論之,似爲岡田本之重要

肯定者;實則鮑氏未必肯定其真,據其跋文可窺一斑:

> 至考渠國所刊《七經孟子考文補遺》中,《孝經》但有孔傳,並無鄭注。不知所謂《群書治要》,輯自何人,刊於何代,何以歷久不傳,至近時始行於世,其所收是否脊然獻宋原本,或由後人掇拾他書以成書者。茫茫煙水,無從執而問難焉。亦俟薄海内外窮經之士論定可耳。

今檢鮑氏所論,往年由日本舶載之山井等《七經孟子考文補遺》有孔傳而無鄭注,至於《群書治要》則編者、刊年不明,故謂岡田本難以遽信也。然既如錢侗所考,岡田本刊行在《考文》編纂之後,故消息不通之彼地學者以爲怪者,亦所當然;然《群書治要》已著録於《舊唐書·經籍志》(子部雜家),竟未詳察,誠爲輕率。

焦循亦對岡田本抱半信半疑之態度,據焦氏嘉慶六年(1801)五月識語《勘倭本鄭注孝經議》(《雕菰樓集》卷十二)可知。焦循以武康徐熊飛所獲岡田本與《釋文》、邢疏對校,結果部分一致,而不一致者亦甚多,列舉可疑之證據十二條。然平心論之,焦氏一面過信《釋文》、邢疏,一面未辨《群書治要》爲何書,以致錯覺,其十二驗之中除一條外,悉皆由其考證粗陋所致。而焦氏本諸此粗陋考證,斷言:

> 乃今考之,其中少有精華,則皆見於《釋文》、《注疏》諸書,而諸書所見,此中不備者,十之七八,雖真鄭注亦已糟粕。夫鄭氏所以足重者,菁華也。

進而論旨一轉,認爲最近中國輯佚鄭注者甚衆,若湮滅此岡田本,數十年後亦必以爲遺憾,復有傳播之者出現。又謂不如暫爲保存,似略施肯定言辭,但特以"日本鄭注孝經"爲題,置其真僞於不論不疑之間,以絶今後自日本流入僞書之萌。其言云:

> 然世人賤耳而貴目耳,疏存而念亡。《禮》注《詩》箋,通者甚鮮,而《易》、《書》、《論語》等注,則争相拾之不倦。設此本廢而不存,數十年後,有言及者,必有惜此書之不梓行,而深恨傳播者之無其人。(中略)竊謂莫如存之,而題曰"日本鄭注孝經"。(中略)而置其真僞於不論不議,則絶後人以耳代目之議,亦絶海外以僞書入中國之萌。其叙云"志在傳諸瀛海之西",抑知中國所重正,不用此糟粕邪。

誠爲極端之國粹主義。蓋當時焦循輕蔑日本以爲東夷,而於《七經孟子考文》、《論語義疏》、《孝經孔傳》等善本陸續流入,深以爲忤,故欲以排他之感情抹殺岡田本。結果卻正是作繭自縛,自食其果。

(三)岡田本之否定者

否定、抹殺岡田本者,臧鏞堂、阮元是也。今細讀鮑氏《知不足齋叢書》所收臧鏞堂《孝經鄭氏解輯》,全然不曾言及岡田本。然臧氏實曾寓目岡田本,據其《諫諍章第十五》引採用岡田本之洪頤煊《孝經鄭注補證》之説,可得明證。

儘管臧氏確知岡田本,竟抹殺之而全然未加採用,而另從注疏本摘出經文,自《釋文》、邢疏以下輯佚鄭注。臧氏沉默樸厚,學術精審,從學盧文弨門下,後投阮元幕下,輔翼之纂修《經籍纂詁》、《十三經注疏校勘記》(參《文獻徵存録》卷三、《國朝先生事略》卷三十三)。且夙傾慕鄭玄學術,嘗自唐以前古書中輯得《易》、《論語》之鄭注(參阮元《孝經鄭氏解輯本題辭》),故校勘、輯佚之業,彼最擅長。因此,《解輯》搜羅之廣泛、資料之確實、考證之精密,前所未有。縱論其後者,亦罕有匹敵。然致意鄭注輯佚如此之臧氏,竟於鄭注輯佚重要資料岡田本全不措意,實有九仞之功虧於一簣之嘆,深以爲憾。

阮元於鮑廷博爲岡田本請序之際,即未應允。後知臧氏合刻《解輯》,爲之題辭,絶贊臧本,否定岡田本云:

> 余按其文辭,不類漢魏人語,且與典籍所引有異。

更於《孝經注疏校勘記序》中斷然排斥云:

> 近日本國,又撰一本,流入中國,此僞中之僞,尤不可據者。

阮元此般批駁,誤導後世中國學者甚衆,後世否定岡田本論者,亦皆妄信之也。今觀阮元之論,則當時猶未知《群書治要》爲何書,其迂闊如斯。而此後,阮氏於《四庫未收書目提要》收録《群書治要》之際,絶贊其爲"洵初唐古籍也",此言實已語前此之非矣。

八　岡田本後日本之孝經鄭注輯刊

(一) 窪木清淵《補訂鄭注孝經》

岡田本之西傳及其反響既如上述,以下略舉不亞於陳鱣、袁鈞、洪頤煊、臧鏞堂等輯佚之日本學者,作一介紹。文化元年(1804)十二月下総窪木清淵家刻《補訂鄭注孝經》是其一。據窪木自跋,彼幼從香取根本寺僧松永長鯤受句讀。一日,松永取出自《群書治要》所抄《鄭注》一册授窪木,然當時窪木尚無意於補訂,實際著手乃如序例所言"自天明末年,志於補訂",天明末蓋即八、九年(1788—1789)。而補訂完結,蓋如序例末尾所云"寛政丙寅仲夏",即寛政年間(1789—1800)無疑。然寛政年間並無丙寅年號,恐是甲寅(六年)或丙辰(八年)之誤。然則《補訂》初稿自天明八、九年,遲至寛政八年(1796)既已完成。《補訂》之目的則異於河村益根、岡田宜生,旨在以《治要》爲底本,更爲增補訂正,以還鄭注舊貌,其難度本不可同日而語。故稿本成立之後,直至上梓,窪木始終續作補訂,每得鄭注斷句殘文,即行改訂。然則窪木何時著手鏤刻?享和二年自跋云:

> 嗚呼先師没,而已二十餘年矣。當時屬之意,不知果如何哉?今而無所質之,敢私刊之於家,聊以自好耳。

則恐在享和二年前後。然上梓之業亦久無進展，直至文化十二年(1815)家刻方始告終。蓋自天明末著手補訂以來，前後經歷十七八年。若非堅忍之士，誠難成此大業。今檢其内容，則窪木以其師松永所授《治要》鈔本爲底本，經文脱略者補以注疏本，注文删略者則以《釋文》、邢疏、《北堂書鈔》、《華嚴音義》等諸書所引鄭注補苴，排列各句之間，一一標明出典。或有語意詳略、彼此不一者，則並爲揭載，不妄爲去就；或有似鄭注而未明記者，則於上欄標出，以資參考。其搜索之廣泛，用意之審慎，所爲輯佚之業，可謂苦心孤詣者矣。試以其書刊行後傳來之洪頤煊《補證》、臧鏞堂《解輯》與之比較，其搜羅之範圍、考覈之精核，較之兩書，絶無遜色。且以《法華玄義釋籤》引文與《釋文》、邢疏校合，考證其爲鄭注，此日、中輯佚家所未言及者，以之與敦煌近出《鄭注》殘本比較，彼此若合符節，其隻眼獨具，令人感佩不已。是以，窪木補訂之際注入何等心血，亦可想見矣。此乃日本學者所爲無遜中國之珍貴成果，可謂偉績。然窪木謙遜，不存岡田西傳之意，故其赫赫功業亦湮没無聞，不爲中國所知。學者之遇不遇如此，余深感同情。

(二) 東條弘《增考孝經鄭氏解補證》

文化元年(1804)，《知不足齋叢書》所收《孝經鄭注》三種已傳來日本，其迹有可尋者。大田覃《瓊浦雜掇》卷上丑三"番船書籍目録"條下云：

> 一知不足齋叢書壹部
>
> 子十二月 彭城久兵衛印
西村金兵衛印
>
> 十二月廿七日寫

此"子十二月"者，由前後關係推定，爲文化元年(1804)甲子十二月無疑。文化元年即嘉慶九年。而岡田本刊入叢書在嘉慶六年(1801)，則當時傳入之"叢書一部"中，恐亦有知不足齋本《鄭注》三種。東條耕《先哲叢談年表》中明記傳入之事及年號云：

> 文化七年(1810)庚午。清人鮑廷博所校刊《知不足齋叢書》第二十一集至第二十五集者，始東渡。中收鄭注《孝經》二卷，尾張岡田朝陽所表彰於《群書治要》也。

在此影響下，上總東條弘於文化十一年(1814)刊行《增考孝經鄭氏解補證》並文政十三年(1830)刊行《孝經兩造簡孚》各一卷。今檢《補證》内容，經文從岡田本，注文本諸洪頤煊《補證》，參以臧鏞堂《解輯》，補以《臣軌》以下新見資料，以期輯佚之完璧。其考證之精核，論斷之切當，爲從來輯佚家所不及。關於《增考補證》輯刊之目的，東條於提要自謙云，"固非有推轂之力，聊爲傳火之薪爾"。然余頗疑東條亦曾欲襲岡田之迹，欲此書之流布中國。龜田長興之序云：

若以斯編，再投於彼方，則洪、臧之徒，觀鄭氏本學在乎煙霧洪濤之外，當駭歎焉。吾又聞之，鮑氏年已八十矣，未知存耶否。其人雖亡，若有紹其志者，得不復採此以載於叢書耶。

據此可窺其間消息。又《兩造簡孚》則雖與鄭注輯佚無直接關係，意在啓蒙醉心孔傳之世人，并彰顯鄭注，功仍不可没。

（三）知不足齋本《孝經鄭注》三種之翻刻

文化十二年(1815)翻刻《官板孝經鄭注三種》。本書爲鮑廷博《知不足齋叢書》所收《鄭注》三種者忠實翻刻。不知何故未見錢侗《重刊鄭注孝經序》？恐所用底本偶闕故也。另需注目者，鮑廷博、洪頤煊採用岡田本之際，以批判之態度，補正岡田本之誤字、略字；而官板只期忠實，甚至明知知不足齋本之謬誤，亦皆承襲。由此可見當時日、中學者見識、風氣之相異，頗具興味。

九　敦煌遺書孝經鄭注殘闕本之補訂

如此一書轉生一書，由雜到精，由粗轉密，漸近鄭注全貌。然而，日本窪木清淵、東條弘以後，中國嚴可均、皮錫瑞以下，再無新資料之發現，鄭注輯佚之業，告一段落。然以現有輯佚，鄭注中糾葛之許多疑惑未能解決，對鄭注原本之渴盼，更爲迫切。此切實之渴求終得實現之時。大正十三年(1924)石濱純太郎博士與内藤虎次郎博士結伴巡遊歐洲，於巴黎國民圖書館所藏伯希和氏蒐集敦煌石室遺書中，俄然發現待望已久之《鄭注》原鈔本。石濱博士喜不自禁，亟欲攝製原本照片，惜原本已遭汙損，魯魚難别，無奈只得忠實摹寫原本形制，攜歸國内。筆者不意蒙石濱博士眷顧，盡其珍貴筆録，拜借研究。今據其筆録，略述原本體裁。原本現分二卷别爲保存，然其由一卷本破損分裂而成，證以接續之吻合、字體之一致、汙損之程度等，絶無可疑。亦即，伯希和氏蒐集3428號文書與2674號文書可相接合。3428號文書始於《開宗明義章第一》“終於立身”注“年七十耳目不聰明”，終於《廣揚名章第十四》章名；2674號文書起自《廣揚名章第十四》“子曰君子之事親孝”，終於《喪親章第十八》末尾，另有卷末“孝經一卷”四字。前者八十八行，後者三十四行，合計一百二十二行，因首章前半闕佚，故實際之行數須略有所增。又一百二十二行之中，或闕上半，或佚下半，如是者不少。經文大字，注文作雙行小字，每行字數粗密不一，經文多者行二十三字，注文多者行四十二字。原本有殘闕外，字體亦多蕪雜，古字、俗字、略字混用者頗多。關於書寫年代，全本避唐太宗諱“民”作“人”，《廣揚名章》“世”缺筆作“廿”，且作背紙使用之舊紙有“咸通四(?)年十一月廿(?)七(?)日書”字，即唐懿宗年號，故當爲初唐至中唐間書寫，其爲唐鈔本確實無疑。鄭注有序，據《大唐新語》、《禮記正義》、《玉海》引文可知，然以首章前半闕佚之故，此不作討論。

如上所述，原本闕佚殘損頗多，脱漏訛誤亦復不少。故筆者於向來輯佚家所用《群書治要》、《經典釋文》、《孝經正義》以下引用鄭注者，廣爲搜羅；此外據石濱博士教示，於《令集解》、《文選集注》及學界尚無介紹之敦煌遺書《孝經鄭注義疏》中獲得許多新資料。將此等新舊資料再爲檢討，以補正原本之脱漏訛誤，可達十之七八，得以還原鄭注舊貌。由此所得《孝經鄭注》，較之從來輯本，不僅内容、體裁皆焕然一新，且能解決從來輯本不得解決之許多疑問，更提出種種意味深遠之新問題。關於其間始末，已於昭和十年一月至五月《書誌學》第四卷第一號至第五號連載，試作詳細解説，忠實介紹原文，此不贅言。

結　論

鄭注輯佚、刊行之業，以元和本《群書治要》、太宰本《孝經孔傳》之刊行爲其端緒，松平巍、宇佐美惠乃分别發現《治要》中之《孝經鄭注》，而宇佐美惠、片山世璠又各欲刊行《孝經鄭注》，繼而，德川宗睦刊行天明本《群書治要》，松平秀雲刊行《孝經直解》，受此等刊行之激勵，河村益根、岡田宜生分别自《治要》輯出《孝經鄭注》，以單行本刊布，稍後窪木清淵亦本諸《治要》，刊行《補訂鄭注孝經》。其中，岡田本傳入中國，於彼地學界影響甚鉅；又藉收載岡田本之《知不足齋叢書》之回傳，東條弘刊行《增考孝經鄭氏解補證》，而日、中鄭注輯佚之業至此告一段落。未料 1908 年(明治四十一年)伯希和爲首，陸續發現採輯敦煌唐代古鈔本，而其中《孝經鄭注》殘本之發現，乃使停滯不前之鄭注輯佚，終能略集大成。由此觀之，《孝經》鄭注輯佚及刊行之業去初甚遠，而藉先儒不絶之力，已漸具鄭注之原始面貌。然如今之輯佚，尚多努力之餘地，終爲學界之遺憾。若蒙方家助力，使《孝經鄭注》之復原更臻完善，以裨益《孝經鄭注》之研究，此則筆者所深願。

【附記】 本文以昭和八年(1933)八月共立社刊《漢文字講座》第四卷所載《關於我國孝經鄭注之刊行》，及昭和十年(1935)一月至五月《書誌學》第四卷第一號至第五號所載《補訂敦煌出土孝經鄭注》二文爲中心，補以其後新得，作爲昭和十一年十一月京都帝國大學文學部支那學會二十周年紀念演講會之演講原稿，刊於昭和十二年(1937)七月發行之《支那學》第九卷第一號。然而，因本文爲演講原稿，故論旨省略處亦不少，望讀者以前述兩論文互爲參照。又本文撰寫之際，得蒙倉石武四郎博士教示，謹致謝忱。

敦煌遺書《孝經》考

【日】林秀一　陸明波　刁小龍 譯

一

西曆一九〇七年英國斯坦因、一九〇八年法國伯希和於敦煌石室遺物之發現，爲東洋學研究帶來劃時代之光明。今斯坦因氏蒐集品主要入藏倫敦大英博物館，伯希和氏蒐集品中之古鈔本則存諸巴黎國民圖書館。我國學者亦迅速關注敦煌遺物，相關遺物調查研究之進行亦如火如荼。六朝以至北宋，尤其以唐代爲中心，相關宗教、美術、哲學、文學、政治、經濟及其他方面新研究正續有發表。東洋學研究因此面目一新，恐非過言。

經學研究方面，《易》王弼注，《詩》毛傳鄭箋，《書》孔傳，《春秋》之《左傳》杜預注、《左傳正義》、《谷梁傳》范寧注，《禮記》鄭玄注，《論語》何晏集解、鄭玄注等，大量珍貴古鈔本被發現，向來視爲佚書者亦重現天日，使得版本所未能解決之宿疑俄然獲釋。《孝經》研究方面，不僅發現了向爲佚書之鄭注原本，另有其他大量《孝經》古鈔本問世。

我國敦煌學最爲熱衷之開拓者之一石濱純太郎博士，曾於大正十三年(1924)與内藤湖南博士共遊歐洲之際，親自調查以上遺物，並攜珍貴照片、筆記等歸國。先生根據調查結果所作各方面新研究，收入昭和十八年刊行之《東洋學の話》及《支那學論考》二書。其《東洋學の話》所收《敦煌石室遺書》一文，嘗言及伯希和氏所蒐集《孝經》古鈔本云：

> 《孝經》有《孝經鄭注》、《鄭注義疏》二佚書，僅少量闕佚，蓋可窺其全貌。尚有不明之注存焉。又存僅録正文者，皆今文；中有《鄭序》，蓋存者過半。《論語》、《孝經》精鈔者少，大抵爲兒童習學之用而抄寫。竟爲巨大收穫。

據此説，可知敦煌所發現古鈔本乃《孝經》研究史上極爲重要之資料。

二

筆者不意蒙内藤、石濱兩博士之眷顧，盡悉二位辛苦所獲《孝經》相關珍貴資料，并加以研究。今據所倩照片、筆記，對斯坦因、伯希和二氏蒐集《孝經》相關古鈔本，加以解説并研究如下。

(A) 孝經鄭注(伯希和氏蒐集,文書編號3428。據内藤博士之照片,及石濱博士之筆記。)

自《開宗明義章第一》"終於立身"注"年七十耳目不聰明",至《廣揚名章第十四》之章名,凡八十八行殘存。

(B) 孝經鄭注(伯希和氏蒐集,文書編號2674。無照片,據石濱博士筆記。)

自《廣揚名章》"子曰君子之事親孝",至《喪親章第十八》末尾,凡三十三行殘存。又尾題"孝經一卷"一行。

右二書,今析爲二卷分別保管。實則其爲一卷之本破損分離而成,此據兩卷接口吻合、字體一致、污濁程度等考察可知,蓋無可疑。關於書寫年代,爲避唐太宗"世民"之諱,全章"民"作"人",《廣揚名章第十四》中"世"缺筆作"廿";又3428號背紙有"咸通四年十一月廿七日書"字,此則唐懿宗年號,可據知爲唐寫本。本書對古代語言解釋,及對禮制即古代制度解説至爲詳細,看不出過多五行思想、讖緯思想影響。本書之出現,可知此前作爲鄭注輯佚諸家唯一依據之《群書治要》本《孝經》鄭注曾有大幅删略,可爲之訂補十之七八。此則不僅可以復原作爲今文《孝經》代表注釋書之鄭注原本形態,解決此前僅據輯本所不能解決之諸多問題;更將提出諸多新問題。可惜本書尚有殘缺,且有轉寫誤謬,而鄭注本完全復原仍需努力。特别是鄭注本有序文,據《大唐新語》(卷九)、《禮記正義》(卷五十五《緇衣》)、《玉海》(卷四十一)引文可以確知,但因本書首章殘缺大半,序之有無亦無從得知,甚爲可惜。

【附記】 關於本項可參照昭和十年一月至五月《書誌學》第四卷第一號至第五號揭載、拙著《補訂敦煌出土孝經鄭注》、昭和三十九年十二月《岡山大學法文學部學術紀要》第二十一號揭載《孝經鄭注復原研究》一文。

(C) 孝經鄭注義疏(伯希和氏蒐集,文書編號3274。據内藤博士之照片、石濱博士之筆記)

自《開宗明義章第一》後半"生復坐吾語",至《喪親章第十八》末尾,凡四百零五行殘存。另有卷末識語曰:

> 天寶元年十一月八日扵郡學舄(寫)之
> 陰庭官???(字體不明)

此則爲唐玄宗天寶元年(742)敦煌郡學寫本,可知矣。書寫字體混用行草二體,轉寫亦多誤謬,中有魯魚難别者。疏釋形式乃將鄭注本各章欲注解之經文、注文逐次摘出,更加疏釋。此《孝經》疏遠不如後世"義""疏"之整然,其繁簡粗密不定,終覺樸素,蓋爲較古之《孝經》疏,而存其原始之形態者。

關於本書作者。本書引用王肅、謝安、謝萬、劉瓛、賀瑒、袁昂等六家,稱南齊劉瓛爲"劉先生",梁賀瑒爲"賀步兵",梁袁昂爲"袁司空"。據此敬稱或官名之稱,則推知蓋出自與此三人關係相近者之手。而本書爲六朝疏之殘卷,確實可知。據本書之出現,亦可獲知《隋志》、《舊唐書》經部所著録魏晋六朝以來諸經大量之"義""疏",尤其《孝經》"義""疏"之形態爲何;其對於隋劉炫《孝經述議》五卷、唐元行沖《疏》三卷、宋邢昺《孝經正義》三卷等《孝經》義疏學之影響關係,亦可藉以考明;又爲鄭注本復原提供珍貴資料,鄭注本諸多懸疑已久之疑問或乃得以解決。

【附記】 關於本項，可參照昭和十一年三月《漢學會雜誌》第四卷第一號揭載、拙稿《敦煌出土孝經義疏解説》及昭和三十一年十二月《岡山大學法文學部學術紀要》第七號揭載《敦煌遺書〈孝經鄭注義疏〉研究》一文。

(D) 孝經有注，不知誰氏(伯希和氏蒐集，文書編號3378。據内藤博士之照片、石濱博士之筆記。)

自《諸侯章第三》"在上不驕高而不危"注"……子已下故能敬上愛下"，至《三才章第七》"則天之明"注"……則法之天四時"，凡六十三行殘存。

(E) 孝經有注，不知誰氏(伯希和氏蒐集，文書編號3382。同上。)

自《三才章第七》"因地之利"注"……穀……"，至《聖治章第九》"聖人因嚴以教敬"注"……聖人見孝子有尊嚴……"，凡七十四行殘存。

右(D)(E)二書，今分作二卷别爲保管，據其接口之吻合、注釋態度之一致等，推知其本爲一卷本之破損割裂而成。關於書寫年代，諱唐太宗之"民"缺筆作"巳"，則此蓋確爲唐鈔本。雖然，其中亦多殘缺，轉寫亦多誤謬，而文意難曉。經文屬於今文十八章本系統，與鄭注本、御注本系統稍異，其中如《庶人章第六》"故自天子以下至于庶人"，與古文二十二章本經文一致。注文爲何人所撰不明；然較之鄭注本、御注本之注爲長，尤其關於禮制解説部分，多者二十行乃至三十行，頗有義疏特徵。加之其解釋受五行思想、讖緯思想影響頗濃，文章亦頗有晦澀難解者，推想其爲六朝人之注解，恐不誤。

三

(F) 孝經有序無注(斯坦因氏蒐集，文書編號1386。同上。)

序文後半"門云秦滅法，孔經存"以下殘存。經文完具。卷末識語云：

> 維天福柒年壬寅歲十二月十二日永安寺學士郎高清子書寫之

是知本書爲後晋高祖天福七年(943)，敦煌郡永安寺寺塾學生高清子書寫。

(G) 孝經無注(斯坦因氏蒐集，文書編號0728。同上。)

《開宗明義章第一》"曾子……"以下殘存。卷末識語云：

> 丙辰年五月四日靈圖寺沙彌德榮寫過後輩弟子梁子校
> 庚子年二月十五日靈圖寺學郎李爾昌已(記)

是本書乃丙辰年，由敦煌靈圖寺沙彌德榮書寫，後輩弟子梁子校勘，更於四年後庚子年，由同爲靈圖寺寺塾學生李爾昌再次用以學習。又背記有《孝經》相關詩一首如次：

> 學郎大歌張富千一下趍到孝經邊
> 太公家教多不殘䉶玃兒實卿偏(結句一字誤脱)

(H) 孝經有序無注(伯希和氏蒐集，文書編號3372。無照片，據内藤博士筆記。)

卷首“孝經一卷……”,次有序文十七行,經文終於《廣至德章第十三》“非家至而悦見之”,凡七十九行殘存。背記有“癸酉年四月六日浄土寺”之識語,及題爲“社司轉帖”的公文書約十行。

(I) 孝經有序無注(伯希和氏蒐集,文書編號2545。同上。)

卷首“孝經一卷并序”,次有序文十二行。經文終於《五刑章第十一》“非聖人者”,凡六十一行殘存。背記有“丙戊(戌)六月十七日郭殘友請得安家酒云云”記録十四行。

(J) 孝經無注(伯希和氏蒐集,文書編號2715。同上。)

自《三才章第七》末尾“……德……”,至《喪親章第十八》末尾,凡六十七行殘存。又尾題“孝經一卷”一行。另有卷末識語云:

孝經一卷丁亥年二月十四日寫畢點勘一
無脱錯傳之後學請不疑慮記也
此是魯國孔李七探討之書不勒梓

本書乃丁亥年書寫、校訂以傳後學者。“此是魯國孔李七云云”,是作爲探究本書成立、流傳綫索之重要文字,可惜“孔李七”究爲何人,無由得知。

(K) 孝經無注(伯希和氏蒐集,文書編號2746。同上。)

自《紀孝行章第十》“……者……”至《喪親章第十八》末尾,凡三十八行殘存。又尾題“孝經一卷”一行。另有卷末識語云:

翟飇�院郎君翟飇颰詩卷
歲至庚辰月造秋季日逮第三寫詩竟記後有
餘紙輙造五言拙詩一首翟飇
讀誦須懃苦成就如似虎不詞杖捶體願賜榮軀路

此識語略有難解處,蓋庚辰年學生翟飇颰書寫詩卷(或即《孝經》?)畢,附記自作詩一首於餘白處。

(L) 孝經無注(伯希和氏蒐集,文書編號3830。同上。)

内藤博士筆記只言“約諸侯章(第三)——廣要道章(第十二)”,其詳不明。

右(F)至(L)七本,皆屬同一系統,即今文十八章本。卷首云“孝經一卷并序”,次有序文,正文僅有經文而無注文,卷末尾題“孝經一卷”。今據卷末識語考察,以“天福柒年云云”即後晋高祖年號推之,則這一批《孝經》古鈔本大致抄寫於五代;以“永安寺學仕郎”“靈圖寺沙彌”“靈圖寺學郎”等推之,可知當時敦煌郡内佛寺寺塾對出家弟子或庶民子弟實施普通教育,曾將本書與《論語》同作爲修身讀書之教科書,學習書寫讀書之用。既是作爲修身讀書之教科書,則敦煌遺書中存在大量《論語》《孝經》殘卷,理實自然也。又既以佛寺雛僧、幼少普通子弟爲對象,正如我國(太宰)春台訓點《古文孝經正文》,僅收經文不録注文,亦極自然。又既出自幼少子弟書寫,則轉寫多謬、字體稚拙,亦屬難免。

此類《孝經》古鈔本發現,作爲唐代庶民教育之研究資料甚爲重要。若以經典批判立場加以考察,則本書經文異於御注本,而與鄭注本一致,則知其蓋爲唐玄宗删改以前之本。又以復原鄭注本立場觀察，則諸古鈔本之原始形態，既能補正前揭鄭注本經文之殘缺，再現鄭注本原貌，更可進而究明《孝經》本原形態，進而爲正確理解《孝經》義理等，提供重要綫索。

【附記】 本項撰寫之際，多得《支那學》第十卷特别號所載那波利貞博士《唐鈔本雜抄考》一文教益。

四

首先試將本書序文復原再現如下。上揭七本中有序文者爲 3372、2545、1386 三本，皆殘缺不全。今以保存原貌相對較佳之 3372 號爲中心，其缺者以 2545、1386 二本補之，略復原貌如下。

(備考)(1) 序文右旁附◎記，乃校以 2545 者。

(2) 序文右旁附●記，乃校以 1386 者。

孝經一卷并序

孝經者，魯國先師，姓孔，名【丘(一)，字仲尼。其父叔】梁紇，後娶顔氏之女。久而無子，故其(祈)(二)於尼丘山，而生孔子。其首返(反)(三)宇，象尼丘【山，故】(四)名丘，字仲尼。有聖德，應聘之(諸)(五)國，莫能【見用】(六)。當春秋【之末，文武】(七)道墜，逆亂兹甚，慕盱(■)(八)猶(由)(九)生。皇靈衰(哀)(一〇)三代之黔犁(黎)(一一)，愍倉(蒼)(一二)生之莫久(救)(一三)，故命孔子，使述六藝，以待明主。有飛鳥，遺文書【於魯端】(一四)門云：秦滅法，孔經存。孔子既覩此書，懸車之(止)躬(聘)(一五)。魯哀公十一年，自衛返魯，修春秋，述易道。乃刊討(詩)(一六)書，定禮樂，教於洙泗之間。弟子四方之(至)(一七)者，三千餘人，受業身通達者，七十二人。唯有弟子曾參，有之(至)孝至(之)姓(性)(一八)，故因閑居之中，爲説孝之大理。弟子録之，名曰孝經。夫孝者，蓋三才之經緯，五行之綱紀。若無孝，則三才不成，五行僭序。是以在天則曰至德，在地則曰愍德，施之於人，則曰孝德。故下文言，夫孝者，天之經，地之義，人之行。三德同體而異名，蓋孝之殊途。經者不易之稱，故曰孝經。

【校勘記】 (注)校勘記中“◎本”指 2545 號本。

(一)“名”下疑缺“丘字仲尼其父叔”七字。(二) 其、祈之音通誤寫。(三) 按《史記·孔子世家》所引《索隱》，返作反，是也。(四)“仲尼”下疑缺“山故”二字。(五) ◎本“之”作“諸”，是也。(六)“莫能”下疑缺“見用”二字。

（七）“春秋”下疑缺“之末文武”四字。（八）〇本“耶”作“■”。按■，疑“弑”字之誤寫。（九）猶同由。（一〇）衰，疑“哀”字之誤寫。（一一）〇本“棃”作“黎”，是也。（一二）倉通蒼。（一三）〇本“久”作“救”，蓋久、救之音通誤寫。（一四）按《春秋演孔圖》，“門”上有“魯端”二字，此本“門”上疑脱“於魯端”三字。（一五）之、止之音通誤寫。躬，聘字之誤寫。（一六）〇本“討”作“詩”，是也。（一七）〇本“之”作“至”，蓋之、至之音通誤寫，下效之。（一八）至，之之音通誤寫，姓通性。

今據上序，略窺撰者作成本書之意圖及其孝經觀。

(a) 首先，本序文並不揭示撰著新書或加以注釋之經過，而以揭示《孝經》本身之成立與價值爲中心，可謂具有《孝經》題序性質。

(b) 本書原本乃作爲初學幼童之修身讀書教科書，故僅存經文，不附注文。

(c)《漢書·藝文志》以來，謂“《孝經》者，孔子爲曾子陳孝道也”，立足孔子自作《孝經》説；此則將孔、曾二子問答對話易爲“弟子録之”，稍趨合理，或可窺知曾子弟子作《孝經》説之端倪。

(d) 本文採《史記·孔子世家》所見孔子六經删定之説，而論其删定之動機，則據《春秋緯·演孔圖》云：

> 得麟之後，天下血書魯端門曰：“趨作法，孔聖没，周室亡，慧東出，秦政起，胡破術，書紀散，孔不絶。”子夏明日往視之，血書飛爲赤烏，化爲帛書，署曰《演孔圖》，中有作圖製法之狀。

是以秦政焚書與孔經不滅成爲預知之結果，孔子之行被神秘化。

(e)《玉海》卷四十一引《孝經鄭注序》云：

> 孝經者，三才之經緯，五行之綱紀，孝爲百行之首，經者不易之稱。

此探求《孝經》命名之依據，以“孝”爲統合三才、五行之最高原理，以“經”爲恒久不易之意。

(f) 石濱博士在《敦煌石室遺書》中言及本序，嘗推定爲鄭序。實則其與《大唐新語》、《禮記正義》中引文不相一致，故並非鄭序。

據上，本書撰者受到五行思想、讖緯思想影響，以《孝經》爲孔子自作，乃六經之總會，位於六經之上，是知其立於後漢以來鄭玄學派之立場，略可推定。可惜以現有資料，其撰者固不可知，即其成立年代亦難以斷定。

五

(M) 孝經無注（斯坦因氏蒐集，文書編號0707。手塚良道氏照片。）

關於本書經文，既有上揭 1386 號首尾完具者，故無再現必要。惜乎内藤博士相關筆記之記載頗爲零碎，其他六本情形相同，不能作爲資料直接使用。

所幸者,有與此同系統之殘缺本,可作爲直接之資料。此即斯坦因所得今存倫敦大英博物館本。昭和十二年大阪府立圖書館發行《孝經善本集影》所收手塚良道博士所藏照片一葉即是。今謹據本書照片,試作解説云。

本書自《廣揚名章第十四》"居家□理",至《喪親章第十八》末尾,凡二十三行殘存。又尾題"孝經一卷"一行。另有卷末識語云:

三界寺學郎元深

同光三年乙酉歲十一月八日三界寺學仕郎郎君曹元深寫記

本書爲後唐莊宗同光三年(925)敦煌郡三界寺寺塾學生曹元深書寫,與前揭斯坦因、伯希和兩氏所蒐集《孝經》古鈔本屬同一系統。今將上揭敦煌發現鄭注原本經文、本書、唐玄宗御注開元十年始注本、天寶二年重注本經文,及作爲參考之《經典釋文》所引經文,作比較如次。

【備考】 (一)以下校勘記中,△▲△△表示四本中僅一本有異,其他三本相同。(二)○○●●表示四本中有二本相同情況。(三)□◤■■表示四本中二本相同,其他二本各自相異。

章名	鄭注本(據敦煌本)	同光本(據手塚本書照片)	開元本(據三條本)	天寶本(據石臺本)	經典釋文(盧文弨考證本)
廣揚名章第十四	□居家理治	◤理治作治理	■理下有故字	■治作治	■釋文云:讀居家理故治絶句。
	△而名立於後廿矣	△	▲立下無於字	△	
	○而名立於後廿矣	○	●廿作世	●	
	△而名立於後廿矣	▲廿下無矣字	△	△	
諫諍章第十五	○【諫】諍章	○	●諍作争	●	○
	△則聞命矣	▲聞作問	△	△	
	△是何言與	▲與作歟	△	△	▲釋文云:本今作與。
	○不失其天下	○	●失下無其字	●	●釋文云:本或作不失其天下,其字衍耳。
	△則身不陷於不義	△	▲則下無身字	△	
感應章第十六	○感應章	○	●感應作應感	●	○釋文云:本今作應感章。
	△言有父也	▲父下無也字	△	△	
	○光於四海	○	●於作于	●	
	○自東自西	○	●自東自西作自西自東	●	

續表

章名	鄭注本（據敦煌本）	同光本（據手塚本書照片）	開元本（據三條本）	天寶本（據石臺本）	經典釋文（盧文弨考證本）
事君章第十七	○君子之事上	○	●上下有也字	●	
	▲退思補	△補下有過字	△	△	△
	○故上下治	○	●上下下無治字	●	
	○能相親	○	●親下有也字	●	
	△心乎愛矣	▲矣作以，音通誤寫	△	△	
	○忠心藏之	○	●忠作中，通用	●	●釋文云：本亦作忠。
喪親章第十八	△孝子之喪親	△	△	▲親下有也字	▲
	△言不文	▲文作聞，音通誤寫	△	△	△
	【闕佚】	此哀戚之【情】也	戚作慼	戚作慼	戚作慼
	【闕佚】	此聖人之政	政下有也字	政下有也字	
	□示人有終	□	■人作民	◤民作巳	■
	○示人有終	○	●終下有也字	●	
	△【爲】之棺槨	△	▲爲下無之字	△	△
	△【爲】之棺槨	△	△	▲槨作椁	△
	△而舉之	△	▲舉下無之字	△	△
	△擗踴【哭泣】	△	▲踴作踊	△	▲
	【闕佚】	而安措之	措下無之字	措下無之字	措下有之字，措作厝
	【闕佚】	以鬼享知	以鬼享之	享作亨，非也	以鬼享之
	【闕佚】	之作知，誤寫	以鬼享之	以鬼亨之	以鬼享之
	【闕佚】	祭作際，音通誤寫	春秋祭祀	春秋祭祀	
	△【生民之本】盡矣	▲盡作備，誤寫	△	△	
	△死生之義備【矣】	▲義作儀，通用	△	△	
尾題	□孝經一卷	□孝經一卷	■御注孝經	◤無尾題	

據上表三十六條校勘,可知如下諸事。

(1) 同光本爲幼少子弟所書,其轉寫誤謬之多,極爲自然。除去其誤謬外,與鄭注本一致。是同光本并同系統之《孝經》古鈔本,與鄭注本爲同一系統,可得力證。

(2) 是故,上揭鄭注原本經文之殘缺,可以此同光本及同系統古鈔本加以復原。

(3) 御注本經文删改鄭注本經文者非尠。詳言之,開元始注本未加删改者,天寶重注本有部分删改;開元始注本删改之部分,天寶重注本加以還原者亦多。

(4) 此前輯佚鄭注諸家皆以據鄭注施以音義之《釋文》爲重要資料。實則《釋文》與鄭注本、同光本多不一致,反與御注本一致者夥,頗出意外。疑《釋文》之《孝經》部分乃有後人依據御注本删改部分。

綜上所言,敦煌遺書中企望良久之鄭注原本及其疏與大量珍貴《孝經》古鈔本之出現,不僅使宿疑陸續得以解決,亦産生種種新問題。此前流行之《孝經》孔傳、鄭注作者問題疑義甚多,唐玄宗遂於開元十年、天寶二年,兩度重注《孝經》,頒之天下國子學;天寶三年更勅令每家藏《孝經》一部,四年乃以八分御書重注,建諸長安太學前,欲以御注本統一天下諸本。此竟使孔傳、鄭注亡佚於五代之亂。然距玄宗御注之後約二百年之五代,在西陲僻遠之沙州敦煌,卻依然使用六朝以來之鄭注本。敦煌遺書中御注本行迹寥寥。此則《孝經》傳播史上頗具興味者,限於篇幅不復贅言。

(昭和二十三年三月廿一日脱稿)

【附記】 本文撰寫蒙故内藤湖南博士之令嗣乾吉氏及石濱純太郎博士慨允,盡覽珍貴之照片與筆記,謹致謝忱。又,本論文中(三)(四)(五)各節所引今文《孝經》單經本以外,尚有斯坦因氏蒐集目録 3993、5545、5821、6165、6177 及伯希和氏蒐集目録 2764、3369、4628、4775、4895 諸本存在,但因撰作之時無由得見,未能論及,望讀者涵諒。

敦煌遺書《孝經》鄭注本經文復原

【日】林秀一　陸明波　刁小龍 譯

今文《孝經》代表性注釋書之鄭注，是否爲後漢鄭玄著作，存疑至今。而鄭玄以《孝經》爲六經之總會①，故《孝經》對鄭玄學派來説是重要經典之一，自無疑義。自中國陳振孫《直齋書録解題》②、我國藤原佐世《日本國見在書目》③以後，未有言及《孝經鄭注》之所在者，是書殆已遭亡佚之厄。降至清朝，考證學勃興，促使兩漢經學復歸。作爲兩漢經學大宗之鄭玄學術亦由以復興。鄭玄學術復興之主流與輯佚學興盛之支脉二者匯合，使得鄭玄佚書陸續輯出。至於《孝經》，諸家亦鉤稽諸書所引鄭注，試圖復原其舊貌。爲之推波助瀾者，乃乾隆帝開四庫館時廣爲搜求遺書。藉此，地方藏書家陸續進獻遺書，民間古書熱亦方興未艾，此亦《孝經》鄭注輯佚流行之一因。是故輯本輩出，中國有朱彝尊、余蕭客、陳鱣、袁鈞、王謨、錢侗、鮑廷博、洪頤煊、臧鏞堂、孔廣森、黄奭、嚴可均、皮錫瑞、潘任、孫季咸、曹元弼等，日本則有伊奈忠賢、河村益根、岡田挺之、窪目清淵、東條弘等。

是故，前赴後繼，由雜到精，由粗轉密，逐漸接近鄭注本之全貌。此類《孝經鄭注》輯佚家之主要資料，乃唐魏徵奉勅所撰《群書治要》。本書卷九所收《孝經》未明注者，因其與宋邢昺《孝經正義》、唐陸德明《經典釋文》所引《孝經鄭注》一致，知爲鄭注。但是，《治要》原本即自群書中萃取爲政之要訣，纂爲一書，故於《孝經》，删略《卿大夫》、《三才》、《聖治》、《諫諍》、《事君》各章一部分及《喪親章》全部。而邢昺《正義》、陸德明《釋文》及其他諸書所引鄭注，亦率皆瑣屑零碎。故作爲輯佚資料，難免未全之誚。因之，雖鄭注輯佚家們苦心孤詣，但迫於資料所限，自日本窪目清淵④、東條弘⑤，中國嚴可均⑥、皮錫瑞⑦以後，實未見新發展。惜以現有輯佚，鄭注中糾葛之諸多疑問未能解決。因之，鄭注原本之渴盼已久。滿足此切實要求者，爲石濱純太郎博士《孝經鄭注》原本之

---

① 鄭康成《六藝論》云："孔子以六藝題目不同，指意殊别，恐道離散，後世莫知根源，故作《孝經》，以總會之。"（《孝經正義序》引）

② （宋）陳振孫《直齋書録解題》卷二。

③ 宇多天皇寬平年間，藤原佐世奉勅撰《日本國見在書目》。（經下孝經家）

④ 《補訂鄭注孝經》一卷，窪目清淵輯，文化元年家刻本，昭和六年東京松雲堂影印本。

⑤ 《增考孝經鄭氏解補證》一卷，東條弘撰，文化十二年家刻本。《孝經兩造簡孚》一卷，東條弘撰，文政十三年家刻本。

⑥ 《孝經鄭注》一卷，（清）嚴可均輯，《咫進齋叢書》第三集所收，光緒三十三年金陵江楚編譯官書局石印本。

⑦ 《孝經鄭注疏》二卷，清皮錫瑞撰，光緒乙未（三一）師伏堂刊本。

發現。博士於大正十三年(1924)與内藤虎次郎博士同遊歐洲之際,在巴黎國民圖書館所藏伯希和所蒐集敦煌遺書中,發現鄭注原本。但此書早已汙損,以至魯魚難辨,博士遂放棄攝影照相,依原本體製忠實繕寫而歸。同時,内藤博士在伯希和氏蒐集本以外,調查倫敦大英博物館所藏斯坦因氏蒐集本,並撰寫《孝經》相關諸書之簡單筆記。本稿筆者不意蒙内藤、石濱二博士厚意,盡其珍貴筆録,拜借研究。

石濱博士發現《孝經鄭注》之原本,今分作二卷别爲保管,但其原是一卷本破損分離而成,據其接口之狀態、字體之一致、汙損之程度,蓋無可疑。亦即,始於《開宗明義章第一》經文"終於立身"注文"年七十耳目不聰明"、終於《廣揚名章第十四》章名的 3428 號文書,與始於《廣揚名章》經文"子曰君子之事親孝"、終於《喪親章第十八》末尾的 2674 號文書,二者恰可接續。但是,此苦心所得原本,除《士人章第五》、《庶人章第六》、《廣揚名章第十四》三章外,其他各章中經文、注文皆有相當數量殘闕,轉寫所致脱漏、誤謬也不少。加之字體雜亂,古字、俗字、略字、或字之混用亦非尠。故而,筆者於素來輯佚家所用《治要》、《釋文》、《正義》以下引用鄭注者窮蒐廣輯,又承石濱博士教示,從《令集解》、《文選集注》、并學界所未知之敦煌遺書《孝經鄭注義疏》中,發現許多新資料,并此新舊資料重新檢討,補訂原本之殘闕、脱漏、誤謬,試還其《孝經鄭注》舊貌,以至十之八九。與《孝經鄭注》舊有輯本相比,不僅内容、體裁面目一新,更能解決素有輯本未能解決諸多疑問,更爲將來提供新問題。關於以上始末,筆者已於《書誌學》第四卷第一號至第五號連載《補訂敦煌出土孝經鄭注》一文中,加以解説,詳盡介紹原文,此不贅言。

〇

但是,由石濱博士發現、筆者補訂之《孝經鄭注》原本(以下略稱"鄭注本"),仍有經文、注文皆未得復原之殘缺部分。筆者于此之後,繼續努力復原,其研究經過已有昭和二十四年(1949)三月刊拙著《孝經學論考》所收《敦煌遺書孝經考》一文發表。彼時,筆者依據内藤博士筆記,對一組僅有經文無注文之今文《孝經》——文書編號 0728、1386、2545、2715、2746、3372、3830 六種[①]——加以解説。又根據手塚良道博士惠借照片,就與前揭諸本同一系統之有同光三年識語 0707 號文書[②]進行解説。解説中,筆者曾云:

> 本書經文異於御注本,卻與鄭注本一致,則爲唐玄宗删改以前之本可知矣。以鄭注本復原立場觀察,則知此等古鈔本原始形態,能爲補正前揭鄭注本經文之殘缺,再現鄭注本原貌,進而究明《孝經》本身原形態,正確

① 文書編號 0728、1386 乃斯坦因氏蒐集者,2545 以下乃伯希和氏蒐集者。

② 本文書爲斯坦因氏所蒐集。

理解《孝經》義理等,提供重要綫索。

指出諸本作爲鄭注本經文復原資料之重要性。特别是關於 1386 號文書,内藤博士筆記云:

序文後半殘存"門云秦滅法孔經存"以下,經文完具。①

據此,此本經文乃爲完本,是以若得見此本照片,便有望使鄭注本經文之殘缺得以復原。但限於當時情勢,照片實不易得。所幸最近國立國會圖書館支部東洋文庫獲得斯坦因氏蒐集文書之全部照片,京都大學中國文化研究所亦有複製本。承兩所厚意,筆者得見斯坦因氏蒐集《孝經》相關文書全部照片。

今以這些照片爲綫索,對期盼已久之 1386 號文書略作解説。本書殘存自"由生皇"至"故曰孝經"序文後半十一行,自《開宗明義正第一》至《喪親章第十八》經文八十五行半完具。每行字數不定,多者二十七字,少者十八字。卷尾尾題"孝經一卷",次行有識語云:

維天福柒年壬寅歲十二月十二日永
安寺學士郎高清子書寫之

故本書爲後晋天福七年(942)由敦煌郡永安寺寺塾學生高清子書寫。但是,畢竟爲幼少子弟書寫,字體稚拙,轉寫誤謬亦不少。可以此次所得同系統 0707、0728、5545、5821、6165 五本照片,校訂本書(以下稱"天福本")書寫誤謬。

又,將此前鄭注本經文殘存部分與天福本比較,表示如下:

	鄭注本(文書編號 3428、2674)	天福本(文書編號 1386)
士人章第五	無忝尒所生	忝作念
聖治章第九	各以其職來祭	來下有助字
	父子之道天性	性作姓,姓下有也字
	謂之悖德	悖作勃,下效之
	則而象之	象作像
紀孝行章第十	孝下脱行字	孝下有行字
	在醜而爭	而作不
	雖日用三牲之養	牲作生

據上表中天福本《聖治章第九》"各以其職來祭"之"來"下有"助"字等例可知,與其視爲今文《孝經》之可珍者,毋寧將之視爲天福本之固有文字,如某些

① 序文欠佚部分大體可據文書 1386、2545、3372 復原舊貌,其結果發表在拙著《孝經學論考》中《敦煌遺書孝經考》一文。此後,當時未能復原部分亦可藉武内義雄博士所藏 0628 號文書補充完全。此與本文主題無涉,不復詳論。

古文《孝經》[①]所見者。此外,僅據鄭注本與天福本所見轉寫誤謬以及同音誤寫者,可知此二本經文全然一致。因此,天福本經文作爲補苴鄭注本經文闕佚之珍貴資料,從可證矣。是故,將天福本經文置入鄭注本經文殘缺部分,即可實現鄭注本經文之復原,如次所示。

◯

【復原凡例】

一、敦煌遺書鄭注本(文書編號 3428、2674)經文闕佚處,據同系統之天福本(文書編號 1386)補。

二、鄭注本經文闕佚之復原部分,以【】號以示區別。

三、鄭注本經文脱漏之復原部分,以[ ]號以示區別。

四、經文明顯有誤者亦不妄改,於經文右旁以()號示正字,詳見校勘記。

五、他書所引《孝經》鄭注本經文及校勘内容,詳列于校勘記。校勘記中標出之經文,於其上附○號以便檢索。

六、原文本無句讀,增以爲便。

【孝經】

【開宗明義章第一】

【仲尼居,曾子侍。子曰:先王有至德要道,以順天下,民用和睦,上下無怨,汝之(知)知(之)乎。曾子避席曰:參不敏,何足以知之。子曰:夫孝,德之本,教之所由生。復坐,吾語汝。身體髮膚,受之父母,不敢毁傷,孝之始也;立身行道,揚名於后世,以顯父母,孝之終也。夫孝,始於事親,終(中)於事君,終於立身】。大雅云:【無念尒祖,聿脩厥德】。

【天子章第二】

子曰:愛親者,不敢惡於【人;敬親者,不敢】慢於人。愛敬盡於事親,【而德教加於百姓】,刑于四海,蓋天子之【孝也】。甫刑云:一人有慶,兆人賴之。

諸侯章第三

【在上不驕,高而不危,】制節謹度,滿而不溢。【高】而不危,所以長守貴;滿而不溢,所以【長守富】。富貴不離其身,然後能保【其社稷】,而和其人民,蓋諸侯之【孝也】。詩云:戰戰兢兢,如臨深淵,如履薄氷。

卿大夫章第四

【非先王之法服不敢】服,【非先王之法言不】敢道,非先王之德行不敢行。

---

① 例如建治本、弘安本、元德本、文安本、足利本等。

【是故非法】不言，非道不行。口無擇言，身無擇行，【言滿天下無口】過，行滿天下無怨惡，三者備矣，【然後能守其宗廟】，【蓋卿大夫之孝也】。詩云：夙夜匪懈，以事一人。

士人章第五

資於事父以事母，而愛同；資於事父以事君，而敬同。故母取其愛，而君取其敬，兼之者父也。故以孝事君則忠，以敬事長則順。忠順不失，以事其上，然後能保其禄位，而守其祭祀，蓋士之孝也。詩云：夙興夜寐，無忝尒所生。

庶人章第六

用天之道，分地之利，謹身節用，以養父母，此庶人之孝也。故自天子至於庶人，孝無終始，而患不及己者，未之有也。

三才章第七

曾子曰：甚哉，孝之大也。子曰：夫孝，天之經，地之義，民之行。天地之經，而人是則之，則天之明，因地之利，以順天下，是以其教不肅而成，其政不嚴而治。先王見教之可以化人也，是故先之以博愛，而民莫遺其親；陳之以德義，而民興行；先之以敬讓，而民不争；道之以禮樂，而民和睦；示之以好惡，而民[之(知)禁]。詩云：赫赫師尹，民具尒瞻。

孝治章第八

子曰：昔者明王之以孝治天下，不敢遺【小國之】臣，而況於公侯伯子男乎。故得萬國之歡心，以事其先王。治國者，不敢侮於鰥寡，而況於士民乎。故得百姓之歡心，以事其先君。治家者，不敢失於臣妾之心，而況於妻子乎。故得人之歡心，以事其親。夫然，故生則親安之，祭則鬼享之，是以天下和平，灾害不生，禍亂不作。故明王之以孝治天下如此。詩云：有覺得(德)行，四國順之。

聖治章第九

【曾子曰：敢問】聖人之德，無以加於孝乎。【子曰：天地之】姓(性)，人爲貴。人之行，莫大於孝，孝莫大【於嚴】父，嚴父莫大於配天，則周公其人也。昔者周公郊祀后稷以配天，【宗祀文】王於明堂以配上帝，【是以四】海之内，各以其職來祭。夫聖人之德，【又何以加於】孝乎。故親生之膝下，以養父母日嚴。【聖人因】嚴以教敬，因親以教愛。聖人之教，不肅【而成】，其政不嚴而治，其所因者本也。【父子之道】天性，君臣之義。父母生之，續莫大焉；【君親】臨之，厚莫重焉。故不愛其親，而[愛]他人親者，【謂之】悖德；不敬其親，而敬他人親者，謂之悖禮。以順則逆，民無則焉，不在於善，而皆在於凶德，雖得之，君子所不貴。君子則不然，言思可道，行思可樂，德義可尊，作事可法，容止可觀，進退可度，以臨其人，是以其人畏而愛【之】，則而象之。故能成其德教，而行其政令。詩云：淑人君子，其儀不忒。

紀孝[行]章第十

子曰：孝子之事親，居則致其敬，養則致其樂，病則致其憂，喪則致其哀，祭則致其嚴，五者備矣，然後能事親。事親者，居上不驕，爲下不亂，在醜而（不）争。居上而驕則亡，爲【下而】亂則刑，在醜而争則兵，三者不除，雖日用三牲之養，猶爲不孝。

五刑章第十一

子曰：五刑之屬三千，而罪莫大於不孝。要君者無上，非聖人者無法，非孝者無親，此大亂之道。

【廣要道】章第十二

子曰：教人親愛，莫善於孝；【教人禮順，莫善】於悌；移風易俗，莫善於樂；【安上治人，莫】善於禮。禮者敬而已矣。故敬其父則【子悦，敬其】兄則弟悦，敬其君則臣悦，敬一人則千萬人悦。【所敬者寡，而】悦者衆，此之謂要道。

【廣至德章第十三】

子曰：君子之教以孝，非家至而日見之。教以孝，所以敬天下之爲人父者；教以弟，所【以敬天下之爲人】兄者；教以臣，所以敬天下之爲人君者。【詩】云：愷悌君子，民之父母。非至德，【其熟（孰）能順人，如此其大者乎】。

廣揚名章第十四

子曰：君子之事親孝，故忠可移於君；事兄悌，故順可移於長；居家理，治可移於官。是以行成於内，而名立於後廿（世）矣。

【諫】諍章第十五

曾子曰：若夫慈愛恭敬，安親揚名，則聞命矣。敢問：子從父之令，可謂孝乎。子曰：是何言與。【是】何言與。昔者天子有諍臣七人，雖無道，不失其天下；諸侯有諍臣五人，雖無道，不失其國；大夫有諍【臣三】人，雖無道，不失其家；士有諍友，則身不離於令名；【父】有諍子，則身不陷於不義。故當不義，則子不可以不諍於父，臣不可以不諍於君。故當不義則諍之。從父之令，又焉得爲孝乎。

【感】應章第十六

子曰：昔者明王事父孝，故事天明；【事】母孝，故事地察；長幼順，故上下治。天地明察，神明彰矣。故雖天子，必有尊也，言有父也；必有先也，言有兄也。宗廟致敬，不忘親也；修身慎行，恐辱先也；宗廟致敬，鬼神著矣。孝悌之至，通於神明，光於四海，無所不通。詩云：自西自東，自南自北，無思不服。

事君章第十七

子曰：君子之事上，進思盡忠，退思補[（過）]，將順其美，匡救其惡，故上下治能相親。詩云：心乎愛矣，遐不謂矣。忠心藏之，何日忘之。

喪親章第十八

子曰：孝子之喪親，【哭不哀（偯）】、禮無容、言不文，服美不安、【聞樂不樂】、食旨不甘，【此哀戚之情。三日而食，教民無以死】傷生，毀不【滅性，此聖人之政】；喪不過三年，示人有終。【爲】之棺槨衣衾而舉之；【陳其簠簋而哀戚】之；擗踴【哭泣，哀以送之；[卜]其宅兆而安措之】；爲之【宗廟，以鬼享之；春秋祭祀】，以時思之。【生事愛敬，死事哀戚，生人之本】盡矣，死生之義備【矣，孝子之事親終矣】。

【孝經一卷】

附録：校勘記

（一）校勘使用書目

敦煌遺書孝經鄭注義疏一卷（文書編號 3274）

撰者未詳。原本爲巴黎國民圖書館所藏，校勘據内藤虎次郎博士惠借之照片。今簡稱"義疏"。

天福本今文孝經單經本一卷（文書編號 1386）

天福七年敦煌郡永安寺學士郎高清子書寫。原本爲倫敦大英博物館所藏，校勘以國立國會圖書館支部東洋文庫照片複製本。今簡稱"天本"。

群書治要五十卷

唐太宗貞觀五年魏徵等奉勅撰。本書卷九所收《孝經》，未明注者，然與《釋文》、《正義》所引鄭注一致，故爲鄭注可知。我國現存《治要》有金澤文庫舊藏古鈔本、元和中印古活字本、天明中尾州藩刻本、弘化中紀州藩印活字本。校勘用近藤守重、市野光彦以金澤本手校之天明刊本。今簡稱"治要"。

經典釋文三十卷

唐陸德明撰。本書卷二十三收《孝經音義》，《叙録》中陸氏自謂"古文孝經，世既不行，今隨俗用鄭注十八卷本"，則其以鄭注本爲底本者矣。向來鄭注輯佚者概據通志堂經解所收本，未爲善本。此處用"常州龍城書院開雕"之盧文弨《考證》本。今簡稱"釋文"。

孝經正義三卷

唐玄宗御注，元行沖疏，宋邢昺校定。此書原爲開元十年玄宗御注，命元行沖作疏三卷。玄宗於天寶二年重注《孝經》，補開元始注之不備，使注與疏遂有抵牾，故天寶五年復改修疏文。此後，宋真宗咸平年間，命邢昺再爲校定《孝經》疏，此即今十三經注疏所收《孝經注疏》九卷。《正義》中，御注據鄭注者二十九條，邢疏引鄭注者十一條，今由《正義》録出，得窺鄭注大要者數條。校勘用"嘉慶二十五年江西南昌府學開雕"之"重栞宋本孝經注疏附校勘記"本。今簡稱"正義"。

（二）校勘記

○孝經　此本缺首題。按尾題云"孝經一卷"，今姑據尾題補孝經二字

開宗明義章第一

○汝知之乎　《釋文》汝作女，云"音汝，本或作汝"。諸本之作知、知作之，並是也。

○曾子避席　《釋文》避作辟，云"音避，本或作避"。

○參不敏　《釋文》參作曑。

○夫孝德之本　《治要》本下有也字。

○教之所由生　《治要》生下有也字。

○終於事君　諸本終作中，是也。

○無念尒祖　《釋文》無作毋，云"音無，本亦作無"。《義疏》、《治要》尒作爾，下效此。

天子章第二

○刑於四海　《治要》、《釋文》刑作形。

○蓋天子之孝也　《治要》孝下無也字。

○甫刑云　《治要》甫作吕。

○兆人賴之　《治要》、《釋文》人作民。按民作人者，蓋避唐太宗諱也。下效此。

諸侯章第三

○所以長守貴　《治要》貴下有也字。

○所以長守富　《治要》富下有也字。

○而和其人民　《義疏》、《治要》人民作民人。

○如履薄氷　《治要》氷作冰。

卿大夫章第四

○蓋卿大夫之孝也　《義疏》孝下無也字。

士人章第五

○士人章　《義疏》、《釋文》士下無人字。

○然後能保其禄位　《治要》保下無其字。

庶人章第六

○用天之道　《治要》用字上有子曰二字，用作因。

○至於庶人　《義疏》、《治要》於作于。

三才章第七

○天之經　《治要》經下有也字。

○地之義　《治要》義下有也字。

○民之行　《治要》、《釋文》行下有也字。

○道之以禮樂　《釋文》道作導，云"音道，本或作道"。

○而民之禁　諸本之作知，是也。

孝治章第八

○子曰昔者　《釋文》昔作𦚨，云"下皆放之，本今作昔"。

○而況於公侯伯子男乎　《義疏》男下無乎字。

○不敢侮於鰥寡　《義疏》不下無敢字，侮下無於字。

○而況於士人乎　《義疏》人下無乎字。

○祭則鬼享之　《治要》享作饗。

○灾害不生　《釋文》灾作災，云"本或作灾，則才反。説文云：灾，災或字。"

○有覺得行　諸本得作德，是也，蓋同音之誤。

聖治章第九

○天地之姓　《義疏》、《治要》姓作性，是也。蓋同音之誤。

○各以其職來祭　天本來下有助字。

○父子之道天性　《治要》性下有也字。

○君臣之義　《治要》義下有也字。

○續莫大焉　《釋文》莫作焉，云"本今作莫"。

○而愛他人親者　此本而下脱愛字，今據天本補。《治要》人下無親字。

○而敬他人親者　《治要》人下無親字。

○則而象之　天本象作像，《集韻》云"像通作象"。

○故能成其德教　《治要》德下無教字。

紀孝行章第十

○紀孝章　此本孝下脱行字，今據天本補。

○在醜而争　諸本而作不，是也。

○雖日用三牲之養　天本牲作生，蓋同音之誤。

五刑章第十一

○此大亂之道　《治要》道下有也字。

廣要道章第十二

○莫善於悌　《釋文》悌作弟，云"本亦作悌，同大計反。"

○敬一人則千萬人悦　《治要》則作而。

○所敬者寡而悦者衆　《治要》寡下無而字。

○此之謂要道　《治要》、《釋文》道下有也字。

廣至德章第十三

○所以敬天下之爲人父者　《治要》者下有也字。

○教以弟　《治要》弟作悌，悌通用弟。

○所以敬天下至爲人兄者　《治要》者下有也字。

○所以敬天下之爲人君者　《治要》者下有也字。

○其熟能順人　諸本熟作孰，是也。

廣揚名章第十四

○居家理治可移於官　《治要》、《釋文》理下有故字。按《正義》云"先儒以爲居家理下闕一故字，御注加之"，則鄭注本元無故字。又《義疏》解此句云："居家修理，則爲治之法，可移於官。一讀云居家理治，治屬上句。"則《義疏》本亦元無故字，今有故字者，後人之所加耳。

○而名立於後廿矣　《治要》廿作世。按此本世作廿者，避唐太宗諱也。

諫諍篇第十五

○子從父之令　《治要》令作命。下同。

○是何言與　《釋文》與作歟，云："音餘，下同。本今作與。"《治要》、《御注》與下有是字，原本誤脱，今補。

○諍臣七人　《治要》諍作争。下同。

○不失其天下　《釋文》失下無其字。下注云"本或作不失其天下，其字衍耳"。《治要》失下有其字。

○身不離於令名　《釋文》身下無不字。

感應章第十六

○神明彰矣　《釋文》彰作章，云"如字，本又作彰"。

○光於四海　《治要》於作于。

事君章第十七

○君子之事上　《治要》上下有也字。

○退思補　此本補下脱過字，今據天本補。

○故上下治能相親　《治要》親下有也字。

○忠心藏之　《釋文》忠作中，云"本亦作忠"。

喪親章第十八

○孝子之喪親　《釋文》親下有也字。

○哭不哀　天本同。《釋文》哀作偯，云："於豈反，俗作哀，非。"《義疏》亦作偯，云"曲折曰偯，故聲直出而不曲折"。案《釋文》、《義疏》並是也。

○此哀戚之情　《釋文》戚作慼。

○擗踴哭泣　《義疏》、《釋文》踴作踊。《集韻》云"踴，踊或字"。

○其宅兆　此本其上脱卜字，今據天本補。

○而安措之　《義疏》、《釋文》措作厝，《釋文》注云"七故反，字亦作措"，按厝同措。

○

至此，敦煌遺書《孝經》鄭注本經文之殘缺内容，藉由同系統天福本以下一組今文《孝經》單經本照片之獲得，大體成功復原。這一結果乃使追尋今文《孝經》經文推移之迹——從鄭注本到唐玄宗開元始注本，從開元始注本到天寶重注本——成爲可能。由於唐玄宗連續兩次删改經文，鄭注本之經文乃漸失素樸，一變整然之形態，而距今文《孝經》成立初之原貌愈行愈遠。最終，正如宋朱熹《孝經刊誤》之於古文，元吴澄《校定今文孝經》之於今文，導致了對經文大幅删改，或質疑《孝經》作者及其成書年代，産生出疑經之風潮。此則頗具意味。此外，不僅敦煌遺書《孝經鄭注》原本經文之殘缺部分，其注文之殘缺，亦由斯坦因氏所蒐集《孝經》相關文書照片中，發現了學界未知新資料，成功補訂《廣要道章第十二》、《廣至德章第十三》、《喪親章第十八》等闕失部分。篇幅所限，文煩不一。

【附記】 本文揭載於昭和四十年二月《東方學》第二十九號。

敦煌遺書《孝經》鄭注復原研究

【日】林秀一　陸明波　刁小龍譯

《孝經鄭注》是否後漢鄭玄所撰，宿疑已久，疑不能定。雖然，其爲鄭玄學派著作或不容否定。《孝經鄭注》作爲唐玄宗《御注》出現之前今文《孝經》之代表性注釋，於《孝經》解釋史地位之重要性，亦不可否認。鄭玄重視《孝經》，視其爲六經之總會，是以《孝經》乃鄭玄學派之重要經典，亦爲毋庸置言。

然而，自中國宋代陳振孫《直齋書録解題》并日本藤原佐世《日本國見在書目》之後，再無言及《孝經鄭注》之所在者。蓋此書於兩國皆已遭亡佚之厄。降及清朝，考證學勃興乃促使學術回歸兩漢經學，是故，作爲兩漢經學之大宗，鄭玄學術亦得以復興。鄭玄學術復興之主流與輯佚學興盛之支流相合，遂使鄭玄佚文陸續輯出。相關《孝經》研究，亦自諸書輯佚所引鄭注，興起復原舊貌之努力。爲此推波助瀾者，則乾隆開四庫館之開設導致廣求遺書于天下。地方藏書家陸續進獻遺書，民間古書熱亦方興未艾，乃有《孝經鄭注》輯佚之盛行。由此而輯本輩出：中國有朱彝尊、余蕭客、陳鱣、袁鈞、王謨、錢侗、鮑廷博、洪頤煊、臧鏞堂、孔廣森、黄奭、嚴可均、皮錫瑞、潘任、孫季咸、曹元弼等，日本有伊奈忠賢、河村益根、岡田挺之、窪目清淵、東條弘等。

諸輯佚家之基本資料，爲唐魏徵所撰之《群書治要》，其輔助者則有唐陸德明《經典釋文》、宋邢昺《孝經正義》等。然《群書治要》所收《孝經》之經文、注文皆有顯著删略，其他諸書所引鄭注亦多片言隻語。是故相關輯佚作爲資料之用自然頗受局限，無從解決《孝經鄭注》相關問題，遂使學人愈加期盼《鄭注》原本之出現。大正十三年(1924)，石濱純太郎博士與内藤虎次郎博士於巴黎國民圖書館調查伯希和氏蒐集的敦煌遺書之際，偶然發現待望已久之《孝經鄭注》原本(以下簡稱"原本")。無奈原本破損污濁嚴重，照相存真頗爲困難，故博士僅拍攝其中部分内容，又依原樣繕寫本書，千辛萬苦攜返日本國内。筆者蒙博士厚意，得拜借所有照片、筆記，以爲研究之用。

今據筆録簡單介紹原本形制如下。本書今分作二卷别爲保管，然原實爲一卷本，乃分離破損而成，以其接續之吻合、字體之一致、污濁之類似推定，蓋無可疑。亦即伯希和氏蒐集 3428 號與 2674 號文書可相接續，3428 號起自《開宗明義章第一》"終於立身"注"年七十耳目不聰明"，終於《廣揚名章第十四》章名；2674 號起自《廣揚名章第十四》"子曰君子之事親孝"，終於《喪親章第十八》末尾，又有卷末尾題"孝經一卷"四字。本書行數，前者八十八行，後者三十四行，合計一百二十二行。其首章前半殘缺，苟言之或尚須增加數行。所存各行中，雖無整行殘缺者，但或闕上半，或闕下半，殘破者甚多，如 3428 號，紙背補以各種殘紙。經文大字，注文雙行小字，每行字數不定，經文多者一行二十三字，注文多者一行四十二字。原本殘損如此，更加之字體蕪雜，古字、俗字、略字、或字往往混用，在在皆是。例如尒(爾)、辞(辭)、㥹(慢)、垗(兆)、禝(稷)、偹(備)、皃(貌)、与(與)、𠩄(所)、囙(因)、寡(寡)、䛇(害)、煞(殺)、㳉(淑)、戒(戒)、趍(趨)等，可窺其一斑。關於書寫年代，據其避唐太宗"世民"諱，全章"民"作"人"，《廣揚名章》"世"欠筆作"廿"，又 3428 號背紙有書"咸通四年十一月廿七日書"，知此唐懿宗年號，故原本爲唐鈔本，蓋無疑問。其次，關於鄭序之有無，其卷首至首章前半殘缺，已無由而知其究竟。然據《大唐新語》、《禮記正義》、《玉海》等引文，則確知鄭注本原有序文，此不贅及。

如上所述，原本中頗多殘缺，脱漏、誤謬亦不少。因此，筆者於復原原本之際，經文之殘缺部分補以《群書治要》所收經文，《治要》所删略部分則補以《御注》本經文，更以《經典釋文》補訂之。注文殘缺部分，則於此前鄭注輯佚家所用《群書治要》、《經典釋文》、《孝經正義》以下諸書之鄭注引文之外，更據石濱博士教示，從《令集解》、《文選集注》殘本及學界尚未知之敦煌遺書《孝經鄭注義疏》中，發現許多新資料。通過檢討、運用此等新舊材料，訂補原本注文之殘缺、脱落、誤謬。由此，筆者得以成功復原《孝經》鄭注本十之七八，其成果既以《補訂敦煌出土孝經鄭注》爲題，昭和十年一月至五月間發表於《書誌學》(第四卷第一號——第五號)。此《孝經鄭注》輯佚之業，較之既有諸家之成果，遂面目一新。

但是，筆者所訂補刊布之敦煌遺書《孝經》鄭注本中，經注文字皆有僅憑當時資料而不得復原之若干殘缺、脱漏、誤謬，甚望更多新資料之出現。所幸，近日國立圖書館東洋文庫支部獲得倫敦大英博物館所藏斯坦因氏所蒐集敦煌遺書全部照片，而京都大學中國文化研究所亦得存其全部複製本，筆者蒙兩所之厚意，終於得見《孝經》相關全部照片。其中有筆者關注已久一組僅有經文無注文之今文《孝經》(文書編號 0707、0728、1386、5545、5821、6165)，其與《孝經鄭注》原本經文全然一致。其 1386 號經文完具，以之補充原本經文之殘缺，可使之大致完備。而 1386 號尚有部分書寫誤謬，故復以其他同系統文書補訂之，以期完璧。此成果既以《敦煌遺書孝經鄭注本經文復原》爲題，昭和四十年二月發表於《東方學》第二十九輯。另有零碎殘章斷簡，如得到學界尚未知曉之《孝經》鄭注本(文書編號 3824、3993)照片，得以復原四條注文：由 3993 號得《廣要道章第十二》一條，由 3824 得《喪親章第十八》三條。尤其據此 3824 號，乃得復原殘缺較多之《喪親章》後半注文，實謂幸甚。

至此，完整經文大致得以成功復原，注文之復原亦達十之八九。所得《孝經鄭注》與向來輯本相較，體制、内容皆焕然一新，不僅解決舊有輯本所未能解決之諸多疑問，更爲將來研究提供諸多疑問。今謹就管見所及，論列如次。首先，關於經文：

(1)《諸侯》章"而和其人民"之"人民"，《御注》本於開元始注與天寶重注亦皆作"民人"。然《孝經鄭注》原本與同系統之《義疏》皆作"民人"。然則，原本究竟是否作“人民”遂爲問題。而原本之注文既亦作“人民”，則難以斷言其必爲原本書寫之誤。

(2)《庶人》章“用天之道”之上，唯《治要》有“子曰”二字，原本、《義疏》本則皆無“子曰”二字。因之，難以斷言《治要》本經文必存鄭注本之原貌。

(3)《庶人》章“而患不及己者，未之有也”之“己”字，《御注》本之開元始注與天寶重注本皆删之，然與原本同系統之《義疏》本引王肅注，云“無終始而患不及其身者，未有此也”，則證鄭注原本“及”下當有“己”字。

(4)《廣揚名》章“居家理，治可移於官”，《治要》、《釋文》、《御注》“理”下皆有“故”字。《正義》則云：“先儒以爲‘居家理’下闕一‘故’字，御注加之。”因之，原本當于“居家理”絶句，“理”下無“故”字可知。然則，原本無“故”字，可謂存玄宗删改以前之舊貌。然此句讀，當時即有異論：按《義疏》本云：“居家脩理，則爲治之法，可移於官。一讀云：居家理治，治屬上句。”《釋文》亦云：“‘居家理故治’絶句。”是可窺其間消息。

其次，關於注文：

(5)《治要》之注文是否就是鄭注，從來贊否參半。然據與原本校勘結果，可確知《治要》大體忠實沿襲鄭注，然訂正原本謬誤者亦非少數。甚至有數條見諸《治要》而無見于原本者，如：

《聖治》章“嚴父莫大於配天”條下：“生事愛敬，死爲神主也。”

《諫諍》章“又焉得爲孝乎”條下：“而心有隱。”

甚可怪異。此或爲原本脱漏，或爲當時即存異本，更穿鑿言之，或爲《治要》編纂之時增入者。此足成爲今後研究之問題所在。

(6)《經典釋文》之《孝經》本據鄭注本作音義，故當與原本經注一致。例如，《釋文》云“劓、墨、宫割、臏、大辟”(《五刑》章)，自來鄭注輯佚家考證以爲“墨、劓、臏、宫割、大辟”之誤，然參諸原本則可知，《釋文》竟忠實保存原序。又如《釋文》“語喟然”(《三才》章)、“德不倍别優”(《孝治》章)、“傚漸也”(《聖治》章)等斷句殘文，其義難曉，然據與原本注文之對照，則可確知陸氏所示文字出處。又《釋文》“養夫然則致其樂”(《孝治》章)，據原本則可知“養”與“夫然”次第誤倒。是故，因原本出現，遂得以解決《釋文》《孝經》之部相關疑義，訂正其間之謬誤。

(7)玄宗《御注》、邢昺《正義》所引鄭注大體雖與原本一致，但其中亦有不見于原本者，如“父失則諫，故免於不義”句，《正義》謂“此依鄭注也”。疑乃御注引用鄭注之際，要約大意而成者。又暗示出御注之原始資料未必盡據鄭注。

(8)另鄭注輯佚家明確作爲鄭注，而未見于原本者。如《北堂書鈔》卷八十六云，“法服謂日月星辰山龍華蟲藻火粉米黼黻，皆文繡”，《臣軌·諫匡》章注“君父有不義，臣子不諫諍，則亡國之道也”，即此一例。此類問題今後須再檢討。

以上，筆者述論敦煌遺書《孝經鄭注》之内容、體制，并謂本書不僅保存玄宗刪改前之舊貌,於《孝經》流傳史中具重要之地位,更對今後《孝經》研究影響重大。若幸得方家之叱正,使之徧布環宇,能於千歲之後,增一遺經,此誠筆者所祈願者。

孝經鄭注復原凡例

一、《孝經》鄭注之復原,以巴黎國民圖書館所藏伯希和氏蒐集敦煌遺書《孝經鄭注》(文書編號 3426、2674)爲基本資料。

一、以上基本資料之經文欠缺部分,據同系統倫敦大英博物館所藏斯坦因氏蒐集敦煌遺書今文《孝經》單經本(文書編號 1386)補正。1386 號中書寫謬誤者,據同系統斯坦因氏蒐集今文《孝經》單經本(文書編號 0707、0728、5545、5821、6165)訂正。

一、上述基本資料注文之欠缺部分,據以下資料補入:斯坦因氏蒐集敦煌遺書《孝經鄭注》(文書編號 3824、3993),伯希和蒐集敦煌遺書《孝經鄭注義疏》(文書編號 3527)及《群書治要》、《經典釋文》、《孝經正義》等諸書所引鄭注。書根據於其下,以()示其出典。

一、上述基本資料殘缺之經文、注文,以[]示其爲補入復原文字。

一、上述基本資料注文有殘缺而無法訂補者,以……示之。若殘缺字數可確定者,則以□□示其字數。

一、以上基本資料之經文及注文有脱落者,據他書或私見補苴,以[]示之,别於殘缺部分。其有明確依據者,以()示其出典。

一、以上基本資料之經文及注文有衍字者,以〈〉示其多餘之字。

一、以上基本資料之經文及注文有書寫之誤者,據他書或私見改訂,則於問題之字旁或上下附以◦號,以明其位置,并於校勘記述其理據。

一、以上基本資料所用古字、俗字、或字等,爲印刷之便,一改從正字。

一、以上基本資料本無句讀,今添句讀以便通讀。

[孝經][鄭氏注]

[開宗明義章第一]

[仲尼居,][仲尼,孔子字。](治要)[居,居講堂也。](釋文)[曾子侍。][曾子,孔子弟子也。](治要)[子曰:先王有至德要道,][子者,孔子。](治要)[禹三王最先者。](釋文)[至德,孝悌也。要道,禮樂也。](釋文)[以順天下,民用和睦,上下無怨,][以,用也。睦,親也。至德以教之,要道以化之,是以民用和睦,上下無怨也。](治要)[汝之(知)知(之)乎。曾子避席曰:參不敏,何足以知之。][參,名也。](治要)[敏,猶達也。](儀禮鄉射禮疏)[參不達。](治要)[子曰:夫孝,德之本,][人之行,莫大於孝,故曰德之本也。](治要)[教之所由生。][教人親愛,莫善於孝,故言教之所由生。](治要)[復坐,吾語汝。身體髮膚,受之父母,不敢毁傷,孝之始也。][父母全而生之,己當全而歸之,故不敢毁傷。](正義)[立身行道,揚名於後世,以顯

父母,孝之終也。][父母得其顯譽也者。](釋文)[夫孝,始於事親,][父母生之,是事親爲始。](正義)[終(中)於事君,][四十(卌)強而仕,是事君爲中。](正義)[終於立身。][臣](文選集注卷一百十六)年四(七)十,耳目不聰而(明),行步不乃(及)逮,退就田里,懸車[致仕也。](文選集注卷一百十六)……在晦習孝道,以教弟子,足以立身揚名而已。大雅云:[無念尒(爾)祖,聿脩厥德。][大雅者,詩之](治要)篇名。云,言也。無念,猶無忌(忘)。祖,先祖。【聿,述也。修(脩),治也。】(治要)聿脩之理。厥,其。爲孝之道,無敢忘尒(爾)先[祖,當修(脩)治其](治要)功德。不言詩而言雅者何,詩者通辭,雅者正也,下(方)始發章,欲以正爲始。孔……

[天子章第二]

子曰:愛親者,不敢惡於[人]。[愛其親者,不敢惡於他人之親。](治要)[敬親者,不敢]慢於人。己慢人之親,人亦慢己之親,故君子不(孝)爲也。愛敬盡於事親,盡[愛](治要)於母,[盡敬於父。](治要)[而德教加於百姓,]敬以直内,義以方外,是故德教流行,加於百姓。刑于四海,刑,見也。德教流行,見於四海,無所不通。蓋天子之[孝也。][蓋者,](正義)[孔子](庶人章鄭注)之[謙辭。](正義)甫刑云:一人有慶,兆人賴之。甫刑,尚書篇名。云,言也。一人,天子,土無二王,故□一人。慶,善也。[億萬曰兆,天子曰兆民,諸侯曰萬民(人)。](五經算術卷上)賴,蒙也。[天子爲善,天下皆賴之。](治要)……者何,尚書[以書録王事,故證天子之章,以爲引類得](正義)像也。

諸侯章第三

[在上不驕,高而不危,]諸侯在人上,故言在上。敬上愛[下,](治要)謂之不驕,故居高位,而不危殆也。制節謹度,滿而不溢。費用約儉,謂之[制節,奉行天子法度,謂之謹度。故能守法,而不驕逸也。](治要)[無禮爲驕。](正義)[奢泰爲溢。](釋文)[高]而不危,所以長守貴。居高位而不驕,故能長守(富)貴。滿而不溢,所以[長守富。][雖有一國之財,而不](治要)奢[泰,故能長守富](治要)。富貴不離其身,富能不奢,貴能不驕,故言不離其身也。然後能保[其社稷,][上能長守富貴,然後](治要)乃能安其社稷。社,謂[后土也。](周禮封人疏)[句龍爲后土。](禮記郊特牲正義)……功於人,故祭之。而和其人民。薄賦斂,省徭役,是以人民和也。蓋諸侯之[孝也。][列土封疆,謂之諸侯。](周禮大宗伯疏)詩云:戰々兢々,如臨深淵,如履薄氷。引詩自明,即孔子之謙。戰々,恐懼。兢々,[戒慎。如臨深淵,恐墜,如履薄氷,恐陷。](治要)[義取爲君恒須戒懼。](正義)

卿大夫章第四

[非先王之法服不敢]服,先王制五服,天子服日月星辰,諸侯服山龍華蟲,卿大夫服藻火,士服粉米,皆謂[文](釋文)繡。田獵戰伐,採藥卜筮,冠皮弁,衣素續(績),百王同之,不改易也。庶人雖富不服。[非先王之法言不]敢道,口言詩書,非先王之法言,不合詩書,則不敢道也。非先王之德行不敢行。禮以儉奢,樂以[防淫。](義疏)[不合禮樂,則不敢行。](治要)[是故非法]不言,【非詩書,則不言。】(治要)非道不行。非禮法(樂),則不行。口無擇言,口言詩書,有何可擇。身無擇行,[言滿天下無口]過,言詩書滿天下,有何口過。行滿天下無怨惡,行禮樂滿天下,者(有)何怨惡。三者備矣,[然後能守其宗廟,][法先](治要)王服,言先王道,行先王德,則爲備矣,然後乃能守其宗廟。宗,尊也。廟,皃(貌)也。親雖[亡没,事](詩清廟正義)之若先(生),爲作宮室,四時祭之,若見鬼神之容皃(貌)也。[蓋卿大夫之孝也。][張官設](禮記曲禮上正義)府,謂之卿大夫,卿大夫行孝,當如此章也。詩云:夙夜匪懈,以事一人。詩者,耳(直)謂[詩](士人章鄭注)也。云,言也。夙,早[也。夜,暮也。](治要)[匪,非也。懈,惰也。](文選集注卷九十四,華嚴音義二十)[一人,天子也。卿大夫](治要)當[早起夜卧,以事天子,勿懈惰。](治要)

士人章第五

資於事父以事母，而愛同。資者，人之行，事父與母，【愛】（治要）同愛（敬）不同【也】（治要）。資於事父以事君，而敬同。【事父與君敬同，】（治要）愛不同也。故母取其愛，不取其敬。而君取其敬，不取其愛。兼之者父也。兼，并也。愛與母同，敬與君同，并此二者，事父之道。故以孝事君則忠，移事父孝，以事於君，則爲忠矣。以敬事長則順。移事父（兄）孝（敬），以事於長，則爲忠（順）矣。忠順不失，以事其上，事君忠，事長順，二者不失，可以事上，上謂天子，君忠（中）最尊者也。然後能保其禄位，而守其祭祀，内孝父母，外順君長，然後乃能安其禄位，而守其祭祀。食廩曰禄，居官曰位【也】（令集解卷一）。生（始）［爲］（釋文）曰祭，繼世曰祀也。蓋士之孝也。則（别）是非，知義理，謂之爲士。士之行孝，當如此章。詩云：夙夜（興）興（夜）寐，無忝尒所生。詩者直謂詩也。云，言也。夙，早也。興，起也。【夜，】（卿大夫章鄭注）暮。寐，卧。忝，辱。所生，謂父母。言士爲孝，當早起夜卧，無辱其父母。而言所生者何，士知義理，則知父母己所從生也。

庶人章第六

用天之道，春生，夏長，秋收，冬藏，順四時以擧，言天之道也。分地之利，分别五［土，視］（治要）其高［下，若］（初學記卷五）高田宜黍稷，下田宜稻麥，丘陵坂獫（險），宜種棗栗。此分地之利。謹身節用，以養父母，行不爲非爲謹身，富不奢泰爲節用，度財無費，什一而税，雖遭凶年，父母不乏。此庶人之孝也。庶，衆也。衆人爲孝，當如此章。上皆言蓋者，孔子之謙；庶人至賤，無所復謙，故發此言。故自天子至於庶人，孝無終始，而患不及己者，未之有也。惣（揔）説五孝，上從天子，下至庶人，皆當行孝無終始，能行孝道，故患難不及其身，未之有者，善未有也。

三才章第七

曾子曰：甚哉，孝之大也。上孔子語曾子孝……［上從天子，下］（治要）至庶人，皆當行孝［無終始，曾子乃］（治要）知孝之爲大，故喟然嘆曰，甚哉，孝之爲大也。子曰：夫孝，天之經，春秋冬夏，物有死生，天之經。地之義，山川高下，水泉流通，地之義。民之行。［孝悌］（治要）恭敬，民之行。天地之經，而人是則之，天有四時，地有高下，人君（居）其閒，當是而則之也。則天之明，則，視也，視天之四時，無失其早晚。因地之利，因［地］（治要）高［下，所］（治要）宜何等，□種之。以順天下，是以其教不肅而成，以，用也。【用】（治要）天時，順地利，則天下民皆樂之。是以其教不肅而成。其政不嚴而治。政［不煩］（治要）荷（苛），［故不］（治要）嚴而治。先王見教之可以化人也，見因天地教化人之易。是故先之以博愛，而民莫遺其親；天（先）修人事，流化於人。陳之以德義，而民興行；上好義，則人莫敢不服。先之以敬讓，而民不争。若文王敬讓於朝，［虞］（治要）芮（芮）推畔於野，上行之則下效之。道之以禮樂，而民和睦；上好禮，則民莫敢不敬之。示之以好惡，而民【之（知）禁】。善者賞之，惡者罰之，則民知有法令，不敢爲非也。詩云：赫々師尹，民具尒瞻。詩者，直謂詩也。云，言也。赫々，明威皃。師尹，大臣，若家（冢）宰之屬。民已具矣，汝當視人，々亦視汝，汝善而人善矣。下之化上，猶風之靡草。

孝治章第八

子曰：昔者明王之以孝治天下，不敢遺［小國之］臣，【昔，古也。】（公羊傳序疏）古者諸侯歲遣大夫，聘問天子無恙，天子待之以客禮，此不敢遺小國之臣。而況於公侯伯子男乎。古者諸侯五年一朝天子，天子使太子［郊］（治要）迎，蒭（芻）和（禾）百車，以客禮待之。晝坐正殿，夜設庭燎，思與相見，問其勞苦,此天子以禮待諸侯。公侯伯子男乎五等,諸侯之尊爵也。公者正也,當爲王者正行天道,二王知(之)佳(後)也稱公。侯〈之〉者候也,當爲王者伺候非常。伯者[長](法華經玄義釋籤)也,當爲王者長治百姓。子者慈也,當爲王者慈愛人民。男者任也,當爲王者任其職治。及其封之,公[與侯各百里],伯七十里,子與男各五十里。【百里】者,法雷也,雷震百里,所潤同。七十里者,半百里。五十里者,半七十里。德不倍者,不異其爵,[功不](禮記王制正義)倍者,不異其土,故轉相半,别優劣也。故得萬國之歡心,以事其先王。古者天子五年一巡狩,勞來諸侯。諸侯[五年](治要)一朝天子,貢國所有,各以其職來,助祭[宗廟。](治要)故【得】(治要)萬國之歡心,以事其先王。治國者,不敢侮於鰥寡,而況於士人乎。治國者,謂諸侯。六十〈二〉無妻[曰鰥。](廣韻二十八山)五十無夫曰寡。士人中和(知)義理,[弱](義疏)者不見侵,強有(者)不失職。故得百姓之歡心,以事其先君。綏強以禮,撫弱以仁,競奉所有,祭其先王也。治家者,不敢失於臣妾之心,而況於妻子乎。治家者,謂諸卿大夫。臣,男子之賤稱。妾,婦人名。妻子,承奉宗厝(廟)。家之貴者,務取和同。故得人之歡心,以事其親。小大盡節,恭敬安親。夫然,故生則親安之,養則致其樂,則(故)親安之。祭則鬼享之,祭則致其嚴,故鬼享之〈也〉。是以天下和平,上下無怨,故曰和平。灾害不生,風雨時節,百穀熟成。禍亂不作。君惠臣忠,父慈子孝,是以天下禍亂,無因[得](治要)起。故明王之以孝治天下如此。禍亂不作,以其孝治天下,故致如此。詩云:有覺得(德)行,四國順之。覺,大也。有天(大)德[行,四](治要)方之國,順而於(行)之,化流明矣。

聖治章第九

[曾子曰:敢問]聖人之德,無以加於孝乎。曾子見上明王孝治天下,致於和平,灾害不生,禍亂不作,以爲聖人合天地,當有異於孝乎,故問之也。[子曰:天地之]姓(性),人爲貴。貴其異於萬物。人之行,莫大於孝,々者德之本,又何加焉。孝莫大[於嚴]父,莫大於尊嚴其父,教之若君。嚴父莫大於配天,尊嚴其父,莫大於配天也。則周公其人也。尊嚴其父,[配食天者,周公爲之。](治要)。昔者周公郊祀后稷以配天,郊者,祭天之名,在國之南郊,故謂之郊。后稷者,是堯臣,周公之始祖。自外至者,無主不止,故推始祖,配天而食之。[宗祀文]王於明堂,以配上帝。文王,周公之父。明堂,即天子布政之宫。上帝者,天之别名。神無二主,故異其處,避后稷。明堂之制,八窗四闥,上圓下方,在國之南,故乃稱之曰[明堂](正義)。[是以四]海之内,各以其職來祭。周公行孝於朝,越常(裳)重譯來貢,故得萬國之歡心也。夫聖人之德,[又何以加於]孝乎。孝悌之至,通於神明,豈聖人所能[加](治要)也。故親生之膝下,以養父母日嚴。子親生之父母膝下,是以養則致其樂。……[聖人因]嚴以教敬,因親以教愛。因人尊嚴其父,教之以爲敬,【因】(治要)親近於(其)母,教之【以】【爲愛,】(治要)所順人情之事。聖人之教,不肅[而成],[聖人因人情](治要)而教之,[人](治要)皆[樂之,故](治要)不肅而成。其政不嚴而治,其身政(正),不令而行,故不嚴而治。其所因者本也。本,是孝也。孝遺(道)流行,故乃不嚴而[治]。[父子之道]天性,々,常也。父子相生,天之常道。君臣之義。君臣,非骨肉之親,但義合耳,三諫不從,待放而去。父母生之,續莫大焉。父母生之,[骨肉相連屬,復何加焉。](治要)[君親]臨之,厚莫重焉。君親擇賢,顯之以爵,寵之以禄,即厚之至。故不愛其親,而【愛】他人親者,[謂之]悖德;不能敬(愛)其親,而愛他人親者,謂之悖德。不敬其親,而敬他人親者,謂之悖禮。不能敬其親,而敬他人親者,謂之悖禮。以順則逆,以悖爲順,則逆亂之道。民無則焉。則,法也。民無法則,即逆亂之道。不在於善,而皆在於凶

德,惡人不能化善,乃皆爲惡,若傑(桀)紂是。雖得之,君子所不貴。不以其道得之,故君子不貴也。君子則不然,君子則不【爲】(治要)逆亂之道也。言思可道,言中詩書,故可道也。行思可樂,動中規矩,故可樂也。德義可尊,可尊敬也。作事可法,可法則也。容止可觀,威儀中禮,故可觀也。進退可度,雖進而盡忠,亦退而補過。以臨其人。是以其人畏而愛[之],畏其刑罰,愛其德儀。則而象之。效其漸也。故能成其德教,上下(不)教而罰,謂之虐,不教而煞,謂之暴。是以德成而教尊也。而行其政令。節用而愛人,使人以時,是以政令而行也。詩云:淑人君子,其儀不忒。淑,善;忒,差也。善人君子,則威儀不差失,故可法也。

紀孝【行】章第十

子曰:孝子之事親,紀孝行也。居則致其敬,盡其禮也。養則致其樂,樂竭歡心,以事其上。病則致其憂,容色不滿,行不正履。喪則致其哀,擗踴坐(哭)泣,盡其哀情。祭則致其嚴,齋必變食,居必遷坐,敬忌踏(跛)迹(踖),若親存焉。五者備矣,然後能事親。謂上五者孝道備矣,然後乃能事其親也。事親者,居上不驕,雖尊爲君,而不驕也。爲下不亂,爲臣則忠,不敢爲亂也。在醜而(不)争。同志爲友,齊[年](義疏)爲醜。々,類也。以爲善惡不忿争也。居上而驕則亡,富貴不以其道得之,是以則亡。爲[下而]亂則刑,爲臣下好則(作)亂,則刑罰【及】(治要)其身。在醜而争則兵。用(朋)友之中,好爲忿争,則推忍(刃)之道也。三者不除,雖日用三牲之養,猶爲不孝。夫愛親者,不敢惡於人。今反驕亂忿争,雖日煞三牲之養,豈得【爲】(治要)孝乎。

五刑章第十一

子曰:五刑之屬三千,正刑有五,科條三千。五刑[者,謂](治要)劓、墨、宫割、臏、大擗(辟)。穿容(窬)[盗竊](釋文)者劓,刧賊傷人者墨,男女不以禮交者宫割,踰人桓(垣)墻,開人關鑰【者】(釋文)臏,手然(煞)人【者】(釋文)大[辟](釋文),各以其所犯。罪科之條有三千者,謂以事同罪之屬也。而罪莫大於不孝。罪莫【大】於[不]孝,聖人所以惡之,故不書在三千條中。要君者無上,事君先事,然後能食禄,而反今要君,是無上也。非聖人者無法,非[侮](治要)聖人者,不可法。非孝者無親,既不自孝,必非他人爲孝,不可親也。此大亂之道。事君不忠,非侮聖人,非孝行者,此則大亂之道。

[廣要道]章第十二

子曰:教人親愛,莫善於孝;々者德之本,又何加於焉。[教人禮順,莫善]於悌;先孝後悌,人行之次。移風易俗,莫善於樂;夫樂者咸(感)人情,樂正則心正,樂淫則心淫,孔子曰,惡鄭[聲之亂樂也。](釋文)[安上治人,莫]善於禮。上好禮,則人易使之。禮者敬而已矣。敬者禮之本,又何加焉。故敬其父,則[子悦],[義可知也](敦本三九九三號)。[敬其]兄,則弟悦,敬其君,則臣悦,敬一人則千萬人悦。盡禮[以](釋文)事,故皆[喜悦](敦本三九九三號)。[所敬者寡,]而悦者衆,所敬三(一)人,是其少,千萬【人】(治要)悦,是其衆。此之謂要道。孝悌以教之,(教之)禮無(樂)以化之,則爲要道也。

[廣至德章第十三]

子曰:君子之教以孝,非家至而日見之。非門[到户至],(文選竟陵王行狀注)[日見而語之。](正義)[但行孝於内,流化於外也。](治要)教以孝,所以敬天下之爲人父者;天子無父,事三老,所以教天下〈之爲〉孝。教以弟,所[以敬天下之爲人]兄者;天子旡(無)兄,事五[更,](治要)所以【教】(治要)天下弟也。教以臣,所以敬天下之爲人君者。[天子郊則君事天,廟則君事尸,所以教天下臣。](治要)[詩]云:愷悌君子,民之父母。以上三者,教於天下。真是人也云(之)父母。非至德,[其孰能順人,如此其大者乎。][至](治要)德之君子,能行此三者,教於[天下,](治要)非至德,則不能如此。

廣揚名章第十四

子曰:君子之事親孝,故忠可移於君;欲求忠臣,必聞孝子之門,故言可移於君。事兄悌,故順可移於長;以敬事長則順,故可移於長。居家理,治可移於官。君子所居則化,所在則理,故可移於官。是以行成於内,而名立於後廿矣。行(孝)於視(親)者,可移於君,弟於兄者,可移於長,治於家者,可移於官,三德並備於内,而名立於後廿矣。若聖人制法【於】(義疏)古,後人奉而行之也。

[諫]諍章第十五

曾子曰:若夫慈愛恭敬、安親揚名,則聞命矣。敢問:子從父之令,可謂孝乎。曾子專心於孝,以爲臣子當委曲君父之令,故問之也。子曰:是[々]何々言々與々。孔子欲見諫諍之端,以開曾子心,故發此言也。昔者天子有諍臣七人,雖無道,不失其天下。七人,謂三公、左輔、右弼、前疑、後丞,雖(維)持王者,使不歷危殆,不陷於不[義],故能長久,不失其天下也。諸侯有諍臣五人,雖無道,不失其國。大夫有諍[臣三]人,雖無道,不失其家。尊卑轉(輔)少(善),未聞其當(官)。士有諍友,則身不離於令名。令,善也。士卑[無](治要)臣,故以友諍之。[父]有諍子,則身不陷於不義。君□有諫諍之義,嫌父子至親,不當諫諍。若父有不義,子當【諫】諍之。故當不義,則子不可以不諍於父,臣不可以不諍於君。故當不義則諍之,君父有不義之事,臣子當□諍之。從父之令,又焉得爲孝乎。委曲從【君】(臣軌匡諫章)父之令,善亦爲善,惡亦爲惡,又焉得爲忠臣孝子乎。

[感]應章第十六

子曰:昔者明王事父孝,故事天明;盡於(孝)孝(於)父者,故事天明。[事]母孝,故事地察;盡孝於母者,能察地之高下,視其分理。長幼順,故上下治。[卑](治要)順於君(尊),幼順於長,故上下治。天地明察,神明彰矣。事天能明,事地能察,德合天地,謂之彰矣。故雖天子,必有尊也,言有父也。雖貴爲【天子】,(治要)必有所尊,事之若父,即三[老](治要)是。必有先也,言有兄也。必有所先,事之若兄,即五更是。宗廟致敬,不忘親也。設宗廟,四時齋戒以祭之,不[忘其親](治要)。脩身慎行,恐辱先也。修身者,不取(敢)毀傷,慎行者,不歷危殆,當(常)恐毀辱先人。宗廟致敬,鬼神著矣。事生[者易,](治要)事死者難,聖[人慎](治要)之,故重其文。孝悌之至,通於神明,光於四海,無所不通。孝至於天,則【風】(治要)雨時節,孝至於地,則萬[物](治要)熟成,孝至於人,則重[譯](治要)來貢,是以無所不通也。詩云:自東自西,自南自北,無思不服。孝道流行,莫敢不服,順而從之。

事君章第十七

子曰:君子之事上,々陳諫諍之義已[畢](釋文),未……就之理,欲見進退之道,故發此言。進思盡忠，死君之難爲盡忠。退思補【過】，待放三□，服思其過。故□之。將順其美，善則稱君。匡救其惡，[過](臣軌公正章注)則[稱己，](臣軌公正章注)……也。故上下治能相親。君臣同志，故乃相親。詩云：心乎愛矣，遐不謂矣。心乎愛君矣，而不謂遠矣，念君之無□。忠心藏之，何日忘之。忠心常藏善道，何能一日而忘君，□雖在□，心恒左右。

喪親章第十八

子曰：孝子之喪親，上陳孝道，生事已了，死事未見，故發[此](正義)言。[哭不哀(偯)、]氣竭而息，聲不委曲。禮無容、不爲趨翔。言不文、父母之[喪，](北堂書鈔卷九十三居喪)唯而不對。服美不安、去文繡之木(衣)，以縗麻服之。[聞樂不樂、]尚在悲哀，故不樂。食旨不甘，不嘗酸鹹而食粥。[此哀戚之情。三日而食，教人無以死]傷生，三日不食，恐傷及生，故孝子不爲也。毁不[滅性]，[毁瘠羸瘦，孝子有之。](文選宋孝武宣貴妃誄注)[此聖人之政]。喪不過三年，示人有終。三年之[喪，天下達禮，](正義)[不肖者](釋文)企而及[之，賢者俯而就之。](釋文)[所以再朞共得三年也。](義疏)[爲]之棺槨衣衾而擧之；周[尸爲棺，周棺爲槨。衣謂身衣，衾謂單被，可以亢尸而起之。](敦本三八二四號)[陳其簠簋，而哀戚]之；簠簋，祭器之名，受斗二升，内【圓】(北堂書鈔卷八十九祭祀惣)外方，祭不見親，故哀戚之。[擗踴哭泣，哀以送之]；[啼號竭情也。](釋文)[卜其宅兆，而安措之]；宅，葬地也。【兆，吉兆也。】(敦本三八二四號)得吉兆，乃葬之，故云葬事大，故卜之，【慎之至也。】(敦本三八二四號)爲之[宗廟，以鬼享之]；【葬事已畢，乃爲神室，祭則致其嚴，故鬼享之也。】(敦本三八二四號)[春秋祭祀]，以時思之。四時變易，物有成熟，[將欲食之，](敦本三八二四號)即先薦先祖，念之若生存，[不忘親也。](太平御覽卷五百二十五祭祀中)[生事愛敬，死事哀戚]，[人情畢也。](敦本三八二四號)[生人之本]盡矣，終始終矣。死生之義備[矣，孝子之事親終矣]。[無遺介](敦本三八二四號)[也。](釋文)[尋繹天經地義，究竟人情也。](敦本三八二四號)[行](釋文)乃畢矣，孝乃成矣，羅[列](敦本三八二四號)十八章，各陳其情矣。

孝經一卷

附録敦煌遺書孝經鄭注校勘記

(一) 校勘所用書目

敦煌遺書今文孝經單經本一卷

文書編號 1386。天福七年敦煌永安寺學士郎高清子書寫。原本爲倫敦大英博物館所藏斯坦因氏蒐集本。序文部分殘存。經文完具。校勘所用爲國立國會圖書館支部東洋文庫所藏照片複製本。敦煌遺書孝經鄭注(文書編號 3428、2674)經文闕佚部分據本書補，本書有誤者，據同系統文書(編號 0707、0728、5545、5821、6165)改。

敦煌遺書孝經鄭注殘卷

文書編號 3824。原本爲倫敦大英博物館所藏斯坦因氏蒐集本。自《喪親章第十八》"喪不過三年"鄭注"再期云云"至卷末殘存。校勘用國立國會圖書館支部東洋文庫所藏照片複製本。

敦煌遺書孝經鄭注殘卷

文書編號 3993。原本爲倫敦大英博物館所藏。自《五刑章第十一》"子曰五刑之屬三千"鄭注"五刑者云云"至《廣至德章第十三》"教以臣所以敬天下之爲人君者"鄭注"天子郊則云云"殘存。校勘用國立國會圖書館支部東洋文庫所藏照片複製本。

敦煌遺書孝經鄭注義疏一卷

文書編號 3527。撰者未詳。原本爲巴黎國民圖書館所藏伯希和氏蒐集本。校勘用内藤虎次郎博士惠借照片三十四葉。今簡稱"義疏"。

群書治要五十卷

唐太宗貞觀五年魏徵等奉勅撰。本書卷九所收《孝經》未明注者,然與《釋文》、《正義》所引鄭注一致,其爲鄭注可知。我國現存《治要》,有金澤文庫舊藏古鈔本、元和中印古活字本、天明中尾州藩刻本、弘化中紀州藩印活字本等。校勘用近藤守重、狩谷望之、市野光彦以金澤本手校天明刊本。今簡稱"治要"。

經典釋文三十卷

唐陸德明撰。據陸氏《序録》"古文孝經世既不行,今隨俗用鄭注十八章本",本書二十三卷所收《孝經音義》以鄭注爲底本。鄭注輯佚家通常據《通志堂經解》本,然未爲善本。今用"常州龍城書院開雕"之盧文弨《考證》本。簡稱"釋文"。

孝經正義三卷

宋真宗咸平年間邢昺等奉勅撰。唐玄宗撰作御注,元行沖奉勅撰《疏》三卷。後因御注之改訂,而疏與之不合,邢昺等乃爲之校訂,遂成本書。今十三經注疏所收《孝經注疏》九卷是也。《正義》中,御注據鄭注者二十九條,邢疏引鄭注者十一條,今由《正義》録出得窺鄭注大要者數條。校勘用"嘉慶二十五年江西南昌府學開雕"之"重刊宋本孝經注疏附校勘記"本。今簡稱"正義"。

毛詩正義七十卷

漢毛亨傳,鄭玄箋,唐孔穎達正義。校勘所引版本與《孝經》同。卷一之二《桃夭》序(《孝治》)、卷十之二《六月》(《卿大夫》)、卷十二之一《節南山》(《三才》)、卷十三之二《信南山》(《庶人》)、卷十九之一《清廟》(《卿大夫》)之正義,皆引鄭注。

周禮注疏四十二卷

漢鄭玄注、唐賈公彦疏。校勘所引版本與《孝經》同。卷十二封人(《諸侯》)、卷十六舍人(《喪親》)、卷十八大宗伯(《諸侯》二條)、卷十九小宗伯(《卿大夫》、《喪親》)、卷三十七大行人(《孝治》)、卷四十一旄人(《喪親》)之疏,皆引鄭注。

儀禮注疏五十卷

漢鄭玄注,唐賈公彦疏。校勘所用版本與《孝經》同。卷十三《鄉射禮》

(《開宗明義》)、卷二十六下《覲禮》(孝治)、卷四十七《少牢饋食禮》(《卿大夫》)、卷四十八《少牢饋食禮》(《喪親》)之疏,皆引鄭注。

禮記正義六十三卷

漢鄭玄注,唐孔穎達正義。校勘所用版本與《孝經》同。卷一《曲禮》(《卿大夫》)、卷十一《王制》(《孝治》二條)、卷十三《王制》(《孝治》)、卷二十五《郊特牲》(《諸侯》)之正義,皆引鄭注。

春秋公羊傳注疏二十八卷

漢何休解詁,唐徐彦疏。校勘所用版本與《孝經》同。《序》(《孝治》?)、卷二十五定四年(《士人》)之疏,皆引鄭注。

廣韻五卷

宋陳彭年等奉勑撰。校勘用現存最古的宋刊大字本。"二十八山"引鄭注(《孝治》)。

史記一百三十卷

漢司馬遷撰。宋裴駰集解、唐司馬貞索隱。校勘用宋淳熙刊本。卷二十八《封禪書》《集解》引鄭注(《聖治》)。

後漢書一百二十卷

宋范曄撰,唐章懷太子賢注。《志》三十卷,晋司馬彪撰,梁劉昭注。校勘用百衲本二十四史本。《志》卷八《祭祀志中》(《聖治》)、《傳》卷四十七《劉瑜傳》(《諫諍》)之注,皆引鄭注。

宋書一百卷

梁沈約撰。校勘所用版本同前書。卷十六《禮志三》引鄭注(《聖治》)。

南齊書五十九卷

梁蕭子顯撰。校勘用明聞人詮刊本。卷二十一《禮義志一》引鄭注(《聖治》)。

新唐書二百二十五卷

宋歐陽修、宋祁撰。校勘用宋嘉祐刊本。卷二百《王仲丘傳》引鄭注(《聖治》)。

唐會要一百卷

宋王溥撰。校勘用武英殿聚珍版全書所收本。卷七十七《貢舉下》"論經義"引鄭注(《庶人》)。

通典二百卷

唐杜佑撰。校勘用竹添井井手校宋本。卷四十四《禮四》吉三"大享明堂類"引鄭注(《聖治》)。

令集解四十卷

日本惟宗直本撰。校勘用大正元年(1912)刊國書刊行會本。卷一《官位令第一》引鄭注(《士人》)。

臣軌二卷

唐則天武后撰。校勘用《佚存叢書》所收本。卷上《公正》(《事君》)、卷上

《匡諫》(《諫諍》二條)兩章注皆引鄭注。

困學紀聞二十卷

宋王應麟撰。校勘用明初刊大字本。卷七下"孝經"引鄭注(《聖治》)。

五經算術二卷。

北周甄鸞撰。校勘用光緒二十五年廣雅書局重刊《武英殿聚珍版全書》所收本。卷上引鄭注(《天子》)。

北堂書鈔一百六十卷

唐虞世南撰。校勘用孔廣陶校、光緒戊子(一四)南海孔氏三十三萬卷堂據孫忠愍侯祠堂舊校影宋本重刊本。京都大學中國文化研究所藏。卷八十三禮儀部四養老八(《感應》)、卷八十六禮儀部七法則十五(《卿大夫》)、卷八十八禮儀部九祭祀惣下十八(《紀孝行》)、卷八十九禮儀部十祭祀惣下十八(《喪親》)、卷九十二禮儀部十三葬三十二(《喪親》)、卷九十三禮儀部十四居喪三十五(《紀孝行》、《喪親》)、卷一百二十八衣冠部中法服十(《卿大夫》二條),皆引鄭注。

文選六臣注六十卷

梁昭明太子撰,唐李善等注。校勘用民國十一年上海商務印書館刊《四部叢刊》集部所收《六臣注文選》。卷二十《關中詩》(《孝治》)、卷二十《大將軍讌會詩》(《卿大夫》)、卷二十一《三良詩》(《事君》)、卷三十六《永明十一年策秀才文》(《聖治》)、卷三十八《讓中書令表》(《廣至德》)、卷四十三《與孫皓書》(《天子》)、卷五十七《宋孝武宣貴妃誄》(《喪親》)、卷六十《齊竟陵王行狀》(《廣至德》)之李善注,皆引鄭注。

文選集注殘本

撰者未詳。校勘用京都大學出版之影印本。卷一百零二(《開宗明義》)、卷一百十六(《開宗明義》、《士人》、《聖治》),皆引鄭注。

初學記三十卷

唐徐堅撰。校勘用清嚴可均校宋本。卷五地部上摠載地一引鄭注(《庶人》)。

白孔六帖一百卷

唐白居易撰,宋孔傳續。校勘用宋刊本。卷十引鄭注(《聖治》)。

太平御覽一千卷

唐李昉等奉勅撰。校勘用嘉慶十四年昭文張氏從善堂據宋本重校刊本。京都大學中國文化研究所藏。卷三十六地部一(《庶人》)、卷一百四十七皇親部十三(《孝治》)、卷一百八十八居處部十六(《聖治》)、卷五百二十五禮儀部四(《喪親》)、卷七百五十九器物部四(《喪親》),皆引鄭注。

玉海二百卷

宋王應麟撰。校勘用元刊本。卷九十五"郊祀明堂"引鄭注(《聖治》)。

華嚴經音義四卷

唐釋慧苑撰。校勘用《粵雅堂叢書》第十二集所收本。卷二十十行品之二引鄭注(《卿大夫》)。

法華玄義釋籤二十卷

唐堪然撰。未見。窪木清淵《補訂鄭注孝經・孝治章》章首注引《釋籤》“公者正也,當爲王者正行天道。侯者候也,當爲王者伺候非常。伯者長也,當爲王者長治百姓。子者字也,當爲王者子愛人民。男者任也,當爲王者任其職理”六十字,並考證云:“已上出《法華玄義釋籤》,考之《釋文》、《邢疏》,似鄭氏說,而不詳其所出,故舉出備考。”可爲卓識。今校勘用《補訂》之引文。

(二) 參考孝經鄭注輯佚書目

孝經注一卷

清朱彝尊輯。《經義考》卷二百二十二所收。

孝經一卷

清余蕭客輯。《古經解鈎沈》卷二十四所收。

孝經鄭注一卷

清陳鱣輯。裕德堂刊本,《涉聞梓舊》所收。

孝經鄭注一卷

清王謨輯。《漢魏遺書鈔・經翼》第四册所收,《孝經五種彙編》所收。

孝經注一卷

清袁鈞輯。《鄭氏佚書》卷十六所收。

孝經鄭注補證一卷

清洪頤煊撰。《知不足齋叢書》第二十一集所收,日本文化十二年(1815)刊翻雕知不足齋本。

孝經鄭氏解輯一卷

清臧鏞堂輯。《知不足齋叢書》第二十一集所收,日本文化十二年(1815)刊翻雕知不足齋本。光緒二十年曹元弼復禮堂刊本。

孝經鄭氏解一卷

清孔廣森輯。《通德遺書所見録》卷二十一所收。

孝經解一卷

清黄奭輯。《漢學堂叢書・逸書考・高密遺書》所收。

孝經鄭氏注一卷

清嚴可均輯。《咫進齋叢書》第三集所收,光緒三十三年金陵江楚編譯官書局石印本。

孝經鄭注疏二卷

清皮錫瑞撰。光緒乙未(三一)師伏堂刊本。上海中華書局刊四部備要本。

孝經鄭氏注箋釋三卷

曹元弼撰。民國二十四年曹元弼刊。

孝經鄭注考證一卷

清潘任撰。《希鄭堂叢書》第一集所收。

以上中國。非專引鄭注者姑不及。

孝經鄭注一卷

河村益根撰。寬政三年(1791)家刻本。

孝經鄭注一卷

岡田挺之撰。寬政六年(1794)原刊本,文政五年(1822)重刊本,《知不足齋叢書》本(第二十一集所收),文化十二年(1815)刊翻雕知不足齋本,《榕園叢書》甲集所收翻雕知不足齋本。

補訂鄭注孝經一卷

窪木清淵輯。文化元年(1804)家刻本,昭和六年(1931)東京松雲堂影印本。

增考孝經鄭氏解補證一卷

東條弘撰。文化十一年(1814)家刻本。

孝經兩造簡孚一卷

東條弘撰。文政十三年(1830)家刻本。

以上日本。

(三) 校勘記

○孝經　原本缺卷頭。按卷末尾題云"孝經一卷",今姑依尾題,補"孝經"二字。

○鄭氏注　原本缺注者名。按《正義》云:今俗所行孝經,題曰鄭氏注。唐劉知幾議云:晋中經薄孝經稱鄭氏解,無名玄二字。又《釋文》題"鄭氏"二字云"相承解爲鄭玄"。今姑從《正義》,"孝經"下補"鄭氏注"三字。

開宗明義章第一

○開宗明義章第一　原本缺章名第次。按"諸侯章第三"以下,並有章名第次,今據諸本,補"開宗明義章第一"七字。

○禹三王最先者　《釋文》"者"下有"案五帝"以下二十八字。按是陸氏自以意解經之言,今不取也。

○至德孝悌也　《文選集注》卷九"德"下有"者"字。

○汝之知乎　《釋文》汝作女,云"音汝,本或作汝,後放此"。敦本一三八六號"知之"誤"之知",今依諸本改之。

○曾子避席曰　《釋文》避作辟,云"音避,注同,本或作避"。按鄭注今佚。

○參不敏　《釋文》參作㕘。

○夫孝德之本　《釋文》出"夫"字云"音符,注及下同"。按《治要》、《正義》注文並無"夫"字。《御注》"本"下有"也"字。

○故曰德之本也　《正義》作"故爲德本"。

○復坐　《釋文》標"復"字云"音服,注同"。又出"坐"字云"在卧反,注同"。按鄭注今並佚。

○顯譽也者　鄭注輯佚家多删“者”字，今姑從《釋文》。

○父母生之　《正義》云“鄭玄以爲父母生之云云”，按《正義》要約鄭義，非鄭注原文。今姑引《正義》，以按配各句間。

○終於事君　諸本終作中，是也。

○四十強而仕　《義疏》、《釋文》“四十”作卌，似是。《釋文》強作彊。《義疏》仕作事。

○臣年四十　《正義》及《文選集注》卷一百十六“四”作“七”，是也。

○耳目不聰而　《文選集注》卷一百十六“而”作“明”，是也。

○行步不乃逮　《義疏》、《文選集注》卷一百十六“乃”作“及”，是也。《釋文》，“不”下無“及”字。

○懸車致仕也　《釋文》懸作縣，仕下無也字。

○足以立身揚名而已　《正義》引鄭注云“是立身爲終也”。按此六字與原本所謂“足以立身揚名而已”語意相似，故今删此六字。

○無念尒祖　《釋文》無作毋，云“音無，本亦作無”。《義疏》、《御注》尒作爾，尒、通爾。下效之。

○無念猶無忌　《治要》念下無猶字。《治要》忌作忘，是也。《治要》、《釋文》忘下有也字。《治要》“無忘”下有“聿述也修治也”六字，今插入於“祖先祖”下。但原本修作脩，今改，下效之。

○當修治其功德　《治要》德上無功字，德下有也字。

○下始發章　《正義》下作方，是也。

○欲以正爲始　《正義》以上無欲字。

○孔……　按“孔”下尚有缺佚，今不可知。

天子章第二

○天子章第二　原本缺章名第次，今依諸本補“天子章第二”五字。

○故君子不孝爲也　《義疏》、《治要》不下無孝字，是也，今删。《義疏》爲下無也字。

○是故德教流行　《治要》故上無是字，教下無流行二字。

○加於百姓　《治要》姓下有也字。

○刑于四海　《治要》、《釋文》經注並“刑”作“形”。

○見於四海　《治要》見下無於字，海下有也字。

○蓋天子之孝也　鈔本《治要》孝下無也字。

○蓋者孔子之謙辭　原本除“之”字外，注文悉佚。按《正義》云“蓋者謙辭”，又原本庶人章注云“上皆言蓋者，孔子之謙”，今依《正義》及《庶人章》注，作“蓋者孔子之謙辭”。

○甫刑云　《治要》甫作吕，注同。

○兆人賴之　《治要》、《釋文》、《御注》“兆人”作“兆民”。按民作人字者，蓋避唐太宗諱也，後效此。又原本無“兆民”解。按《五經算術》卷上引“億萬曰兆，天子曰兆民，諸侯曰萬民”十四字，原本恐脱，今插入於“慶善也”下。但原本“兆民”作“兆人”,今據改。

○一人天子　《治要》人下有謂字。

○故言一人　原本“故”下一字缺佚,恐缺“言”字。

○……者何　按“者”字上恐脱“引甫刑”三字。

○引類得像也　《正義》像作象。按《集韻》云“像通作象”。又《文選·與孫皓書》注引“引譬連類”四字,《釋文》亦引“引辟”二字,《正義》與《文選》、《釋文》不合,蓋所見之本異歟。

諸侯章第三

○敬上愛下　《治要》愛下有下字,原本誤脱,今補。

○故居高位　《文選集注》卷七十一“故”下有“身”字。

○奉行天子法度　《正義》作“慎行禮法”。

○所以長守貴　《治要》、《御注》貴下有也字。

○居高位而不驕　《治要》而作能。

○故能長守富貴　《治要》“故能”作“所以”,“守”下無“富”字,“貴”下有“也”字。按無“富”字者是也,今删。

○所以長守富　《治要》、《御注》富下有也字。

○故言不離其身也　《治要》言作云,身下無也字。

○……功於人故祭之　按注文未言及“稷”字,“功”上尚有缺佚,今不可知。

○而和其人民　《義疏》、《治要》、《御注》並“人民”作“民人”,注同。

○薄賦斂　《治要》斂作歛。

○省徭役　《義疏》役下有也字。

○如臨深淵恐墜　《正義》臨上無如字,深下無淵字。《釋文》墜作隊。按隊同墜。

○如履薄冰恐陷　《正義》履上無如字,薄下無氷字。

卿大夫章第四

○非先王之法服不敢服　此下《北堂書鈔》卷八十六引鄭注云“法服謂日月星辰山龍華蟲藻火粉米黼黻皆文繡”。按虞氏要約鄭義,恐非鄭注原文。

○日月星晨　《義疏》、《周禮·小宗伯》疏、《北堂書鈔》卷一百二十八晨作辰。按晨通辰。

○皆謂文繡　《釋文》繡下有也字。

○衣素纜　《釋文》、《儀禮·少牢饋食禮》疏“纜”作“績”,是也。

○不改易也　《少牢》疏“易”下無“也”字,

○則不敢道也　《治要》不上無則字,道下無也字。

○非先王之德行　《釋文》出“行”字云“下孟反,注德行同”。按《治要》注文無“德行”二字。

○禮以儉奢　《義疏》儉作撿,《治要》、《釋文》作檢。按撿同檢。

○是故非法不言　《治要》此下有“非詩書則不言”六字,原本恐脱,今補。

○非禮法則不行　《治要》法作樂,是也。

○者何怨惡　以上文例之,“者”,“有”字之訛。

○廟皃也　《詩・清廟》正義“皃”作“貌”。按皃通貌,下效之。

○事之若先　《清廟》正義“先”作“生”,是也。

○爲作宫室　《清廟》正義“作”作“立”。

○若見鬼神之容皃也　《清廟》正義“皃”下無“也”字。

○蓋卿大夫之孝也　《義疏》孝下無也字。

○詩者耳謂□也　此六字文意不通,按原本《士人章》“詩云”注曰“詩者直謂詩也”,乃知“直”誤“耳”,“謂”下缺“詩”字,今並補訂。

○夜暮也　《釋文》暮作莫。按莫同暮。

○懈惰也　《釋文》懈作解。《華嚴音義》二十惰作墮。按懈通解,惰通墮。

士人章第五

○士人章　諸本“士”下無“人”字,敦煌遺書天福本、三條本《御注孝經》、弘安本古文《孝經》,並有“人”字。

○資者人之行　《釋文》、《公羊》定四年疏、《文選集注》卷一百十六,並“行”下有“也”字。

○事父與母同　《治要》母下有愛字,原本誤脱,今補。

○愛不同　《治要》愛作敬,是也。《治要》、《文選集注》卷一百十六並“同”下有“也”字。以下文例之,有“也”字者似是,今補。

○愛不同也　《治要》愛上有“事父與君敬同”六字,原本恐誤脱,今補。《治要》同下無也字。

○事父之道　《治要》道下有也字。

○則爲忠矣　《治要》矣作也。

○移事父孝　《治要》、《正義》父作兄,孝作敬,並是也。

○則爲忠矣　《治要》、《正義》忠作順,是也。

○事君忠事長順　《治要》“事君”下有“能”字,下“事長”下同。

○可以事上　《治要》上下有也字。

○君忠最尊者也　忠通中。

○食廩曰禄　《釋文》、《令集解》卷一廩作稟。《釋文》曰作爲。

○居官曰位　《令集解》卷一位下有也字。以下文例之,有也字者似是,今補。

○生□曰祭　《義疏》、《釋文》生作始,始下有爲字,並是也,今據補訂。

○繼世曰祀也　《義疏》祀下無也字。

○則是非　《釋文》則作别,是也。

○夙夜興寐　諸本“夜興”作“興夜”,是也。

○□暮　按《卿大夫章》“夙夜“注云“夜暮也”。原本“暮”上脱“夜”字,今補。

○忝辱　《治要》辱下有也字。

○言士爲孝　《治要》士上無言字。

○無辱其父母　《治要》母下有也字。

庶人章第六

○用天之道　《治要》"用"上有"子曰"二字,"用"作"因"。

○言天之道也　《治要》作"奉事天道"。

○若高田宜黍稷　《詩·信南山》正義、《唐會要》卷七十七《論經義》高上無若字。

○丘陵坂險　《太平御覽》卷三十六丘作邱。《釋文》、《御覽》坂作阪。《初學記》卷五、《御覽》獫作險,是也。

○宜種棗栗　《初學記》、《御覽》同。《釋文》"宜"下無"種"字,"棗栗"作"棗棘",下注云"本作宜種棗棘"。

○度財無費　《義疏》、《治要》、《釋文》無作爲。

○什一而税　《義疏》、《釋文》税作出。

○父母不乏　《治要》乏下有也字。

○至於庶人　《義疏》、《治要》於作于。

○而患不及己者　《御注》及下無己字。

○惣説五孝　惣,摠之訛字,今改。

○當行孝無終始　《治要》當下無行字。

○不及其身　《釋文》身下有也字。

○善未有也　《正義》同。《治要》善作言。《治要》、《釋文》未下有之字。

三才章第七

○上孔子語曾子孝……　"孝"下尚有缺佚,今不可知。

○皆當行孝無終始　《治要》行作爲。

○天之經　《治要》、《御注》經下有也字,注同。

○地之義　《治要》、《御注》義下有也字,注同。

○民之行　《治要》、《釋文》、《御注》行下有也字,注同。

○孝悌恭敬　《釋文》悌作弟,云"大計反,本亦作悌"。按弟同悌。

○人君其閒　《治要》君作居,是也。

○當是而則之也　《治要》之下無也字。

○視天之四時　《治要》天下無之字。

○無失其早晚　《治要》晚下有也字。

○所宜何等□種之　"等"下一字缺佚,今假補"播"字,則文意略通。

○天時順地利　《治要》天上有用字,原本恐脱,今補。

○用天時順地利則天下民皆樂之　《治要》作"用天四時地利順治天下下民皆樂之",文少異。

○其教不肅而成　《治要》成下有也字。

○政不煩荷　《治要》同。《釋文》荷作苛。按荷同苛。

○故不嚴而治　《治要》治下有也字。

○教化人之易　《治要》、《釋文》、《正義》易下有也字。

○天修人事　《義疏》、《治要》天作先，是也。

○則人莫敢不服　《治要》服下有也字。

○虞芮推畔於野　《治要》、《釋文》芮作芮，是也。《釋文》野作田。

○下效之　鈔本《治要》之下有法字。

○道之以禮樂　《釋文》、《御注》道作導。按道通導。

○民莫敢不敬之　《治要》敬下無之字。

○而民之禁　天福本"民"下有"之禁"二字。按"之"，"知"字之訛。原本"民"下誤脱"知禁"二字，今補。

○則民知有法令　《治要》"民"上無"則"字，"有法令"作"禁"。《釋文》出"禁"字云"金鳩反，注同"。按原本注文無"禁"字。

○直謂詩也　《義疏》詩下無也字。

○若家宰之屬　《義疏》、《釋文》、《詩・節南山》正義"家"作"冢"，是也。《釋文》屬下有也字。

○下之化上　《義疏》作"上之化下"。

孝治章第八

○子曰昔者　《釋文》昔作昔，云"下皆放之，本今作昔"。

○以孝治天下　《御注》"天下"下有"也"字。

○古者諸侯　《公羊傳序》疏"古者"上引"昔古也"三字。按原本無三字，今補。

○天子無恙　《治要》"天子"下無"無恙"二字。《義疏》"無恙"作"安否"。

○待之以客禮　《治要》以下無客字。

○此不敢遺小國之臣　《治要》不下無敢字，臣下有者也二字。

○公侯伯子男乎　《義疏》男下無乎字。

○五年一朝天子　《太平御覽》卷一百四十七不重"天子"二字。

○天子使太子郊迎　《治要》、《周禮・大行人》疏、《儀禮・觀禮》疏、《御覽》太作世，《義疏》與原本同。

○蒭和百車　《義疏》、《治要》"蒭和"作"蒭禾"，《釋文》作"芻禾"，《御覽》作"芻米"。按"蒭"，"芻"或字。和與禾通。今從《釋文》改。

○夜設庭燎　《義疏》燎作蟟，《釋文》作尞，云"力召反，本亦作燎，同"。

○問其勞苦　《御覽》苦下有也字。

○二王知佳也稱公　此七字文意不通，按《義疏》云"二王，王後者，周則杞宋是也。"今假"知佳也"作"之後"二字，則文意略通。

○侯之者候也　《釋文》、《法華玄義釋籤》侯下無之字。以下文例之，之字恐衍。

○長治百姓　《釋籤》治作理，下"職治"同。按《釋籤》避唐高宗諱治。

○子者慈也　《釋籤》慈作字,下"慈愛"同。按字通慈。

○公與侯各百里　原本"公"下缺佚,今以下文例之,似缺"與侯各百里"五字,今補。

○百里者法雷也　以下文例之,"者"上恐脱"百里"二字,今補。

○别優劣也　《禮記・王制》正義"劣"下無"也"字。

○故得萬國之歡心　《御注》(石臺本、岳本、毛本)歡作懽,下效之。

○天子五年一巡狩　《義疏》、《釋文》、《王制》正義"狩"作"守"。

○故得萬國之歡心　《治要》故作是。

○以事其先王　《治要》事上無以字,王下有也字。

○不敢侮於鰥寡　《義疏》不下無敢字,侮下無於字。

○而況於士人乎　《義疏》人下無乎字。

○謂諸侯　《治要》諸上無謂字,侯下有也字。

○六十二無妻曰鰥　《詩・桃夭》序正義"六十"上有"丈夫"二字,《禮記・王制》正義有"男子"二字。《桃夭》序正義、《王制》正義、《廣韻》一"六十"下無"二"字。按原本衍"二"字。今删。

○五十無夫曰寡　《桃夭》序正義、《王制》正義"五十"上有"婦人"二字。《桃夭》序正義"寡"下有"也"字。

○士人中和義理　《正義》所引舊解云"士知義理"。原本"和","知"字之訛。

○強有不失職　《義疏》有作者,是也。

○不敢失於臣妾之心　《御注》"妾"下無"之心"二字。

○治家者謂諸卿大夫　《正義》治作理。按《正義》避唐高宗諱"治"。《正義》家下無者字,謂下無諸字。

○男子之賤稱　《釋文》子下無之字。

○妻子奉承宗厝　厝,疑庿字之訛。按庿,廟之古字。

○則親安之　《治要》則作故,是也。之下有也字。

○故鬼享之也　《治要》之下無也字,似是。

○故曰和平　《治要》故下無曰字。

○灾害不生　《釋文》、《御注》灾作災。《釋文》注云"本或作灾"。按灾同災,下效之。

○風雨時節　《治要》"時節"作"順時"。

○百穀熟成　《治要》"熟成"作"成熟"。

○是以天下禍亂　《治要》以下無天下二字。

○無因得起　《治要》因作緣,起下有也字。

○治天下如此　《治要》、《御注》天下下有也字。

○禍亂不作　《治要》"禍亂"上有"故上明王所以災害不生"十字,原本不見,姑記疑,俟後考。

○故致如此　《治要》如作於。

○有覺得行　諸本得作德，按得通德。

○有天德行　《治要》、《正義》天作大，是也。

○順而於之　《治要》於作行，似是。之下有也字。

聖治章第九

○聖人合天地　《義疏》作"聖人與天地合德"，文少異。

○當有異於孝乎　《義疏》孝下無乎字。

○故問之也　《義疏》之下無也字。

○天地之姓　《義疏》、《治要》、《御注》姓作性，按姓通性。

○貴其異於萬物　鈔本《治要》其上無貴字。《治要》、《正義》物下有也字。

○孝者德之本　《正義》本下有也字。

○莫大於尊嚴其父　《治要》大下無於字。

○莫大於配天也　《治要》"天"下無"也"字。"天也"下有"生事愛敬死爲神主也"九字，原本不見，姑記疑俟後考。

○郊祀后稷　《釋文》祀作巳，云"音似"。

○祭天之名　《治要》天下無之字。

○周公之始祖　《義疏》、《治要》公下無之字。《義疏》祖下有也字。

○明堂即天子布政之宫　《義疏》、《治要》堂下無即字。《玉海》九十五，即作者，宫作堂。

○上帝者天之别名　《困學記聞》卷七帝下無者字。《南齊書・禮志上》、《唐書・王仲丘傳》者作亦。《南齊書》天下無之字。《史記・封禪書》集解、《宋書・禮志三》、《舊唐書・禮儀志一》名下有也字。《唐書》"天之别名"作"天也"。

○故異其處　《唐書》故作但。《宋書》故下有明堂二字，異下無其字。

○避后稷　《宋書》、《唐書》避上有以字。《釋文》、《史記》、《續漢書・祭祀中》注"稷"下有"也"字。

○八窻四闥　《正義》窻作牖，《玉海》作窻，《太平御覽》卷一百八十八作牕。《白孔六帖》、《玉海》闥作達。

○上圓下方　《義疏》圓作員，《正義》作圜。《正義》"八窻"、"上圓"二句轉倒。

○在國之南　《正義》在作居，"南"下有"南是明陽之地"六字，原本不見，姑記疑俟後考。

○故乃稱之曰明堂　《正義》"故"下無"乃稱之"三字。

○周公行孝於朝　《治要》孝下無於字。

○越常重譯　《治要》常作裳，是也。《釋文》作嘗。按《義疏》與原本同，"裳"或作"常"歟。

○故得萬國之歡心也　《治要》故作是。

○豈聖人所能加也　《治要》加下無也字。

○以養父母日嚴　《釋文》出“日嚴”云“人實反，注同”。按此本注文無“日”字。

○子親生之父母膝下　《義疏》生下無之字。

○是以養則致其樂　原本“樂”下有缺佚，今不可知。

○教之以爲敬　《治要》之下無以字。

○因親近於母　《治要》親上有因字，效上文例，則《治要》是也，今補。《治要》於作其，效上文例，則《治要》是也，今改。

○教之以爲愛　原本“教之”下恐有脱文，今依上文補“以”字，依《治要》補“爲愛”二字。

○所順人情之事　《治要》作“順人情也”。

○聖人因人情而教之　《治要》之作民。《文選集注殘本》卷一百十六教下無之字。

○人皆樂之　原本“皆”上一字缺佚，按《治要》，“皆”上有“民”字，原本避唐太宗諱“世民”，全章“民”作“人”字，因“皆”上補“人”字。

○故不肅而成　《治要》成下有也字。

○其身政不令而行　此文見《論語・子路篇》，《論語》、《治要》政作正。按政通正。

○本是孝也　《治要》、《正義》是作謂。

○孝遺流行　按“遺”，“道”字之訛。

○故乃不嚴而治　原本“而”下有缺佚，今依上文補“治”字。

○父子之道天性　《治要》、《御注》性下有也字。

○君臣之義　《治要》、《御注》義下有也字。

○非骨肉之親　《治要》作“非有天性”。

○續莫大焉　《釋文》莫作焉，云“本今作莫”。

○父母生之　《治要》之作子。

○即厚之至　《治要》厚上無即字，至下有也字。

○而愛他人親者　原本而下脱愛字，今依《治要》、《御注》補。《治要》、《御注》人下無親字。

○不能敬其親　《治要》不上有人字，敬作愛。按作愛字者，是也。

○而敬他人親者　《治要》、《御注》人下無親字。

○而敬他人親者　《治要》人下有之字。

○謂之悖禮　《治要》禮下有也字。

○則逆亂之道　《治要》道下有也字。

○則法也　《治要》法下無也字。

○惡人不能化善　《治要》“化善”作“以禮爲善”。

○乃皆爲惡　《治要》皆作化。

○若傑紂是　《正義》若上有悖字。《釋文》、《治要》、《正義》傑作桀，按傑通桀。是下有也字。

○君子所不貴　《御注》子下無所字，貴下有也字。《治要》與原本同。

○不以其道得之　《治要》道下無得之二字。

○故君子不貴也　《治要》貴下無也字。

○君子則不爲逆亂之道也　《治要》子下無則字，道下無也字。

○故可道也　《治要》可下有傳字。

○可尊敬也　《治要》敬作法。

○故可觀也　《治要》觀下無也字。

○雖進而盡忠　《義疏》、《治要》、《釋文》雖作難。《釋文》忠作中。

○亦退而補過　《義疏》、《治要》、《釋文》亦作易。

○效其漸也　《釋文》效作傚，按效通傚。

○上下教而罰　按"下"，"不"字之訛。

○則威儀不差失　《治要》威上無則字，差下無失字。

○故可法也　《治要》可上無故字，法下有則字。

紀孝行章第十

○紀孝章　諸本"孝"下有"行"字，原本誤脱，今補。

○孝子之事親　《御注》親下有也字。

○盡其禮也　《釋文》出"盡禮也"云"一本作盡其敬也，又一本作盡其敬禮也"。

○以事其上　《治要》上作親。

○容色不滿　《正義》作"色不滿容"。

○擗踴坐泣　《正義》、《北堂書鈔》卷九十三踴作踊，坐作哭。按坐，哭字之訛。

○齋必變食　《釋文》齋作齊，云"側皆反，本又作齋"。

○居必遷坐　《義疏》遷作移。

○敬忌蹜迹　《釋文》、《北堂書鈔》卷八十八蹜作踧。《書鈔》迹作踖，並似是。

○若親存焉　《書鈔》焉作也。

○爲臣則忠　《治要》作"爲人臣下"。

○在醜而争　《治要》、《釋文》、《御注》而作不，是也。

○齊年爲醜　原本"齊"下一字模糊，按《義疏》云"夫齊年互好相争，故《曲禮上》云，在醜夷不争"，今依《義疏》，齊下補"年"字。

○善惡不忿争也　《治要》善下無惡字，争下無也字。

○富貴不以其道得之　《治要》道下無得之二字。

○是以則亡　《治要》則作取，亡下有也字。

○爲臣下好則亂　《治要》爲下有人字，則作作字。按作"作"字者，是也。

○用友之中　《治要》用作朋，是也。又友下無之字。

○則推忍之道也　《治要》則作者，推作惟，忍作兵刃。按《魏志・臧洪傳》云"惜洪力劣,不能推刃爲天下報也",按忍通刃。《治要》道下無也字。

○猶爲不孝　《御注》孝下有也字。

○不敢惡於人　《治要》敢作聽,人下有之親二字。《釋文》,人下有親字。

○今反驕亂忿争　《治要》忿作分,按忿通分。

○日煞三牲之養　《治要》煞作致

○豈得爲孝乎　《治要》得下有爲字,原本誤脱,今補。乎作子。

五刑章第十一

○五刑者謂劓墨宫割臏大辦　《義疏》刑下無者字。《治要》劓墨作墨劓。《義疏》、《治要》宫下無割字。《義疏》、《治要》、《釋文》辦作辟,下效之,按辦通辟。《治要》辦下有也字。

○穿容盜竊　《釋文》容作窬,是也。

○刼賊傷人　《釋文》刼作劫,按劫通刼。

○不以禮交者　《釋文》以作與,按以、與字通。

○逾人桓墻　《釋文》逾作壞,桓作垣,墻作牆。按作"垣"字者,是也。

○開人關籥臏　《釋文》籥作鬮,按籥通鬮。又籥下有者字,以上文例之,有者字者似是,今補。

○手然人大辟　《義疏》然作煞,《釋文》作殺。按然,煞字之訛,煞同殺。《義疏》、《釋文》人下有者字,似是,今補。

○罪莫於不孝　原本莫下脱大字,孝上缺不字。今並依上文補。

○事君先事　原本"事"字右傍有朱校,添"長"字。其他有二三朱校,今不可讀也。

○然後能食禄　《治要》然作而,後下無能字。

○而反今要君　《治要》"而反今"作"今反"。

○是無上也　《治要》作"此無尊上之道"。

○既不自孝　《治要》既作已。

○必非他人爲孝　《治要》必作又。

○不可親也　《治要》親下無也字。

○大亂之道　《治要》、《御注》道下有也字。《義疏》與原本同。

○非侮聖人　《治要》侮上無非字,人下有言字。

○非孝行者　《治要》孝下無行字。《釋文》"非孝行者"作"人行者",云"一本作非孝行"。

○此則大亂之道　《治要》大上無此則二字,道下有也字。

廣要道章第十二

○人行之次　《釋文》次下有也字。

○夫樂者咸人情　《釋文》樂下無者字。《義疏》、《治要》、《釋文》咸作感,按咸與感同。《釋文》情下有者也二字。

○樂淫則心淫　《治要》下"淫"下有"也"字。

○人易使之　《治要》使下無之字。《釋文》之作也。

○敬者禮之本　《治要》敬下無者字。《正義》本下有也字。

○又何加焉　《治要》又作有。

○則子悦　《釋文》出“悦”字云“音悦,注及下同”。按注文缺悦字。

○敬一人則千萬人悦　《治要》、《御注》則作而。

○所敬三人　《治要》三作一,是也。

○千萬悦　《治要》萬下有人字,似是,今補。

○此之謂要道　《治要》、《釋文》、《御注》道下有也字。

○孝悌以教之教之禮無以化之　《治要》不重“教之”二字,無作樂,並是也。

○則爲要道也　《治要》“則爲”作“此謂”。

廣至德章第十三

○君子之教以孝　《御注》孝下有也字。

○非家至而日見之　《治要》、《御注》之下有也字。

○非門到户至　《正義》作“言教不必家到户至”,文少異。

○日見而語之　《文選·竟陵王行狀》注作“而日見也”,《文選·讓中書令表》注作“而見之”。

○流化於外也　《正義》作“其自化流於外”。

○所以敬天下之爲人父者　《治要》、《御注》者下有也字。

○天子無父　《治要》無作旡。《釋文》子下無無字。

○所以教天下之爲孝　《治要》教作敬,“天下”下無“之爲”二字,孝作老,孝下有也字。按無“之爲”二字者似是。

○教以弟　《治要》、《御注》弟作悌,注及下同。按原本弟、悌混用。

○所以敬天下之爲人兄者　《治要》、《御注》者下有也字。

○天子幺兄按幺,無字之訛,《治要》作旡。《釋文》子下無無字。

○所以敬天下之爲人君者　《治要》、《御注》者下有也字。

○真是人云也父母　《治要》真下無是字,又“云也”作“之”字,是也。

○至德之君子　《治要》君下無子字。

○教於天下　《治要》天下下有也字。

廣揚名章第十四

○必聞孝子之門　《治要》“必聞”作“出”。

○故言可移於君　《治要》故下無言字。

○以敬事長則順　《治要》長作兄。

○故可移於長　《治要》長下有也字。

○居家理治可移於官　《治要》、《釋文》、《御注》理下有故字。按《正義》云“先儒以爲居家理下闕一故字,御注加之”,則鄭注本元無故字,今有故字者,後人加之耳。

○所在則理　《義疏》、《治要》理作治。

○故可移於官　《治要》、《正義》官下有也字。

○而名立於後廿矣　《治要》、《御注》廿作世，注同。按原本缺畫，唐太宗諱“世民”。《義疏》世下無矣字。

○行於視者　按此四字，與下“弟於兄者”爲對句，則知“行”爲“孝”字之訛，“視”爲“親”字之訛。

○三德並備於内　《正義》作“修上三德於内”。

○而名立於後廿矣　《正義》作“名自傳於後代”。

○若聖人制法於古　《義疏》聖上無若字。

○後人奉而行之也　《義疏》之下無也字。

諫諍章第十五

○諫諍章　《御注》諍作争，下效之。

○子從父之令　《治要》令作命。

○是何言與　《釋文》與作歟，云“音與，下同，本今作與”。《治要》、《御注》與下有是字，原本誤脱，今補。

○不失其天下　《釋文》失下無其字，下注云“本或作不失其天下，其衍字耳”。按《釋文》非必是也。

○七人謂三公　《治要》人下有者字，“三公”作“大師、大保、大傅”。

○左輔右弼前疑後丞　《後漢書·劉瑜傳》注作“前疑、後丞、左輔、右弼”。

○雖持王者　《義疏》、《治要》雖作維，是也。

○使不歷危殆　《治要》、《釋文》不下無歷字。

○尊卑轉少　《治要》轉作輔，少作善，並似是。

○未聞其當　《治要》當作官，似是。

○身不離於令名　《釋文》身下無不字。

○故以友諍之　《治要》以下有賢字，“諍之”作“助已”。

○父有諍子則身不陷於不義　《御注》此下引“父失則諫故免陷於不義”十字，原本無之，姑記疑俟後考。

○君□有諫諍之義　原本“君”下一字缺佚，今“君”下補“臣”字，則文意略通。

○臣子當□諍之　原本“當”下一字缺佚，今補“諫”字，則文意略通。《臣軌》作“臣子不諫諍，則亡國破家之道也”。

○委曲從父之令　《臣軌·匡諫章》從下有君字，是也，今補。《治要》父下無之字，令作命。

○善亦爲善　《臣軌》亦作只，下惡亦同。《治要》爲作從，下爲惡同。

○惡亦爲惡　《治要》下“惡”下有“而心有隱”四字。

○又焉得爲忠臣孝子乎　《治要》作“豈得爲孝乎”。

感應章第十六

○感應章　《釋文》注云“本今作感應章”，《御注》作“應感章”。

○盡於孝父者　《治要》、《釋文》“於孝”作“孝於”，是也。《治要》父下無者字。

○故事天明　《治要》故作則。

○盡孝於母者　《治要》母下無者字。

○能察地之高下　《治要》作“能事地察其高下”。

○視其分理　《治要》理作察。《治要》、《釋文》理下有也字。

○卑順於君　《治要》順作事，君作尊。按作尊者似是。

○神明彰矣　《釋文》彰作章，云“如字，本又作彰”。

○謂之彰矣　《治要》作可謂彰也。

○事之若父即三老是　《北堂書鈔》卷八十三作“事君父者三老也”。《治要》父下無即字，是下有也字，下“即五更是”同。

○不取毀傷　《治要》取作敢，是也。

○當恐毀辱先人　《治要》當作常，似是。《治要》“毀辱先人”作“其辱先也”。

○故重其文　《治要》、《釋文》文下有也字。

○光於四海　《治要》、《御注》於作于。

○則風雨時節　《治要》時下無節字。

○則萬物熟成　《治要》物下無熟字。

○是以無所不通也　《治要》“是以”作“故”。

○自東自西　《御注》作“自西自東”。《義疏》、《治要》與原本同。

○孝道流行莫敢不服　《正義》作“義取德教流行莫不服義從化也”，按《正義》似非鄭注原文。《釋文》“莫敢不服”作“莫不被”。

事君章第十七

○君子之事上　《治要》、《御注》上下有也字。

○未……就之理　原本“未”下有缺佚，今假補“及去”二字，則文意略通。

○待放三□服思其過故□之　原本“三”下“故”下各一字缺佚。按《公羊》宣元年傳云“古者大夫已去，三年待放”，今“三”下補“年”字，“故”下補“去”字，則文意略通。

○……也　原本“也”上有缺佚，今不可知。

○故上下治能相親　《御注》“上下”下無“治”字。《治要》、《御注》親下有也字。

○故乃相親　《治要》乃作能。

○念君之無□　原本“無”下一字缺佚，今假補“過”字，則文意略通。

○忠心藏之　《釋文》、《御注》忠作中，《釋文》注云“本亦作忠”。

○□雖在□　原本“雖”上“在”下各一字缺佚，今假“雖”上補“已”字，又“在”下補“遠”字，則文意略通。

喪親章第十八

〇子曰孝子之喪親　《治要》删此章。《釋文》、《御注》親下有也字。

〇生事已了　《正義》了作畢。

〇故發此言　《正義》言作事。

〇哭不哀　敦本一三八六號"哀"作"偯",是也。

〇唯而不對　《北堂書鈔》卷九十三"對"下有"者也"二字。又《釋文》對下有也字。

〇去文繡之木　《釋文》繡下無之字,木作衣。按作衣者是也。

〇以縗麻服之　《釋文》縗作衰,云"七雷反,字或作縗,同"。《釋文》縗下無麻字,之作也。

〇尚在悲哀　《正義》作"悲哀在心"。

〇故不樂　《釋文》、《正義》樂下有也字。

〇不嘗酸鹹　《釋文》"酸鹹"作"鹹酸"。

〇示人有終　《御注》終下有也字。

〇天下達禮　《義疏》天下下有之字。

〇不肖者企而及之賢者俯而就之　《正義》作"使不肖企及賢者俯從",按《正義》約鄭義引之,非鄭注原文也。

〇所以再朞共得三年也　《釋文》朞作期,云"本又作朞,音同"。按朞同期。

〇簠簋祭器之名　《北堂書鈔》卷八十九"器"下無"之名"二字。

〇受斗二升　《書鈔》受下有一字。

〇內圓外方　《儀禮·少牢饋食禮》疏作"外方曰簋",《太平御覽》卷七百五十九作"方曰簠圓曰簋",《周禮·舍人》疏引"內圓外方受斗二升"八字,但語句轉倒。

〇故哀戚之　《書鈔》之作也。

〇啼號竭情也　《義疏》情下無也字。

〇宅葬地也　《義疏》宅下有者字。《義疏》、《北堂書鈔》卷九十二地下無也字。

〇故云葬事大　《書鈔》"葬"上無"故云"二字,"事大"作"大事"。

〇即先薦先祖　《太平御覽》卷五百二十五先上無即字。

〇念之若生存　《御覽》生下無存字。

〇行乃畢矣孝乃成矣　《釋文》"行"下"孝"下並無"乃"字,"畢"下"成"下並無"矣"字。

校勘記終

【附記】　本論文昭和十年一月至五月以《補訂敦煌出土孝經鄭注》爲題發表於《書誌學》第四卷第一號至第五號。後以新得資料補訂,昭和三十九年三月改題《孝經鄭注復原研究》發表於《岡山大學法文學部學術紀要》。今者再以新得資料補訂如此。

敦煌遺書《孝經》鄭注義疏研究

【日】 林秀一　陸明波　刁小龍 譯

《孝經》爲戰國之世曾子學派學者假託孔、曾二子問答，諄諄教誨作爲人倫大本孝道之書，是故漢代以後與五經並立國學，與《論語》同列爲經書之一，且尊爲初學入門之必讀書。

《孝經》有今文、古文之别，今文十八章，古文二十二章，二者章數存在差異。觀其内容，則除《閨門》章之有無外，無大差别。今文有後漢鄭玄之注，古文有前漢孔安國之注，然《鄭注》果爲鄭玄之作、《孔傳》果爲孔安國當時之作，古來即頗有争論。據今日之研究，蓋《鄭注》成於魏晋之際鄭玄學派學者之手，《孔傳》爲隋劉炫之僞作，説頗可信。然隋唐之際，《鄭注》、《孔傳》真僞之争論甚囂塵上，孰者當立學官，遂生疑義重重。因此，唐玄宗於開元七年(719)下詔諸儒，質其是非。其時，劉知幾支持古文，而司馬貞固執今文，甲論乙駁，兩議未決，故暫時並置《鄭注》、《孔傳》。然及至開元十年(722)，玄宗主據今文，參考《鄭注》、《孔傳》，製成《孝經御注》一卷；命元行沖作疏三卷，頒諸天下，以示所據。此即所謂"開元始注"。天寶二年(743)，玄宗重注《孝經》以補始注之不備，頒諸中外，同四年(745)，刻石而建諸長安大學前。此即所謂"天寶重注"。以上《鄭注》、《孔傳》、《御注》爲《孝經》代表性之注釋。若比較三注特色，《鄭注》於古代語言與禮制、即古代制度解釋甚爲詳密，《孔傳》頗具常識、邏輯，皆易於理解。與之相反，《御注》乃折中《鄭注》、《孔傳》而成，故缺乏個性，作爲注釋書之價值亦低於前二書。然因其乃天子自注，以非常之權威頒行者，致使《鄭注》、《孔傳》逐漸衰微，終亡佚於五代之亂。此後，雍熙元年(984)日本僧奝然入宋，獻《鄭注》一書於太宗，太宗大悦，庋諸秘府。至南宋乾道年間(1165—1173)，熊克從袁樞處獲所謂内府轉寫本之《鄭注》，刻諸京口學官，事見陳振孫《直齋書録解題》。此後再無言及《鄭注》者，是再遭亡佚。

魏晋六朝之際，言論之抑制漸弛，遂生竹林七賢等處士横議之風。相對於後漢傳注，其時經學尤立足自由之立場，對經典分析、比較，進行邏輯性、綜合性研究解釋，其學風大興。這一學風歷經隋朝，至唐初臻至極盛。此即所謂義疏學。關於義疏學之特色，吉川幸次郎博士於《東方學報》京都第十册所收《尚書正義解題》一文中論曰："後漢以下經學傳統、經書解釋，立足古代語言解釋經典，并對禮制、即古代制度解釋甚爲詳密。而義疏乃積年累月討論之集積，顯示出中國人對經典思考之成果；且其解釋非個人思索之結果，乃衆多討論之結果，故應更符合經文之原意。其間之思考，誠中國人思考形式之最忠實記述。因此，義疏作爲中國思想史資料，具有重要之地位。"

是故，各經及傳、注之“義”和“疏”續出不斷。前者影響後者，而諸經義疏復歷經長年，不斷洗練、淘汰、集積。體現其思索臻境所及者，即《五經正義》。義疏學盛行，據《隋書・經籍志》、《舊唐書・經籍志》中經部所著録各經義疏數量之多，可見一斑。關於《孝經》，上述《鄭注》、《孔傳》、《御注》之義、疏亦漸次作成。《孔傳》之義有隋劉炫《孝經述議》五卷，《御注》之疏有唐元行沖《孝經疏》三卷，及其補正而成之宋邢昺《孝經正義》九卷。元行沖《疏》已亡佚，邢昺《正義》現存，收入十三經注疏中。劉炫《述議》，亦由武内義雄博士從清原家後人東京舟橋清賢處發現卷一、卷四兩卷，所缺卷二、卷三、卷五三卷，亦由筆者以日本殘存諸資料爲中心成功復原。然作爲最古《孝經》注釋書之《孝經鄭注》義疏，備具後漢以下經學傳統——言語訓釋、禮學解説之顯著特色，且於魏晋時代流布最廣，竟悉至亡佚，誠爲《孝經》研究史上之一大遺憾。

然數年之前，已故内藤湖南博士與石濱純太郎博士相伴遊歷歐洲，於巴黎國民圖書館所藏伯希和所得敦煌遺書之中，發現著者不明之《孝經義疏》一卷，並製成照片三十四葉回國。筆者蒙内藤湖南博士令嗣乾吉氏之厚意，幸得借覽相關照片，據以研究。今謹據内藤博士筆記及石濱博士之教示，試作解説如次。

首先，就本書書名略作解説。本書卷首既已亡佚，卷末亦未附記書名，故書名無由得知。本書不類後世《孝經》義疏，涉及全體經注之解釋，而是從《孝經》各章中逐次摘出可質疑之經文、注文，加以解釋。故作爲《孝經》之義疏，繁簡粗密不定，終有未成之感。然亦因如此，作爲《孝經》義疏乃存其原始形態者。且本書所摘經文與往年筆者發表在《書誌學》(第四卷第一號至第五號)之同爲伯希和氏所蒐集敦煌遺書《孝經鄭注》本一致，注文亦與此書及《群書治要》、《經典釋文》、《孝經正義》等諸書所引鄭注一致，可知本書確爲《孝經》鄭注之義疏。是以，兹暫以“孝經鄭注義疏”之名當之。

其次，略論本書體制。本書現爲卷子本，然原以官文書所用白麻紙綴合而成。故其背面有墨書，全卷共十八處，約二十一、二行。兩紙接合處每於紙張下方正反面鈐“豆盧 / 庫之印”朱文印一方，印中墨書“金”字。書寫混用行草二體，且多轉寫誤謬，中有魯魚難辨，文意難知者。又多使用六朝特有古字、俗字、省字、或字、訛字，例如兆作𠧞、亦作𠫤、備作偹、淑作𣳟、害作㝥、災作灾、寡作寡之類。乍一視之，雜然無統，然作爲六朝義疏，本書價值非同一般。然本書竟爲何人所書，猶未明確。本書卷末跋尾云“天寶元年十一月八日於郡學舄(寫)了”，又避唐高宗之父“昞”諱而書“丙”爲“景”，避唐太宗“世民”諱而“民”欠筆作“巳”，則其爲唐鈔本蓋無可疑。又上述跋尾左上方附記“陰庭”云云六字，考陰氏爲敦煌郡豪族，則本書書寫於敦煌郡郡學，與同郡豪族陰氏頗有關係，亦從可知。

再次，本書撰者不明，然本書撰作之年代，可藉所引諸家説之檢討略作推定。列舉本書所引諸家，凡以下六家：(一) 王肅、(二) 謝安、(三) 謝萬、(四) 劉先生、(五) 賀步兵、(六) 袁司空。本書撰者對王肅以下三人呼以姓名，而劉先生以下三人則以敬稱或官名，此則頗可留意。蓋以敬稱或官名稱之，乃示諸人與撰者關係較爲親密。此劉先生、賀步兵、袁司空究爲何人，須略作檢討。

關於劉先生。本書《庶人章第六》"故自天子至于庶人，孝無終始"條下引"劉先生云：禮不下庶人"，與邢昺《正義》所謂"劉瓛云：禮不下庶人"一致，則劉先生指齊劉瓛，明白可知。《南齊書》卷三十九《本傳》云：

> 瓛姿狀纖小，儒學冠於當時，京師士子貴遊，莫不下席受業。性謙率通美，不以高名自居。遊詣故人，唯一門生持胡床隨後，主人未通，便坐問答。住在檀橋，瓦屋數間，上皆穿漏。學徒敬慕，不敢指斥，呼爲青溪焉。

是知其人格、識見冠絶一世，學徒率皆敬慕，故當時有"劉先生"之敬稱，亦可想見。

關於"賀步兵"，《梁書》卷四十八《賀瑒傳》云：

> 賀瑒字德璉，會稽山陰人也。（中略）少傳家業。齊時沛國劉瓛爲會稽府丞，見瑒，深器異之。嘗與俱造吴郡張融，指瑒謂融曰："此生神明聰敏，將來當爲儒者宗。"瓛還，薦之爲國子生。（中略）天監初，復爲太常丞。（中略）七年，拜步兵校尉，領五經博士。九年，遇疾，（中略）卒于館，時年五十九。所著《禮》、《易》、《老》、《莊》講疏，朝廷博議數百篇，《賓禮儀注》一百四十五卷。瑒於禮尤精，館中生徒常百數，弟子明經對策至數十人。

賀瑒嘗由劉瓛推舉爲國子生，其後累遷，至梁武帝天監七年（508）拜爲步兵校尉，同九年（510）居職而卒，時五十九歲。又賀瑒撰有《孝經義疏》一卷，《隋志》著録焉，則本書所謂"賀步兵"即指賀瑒，絶無可疑。

其次"袁司空"，《梁書》卷三十一《袁昂傳》云：

> 袁昂字千里，陳郡陽夏人。（中略）大通元年，加中書監，給親信三十人。尋表解祭酒，進號中撫軍大將軍，遷司空、侍中、尚書令，親信、鼓吹並如故。五年，加特進、左光禄大夫，增親信爲八十人。大同六年薨，時年八十。詔曰："侍中、特進、左光禄大夫、司空昂，奄至薨逝。"

袁昂從梁武帝大通元年（527）至大通五年（533）間累進至司空，武帝大同六年（540）八十歲薨卒。因此，本書所謂"袁司空"指袁昂，恐無差池。

據此，本書之成立年代，據年代最遲之袁昂拜命司空推定，乃爲大通元年至大通五年之後。本書撰者以魏王肅、晋謝安、謝萬爲古人，遂直呼其名；以齊劉瓛、梁賀瑒、袁昂爲近人，故以敬稱或官名稱之，此蓋因本書之成立在距劉瓛、賀瑒、袁昂不遠之世，而本書作者與諸人關係親密者。

是故，或有疑問曰：本書作者蓋即梁朝之皇侃？因《梁書》卷四十八《皇侃傳》云：

> 皇侃，吴郡人。（中略）少好學，師事賀瑒，精力專門，盡通其業，尤明《三禮》、《孝經》、《論語》。起家兼國子助教，於學講説，聽者數百人。（中

略)性至孝,常日限誦《孝經》二十徧,以擬《觀世音經》。(中略)大同十一年,卒於夏首,時年五十八。

皇侃與上述賀瑒有師弟之誼,平生頗尊信《孝經》,卒于武帝大同十一年(545)之五十八歲。故於袁昂去世之大同六年(540),其尚在世,與本書成立推定年代大體相合。更有甚者,皇侃撰著《孝經義疏》三卷,《隋志》以下明見著録。然本書原爲一卷本,而皇侃所作爲三卷本;且邢昺《正義》所引皇侃《義疏》十八條中,與本書一致者僅兩條,其他除稍有類似兩條外,本書全然未見。因此,上述諸疑未解決之前,皇侃説終不能成立。故本書撰者終爲不明。又據與皇侃之説相符兩條推之,本書或成於與皇侃同受教之賀瑒門下弟子之手。若據此大膽假設,則本書成立於與皇侃相同或相近之時代。

下文略述本書之發現於今後學界,尤其《孝經》研究史上之影響如次:

(一) 爲六朝義疏學增加一有力資料。

(二) 爲《孝經鄭注》復原提供決定性資料。

(三) 解決《孝經》鄭注解釋之疑義。

首先,(一) 關於六朝義疏學之研究。與各經、傳相配之六朝義疏,保存其原始形態者極尠,僅能據奈良興福寺所藏《講周易疏論家義記》、早稻田大學圖書館所藏《禮記子本疏義》零本,窺其一斑,故本書可爲六朝義疏學研究增加一份有力資料。不僅如此,作爲六朝時代流布最廣、且爲最古《孝經》注釋書之《孝經鄭注》,多存後漢以下經學之遺韻,而其義疏悉皆亡佚,故此等義疏對隋劉炫《述議》、唐元行沖《疏》、宋邢昺《正義》等後世《孝經》義疏學之影響,無由得明。因本書之重現,其間互相影響,淘汰融合,終定於邢昺《正義》,此進步發展之迹乃得窺見。例如,邢昺《正義》於《天子章第二》"一人有慶"條下云:

> 舊説:天子自稱,則言予一人。予,我也。言我雖身處上位,猶是人中之一耳,與人不異,是謙也。若臣人稱之,則惟言一人,言四海之内惟一人,乃爲尊稱也。

本書通條下云:

> [一] 人之義有二。若天子自稱,即書(以下欠佚)耳,與一不異,是謙也。若臣人稱(以下欠佚)而已,莫之敵也。

二者大體一致。

又《諫諍章第十五》"曾子曰若夫慈愛恭敬"條下,邢昺《正義》云:

> 或曰,慈者接下之别名,愛者奉上之通稱。

本書通條下之義疏完全一致。邢昺《正義》中所謂"舊説"、"或説",與本書或直接或間接密切相連,而追溯《孝經》義疏學發展推移之源流,遂爲可能。

其次,(二) 本書作爲《鄭注》復原資料之價值。《鄭注》於中國亡佚之後,至清朝,考證學勃興,學術回歸兩漢經學。作爲其大宗之鄭玄學術亦得以復興,鄭玄佚書陸續輯刊。關於《孝經》,輯佚諸書所引鄭注,恢復鄭注之舊貌亦日漸興起。受到中國《孝經鄭注》輯佚、搜求之影響，日本鄭注輯佚、刊行亦續有進行。中國有陳鱣、袁鈞、鮑廷博、錢侗、洪頤煊、臧鏞堂、丁晏、嚴可均、孫季咸、曹元弼、皮錫瑞等，日本則有伊奈忠賢、片山世璠、宋平興、河村益根、岡田宜生、窪木清淵、林元龍、朝川鼎、東條弘等，皆試爲《鄭注》輯佚。大凡前者影響後者，一書轉生一書，由粗至密，由雜轉精，然諸家搜索範圍則限於《治要》、《釋文》、《正義》等，雖殫精其業，終因新資料闕如，難有進展。然於伯希和氏敦煌所得舊鈔本中，偶見期望已久之《孝經鄭注》原本，遂使幾至絶境之《鄭注》輯佚進入一嶄新紀元。惜乎敦煌本中亦有殘闕難明之處。當此之際，又有決定性資料問世，即本書是也。今僅舉其一例，以明本書資料性價值。檢《卿大夫章第四》"非先王之德行不敢行"條下鄭注，《群書治要》云：

> 不合禮樂，則不敢行。

《經典釋文》云：

> 禮以檢奢。

又檢敦煌遺書《孝經鄭注》云：

> 禮以檢奢，樂以

"樂以"以下殘缺。徵諸本書，其文云：

> 禮以檢奢，奢華在外，故云禮以檢奢；樂以防淫，而淫泆在内，故云樂以防淫。

則敦煌遺書《孝經鄭注》所缺"樂以"以下爲"防淫"二字可知。由此，再補以《治要》"不合禮樂，則不敢行"八字，則爲：

> 禮以檢奢，樂以防淫，不合禮樂，則不敢行。

遂使大體復原鄭注原貌，成爲可能。據此，本書作爲鄭注輯佚資料，具有決定性價值，從可知矣。

最後，(三) 論本書對鄭注解釋之影響。專解鄭注之書，僅清光緒二十一年(1895)(序)皮錫瑞撰《孝經鄭注疏》二卷、民國二十四年(1935)曹元弼撰《孝經鄭氏注箋釋》二書存焉，而作爲皮氏、曹氏底本者，乃嘉慶十二年(1807)(序)嚴可均輯《孝經鄭注》一卷。然嚴氏輯本乃以《治要》所收鄭注爲本，補以《釋文》、《正義》以下諸書所引鄭注，故在當時雖可謂輯佚之大者，然今日據從敦煌發現《鄭注》原本及作爲其義疏之本書，其輯佚價值已大爲減殺。若皮氏、曹氏亦得以參考此等新資料，定能作更爲精密之疏釋。例如，皮氏據嚴氏輯本，疏證《士章第五》"而守其祭祀"條下鄭注"始爲日祭《釋文》。嚴可均曰：按《初學記》十三引《五經異義》曰：謹案叔孫通宗廟有日祭之禮，知古而然也。《藝文類聚》三十八同。"云：

> 日祭之禮，故經傳皆無之，惟見於《國語》一書。《異義》引左氏説，亦即《國語》文也。(中略)《祭法》疏云"楚語日祭非鄭義"，鄭君何故復引以

注《孝經》?《釋文》引鄭注云"始爲曰祭,一曰始曰爲祭",皆不可通。嚴氏據善本作日祭,似可通矣。而下文闕,不知鄭意如何玩始爲二字。

一方面強調日祭之禮爲鄭義所無,一方面又以嚴氏輯本所據爲善本,肯定作"日祭"之説;又因下文殘缺,苦解鄭義而不得。然而,若據本書云:

注云"始爲曰祭,繼世爲祀"者,言一世爲士,謂之爲祭,係世爲士,謂之爲祀。所以然者,祭者際也,亦察也。祀,似也。言始得爲士,由德明察,繼世爲士,似象不絶。一解云:父子曰祭,自祖以上曰祀。所以然者,祭者際也,父日相接,故曰祭也。祀之言不已也,自祖以上,相傳不已也。

是鄭注原本作"始爲曰祭,繼世爲祀",且意義顯豁。據此,由於本書問世,向來未明之鄭注原義亦有不少可得冰釋。

然則,本書出現可直接爲《孝經鄭注》輯佚及其解釋提供決定性資料,間接爲六朝義疏學研究增加一有力資料,於今後義疏學研究之影響,亦可想見。

敦煌遺書孝經鄭注遺書復原研究

凡 例

一、補訂之際所用基本資料,爲往年已故内藤湖南博士與石濱純太郎博士遊歷歐洲之時發現,巴黎國民圖書館所藏伯希和氏蒐集敦煌遺書舊鈔本之照片三十四葉。

一、原本除《天子》、《士人》、《庶人》、《三才》、《聖治》五章外闕章名,有章名者亦未换行。爲檢索之便,據敦煌遺書本《孝經鄭注》補入章名,《鄭注》本殘缺者,據同系統敦煌遺書天福本(文書編號 1386)補,且每章换行;以方括弧[ ]示其補訂。

一、原本中引用經文有闕字者,據敦煌遺書《孝經鄭注》本補,《孝經鄭注》亦有闕者,以前揭天福本補,以方括弧[ ],示以補訂。

一、原本因蠹害或書寫原因闕字、脱字,據他書或私見可爲補訂者則補訂之,以方括弧[ ]明之。若不得補訂而字數可明者,示以方格□,方格之數即字數;字數不明者附一省文符……,以明其有所闕佚。

一、原本中疑有誤字者,於校勘記中説明其詳;明確斷爲誤字者,於問題字旁示以正字,以月形括弧( ),示其補訂。

一、補訂原本之時,於問題字旁附以編號,明其所在,於下校勘記中一一説明其異同短長。

一、凡原本用古字、俗字等者,一律改爲正字。例如兆改爲兆、盖改爲蓋。

一、原本無句讀,今加句讀,以便通讀。

一、原本引用《孝經》鄭注者,下附____號以資參考。

[敦煌遺書孝經鄭注義疏]

[開宗明義章第一]

……生,復坐,吾語汝……故令復坐。身體髮膚,受[1][之父母,]……體科,復分爲三段,從復坐吾[2][語汝,]……終始,從夫孝始於事親,至終[3][於立身,]……[大][4]雅云,至章末引詩,佁[5]成孝體科。……者[6]據手足爲語,髮者鬢鬚之……畏懼也。毁者瘦瘠減耗之目,傷……禁[7]殺戮,見血爲傷,是也。故樂正子[8][春下堂而傷其足,數月不出,]……猶有憂色,諸弟子云,何有憂[9][色也。]……仲尼,身體髮膚,受之父母,不敢毁[10][傷,]……夫孝始於事親,中於事君,終[11][於立身,]……第二段明事人終始,向(而)[12]明修身始終,……始[13]終毯就他上作説,事人王[14]……教,注卌強而事,卌是不惑……[行]步[15]不及逮,行是足移……至於下,言老人步進不能及前。……朝庭曰退。懸車,懸挂樊仕之……致其所掌之職,子弟或是……[大雅]云[16]:無念爾祖,聿[17]循(脩)厥德,……成孝體科。

天子章第二

……之人,人中之尊,莫過天子,故開此[18]……子曰:愛親者,不敢惡於人……孝以愛敬爲體,愛者蒸蒸至惜,親[19]……者[20]憎害也。人者他人之親

---

① 案《孝經》經文,"受"下有"之父母"三字,今補。
② 案《孝經》經文,"吾"下有"語汝"二字,今補。
③ 案《孝經》經文,"終"下有"於立身"三字,今補。
④ 案《孝經》經文,"雅"上有"大"字,今補。又以上文例之,"大雅"上似缺"從"字。
⑤ "佁"疑"結"字之訛。
⑥ 以文義考之,"者"上似缺"體"字。
⑦ "禁殺戮"上似缺"周禮"二字。
⑧ 案《禮記·祭義》,"樂正子"下有"春下堂而傷其足數月不出"十一字,今補。
⑨ 案《禮記·祭義》,"憂"下有"色也"二字,今補。
⑩ 案《孝經》經文,"毁"下有"傷"字,今補。
⑪ 案《孝經》經文,"終"下有"於立身"三字,今補。
⑫ "向"當作"而"。
⑬ 此句疑有訛。
⑭ "王"疑"主"字之訛。
⑮ 案敦煌遺書《孝經鄭注》,"步"上有"行"字,今補。
⑯ 案《孝經》經文,"云"上有"大雅"二字,今補。
⑰ "循"當作"脩"。
⑱ "此"下疑缺"章"字。
⑲ 以下文例之,"親"下似缺"者己之親也"五字。
⑳ 以文義考之,"者"上似缺"惡"字。

也,言天……及物,不敢憎害他人之親……他人亦報害己親,故孝子所不敢……者[①]肅栗拜伏,慢者輕侮之……人之親,故君子不爲。不云孝[②]……唯指人子,言君子雖爲人主,亦不敢也。……也,而德教加於百姓,而者因……加益於百姓,百姓本有孝分而……百官爲百姓者,古者官有世……[義]以方外[③]。賀步兵:敬以直内,即愛……德教加於百姓,敬是□□親親……云[④],敬以直内,義是裁限,裁限非……方制亦爲四方,四方皆直爲外,……皆被及四海,四海不波,是也。四海……[爾]雅[⑤]九夷八狄七戎六蠻,謂之四[⑥][海,]……[德教流]行[⑦],見於四海,無所不通,即感應[⑧]……[孝悌之至,通於神]明[⑨],光於四海,無所不通,是也。蓋……以未定於理,故云謙。方制即義……服内,是白虎通云:王者父天而母[⑩][地,]……[甫刑云:一人有]慶[⑪],兆人賴之,尚書中名吕刑……國[⑫]侯,後爲甫國侯,二名也,當……故當孔子時,已久呼爲甫……人[⑬]之義有二,若天子自稱即書[⑭]……耳,與一[⑮]不異,是謙也,若臣人稱[⑯]……而已,莫之敵也,禮記天無二日,土[⑰][無二王。]

[諸侯章第三]

在上不驕,高而不危,前明天[⑱]□天……爲戒,諸侯貴有南面之尊,富有[⑲]……[貴不與驕期,而驕]自[⑳]至,富不與侈期,而侈自來,此解……一國之上。不驕者,驕謂陵虐。言諸[㉑]……下不虐臣人者,能不驕則□尚……侯[㉒]若上敬天子,下愛臣人,則長處高[㉓][位,而不危殆也。]……制節謹度,滿而不溢,

---

① 以文義考之,“者”上似缺“敬”字。
② 以文義考之,“孝”下似缺“子而云君子者”六字。
③ 案敦煌遺書《孝經鄭注》,“以”上有“義”字,今補。
④ 以文義考之,“云”上似缺“故”字。
⑤ 此句見《爾雅・釋地》,今“雅”上補“爾”字。
⑥ 案《爾雅・釋地》,“四”下有“海”字,今補。
⑦ 案敦煌遺書《孝經鄭注》,“行”上有“德教流”三字,今補。
⑧ 以文義考之,“應”下似缺“章”字。
⑨ 案《孝經・感應章》,“明”上有“孝悌之至通於神”七字,今補。
⑩ 案《白虎通》卷一《爵》,“母”下有“地爲天之子也”六字,今“母”下補“地”字。
⑪ 案《孝經》經文,“慶”上有“甫刑云一人有”六字,今補。
⑫ 以下句考之,“國”上似缺“前爲吕”三字。
⑬ 以文義考之,“人”上似缺“一”字。
⑭ 案《孝經正義》所引舊説,“即書”下有“予一人予我也言我雖身處上位猶是人中之一”十九字。
⑮ 舊説“一”作“人”字。
⑯ 舊説“稱”下有“之則惟言一人言四海之内惟一人”十四字。
⑰ 案《禮記・曾子問》,“土”下有“無二王”三字,今補。
⑱ 以文義考之,“天”下似缺“子”字。
⑲ 案《孝經・正義》云“諸侯貴爲一國人主,富有一國之財”,“富有”下似缺“一國之財”四字。
⑳ 案《尚書・周官》,“自至”上有“貴不與驕期而驕”七字,今補。
㉑ 以文義考之,“諸”下似缺“侯”字。
㉒ 以文義考之,“侯”上似缺“諸”字。
㉓ 案敦煌遺書《孝經鄭注》,“高”下有“位而不危殆也”六字,今補。

制制……皆自節不奢華，謹謹慎，度……法度，故能長守富貴，滿而不[①]……溢，因溢戒驕，無禮即是陵上虐[②]……富貴不離其身，明不驕溢之功，……前每云貴，後云富，恐物疑或貴爲[③]㐫……富貴俱急，及其傾危，則二事恒等……前也，然後能保其社稷。然猶如也，保安也。若使富貴不離其身，如此之後，乃能安其社稷。昭廿九年共工氏之子曰句龍，然[④]會即以爲□於社。烈山氏之子曰柱，食能殖爲穀爲稷，自夏已來食之。周棄[⑤][亦]爲稷，自湯已來祀之。孝經援神[⑥][契]云：社者土地之主，稷者原隰之中。又云：社[⑦](稷)，五穀之長，句龍及稷配食而已。天子諸侯各有社，大夫以下，以樹識之，無封土也。而和其民[⑧]人，既有社稷可保，有民人可和，謂薄賦斂，省徭役也。民人言人者何，民是廣遠之稱，人是脩識仁義，即[府][⑨]史徒。賦斂謂丘[⑩](兵)賦貢税之稱，城出革車一乘，什一而税，是薄賦也。徭役謂城道力役之事，使之以時，歲不過二日，不奪農，是省也。戰戰兢兢，小雅小旻篇，戰戰佁富，臨深戒貴，兢兢結貴，履[⑪][薄]戒富。臨深不敢動摇，恐有墜落，履氷不敢放縱，恐有湎没。

[卿大夫章第四]

非先王之法服不敢服，大夫則以服及言行爲孝。先王即是禹身，法服者有法之服也。服猶着也。而非先王所制有法之服，則不敢服着之。先王制五服，天子服日月星辰，諸侯服山龍華蟲，卿大夫服藻火，士服粉米，四，就下田獵爲五。易繫辭云：垂衣裳而天下治，蓋取諸乾[⑫][坤]，以玄衣法天，黄裳法地。衣裳從黄帝，而有虞已來，虞夏之制，天子祭服十二，日一，月二，星辰三，山四，龍五，華蟲六，皆畫於衣，法天之陽氣六律；宗七，藻八，火九，粉米十，黼[⑬](黼)十一，猷(黻)十二，皆繡於裳，法地之陰氣六吕。周禮九章，法陽數極九之義，與夏法不同。鑽龜曰卜、慄[⑭](楪)蓍曰筮。非先王之法言不敢道，出口曰言，道猶傳説。非先王之德行不敢行，德行，禮樂也，禮以撿奢，奢華在外，故云禮以撿奢，樂以防湮[⑮](淫)，而淫泆在内，故云樂以防淫。是故非法不言，是是上，

① 以文義考之，"不"下似缺"溢"字。
② 以文義考之，"虐"下似缺"下"字。
③ "爲"下似缺"急"字，此本"急"字半缺。
④ 此句有訛。
⑤ 案《春秋》昭公廿九年《左氏傳》，"棄"下有"亦"字，此本"亦"字半缺，今補。
⑥ "神"下脱"契"字，今補。
⑦ 案《孝經援神契》"社"作"稷"，是也。
⑧ 此本民作𠉒，避唐太宗諱。
⑨ 案《孝經正義》所引皇侃疏云"人是稍識仁義，即府史之徒"，此本"府"字半缺，今補。
⑩ "丘"當作"兵"。
⑪ 此本"履"下缺一字，以上文考之，"履"下當有"薄"字，今補。
⑫ 案《易·繫辭下》傳，"乾"下有"坤"字，此本誤脱，今補。
⑬ 黼、猷當作"黼黻"。
⑭ 慄當作"楪"。
⑮ 湮當作"淫"。

故故下。非道不行,道猶德也。口無擇㕘[①]言,擇者除麤取善,今言行善,則無麤可擇。言滿天下無口過,行滿天下無怨惡,滿遍也,過者偲[②]闕之發,榮辱之□[③],出言不善,則千里違之,出言若善,則千里應之,故言遍滿天下卜[④]無口過者備矣。然後能守其宗廟,正爲不失,故能守宗廟。諸侯言保,[大]夫[⑤]言守,保以安鎮爲義,别[⑥](則)爲公,社稷公也;守以守視爲語,則爲知(私)[⑦],故宗廟私也。天子七廟,諸侯五廟,夫大[⑧](大夫)三廟,士二廟,庶人無廟,祭於覆(寢)[⑨]室。四時祭之,春祀,夏礿,秋嘗,冬蒸。蓋卿大夫之孝,卿明也,既有貴德,故有明稱;夫之言扶也,言能扶弼於君。限(張)[⑩]官設苻(府),苻[⑪](府)暑(署)也。詩云,夙夜匪懈,以事一人,大雅菡[⑫](蒸)民,尹吉甫美宣王之詩也。

士[⑬][人]章[第五]

辯[⑭]愛敬同異者,士始升朝,離親辭愛,聖人所難,以義斷恩,物情不易,故[⑮]目(曰)士[⑯]始升朝也。解鄭意,人不生則已,既生則以行業爲資。𠟗[⑰](劉)先生以爲資用之資,王肅以爲資取之資,夫資取用俱歸其一也。故以孝事君則忠,故者連上起下之辭。夫居家理,治可移於官,若能極孝父者,用此孝心,移於事君,則必爲忠也。以敬事長則順,此敬取事兄之悌,長者長於己也。長己有二,一則卿大夫官勝於士,二則卌爲士,五十爲大夫,年亦長士也。若移事兄悌,以事朝廷之長,則並爲順序,忠順不失,以事其上。明忠孝之功云,言其功,故先陳功之所由也。士升朝,禄足代[⑱]科(耕),故取士也。然後能保其禄位,而守其祭祀,若内能孝悌於父兄,資之以事君長,内外無失,然後乃能保其禄位。禄者食廩之名,位者居官之稱,禄位是公,故云保,祭祀是私,故云守也。士亦有廟,而云祭祀,避大夫也。又諸侯及卿大夫唯云社稷宗廟,不言禄位,而

---

① 㕘字衍。

② 偲疑當作"愆"。

③ 案《易·繫辭上》傳云:"君子居其室,出其言善,則千里之外應之,出其言不善,則千里之外違之。言行,君子之樞機,樞機之發,榮辱之主也。"此本"榮辱"之下疑缺"主"字。

④ "卜"字衍。

⑤ 案"夫"上缺"大"字,今補。

⑥ 以下文例之,"别"當作"則"。

⑦ "知"當作"私"。

⑧ "夫大"二字誤倒。

⑨ 案《禮記·王制》曰"庶人祭於寢",覆當作"寢"。

⑩ 案敦煌遺書《孝經鄭注》"限"作"張","苻"作"府",並是也。

⑪ "暑"當作"署"。

⑫ "菡"當作"蒸"。

⑬ 敦煌遺書《孝經鄭注》、天福本,並"士"下有"人"字,是也,今補。

⑭ "辯"通"辨"。

⑮ "目"當作"曰"。

⑯ "士始升朝",此句似鄭注。案敦煌遺書《孝經鄭注》無此句,待考。

⑰ 𠟗當作"劉",下效之。詳見《庶人章》校勘記。

⑱ 案《孟子·萬章下》篇云"下士與庶人在官者同禄,禄足以代其耕也"。"科","耕"字之訛。

士帶言者，士始升朝，既而始有禄位，故帶言，大夫諸侯從可知。注云，始爲曰祭，繼世爲祀者，言一世爲士，謂之爲祭，係世爲士，謂之爲祀。所以然者，祭者際也，亦察也，祀似也，言始得爲士，由德明察，繼世爲士，似象不絶。一解云：父子曰祭，自祖以上曰祀。所以然者，祭者際也，父日相接，故曰祭也，祀之言不已也，自祖以上，相傳不已也。詩云夙夜匪懈[1]（興夜寐），小雅小[2]［宛］之詩。

［庶人章第六］

用天之道。庶人至賤，無禄可居，唯躬耕爲孝。用者動運之名，天者蒼蒼之稱，道者四時代謝，循環不息。分地之利，分者殊別，他（地）[3]者盤礴，利者土地所生出，與人財利。庶人上依天時，下隨地利，而分別播種。周禮五土：一曰山林，鄭云，積石曰山，竹木曰林；二曰川澤，鄭云，注瀆曰川，水鐘曰澤；三曰丘陵，鄭云，土高曰丘，大阜曰陵；四曰墳衍，鄭云，水崖曰墳，下平曰衍；五曰原隰，鄭玄[4]（云），高平曰原，下濕曰隰。周禮又云山林、動植、毛皁、鱗索[5]（膏）、羽核[6]、介莢、羸叢。五土十地。坡阪險。䕩即棗，棗有易種，故詩云阪有䕩，鄭云，䕩棗也。凡引詩，美其德行，庶人無德，故不引詩。不云庶民，而言庶人，合庶合府史也。府史禄未足代耕，故同民庶。謹身節用，謹，誡[7]慎也，節，制割也。行不爲非，不毁傷也。富不奢泰，不甘酒也。度財爲貴，度計也。雖遭凶年，若湯遭七年大旱，堯遭洪水九年。什一而出，三年耕必有一年之食。故自天子，至于庶人，孝無終始。然五孝不別爲章，而寄庶人章者，欲明貴賤理同，故於庶人而結之。王肅云：無終始而患不及其身者，未有此也。謝萬云：行孝之事無終始，恒患不及，戰戰兢兢，日夜不怠鮮矣。未之有者，歎少之辭也。謝安云：既不全其始，又不能保其終，此無終始，終始患之所不及。按三家之説，亦各有道陻[8]（理）。劉[9]先生云：禮不下庶人。今行孝寘[10]極，雖貴爲天子，賤爲庶人，其奉於父母衮[11]後，不以天子爲始，庶人爲終。鄭意云，上從天子，下至庶人，皆當行孝無終始，能行孝道，故患難不及其身。未之有者，言各能行孝道，故患難不及其身，此之爲善之意，故云未之有也。袁司空閅[12]：何不言三卿及事師

---

① 案《孝經》經文，"夙夜匪懈"作"夙興夜寢"，是也。
② "小"下缺"宛"字，今補。
③ "他"當作"地"。
④ 以上文例之，"玄"當作"云"。
⑤ 索當作"膏"。
⑥ "核"通"翮"。
⑦ "誡"通"戒"。
⑧ 陻當作"理"。
⑨ 案《孝經正義》云"劉瓛云，禮不下庶人"，故知"劉先生"是劉瓛也。
⑩ 寘疑"冥"字之訛，下效之。
⑪ 衮疑"恐"字之訛。
⑫ 閅疑"問"字之訛。

之孝者？至於三公，論道經邦，燮理陰陽，官不必備，唯其[人][①]，其人□賢，故不假戒。又不云事師孝者，孝法出師，師當示以規矩，故不教資事師孝。

三才章[第七]

天地謂之二儀，以人參之，謂之三才。此章明孝通天地人。曾子曰甚哉，甚者過重之辭，哉者歎深之意，云甚哉孝道如此大也。子曰夫孝天之經，夫者其理深弘，上起夫也，孝者至順之名，經者常也。天有至順，故得其常。常者四時生殺得時，是天之常。地之義，義者宜也。地有至順，故得其宜，宜者山川高下，水泉流通，是得其宜。民之行，行者施用之名，謂孝悌恭敬。人有至順，故得其恭敬孝悌。則天之明，春生秋殺，是天之明，則視也，當視天之明察。因地之利，因之言依，依其所宜，而收其所宜，而收其利焉。是以其教不肅而成，既利以從民心作教，故民皆樂之，其教不假威肅，而民自成。教肅爲輕，政嚴爲重。是故先之以博愛，而民莫遺其親，是是之[②]（上），故故下。上既因天地爲教，而民不假肅嚴，自然成德。先之以博愛，博廣也，愛施惠也。王者先從民本性，大小行仁愛，故人皆樂之，所以親屬更不相遺忘，故云莫遺其親。先脩人事，解先之以博愛。人事謂仁義禮智。流化於民，解而民莫遺其親。後諸條皆是先修人事，流化於民。陳之以德義，而民興行，陳猶列也，德者得理，義者裁斷，裁斷得理，謂之德義。陳列於朝用爲官，則下民莫不興起賢行。上好義則民莫敢不服，此注是孔子罵樊遲之言。先之以敬讓，而民不争，王身自行敬讓於上，則下不敢復漫[③]争。文王者武王父，名昌，于時爲紂雍州西伯，有聖德，行敬讓於朝，而名流於四海。時有虞芮二國争田，紂既昏亂，不就紂制，往詣文王求決。既至其境，見行者讓路，耕者讓畔，又入至朝，則人士濟濟，群臣肅穆。二人於是自相謂曰，我等小人，久争此田，不可使君子知之。於是各還其國，遂兩相推讓，不復耕也。注上行之則下效之，詩云，爾之教天[④]（矣），民胥效矣。示之以好惡，示猶見也。詩云，赫赫師尹，此節南山之詩。師，太師也，尹，大[⑤]（太）師姓，具備也，爾汝也，汝，太師，瞻視也。言太師居民上明盛，而民已備具，汝當視民，民亦視汝所爲從之。詩者直謂詩，不取正義，唯大雅取正義。大臣若冢宰，周禮天官冢宰，是大臣也。上之化下，猶風之靡草，論語君子之德風，小人之德草。

[孝治章第八]

子曰昔者明王之以孝治天下，子曰二字，記者所書方法。中有三階，一明天子，二明諸侯，三明卿大夫。此明天子也。明王即亦禹也，非今之帝，故稱昔

① 案《尚書・周官》，“其”下有“人”字，此本“人”字半缺，今補。
② 案《卿大夫章》疏云“是是上，故故下”，“之”當作“上”。
③ “漫”，“慢”或字。
④ 案《詩・小雅・庭燎》“天”作“矣”，是也。
⑤ “大”當作“太”。

也。照臨四方,曰明治,天子用孝,故曰孝治。不敢遺小國之臣,不敢者恐懼,遺,忽略也。小國,子男國。國有五等,今云小國,故知是子男之國也。今古者悉在王制,諸侯之於天子,比年一小聘,三年一大聘,五年一朝。比年,每歲,小聘使大夫,大聘使卿,朝則君自行。歲遣大夫,聘問天子安否,問,問無病。而況於公侯伯子男,況比也。天子尚禮接其臣之畁[①](卑)者,況復其君之尊,而不盡禮乎。天子使太子郊迎,諸侯既至,使太子郊迎之。周則[②]遺(遣)大[③][夫]至關,大夫至郊。芻禾百車,芻,茭也,禾,合穗穀也。禮君行師從,卿行旅從,其人馬衆多,故給以芻禾。晝坐正殿,猶周禮路寢,如今太極殿。夜設庭燎,但恐諸侯者來晚闇,故於正殿之前,設大炬火,以照燎之。但庭燎之刑[④],一云百炬火共在一柱頭,一云各自豎也。故諸[⑤](詩)云,夜如何其,夜未央,庭燎之光,君子至止,鸞聲鏘鏘,是明諸侯朝夜入時也。問其勞苦[⑥]有三(二,一)則道經山川,二[⑦]列(則)倮土有勤,並是勞苦,故思見慰問。云二王後者,周則杞宋,是也。虞夏列爵惟五,分土惟三,殷爵土皆五等,周初亦如虡[⑧]虞夏。白虞[⑨](虎)通云:雷是陰中之陽。功不倍者,公與侯德異,故異其爵,而功略同,故同其土。侯與伯德倍,故異其爵,而功亦倍,故之人異子男上然也。故得萬國之歡心,事其先王,先王,禹父。五年一巡狩,巡行也,狩守也,因行而田獵,五服,侯[⑩]旬(甸)男采[⑪]衍(衛)。鰥寡者,白虎通云:鰥矜也,言爲人所矜,寡顧也,人君宜顧恤之。大戴禮:男子八月生齒,八歲微齒,二八十六男德成;[女子七月]陽[⑫]齒,七歲微齒,二七十四陰德通,有孕之道,七[⑬]十(七)四十九闕房,無傷彦生。弱者不見侵,釋不侮鰥寡。張[⑭](強)者不先(失)職,釋況於士民。佞強,安士民以上,[⑮]疰(撫)弱,恩恤鰥寡臣妾[⑯]僮(僮)僕之屬也。妻子永[⑰](承)奉,妻爲内主,助薦菹醢,子爲傳代,或親親示奠,皆永奉宗廟,故爲[⑱]宗(家)之貴者。得人

① 畁當作“卑”。
② “遺”當作“遣”。
③ “大”下脱“夫”字,今補。
④ “刑”通“形”。
⑤ “諸”當作“詩”。
⑥ “三”當作“二一”兩字。
⑦ “列”當作“則”。
⑧ 虡字恐衍。
⑨ “虞”當作“虎”。
⑩ “旬”當作“甸”。
⑪ “衍”當作“衛”。
⑫ 案《大戴禮·本命篇》,“七歲微齒”上有“女七月生齒”五字,此本“生齒”作“陽齒”,今以意“陽齒”上補“女子七月”四字。
⑬ “七十”當作“七”。
⑭ 案敦煌遺書《孝經鄭注》“張”作“強”,“先”作“失”,並是也。
⑮ 案敦煌遺書《孝經鄭注》,作“撫”,是也。
⑯ “僮”當作“僮”。
⑰ 案敦煌遺書《孝經鄭注》“永”作“承”,是也,下效之。
⑱ 案敦煌遺書《孝經鄭注》,“宗”作“家”,是也。

謂共家之人也。天反時爲災，反時，風雨水旱失節；地反物爲害，反物謂①自（百）穀爲風雨水旱所傷。善而逢殃曰禍，君臣反逆曰亂。風雨時節解不災（生）②，百穀③用（熟）用成解不作，君惠解不遺不侮，臣忠釋公侯伯子④［男］，及百姓之歡心，父慈解不生（失）⑤妻子之義，子孝澤（釋）⑥得人之歡心。有覺德行，大雅蕩之什抑篇語，讚明王也。此不云先親，而直云親者，其有以也。王侯繼世，故繼者先君，而卿大夫不保世，唯賢是授，身爲大夫，其父或在今，故漫言其親。

聖治章［第九］

聖人與天地合德，日月齊明，其德行當有異於孝，故問之。敢者果決之辭，乎不定辭。子曰天地之性人爲貴，性者生也，貴者可重，言一切萬品，皆爲天地生，天地生之中，唯人最可貴，故云人爲貴。賀步兵云：天地之物，有性靈者，唯人最爲貴。貴者少進之理，故論語云，子曰，性相近，習相遠。百行殊塗，同歸於孝，孝爲德本，本故難加。昔者周公郊祀后稷以配天，周公者文王之子，武王之弟，成王之叔，名旦。謂爲周公者，周是岐山之陽地名也，武王克商，後以此地，與旦爲菜⑦地，旦爲周之三公，故謂爲周公。南郊者，王畿五十甲⑧（里）〻近郊，此地是君遣大夫迎賓，與之郊接之地，因名郊也。今亦於此地，以人交接於神也。祭天曰祀，祀者似象而祭之，不敢褻近。於南郊而祭，故云郊祀也。后稷者，周公始祖也。天謂東方青帝靈威仰。是帝而謂之天者，尊之也。周公於郊祭所出之帝靈威仰，而用於始祖后稷配之而祭，故云郊祀后稷以配天。靈威仰木帝，周木德王，是木德而生后稷也。宗祀文王於明堂以配上帝，此以又⑨（父）配天也。宗者尊也，宗祀謂祖有功，宗有德，既有功可尊，可尊亦可祖。不云配五帝，而云配上帝，示尊之故也。明堂天子布政之宫，天子每朔必於明堂中，聽政布教，故云布政之宫。上帝者，天之别名，總則曰天，别則名帝。神無二主，故異其處，避后稷。祭法云，大德配衆，小德配寡，是也。度堂以筵，筵席也，⑩〻（筵）長九尺。明堂之制，東西九［筵］，五⑪（九）〻八十一，是東西八丈一尺，南北七筵，七九六十三，是南北六十⑫（丈）三尺也。就明堂基上，作一大

---

① “自”當作“百”。

② “灾”當作“生”。

③ 敦煌遺書《孝經鄭注》上“用”字作“熟”，是也。下“用”字衍。

④ “子”下脱“男”字，今補。

⑤ “生”當作“失”。

⑥ “澤”當作“釋”。

⑦ “菜”通“采”。

⑧ “甲”〻當作“里”。

⑨ “又”當作“父”。

⑩ 案《周禮·冬官·匠人》云：“周人明堂，度九尺之筵，東西九筵，南北七筵。”以上文考之，“筵”長誤“〻”長，“東西九”下缺“筵”字，今並補訂。

⑪ “五”當作“九”。

⑫ 以上文考之，“十”當作“丈”。

員[1]屋，而於屋下分爲五室，室方二筵，布在四角及中央也，東北曰木室，東南曰火室，西南曰今[2]（金）室，西北曰水室，中央曰土室，五室四面開户，每夾户兩邊皆有窻，四户故八窻，凡廿户卌窻。上員謂屋也，下方謂堂基也。天子每朔來明堂，室外堂上聽政，隨十二時所在。在國之南，南是明陽之地，在國之陽，三里之外，七里之内，景[3]（丙）巳之地，就陽位布政。夏曰世室，殷曰重屋，周曰明堂。是以四海之内，是是上，以以下，四海謂蠻夷戎狄，言内，即要服内也。越常屬廣州，曰南郡，越常感化，而貢白雉象牙之屬。知中國遥遠，恐一驛不至，既已遣使，而更重遣，而後二使並達王庭，故言重驛。驛，使也，或云重驛謂言語不可領解之，重譯之及[4]乃通也。故親生之膝下，以養父母日嚴，親者愛也，膝下是父母膝下也。養者謂怡顔悦色，以奉温清也，日者日日也，嚴者尊敬之極也。彼言父母冥愛，故爲愛之情，生起於父母膝下也。及至子稍成長有識，故能知緣愛而生養，日日加益尊敬之極，故日嚴。一云，親謂父母也，父母生於膝下，故云親生之膝下，父母既生子於膝下，故子奉養於父母，日日加尊嚴，子親生父母膝下。君臣之義，義者宜也，君得宜則合，失宜則不合。三諫不從，待放而去，若諫不從，則出居境上，三年望君自改，君自改則與臣環，而臣使[5]還，不改[則][6]與臣故[7]玦，而臣便去。此是待君見放。父母生之，續莫大焉，言父子骨血連續，冥愛之重，重莫大焉。君親臨之，言君雖無親，而尊高在上，親自臨臣，與之爵稯[8]，此之恩合實爲不輕，故云厚。大者廣遠之目，重是稱量之名，重不及大。臨者自上親下之謂也。不愛其親，悖逆也。其親則己父母，他人謂君也。在於凶德，在猶存也，德者得也，若得善理，則單謂爲德，若得惡理，故曰凶德。言思可道，言者出己之辭，思者謀慮深計之意，可者堪可之稱，道者傳述之名，言思在我，可道屬物。行思可樂，行者己所行之迹，樂者貪慕之名。員曰規，方曰矩，如曲尺。德義可尊，德義德合宜之事，謂舉賢用能。作事可法，使民以時，是。容止可觀，爲禮不敬，臨喪不哀，吾何以觀之哉。進退可度，進謂卑[9]朝仕進之時，退謂三諫出境而去。難進而盡忠，謂初事君時，必先景而後入，入而竭忠，是也。易退而補過者，君若有失，則臣必諫之，諫若不從，則必待放，出境而去，是易退難去。適他國而不説君惡，唯自言己之不智，是補過。淑人君子以下，曹風鳲鳩之請[10]（詩），結君子之德。不我（忒），結[11]言思以下事。

---

① “員”通“圓”，下效之。

② “今”當作“金”。

③ 此本“丙”作“景”，避唐高祖父諱。

④ “及”字衍。

⑤ “使”疑“便”字之訛。

⑥ 以上文考之，“改”下似脱“則”字，今補。

⑦ “故”字恐衍。

⑧ “稯”疑“禄”字之訛。

⑨ “卑”疑“升”字之訛。

⑩ “請”當作“詩”。

⑪ “我”當作“忒”。

[紀孝行章第十]

齋必變食,散齋於路門外,致齋於路門内,正寑[①](寢)之中,是。居必移坐,徙易也。同志爲友,用[②](朋)黨也,言其伹[③]在師門之黨類,友有也,齊熱心相知友也。夫齊年彑[④]好相争,故曲禮云,在醜夷不争,是也。三者謂居上不除驕,爲下不除亂,在醜不除争,此上三事不除,假令日殺三牲,以養其親,親終不安,所以猶爲不孝。

[五刑章第十一]

子曰五刑,刑辟之事有五也。三千者,犯罪科條三千。故大戴禮云:罪多而刑五,喪多而服五,上附下附,是。周禮五刑,唯有二千五百條。尚書訓夏贖刑,科條三千。五刑謂劓墨宫臏大辟,割鼻曰劓,鑿額而得墨曰墨,宫割者,丈夫則割其勢,女則閉於宫中,臏者則斷足,周則改臏爲則[⑤](刖),吕刑改則(刖)爲剕,是廣其名耳。劉先生云:斷右足謂之則(刖)。殺刑大辟。直不云殺人,而云手殺人者,若誤殺非手足,故爲則(刖)不死,宜有贖。五帝畫象,三王有肉刑,至漢孝文帝十三年除肉刑。三千之科,無不孝之罪,夫聖人之所不制也。要君者無上,要,逐求也,上者尊崇之稱。言臣事君,當竭力致身,國家[⑥](之)事,知無不爲。若不爲國,而恒諂詐以要求於禄,此人是無崇君之心。非聖人者無法,此明師也。非謂鄙薄誹謗,聖人謂周公孔子之典籍。非孝者無親,此明親也。人子當爲至心以奉己親,既不自孝,此是無親之人。此大亂之道,故犯其一,則爲大亂。

[廣要道章第十二]

移風易俗,移者轉徙之名,易者改代之稱,移不必易,易必有移,風者君上之教,俗者民不[⑦]下所行。俗有二種,一是從習時君所得,二是習土地常行。何謂從君所得,猶如晋魏君儉,民皆褊急,曹檜國奢,民皆華侈,故詩序云,國異政,家殊俗,此是習君上所爲。土地俗者,如吴楚土薄水淺,民性閒急;齊魯土厚水深,民性遲緩。故王制云:廣谷大川異制,人居其閒異俗,此是習土地之俗,不可推移。夫樂感人情,感動也,人情善惡,皆由王者之樂感動也。樂正則心正,如堯舜之民,比屋可封,是。樂淫則心淫,桑間濮上,長夜靡靡,如桀紂之民,比屋可誅。安上治民,安者不危之名,治者不亂之目,民是廣遠之名,上是對下

---

① "寑"疑"寢"字之訛。
② "用"當作"朋"。
③ "伹"疑"俱"字之訛。
④ "彑"疑"互"字之訛。
⑤ "則"當作"刖",下效之。
⑥ "國家事"當作"國家之事"。
⑦ "不"字衍。

之名，下是對上之自[①](目)，君在上能安，則民下不亂，上謂君，下謂民也。

[廣至德章第十三]

子曰，君子之教以孝，所以敬天下之爲人父者，天子自於太學，事三老爲父，事五更爲兄。鄭云，三老，致仕三公一人，五更，致仕卿一人。樂記云：三老知三德，五更知五事。三德者，即周禮至德敏德孝德，五事即尚書貌言視聽思。又注云：友[②](文)王世子云，三老法三辰，五更法五星。三辰者，日月及廿八宿，五星者，東方歲星[③]，[南]方熒或[④]，西方太白，北方辰星，中央鎮星。詩云愷悌君子，是生民洞酌，邵[⑤]康戒成王詩。愷樂，悌易也。凡引詩皆在章末，而此獨在中央者，爲義然也，欲葬[⑥]結要道至德二章，故異恒例。

[廣揚名章第十四]

子曰事親孝，居家脩理，則爲治之法，可移於官。一讀云居家理治，治屬上句。故者連上之辭。所居則化，解居家理治，所在則治，釋可移於官。是以行成於內，而名立於後世，內謂平生百年之內，後謂百年之後，萬歲之外。聖人制法於古，後人奉而行之，如周孔制法，而至今人猶傳行之，即揚名後世也。

[諫諍章第十五]

曾子曰若夫慈愛恭敬，若夫者，摠束下所聞之事也，慈者接下之別名，愛者奉上之通稱，恭者是和順之迹，敬者是兼備之那[⑦]。七人者謂三公，太師、太傅、太保，維持王者，維者四方之名，四輔四面扶持諫争，故天子不危殆也。五人者，王肅云：三卿、內史、外史。三人者，大夫有室老、家相、邑宰。

[感應章第十六]

事父故天應之而明也，謂四時之燭[⑧]，陰陽調和也。父是己之天，天故應。事母故事地察，察猶量察也，明王能盡孝事母，故地理育生萬物，其可得鑒察也。神明彰矣，神明，天地之神明，章者[⑨](彰著)也，神明之功著，即萬物皆生，天降膏露，地出醴泉，天不愛道，地不愛寶。劉[⑩](先)生之(云)：眇然不測，謂之神。神猶幽也，明猶言顯也，其道微妙，不可測知，故曰神。鬼者歸也，言人

---

① "自"當作"目"。

② "友"當作"文"。

③ "歲星"下缺"南"字，今補。

④ "或"通"惑"。

⑤ "邵"通"召"。

⑥ 案《孝經正義》所引皇侃疏，"葬"作"并"字，似是。

⑦ "那"疑"形"字之訛。

⑧ 《爾雅・釋天》云"四氣和，謂之玉燭"，"之"似當作"玉"。

⑨ "章者"當作"彰著"。

⑩ "劉"下脱"先"字，"之"當作"云"。

未生在世，則泯然無矣。既其誕育，則爲有矣，至於死後，刑[①]體消盡，與未生不異，是歸於無，故曰歸也。孝悌之至，通於神明，神明即天神明也。光者充也，見也。既通天達地，復光見四海，海水不波，重驛送貢，是無所不通。孝至於天，天不愛道，孝至於地，地不愛寶，孝至於人者，舟車所至，人力所通，畢集王庭。自東自西，此得[②]大雅文王有聲詩。

[事君章第十七]

子曰君子之事上，君子謂賢臣也，上謂君，明賢臣事君法。不云君而云上者，崇君之稱。進思盡忠，進謂初量未入之時，忠謂盡於忠心，國家之事，知無不爲，忠也。退思補過，退謂待放已出境時，已既三諫不從，已出在境，當自思計在己所行，有過失事與不[③]，既伏思過，是也。將順其美，將者扶也。君有美，己則應扶將以順成其美，其者其君也。匡救其惡，匡正也，君若有過，己則當匡之。故上下治能相親，不言君臣，而云上下者，未進及已去，無復君臣，而猶有尊卑，故言上下也。詩云心乎愛矣至何日忘之，此魚藻濕桑之詩，遐遠也。臣心既愛於君，雖復已去在遠，而愛猶篤，不謂遠也。

[喪親章第十八]

孝子喪親，傷其肝賢[④]（腎），心如斬截。曲折曰依，故聲克[⑤]（直）出而不曲折。張足曰趨，張拱曰翔。文者飾也。禮云，斬衰之喪，唯而不對，齊衰之喪，對而不言。尚書云，三年不言，皆是在喪不言也。哀戚之情，不云心而云情者，心神之宅，事無定主，而喜怒哀樂，謂[⑥]云（之）爲情，此既是衰，故云情也。禮云三日不食，此云三日而食，二文不同者，禮舉金[⑦]（全）數，則猶如喪言三年，而實廿五月。士雖[⑧]數往日，大斂殯後，可有食矣，是在三[⑨]內而食，士禮則三日殯竟而食。若大夫以上死，亦數來日，故三日後乃食。此通士禮，故三日而食。毀不滅性，居喪之禮，毀瘠不形，是許毀而不得滅性。滅性而死，君子謂之無子，故孝不滅性，喪不過三年。人子喪親，本有終身之憂，昊天之報，豈期斷以年月，限以再周者乎。所以必三年者，子生三年之內，未有知識，父母懷抱，孩念最甚鍾於此時，故孔子云，子生三年，然後免於父母之懷，故以三年爲文。天下之達禮，達猶通也。肖似也，起踵曰企，下頭曰俯，譬如人取長物，當起踵取及。賢者情深，亦不得過限，其令必屈，譬如人取短物，則下頭而取得。但欲俱

① “刑”通“形”。
② “得”疑“詩”字之訛。
③ “不”通“否”。
④ “賢”當作“腎”。
⑤ “克”當作“直”。
⑥ “云”當作“之”。
⑦ “金”當作“全”。
⑧ “雖”恐衍。
⑨ “三”下疑缺“日”字。

會三年之義，故無二法，所以再期共得三年也。爲之棺椁，棺是亡者所須，故生人爲造之送亡也。周身曰衣，周衣曰棺，周棺曰椁。棺完也，宜完密。椁廓也，今問[1]（開）廓不使土侵棺。古死者不棺，但送屍於野，孝子㭊[2]（柘）彈守爲鳥，須消歇乃歸。及至虞世當陶，則用瓦爲棺。殷人始用[3]不（木）爲棺。天子五重，諸侯三重，大夫再重，士庶人一重。衣者衣尸之衣，衾當爲給[4]（紟），給（紟）者單被，藉尸所用也。舉者謂衣裳尸畢，用紟抗舉尸，遷内棺中。陳其簠簋，簠簋，黍稷器也，方曰簠，圜曰簋。擗踊，手撫心曰擗，足絶地曰踊。有淚有聲曰哭[5]，[有]淚無聲曰泣。賀步兵云：女雀踊而已。啼蹄竭情，如中路嬰兒㸤[6]失母，故無常，所以或泣或啼或蹄。[7] 上（卜）其宅兆，宅者葬地，兆者以卜之吉兆，厝[8]置也。謂卜地得吉而安厝，置其親於中也。畏其葬地有盤石湧泉，故卜其所託之吉兆，而安厝之。爲之宗廟，以鬼[9][享]之，享向也，孝子爲親立厝[10]（廟），而盡心向之，如鬼神必在，故神鬼臨之。春秋祭祀，此謂三年後，孝子感霜露思親，而後致祭祀也。生民之本，愛敬哀戚，是存亡孝行之科。死生之義，事存奉終義備。故此死生之宜，吉凶之禮，我説備矣也。

天寶元年十一月八日於郡學舄[11]（寫）之。

陰[12]庭□□□□

【附記】 本文解説部分以昭和十一年(1936)三月發行《漢學會雜誌》第四卷第一號所載《敦煌出土孝經鄭注義疏解説》一文爲中心，并增補此後新得者而成。又原文補訂及校勘記之部分與上述解説，嘗於昭和二十年(1945)八月油印附之，然當時戰亂初息，紙墨印刷俱缺，東拼西湊僅成二十部。此後，筆者於油印本再加補訂，於昭和三十一年(1956)十二月以《敦煌遺書孝經鄭注義疏研究》爲題，發表於《岡山大學法文學部學術紀要》第七號。本稿乃第三次補訂所成。另，筆者撰作之際，承内藤乾吉氏惠示珍貴資料，並多次蒙石濱純太郎、吉川幸次郎兩先生惠教，兹並致謝忱。

① 《白虎通》卷四《崩御》云“椁之爲言廓，所以開廓辟土無令迫棺也”，今按“問”當作“開”。
② 《西京雜記》云“長安五陵人以柘木爲彈，真珠爲丸，以彈烏雀”，今按“”當作“柘”。
③ “不”當作“木”。
④ “給”當作“紟”，下效之。
⑤ “哭”下脱“有”字，今補。
⑥ “㸤”字衍。
⑦ “上”當作“卜”。
⑧ “厝”同“措”。
⑨ “鬼”下缺“享”字，今補。
⑩ “厝”當作“庿”。“庿”，“廟”之古字。
⑪ “舄”，“寫”之略字。
⑫ “陰庭”下有四字，今不可讀。

《太史公自序》講義

來新夏　説

前　言

《太史公自序》是全部史記的綱要，它不僅使我們從中了解到司馬遷的家世、學術觀點和史記的體制，而且又扼要地介紹了所有紀、表、書、傳的主要内容，是《史記》全書的提要目録。

前人對這篇巨作有過研究，《史記匯注考證》對此作過一些彙集的工作，頗便參考，其單獨箋釋考證此文的，當以高步瀛先生《史記太史公自序箋證》最爲宏富，廣徵諸家而能審是定非，於鑽研此文，尤有裨益。

近人對史記傳記文字選注甚多，而選及自序者甚少，僅王曉傳注《史記選注》收有此文，其注繁細，雖有助於疏通閲讀，但間有訛誤與原意不盡符合之處，尚不能稱詳備。

我在讀書與教學過程中，曾數次循讀，益感此文於研究《史記》，極爲重要，久已有心根據前人成果，粗加彙集，遷延時日，直至今春，才決心著筆，終於盡三十日朝夕之功草成《箋釋》一卷。

《箋釋》主要依據瀧川資言之《史記匯注考證》、郭嵩燾之《史記札記》、朱東潤之《史記考索》、李笠《史記訂補》、高步瀛之《史記太史公自序箋證》、王曉傳之《太史公自序注》及今人著作等十餘種，並翻核各紀傳。其體例主要是釋詞、釋語、通意，間有附列衆説者。凡有愚見則以“愚按”别之。文成匆匆，學殖淺薄，疏漏舛誤，所在多有，亟有待於良工之化腐朽。

一九六三年五月十一日自記於稿成之翌晨

《太史公自序》[1]講義

昔在顓頊[2],命南正重以司天,北正黎以司地[3]。唐虞之際,紹[4]重黎之後,使復典之[5],至於夏、商,故重黎氏世序天地。其在周,程伯休甫其後也[6]。當周宣王時,失其守而爲司馬氏[7]。司馬氏世典周史[8]。惠、襄之間[9],司馬氏去周適晋[10]。晋中軍隨會奔秦[11],而司馬氏入少梁[12]。

自司馬氏去周適晋,分散,或在衛,或在趙,或在秦。其在衛者,相中山[13]。在趙者,以傳劍論顯[14],蒯聵[15]其後也。在秦者名錯,與張儀争論,於是惠王使錯將伐蜀,遂拔,因而守之[16]。錯孫靳[17],事武安君白起。而少梁更名曰夏陽[18]。靳與武安君阬趙長平軍[19],還而與之俱賜死杜郵[20],葬於華池[21]。靳孫昌,昌爲秦主鐵官,當始皇之時[22]。蒯聵玄孫卬[23]爲武信君將[24]而徇朝歌[25]。諸侯之相王,王卬於殷[26]。漢之伐楚,卬歸漢,以其地爲河内郡[27]。昌生無澤[28],無澤爲漢市長[29]。無澤生喜,喜爲五大夫[30],卒,皆葬高門[31]。喜生談,談爲太史公[32]。

太史公學天官[33]於唐都[34],受易於楊何[35],習道論於黄子[36]。太史公仕於建元、元封之間,愍學者之不達其意而師悖[37],乃論六家之要指曰[38]:

易大傳[39]:"天下一致而百慮,同歸而殊塗。"夫陰陽、儒、墨、名、法、道德,此務爲治者也,直所從言之異路[40],有省不省耳[41]。嘗竊觀陰陽之術,大祥而衆忌諱[42],使人拘而多所畏[43];然其序四時之大順,不可失也[44]。儒者博而寡要,勞而少功,是以其事難盡從[45];然其序君臣父子之禮,列夫婦長幼之别,不可易也[46]。墨者儉而難遵,是以其事不可徧循[47];然其彊本節用,不可廢也[48]。法家嚴而少恩;然其正君臣上下之分,不可改矣[49]。名家使人儉而善失真[50];然其正名實,不可不察也[51]。道家使人精神專一,動合無形,贍足萬物[52]。其爲術也,因陰陽之大順,采儒墨之善,撮名法之要[53],與時遷移,應物變化[54],立俗施事,無所不宜[55],指約而易操,事少而功多[56]。儒者則不然。以爲人主天下之儀表也[57],主倡而臣和,主先而臣隨[58]。如此則主勞而臣逸。至於大道之要,去健羡[59],絀聰明[60],釋此而任術[61]。夫神大用則竭,形大勞則敝。形神騷動[62],欲與天地長久,非所聞也。

夫陰陽四時、八位、十二度、二十四節[63]各有教令[64],順之者昌,逆之者不死則亡[65],未必然也,故曰"使人拘而多畏"。夫春生夏長,秋收冬藏,此天道之大經也,弗順則無以爲天下綱紀,故曰"四時之大順,不可失也"。

夫儒者以六藝[66]爲法。六藝經傳[67]以千萬數[68],累世不能通其學,當年不能究其禮[69],故曰"博而寡要,勞而少功"。若夫列君臣父子之禮,序夫婦長幼之别,雖百家弗能易也。

墨者亦尚[70]堯舜道,言其德行曰[71]:"堂高三尺,土階三等[72],茅茨不翦[73],采椽不刮[74]。食土簋[75],啜土刑[76],糲粱之食[77],藜藿之羹[78]。夏日葛衣[79],冬日鹿裘[80]。"其送死,桐棺三寸[81],舉音不盡其哀[82]。教喪禮,必以此爲萬民之率。使天下法若此，則尊卑無别也[83]。夫世異時移，事業不必同，故曰“儉而難遵”。要曰[84]彊本節用，則人給家足之道也。此墨子之所長，雖百家弗能廢也。[85]

法家不别親疏，不殊[86]貴賤，一斷於法[87]，則親親尊尊之恩絶矣[88]。可以行一時之計，而不可長用也，故曰“嚴而少恩”。若尊主卑臣，明分職[89]不得相逾越，雖百家弗能改也。

名家苛察繳繞[90]，使人不得反其意[91]，專決於名而失人情[92]，故曰“使人儉而善失真”。若夫控名責實[93]，參伍不失[94]，此不可不察也。

道家無爲，又曰無不爲[95]，其實易行[96]，其辭難知[97]。其術以虚無爲本，以因循爲用[98]。無成埶，無常形，故能究萬物之情[99]。不爲物先，不爲物後，故能爲萬物主[100]。有法無法，因時爲業；有度無度，因物與合[101]。故曰“聖人不朽，時變是守[102]。虚者道之常也，因者君之綱”[103]也。群臣並至，使各自明也[104]。其實中其聲者謂之端，實不中其聲者謂之窾[105]。窾言不聽，姦乃不生，賢不肖自分，白黑乃形。在所欲用耳，何事不成[106]。乃合大道，混混冥冥[107]。光燿天下，復反無名[108]。凡人所生者神也，所托者形也。神大用則竭，形大勞則敝，形神離則死。死者不可復生，離者不可復反，故聖人重之。由是觀之，神者生之本也，形者生之具也[109]。不先定其神[110]形，而曰“我有以治天下”，何由哉？[111]

太史公既掌天官，不治民。有子曰遷。

遷生龍門[112]，耕牧河山之陽[113]。年十歲則誦古文[114]。二十而南游江、淮，上會稽，探禹穴[115]，闚九疑[116]，浮於沅、湘[117]；北涉汶、泗[118]，講業齊、魯之都[119]，觀孔子之遺風，鄉射鄒、嶧[120]；戹困鄱、薛、彭城[121]，過梁、楚以歸。於是遷仕爲郎中[122]，奉使西征[123]巴、蜀以南，南略[124]邛、笮、昆明[125]，還報命[126]。

是歲[127]天子始建漢家之封[128]，而太史公留滯周南[129]，不得與從事[130]，故發憤且卒[131]。而子遷適使反，見父於河洛之間[132]。太史公執遷手而泣曰：“余先周室之太史也。自上世嘗顯功名於虞夏，典天官事。後世中衰，絶於予乎？汝復爲太史，則續吾祖矣。今天子接千歲之統，封泰山，而余不得從行，是命也夫，命也夫！余死，汝必爲太史；爲太史，無忘吾所欲論著矣。且夫孝始於事親，中於事君，終於立身。揚名於後世，以顯父母，此孝之大者。夫天下稱誦周公，言其能論歌文武之德，宣周邵之風[133]，達太王、王季[134]之思慮，爰及公劉[135]，以尊后稷也[136]。幽厲之後，王道缺，禮樂衰[137]，孔子脩舊起廢，論《詩》《書》，作《春秋》，則學者至今則之[138]。自獲麟以來四百有餘歲[139]，而諸侯相兼，史記放絶。今漢興，海内一統，明主賢君忠臣死義之士[140]，余爲太史而弗[141]論載，廢天下之史文[142]，余甚懼焉，汝其念哉！”遷俯首流涕曰：“小子不敏，請悉論先人所次舊聞，弗敢闕。”

卒三歲而遷爲太史令[143]，紬[144]史記石室金匱[145]之書。五年而當太初元年[146]，十一月甲子朔旦冬至[147]，天曆始改，建於明堂[148]，諸神受紀[149]。

太史公曰：“先人有言[150]：‘自周公卒五百歲而有孔子。孔子卒後至於今五百歲[151]，有能紹明世[152]，正《易傳》[153]，繼《春秋》，本《詩書》、《禮樂》之際？’意在斯乎！意在斯乎！小子何敢讓焉[154]。”

上大夫壺遂[155]曰："昔孔子何爲[156]而作《春秋》哉？"太史公曰："余聞董生[157]曰：'周道衰廢，孔子爲魯司寇[158]，諸侯害之[159]，大夫壅之[160]。孔子知言[161]之不用，道[162]之不行也，是非[163]二百四十二[164]年之中，以爲天下儀表，貶天子，退諸侯[165]，討大夫，以達王事而已矣。'子曰：'我欲載之空言[166]，不如見之於行事之深切著明也[167]。'夫《春秋》，上明三王之道，下辨人事之紀[168]，别嫌疑[169]，明是非，定猶豫[170]，善善惡惡[171]，賢賢賤不肖[172]，存亡國，繼絶世[173]，補敝起廢，王道之大者也[174]。《易》著天地陰陽四時五行，故長於變[175]；《禮》經紀人倫，故長於行[176]；《書》記先王之事，故長於政[177]；《詩》記山川、谿谷、禽獸、草木、牝牡、雌雄，故長於風[178]；《樂》樂所以立，故長於和[179]；《春秋》辯是非，故長於治人[180]。是故《禮》以節人[181]，《樂》以發和[182]，《書》以道事[183]，《詩》以達意[184]，《易》以道化[185]，《春秋》以道義[186]。撥亂世反之正，莫近於《春秋》[187]。《春秋》文成數萬，其指數千[188]。萬物之散聚皆在《春秋》[189]。《春秋》之中，弑君三十六，亡國五十二[190]，諸侯奔走不得保其社稷者不可勝數。察其所以，皆失其本已[191]。故易曰'失之豪釐，差以千里[192]'。故曰'臣弑君，子弑父，非一旦一夕之故也，其漸久矣[193]'。故有國者不可以不知《春秋》，前有讒而弗見，後有賊而不知[194]。爲人臣者不可以不知《春秋》，守經事而不知其宜，遭變事而不知其權[195]。爲人君父而不通於《春秋》之義者，必蒙首惡之名[196]。爲人臣子而不通於《春秋》之義者，必陷篡弑之誅，死罪之名[197]。其實皆以爲善，爲之不知其義，被之空言而不敢辭[198]。夫不通禮義之旨，至於君不君，臣不臣，父不父，子不子。夫君不君則犯[199]，臣不臣則誅，父不父則無道，子不子則不孝。此四行者，天下之大過也。以天下之大過予之，則受而弗敢辭。故《春秋》者，禮義之大宗也[200]。夫禮禁未然之前，法施已然之後；法之所爲用者易見，而禮之所爲禁者難知。"

壺遂曰："孔子之時，上無明君，下不得任用，故作《春秋》，垂空文以斷禮義，當一王之法[201]。今夫子上遇明天子，下得守職，萬事既具，咸各序其宜，夫子所論，欲以何明[202]？"

太史公曰："唯唯，否否，不然[203]。余聞之先人曰：'伏羲至純厚，作《易·八卦》。堯舜之盛，《尚書》載之，禮樂作焉[204]。湯武之隆，詩人歌之[205]。《春秋》采善貶惡，推三代之德[206]，褒周室，非獨刺譏而已也[207]。'漢興以來，至明天子[208]，獲符瑞[209]，封禪[210]，改正朔[211]，易服色[212]，受命於穆清[213]，澤流罔極[214]，海外殊俗，重譯款塞[215]，請來獻見者[216]，不可勝道。臣下百官力誦聖德[217]，猶不能宣盡其意。且士賢能而不用，有國者之耻[218]；主上明聖而[219]德不布聞，有司之過也。且余嘗掌其官[220]，廢明聖盛德不載，滅功臣世家賢大夫之業不述，墮先人所言，罪莫大焉。余所謂述故事[221]，整齊其世傳[222]，非所謂作也，而君比之於《春秋》，謬矣[223]。"

於是論次其文。七年[224]而太史公遭李陵之禍[225]，幽於縲紲[226]。乃喟然而歎曰："是余之罪也夫！是余之罪也夫！身毁不用矣。"退而深惟曰："夫《詩》、《書》隱約者[227]，欲遂其志之思也[228]。昔西伯拘羑里[229]，演《周易》[230]；孔子戹陳蔡，作《春秋》[231]；屈原放逐，著《離騷》[232]；左丘失明，厥有《國語》[233]；孫子臏脚，而論兵法[234]；不韋遷蜀，世傳《吕覽》[235]；韓非囚秦，《説難》、《孤憤》[236]；《詩》三百篇，大抵賢聖發憤之所爲作也。此人皆意有所鬱結，不得通其道也，故述往事，思來者[237]。"於是卒述陶唐[238]以來，至於麟止[239]，自黄帝始[240]。

維昔黄帝[241]，法天則地[242]，四聖遵序[243]，各成法度；唐堯遜位，虞舜不台[244]；厥美帝功，萬世載之。作《五帝本紀》第一[245]。

維禹之功，九州攸同[246]，光唐虞際[247]，德流苗裔[248]；夏桀淫驕，乃放鳴條[249]。作《夏本紀》第二。

維契[250]作商，爰及成湯；太甲居桐[251]，德盛阿衡[252]；武丁得説，乃稱高宗[253]；帝辛湛湎[254]，諸侯不享[255]。作《殷本紀》第三。

維棄作稷[256]，德盛西伯[257]；武王牧野，實撫天下[258]；幽厲昏亂，既喪酆鎬[259]；陵遲至赧；洛邑不祀[260]。作《周本紀》第四。

維秦之先，伯翳佐禹[261]；穆公思義，悼豪之旅[262]；以人爲殉，詩歌《黄鳥》[263]；昭襄業帝[264]。作《秦本紀》第五。

始皇既立，並兼六國，銷鋒鑄鐻[265]，維偃干革[266]，尊號稱帝[267]，矜武任力[268]；二世受運[269]，子嬰降虜[270]。作《始皇本紀》第六[271]。

秦失其道，豪桀並擾；項梁業之[272]，子羽接之[273]；殺慶救趙[274]，諸侯立之[275]；誅嬰背懷，天下非之[276]。作《項羽本紀》第七[277]。

子羽暴虐，漢行功德；憤發蜀漢[278]，還定三秦[279]；誅籍業帝[280]，天下惟甯，改制易俗[281]。作《高祖本紀》第八。

惠之早實[282]，諸吕不台[283]；崇彊禄、産[284]，諸侯謀之[285]；殺隱幽友[286]，大臣洞疑[287]，遂及宗禍[288]。作《吕太后本紀》第九[289]。

漢既初興，繼嗣不明，迎王踐祚[290]，天下歸心；蠲除肉刑[291]，開通關梁[292]，廣恩博施，厥稱太宗[293]。作《孝文本紀》第十。

諸侯驕恣，吴首爲亂[294]，京師行誅，七國伏辜[295]，天下翕然，大安殷富。作《孝景本紀》第十一。

漢興五世[296]，隆在建元[297]，外攘夷狄[298]，内脩法度[299]，封禪，改正朔，易服色[300]。作《今上本紀》第十二[301]。

維三代尚[302]矣，年紀不可考，蓋取之譜牒舊聞[303]，本於兹，於是略推[304]，作《三代世表》第一[305]。

幽厲之後，周室衰微，諸侯專政[306]，《春秋》有所不紀；而譜牒經略[307]，五霸更盛衰，欲睹周世相先後之意，作《十二諸侯年表》第二[308]。

春秋之後，陪臣秉政[309]，彊國相王[310]；以至于秦，卒並諸夏，滅封地，擅其號[311]。作《六國年表》第三。

秦既暴虐，楚人發難[312]，項氏遂亂[313]，漢乃扶義征伐[314]；八年之間，天下三嬗[315]，事繁變衆，故詳著《秦楚之際月表》第四[316]。

漢興已來，至於太初[317]百年，諸侯廢立分削，譜紀不明，有司靡踵[318]，彊弱之原云以世[319]。作《漢興已來諸侯年表》第五[320]。

維高祖[321]元功，輔臣股肱[322]，剖符而爵[323]，澤流苗裔，忘其昭穆[324]，或殺身隕國[325]。作《高祖功臣侯者年表》第六。

惠景之間，維申[326]功臣宗屬爵邑，作《惠景間侯者年表》第七[327]。

北討彊胡，南誅勁越[328]，征伐夷蠻，武功爰列。作《建元以來侯者年表》第八。

諸侯既彊，七國爲從[329]，子弟衆多，無爵封邑[330]，推恩行義，其埶銷弱，德歸京師[331]。作《王子侯者年表》第九[332]。

國有賢相良將，民之師表也。維見漢興以來將相名臣年表[333]，賢者記其治，不賢者彰其事[334]。作《漢興以來將相名臣年表》第十。

維三代之禮，所損益各殊務[335]，然要以近性情，通王道[336]，故禮因人質爲之節文[337]，略協古今之變。作《禮書》第一[338]。

樂者，所以移風易俗也。自《雅》、《頌》、聲興，則已好《鄭》、《衛》之音[339]，《鄭》、《衛》之音所從來久矣。人情之所感，遠俗則懷[340]。比《樂書》以述來古[341]，作《樂書》第二。

非兵不彊，非德不昌[342]，黄帝、湯、武以興[343]，桀、紂、二世以崩[344]，可不慎歟？司馬法所從來尚矣[345]，太公、孫、吴、王子[346]能紹而明之，切近世，極人變[347]。作《律書》第三[348]。

律居陰而治陽，曆居陽而治陰[349]，律曆更相治，間不容翲忽[350]。五家之文怫異[351]，維太初之元論[352]。作《曆書》第四。

星氣之書，多雜禨祥，不經[353]；推其文，考其應，不殊[354]。比集論其行事，驗於軌度以次[355]，作《天官書》第五[356]。

受命而王，封禪之符罕用[357]，用則萬靈罔不禋祀[358]。追本諸神名山大川禮[359]，作《封禪書》第六。

維禹浚川，九州攸寧[360]；爰及宣防[361]，決瀆通溝[362]。作《河渠書》第七。

維幣之行[363]，以通農商；其極則玩巧[364]，並兼茲殖[365]，争於機利[366]，去本趨末[367]。作《平準書》以觀事變，第八。

太伯避歷[368]，江蠻是適[369]；文武攸興，古公王迹[370]。闔廬弒僚，賓服荆楚[371]；夫差克齊，子胥鴟夷[372]；信嚭親越[373]，吴國既滅。嘉伯之讓[374]，作《吴世家》第一[375]。

申、吕肖矣[376]，尚父側微[377]，卒歸西伯，文武是師[378]；功冠群公，繆權於幽[379]；番番黄發[380]，爰饗營丘[381]。不背柯盟[382]，桓公以昌，九合諸侯，霸功顯彰[383]。田闞争寵，姜姓解亡[384]。嘉父之謀[385]，作《齊太公世家》第二。

依之違之，周公綏之[386]；憤發文德，天下和之[387]；輔翼成王[388]，諸侯宗周。隱桓之際，是獨何哉[389]？三桓争彊[390]，魯乃不昌。嘉旦《金縢》，作《周公世家》第三[391]。

武王克紂，天下未協而崩[392]。成王既幼[393]，管蔡疑之[394]，淮夷叛之[395]，於是召公率德[396]，安集王室，以寧東土[397]。燕噲之禪[398]，乃成禍亂。嘉《甘棠》之詩[399]，作《燕世家》第四[400]。

管蔡相武庚，將寧舊商[401]；及旦攝政，二叔不饗[402]；殺鮮放度[403]，周公爲盟[404]；

大任十子[405]，周以宗彊。嘉仲悔過，作《管蔡世家》第五[406]。

王後不絶，舜禹是説[407]；維德休明，苗裔蒙烈[408]。百世享祀，爰周陳杞，楚實滅之[409]。齊田既起，舜何人哉[410]？作《陳杞世家》第六。

收殷餘民，叔封始邑[411]，申以商亂，《酒材》是告[412]，及朔之生，衛頃不寧[413]；南子惡蒯聵，子父易名[414]。周德卑微，戰國既彊，衛以小弱，角獨後亡[415]。喜彼《康誥》，作《衛世家》第七[416]。

嗟箕子乎！嗟箕子乎！正言不用，乃反爲奴[417]。武庚既死，周封微子[418]。襄公傷於泓，君子孰稱[419]。景公謙德，熒惑退行[420]。剔成暴虐[421]，宋乃滅亡[422]。嘉微子問太師[423]，作《宋世家》第八。

武王既崩，叔虞邑唐[424]。君子譏名[425]，卒滅武公[426]。驪姬之愛，亂者五世[427]；重耳不得意，乃能成霸[428]。六卿專權[429]，晋國以秏[430]。嘉文公錫珪鬯[431]，作《晋世家》第九[432]。

重黎業之，吴回接之[433]；殷之季世，粥子牒之[434]。周用熊繹，熊渠是續[435]。莊王之賢，乃復國陳[436]；既赦鄭伯[437]，班師華元[438]。懷王客死，蘭咎屈原[439]；好諛信讒[440]，楚並於秦。嘉莊王之義，作《楚世家》第十。[441]

少康之子，實賓南海[442]，文身斷髮[443]，黿鱓與處[444]，既守封禺[445]，奉禹之祀。句踐困彼，乃用種、蠡[446]。嘉句踐夷蠻能脩其德，滅彊吴以尊周室，作《越王句踐世家》第十一。

桓公之東，太史是庸[447]。及侵周禾，王人是議[448]。祭仲要盟，鄭久不昌[449]。子産之仁，紹世稱賢[450]。三晋侵伐，鄭納於韓[451]。嘉厲公納惠王[452]，作《鄭世家》第十二。

維驥騄耳，乃章造父[453]。趙夙事獻，衰續厥緒[454]。佐文尊王，卒爲晋輔[455]。襄子困辱，乃禽智伯[456]。主父生縛，餓死探爵[457]。王遷辟淫，良將是斥[458]。嘉鞅討周亂[459]，作《趙世家》第十三。

畢萬爵魏，卜人知之[460]。及絳戮干，戎翟和之[461]。文侯慕義，子夏師之[462]。惠王自矜，齊秦攻之[463]。既疑信陵，諸侯罷之[464]。卒亡大梁，王假廝之[465]。嘉武佐晋文申霸道[466]，作《魏世家》第十四。

韓厥陰德，趙武攸興[467]。紹絶立廢，晋人宗之[468]。昭侯顯列，申子庸之[469]。疑非不信，秦人襲之[470]。嘉厥輔晋，匡周天子之賦[471]，作《韓世家》第十五。

完子避難，適齊爲援[472]，陰施五世，齊人歌之[473]。成子得政，田和爲侯[474]。王建動心，乃遷於共[475]。嘉威、宣能撥濁世而獨宗周[476]，作《田敬仲完[477]世家》第十六。

周室既衰，諸侯恣行。仲尼悼禮廢樂崩，追脩經術，以達王道[478]，匡亂世反之於正[479]，見其文辭[480]，爲天下制儀法，垂六藝之統紀於後世[481]。作《孔子世家》第十七。

桀、紂失其道而湯、武作，周失其道而《春秋》作[482]。秦失其政，而陳涉發迹[483]，諸侯作難，風起雲蒸，卒亡秦族。天下之端，自涉發難[484]。作《陳涉世家》第十八。

成皋之臺，薄氏始基[485]。詘意適代[486]，厥崇諸竇[487]。栗姬偩貴[488]，王氏乃遂[489]。陳后太驕[490]，卒尊子夫[491]。嘉夫德若斯，作《外戚世家》第十九[492]。

漢既譎謀，禽信於陳[493]；越荆剽輕[494]，乃封弟交爲楚王[495]，爰都彭城[496]，以彊淮泗，爲漢宗藩[497]。戊溺於邪，禮復紹之[498]。嘉游輔祖[499]，作《楚元王世家》二十。

維祖師旅，劉賈是與[500]；爲布所襲，喪其荆、吴[501]。營陵激吕，乃王琅邪[502]；怵午信齊，往而不歸，遂西入關，遭立孝文，獲復王燕[503]。天下未集，賈、澤以族，爲漢藩輔[504]。作《荆燕世家》第二十一。

天下已平，親屬既寡；悼惠先壯，實鎮東土[505]。哀王擅興，發怒諸吕[506]，駟鈞暴戾，京師弗許[507]。厲之内淫，禍成主父[508]。嘉肥股肱[509]，作《齊悼惠王世家》第二十二。

楚人圍我滎陽，相守三年[510]；蕭何填撫山西[511]，推計踵兵[512]，給糧食不絶，使百姓愛漢，不樂爲楚。作《蕭相國世家》第二十三。

與信定魏，破趙拔齊，遂弱楚人[513]。續何相國[514]，不變不革，黎庶攸寧[515]。嘉參不伐功矜能[516]，作《曹相國世家》第二十四。

運籌帷幄之中[517]，制勝於無形[518]，子房計謀其事，無知名，無勇功，圖難於易，爲大於細[519]。作《留侯世家》第二十五。

六奇既用，諸侯賓從於漢[520]；吕氏之事，平爲本謀，終安宗廟，定社稷[521]。作《陳丞相世家》第二十六。

諸吕爲從，謀弱京師[522]，而勃反經合於權[523]；吴楚之兵，亞夫駐於昌邑，以戹齊趙，而出委以梁[524]。作《絳侯世家》第二十七。

七國叛逆，蕃屏京師，唯梁爲扞[525]；偩愛矜功，幾獲於禍[526]。嘉其能距[527]吴楚，作《梁孝王世家》第二十八。

五宗既王[528]，親屬洽和[529]，諸侯大小爲藩[530]，爰得其宜，僭擬之事稍衰貶矣。作《五宗世家》第二十九。

三子之王[531]，文辭可觀[532]。作《三王世家》第三十。

末世争利[533]，維彼奔義[534]；讓國餓死，天下稱之[535]。作《伯夷列傳》第一[536]。

晏子儉矣[537]，夷吾則奢[538]；齊桓以霸，景公以治。作《管晏列傳》第二。

李耳無爲自化[539]，清净自正；韓非揣事情，循埶理[540]。作《老子韓非列傳》第三[541]。

自古王者而有司馬法，穰苴能申明之[542]。作《司馬穰苴列傳》第四。

非信廉仁勇不能傳兵論劍，與道同符[543]，内可以治身，外可以應變，君子比德焉[544]。作《孫子吴起[545]列傳》第五。

維建遇讒[546]，爰及子奢[547]，尚既匡父[548]，伍員奔吴[549]。作《伍子胥列傳》第六。

孔氏述文，弟子興業，咸爲師傅，崇仁厲義[550]。作《仲尼弟子列傳》第七。

鞅去衛適秦[551]，能明其術，彊霸孝公[552]，後世遵其法。作《商君列傳》第八[553]。

天下患衡秦毋饜[554]，而蘇子能存諸侯[555]，約從以抑貪彊[556]。作《蘇秦列傳》

第九。

六國既從親，而張儀能明其説[557]，復散解諸侯[558]。作《張儀列傳》第十。

秦所以東攘[559]雄諸侯，樗里[560]、甘茂[561]之策。作《樗里甘茂列傳》第十一。

苞河山[562]，圍大梁[563]，使諸侯斂手而事秦者，魏冄之功[564]。作《穰侯列傳》第十二。

南拔鄢郢，北摧長平，遂圍邯鄲，武安爲率[565]；破荆滅趙，王翦之計[566]。作《白起王翦列傳》第十三。

獵儒墨之遺文，明禮義之統紀，絶惠王利端，列往世興衰[567]。作《孟子荀卿列傳》第十四。

好客喜士，士歸於薛[568]，爲齊扞楚魏[569]。作《孟嘗君列傳》第十五[570]。

争馮亭以權[571]，如楚以救邯鄲之圍[572]，使其君復稱於諸侯。作《平原君虞卿[573]列傳》第十六。

能以富貴下貧賤，賢能詘於不肖[574]，唯信陵君[575]爲能行之。作《魏公子列傳》第十七。

以身徇君，遂脱彊秦[576]，使馳説之士南鄉走楚者[577]，黄歇之義[578]。作《春申君列傳》第十八。

能忍詢於魏齊[579]，而信威於彊秦[580]，推賢讓位，二子有之[581]。作《范睢蔡澤列傳》第十九。

率行其謀[582]，連五國兵[583]，爲弱燕報彊齊之讎，雪其先君之耻[584]。作《樂毅列傳》第二十。

能信意彊秦[585]，而屈體廉子[586]，用徇其君，俱重於諸侯[587]。作《廉頗藺相如列傳》第二十一。

湣王既失臨淄而奔莒[588]，唯田單用即墨破走騎劫[589]，遂存齊社稷。作《田單列傳》第二十二。

能設詭説解患於圍城[590]，輕爵禄，樂肆志[591]。作《魯仲連鄒陽列傳》第二十三。

作辭以諷諫，連類以争義[592]，《離騷》有之。作《屈原賈生列傳》第二十四。

結子楚親[593]，使諸侯之士[594]斐然争入事秦。作《吕不韋列傳》第二十五。

曹子匕首，魯獲其田，齊明其信[595]；豫讓義不爲二心[596]。作《刺客列傳》第二十六[597]。

能明其畫[598]，因時推秦[599]，遂得意於海内，斯爲謀首[600]。作《李斯列傳》第二十七。

爲秦開地益衆，北靡匈奴，據河爲塞，因山爲固，建榆中[601]。作《蒙恬列傳》第二十八。

填趙塞常山以廣河内[602]，弱楚權[603]，明漢王之信於天下[604]。作《張耳陳餘列傳》第二十九。

收西河、上黨之兵，從至彭城[605]；越之侵掠梁地以苦項羽[606]。作《魏豹彭越列傳》第三十。

以淮南叛楚歸漢，漢用得大司馬殷，卒破子羽於垓下[607]。作《黥布列傳》第三十一。

楚人迫我京索[608]，而信拔魏趙，定燕齊，使漢三分天下有其二，以滅項籍。作《淮陰侯列傳》第三十二。[609]

楚漢相距鞏洛[610]，而韓信爲填潁川[611]，盧綰絶籍糧餉[612]。作《韓信盧綰列傳》第三十三。

諸侯畔項王[613]，唯齊連子羽城陽[614]，漢得以間遂入彭城[615]。作《田儋列傳》第三十四。

攻城野戰，獲功歸報，噲、商有力焉[616]，非獨鞭策，又與之脱難[617]。作《樊酈列傳》第三十五[618]。

漢既初定，文理未明，蒼爲主計，整齊度量，序律曆[619]。作《張丞相列傳》第三十六[620]。

結言通使，約懷諸侯[621]；諸侯咸親，歸漢爲藩輔。作《酈生[622]陸賈列傳》第三十七[623]。

欲詳知秦楚之事，維周緤常從高祖，平定諸侯[624]。作《傅靳蒯成列傳》第三十八[625]。

徙彊族，都關中，和約匈奴[626]；明朝廷禮，次宗廟儀法[627]。作《劉敬叔孫通列傳》第三十九[628]。

能摧剛作柔，卒爲列臣[629]；欒公不劫於埶而倍死[630]。作《季布欒布列傳》第四十。

敢犯顔色以達主義[631]，不顧其身，爲國家樹長畫[632]。作《袁盎鼂錯列傳》第四十一。

守法不失大理[633]，言古賢人，增主之明[634]。作《張釋之馮唐列傳》第四十二。

敦厚慈孝，訥於言，敏於行，務在鞠躬，君子長者[635]。作《萬石[636]張叔列傳》第四十三[637]。

守節切直，義足以言廉[638]，行足以厲賢[639]，任重權不可以非理撓[640]。作《田叔列傳》第四十四。

扁鵲言醫，爲方者宗[641]，守數精明[642]；後世循序[643]，弗能易也，而倉公可謂近之矣[644]。作《扁鵲倉公列傳》第四十五。

維仲之省[645]，厥濞王吴[646]，遭漢初定，以填撫江淮之間[647]。作《吴王濞列傳》第四十六。

吴楚爲亂，宗屬唯嬰賢而喜士，士鄉之，率師抗山東滎陽[648]。作《魏其武安列傳》第四十七[649]。

智足以應近世之變，寬足用得人[650]。作《韓長孺列傳》第四十八。

勇於當敵，仁愛士卒，號令不煩，師徒鄉之[651]。作《李將軍列傳》第四十九[652]。

自三代以來，匈奴常爲中國患害；欲知彊弱之時，設備征討[653]，作《匈奴列傳》第五十。

直曲塞，廣河南，破祁連，通西國，靡北胡[654]。作《衛將軍驃騎列傳》第五十一[655]。

大臣宗室以侈靡相高[656]，唯弘用節衣食爲百吏先[657]。作《平津侯列傳》第五十二[658]。

漢既平中國，而佗能集楊越以保南藩[659]，納貢職[660]。作《南越列傳》第五十三[661]。

吴之叛逆，甌人斬濞[662]，葆守封禺爲臣[663]。作《東越列傳》第五十四。

燕丹散亂遼間[664]，滿收其亡民[665]，厥聚海東，以集真藩[666]，葆塞爲外臣[667]。作《朝鮮列傳》第五十五。

唐蒙使略通夜郎，而邛笮之君請爲内臣受吏[668]。作《西南夷列傳》第五十六。

《子虚》之事，《大人》賦説[669]，靡麗多誇[670]，然其指風諫，歸於無爲[671]。作《司馬相如列傳》第五十七。

黥布叛逆，子長國之[672]，以填江淮之南，安剽楚庶民[673]。作《淮南衡山列傳》第五十八。

奉法循理之吏，不伐功矜能[674]，百姓無稱，亦無過行[675]。作《循吏列傳》第五十九。

正衣冠立於朝廷，而群臣莫敢言浮説，長孺矜焉[676]；好薦人，稱長者，壯有溉[677]。作《汲鄭列傳》第六十。

自孔子卒，京師莫崇庠序[678]，唯建元、元狩之間，文辭粲如也[679]。作《儒林列傳》第六十一。

民倍本多巧，奸軌弄法[680]，善人不能化，唯一切嚴削爲能齊之[681]。作《酷吏列傳》第六十二。

漢既通使大夏[682]，而西極遠蠻，引領内鄉，欲觀中國[683]。作《大宛列傳》第六十三[684]。

救人於戹[685]，振人不贍[686]，仁者有乎；不既信[687]，不倍言[688]，義者有取焉。作《遊俠列傳》第六十四。

夫事人君能説主耳目，和主顔色[689]，而獲親近，非獨色愛，能亦各有所長[690]。作《佞幸列傳》第六十五。

不流世俗，不争埶利，上下無所凝滯[691]，人莫之害，以道之用[692]。作《滑稽列傳》第六十六。

齊、楚、秦、趙爲日者，各有俗所用[693]。欲循觀其大旨[694]，作《日者列傳》第六十七。

三王不同龜[695]，四夷各異卜[696]，然各以決吉凶。略闚其要，作《龜策列傳》第六十八[697]。

布衣匹夫之人，不害於政，不妨百姓，取與以時而息財富[698]，智者有采焉。作《貨殖列傳》第六十九[699]。

維我漢繼五帝末流，接三代絶業[700]。周道廢，秦撥去古文，焚滅詩書[701]，故明堂石室[702]金匱玉版[703]圖籍散亂。於是漢興，蕭何次律令[704]，韓信申軍法[705]，張蒼爲章程[706]，叔孫通定禮儀[707]，則文學彬彬稍進[708]，《詩》、《書》往往間出矣[709]。自曹參薦蓋公言黄老[710]，而賈生、晁錯明申、商[711]，公孫弘以儒顯[712]，百年之間[713]，天下遺文古事[714]靡不畢集太史公。太史公仍父子相續纂其職[715]。曰："於戲[716]！余維先人嘗掌斯事，顯於唐虞，至於周，復典之，故司馬氏世主天官[717]。至於余乎，欽念哉！欽念哉[718]！"罔羅天下放失舊聞[719]，王迹所興，原始察終[720]，見盛觀衰[721]，論考之行事[722]，略推三代，録秦漢[723]，上記軒轅[724]，下至於兹[725]，著十二本紀，既科條之矣[726]。並時異世，年差不明[727]，作十表。禮樂損益[728]，律曆改易[729]，兵權山川鬼神[730]，天人之際[731]，承敝通變[732]，作八書。二十八宿環北辰[733]，三十輻共一轂[734]，運行無窮[735]，輔拂股肱之臣配焉[736]，忠信行道，以奉主上[737]，作三十世家。扶義俶儻[738]，不令己失時[739]，立功名於天下[740]，作七十列傳[741]。凡百三十篇，五十二萬六千五百字，爲《太史公書》[742]。序略[743]，以拾遺補藝[744]，成一家之言[745]，厥協六經異傳[746]，整齊百家雜語[747]，藏之名山[748]，副在京師[749]，俟後世聖人君子[750]。第七十[751]。

太史公曰：余述歷黄帝以來至太初而訖[752]，百三十篇[753]。

注释

①《太史公自序》是《史記》最後的一篇，即卷一百三十、列傳第七十。這篇自序由兩大部分組成：前半爲大序，自叙家世、父談的學術見解（論六家要指）、編纂史記提要的源起和史記的宗旨、斷限等等；後半爲小序，分篇論列要點，實際上是史記的一篇目録。清人卢文弨在《鍾山札記》卷四中就説："太史公自序，即史記之目録也；班固之叙傳，即漢書之目録也。"並認爲這種體裁是仿照易序卦傳的。俞樾在《湖海筆談》中又認爲仿照尚書序的。司馬遷是有廣泛汲取精神的，這些説法都有可能，但不必拘泥于究竟仿何書的問題上。由此可見，現在《史記》前面的目録，乃是後人因翻檢麻煩而又爲它條列在書前的，而根據《隋書經籍志》"史記一百三十卷"條下注稱："目録一卷"，可知書前目録，在唐以前便已有了。清程餘慶對改動自序目録頗致微詞云："《史記目録》已見於《太史公自序》中，而諸本往往改之，致有毫釐千里之差。一曰《吕太后本紀》：以吕后專政於惠帝、少帝之世，故曰太后也；乃改爲《吕后本紀》，似高帝之時吕后已專政矣，一謬也。一曰《今上本紀》：以史遷卒於武帝之前，故不得以謚書；乃改爲《武帝本紀》，似武帝卒於遷前也者，二謬也。一曰《魏公子列傳》：夫四君俱有傳，而信陵獨繫之以國，稱曰公子者，特筆以褒之也；乃改爲《信陵君列傳》，何以見史公善善之意乎？三謬也；一曰《太史公書序》：太史令，官名也；公者，遷尊其父之辭也；《太史公書》者，遷以此書乃其父之書，而己不敢自擅，所以繼志述事之善者也；《太史公書序》者，遷以爲此書乃父之書，而己序之，蓋曰太史公書之《序》耳，乃改爲《太史公自序》，是仍以太史公屬之遷也，四謬也。其他所改者尚多，今悉正之，一遵《太史公書序》之舊云。"（《歷代名家評注史記集説》）

司馬遷在《史記》中立自序的體例，曾爲後世許多史學家所承襲，如班固、司馬彪、華嶠、沈約、魏收、李延壽等人在所著史書中都有類似性質的篇卷，而唐、宋以來，因官修史書的出現，便不再在史書中延用這一體例了。清錢大昕《廿二史考異》卷五中曾詳細論及，可參閱。《史記志疑》卷三十六云："史公自序在七十列傳中，《索隱》本作《太史公自序傳》是也。各本篇題俱缺傳字。”

② “顓頊”是傳説中上古五帝之一，黄帝孫，名高陽，繼黄帝而立，稱爲帝顓頊。清梁玉繩以顓頊非出黄帝，其説詳見《史記志疑》卷一。

③ 關於南正重、北正黎的解釋，前人説法不一，這裏只選擇一説，南正和北正是古代官名，重是人名，上古五帝少昊之子，黎也是人名，顓頊的後代。司天是主管天事，司地是主管土地。又北正應作火正。清梁玉繩《史記志疑》卷三十六：今本《國語》及經疏中所引，《史記・曆書序》，顔師古、司馬貞据《鄭語》與班固《幽通賦》，《路史・後記八》注，應劭、張晏等諸説均作火正。朱東潤《史記序傳質疑》：“分重黎爲二人，與《楚世家》之言‘高陽生稱，稱生卷章，卷章生重黎，重黎爲帝嚳高辛居火正’者不合。故崔適論爲古文家據《楚語》竄改，又誤火正爲北正。其言詳矣。”（《史記考索》）李笠《史記訂補》：“古文作‘火’字，非也。”並正《索隱》文字之錯亂。

④ 紹，繼續，這裏有恢復和重新起用的意思。

⑤ 典，掌管，意思是堯舜的時候，又恢復了重黎後人掌管天地事務的地位，也就是説重新起用他們來掌管天地事務。

⑥ 程，國名，在今陝西咸陽東；伯，封爵名；休甫，《國語・楚語》作休父，是人的字。

⑦ 守，職守；《漢書》遷本傳説：“當宣王時，官失其守而爲司馬氏”，顔注：“失其所守之職。”愚按：失去了掌管天地事務之職。司馬氏，程伯休父在宣王時被任爲大司馬，於是就以官名爲氏，稱司馬氏；日人中井積德説：“嘗有爲司馬者，因氏焉。”愚按：此説可取，司馬遷記此，爲説明司馬氏姓氏的起源在周宣王的時候，並非指官名而言。全句文意是，周宣王時，我的祖先丟掉了掌管天地事務的職位，有一位祖先被任命爲大司馬，就用這個官名作氏名，他們姓司馬的是從這兒起源的。朱東潤《史記序傳質疑》：“程伯休父見《大雅・常武》，《毛傳》：程伯休父始命爲大司馬，毛詩未興以前，度三家《詩》亦言之，故史公有是説，然司馬之官不典史，則所謂世典周史者，不知何據。”（《史記考索》）

⑧ 司馬氏，司馬遷的祖先。世典周史，世世代代管理周的國史。這句話的意思可能是：宣王以後，司馬遷的祖先又調去管理國史，以後一直擔任下來，而那個因大司馬官而得的姓氏卻沿用不改了。李笠《史記訂補》卷八：“索隱本‘世’作‘代’，避諱也”。

⑨ 惠，周惠王姬閬；襄，周襄王姬鄭，惠王子。

⑩ 周惠王、襄王間，周有子穨、叔帶的亂事，所以司馬氏離開周而到晋去。

⑪ 隨會，士會封於隨，即范武子，魯文公七年（公元前 621）曾隨先蔑奔秦，當時隨會還不是中軍將，因爲中軍將是上、中、下三軍的主帥，地位很高，隨會要從秦再返晋以後，方做到此官，這是史家用其人以後的官職來稱呼的辦法。清人齊召南在《漢書考證》中説：“隨會奔秦時，未爲中軍將也，史文以後官冠其名。”又《漢書》遷本傳作：“晋中軍隨會奔魏”，齊召南認爲是秦之誤。《索隱》：案左氏，隨會自晋奔秦，後乃奔魏，自魏還晋，故漢書云會奔秦、魏也。愚按：司馬遷此語，是表明司馬氏入少梁的時間，在隨會奔秦那一年，即魯文公七年、晋靈公元年，即公元前 621 年。

⑫ 少梁，古梁國，當時屬晋，後爲魏邑，復爲秦滅，秦惠王十一年，更名夏陽，在今陝西韓城縣南。王國維《太史公行年考》云：“自司馬氏入少梁，迄史公之生，凡四百七十五年。”（《觀堂集林》卷十一）

⑬ 指司馬喜而言，曾做中山國的相。

⑭ 指司馬凱而言。傳劍，擊劍；論，被人稱道；顯，出名。在趙國的司馬凱，因善於擊劍被人稱道而出名。一説以傳授劍術之論而顯名，也可通。

⑮ 正義：“如淳云：刺客傳之蒯聵也。”

⑯ 秦惠文王時,在秦的司馬錯曾因伐蜀問題與張儀爭論,後來惠王聽錯的建議伐蜀,攻取蜀地,錯即留鎮該地。

⑰《漢書》遷本傳作蘄。清梁玉繩《史記志疑》卷三十六亦以蘄爲是。

⑱ 秦本紀稱改少梁爲夏陽,在惠文王十二年,即公元前 326 年。王先謙《漢書補注》稱,在秦惠文稱王後九年,即公元前 316 年。愚按:此語與前後文不相連屬,疑與靳事白起有時間聯繫,就是説在司馬靳作白起部屬那一年,少梁改名夏陽。又司馬遷特別重視少梁而一再涉及,因他是少梁一支的嫡系,少梁是祖塋所在。《史記會注考證》曾説:"夏陽,史公先塋之地,故詳之。"

⑲ 司馬靳與白起曾在長平坑殺趙國降卒。

⑳ 杜郵,咸陽西。司馬靳與白起勝利回秦,被秦昭襄王則賜死在杜郵。《索隱》:"後改爲李里也。"李笠《史記訂補》卷八:"李里二字,殿本、古香齋本　俱誤倒"。張文虎:《校注史記三家注札記》卷五"舊刻訛陲"。

㉑ 華池,陝西韓城西南七十里。《集解》:"晋灼曰:地名,在鄠縣。"《索隱》:"晋灼曰在鄠縣,非也。案司馬遷碑在夏陽西北四里。"《正義》:"《括地志》云:華池在同州韓城西南七十里,在夏陽故城西北四里。"王國維:《太史公行年考》案曰:"水經,河水注陶渠水,又東南華池南,地方三百六十步,在夏陽城西北四里許。故司馬遷碑文云:高門華池在玆夏陽城西北,漢陽太守殷濟精舍四里所,此索隱所本也。"李笠引《漢書》注作池名(《史記訂補卷八》)。《歷代名家評注史記集説》編撰者按稱:"(華池)在今陝西省韓城市西南二十二里"

㉒ 司馬昌在秦任掌管鐵産的官職,正當秦始皇的時候。《漢書》遷傳作:"王鐵官",疑誤。張文虎《校刊史記三家注札記》卷五:"南宋本主作王,疑訛"。"當秦始皇之時"一語,諸標點本都作屬下讀,但與司馬卬爲武臣將時間不合。高步瀛先生《史記太史公自序箋證》認爲此語屬上讀,與卬無涉,很有道理,所以據高説斷於"當始皇之時"下。

㉓《索隱》説:"蒯聵生昭豫,昭豫生憲,憲生卬。愚按:據《索隱》説,卬當爲蒯聵之曾孫,而非玄孫。又從此語至河内郡是插入一段,記司馬氏在趙一支的後裔。"

㉔ 武信君即武臣,陳涉部將。武臣未稱趙王前號武信君。

㉕ 朝歌,今河南淇縣東北。

㉖ 諸侯爭相稱王的時候,項羽封司馬卬爲殷王。清程餘慶云:"遷自以系出司馬錯,則蒯聵以後當略,此復揷入司馬卬者,以其顯,不欲遺也。"(《歷代名家評注史記集説》)

㉗ 河内郡,漢郡名,今河南省黄河以北與山西省比鄰一帶。

㉘《索隱》所據《漢書》作"毋懌",並音亦。李笠《史記訂補》卷八案:"今漢書作'毋懌',疑後人以今音改漢讀也。"

㉙ 漢首都長安有四市,每市有長,據百官表,市長屬内史。

㉚ 百官表列爵二十等,五大夫爲第九等爵。清梁玉繩《史記志疑》卷三十六:"無澤生喜條"云:"案喜爲史公之祖,然其先之相中山者爲司馬喜,奈何與前祖同名乎?"李笠:《史記訂補》卷八曾引證以駁梁説。

㉛ 高門,陝西韓城縣西南。《集解》:蘇林曰:長安北門也。瓚曰:長安城無高門。《索隱》:"蘇説非也,案遷碑在夏陽西北,去華池三里。王國維《太史公行年考》:水經河水注陶渠水,又南經高門原,蓋層巒𡾰缺,故流高門之稱矣。又云:高門源東去華池三里。《太平寰宇記》同州韓城縣下引《水經注》高門原南有傍阜,秀出云表,俗稱馬門原。"《正義》曰:《括地志》云:高門原俗名馬門原,在同州韓城縣西南十八里。漢司馬遷墓在韓城縣南二十二里。夏陽縣故城東南有司馬遷冢,在高門原上也。"王國維又案:"蓋亦本古本水經注,馬門原或以司馬氏冢地名矣。"《歷代名家評注史記集説》編者按:"司馬遷墓距離高門祖塋尚

有八里,亦在陜西省韓城市西南。”

㉜ 太史公之稱,説法不一,衛宏、清錢大昕、清梁玉繩等都認爲是官名,此從錢、梁説。又自此太史公以下的六稱太史公都是指司馬談而言。朱東潤《太史公名稱考》有較詳考述,可參閲(《史記考索》)。清方苞曰:《史記》世表曰太史公,讀者謂其父也,故於己所稱曰“余讀”以别之。其他書傳篇首及中間標以“太史公曰”者,則褚少孫之妄耳。故凡篇中去此四字,文正相續。惟是篇“先人有言”與上不相承,蓋按之本二篇也。其前篇,遷之家傳也。其父欲論次《史記》,而遷爲太史令,紬石室金匱之書,其先世世掌天官,而遷改天歷,建於明堂,則傳之辭事畢矣。後篇則自述作書之旨也。自黄帝始以上,通論其大體,猶《詩》之有大序也。百三十篇各系數語,猶《詩》之有小序也。本紀十二曰“著”者,其父所科條也;餘書曰“作”者,己所論載也。總之,曰《太史公書序》者,明是書乃其父之書,而己不敢專也。其本傳曰“請悉論先人所次舊聞,不敢闕”,故序書既終,而特以是揭其義焉。其復出“余述歷黄帝以來至太初而迄,百三十篇”。蓋舉其凡計,綴於篇終,猶《衛霍列傳》特標左方兩大將軍及諸裨將名耳。自少孫於首尾加“太史公曰”,而中答壺遂及遭李陵之禍,並增太史公三字,遂使世表稱太史公,讀者幾不辨其爲何人。而是篇所述,辭旨曖昧,不可别白。夫是篇遷之家傳也,故於其父始稱名,而繼則以爵易焉。乃復自稱爵以混,於其父可乎?此以知爲少孫所增易也。古書篇帙既有僞亂,學者從百世下憑臆以決之,所恃者義、意有可尋耳。然世士溺於所傳舊矣,知其解者,果可以旦暮遇之耶?”(清程餘慶《歷代名家評注史記集説》)姚鼐《史記筆記》云:“太史公系後人尊稱之詞。《漢官儀》乃云:其官本名太史公,此謬説也。漢書臣瓚注引茂陵書,司馬談以太史丞爲令。又孔北海告高密縣曰:昔太史公、廷尉吴公、謁者僕射鄧公,皆漢之名臣,世嘉其高,皆悉稱公。然則公者,仁德之正號,不必三事大夫也。據此則凡史記内以太史公稱談者,即子長所加。以稱子長者,皆後人所益,又何疑焉。若《文選》載《報任安書》首云太史公牛馬走,公字乃令字之誤耳。稱太史公猶後人之列銜,稱牛馬走猶後人稱僕、稱弟之類。”(《惜抱軒集》筆記四)太史公之稱,説者紛紜。清梁玉繩《史記志疑》卷一集衆説而辨之云:“太史公之稱,補今上紀及自序傳注引《桓譚新論》云:‘東方朔所署’,又引韋昭云‘遷外孫楊惲所加’,又引衛宏《漢儀注》謂‘太史公,武帝置,位在丞相上,遷死後,宣帝以其官爲令,行文書而已’。又引虞喜《志林》謂‘古主天官者,皆上公。自周至漢,其職轉卑,然朝會坐位猶居公上,其官屬仍以舊名尊之’。考《史記》遷死後稍出,至宣帝時始宣布,東方朔安得見之?索隱非之矣。遷傳有楊惲祖述其書之語,韋昭所本,索隱亦從之,但一部史記均稱太史公,惟自序中遷爲太史令一句稱令,然《正義》引史作公,疑今本傳訛,或依《漢書》改,豈盡惲增之邪?《索隱》以爲姚察非之矣。”蓋太史公是官名,衛宏漢人,其言可信。《西京雜記》、《隋書經籍志》、《史通·史官建置篇》、宋三劉(敞、邠、奉世)《兩漢刊誤》並同衛宏也。或問晋灼,《漢書》司馬遷傳注曰:“百官表無太史公左丞相上,衛宏不實。”《索隱》亦言宏謬。又宋祁《筆記》曰:“遷與任安書,自言僕之先人文史星曆,近乎卜祝之間,因主上所戲弄,倡優所畜,流俗之所輕。若其位在丞相上,安得此言。”唐顔師古遷傳注謂:“遷尊其父。以公爲家公之公。”宋吴仁傑《兩漢刊誤補遺》謂遷父子官爲令而云公者,邑令稱公之比。諸説然否,曰非也。漢官之不見于表者甚多,不獨太史公,況宣帝已改爲令,屬於太常,表固宜無之,奈何据以駁衛宏?《史記》中太史公大半遷自稱之,不皆指其父,何尊之有。《後漢書·鄭康成傳》載孔融告高密立鄭公鄉云:“太史公者,仁德之正號,不必三事大夫,此尊之説也,”而東吴顧氏炎武《日知録》卷二十譏之。(梁昭明太子蕭統文選載報任少卿書太史公牛馬走,司馬遷亦是自稱其官。)縣公僭稱,他人呼之猶可,自號則不可。明于慎行《讀史漫録》以爲朝會立處在人主左右以紀言動,如唐宋螭頭記注之制,非爵秩之位,乃朝著之位,前人多誤釋,惟《正

義》以虞喜爲長，而《志林》實與漢儀注相通，明戲弄而倡優畜之，政以其在人主左右耳。(《補遺》謂位在丞相上，但可施于張蒼，亦非。)至宋蘇洵《嘉祐集》史論，議遷與父無異稱爲失，更不然。史記祇天官書，太史公推占天變及封禪書兩稱，太史公自序前篇六稱太史公指司馬談。文義顯白，餘皆自謂，蘇氏何所疑而譏其失哉！(今本《西京雜記》作位在丞相下，恐訛。)清程餘慶云："太史令，太常屬官，秩六百石，掌天時星歷。凡歲將終，奏新年曆。凡國祭祀喪娶之事，掌奏良日及時節禁忌。凡國有瑞應災異，掌記之。公者，遷尊其父之辭。"(《歷代名家評注史記集説》)

㉝ 天官，天文學。

㉞ 唐都，漢曆學家，方士，曾參加造太初曆。《緯書》、《天官書》、《漢書・律曆志》及《公孫弘傳》論均言唐都爲造曆方士。王國維《太史公行年考》云："唐都實與太初改曆之役"。(《觀堂集林》卷十一)

㉟ 楊何，字叔元，淄川人(山東壽光)，通《易》學，事見《儒林列傳》。

㊱ 道論，道家的理論。黄子，一稱黄生，好黄老之學，事見《儒林列傳》。王國維:《太史公行年考》:"案:傳云:轅固生孝景時爲博士，與黄生争論，是黄生與司馬談時代略相當，"又云:"談既習道論，故論六家要旨頗右道家，與史公無與，乃楊雄云:司馬子長有言，五經不如老子之約。班彪譏公先黄老而後六經，是認司馬談之説爲史公之説矣。"(《觀堂集林》卷十一)

㊲ 悖與誖通，不相同的道理；師誖，以誖爲師。誖，《正義》:布内反。顔云:"誖，惑也，各習師書，(《漢書注》作'法')。惑於所見也。"李笠《史記訂補》卷八案:"師悖者，謂以誖爲師也。小顔説未是。"又案:"此'師'字與'師心自用'之'師'同，作動詞用，猶言効法也，'師悖'猶言効法於悖"。

㊳ 六家之要指，司馬談對陰陽、儒、墨、名、法、道家所進行的扼要評論，談特别推崇道家，而議論五家短長。清梁玉繩《史記志疑》卷三十六《論六家要旨》條云:"《困學紀聞》十一曰:'西山真氏云:列儒者于陰陽、墨、名、法、道家之間，是謂儒者特六家之一耳。不知儒者，無所不該，五家之所長，皆有之，其短者，吾道之所棄也。'談之學本于黄老，故其論如此。"

㊴ 易大傳，即《易繫辭》。下二句即《易繫辭》文。

㊵ 直，僅僅，只是；從，途徑；言，傳習；異路，不同的道路。此指學術流派。

㊶ 省，省察，熟究。《索隱》:"六家同歸於正，然所從之道殊途，學或有傳習省察，或有不省者耳。"清錢大昕引《爾雅》:"省，善也。""有省不省"猶言有善有不善。(《廿二史考異》卷五)清程餘慶云:"直，但也。言六家發迹雖殊，同歸於治，但學者不能省察，昧其端緒耳。"(《歷代名家評注史記集説》)

㊷ 大，誇大；詳，災祥，吉凶的預兆。《漢書》遷本傳寫作詳，那麽大詳是太繁瑣的意思。衆，增多。《史記志疑》卷三十六云:"二字古通，見《别雅》"。《集解》引徐廣曰:"祥作詳"。《索隱》稱"《漢書》作詳，言我觀陰陽之術大詳，而今此作祥，於義爲疏也。"清錢大昕引古書稱"祥"、"詳"通用(《廿二史考異》卷五)。近人錢鍾書曰:"按:司馬談此篇以前，於一世學術能概觀而綜論者，荀況《非十二子》篇與莊周《天下》篇而已。"(《管錐篇》第一册頁389—390)

㊸ 拘，約束。陰陽家誇大了災祥，並且弄了許多要忌諱的事情，使人受到拘束，也産生了畏懼。《正義》:"言拘束於日時，令人有所忌畏也。"

㊹ 陰陽家排列的四時順序，卻是不能違背的。清程餘慶云:"司馬談職在天官，故序陰陽在於儒上。"(《歷代名家評注史記集説》)

㊺ 儒家知識廣博而很少抓住要點,付出勞力多而收穫少,所以它的道理不完全可根據。清程餘慶云:"二句亦自中後世俗儒之病,道學章句,俱不免此。(《歷代名家評注史記集說》)

㊻ 儒家所制定的君臣父子的禮法,所區別的夫婦長幼關係,是不能改變的。

㊼ 墨家的節約主張很難照辦,所以它的主張不能全部實行。《索隱》:"徧循,言難盡用也。"

㊽ 墨家的加強國家根本,節制費用的主張,卻是不能廢除的。

㊾ 法家是嚴酷而很少講感情的,但是它所規定的君臣上下的名分卻是不能改變的。

㊿ 儉,據前人考證,當作檢,拘束的意思。名家往往使人被(事物的)名(形式)所拘束,而迷失了(事物的)真實(内容)。《索隱》云:"名家流于禮官,古者名位不同,禮亦異數。孔子"必也正名乎?"又案:名家知禮,亦異數,是儉也。受命不受辭,或失其真也。《史記志疑》卷三十六《名家使人儉》條云:"名家言儉,未的。董份以爲檢之誤寫。"

51 名家注意搞好名(形式)和實(内容)的關係這一點,卻是不容忽視的。

52 贍足,滿足。《漢書》遷本傳作澹,古贍字,《索隱》:"贍(單本作上)音市艷反。"《漢書》作澹,古今字異。"滿足。道家使人精力集中,一切舉動卻合乎自然,並能滿足各種事務的需要。司馬談推崇道家學説,所以在論六家要旨中有過分誇大道家學説作用的傾向。邵懿辰《書太史公自叙後》云:"余讀六家要旨之篇而知談之言亦有爲而發也。談意若曰武帝崇儒,宜度越往昔,而治效顧不爲文景尚黄老時。故曰:道家使人精神專一,動合無形,贍足萬物,指約而易操,事少而功多。"(《半岩廬遺集》卷上)李笠《史記訂補》卷八案:"贍當從單行本,《索隱》作'瞻',與《班書》作澹,並贍之借字也。小司馬何庸作音乎?"

53 因,憑藉,根據;大順,總的變化順序,主要的(變化)規律,根據陰陽變化的主要規律。近人錢鍾書云:"按:言道家并包備五家之長,集其大成。"(《管錐篇》第一册頁 391)

54 隨著時代的不同而轉換(對策),按照萬物的不同要求而改變(辦法)。

55 (道家)在建立風氣,處理事務等方面,是没有行不通的地方的。

56 (道家)的主要思想比較簡要而容易掌握,能夠不著痕迹地收到很大的功效。清程餘慶評司馬談論道家:"獨無貶辭。"(《歷代名家評注史記集説》)

57 儀表,表率。

58 這句話的意思是,一切事情都由君主決斷,臣下則毫不動腦筋地隨聲附和。

59 健羨,非常羨慕,引申爲貪欲。《集解》:如淳曰:知雄守雌是去健也;不見可欲,使心不亂,是去羨也。"近人錢鍾書以如淳之解甚確,並云:"《漢書·司馬遷傳》服虔、晋灼等注以'健'为'楗',迂鑿極矣。'健'是一事,'羡'又是一事。猶耳之聰,目之明,各爲一事。'去羡'者,老子所謂'少私寡欲'、'不欲以靜','常無欲也';'去健'者,老子所謂'專氣致柔','果而勿強','柔弱勝剛強','強梁者,不得其死'、'守柔曰強','堅強者死之徒,柔弱者生之徒'、'弱之勝強,弱之勝剛也'。"(《管錐篇》第一册頁 391)

60 絀,《漢書》遷本傳作黜,取消。《索隱》如淳云:"不尚賢","絕聖棄智也"。近人錢鍾書云:"'絀聰明'亦即《貨殖列傳》駁老子之'塗民耳目'。"(《管錐篇》第一册頁 392)

61 這句話是司馬遷對儒家的批評,意思是儒家不採取道家"去健羡,絀聰明"("此"即指這兩句話)的要義,而用儒家自己的方法。(其結果就是下文所説的形神敝竭。)

62 騷動,動摇,受到損害。漢書作"蚤衰"。

63 四時,春夏秋冬;八位,八卦方位;十二度,十二次,古人把周天分爲十二次,爲諸星所居的地方,並利用十二次的方位觀測日月五星的運行和節氣早晚。十二星次的名稱是:壽星、大火、析木、星紀、玄枵、娵訾、降婁、大梁、實沈、鶉首、鶉火、鶉尾。二十四節氣,一年有二十四節氣。又從這段以下，司馬談更進一步來闡述六家的學説，並加分析。

64 “教令”，規定，禁忌。

65 亡，即無，引申爲損失。《漢書》遷本傳作“逆之者亡”。

66 六藝，禮、樂、射、御、書、數；一作詩、書、禮、樂、易、春秋。這裏似指後者而言。

67 傳，對經的解釋。

68 數，平聲，計算。

69 當年，在有生之年，一生。近人錢鍾書云：“按：‘累世’二語已見《孔子世家》引晏子。《法言・寡見》篇：‘司馬子長有言曰‘《五經》不如《老子》之約也，當年不能極其變，終身不能究其業’。未識揚雄何本。竊意即引談此數語而誤其主名耳。遷録談之《論》入《自序》，別具首尾，界畫井然，初非如水乳之難分而有待於鵝王也。乃歷年無幾，論者已混父子而等同之，嫁談之言於遷，且從而督過焉。彪、固父子，先後譏遷，崇黄老而薄《五經》，先黄老而後《六經》，一如不知其説之出於談之《論》者，可謂班氏之子助父傳訛，而司馬氏之子代父受咎矣。劉昭《後漢書注補志序》‘遷承考’，‘固資父’之語，又得新解，揚雄之言與彪、固所云，同爲厚誣。”（《管錐篇》第一册頁 392）

70 尚，《漢書》遷本傳作上，重視。

71 這段文字用“曰”字，是表示引文。這段引文，《索隱》認爲轉引自《韓非子》，高步瀛先生《史記太史公自序箋證》認爲，韓非子所述雖文字相似，而語意不同，應該是出自《墨子・節用篇》。

72 古代整所房子主要建築物的内部空間分堂、室、房。前部分是堂，一般是行禮的地方，不住人。堂後的室才住人。整個房子建築在一個高出地面的臺基上，堂前有階上下。堂高三尺指臺基的高度，言堂屋低矮，土階三等，言土質臺階不高（只有三蹬），説明居住條件不奢侈。

73 茅，草；茨，屋蓋。翦，整理。用茅草蓋在屋頂上，也不再加以整理。

74 采，《漢書》遷本傳作棌。椽，屋椽。刮，加工刮削。《漢書》遷本傳作斲。採取來作屋椽的木材没有經過刮削。清程餘慶云：“以櫟木爲榱，不刮削也。”（《歷代名家評注史記集説》）

75 土，土器，即瓦製器。簋，音規，飯具。用瓦盆吃飯。

76 啜，喝。刑，型之初文，湯具。用瓦盆喝湯。清梁玉繩《史記志疑》卷五：《啜土形》條云：“附案：李斯傳作鉶，古形與刑通而又旁省金字，遂作形耳。”清程餘慶云：“鈃通。簋以盛飯，鉶以盛羹，皆燒土爲瓦器。”（《歷代名家評注史記集説》）

77 糲，粗糧；粱，據清王念孫考證，應作粢，細糧。張文虎《校刊史記三家注札記》卷五：“《雜誌》云：糲粗粱精，不得連文，粱當爲粢。李斯傳‘粢糲之食’，《韓非子・五蠹篇》、《淮南・精神篇・人間篇》皆糲粢與藜藿並舉，其証也。”清程餘慶云：“糲，音賴，一斛粟七斗米爲糲。”（《歷代名家評注史記集説》）

78 藿，豆葉；藜，像藿而表面發紅。

79 葛衣，麻布衣，麻布質粗。

80 鹿裘，鹿布襖，鹿布質薄。

81 桐木作棺材，厚度只有三寸。

82 音，哀痛的哭聲。盡，極。意思是説，不要哀痛過分。清人程餘慶認爲以上論墨家語乃“引韓非語”（《歷代名家評注史記集説》）。

83 如果喪禮不隆重，就不能表明尊卑的地位。又“使天下法若此”句，《漢書》遷本傳作“故天下共若此”。

㉞ 要曰，總之。

㉟ 給，足，富裕。邵懿辰《書太史公自叙後》云："六家中擧墨氏爲詳，土階茅茨之云，與營建建章，作通天台，適相反。曰世異時移，事業不必同，猶云帝王各殊禮而異務，並抑損之微言也。要曰彊本節用，則人給家足之道，言雖墨氏學審行之，宏羊平準可不作，而德行亦如堯舜矣！"(《半巖廬遺集》)

㊱ 殊，區别。

㊲ 一，全都；斷，判斷，處理。意思是説：法家不管親殊關係和貴賤地位，全都是依法處理。又"一"字《漢書》遷本傳作"壹"。

㊳ 親親，父子的關係；尊尊，君臣的關係。(法家專講究依法辦事)那樣就斷絶了對君父尊重的應有恩情。

㊴ 明，區别；分職，應份的職守。

㊵ 苛察，注視細微的地方；繳繞，糾纏。糾纏小節而忽略大體。張文虎：《校刊史記三家注札記》卷五"中統本繳作繚，非。"《集解》："服虔曰：'繳音近叫，謂煩也。'如淳曰：'繳繞猶纏繞，不通大體也。'"

㊶ 反，表達出來。人不能表達自己的真意。

㊷ 決判斷。(名家)專門用形式來判斷問題，往往不近人情。又《漢書》遷本傳"專"作"剬"，"而"作"時"。

㊸ 控，引，循；責，要求，考察。按照形式來考察内容。愚按：這句話的意思是説名家要求名實一致。

㊹ 參，參錯；伍，交互，比較；不失，得到。愚按：意思是説：用比較不同形式(名)的方法究明事情，定能得到真實的。

㊺ 無爲，守清净；無不爲，重功利。《正義》曰："無爲者守清净，無不爲者，生育萬物也。"清程餘慶云："無爲守静一也"，"無不爲，功利大也"。(《歷代名家評注史記集説》)

㊻ 實，實踐活動；易行，容易做到。道家的實踐活動是各守本分，所以容易做到。清程餘慶云："各守其分故易行"。(《歷代名家評注史記集説》)

㊼ 辭，文辭，理論；難知，不易瞭解。道家的理論，不容易瞭解。清程餘慶云："幽深微妙，故難知"(《歷代名家評注史記集説》)。

㊽ 虚無，無爲；本，根本；因循，適應；用，手段。清程餘慶云：因循爲用"任自然也"(《歷代名家評注史記集説》)。

㊾ 成埶，一成不變的形勢；常形，終古不滅的存在。愚按：道家對於萬物没有固定不變的看法，所以它能徹底瞭解萬物的真實情況。

⑩ 不爲物先，不走在事務發展規律的前面；不爲物後，不落在事務發展規律的後面。《集解》："韋昭曰：'因物爲制'"。愚按：道家能掌握分寸，恰到好處，所以能做到萬物的主宰。"又不爲物先，不爲物後"句，《漢書》遷本傳作"不爲物先後"，《史記會注考證》認爲是脱文。愚按，這段文字的結構都用相對成文的形式，當是脱文。清程餘慶云："因物爲制"(《歷代名家評注史記集説》)。

⑩ "有法"、"有度"，是説道家是有自己法度的；"無法"、"無度"，是説道家並不專門拘泥於已有的法度。因，依照，根據；業，從事；合，適合順應。《漢書》遷本傳作"因物興舍"，《史記會注考證》認爲以"因物與合"爲是，從之。愚按：這句話的意思是，道家雖有法度，但並不單靠法度，而是根據時代需要做事，並和物的自然相順應。《正義》："因時之物，成法爲業。"又："因其萬物之形成度與合也"。《史記志疑》卷三十六《因物與合》條云：《漢書》作興舍。《後漢書・馮衍傳》下引作"與物趨舍"。蓋舍字是。清程餘慶云："因萬物之形成，

度與合也。”(《歷代名家評注史記集説》)

⑩² 朽,《漢書》遷本傳作“巧”,清王念孫考證,也認爲應是“巧”,從之,機巧之心。守,奉行。聖人是没有機巧之心的,而奉行隨時而變的道理。張文虎:《校刊史記三家注札記》卷五:“漢傳作巧,顔師古云“無機巧之心”。《讀書雜誌》云:“史本作朽者,後人改之。巧字古讀若糗,正與守韵”。

⑩³ 虚,虚無;常,根本;因,順應自然,因循;綱,要領。無爲是道家的根本,適應民情是爲君治民的要領。清程餘慶云:“因民之心而治,唯執行其綱而已。”(《歷代名家評注史記集説》)。

⑩⁴ 自明,各自表述意見。

⑩⁵ 實,言論的内容;聲,名,論題;中,合乎,符合;端,端正,正確;窾,空,《漢書》遷本傳作“款”。清錢大昕云:“款,空聲相近。”(《廿二史考異》卷五)清程餘慶云:“音款,空也。言實不稱名,空有其聲也。”(《歷代名家評注史記集説》)愚按:言論的内容和論題相合便是正確的言論,不相合的便是空論。

⑩⁶ 愚按:這一段話是司馬談論述道家如何處理君臣關係的議論,他認爲臣要各抒己見,君要善於擇取,而重要的在於君善用,那麽,就可以無事不成了。

⑩⁷ 混混,渾厚,質樸。冥冥,心思深奥。“混混冥冥”,融合成一個不可分割的整體。此句是形容上文“大道”的。

⑩⁸ 反,歸還;無名,不可捉摸的境界。復反無名,也就是歸真返樸的意思。

⑩⁹ 神,聲氣;本,根本;形,肢體;具,依託。張文虎《校刊史記三家注札記》卷五:“毛本神誤人”。

⑪⁰《漢書》遷本傳有“形”字,中華書局標點本增入,從之。清梁玉繩《史記志疑》卷三十六云:“神下脱形字,漢書有。”清邵懿辰《書太史公自叙後》云:“又曰虚者道之常,因者君之綱,窾言不聽,奸乃不生,凡是道家之常言而施之建元、元封間,則皆切時之藥石也,常求神仙方術而形神騷動,故諷以先實其神,以謂養身之道,在彼不在此。”(《半岩廬遺集》卷上)

⑪¹ 清程餘慶云:“明李廷機曰:‘司馬談論六家,於儒不取,於道家甚詳。意者習見漢初曹參以清静治而民不擾,自後儒者變更紛紜,而卒無補,以故陋漢儒耳。此談之不免漢初習氣處。若遷則論《詩》《書》《禮》《樂》《易》《春秋》,以爲學者至今宗之,豈爲後《六經》哉!’”(《歷代名家評注史記集説》)

⑪²《史通・雜説篇》譏不書遷字爲大忘。《史記志疑》卷三十六《有子曰遷》條博徵典籍中所載遷字子長之文,文煩不録”。“龍門”,山名,在今山西河津縣西北和陝西韓城縣東北。清程餘慶云:“龍門山在韓城縣東北五十里(按在今陝西省韓城市境)”(《歷代名家評注史記集説》)。王國維云:“所謂龍門,固指山南河曲數十里間矣。”(《觀堂集林》卷十一)

⑪³ 陽,山南水北。河山之陽,黄河以北,龍門山以南。

⑪⁴ 古文,戰國時六国所用文字,秦滅六国統一文字時所罷。“漢人以六藝之書皆用此種文字,又其文字爲當日所已廢,故謂之古文。”(《戰國時秦用籀文,六国用古文説》,見《觀堂集林》卷七。)史記所謂古文,乃指“凡先秦六国遺書,非當時寫本者,皆謂之古文”,亦即“先秦寫本舊書而言”(《史記所謂古文説》見《觀堂集林》卷七)。這裏指《尚書》、《左傳》、《國語》。

⑪⁵ 禹穴,夏禹的墳墓,相傳在今浙江會稽山。清梁玉繩《史記志疑》卷三十六以禹穴之事難信。又《史記志疑》卷二《帝禹東巡狩,至於會稽而崩》條,詳加辨析,徵引《論衡》等多書,以攻其事之非。並以此爲後世之附會。又退而言之,“即或是大禹古迹,亦必因德被六合,殂落之後,雖異域殊方,無不起墳土以致其哀敬。”此亦揣測之詞,未足憑信。

⑯ 九疑，山名，在今湖南寧遠縣境南，相傳虞舜葬於此。清程餘慶云："蓋以先聖葬處，或有古册文，故探闚之，亦搜采遠矣。"(《歷代名家評注史記集説》)

⑰ 沅、湘二水名，在今湖南境内。

⑱ 汶、泗，二水名，在今山東境内。

⑲ 講業，研究學問；齊都，在今山東臨淄；魯都，在今山東曲阜。

⑳ 鄉射，古代州長在春秋二季以禮會民於州習射稱鄉射。鄒，今山東鄒縣；嶧，山名，在鄒縣。

㉑ 鄱，今山東滕縣，《漢書》遷本傳作"蕃"，即漢志魯國蕃縣，清梁玉繩《史記志疑》卷三十六《戹困鄱》條云："此作鄱，以形聲相近而訛。""薛"，今山東滕縣東南四十四里；彭城，今江蘇銅山。王國維：《太史公行年考》云："自序所紀，亦不盡以游之先後爲次。其次當先浮沅湘，闚九疑，然後上會稽。自是北涉汶泗，過楚及梁而歸。否則既東復西，又折而之東北，殆無是理"。又云："此行殆爲宦學，而非奉使。"並彙録《史記》中述史公游蹤之文。"

㉒ 郎中，官名，郎中令屬官，《百官公卿表》稱："郎中比三百石"。

㉓ 征，行。司馬遷奉使西南的時間，據王國維説，當在元鼎六年漢平西南夷，設武都、牂柯、越巂、沈黎、文山諸郡以後。愚按：元鼎六年次年，爲元封元年，就是武帝行封禪之年。司馬遷到西南去，或當在元鼎六年下半年，而于元封元年返回。

㉔ 略，巡行。《漢書》遷本傳無"南"字，疑脱。

㉕ 邛、笮、"昆明"都是西南少數民族在四川、雲南所建的政權。

㉖ 據王國維《太史公年考》説，司馬遷還報命的時間當在元封元年春間(《觀堂集林》卷十一)。愚按：以上一段是司馬遷自述遊踪，其紀傳八書中所述尤爲詳細，可互相參閲，藉以瞭解司馬遷史料來源之一。

㉗ 是歲，漢武帝元封元年(公元前 110)。

㉘ 封，封禪，一種祭告天地的禮儀，目的是誇耀功績。

㉙ 周南，洛陽。

㉚ 從事，參與其事，這裏指隨行人員。清程餘慶云："由天子絀諸儒，故太史談亦遂不得從行也。"(《歷代名家評注史記集説》)

㉛ 關於司馬談發憤而卒的問題，清梁玉繩《史記志疑》卷三十六《發憤且卒》條引《偲聞録》説："太史談且死，以不及與封禪爲恨。"而清方苞於《史記注補正》中則説："蓋以天子建三封，接千歲之統，乃重爲方士所愚迷，恨已不得從行而辨明其事也。"一則以未能參與這次盛典而引以爲恨，一則以不能辨明封禪之謬爲恨，二説立意不同，按之司馬遷對封禪的態度，則此處著筆的意旨，或與方説爲近。《漢書》遷本傳"發憤且卒"前無"故字"。清方苞《書太史公自序後》："蓋封禪用事雖希曠，其禮儀不可得而詳，然以是爲合不死之名，致怪物，接僊人、蓬萊士之術，則夫人而知其妄矣。子長恨群儒不能辨明爲天下笑，故寓其義於自序，以明其父未嘗與此，而所爲發憤以死者，蓋以天子建漢家之封，接千歲之統，乃重爲方士所愚迷，恨已不得從行而辨明其事也。"(《望溪先生文集》卷二)清程餘慶云："憤上之絀諸儒也。"(《歷代名家評注史記集説》)愚按：司馬談重黄老而輕儒術，漢武帝獨尊儒術，程氏所論"絀"，未是。

㉜ 河，洛之間，黄河、洛水即周南地方。

㉝ 周，周公姬旦；邵，邵公姬奭，《漢書》遷本傳作"召"。風，道德。

㉞ 太王，姬亶父，一稱古公亶父，周文王之祖；王季，姬季厲，周文王之父。

㉟ 公劉，周始祖。

㊱ 后稷，古農官名，周祖先棄在堯舜時曾任此官，所以稱他爲后稷，經十五世到武王。

⑬⑺ 幽，周幽王姬宫涅(厲王之孫)；厲，周厲王姬胡。此處幽在厲前，可能是爲行文方便。張文虎《校刊史記三家注札記》卷五："南宋本，樂作義。"

⑬⑻ 修舊起廢，整理和挖掘舊存和散失的文獻。則之，效法他。清程餘慶云："歸到孔子作《春秋》，究竟是儒家事，乃知太史公所謂，乃後世之儒，而非孔子之道也。"(《歷代名家評注史記集説》)

⑬⑼ 魯哀公十四年(公元前481)，獵獲一隻麟，孔子寫作《春秋》的工作就在這一年停下來。從這一年到元封元年，據清梁玉繩《史記志疑》卷三十六《自獲麒麟以來四百餘歲》條云："魯哀公十四年獲麟，至元封元年封泰山，凡三百七十二年"，清錢大昕《廿二史考異》卷五也説："不盈四百歲也。"愚按，司馬遷於此或以非確指而有所疏忽，或四字爲三字之訛。

⑭⑽《漢書》遷本傳作"忠臣義士"。

⑭⑴《漢書》遷本傳作"不字"。

⑭⑵《漢書》遷本傳無"史"字。

⑭⑶"卒三歲"，司馬談卒後三歲。宋吴仁傑《兩漢刊誤補疑》稱："子長嗣父職，在元封三年。"太史令，據清錢大昕《廿二史考異》卷五稱"令當作公。"清梁玉繩《史記志疑》卷三十六《遷爲太史令》條云："令乃公之訛"，説在《五帝紀》太史公條。"可參本文注32。清程餘慶引《博物志》云："太史令茂陵顯武里大夫司馬年三十八，三年乙卯除。"(《歷代名家評注史記集説》)

⑭⑷ 紬，籀，讀。清程餘慶云："音胄，謂綴集之也。"(《歷代名家評注史記集説》)

⑭⑸"石室金匱"，國家藏書處。

⑭⑹《集解》引李奇注説："遷爲太史，後五年適當于武帝太初元年，此時述史記。"愚按：自序明言太初元年"論次其文"，李奇稱"此時述史記"爲是，但他説司馬遷爲太史後五年爲太初元年，實誤。自序明言司馬談仕於建元、元封間，又以不得從事封禪"發憤且卒"，是司馬談最早應卒于元封元年，經三年司馬遷爲太史令，又經五年而著史記，則著史記之年距司馬談之死已八年，而至元封僅六年，是著史記將爲太初二年，與自序文不合，所以此五年，統上文通讀，可知仍指司馬談卒後之五年，則與太初元年之文可合。

⑭⑺ 愚按，此十一月爲太初元年正月前的十一月，漢在行太初曆以前，使用秦曆，以十月爲歲首。元封六年至九月歲滿，十月應開始使用新元，而當時年號尚未定。《漢書·武帝記》稱："太初元年……夏五月，正曆，以正月爲歲首。"漢應劭于太初元年下注稱："初用夏正，以正月爲歲首，故改年爲太初也。"年號改完，就用它冠於甲子朔日的十一月上，是太初元年有兩個十、十一、十二月，一在正月前，一在正月後，《漢書》武紀太初元年仍以冬十月爲紀事之首可證，二年起皆以春正月爲始。

⑭⑻ 天曆，曆法，天字是對當代的尊稱；始改，開始修改。《漢書·武帝紀》稱五月正曆，疑十一月動手改曆，五月完成頒布。明堂，明政教之堂，可以朝見諸侯，祭祀神祖、討論典制，太初曆便在這裏修建。

⑭⑼"紀"，曆法中紀年的單位，如十二年稱一紀，因此也可作曆法講，曆法不僅是人們所使用，對神的祭祀時間也受曆法規定的約束，所以説諸神也同樣接受這種曆法。又司馬遷在自序著史記的開始時，特别標舉太初曆的制定，是有意義的，清郭嵩燾《史記札記》説："太初元年改曆正歲，揭而著之篇，以明其著書之始，説來如許鄭重。"郭説頗得作者意旨。清方苞在《又書太史公自序後》一文中認爲此文是分篇界限，文云："是篇先人有言與上不相承，蓋按之本二篇也。其前篇遷之家傳也，其父欲論次史記而遷爲太史令，紬石室金匱之書，其先世世掌天官，而遷改天曆建於明堂，則傳之辭事畢矣，後篇則自述作書之指也。"(《望溪先生文集》卷二)

⑮⑩“先人”，指司馬談而言。又清王鳴盛《十七史商榷》稱，自此太史公以後，“凡四稱太史公，皆自謂。”清方苞《又書太史公自序後》:“以此四稱太史公褚少孫所增，其文云:少孫於首尾加太史公曰而中荅壺遂及遭李陵之禍並增太史公三字。……是篇爲遷之家傳也，故於其文始稱名而繼則以爵易焉，乃復自稱以混於其父，可乎？此以知爲少孫所增易也。”(《望溪先生文集》卷二)

⑮①愚按:孔子卒於魯哀公十六年，至太初元年爲三百七十五年，而此稱五百歲者，據清錢大昕稱其爲誤，清王鳴盛稱其言誇。日人中井積德説:“孔子卒至元封元年，三百七十五年，而云五百歲，牽合誇張之言耳。”司馬遷爲牽合孟子所説堯舜至湯五百餘歲，湯至文王五百余歲，文王至孔子五百餘歲而信筆著文，難避誇張之譏。惟孔子卒至元封元年爲三百六十九年，中井誤太初爲元封。清梁玉繩《史記志疑》卷三十六謂“此語略取于孟子，非事實也”。

⑮②紹，繼承;明世，盛世。《漢書》遷本傳作:“紹而明之。”清程餘慶云:“接大道昌明之世。”(《歷代名家評注史記集説》)

⑮③正，修正;引申爲整理;《易傳》,《易繫辭》。愚按，司馬遷不把易放在詩書禮樂之間，而特别提出加以強調，疑其定有深意。易傳以庖犧創八卦，尊爲首位。司馬遷則以史官始于黄帝，故以黄帝作首篇，因此，正易傳之語，正以表明司馬遷撰史的意旨。

⑮④清程餘慶云:“此言欲以《史記》繼春秋。”(《歷代名家評注史記集説》)又“讓”字，漢書遷本傳作“攘”，顔注稱“攘，古讓字也”。清邵懿辰《書太史公自叙後》以此語證明:“談所以自期子者粹然，一稟周孔而不少雜黄老道德之説，居可知矣。”(《半巖廬遺集》)愚按:這一段話是太史公隱然以孔子繼承者自命，並表明其史記之作將是繼《春秋》之後的一大著作。

⑮⑤上大夫，《索隱》稱壺遂爲詹事，秩二千石，故位上大夫，似上大夫爲官秩。清錢大昕《廿二史考異》卷五説:“似漢時本有上大夫之官。”則似上大夫爲官名。壺遂，人名，由韓安國舉廉入仕，曾與司馬遷共同參加修改曆法。

⑮⑥《漢書》遷本傳作“爲何”。

⑮⑦生，先生;董生，董仲舒。《漢書》遷本傳聞下有“之”字。

⑮⑧司寇，官名，掌管司法的主官。

⑮⑨孔子周遊各國經常遇到各國諸侯的迫害，如到衛，靈公派人守備警衛;在陳、蔡之間受困等等，詳見《史記·孔子世家》。

⑯⓪孔子也經常被一些大夫們堵塞了出路，如齊景公要以尼溪田封孔子，晏嬰阻之。楚昭王要以書社地七百里封孔子，令尹子西阻止等等，詳見《史記·孔子世家》。

⑯①《漢書》遷本傳，“言”字作“時”。

⑯②道，政治理想。

⑯③是非，評論，褒貶。

⑯④二百四十二年，指《春秋》自始至終記事包括的總年數。也指春秋這一時代而言。

⑯⑤《漢書》遷本傳無“天子退”三字，李笠《史記訂補》卷八稱:“‘貶天子’三字誤衍，孔子作《春秋》，所以扶君抑臣，明上下之分，故曰‘達王事’也，‘貶天子’非其義矣。《漢書》作‘貶諸侯’，‘討大夫’，無‘貶天子’三字，當據删。”王先謙《漢書補注》説:“蓋班氏删之。”高步瀛先生《太史公自序箋證》以公羊傳何注中釋貶天子的地方有多處爲例，認爲班固是穀梁學派，而穀梁學説與公羊學説不同，所以班固删去，而以“李氏訂補，以三字爲衍文，非也。”此仍從自序。

⑯⑥ 空言 ，空論，褒貶是非的議論。此指作《春秋》。

⑯⑦ 清程餘慶云:"二句見《春秋緯》。空言,如他經空以言垂訓也。行事,即《春秋》所載行過事迹,當褒當貶,尤使人易曉也。"(《歷代名家評注史記集説》)愚按:這句話的意思是,空立一個褒貶是非的標準,不如就事論斷,更爲透徹明白。又以上這段話,當是董生之言。

⑯⑧ 紀,綱紀。李笠《史記訂補》卷八案:"《漢書》上有'經'字,蓋涉下文,'經紀人倫'句,誤衍。"

⑯⑨ 别,判斷辨别;嫌疑,疑似之事。

⑰⓪ 猶豫,不決之事。

⑰① 善,褒奬;善,善者。惡,音烏(wù),貶斥;惡(è),惡者。

⑰② 賢,尊重;賢,賢者。賤,卑視;不肖,不好者。

⑰③ 恢復已亡的國家,延續已絶的世系。

⑰④ 清程餘慶云:"此言作《春秋》之意。"(《歷代名家評注史記集説》)愚按:補敝,補救衰敝;起廢,振發敗壞。

⑰⑤ 清程餘慶云:"以天道爲人事之準,變化出於其中。"(《歷代名家評注史記集説》)愚按:《易》擅長在談變化的道理。

⑰⑥ 清程餘慶云:"以五倫爲六行之品節。"(《歷代名家評注史記集説》)愚按:禮擅長在指導人們的行動。

⑰⑦ 清程餘慶云:"帝王事迹所以爲法制禁令者。"(《歷代名家評注史記集説》)愚按:《書》記前代史事,所以擅長於供爲政者參考。

⑰⑧ 清程餘慶云:"借物諷喻,所以達意。"(《歷代名家評注史記集説》)愚按:《詩》擅長於諷諫。

⑰⑨ 清程餘慶云:"因何而樂,發爲聲音。"(《歷代名家評注史記集説》)愚按:《樂》擅長於調和。

⑱⓪ 清程餘慶云:"褒貶通於賞罰。"(《歷代名家評注史記集説》)愚按:《春秋》擅長于治理人事。

⑱① 《禮》是用來節制人的。

⑱② 《樂》是用來發抒調和作用的。

⑱③ 《書》是用來説明史事的。

⑱④ 《詩》是用來表達思想的。

⑱⑤ 《易》是用來説明變化的。

⑱⑥ 《春秋》是用來説明是非的。義,宜,是非。清程餘慶云:"分言六經之用。"(《歷代名家評注史記集説》)

⑱⑦ 清程餘慶云:"《春秋》所書,皆亂世之事。辨是非以明義,撥亂反正,莫切近于此,不比五經之統言治亂而已也。"(《歷代名家評注史記集説》)撥,去掉;反,恢復。愚按:這句話雖是推崇春秋的地位,實則司馬遷正以此説明《史記》的重要地位,因爲《史記》是繼春秋而作。

⑱⑧ 清程餘慶云:"史公述仲舒之言。仲舒治公羊經傳,凡四萬四千餘字(《歷代名家評注史記集説》)."愚按:數,平聲,計算。文,文字;指,大義。春秋文字以萬來計,大義也可以千來計。如數爲若干意,則春秋文只有萬八千余字(一説萬六千六百餘字),何得説數萬?清梁玉繩《史記志疑》卷三十六《春秋文成數萬》條,引張晏、裴駰、顔師古、《學林》、《通考》諸説而論定曰:"經字之的數,無從知之矣。"

⑱⑨ 物,事。春秋時萬事的散聚變化狀況都記在《春秋》一書内。

⑲⓪ 弑君亡國的數目,諸書所載多有不同。高步瀛先生《太史公自序箋證》曾詳加考證,

文長不録。清梁玉繩《史記志疑》卷三十六《駁諸家異説》條,可參閱。近人錢鍾書云:"此特亡,弑之數耳,欲明馬遷之意,當求之《韓非子·備内》引《桃左春秋》曰:……"(《管錐篇》第一册,頁 393)

⑲ 本,根本,綱紀倫常,仁義之道。清程餘慶云:"言弑君亡國及奔走者,皆由失其是非道義之本也。"又云:"所挈甚曰。"(《歷代名家評注史記集説》)

⑲《集解》引徐廣曰:"一云'差以毫釐',一云'繆以千里'"。並稱《易》無此語,《易緯》有之。清程餘慶云:"《禮記·經解篇》:《易》曰'君子慎始,差若毫釐,謬以千里',言一失即遠而至於亂。"(《歷代名家評注史記集説》)李笠《史記訂補》卷八案:"'一云'二字誤衍。"《漢書》作"差以毫釐,繆以千里"。

⑲ 清程餘慶云:"《易·坤卦·文言》之辭,言亂未即亂,由微而著",又云"兩引《易》辭,以明本之不可失,撥亂反正者所當知也"(《歷代名家評注史記集説》)。《漢書》遷本傳無"曰"字、"也"字。

⑲ 讒,讒言,説别人壞話;弗見,不能洞察;賊,陰謀殘害;不知,不能事先瞭解。

⑲ 經事,日常工作;宜,相宜的辦法。變事,猝然發生的事件;權,隨機應變。

⑲ 蒙,受;首惡,大惡。張文虎《校刊史記三家注札記》卷五"必蒙,中統本訛家,疑本作冢"。李笠《史記訂補》卷八案:"張説非,《漢書注》,師古曰:'蒙猶被也,不爲冢字,審矣'。"清程餘慶云:"不見讒賊所致,如殺申生之類。"(《歷代名家評注史記集説》)

⑲ 誅,口誅;名,罪名。清程餘慶云:"不知經權所致,如趙盾弑君,許止弑父之類。"(《歷代名家評注史記集説》)

⑲ 做事的動機本來以爲很好,但是做的時候不掌握《春秋》中所説的那些是非道理,結果只能接受批評指責而不能推卸責任。愚按:此可以"晋趙盾弑其君夷獆"事爲例,趙穿弑君,趙盾爲正卿,逃亡没有離開國境,還朝以後又不懲治兇手,因此太史董狐即在史册上記載了趙盾弑君的貶斥之詞,而趙盾只能蒙受這種罪名無法推脱掉。

⑲ 犯,干犯,臣下對君上的冒犯。

⑳ 宋蘇軾釋"禮義之大宗"云:"孔子因魯史記爲《春秋》,一斷於禮。凡《春秋》之所褒者,禮之所與也;其所貶者,禮之所否也。《記》曰:禮者所以别嫌明微,定猶與也,而《春秋》一取斷焉。故凡天下之邪正,君子之疑而不能決者,皆至於《春秋》而定。非定於《春秋》,定於禮也。故太史公曰'《春秋》者,禮義之大宗也'。"(《歷代名家評注史記集説》)

㉑ 一,統一;一王,統一天下的王者。春秋時,諸國分立,法制紛亂,孔子作《春秋》,定出一套治國治人的是非標準,當作統一王者的法制標準。

㉑ 愚按:這一段話當是史公假設之辭,辭婉而諷。他一方面假壺遂之口説明孔子與當前時代不同,那麼做《史記》究竟爲何,以引起下面更多的發揮意見;另一方面實際上他處處以《春秋》爲法,暗示自己也是在孔子所遭遇到的條件下撰寫《史記》的。又明柯維麒曰:"司馬遷述其父推尊道家之指於前,采庄周所論《六經》之義於後,然前後之文本是兩篇,初不相蒙,班固譏其"先黄老而後《六經》,過矣。"(《歷代名家評注史記集説》)

㉑ 愚按:這是司馬遷文筆生動的地方,唯唯,是口頭答應而並不同意的對人的一種禮貌。否否已經約略表示不同意,不然則表示了絶對不同意的態度,把自己那種説話的形態刻畫得很有聲色。近人錢鍾書云:"《集解》:晋灼曰'唯唯,謙應也;否否,不通者也,'按晋解是也。主意爲'否',故接以不然。""晋灼所謂'謙應',蓋不欲遥否其説,姑以'唯'先之,聊減峻損之語氣。"(《管錐篇》)

㉑ 尚書記載了堯和舜的盛德,並且製作了禮樂。

㉑ 詩經中詩人們歌頌了商湯、周武王的興旺局面。

㉖ 推,推崇;"三代",夏、商、周。

㉗ 非獨,不僅。刺譏,貶斥,批評。

㉘ 明天子,指漢武帝。

㉙ 符瑞,古人認爲自然界出現的某些現象或事物是與人間某些事務相應的,他們把這些現象或事物叫做符瑞。漢武帝,得金鼎,獲麟獸,大星見等都屬於符瑞。

⑩ 封禪見注⑱。

⑪ 改用太初曆,即用夏正建寅之曆。

⑫ 漢武帝太初元年夏五月改服色,色上黃。

⑬ 清程餘慶云:"穆,美也。言天子有美德,而致化清也。"(《歷代名家評注史記集説》)"穆清",天。

⑭ 澤,德澤;流,及;罔極,無邊。

⑮ 殊俗,不同風俗;重譯,經過幾次翻譯。都是指中國本土以外的國家。款,叩;塞,邊塞。

⑯ 獻,獻貢物;見,求見。

⑰ 力,盡力,不斷;誦,頌揚;聖德,君主的德澤。

⑱《漢書》遷本傳,"賢能"下有"矣"字,"之恥"作"恥也"。

⑲《漢書》遷本傳,無"而"字。

⑳ 官,史官的職守。李笠《史記訂補》卷八案:"太史非暫任之官,遷爲太史,亦非既往之事,嘗字未安,蓋即掌字之誤衍也。《漢書》無'嘗'字。"

㉑ 述,敘述,不是有創見的著作,"故事",往事,前代的史事。愚按,這是司馬遷的謙詞,説自己只是説説往事而已。古人對於述作等的界限很嚴,王充《論衡・對作篇》自稱其書説:"非作也,亦非述也,論也。論者,述之次也。王經之典,可謂作矣;太史公書,可謂述矣"。

㉒ 整齊,整理;世傳,世系傳記,司馬遷所根據的史料來源之一。

㉓ 明趙恒:"上大夫壺遂曰云云,至'禮之所爲禁折難知',則下文遂之所言'上無明君'云云,至'當一王之法',已得《春秋》之所爲作矣,而尚未知《史記》之所爲作,故又有下問云云也。答以《春秋》采善貶惡,推三代之德以褒周室,《史記》竊比《春秋》,亦非獨刺譏也,然豈敢比於《春秋》哉?此段有包周身之防,而隱諱以避患之意。"(清程餘慶《歷代名家評注史記集説》)愚按:司馬遷在這段文字中力辨《史記》與《春秋》不同,實際上,欲蓋彌彰,此司馬遷有意之筆。

㉔ 七年,《漢書》遷本傳作"十年"。清梁玉繩《史記志疑》卷三十六《七年而太史公遭李陵之禍》條云:"案漢書七年訛十年。七年者自太初之元至天漢三年也。觀《報任安書》史公征和中尚存,其史成于天漢而實以太初爲限。《漢書》遷傳贊謂'史訖天漢'。張守節《正義序》、吴仁傑《刊誤補遺》從之,殊失考。史公《高祖功臣表序》云:'至太初',此傳云'漢興至太初百年'。又云'至太初而訖'。他若荀紀、《後書・班彪傳》及《史通・六家篇,古今正史篇》皆云'訖太初',即《漢書・叙傳》亦云'太初以後,闕而不録',則遷傳贊辭,明屬妄談。蓋誤以李陵之降爲斷,復見諸處後人增加之語,遂認史不終太初矣。"梁説有誤,此七爲十之訛,一也,班傳天漢爲大漢二也,太初天漢爲兩同之説,三也。王國維《太史公行年考》以論次其文上承小子何敢讓焉,而謂太初元年爲史記經始之年云:"史公作《史記》雖受父談遺命,然其經始則在是年(太初元年),蓋造曆事畢,述作之功乃始也。"(《觀堂集林》卷十一)又《李將軍傳》、《匈奴列傳》及《漢書・武帝紀・李陵傳》陵降匈奴在天漢二年,此距太初元年,只五年或六年不得云七年,故七字訛。"又明趙恒曰:"七年而遭李陵之禍云云至

末,雖自謙不敢比於《春秋》,然又以孔子之厄陳蔡,作《春秋》自況,則其自任之意,益見其不敢讓之矣。今觀《史記》一書,散編年之法而爲紀、傳、書、表,前此未之有也。始創者難爲力,後之人咸取則焉。文直事核,不虚美,不隱惡,楊、班人稱爲良史,則雖謂之作亦可也。"(清程餘慶《歷代名家評注史記集説》)

㉕ 天漢二年,李陵降匈奴,司馬遷爲他申辯,觸怒武帝而得罪。王國維《太史公行年考》云:"史公以二年下吏,至三年尚在縲紲,其受腐刑亦當在三年而不在二年也。"(《觀堂集林》卷十一)

㉖ 縲,系;紲,長繩;用繩捆犯人之意思,因此也作監獄的代稱。

㉗ 清程餘慶云:"隱,憂也。約,曲也。"(《歷代名家評注史記集説》)隱約,詞旨不明顯,含蓄。

㉘ 遂志,達到目的。愚按:欲遂志,必隱約,正是司馬遷著《史記》的手法,讀史記必應注意司馬遷行文中的隱約之旨。又從此以下列舉故實一段,漢書不載。

㉙ 羑里,獄名,在河南湯陰。西伯,周文王。

㉚ 演,演繹。文王在獄中推演《周易》爲六十四卦。

㉛ 戹,困。孔子作春秋不在戹陳蔡之時。李笠《史記訂補》卷八案:"《孔子世家》、《儒林傳叙》謂春秋作於獲麟之歲,正文也。此以困扼著書之意。運事連類,多屬譎詞。如左丘失明,不韋遷蜀,韓非囚秦,皆以意近爲之,非實録也。説又詳《志疑》"。

㉜ 屈原,楚三閭大夫。《離騷》是他的著作。

㉝ 左丘,左丘明,魯之史官,《國語》相傳是他所作。清梁玉繩《史記志疑》卷三十六:"厥有《國語》"條,以《國語》非丘明所作,並稱:"何以失明而乃著書耶?"

㉞ 孫子,戰國時齊人孫臏;臏脚,孫子因被同學龐涓妒忌遭到斷足之辱,曾論述兵法,即《孫臏兵法》。按:《孫臏兵法》已失傳千餘年。1972 年 4 月,它和其他先秦著作同時從山東臨沂銀雀山西漢前期墓葬中發現。

㉟ 吕覽,即《吕氏春秋》,秦相吕不韋集賓客所撰。吕不韋後因罪遷蜀。《吕覽》成於遷蜀以前。清梁玉繩《史記志疑》卷三十六曾辨其誤云:"囚秦之後,何暇著書哉。"

㊱ 韓非,韓國公子,入秦被同學李斯陷害囚獄。《説難》、《孤憤》是韓非的二篇著作,成于入秦以前。清梁玉繩《史記志疑》卷三十六:稱"囚秦之後何暇著録?"愚按:司馬遷述諸作者遭厄,而有著作,其時間多有矛盾,而于諸作者之本傳後言之確鑿,前人每攻此事,唐劉知幾《史通・雜説篇》曾攻此短,清人朱琦曾反駁説:"史公自負絶人之才,竟受肉刑;憤懣積胸,拉雜書此,以見古來能述作者,多致蹇塞,然自有可傳耳,無庸論著書與遭難之先後。"高步瀛先生《太史公自序箋證》以朱説爲是,並稱"大抵此等處,皆當不以辭害意,以意逆志,是爲得之,不必沾於玆事實之合乎也。"朱、高二説,圓通可從。李笠《史記訂補》卷八案:"《説難》、《孤憤》係篇名,上無動詞,似不成辭,此蓋承上文而省'傳'字耳。"(《观堂集林》)

㊲ 清程餘慶云:"所以爲欲遂其志之思也。寐寤見作者之意。"(《歷代名家評注史記集説》)來者,後人。

㊳ 卒,終於;陶唐,堯起于陶,國號稱唐。《索隱》引服注説,稱"卒述陶唐"者,因司馬遷雖以黄帝爲五帝之首,但史料多來自傳説,"其言不雅馴",而自堯始則有尚書可據,所以稱起于陶唐。

㊴ 麟止的解釋,説者紛紜:(一)《集解》引張晏説:"武帝獲麟,遷以爲述事之端,上紀黄帝,下至麟止,猶春秋止於獲麟也",其説未免拘滯。(二)吴仁傑《兩漢勘誤補遺》認爲"麟止"應爲"麟趾",是漢武太始二年爲紀念獲麟之瑞而更黄金爲"麟趾"之事,因獲麟在元

狩，當時史公尚未任史官，“安得以爲述事之端”，未免牽强。（三）清梁玉繩《史記志疑》卷三十六，也以麟止爲麟趾，乃追紀前瑞，認爲這是“史公藉以終其史，假設之辭耳”，較吴説爲圓。（四）清王先謙《漢書補注》認爲這是“遷仰希聖經，取義絶筆，文人恢奇，難可拘閡”。此説頗近史遷之志；（五）清崔適《史記探源》解麟止爲獲麟而止，從而認爲元狩元年冬十月以後事皆後人竄入，此説與自序“至太初而訖”者難通，不可從。愚按：讀史於此，萬不可拘泥沾滯，獲麟是武帝時大事，自然可作武帝時代的標識，而司馬遷竭力標榜《春秋》，也自然引麟止爲説，以我看來，麟止不妨釋作至武帝而止爲近理。

㉜《史記》以五帝本紀爲始，五帝以黄帝爲首，所稱“自黄帝始”，正説明史記的上限。清梁玉繩《史記志疑》卷一以史記自黄帝始乃“誤仍大戴禮”。清方苞《又書太史公自序後》云：“自黄帝始以上，通論其大體，猶詩之有大序也。百三十篇各繫數言，猶詩之有小序也。”（《望溪先生文集》卷二）《史記》所擧五帝，後多議之。《史記志疑》卷一稱：“謂其遺羲、農者有之，謂其缺少昊者有之。”梁氏以爲：“先儒擧三皇之名不一……凡斯衆説，半歸誣誕，總以年代悠遐，莫由譯定，自應削而不記，故曰略三皇可也。少昊、顓、嚳、三君，僅持其世，未有製作……且繫詞孔子之言而不及少昊、顓、嚳、當奚譏史之無少昊也。若羲、農實與黄帝、堯、舜爲五帝，安得遺之……畫卦名官，教耕嘗葯，即此四端，德業敻絶，非少昊，顓、嚳之能幾矣。”

㉛ 維，發語辭。

㉜ 法、則，都是動詞，效法，取法。

㉝ 四聖指顓頊，帝嚳、堯、舜，《史記》以此四人與黄帝合稱五帝。

㉞ 台，怡，悦。堯讓位於舜，舜不高興。清梁玉繩《史記志疑》卷一：《舜讓於德不懌》條下云：“不懌，自序作台，蓋怡者作台而懌即怡也。”清錢大昕《廿二史考異》卷五云：“臺，古怡”。

㉟ 本紀是司馬遷編纂歷史的一種體裁，本是世系，紀是年月和史事的記録，本紀是記一定時期内最高統治者的史迹，是這類人物以時代爲次序的傳記。史記有十二本紀。

㊱ 攸，所。禹治水之功，九州都同樣得到利益。

㊲ 光，發揚光大，禹把堯、舜之間的事業進一步發展。

㊳ 苗裔，後代。

㊴ 鳴條，地名，今山西安邑。桀被湯放逐於此而死。

㊵ 契，商的始祖。

㊶ 太甲，成湯嫡長孫；桐，桐官，地名，湯墳墓所在地，今山西滎河縣。太甲即位後，因行爲不好，被伊尹放逐到桐官去反省。

㊷ 德盛，盛德；阿衡，官名，伊尹曾任此官，故用代稱。太甲被放三年，知所悔改，伊尹又迎回他來繼續作君，這是被歷來統治者所赞賞的，所以這裏説伊尹是有盛德的人。

㊸ 武丁，商第二十二代君，説，傅説（yuè），商武丁賢臣；高宗，武丁的廟號。

㊹ 帝辛，殷紂王名，湛湎，沉溺酒色。

㊺ 享，饗，以下奉上，引申爲服從。《史記志疑》卷三十六《作殷紀第三條》云：“案：契封於商，而湯亦以商爲代號，其稱殷者，子孫所改也。準義驗情，當書曰商本紀”。又卷二“殷契”條云：“殷商可兼稱，然不得以子孫所改之號易始祖受封之名。”

㊻ 棄，周的祖先；稷，古農官名。

㊼ 西伯，文王姬昌。周的勢力（德）在文王時興盛起來。清梁玉繩《史記志疑》卷三：“文王之爲西伯，因於王季……非文王始爲之也。”

㊽ 牧野，地名，商都朝歌（河南淇縣）南七十里，周武王與紂王在這裏進行最後一次決

戰。撫,臨,引申爲統治。

㉙ 厲,周厲王,周第十代君,行暴政被逐;幽,周幽王,厲王之孫,周的第十二代君,在位時政治腐敗,連年天災,任用奸佞,寵愛褒姒,最後被申侯聯合吕、鄫兩國和犬戎攻殺於驪山,西周遂亡,子平王東遷至河洛,稱爲東周。酆,今陝西鄠縣東,文王都邑;鎬,今陝西長安西南,武王都邑。酆、鎬都是周的都邑。西周經厲王變亂到幽王滅國,便喪失了酆、鎬都邑之地,意思是西周政權覆滅了。

㉚ 陵遲,衰微;赧,周赧王,東周最末一個君,這時,周赧王已是一個名存實亡的天子,五十九年(公元前256)赧王死,以後連這樣空頭天子也没有了。赧王五十九年昭王滅西周,旋秦莊襄王滅東周。秦把東周顯王二年以後分裂成的小東、西周政權相繼滅掉。案:王城爲西周,成周爲東周。不祀,不再行祭祀,這是指政權覆滅而言。

㉛ 伯翳,秦的祖先,一名大費,一作柏翳,曾助禹平水土,佐舜調馴鳥獸,舜賜姓嬴氏。

㉜ 穆公,秦穆公,秦的霸業實際上從穆公開始,所以目録提要中著重説穆公事迹。豪,崤的異音,清梁玉繩《史記志疑》卷三十六"悼豪之旅"條云:"豪乃崤之訛。"清武億《授堂文鈔》卷二《題士豪鎮壁》考訂土豪即土崤,言崤有豪音。秦晋崤之戰,秦兵大敗。旅,軍隊。愚按:這句話是説秦穆公講究義氣,悼念那些在崤山戰死的將士,

㉝ 黄鳥,《詩經·秦風》中詩篇名,内容痛悼爲穆公殉葬的三個人(穆公以子車氏三子奄息、仲行、鍼虎殉葬)。愚按:這兩句是指出穆公以人爲殉之非。

㉞ 昭襄,秦昭襄王;案:《趙世家》,昭襄名稷。業帝,嗣位爲帝。清郭嵩燾《史記札記》稱:昭襄業帝一句,語未盡,疑下有脱文。朱東潤《史記序傳質疑》稱:"昭襄業帝爲單句,語不可解,故論者疑有脱誤,篇中脱句失韻如此例者是多。"(《史記考索》)愚按:據句法及語意,昭襄業帝一句確似未完。清梁玉繩《史記志疑》卷三十六《作秦本紀第五》條,以秦分二紀與例不合,"當並始皇作一篇爲允。倘因事繁文重,則依《史通》、《索隱》之説,降爲秦世家"。

㉟ 銷,銷毁;鋒,武器;鐻,鐘。

㊱ 偃,息;干革,兵事。

㊲ 始皇二十六年,議尊號,決定稱"始皇帝"。

㊳ 矜,誇耀,自恃;任,自信。

㊴ 運,國運;受運,繼承帝位。

㊵ 子嬰,二世之子。

㊶ 愚按:司馬遷于秦本紀外復立始皇本紀,事迹繁多,固然是一種理由,但由此也可見司馬遷對始皇功業的重視。

㊷ 業,創業。

㊸ 子羽,項羽之字;接,接續,繼承。

㊹ 慶,同卿,指卿子冠軍宋義。卿子,當時對貴族的尊稱,如稱公子一樣,冠軍是第一,宋義爲上將,所以稱卿子冠軍。趙,楚漢之際的趙,當時趙歇爲王,陳餘爲將,張耳爲相,被秦將章邯圍于鉅鹿。張文虎《校刊史記三家注札記》卷五:"中統版本,吴校金版作卿。"

㊺ 項羽殺宋義後而爲上將軍,出兵救趙,當時諸侯兵救趙者有十餘座壁壘,都作壁上觀,項羽獨以楚軍救趙,威震諸侯,於是爲諸侯上將軍,諸侯軍均屬部下。

㊻ 項羽入咸陽後,殺降王子嬰,不久又以懷王爲義帝,從至郴縣,而陰令衡山、臨江王擊殺義帝于江中,項羽這兩件事受到當時人的非難。

㊼ 愚按:項羽按例不應入本紀,而司馬遷爲他立本紀,並著重渲染項羽英勇風采和反秦功績,其目的顯然是揚項抑劉,並表明其不以成敗論英雄的意旨。清梁玉繩《史記志疑》

卷三十六《作項羽本紀第七》條，引班彪、司馬貞、劉知幾、洪邁等説，以羽不得入本紀。又引《路史·後記二》：謂"高祖之王，出於項籍，天下之勢在籍，高祖固出其下，以《史記》紀籍爲得編年之法，"梁氏嗤之爲妄，實則《路史》得史公之意。

㉗⑧ 項羽立劉邦爲漢王，王巴、蜀、漢中，都于南鄭，劉邦即以此爲基地而發展。

㉗⑨ 三秦，項羽將秦地分爲三部分，王秦降將。咸陽以西地立章邯爲雍王，咸陽以東地立司馬欣爲塞王，上郡地立董翳爲翟王。後均爲劉邦所并。

㉘⓪ 籍，項羽名；業帝，成就帝業。

㉘① 漢統一後命蕭何次律令，韓信申軍法、張蒼定章程，叔孫通制禮儀，陸賈造新語，都是改制易俗的活動。愚按：清郭嵩燾《史記札記》以此語語意未盡，其説頗是。張文虎《校刊史記三家注札記》卷五"毛本祖作帝"，清梁玉繩《史記志疑》卷三十六"作《高祖本紀第八》條云："高祖者，臣下總謚號之稱，不可爲典要……《尚書古文疏證》四曰：太祖其號，高帝其謚，史忽訛爲高祖。班固正之曰高帝紀，但史文未盡釐正耳。"

㉘② 惠，漢惠帝；實，落，死。

㉘③ 諸吕，吕后的族黨；不台，不悦。惠帝爲吕后子，惠帝死，吕后族黨怕失權，所以不悦。

㉘④ 崇，提高；彊，加強；禄，吕禄；産，吕産。加強和提高吕禄、吕産的地位。

㉘⑤ 謀之，據清王念孫考證説，本作"之謀"，之，是也。諸侯之謀，即諸侯是謀，言吕后陰謀對付劉氏諸侯。

㉘⑥ 隱，趙隱王如意，"幽友"，趙幽王友被囚禁而死。愚按：幽當作幽禁解，友與如意對稱。

㉘⑦ 洞疑，洞同恫，恐懼疑慮。清王念孫《讀書雜誌》云：洞讀爲恫。《索隱》釋爲洞達，《史記志疑》卷三十六駁云："既洞達矣，又何疑乎。"從《雜誌》爲是。

㉘⑧ 遂及，終至於，"宗禍"，滅族之禍。

㉘⑨ 愚按：吕后女主，司馬遷略惠帝而立吕后，正説明他觀察問題是從當時實際政權掌握者著眼。《漢書》遷本傳無"太"字。清梁玉繩《史記志疑》卷三十六《作吕太后本纪第九》條云："史以吕后作紀，全没惠帝及兩少帝，附見牝朝，未免乖違。"又考《後漢書·張衡傳》，欲爲元后作本紀，《路史》立女媧紀，《史通·鑒識篇》以史公合時宜等説爲"俱屬詭錯"。

㉙⓪ 王，漢文帝未即位前爲代王；祚，天子祭祀時所立之位，帝位。

㉙① 蠲除，廢除；肉刑，指黥（面上刻字）、劓（割掉鼻子）、刖（割斷脚筋）等三刑。

㉙② 關梁，水陸要道。

㉙③ 太宗，漢文帝廟號。

㉙④ 吴楚七國之亂，吴王濞爲禍首。

㉙⑤ 辜，罪。

㉙⑥ 五世，高帝、惠帝、文帝、景帝、武帝。

㉙⑦ 建元，漢武帝年號，年號之始。但它是元鼎間所追加。隆，興盛。清程餘慶云："觀此序，知紀申不作毁謗語，亦春秋所見異辭之旨也。"（《歷代名家評注史記集説》）

㉙⑧ 攘，抵制；夷狄，指周邊的少數民族如匈奴、西域，西南夷等。

㉙⑨ 法度，法令制度。

㉚⓪ 參見注⑫⑧㉑①㉑②。

㉚① 今上，指漢武帝，朱東潤《史記序傳質疑》："據此知史公原作，於武帝之安内攘外者，言之必詳；改正朔爲元封六年事，史遷身與其間，《史記》記于太初，於此必有所記述。本篇既亡，褚先生取封禪書補之，其不相稱明矣。"（《史記考索》）

㉚② 尚,通上,久遠。

303 譜牒,指記載歷代帝王世系和謚法的書。

304 略推,大致推算。

305 世表是太史公表體中的一種。凡材料缺略不能以年月排比者,以世系記載,内容簡略。《通志》謂"《史記》一書,功在十表",《史通·雜説》:"表曆可考。"

306 指春秋時期。

307 "經略",簡略。

308 年表以年爲經,以事爲緯,爲表體常例。清梁玉繩《史記志疑》卷三十六以十二諸侯當作十三,以下六国當作七国。《史記志疑》卷八又云:"表實十三国而云十二,《天官書》及自序傳亦皆言十二,殊不可解。《索隱》謂'賤夷狄不數吴',蘇洵《論史漢》主此説。余深以爲不然,吴爲太伯之後,安得以夷狄外之,此春秋三傳之謬論耳。如以夷狄外之,則楚亦夷狄,乃進異性而斥宗親,寧有是理? 且世家又奚以首吴耶?《天官書》稱,秦、楚、吴、越爲夷狄,言四国在戎夷之地,非外之之詞也"。清程餘慶云:"非有論世巨眼者,不能爲此言。"(《歷代名家評注史記集説》)

309 陪臣,諸侯之臣;秉政,掌握政權。

310 相王,争相稱王,指戰國時期。

311 擅,專有;號,帝號。《史記志疑》卷三十六《天下三擅》條云:"擅與嬗、禪同,《荀子·正論》凡禪讓皆作擅字。"《史記志疑》卷九又云:"表實列七国,所謂'七雄'也。《天官書》亦言'七国相王'(《正義》以漢七王當之,非也。)而乃曰六国,蓋與十三侯表稱十二侯同誤已。"

312 楚人,指陳涉、吴廣起義,陳涉建國號爲楚。

313 亂,動亂。

314 扶義,仗義。

315 嬗,禪,替代,八年之間,連續替换了陳涉、項羽、劉邦三個統治者。張文虎《校刊史記三家注札記》卷五:"南宋毛本嬗,它本作擅。"

316 月表以月爲經,以事爲緯,是司馬遷駕馭史料多,事迹紛繁的一種表體。

317 太初,漢武帝年號。

318 有司,史官;靡,不能;踵,因,依據。愚按:這句話應是司馬遷對史料缺略的説明。語意是:諸侯廢立分封的情況,譜系上記載得不夠清楚,使史官無所依據。

319 彊弱,彊,本幹,弱,枝葉,指漢武帝推恩分封之事。原,始末;云以世,《索隱》稱"以字當作已,世當作也"並稱"云、已、也,皆語助之辭也",其已也義近理,惟云字解作述説爲順。愚按,這句話的意思是(這個年表由於史料不足,不能詳記),只能談談武帝行推恩令,彊本弱枝的原委罷了。

320《漢書》遷本傳作《漢諸侯年表》。《史記志疑》卷三十六以遷傳爲是,認爲"興已來"三字,"此後人所增",並引《索隱》本侯下有王字(中華本《索隱》無此文),以爲"史文必云漢諸侯王年表"。清程餘慶云:"言漢興百年,諸侯廢立分削,譜記不能明其嗣,有司無所踵承。論強弱之原,但以世計而已,此年表之不得不作也。"(《歷代名家評注史記集説》)

321 據清王念孫考證,無祖字。

322 股,大腿;肱,手臂;身體行動之所恃,所以用它來比喻君主的輔佐大臣。

323 剖符,分符以爲憑信。爵,封爵。

324 昭穆,古宗廟制度,始祖廟居中,左爲父稱昭,右爲子稱穆,以下左右順次排列。這裏引申作祖先解。

㉕ 隕,落,失;隕國,失國。張文虎《校刊史記三家注札記》卷五:"南宋本毛本作隕,它本作殞。"遷傳無諸侯二字,《史記志疑》卷三十六以爲非。

㉖ 申,説明。

㉗ 清梁玉繩《史記志疑》卷三十六《作惠景間侯者年表第七》條説:"此表不曰功臣者,蒙前表少之也",遷傳作惠景間功臣年表,非。

㉘ 彊胡,匈奴;勁越,閩越。

㉙ 七國,吴、楚、趙、膠西、膠東、淄川、濟南。從,合從,聯合。即第八、第九,七國都在關東,自南而北,正如戰國時六國合從抗秦形勢一樣,所以也用爲從之詞來説明。

㉚ 爵,動詞,封爵;封邑,分封的領邑。由于諸侯王子弟,數目日增,已經没有領邑可以封賞給他們了。李笠《史記訂補》卷八:"案封字疑在邑下,與上句從字爲韻。"

㉛ 推恩,推恩令,是主父偃削弱諸侯勢力的獻策,就是"衆建諸侯而少其力"的辦法;埶,諸侯的勢力。德,恩德,新受封的貴族對武帝的感恩懷德;京師,指中央政權。

㉜ 愚按:十表中,漢興以來的事迹占六表,而單列武帝時期事迹者有二表,即第八、第九,一方面可見司馬遷詳今略古的精神,另一方面也表明對武帝的評論,以對外戰爭與銷弱諸侯爲武帝二大事功。《史記志疑》卷三十六《作王子侯者年表第九》條云:"王子上並無建元以來四字,承前表省之。"

㉝ 愚按,此司馬遷所據檔册,如後世人事異動表。

㉞ 治,治行,事功。彰,揭示;事,過錯,如稱"湯有罪自殺"等。

㉟ 殊,不同;務,目的。

㊱ 通,達;王道,儒家最高的政治理想。

㊲ 因,按照;人質,人的本性;爲之,制定;即文,禮節儀文。

㊳ 書是司馬遷撰史體裁的一種。是史記的綜論部分,記述社會經濟、政治制度。天文宗教各方面的演變發展,可補紀傳的不足,後代史書改稱志,類今之專史,史記有八書。

㊴ 雅、頌是詩經中二類詩,是宗廟貴族的詩歌;風是詩經中的另一類詩,是地方民間的詩歌,鄭、衛是風中所包括的二國詩篇,用鄭衛代風的稱呼。

㊵ 清程餘慶云:"樂所以感人情。人情既感,則遠方殊俗莫補懷柔向化也。"(《歷代名家評注史記集説》)愚按:遠俗,古代風俗;懷,思念,羡慕。

㊶ 比,排比;《樂書》,以往有關樂的記載,來古,古來。排比過去有關樂的記載以叙述自古以來音樂的發展。

㊷ 清程餘慶云:"此《律書》之序,而云非兵不彊。古者師出以律,凡出兵皆聽律聲,故云聞聲效勝負也。"(《歷代名家評注史記集説》)愚按:兵,武力;彊,同強。德,仁政;昌,興盛。

㊸ 黄帝、湯、武既有武力,又行仁政,便藉此興起。

㊹ 桀、紂、二世缺乏兵和德,因此便滅亡了。

㊺ 司馬法,《司馬兵法》。

㊻ 太公,吕尚;孫,孫武;吴,吴起;王子,王子成甫:都是古代的軍事家。

㊼ 切,切合;近世,當前的情況;極,窮究,人變,人情變化。

㊽《律書》即《兵書》,古代師出以律,凡軍隊都聽律聲。

㊾ 律,氣候變化的規律,使人知氣候變化而有所準備,它是天地間微妙而不能明顯看到的,但對人與萬物有關,所以説居陰而治陽。曆是利用明顯的象數來推算不可見的自然現象,所以説居陽而治陰。

㊿ 間,差距;翲忽,翲同杪,與忽都是最小的計算單位,細緻。《史記志疑》卷三十六《間

不容翲忽》條云:“此出大戴禮,曾子天圓率作閒不容髮,故《索隱》云翲恐衍字。《正義》曰字當作秒。清錢大昕《廿二史考異》卷五:“翲當爲蔈。”《淮南・天文訓》:“秋分蔈定,蔈定而禾熟,故十二蔈爲一粟。”漢高誘云:“蔈古文作秒也。”清程餘慶云:“翲,當作秒。秒,禾芒表也。忽,一蠶吐絲也。律歷相治之間,不容此微細之物,言其致一也。”(《歷代名家評注史記集説》)

㊿1 五家,黄帝、顓頊、夏、殷、周五代;文,曆法;怫異,悖異,不合。五代的曆法多有與自然不合之處。

㉜2 元論,至善之論。只有太初曆是最完美無缺的曆法。

353 星氣,星宿雲氣;多,大部分;雜,参雜;禨祥,吉凶徵兆。不經,荒誕無據。愚按:這些是司馬遷寫《天官書》要揚棄的材料。

354 推,推究;文,文字記載;考,核查;應,自然的反應;不殊,没有不同的地方。愚按:這些是司馬遷采入史篇的材料。

355 比集,纂輯材料,論,研究;行事,自然界的行事,自然變化的情況;驗,驗證,軌,行星繞日之道;“度”,法則;軌度,指自然界的變化規律;次,編次。這兩句話的意思是,搜集材料研究自然現象的變化情況,並與自然規律相證而確切以後,再加以編次。

356《天官書》,即天文志。

357 罕用,不經常舉行。《史記志疑》卷十六附案云:“三代以前無封禪,乃燕、齊方土所僞造,昉于秦始,侈于漢武。”

358 萬靈,萬物;罔,無;禋祀,潔祀。

359 禮,祭法的一種。指卿大夫須要遵守的一種祭法,即祭祀自己的嫡系祖先。此外,有采地的卿大夫可以和諸侯一樣,祭司命、中霤、門、行、厲等五祀;没有采地的只能祭門、行、厲三祀。

360 攸,所。甯,平靜。

361 宣,宣洩,疏通;防,堤防。這是兩種不同的治河方法。

362 瀆,獨流入海者,江、河、淮、濟爲四瀆;溝,小河道。

363 幣,貨幣;行,流通。

364 極,極端;玩巧,濫用。

365 兹,滋長;殖,繁息。

366 争,相争,争先恐後;機利,投機取利。

367 本,農業;末,商業。

368 太伯,吴太伯,古公亶父長子;歷,季歷,古公少子,子姬昌即文王。吴太伯爲了使季歷之子姬昌得以嗣位,自己退避,把繼承權讓給季歷。

369 江蠻,江南蠻夷之地。適,往。太伯逃往江南。

370 攸,由;王迹,王業。文王、武王因而興起,興起了自古公亶父經營以來的王業。

371 闔廬,吴王名。僚,王餘昧之子,太伯後裔;賓服,歸服。吴王闔廬殺掉王僚以後即位,並征服了楚國。《吴世家》云:“七年,吴王夫差聞齊景公死而大臣争寵,新君弱,乃興師北伐齊。”《史記志疑》卷十七云:“是年無伐齊事,伐齊在魯哀公十年,當夫差十一年。且吴之伐齊,因前年齊悼公與吴謀伐魯,既而齊與魯平,吴恨之,反與魯謀伐齊,其事去齊景公之卒已四年矣。此及子胥傳同誤,而即以此爲艾陵之役,則更誤矣。”

372 子胥,伍員,吴王夫差大臣。鴟夷,皮制酒袋,使用時能容納很多酒,不用時可以卷放懷中。吴王夫差因與伍子胥反對親越的政見不合,在戰勝齊國以後,便殺掉子胥,裝在皮酒袋中,扔到錢塘江里。

㊲㊂ 嚭，伯嚭，吴王夫差的大臣。主張親越。

㊲㊃ 嘉，讚美。因讚美太伯的謙讓，而爲他立《吴世家》。愚按：司馬遷在世家和列傳的叙録最後都用"嘉……"，以説明其立傳的根據。《史記志疑》卷三十六《作吴世家第一》條下云："諸世家各摘一事以著作史之由，雖是擧重言之，然豈因嘉一事而作乎？小司馬及王若虚曾譏之矣。吴下脱泰伯二字，遷傳及《索隱》本有。"

㊲㊄ 世家是史記撰史體裁的一種，是司馬遷對掌握一方統治權而世代相承的諸侯的傳記，也是對貴族集團的描寫（孔子與陳涉爲特例，説詳後）。愚按：司馬遷以太伯爲世家首篇，伯夷爲列傳首篇，疑與孔子主張有關，《伯夷列傳》明言之："孔子序列古之仁聖賢人，爲吴太伯，伯夷之論詳矣。"可證。

㊲㊅ 申、吕，吕尚的祖先，虞夏時封於吕，一説封於申，申、吕均在南陽宛縣一帶，申、吕本爲一事，既非二國，亦非始封繼封，而是司馬遷慎重兩存之意，所以《齊太公世家》稱："封於吕，或封於申。"肖，三家注均解作衰微。張文虎《校刊史記三家注札記》引顧炎武《日知録》説："肖乃削字脱其旁，與孟子'魯之削'同"《史記志疑》卷三十六亦引顧説。其説也有衰微之意；惟清郭嵩燾《史記札記》則説："案申、吕，太嶽之後，世有封國，至周猶存，何以謂之衰微。肖，謂克紹其業也。"惟循讀《齊太公世家》，明言："夏商之時，申、吕或封枝庶，子孫或爲庶人"，是郭説未可從。清程餘慶云："肖乃削字脱其旁耳。言尚父之祖封於申、吕，申、吕削弱，故尚父微賤也。"（《歷代名家評注史記集説》）

㊲㊆ 尚父，吕尚，武王事之如父。側微，微賤。

㊲㊇ 文王，武王都以吕尚爲師。

㊲㊈ 繆，綢繆，籌畫；權，權智，權謀；幽，暗昧不顯，秘密。意思是籌畫密謀。清程餘慶云："言太公綢繆於幽權之策，謂《六韜》、《三略》、《陰符》、《七術》之類也。"（《歷代名家評注史記集説》）

㊳⓪ 番番，音婆，黄髮貌，老人髮白而轉黄。

㊳① 饗，亨祀，引申爲受封，營丘，山東營丘。受封於齊。《史記志疑》卷十七引趙氏水經注釋廿六云："太公始封之營邱，在北海宜陵。迨獻公徙臨淄，取營邱舊名以號臨淄。"

㊳② 齊桓公五年，齊魯交戰，會盟于柯，魯人曹沫用匕首劫桓公於壇，要求退回侵地，桓公應允，事後又想悔約，管仲勸桓公不要失信，於是退回侵地，諸侯都信附桓公，桓公霸業得以昌盛。《史記志疑》卷三十六："案不背曹子之事，非實也，説在《刺客傳》。"

㊳③ 桓公曾經九次會合諸侯（兵車之會三，乘車之會六）來維持周天子無實權的共主地位。他的霸業更加顯著了。清梁玉繩《史記志疑》卷十六：《九之爲言多也》。《丹鉛録》："九爲陽數之極，書傳稱九者，皆極言之，此解甚愜。"並引《左傳》之夷于九縣，公羊之叛者九国，《楚辭》之九歌，《孫子》之九天之上，九地之下，以及九原、九泉之類，皆非實指爲證。

㊳④ 田闞，齊簡公時田常（恒）闞止争權，田常殺闞止，復殺簡公，齊又歷數世而終於被田氏所代。鮮亡，據清王念孫考證，鮮與斯通，即斯亡。《讀書雜誌》云：能當爲鮮，鮮之言斯也，《釋言》曰，斯，離也。

㊳⑤ 讚美尚父的謀劃。

㊳⑥ 依，順從；違，反對。綏，撫綏，安定。不論服從周的或是反對周的，周公都要設法安撫。

㊳⑦ 周公努力發揚文王的仁德，天下都擁護周。

㊳⑧ 成王，武王子姬誦。輔翼，輔佐羽翼。

㊳⑨ 魯隱公姬息和魯桓公姬允年間，桓公殺隱公自立，這又是什麽道理呢？愚按：司馬遷此語，極寓感慨之情，應循上文輔翼成王句比讀求義，他的意思是，周公能這樣謙德，他

的後裔怎麽出了隱、桓這類自相殘殺的敗類，是什麽道理呢。

⑳ 三桓，魯桓公族人仲孫、叔孫、季孫。三桓的子孫爭強，造成魯國的衰弱。

㉑ 金縢，縢，束，藏於匱，緘以金。周武王病，周公告太王、王季、文王之神，願以身代，並將告策藏于金匱，武王病果愈。後來，周公因受到流言退居，成王發匱見策，深受感動，迎周公復位。《書經・金縢篇》即記此事。愚按：司馬遷嘉周公金縢之事，非嘉記周公事之金縢篇，中華書局標點本金縢旁之書名號，應刪去。《史記志疑》卷三十六《作周公世家第三》條云："周公上缺魯字，遷傳《索隱》本有。"

㉒ 協，和洽；崩，天子死稱崩。

㉓ 成王，武王子；既幼，成王即位時年幼。

㉔ 管，管叔鮮；蔡，蔡叔度。都是文王之子，武王之弟。周滅殷後，命管、蔡監視紂子武庚及殷遺民。疑之，武王死，成王年幼，周公輔政，管、蔡疑周公將不利於成王，遂作亂。

㉕ 淮夷，淮河兩岸近海地區的少數族。

㉖ 召公，召公奭；率，用。

㉗ 寧，平定、安撫；東土。東方，指管、蔡、武庚，淮夷等反叛勢力。由於召公在內部安定團結王室，使周公能以平定東方的叛亂。

㉘ 燕(易)噲，據清梁玉繩《史記志疑》卷三十六"燕易爲之禪，乃成禍亂"條稱："禪位致亂者是王噲，非易王也。易字必噲之誤。"愚按：易王是王噲之父，故梁氏解易字爲易王，其實，本文未必作名詞，梁氏先定易爲易王之易，然後再正易王爲非，而改爲噲字，此法不可取，因解易爲變易，又何嘗不可通。高步瀛先生《史記太史公自序箋證》即稱："易字當爲變易之易，非易王，亦非王噲也。燕易之禪猶言燕易以禪耳。"愚按：惟循史記於敘録中多稱具體人，而不以一籠統時代立説，所以將易字作噲字，是亦可從。中華書局標點本從噲而存易，慎重對待，尤足取法。朱東潤《〈史記〉序傳質疑》称："燕之禍亂成于燕噲之禪子之，與易王無涉也。《序傳》與本篇不合。"2013年中華書局標點修訂本去(易)定噲。

㉙ 召公奭巡行鄉邑，有棠樹，便在樹下決獄理事，使民不擾，又使人們都各得其所，《燕世家》記其事。死後，人們思念他的善政，作《甘棠》詩來歌頌他。《甘棠》詩見《詩經・召南》。司馬遷嘉美召公有《甘棠》詩這種稱譽。《史記志疑》卷十九云："樹下決獄之説，史公有所本……疑樹下非聽訟之所，周初盛規，不應簡陋如是。"以聽訟之説爲"史公妄耳"。

㊵ 愚按：史公小序中各條敘録多與本文相合，惟此條除燕噲之禪，甘棠之詩外，其外紀事缺載，不解其故。《史記志疑》卷三十六《燕世家第四》條云："燕下缺召公二字，遷傳、《索隱》本有。"

㊶ 寧，安撫；舊商，紂子武庚及商遺民。

㊷ 二叔，管叔鮮，蔡叔度；饗，服從。

㊸ 周公東征，殺管叔鮮，流放蔡叔度。

㊹ 盟，明，以事告於神明。這句話的意思是：周公殺鮮放度後，把事情經過公開上告於神明，以明己無他。

㊺ 大任。文王后，生武王等兄弟十人即：伯邑考、武王發、管叔鮮、周公旦，蔡叔度、成叔武、曹叔振鐸、霍叔處、康叔封，冉季載。

㊻ 仲，蔡叔子胡。蔡叔被放而死，胡悔過自新，周公便推薦他任魯國卿士，有成績，周公建議成王，復封胡於蔡，稱蔡仲。管、蔡身死國削，本已失去立世家的資格。司馬遷嘉美蔡仲悔過又封於蔡而爲之立世家。《史記志疑》卷三十六《作〈管蔡世家〉第五》條云："當作《曹蔡世家》。説在世家中。"

㊼ 説，解説。這句話的意思是：凡王者必有後，可以用舜、禹有後的事實作解釋。

⑽ 休,美好;明,光明;苗裔,後代;蒙,承受;烈,業,創業。

⑽ 爰,乃;周,周封……;陳,武王克殷後求舜後嬀滿,封之於陳;杞,武王克殷後求禹後東樓公,封之於杞。爰用陳、杞,周武王封禹、舜之後於陳、杞。陳、杞後均滅于楚。

⑽ 陳被楚滅亡以後,後裔入齊爲田氏,最後篡奪姜齊政權爲田齊。舜的禪讓聞世,想不到出了篡奪行爲的子孫。"舜何人哉!"是司馬遷的感歎:舜是何等樣的人啊!

⑾ 收,管理;叔,康叔封,封於殷地爲衛國;始邑,開始建立都邑,即立國之意。張文虎《校刊史記三家注札記》卷五:"柯本,毛本作收。周紀亦云:頗收殷遺民,各本作收,非。"

⑿ 酒材,《尚書·酒誥》及《梓材篇》。周公作《酒誥》等篇,以紂的失德行事告誡康叔。

⒀ 朔,衛惠公,衛宣公之子;傾,《索隱》稱"衛頃公也"。清梁玉繩《史記志疑》卷三十六《衛頃不寧》條稱:"此言衛之傾危,由於惠公朔也。《索隱》以爲衛傾公,謬甚。衛有傾公乎?"高步瀛先生《太史公自序箋證》以爲傾、頃古通用。愚按:梁、高説爲是,衛有頃候,衛貞伯之子,周夷王始命爲侯,並無頃公,而頃侯距惠公,中經釐侯,共伯、武公、莊公、桓公、宣公數世,達一百餘年,二者何能並論。衛宣公取太子伋聘婦齊女生朔,朔讒太子伋于宣公,並陰謀刼殺太子伋,自此兄弟争位,政局混亂,所以説衛傾亂而不安寧了。張文虎《校刊史記三家注札記》卷五"《索隱》本頃,各本作傾"。

⒁ 南子,衛靈公夫人;蒯聵,靈公太子,與南子有怨,欲謀殺南子,事未成,逃往到宋。易,去掉;名,名分。父子易名,去掉了父子的名義,指父子斷絶關係而言。

⒂ 角,衛君角,是衛最後一個君,在位二十一年,秦二世元年始被廢爲庶人。

⒃《康誥》,周公因康叔年少,特作《康誥》,用殷的興亡經驗告誡康叔。康叔能遵照行事,安民治國。司馬遷讚美他這一點。清梁玉繩《史記志疑》卷三十六"作《衛世家》第七"條云:"誥乃書册,何嘉之有?衛下缺康叔二字。"

⒄ 正言,諍言;爲奴,箕子諫諍殷紂無效,於是僞裝瘋狂去做奴僕來避禍。

⒅ 武庚,紂子,武王封武庚于殷,奉殷祀,後作亂被殺;周更立微子啓爲殷後。微子,名啓,紂庶兄,有賢名,武庚被誅後,周立微子啓。今本宋世家啓作開。《索隱》稱避景帝諱,但他處稱啓並不諱。清梁玉繩《史記志疑》卷三十六稱"微子非封於武庚死後,説在殷紀"。

⒆ 襄公,宋襄公,名兹甫。宋襄公十三年,與楚成王戰于泓(河南柘城縣北有泓水),宋襄公固執"君子不困人于阨,不鼓不成列"的迂説,坐失戰機,結果大敗,自己也受傷。孰,虚美之言,君子以襄公在春秋之時尚能於戰陣中講禮,所以讚美宋襄公,此解可參證《宋世家》贊。

⒇ 熒惑,火星别名,宋景公十七年,發現熒惑守心的現象,心是宋的分野,即宋在太空中所應處的地位,也就是宋的自然界標識。熒惑是客星,出現在分野,是不祥之兆,宋天文官建議把這種不祥轉移到相、到民、到年成上去,景公都不同意,天文官認爲景公有這樣好的品德,會感動上天,果然熒惑自動移開了。

(421) 剔成,宋君,被弟偃所攻去位,據世家記載,剔成君四十一年,弟偃攻襲,剔成君奔齊,偃自立,十一年又自稱王,暴虐荒淫,諸侯都稱爲桀宋。世家所載爲偃暴虐事。可見暴虐是王偃而非剔成,"剔成暴虐"一語疑誤,清梁玉繩《史記志疑》卷三十六《剔成暴虐,宋乃滅亡》條稱:"疑剔成乃王偃之訛"。《集解》引徐廣曰:"一云偃,宋剔成君生偃。"愚按:偃宋之説,或徐廣所見一本作是,唯稱之爲剔成之子,則誤。朱東潤《史記序傳質疑》辯"剔成更不得有暴虐之名《序傳》與本篇不合。"(《史記考索》)

(422) 宋王偃四十七年,(年表稱立四十三年)齊、魏、楚滅宋而三分其地。《史記志疑》卷二十云:"偃立六十一年,滅也。"卷九云:"宋偃在位之年,所書各類,表作四十三,世家四十七,《吕子·順説篇》注云四十五,而皇王大紀獨以爲六十一,大紀是也。蓋偃以威王三十三年立，至此適得六十一年，其餘所書皆誤。”又卷二十辨“齊湣王滅宋，未嘗與楚、魏共伐而三分其地。”甚誤，文煩不録。

㊸ 微子在紂時，看到無法諫諍，所以便考慮死或走的兩條出路，無法決定，就去問太師，太師勸他出走，於是微子便逃亡了。司馬遷贊美微子能問太師出路這一點。《史記志疑》卷三十六《作《宋世家》第八》條云：“遷傳、《索隱》本，宋下有微子二字，此缺。”

㊹ 叔虞，武王子，成王弟。成王即位時，年少，和叔虞相戲，成王削桐葉成珪形給叔虞，並稱封他，根據君無戲言的原則，史官就把這件事認真辦起來，最後，只得封叔虞于唐地，唐在今山西翼城縣西。叔虞是後來晋的始封者。

㊺ 叔虞後人穆侯給太子起名仇，少子起名成師，晋人師服批評這種命名不對，仇字有仇敵的意思，成字有成就的意思，譏笑穆侯錯用了字意。愚按：太子是合法繼承者，應希望他有成，他子往往會是有國者另一種敵對勢力，有成仇人的可能，所以説名字用顛倒了。

㊻ 武公，晋武公，成師後人。卒，終於。晋穆侯死，太子仇立，稱文侯。文侯封成師于曲沃，曲沃封邑大，而成師後人又頗得民心，勢力日強，屢與晋爲難，到曲沃武公時，終於並晋，並賂贈周襄王，承認其合法地位，改稱晋武公。這句話意思是，太子仇的後人終於被成師後人曲沃武公所滅。

㊼ 驪姬，晋獻公寵姬，曾謀立己子奚齊而讒諸子，太子申生自殺，重耳、夷吾出奔。五世：申生、奚齊、奚齊異母弟悼子（驪姬女弟之子）、夷吾（晋惠公）、夷吾之子圉（晋懷公），這五世晋狀況較亂，直至重耳（晋文公）才安定下來。

㊽ 重耳流亡國外十九年，有些國家不禮遇他，又要擔心受暗害，所以説是不得志。回國以後，勵精圖治，遂成五霸之一。

㊾ 六卿：晋有六家重臣，即知、范、中行、韓、趙、魏。專權：擅權。

㊿ 秏，耗。

431 錫，賜；珪，瑞玉，諸侯朝王時所執。張文虎《校刊史記三家注札記》卷五：“南宋珪作圭。”鬯，香酒。晋、楚城濮之戰，晋勝，獻俘于周，周襄王使人命晋侯爲伯，並賜珪、鬯等物。事詳見《左傳》。司馬遷贊美晋文公的尊王。

432 清梁玉繩《史記志疑》卷三十六“作《晋世家》第九”條云：以叔虞封唐，“不得以子孫所改之號易始祖受封之名”。應作“唐叔世家”。

433 重黎，指火正黎而言，以火正爲業，帝嚳時因罪被殺。後來，其弟吴回又接續作火正。清梁玉繩《史記志疑》卷二十二以帝嚳誅重黎爲“史公之妄記也”。

434 吴回生陸終，陸終有子六人，其三名彭祖，在殷末被滅，後代衰微；周文王時，陸終第六子季連的後裔熊鬻。子事文王。粥子即熊鬻，楚的祖先從熊鬻以後譜牒世系才有所考。

435 熊繹，熊鬻的後代，周成王時封以子男之田，楚開始有封爵；熊渠，熊繹的後代，在周夷王時，接續前人事業有所發展，奠定楚的基礎。清梁玉繩《史記志疑》卷二十二以“繹之前已建國楚地，成王蓋因而封之，非成王封繹始有國耳”。

436 莊王，楚莊王熊侣。楚莊王十六年以夏徵舒弑君爲理由伐陳，陳破，兼其地。大夫申叔諫稱，既以討亂臣賊子爲名，是仁義的行爲，但破國以後，兼併陳國是不對的。莊王納諫，又恢復了陳國的地位。司馬遷以莊王能納諫而稱其賢。

437 楚莊王十七年伐鄭，鄭伯請罪，莊王認爲鄭伯能得民心，便撤兵與鄭和。

438 楚莊王二十年，因宋殺楚使圍宋，被圍五月，城中食盡，易子而食、析骨而炊，宋大夫華元告莊王城中的實情，莊王認爲華元是誠實君子，也罷兵而回，班師，勝利回軍。

439 懷王，楚懷王。楚懷王三十年，秦昭王詐約懷王入秦會盟，懷王猶豫，王子子蘭勸行，懷王入秦被扣留，終於死在秦國。懷王被刼，其子頃襄王立，以子蘭爲令尹。當時楚人都埋怨子蘭,屈原雖已不擔任重要職務,但依然一心懷念國家安危,再三表達自己愛國嫉惡的意志。這樣,子蘭必須設法陷害屈原來掩蓋自己的過錯,他終於使上官大夫在頃襄王面前説屈原壞話,頃襄王怒而把屈原流放出去。

㊵ 愚按:好諛信讒疑指楚頃襄王而言。好諛,頃襄王十八年楚人有好以弱弓微繳加歸雁之上者,頃襄王和他談話,他借弋射的道理來稱譽楚王,頃襄王受激遣使于諸侯,復謀和從,並欲伐秦圖周,均未成功。信讒,令尹子蘭嫉妒屈原,命上官大夫進讒,頃襄王信之而流放了屈原。

㊶ 清梁玉繩《史記志疑》卷三十六《作《楚世家》第十條》:"當書曰楚熊繹世家。蠻夷不書爵,無謚與字,故書名。《越勾踐世家》其例也。"

㊷ "少康之子",越的祖先是夏少康的庶子;清梁玉繩《史記志疑》謂《夏紀》及《世家》以"越非少康之裔"。賓,擯除;南海,南方近海之地,此指會稽。張文虎《校刊史記三家注札記》卷五:"王脱賓字,柯本作居,案此文亦當讀爲擯"。

㊸ 文身,在身上刺上花紋;斷,截成短髮。這是當時被認爲蠻夷之人的習俗。

㊹ 黿,大鱉;鮮,鱔;與處,共處。

㊺ 封禺,山名,在浙江武康縣南。

㊻ 彼,外,外敵,指吴而言;種,文種;蠡,范蠡。清梁玉繩《史記志疑》卷三十六"作《越王勾踐世家》第十一"條云:"越僭號爲王,例不應書。觀陳涉不書王可見,此後人妄加之,當删王字。遷傳作《越世家》,又脱勾踐二字。"

㊼ 桓公,鄭桓公姬友,周厲王少子,宣王庶弟,初封於鄭縣(在陝西),幽王時任司徒。之東,幽王寵褒姒,政治黑暗,桓公問太史自全之道,太史爲他分析了形勢,建議他徙居洛陽之東,黄河、濟水之南,桓公用太史的建議東徙雒東(河南新鄭)。庸,用。

㊽ 王人,王室之人,指周桓公。《六國年表》:鄭莊公二十四年侵周取禾。《史記志疑》卷八云:"隱二年,《左傳》曰,鄭祭足帥師取温之麥,又取成周之禾,乃此言侵周取禾,而不書取麥何也?世家言侵周地取禾,既失書取麥而妄增侵地,又何也。"莊公二十七年,莊公朝周,周桓王因搶禾的嫌怨,不加禮遇。周桓公論其事,認爲周室東遷,主要依靠晋、鄭,優禮鄭以鼓勵其他各國,還怕來不及,何況不加禮遇呢!鄭一定不會來朝了。

㊾ 祭仲,鄭大夫。鄭莊公有三子:忽、突、子亹。莊公死,忽立爲昭公,突是宋國外甥,宋誘執祭仲,使立突爲君,約盟而歸,昭公聞訊奔衛,突立爲厲公,要想殺掉祭仲,祭仲又去擁立忽,以後諸公子相殺,國勢削弱,最後厲公復位。

㊿ 子産,鄭成公少子,鄭簡公相,行仁政,有仁人之稱。紹世,繼世,後世。稱賢,有賢能之稱。

(451) 納,吞併。鄭被韓所滅。

(452) 周惠王二年,王子頹作亂,周王出奔,鄭厲公與虢叔襲殺王子頹,送惠王回國。司馬遷讚美厲公這種尊王的行爲。《史記志疑》卷三十六云:"當書曰鄭桓公世家。"

(453) 驥,良馬;騄耳,馬名;張文虎《校刊史記三家注札記》卷五"中統游本騄作緑",章,表彰,造父,趙之先人,善相馬,造父爲周穆王物色到一匹名騄耳的良馬,穆王賜他趙城,以表彰功績。

(454) 獻,晋獻公詭諸;夙臣事獻公,《世家》曰:"趙夙爲將",《史記志疑》卷二十三云:"爲將乃爲御之訛",獻公賜夙耿地(山西皮氏縣),趙姓開始興盛。夙生共孟,共孟生衰。厥,指趙夙;緒,後。愚按:《史記匯注考證》稱:"趙衰,夙子。"《趙世家·索隱》稱《世本》云:公明生共盟及趙夙,夙生成季、衰。又引《左傳》云:"衰,趙夙弟。"《趙世家》曰:"夙生共孟,共盟生趙衰。"此依《趙世家》本義。《史記志疑》卷二十三:"《晋語》,趙衰,夙之弟。故《左傳》

文六年稱成季。韋昭曰：衰，公明之少子。杜注《左傳》亦從《晋語》云。夙，趙衰兄。則夙與衰皆共孟子。公明、共孟音相近，其實一人也。此誤從世本，而《索隱》引世本謂公明生共孟及夙，夙生衰，尤誤。惠氏《左傳補注》反依世本。又引《易林》革之夫言：伯夙奏獻，衰續厥緒，以爲非兄弟之證，殊未然。”

㊺⑤ 文，晋文公；卒，終於。此指趙衰事。

⑯456 襄子，趙襄子毋卹；困辱，智伯率韓、魏之師圍困襄子於晋陽；禽，擒通；乃禽智伯，趙襄子被困歲餘，使人離間韓、魏與智伯關係，終於解圍，並擒獲智伯。

457 主父，趙武靈王雍讓位其少子惠文王何，自稱主父。生縛，指武靈王被圍於沙丘異宫而言；爵，小鳥。主父與惠文王遊沙丘異宫，長子章作亂圍宫，公子成與李兑起兵平難，章投奔主父，主父容納他藏匿，成、兑便圍主父宫，章死，成、兑懼罪，不解圍，主父欲出不得，又不能得食，採取小鳥充饑，經三月餘而餓死。

458 王遷，趙幽繆王遷；辟淫，邪辟無行。良將，趙名將李牧；是斥，趙幽繆王信郭開讒言，殺李牧。

459 周敬王姬丐時，王子朝作亂，敬王奔晋，趙簡子鞅率師平亂，送敬王返周，司馬遷贊美趙鞅的尊王行爲。《史記志疑》卷三十六云：“三晋俱篡國，當依《田完世家》稱名之例，書曰‘《趙籍世家》’、‘《魏斯世家》’、‘《韓虎世家》’。”

460 畢萬，魏的先人，臣事晋獻公；爵，封爵；魏，陝西芮城縣北，晋獻公始封畢萬於此；卜人，卜偃；知之，卜偃占卜，預言畢萬後人必定昌盛。

461 絳，魏絳，事晋悼公；干，晋悼公弟楊干，悼公三年會諸侯，楊干亂行列，魏絳戮楊干之僕以辱楊干；戎翟，戎狄，西方和北方的少數民族；和之，和洽關係。

462 文侯，魏文侯都，一稱名斯，魏之賢君；慕義，嚮往仁義；子夏，孔子弟子；師之，以子夏爲師。

463 惠王，梁惠王，魏至惠王三十一年徙治大梁，稱梁。自矜，自負。攻之，齊秦攻魏。

464 信陵，魏信陵君無忌；既疑，魏安釐王三十年，信陵君聯合諸侯敗秦，秦行反間，以信陵將王魏，使魏王猜忌，終而解除信陵君的兵權。諸侯罷兵，即解散聯合。

465 卒，終於；亡，動詞，滅亡；大梁，魏都，秦攻佔大梁，指滅魏而言；王假，魏最末一個王，名假；廝之，《史記會注考證》稱：“秦虜魏王假爲廝養卒。”高步瀛先生《太史公自序箋證》以廝與斯同“散也”又通澌“盡也”。愚按：世家本文，不載爲廝卒之事，僅稱：“虜王假，遂滅魏”，言至王假而魏澌滅，高説於意爲近。

466 武，魏武子準，曾佐事晋文公；晋文，晋文公重耳；申霸道，成霸業。

467 韓厥，韓的先人，事晋景公，號韓獻子。“陰德”，晋司寇屠岸賈族滅趙盾全家，程嬰保存了趙氏孤兒趙武，韓厥知其事。景公十七年，韓厥遇機向景公陳述此事，於是趙武得復立，並報了家仇，這是韓厥的陰德。趙武，趙氏孤兒。攸，所。清梁玉繩《史記志疑》卷三十六《韓厥陰德》條云：“下官之事靈也，説在趙世家”。清方苞《史記評語》云：“韓厥陰德，於傳無考。”(《望溪先生文集》補遺二)

468 紹絶，繼續絶世；立廢，恢復廢斥；宗之，仰望他。

469 昭侯，韓昭侯；顯列，顯名于諸侯。昭侯用申不害後，國内以治，諸侯不來侵伐。申子，申不害，法家，相韓昭侯。庸之，任用申不害。

470 非，韓非，韓公子；不信，韓非在韓王安(韓最後一個君)時，見國勢削弱，數次上書進諫，不被信用，王安五年，秦攻韓危急，韓派韓非爲使人秦，被扣留，終死于秦。襲之，王安九年，秦攻韓，虜王安，滅韓。

471 晋周争田，韓厥勸晋厲公勿争。朱東潤《史記序傳質疑》稱：“按世家韓厥無輔晋匡

天子之賦事。即晋亦無匡賦天子之賦事,《序傳》與本篇不合,疑世家有脱誤。"(《史記考索》)

⑫ 完子,陳完,陳厲公少子,與陳宣公太子禦寇友善,宣公殺太子,完懼禍奔齊,到齊以後,以陳田聲近,改姓田氏,卒謚敬仲。

⑬ 陰施,暗地裏作好事;五世,自田敬仲完以後五代;歌之,齊人歌頌田氏之德。

⑭ 成子,田常,卒謚成子;得政,田常相齊簡公;田和,田太公,相齊宣公;爲侯,齊康公十九年,田和立爲齊侯,列于周室。

⑮ 王建,田齊最後一個君;動心,動私心,秦攻五國,王建有私心,不加援助;遷于共,王建四十四,秦滅齊,遷王建于共(河南共城)。

⑯ 威,齊威王因齊;宣,齊宣王辟疆,威王子。

⑰ 田敬仲完,敬仲謚法,《漢書》遷本傳作田完世家。清梁玉繩《史記志疑》稱:"《史記》篇題,未有名謚兼書者,此必後人妄增。遷傳無敬仲二字。《滑稽傳》曰:'語在《田完世家》中',尤可證已。"又稱:不當"以後代之簒,追崇其先祖,齒列諸侯",而曰"當書田和世家"。又"陳改田在春秋後,史謂始於陳完,直稱田完亦非,説在《年表》"。

⑱ 達,表達,宣揚;王道,儒家理想中的政治局面。

⑲ 匡,挽救;反,還。

⑳ 文辭,指春秋而言。

㉑ 垂,流傳;六藝,六經,統紀,統綱紀。清梁玉繩《史記志疑》卷三十六:"史公叙孔子於《世家》,以表尊崇之義。蓋謂有土者以國世其家。孔子以德世其家,小司馬深然之。而王安石云'仲尼之才,帝王可也。何特公侯哉!仲尼之道,世天下可也,何特世其家哉!處之《世家》,仲尼之道不從而大;置之列傳,仲尼之道不從而小,而遷也自亂其例',宋王厚齋録入《困學紀聞》。蘇氏《古史》因改爲列傳。然宋晁補之《雞肋集》辨其非,以爲宋乃殷後,至桀偃而絶,賢如正考夫,聖如孔子,豈不可以繼宋,則亦與有土之世家同'。清慈谿姜氏宸英《湛園集》又謂'史公之意,以孔子尊周之功最大。尊周者,諸侯之事,故附孔子於世家'。二公之論雖殊,而識勝蘇、王遠矣。"

㉒ 愚按,司馬遷把《春秋》寓褒貶和撥亂反正的作用,看成和湯武革命,陳涉起義同等重要,一則提高《春秋》地位,正所以提高《史記》的地位,再則以《春秋》的地位來襯托陳涉起義的重要性。

㉓ 發迹,發難,《史記志疑》卷三十六於此語引《困學紀聞》十一載鄭樵云:"湯武仗大義平殘賊,易謂順天應人,烏可與陳涉同日而並議哉!"

㉔ 愚按:天下之端,自涉發難,是高度評價陳涉起義的歷史意義,也是列陳涉於世家的根據。《史記志疑》卷三十六、班彪、司馬貞、《史通》、《後漢書》注、《續古今考》、《示兒編》引多説而主"宜與項羽同傳也"。清程餘慶云:"三代後以匹夫起兵者,自陳涉創之。史公比之湯武《春秋》,雖非倫乎,著所始則一也。"(《歷代名家評注史記集説》)

㉕ 成皋,台名,在河南成皋。薄氏,高祖姬,文帝母。始基,開始奠立基礎。漢高祖坐河南宫成皋台,兩美人管夫人與趙子兒少時與薄姬相愛;並約"先貴無相忘",這時互相笑語過去的約定,漢高祖聽到後問清緣故,便召倖薄姬,生子爲代王,即後之文帝,所以説薄姬以後的地位是奠基在成皋一笑之時。

㉖ 詘意,屈意,不得意,薄姬不是寵幸的姬人;張文虎《校刊史記三家注札記》卷五:"淩本詘作絀";適代,高祖死,寵幸妃姬,都被吕后殺幽,薄姬是個不得志的姬人,所以讓他出宫;隨著兒子到代去就國。

㉗ 諸竇,文帝后竇氏,原爲宫人,吕后出宫人時,竇氏分配至代,代王寵幸,代王入承帝

位，立爲后，其昆弟子姪諸竇皆因后而貴，竇氏凡三人爲侯。

㊽ 栗姬，景帝寵姬；偩，同負，自恃；貴，栗姬所出子榮爲太子，栗姬恃此傲人，終不得立爲后，以憂而死。

㊾ 王氏，景帝皇后。遂，達到目的，王氏入官爲美人，頗與景帝姊長公主交驩，終於達到被立爲后的目的，子即武帝。

㊿ 陳后，武帝皇后，長公子女，武帝之立，長公主有力，所以陳后常以此驕傲，終於被廢。

(491) 子夫，武帝衛皇后，字子夫，初爲武帝姊平陽公主家謳者，後得幸于武帝，武帝廢陳后而立子夫爲后。

(492) 愚按：此語意不分明，難解其意，疑下有脱誤。《史記志疑》卷三十六引吴棫言，以嘉婦德若斯爲"此語欠明"，並稱"后妃止宜在列傳，若謂代有封爵，不妨儕之世家，亦應書《后妃世家》不當標題'外戚'"。

(493) 譎謀，詐謀；禽，擒；信，韓信，時封楚王。漢高祖僞游雲夢，擒韓信於陳。

(494) 剽輕，驃悍輕生，指民風強悍。

(495) 交，漢高祖之弟。高祖擒信以後，立弟交爲楚王。

(496) 彭城，地名，今江蘇銅山縣，楚王都此。

(497) 彊，加強，淮、泗，水名，指淮泗流域一帶；宗藩，宗室藩屬，屏障。

(498) 戊，劉交之孫，襲楚王封；溺於邪，劉戊在薄太后喪服期間犯姦行，得到削郡處分，後參與吴楚七國之亂，兵敗自殺。禮，楚元王別子，任漢宗正，七國亂平，立爲楚王。

(499) 游，楚元王劉交之字；祖，高祖。

(500) 師旅，軍隊；劉賈，高祖族人，《世家》曰："荆王劉賈，諸劉者，不知其何屬。"高祖還定三秦時，已在軍中任將軍，有戰功；與，參與。《史記志疑》卷二十六云："錢唐張孝廉雲璈曰：《漢書》賈傳及楚元王傳言賈爲高帝從父兄，諸侯王表作從父弟，雖兄弟小異，然可補史缺。"

(501) 布，淮南王黥布。高祖十一年，黥布反，以兵擊荆，劉賈敗死，失其封地。

(502) 營陵，燕王劉澤，初封營陵侯。劉澤客田生，厚結吕后幸宦張卿，並通過張卿建議吕后封諸吕爲王，又建議爲鞏固諸侯地位宜王劉澤，吕后墮計，便封劉澤爲琅邪王。

(503) 怵，誘；午，齊王劉襄内史祝午。琅玡王劉澤被齊王劉襄使者祝午甘言詐誘入齊，被劫留而不能回，後澤請求入關爲齊王謀帝位，齊王允諾，具車送行，劉澤至長安與諸大臣議立代王，文帝即位，徙劉澤于燕，封燕王。愚按：叙録語不見《荆燕世家》而具載《齊世家》，此又司馬遷互見之例。

(504) 集，安定；以族，以族人的關係；藩輔，屏藩輔佐。《史記志疑》卷三十六："遷傳作'荆燕王'，是也，此脱王字。"

(505) 悼惠，齊悼惠王劉肥；先壯，劉肥是漢高祖庶長子；鎮，鎮守；東土，東方。

(506) 哀王，悼惠王子劉襄。劉襄以諸吕專政遂起兵。

(507) 駟鈞，哀王舅父，性情暴戾，京師弗許，京師議立時，琅玡王劉澤及諸大臣以駟鈞暴戾，恐重蹈諸吕覆轍，不贊成立齊王。

(508) 厲，齊厲王次景，内淫，厲王與其姊紀翁主有淫行；主父，齊人主父偃，有幸于武帝，因齊王不納其女，有隙，所以進言于帝，武帝命主父偃爲齊相，偃至齊，追查厲王與翁主姦情，厲王懼罪自殺。

(509) 肥，悼惠王劉肥，股肱，見注(322)。

(510) 滎陽，今河南滎陽。楚漢在此相持三年。

⑪ 填,同鎮;山西,華山以西關中之地。

⑫ 推計,推算計畫;踵兵,繼續派兵,補充兵源。

⑬ 弱,削弱。

⑭ 繼蕭何任相國。

⑮ 不變不革,依照蕭何成規不加改變;黎庶,平民百姓;攸甯,所安。

⑯ 伐,誇耀;矜,自負。

⑰ 帷幄,軍帳。

⑱ 無形,不著痕迹。

⑲ 愚按:張良謀劃事情,既不享有被人知道的名望,又不是直接建立勇猛的戰功,他把艱難的事情變成容易處理,做大事時也不忽略細節。

⑳ 六奇,陳平曾六出奇計;賓從,服從。

㉑ 吕氏之事,平諸吕的事件;本謀,主謀;宗廟、社稷,都是國家的代稱。

㉒ 從,聯合;弱,消弱;京師,中央政權所在地,此指劉氏政權。

㉓ 勃,周勃封絳侯;經,經常之道;反經。違背常理的行事;合,相合;權,權宜之計。愚按:周勃在諸吕當政時,違反常理,與諸吕相安無事(以勃的地位不應如此,所以説反經),後來,誅諸吕時,周勃因此得以起重要的作用,看來,他過去的做法是合乎權宜之計的。

㉔ 亞夫,周勃子周亞夫;昌邑,地名,山東金鄉西北;庀,扼守;出委,遺棄,以梁付與吴楚,意思是先以梁抵拒以削弱吴楚。

㉕ 梁,梁孝王劉武封國,扞,捍,抵禦;爲扞,梁孝王守睢陽,抵抗吴楚,捍衛漢室。

㉖ 偩愛,恃愛,梁孝王抵禦吴楚有功,又爲竇太后少子,頗受寵愛,自己也恃愛而驕,擬于天子,景帝疑忌日甚,幾乎遭到大禍。

㉗ 距,拒。《史記志疑》卷三十六:"孝王及五宗三王,帝胄也。而混於諸侯之中,以時爲次,似乎非體,當叙三世家於齊悼惠王世家下。然後之史臣,皆倣此例矣!"

㉘ 五宗,同母所生爲宗親,景帝十三子(除武帝外)爲五母所生,所以稱五宗。既王,景十三子均封王。

㉙ 洽和,洽一作協,和協。張文虎《校刊史記三家注札記》卷五:"凌本洽作協。"

㉚ 藩,藩國。

㉛ 三子,武帝三子:齊懷王閎、燕剌王旦、廣陵王胥。

㉜ 文辭,三王世家所載是請封三王之疏和三篇對策,文辭疑指疏策而言;可觀,可參閲。愚按:清王鳴盛"《十七史商榷》,以'三王世家'爲司馬遷未成之筆。褚先生自稱竊從長老好故事者。取其封策書,編列其事而傳之。疑史遷著述,無獨取策書文辭之理,特以世家亡去一篇,褚先生乃舉三王封策之文以實之,取其便於剪裁,與取封禪者書以當孝武本紀者同一作法"。清梁玉繩《史記志疑》卷二十六云:"史缺三王,褚先生從長老好故事者取遷廷議封策補之,論亦僞託",並指出紀事之誤及月日亦駁,而以此補文"有失史裁,辭亦浮淺"。

㉝ 末世,殷之末世;争利,舍義争利。

㉞ 彼,伯夷叔齊;奔,嚮往,趨。

㉟ 稱,贊揚。

㊱ 愚按:司馬遷以伯夷爲列傳之首,似受孔子思想影響,見注(375)。

㊲ 晏子,晏嬰,齊景公相,自奉儉約。

㊳ 夷吾,管仲,齊桓公相,生活奢侈。張文虎《校刊史記三家注札記》卷五:"中統遊本以作亦。"

㊴ 化，消除；正，歸於正道。愚按：這是司馬遷對老子思想的總結語。老子看到社會矛盾的存在，但並不積極去推動解決，而是主張社會停滯，使矛盾無從發展，所以老子認爲無爲就自然而然可以消除矛盾，清净就自然而就使事務歸於正途。世家中有此二語。杭世駿《疏證》引南昌萬承蒼云："此二句是叙傳中語，誤入於此"。

⑤④⓪ 揣，度；事情，事務情況。循，依據，執理，形勢事理。

⑤④① 愚按，本傳題《老莊申韓列傳》，因此傳包括老子、莊子、申不害，韓非四人。王儉、劉知幾、小司馬均訾老、韓不宜同傳。清梁玉繩《史記志疑》卷三十六："申韓本于黄老，史公之論，自不可易，並非強合，況韓子有《解老》、《喻老》二篇，其《解老》篇創爲訓注體，實五千文釋詁之祖，安知史公之意不又在斯乎？前賢妄規之也。"

⑤④② 穰苴，田氏，以官大司馬，改以司馬爲氏，齊名將，軍事家。司馬法，古代相傳兵法。申明，有所發明。

⑤④③ 没有信、廉、仁、勇四種品德，就不能傳授兵法、講論劍術，達到和兵法劍術原理（道）相符的地步。張文虎《校刊史記三家注札記》卷五："《雜誌》引顧子明曰："本作非信仁廉勇不能傳劍論兵書，上文在趙者以傳劍論顯，《集解》是其證。今本上下錯亂，又脱書字。""

⑤④④ （兵法劍術）内而可以保身，外而可以對敵，能與君子之德相比並。

⑤④⑤ 孫子，孫武，吴名將。軍事家，善兵法；吴起，魏名將，軍事家。

⑤④⑥ 建，楚平王太子。遇讒，平王聽費無忌讒言，強佔太子婦秦女，並出建守城父，費無忌又進讒，説太子謀作亂，最後逼使太子奔宋。

⑤④⑦ 奢，伍奢，太子建之太傅，因太子建而牽連得罪；子，古時稱師爲子。

⑤④⑧ 尚，伍尚，伍奢長子；匡，救父。伍尚聞父召，雖明知往則與父俱死，但恐遭世非笑，而應命就死。

⑤④⑨ 伍員，字子胥，伍奢次子，知父命爲被迫，往必俱死，便逃亡至吴，謀復仇機會。

⑤⑤⓪ 崇，崇尚，提倡；厲，砥礪。

⑤⑤① 鞅，商鞅，姓公孫氏，稱公孫鞅，衛人，一稱衛鞅，入秦封于商於之地，號商君。商鞅在衛不被用，離衛往秦。

⑤⑤② 明，闡述；術，帝王術；彊霸，使國強稱霸；孝公，秦孝公。

⑤⑤③ 愚按：司馬遷認爲商鞅人雖被誅，但其法還被後世所遵用，有立傳的資格。《史記志疑》卷三十六："商君，爵號也，而以稱鞅，似失史法，當書曰衛鞅。"

⑤⑤④ 衡，連横；衡秦，以連横事秦。各國以用連横政策事奉秦而秦貪得無厭爲患。

⑤⑤⑤ 蘇子，蘇秦，戰國時合縱政策倡導者；能存諸侯，能維護諸侯之立國。

⑤⑤⑥ 約從，合縱之約；抑，抵制；貪彊，指秦國而言。

⑤⑤⑦ 張儀，戰國時策士，連横政策的宣導者。明其説，闡述他的連横説。

⑤⑤⑧ 張儀用連横政策破壞諸侯的從約。

⑤⑤⑨ 攘，奪取，攘雄，稱雄。《集解》："徐廣曰，攘，作襄。"朱東潤《史記徐廣本異文考證》："案《龜策傳》：，西攘大宛，徐廣本亦作襄，《爾雅》：襄，除也。字應作襄。"（《史記考索》）

⑤⑥⓪ 樗里，樗里疾，秦惠王弟，有智囊之稱，因葬于渭南陰鄉樗里，故俗稱樗里子。

⑤⑥① 甘茂，事秦惠王、武王、昭王爲丞相，後被讒去秦。

⑤⑥② 苞，包舉；河，黄河；山，華山。秦的實力包括了黄河、華山一帶。

⑤⑥③ 大梁，魏都，今河南開封。

⑤⑥④ 魏冉，秦昭王母宣太后弟，封穰侯。

⑤⑥⑤ 鄢，楚地名，今湖北宜城縣；郢，楚都；今湖北江陵。長平，趙地名，白起大敗趙括軍於此，也即阬趙降卒四十五萬人之處，今山西高平縣。武安，白起封武安君。率，帥。《史

記志疑》卷三十六:“武安因不肯攻邯鄲,遂有杜郵之賜,何云武安爲帥乎?”

566 荆,楚;王翦,秦將。

567 愚按:《孟荀列傳》叙録所指,釋者不一:(一) 宋王應麟《困學紀聞》引鄭樵之説,以儒墨相異,孟子不能獵墨遺文,(二) 清何焯《義門讀書記》稱:“獵儒墨之遺文,謂附見傳中諸子也。明禮義之統紀,謂荀;絶惠王利端,謂孟。”(三) 清方苞《史記注補正》:“傳稱天下方務縱横戰伐,而孟子乃述唐虞三代之德;荀卿序列儒墨道德之行事興壞。則獵儒墨之遺文,謂荀卿也。明禮義之統紀,謂孟子也;絶惠王利端,謂孟子也;列往世興衰,謂荀卿也。史記序所稱先後多錯綜。”(四) 清梁玉繩《史記志疑》卷三十六以“此當次仲尼弟子列傳第七之後,不應在第十四也”。又稱:“上二句指荀卿,即傳所謂荀子推儒墨道德之行事興壞著數萬言者。下二句指孟子。《儒林傳》言孟子、荀卿咸遵夫子之業,非孟、荀並列之證與?夫荀況嘗非孟子矣,豈可並吾孟子哉?”(五) 清吴汝綸《點勘史記》稱:“方侍郎謂此四語分言孟荀,非也。皆言孟子耳。孟荀傳以孟爲主,魯仲連鄒陽傳以魯爲主。屈原賈誼傳以屈爲主。故止論一人。(六) 李笠《史記訂補》卷八稱:“‘獵儒墨遺文,明禮義統紀’二句,総孟荀而言,下‘絶利端’,始專指孟子,‘列興衰’,始專指荀子,分合甚明,無煩曲説。何氏、梁氏説俱非也。”並稱“荀之非孟子亦學人常度耳,何害其爲儒家乎! 比而傳之何疑。”《史記匯注考證》主此説。上述諸家,各自成理,然也各有所偏,難從一説。愚又按:此四語似可分二段,前二句係司馬遷自明立傳的意旨,意思是:“我在涉獵了儒墨各家所遺留的文獻以後,決定在本傳中闡明儒家禮義方面的大要”,所以本傳雖傳多人,但只突出儒家中孟荀二派;後二句是司馬遷突出孟荀以呼應立傳意旨,“絶惠王利端”則諸家均無疑議,本傳前序也具述此事,確指孟子拒絶梁惠王言利之事;“列往世興衰”句,雖説者不一,但荀子本傳已明言其“推儒墨道德之行事興壞,序列著數万言。”興衰即興壞,列即序列,其意均近,所以説此句指荀子言,應無疑義。李笠於後二語的解釋,甚可取。

568 薛,孟嘗君封地,今山東滕縣東南。

569 扞,捍禦。

570 孟嘗君,田文,齊公子,封號孟嘗君,戰國時以好客著稱,是戰國四公子之一。《史記志疑》卷三十六:云“昔人稱四公子以原、嘗、春、陵爲次(見班固《西都賦》),史以嘗、原、陵、春爲次,其實陵當居首也。遷傳以《孟嘗君列傳》爲第十六,《平原君虞卿列傳》爲第十五,而‘平原’下無‘君’字,並非。”

571 馮亭,韓國上黨守。權,權宜之計,從權。秦昭王四十五年,秦攻佔韓之野王、上黨,與韓斷絶,上黨守馮亭,便謀以上黨歸趙。這樣,激怒秦必定攻趙,趙被攻,則必與韓聯合共抗秦,於是向趙通意,趙平陽君認爲受之禍大於所得,平原君則認爲無故得一郡,便從權接受了馮亭的要求,結果,造成了秦對趙的進攻。愚按:此事本傳不記,具載于《白起王翦列傳》,似司馬遷因此事爲平原君之過而諱之,但又不願没其事,故别見他傳,而於本傳論贊中評稱:“平原君翩翩濁世之佳公子也,然未睹大體,鄙語曰利令智昏,平原君貪馮亭邪説,使趙陷長平兵四十餘萬衆,邯鄲幾亡。”

572 秦圍邯鄲,平原君奉命赴楚求救。

573 平原君,趙勝,趙公子,戰國四公子之一。虞卿,戰國時策士,曾爲趙上卿。

574 下,用謙下的態度對待。詘,屈身奉人。

575 “信陵君”,魏無忌,魏昭王少子,戰國四公子之一。

576 春申君黄歇曾伴隨楚太子熊完爲質于秦,楚頃襄王熊横病,太子不得歸,春申君設計,使太子微服出關,脱離強秦的羈絆返楚,而留已于秦,並以死來應付秦,秦人無奈,只得也遣春申君回國。

⑤⑦⑦ 馳説之士，策士；鄉，向。

⑤⑦⑧ 黄歇，楚人，以脱太子完于秦有功，太子即位爲考烈王，以歇爲相，封春申君。與齊孟嘗、趙平原、魏信陵並稱。

⑤⑦⑨ 詢，詬，恥辱；魏齊，魏相。范雎初事魏中大夫須賈，隨從出使到齊，齊國饋贈范雎禮物，須賈以爲范雎洩露機密，回國後報告魏齊。魏齊重打范雎垂死，又肆意污辱他，范雎承受了這種恥辱。

⑤⑧⓪ 信威，伸威，發揮作用。范雎後來得到鄭安平，王稽的幫助脱險到秦，在秦發揮才能，相秦昭王，封應侯。

⑤⑧① 二子，指范雎，蔡澤。范雎曾薦蔡澤之才，自謝相印；蔡澤繼相數月也謝病歸相印，所以司馬遷稱他們推賢讓位。

⑤⑧② 率行，直行；率行其謀，直接按自己的計謀去做。

⑤⑧③ 五國，趙、楚、韓、魏、燕；連。聯合；兵，軍隊。清梁玉繩《史記志疑》卷三十六："破齊者，六國之兵也，説在秦紀。"

⑤⑧④ 先君，燕王噲；先君之恥，燕王噲輕信其相子之的話，效法堯舜，讓位於子之，燕國大亂，公元前 314 年齊乘燕亂攻燕，燕王噲及子之均死於戰亂中。

⑤⑧⑤ 信，伸；意，意志；藺相如在完璧歸趙澠池之會二次事件中，都能伸張自己的意志來對付強大的秦國。

⑤⑧⑥ 屈體，屈身，降低自己的身份對人；廉子，廉頗，趙名將。

⑤⑧⑦ 用，以，因爲；徇，效力；俱，指藺、廉二人；重，被重視。廉、藺以效忠其君，都受到諸侯的重視。

⑤⑧⑧ 湣王，齊湣王；臨淄，齊國都，今山東臨淄；莒，今山東莒縣。燕樂毅攻齊，湣王失國，都逃往莒邑。

⑤⑧⑨ 田單，齊國王室遠宗，原任臨淄市掾、後以奇計勝燕有功，顯名於世。用，憑藉；即墨，齊邑，今山東平度東南。騎刼，燕將，燕惠王中齊反間，以騎刼代替樂毅，被田單戰敗，爲亂軍所殺。

⑤⑨⓪ 詭説，詭辨之説；設詭説，用一種説法。秦圍趙邯鄲，魏派辛垣衍入趙，説趙帝秦，魯仲連用一種説辭，説服辛垣衍，不再勸趙帝秦，秦國見於趙之堅決守城，稍撤圍城軍隊，適逢魏無忌奪晋鄙軍救趙，秦軍敗，趙邯鄲之圍得解。

⑤⑨① 輕，輕視。魯仲連解趙圍有功，平原君擬封贈爵禄，被魯仲連拒絶。樂，以……爲樂；肆志，隨自己意志而行。清梁玉繩《史記志疑》卷三十六，以鄒陽爲附傳，非合傳，"篇題'鄒陽'二字乃後人妄加，非史原文，觀遷傳作魯仲連列傳可證。"

⑤⑨② 作辭，作文辭，寫文章；連，比附；類，物類；連類，用事物的比喻；争，諍。用文章來諷諫，用事物的比喻來諍義。愚按：這兩句話是説明《離騷》中的主旨，即下文所説的"離騷有之"的意思。

⑤⑨③ 子楚，秦公子，秦始皇的父親，初爲質於趙，後返國，即莊襄王；親，親信，信任。吕不韋交結子楚，得到子楚的信任。

⑤⑨④ 諸侯之士，各國的士人；斐然，斐通靡，靡然是相隨而至的樣子；入，入關。各國士子都相隨争先入關來事奉秦。

⑤⑨⑤ 曹子，曹沫；匕首，齊魯會盟于柯，曹沫用匕首刼持齊桓公允歸魯地；魯獲其田，魯得到被齊侵奪的土地；齊明其信，齊表明了他的信用。《史記志疑》卷三十六云："刼桓之事，非實，説在傳。"《史記志疑》卷三十一云："曹子之名，《左》、《穀》及《人表》、《管子・大匡》皆作劌。《吕覽・貴信》作翽，《齊》《燕策》與史俱作沫，蓋聲近而字異耳。"又云："刼桓歸地一

節,《年表》、《齊》、《魯世家》、《管仲》、《魯連》、《自序傳》皆述之。此傳(刺客)尤詳。”荆軻傳載燕丹語仍《國策》並及其事,蓋本公羊也。《公羊》漢始著竹帛,不足盡信,即如歸汶陽田在齊頃公時,當魯成二年,乃公羊以爲桓公盟柯,因曹子刼而歸之,其妄可見。況魯未嘗戰敗失地,何用要刼,曹子非操匕首之人,春秋初時亦無操匕首之習,前賢謂戰國好事者爲之耳。仲連遺燕將書云:“亡地五百里。”《吕覽・貴信》云:“封以汶南四百里。”(管子多後人羼入,而其《大匡篇》但云“輿地以汶爲竟也”。)《齊策》及《淮南・氾論》云:“喪地千里”,魯地安得如此之廣,汶陽安得如此之大。不辨而知其诬誕矣。(葉夢得《春秋考》以曹劌、曹沬爲二人,非也。)”

㊽⁶ 豫讓,晋卿智伯門客,趙襄子滅智氏,豫讓謀復仇,甚至毁容殘身,友人勸他僞事襄子,再乘機報復,豫讓認爲如委身事人,就不應再有二心。司馬遷認爲這是一種義行。

597 愚按:此爲司馬遷列傳中的類傳體制,一傳中包括若干行迹相近的人物,此傳除叙録中標舉的曹沬和豫讓外,還有專諸,聶政和荆軻等人。《史記志疑》卷三十六云:“十一傳(指《儒林》、《循吏》等十一篇合傳)當在司馬相如傳後。以儒林、循吏、酷吏、貨殖(與平准相表裏)、刺客、遊俠、滑稽、佞幸、醫方、日者、龜策爲次,(《史通・編次篇》言,龜策異物,宜與八書齊列,非也。史公乃傳能占龜策之人耳。)至刺客之爲傳,説在傳中。”

598 明,明確,公開表明;畫,計畫,引申爲理想。李斯能公開表示自己的理想。愚按:本傳之首記李斯在楚從荀卿學成後,曾估計楚王不足共事,六國又弱不能建立功業,便準備入秦去實現自己的理想,在辭别荀卿時曾公開表示自己要到秦去遊説的計畫。司馬遷叙録此語,當系指此。

599 因時,借機會,碰到機會;愚按:李斯曾表示過“得時無怠”(抓住機會就不要放棄)的思想,此因事即得時之意。推,扶,輔佐。李斯抓住了扶助秦的機會。

600 使秦達到吞併諸侯統一天下的目的,李斯是主要的謀劃者。

601 開地,開拓土地,益衆,更廣;靡,羈靡;塞,固,都是險要的意思;榆中,郡名,前人説法不一,張守節以爲在勝州北河北岸,今内蒙古河套東北岸。

602 填,鎮;塞,險要;廣,擴大,有屏障的意思。劉邦得趙地,立張耳爲趙王,居趙舊地,所以説鎮趙,而以常山爲險要,作爲河内郡的屏障。

603 弱,削弱;權,力量。陳餘攻張耳,張耳歸附於漢,這樣實際上增強了漢的力量,而削弱了楚的力量。

604 明,昭明;信,信義。劉邦與張耳有故舊,張耳歸漢,邦厚遇之,並封張耳爲趙王。這件事使劉邦顧念故舊的信義之行昭示於天下了。

605 西河、上党,魏地名,張文虎《校刊史記三家注札記》卷五“毛本西作兩”;兵,軍隊。魏豹集合了魏地的軍隊歸漢,並隨漢攻楚于彭城。

606 越,彭越;苦,困;侵掠梁地,漢王三年,劉邦已敗于彭城,彭越常往來爲漢遊兵,襲擊楚,並搶糧,斷絶楚從梁所得的補足糧食。給項羽造成了困難。梁地,在楚漢相持之間的地方。

607 淮南,黥布所據地,黥布聽漢使隨何謀,以淮南地方全部歸漢。漢四年立爲淮南王。用,憑藉。大司馬殷,楚大司馬周殷。漢朝靠著英布的關係召降了在九江(壽縣)地區的周殷,並讓殷參加了破楚戰役。卒,終於;垓下,地名,今安徽靈璧縣東南。張文虎:《校刊史記三家注札記》卷五:“中統、游、王、柯、毛本垓作陔。”愚按:周殷降漢事,觀《荆楚世家》,其功在劉賈。布傳及叙則功在黥布,應以叙傳爲是。《荆楚世家》記琅玡王入關事與齊悼惠王世家不同。劉伯莊論云:“燕齊兩史各言其主立功之迹,太史公聞疑傳疑,遂各記之,則所謂實録。”(《索隱》)清梁玉繩《史記志疑》卷三十六《作黥布列傳第三十一》條引《史通・

稱謂篇》曰："英布而曰黥布，趙佗而曰尉佗，皆出於當代，史臣編録，無復馳張。蓋取葉隨時，不藉稽古"。朱東潤《史記序傳質疑》以黥布傳所云爲"史遷之定論也"。(《史記考索》)

⑥⓪⑧ 京索，京原是春秋鄭邑，漢改京縣，今河南滎陽東南，索是索亭，在京縣境内。

⑥⓪⑨ 愚按：讀司馬遷諸列傳，其傳主身死爵削，則傳名多不署爵而直呼其名，惟韓信仍以淮陰侯傳爲名，疑司馬遷爲表示重視韓信功績的作法。本傳贊中雖評韓信伐功矜能，但也認爲他對於漢朝的功績可與周、召、太公相比。因此，韓信無論如何至少應該保留一個侯的地位，用這樣的傳名來譏諷漢朝對韓信的處理太過，清梁玉繩《史記志疑》已啓其疑：卷三十六云"史公於本朝諸臣以罪誅黜者，例不稱爵。惟淮陰之死爲寃，故書其貶降之爵而不名，以微見意云"。

⑥①⓪ 距，對敵，對峙；鞏，今河南鞏縣西南。

⑥①① 填，鎮撫；韓信，韓王信，非淮陰候韓信；潁川，郡名，今河南中部南部地區。

⑥①② 愚按：本傳中未言盧綰絶羽糧餉事。張文虎《校刊史記三家注札記》卷五"南宋游、淩本韓下有王字。"《史記志疑》卷三十六云："《索隱》本無王字，震澤本同，則遷傳及諸史記本有王字者，妄加之也。蓋叛臣削爵，即盧綰不稱燕王可見。"

⑥①③ 畔，叛。

⑥①④ 連，黏，牽制；城陽，地名，今山東鄄城縣。齊田横曾收集齊散兵數萬人反擊項羽於城陽，把項羽兵力牽制住了。

⑥①⑤ 間，間隙，引申爲機會，漢因齊牽制了項羽兵力，所以才有機會攻入彭城。

⑥①⑥ 噲，樊噲；商，酈商。此言樊、酈二人是有戰功的。

⑥①⑦ 鞭策，供驅使；脱難，樊噲曾脱劉邦鴻門宴之危難。

⑥①⑧ 愚按，此傳應名《樊酈滕灌列傳》，此簡稱，包括樊噲、酈商、夏侯嬰及灌嬰四人，夏侯嬰不稱姓而稱封號滕，是由於複姓不便稱。《史記志疑》卷三十六云："酈下脱滕灌二字，各處皆有。"

⑥①⑨ 蒼，張蒼；主計，掌管郡國簿書，是漢初應需要設立的官號。整齊，統一；度量，度量衡制度；序，編次。

⑥②⓪ 愚按，此傳雖以張蒼名，但其傳中除蒼外，尚附有周昌、任敖、申屠嘉三人傳，又按此傳叙張蒼事次序不清，序至蒼任御史大夫，即記周、任行事、然後又記蒼爲丞相以後事，疑文有顛亂。《史記志疑》卷三十六云："遷傳誤增倉字，各處無之。"

⑥②① 結言，用外交辭令相交結；結言通使，指辦外交而言；約，受漢約束；懷，懷漢威德。

⑥②② 酈生，酈食其，高祖謀士。

⑥②③ 愚按：此傳附有朱建傳，惟建傳之後又記酈食其見高祖故事。清王鳴盛《十七史商榷》稱此爲"悉褚先生妄附益耳"。

⑥②④ 周緤，常爲高祖參乘，從起兵以來，不論軍事利與不利，都不離高祖左右，隨從高祖平定了諸侯。所以他是知道秦楚間事情最詳細的人。後以功封蒯成侯。

⑥②⑤ 此傳包括陽陵侯傅寬、信武侯靳歙、蒯成侯周緤三人。愚按：傅靳稱姓而周緤以爵，司馬遷重周緤的始終如一。清梁玉繩《史記志疑》卷三十六案"'蒯'當作'蒯'，説見表，遷傳成下有'□'字，非。合傳無書'侯'者。"朱東潤《史記序傳質疑》按："本篇張晏以爲已亡，爲元成之間所補。又《功臣表》信武侯靳歙功位第十一，陽陵侯傅寬功位第十，蒯成侯周功位第二十一。不得以蒯成上掩靳傅也。疑有脱誤。序傳中如是類者不一"《史記考索》。李笠《史記訂補》卷八案："《索引》本蒯作蒯，是。"

⑥②⑥ 遷豪族，建都關中，與匈奴和親，這三件事都是劉敬的獻策。

⑥②⑦ 製定朝儀禮法是叔孫通的行事。

㉘ 愚按:劉敬和匈奴策是媚外,叔孫通制朝儀是媚内,所以司馬遷用媚的共同點把二人合在一傳。

㉙ 季布爲項羽將,屢窘高祖,羽滅,高祖以千金購求,通過朱家、夏侯嬰等人設法,高祖終於赦免季布,並任用他作臣子,當時人很稱道他的摧剛作柔,就是説高祖把嚴厲的搜捕變成赦免任用。

㉚ 欒公,欒布;不劫,不受……威脅;威,威勢;倍,背棄;死,此指被高祖所殺的彭越。高祖殺彭越,禁人收視。欒布與彭越有舊,不因這種威勢的威脅而背棄了有交誼的死者,到彭越頭下去祀哭。

㉛ 此條指袁盎事迹。袁盎能冒犯君主的顔色,使君主作應該作的事;"義",宜,應該做的事和行爲。漢文帝對待周勃過分禮遇,袁盎認爲不合適,不管文帝願意不願意,諫諍文帝應該掌握爲君的分寸。

㉜ 此條指鼂錯事迹。鼂錯看到諸侯強大,中央政權力量不足,主張削弱諸國,加強中央集權。他明知此事會引起矛盾,危及自己的身家性命,但他不顧這些,而爲國家樹立長久之計。張文虎:《校刊史記三家注札記》卷五"游本晁錯"。清梁玉繩《史記志疑》卷三十六云:"《經史問答》曰:爰晁合傳,失史法。錯雖以急切更張,蒙謗殺身,然其料七国則非過也,盎直小人之尤,但當附見晁傳。"

㉝ 此條指張釋之事迹。張釋之任廷尉,謹守成法,而不違背公理。如有人驚文帝乘馬,釋文依法處以罰金,文帝認爲太輕,應處死刑,釋之守法,不肯違理而行。

㉞ 此條指馮唐事迹。馮唐向文帝議論廉頗、李牧的成就,以影射文帝不能用將,藉以增廣文帝知人之明。

㉟ 此條指傳中諸人立身事君態度之共同點。重點指石奮、衛綰、張歐三人。"務在鞠躬君子長者",鞠躬,劉寶楠論語鄉黨注,解釋此二字較詳。

㊱ 萬石,石奮。石奮與其子四人,官皆至二千石,景帝稱奮爲萬石君。

㊲ 此傳記石奮、衛綰、直不疑、周文、張歐(張叔)五人行事。

㊳ 守節,有操守;切直,懇切率直;義,宜,正當的行爲;廉,一絲不苟,田叔任趙王張敖郎中數年,有"切直廉平"之稱。田叔持身有操守,言詞懇切率直,他的義行可以説得上是一絲不苟。

㊴ 行,行爲;厲,砥礪。田叔的行爲足以砥礪賢者。

㊵ 任重權,委任重責。田叔被託重任後,便不能用非理去阻撓他。如任魯相時,很忠盡職守,絶不因魯王許多非理的行爲阻撓了自己去盡職。

㊶ 方者,方伎之事,醫者;宗,取法。

㊷ 數,術;守數,掌握醫術。

㊸ 修,清王念孫考證:修當作循。隸書循修相似,傳寫易訛,標點本增入循字。此從王説。序,緒。後世都遵循扁鵲的餘論,不能有所改變。

㊹ 倉公,淳于意,任齊太倉長,所以稱太倉公。近之,與扁鵲醫理有接近之處。

㊺ 仲,高祖兄劉仲;省,善。漢七年,封劉仲爲代王,匈奴攻伐,仲棄國走雒陽,奪王爵,廢爲郃陽侯,雖然如此,高祖仍然善待他,封他的兒子濞作吴王。

㊻ 濞,吴王濞,劉仲之子;王,動詞,封王。

㊼ 填,鎮;江淮之間,吴地。《史記志疑》卷三十六:"濞與淮南、衡山俱帝胄大邦,不但當以類從,亦當皆次於齊悼惠王世家下,乃置濞四十六,淮南、衡山五十八,何也? 若以謀反,貶在列傳,則彼在世家者皆不反之王乎,又何相隔之遠也? 且淮南、衡山削王字,吴何以王,何以濞獨名,均所未曉。班彪譏遷黜淮南、衡山,條列不經(章懷亦言其進退之失)而

不及濞。小司馬謂濞宜與楚元王爲一篇，淮南宜與齊悼惠爲一篇，庶幾允洽。《學史》言：史叙淮南、衡山在東越、朝鮮、西南夷後，以二国固荆地，並有合于《春秋》用夷禮則夷之義，殊非。”

⑥④⑧ 嬰，竇嬰，文帝竇后從兄之子，封魏其侯。鄉，向。山東，崤山函谷關以東；滎陽，河南滎陽。竇嬰率軍抵抗崤山函谷關以東的叛亂勢力，駐守滎陽以監督進攻齊趙的軍隊。

⑥④⑨ 魏其，竇嬰封魏齊侯；武安，田蚡封武安侯。《史記志疑》卷三十六云：“《經史答問》曰：竇田薰蕕，相去遠甚。竇本不以外戚封而争梁王，争粟太子，大節甚著，不善處進退之間，自是無學術。田蚡特豎子，無一可稱，晚有交通淮南之大逆，只合黜之。史公喜道人盛衰榮枯之際，自寫其不平而不論史法，故以灌夫之故，強合竇田爲一傳也。”

⑥⑤⓪ 愚按：韓安國（字長孺）的智能足以應付當時的事變，如在梁時，設法協調梁孝王與景帝、地方政權與中央政權的關係。他秉性寬厚，使他有足夠條件去物色人才，如他所推薦的壺遂、臧固、郅他都是天下的名士。

⑥⑤① 師徒，士卒；鄉之，擁護他。

⑥⑤② 李將軍，李廣，漢名將。

⑥⑤③ 彊弱之時，指匈奴強和弱的時機；設備，防守；征伐，進攻。愚按：此二語是司馬遷立傳的依據，是説爲了要瞭解匈奴強或弱的時機，以便決定戰或守的對策，所以作匈奴列傳。《史記志疑》卷三十六云：“史詮謂‘匈奴，南越、東越、朝鮮、西南夷，大宛，四夷也。以類相從，當在雜傳之後’，此説是。小司馬亦云：司馬相如，汲鄭不宜在西南夷下，大宛不合在酷吏、遊俠之間。又遷傳衛將軍，驃騎列傳第五十，平津、主父列傳第五十一，匈奴列傳第五十二，則今本史記有訛。《正義》反謂舊本匈奴傳在第五十，非也。説者遂言司馬相如開西南夷者，故次西南夷後。匈奴傳後繼以衛霍、公孫弘，而全録主父偃諫伐匈奴書，史公有深意，並曲解耳。”案匈奴傳、衛將軍傳、平津侯傳，與漢書遷傳所載次序不合。《匈奴傳・正義》：“此卷或有本，次平津侯後五十二。今第五十者，先生舊本如此。是唐時史記本序列多從《漢書》。”

⑥⑤④ 直，改直；曲塞，曲折的邊塞；廣，開拓；河南，河套地方；靡，羈靡。

⑥⑤⑤ 衛將軍，衛青，大將軍。驃騎，霍去病，驃騎將軍。

⑥⑤⑥ 侈靡，奢侈；相高，互相争誇。

⑥⑤⑦ 弘，公孫弘，以儒術得武帝信任，爲丞相，封平津侯；用，以；節衣食，公孫弘嘗稱人主病不廣大，人臣病不儉節。自奉儉約，布被，食不重肉。百吏，百官。先，倡導。

⑥⑤⑧ 愚按：本傳題《平津侯主父列傳》，以公孫弘之外，當附主父偃之事迹。《史記志疑》卷三十六云：“《索隱》本作平津侯主父列傳，遷傳亦作‘平津主父’，但缺‘侯’字耳，則此脱‘主父’二字。史詮曰：‘太史公《平津傳》附主父偃、徐樂、嚴安三人，然行事終不相合，主父以下當别爲一傳。’”

⑥⑤⑨ 佗，趙佗，秦末爲南海尉，秦滅，自立爲南越武王。漢興，遣陸賈立爲南越王。集，安定；楊越，南越屬揚州；南藩，南部屏障。

⑥⑥⓪ 納貢賦，盡獻納進貢之職。

⑥⑥① 愚按：本傳題《南越尉佗列傳》。

⑥⑥② 甌，東甌，高祖封越東海王摇爲東海王，都東甌（浙江永寧），俗稱東甌王；斬濞，吴王濞反，從吴，吴敗，又受漢收買殺吴王濞。

⑥⑥③ 封禺，山名；閩越曾受吴王濞子子駒慫恿，攻東甌，東甌困守告急，漢發兵往救，未至而閩越撤兵，東甌仍能保有其地。爲臣，東甌請擧国内徙，全部遷到江淮之間，成爲漢的臣屬。《史記志疑》卷三十六云：“遷傳作閩越，是也。此誤東。”

⑥⑥④ 燕丹，燕太子丹；散亂，散失混亂；遼間，遼東地區。秦因燕太子丹刺秦事件，於二十九年攻燕，燕王喜逃亡遷徙到遼東地區，人民散失，情況混亂。

⑥⑥⑤ 滿，朝鮮王衛滿，本燕人；收，聚集；亡民，衛滿乘楚漢之間紊亂，收集齊燕的亡命者。

⑥⑥⑥ 海東，遼東；集，安定；真藩，遼東小國名。衛滿在遼東地區聚集勢力，並撫佞真藩等國。

⑥⑥⑦ 葆塞，保護邊塞，不使塞外少數族侵邊；外臣，外藩之臣。

⑥⑥⑧ 唐蒙，漢郎中將，奉命通西南少數民族；使，奉命；略通，略地開通；夜郎、邛、筰，都是西南少數民族政權名；内臣，與外臣相對而言，要求不作外藩之臣，而和直接臣屬一樣看待；受吏，接受漢朝委派的官吏，表示臣屬的意思。

⑥⑥⑨ 子虛、大人，司馬相如所作賦名。

⑥⑦⓪ 靡麗，文辭綺麗多彩；多誇，内容的事物和議論大都是虛誇的。

⑥⑦① 指，文章的主題思想；風，諷；無爲，聽其自然。

⑥⑦② 長，高祖少子，封淮南王。國之，封之以國，淮南王黥布叛亂失敗後，漢封劉長爲淮南王。

⑥⑦③ 填，鎮靜；剽，剽悍。

⑥⑦④ 伐功矜能，誇耀功績，自負才能。

⑥⑦⑤ 稱，贊揚；過行，錯誤行爲。《史記志疑》三十五云："史公傳《循吏》無漢以下，傳《酷吏》無秦以前，深所難曉。又所擧僅五人，而爲相者居其三，吏事不責公卿，何以入此。孫叔、子産、公儀子當與管、晏並傳爲允也。《偲聞録》曰：'循吏五人而不及漢，春秋列國賢臣尚多，而獨傳叔敖、子産、公儀，不太略乎？百奢、李離以死奉法，豈曰非賢？於循吏未甚當也。且叙事寥寥，絶無光燄'。史詮曰：'漢之循吏，莫若吴公、文翁，子長不爲作傳，亦一缺事。"朱東潤《史記序傳質疑》："按《循吏傳》孫叔敖，子産，不得言奉法循理。百姓無稱也。蓋史本有是傳而後亡之，後人攟拾補綴，不知其與《序傳》不合也。余作《紀傳書表世家傳説例》，嘗因篇第，疑《循吏列傳》之爲僞竄，觀於此而益信。"(《史記考索》)

⑥⑦⑥ 愚按：此系指汲鄭的事迹。正衣冠，整齊衣冠，武帝遇群臣，不太重禮貌，如倚在床邊接見衛青，丞相公孫弘進見時，有時他衣冠不整，很隨便，但因汲黯爲人方正嚴肅，所以武帝"不冠不見也"，這裏表示敬重的意思。就是説，汲黯立身於朝廷間很受武帝敬重。浮説，虛浮荒誕的話；長孺，汲黯字長孺；矜，矜式，楷模。

⑥⑦⑦ 此條指鄭當時的事迹。壯通莊，鄭當時字莊。《史記志疑》云："壯即莊字，鄭當時字也"。溉，此字釋者不一：(一)《集解》説，溉一作慨；(二)《正義》説，溉，量也，(三)張文虎《校刊史記三家注札記》稱，"溉下疑有焉字，與上長孺矜焉對；"(四)清梁玉繩《史記志疑》卷三十六説，"溉即既字……既者已也，助語詞。"(五)清郭嵩燾《史記札記》稱："言鄭莊薦士，其澤能溉於人也"。愚按：循叙録文字，張文虎之補焉字，舊注之釋氣量，於義爲近；梁説失意，郭説未免牽合。張文虎《校刊史記三家注札記》卷五"南宋毛本鄭作黯，《史記志疑》卷三十六引班固、王應麟"汲、鄭不當同傳"之説。並主"汲黯傳宜在韓長孺傳之前"。

⑥⑦⑧ 庠序，國家教育機關，鄉學的名稱，殷稱序，周稱庠。此指學術教化而言。

⑥⑦⑨ 愚按：文辭粲如，即文采斐然之意，武帝黜百家，尊儒術，而司馬遷小言之爲文辭粲如，意思是武帝之時，學術不過文辭而已，是一种褒詞貶意的手法，清方苞在《史記注補正》中揭示這一點説："傷武帝不能依古崇庠序以興教化，而儒術反變爲文辭之學也。"

⑥⑧⓪ 倍本，背離本業，指棄農；多巧，好投機取利，指趨商；姦軌，奸宄；弄法，玩法。

⑥⑧① 化，感化；嚴削，嚴刑峻法；齊，約束。愚按：清方苞《史記注補正》以此語爲"辭若褒美，而義存譏刺也"。方氏所言略泥，司馬遷此語似有褒酷吏懲豪強大猾之功而憐憫他們

得"酷吏"惡名之不得已。

⑥⑧② 大夏,西域國名,位於大月氏西南,今阿富汗境内。

⑥⑧③ 西極,到最西方;引領,伸頸;内鄉,嚮往中國内地;觀,觀光。張文虎《校刊史記三家注札記》卷五:"毛本觀作親。"

⑥⑧④ 大宛,西域國名,今烏兹别克共和國費爾幹盆地。愚按:此傳記西域各國情況。

⑥⑧⑤ 救,挽救;戹,困難,危險。

⑥⑧⑥ 振,賑,救濟;贍,豐足。

⑥⑧⑦ 既,失;既信,失信。《讀書雜志》云:《方言》、《廣雅》並云:既,失也。

⑥⑧⑧ 倍,背,違背;言,諾言。宋王應麟《困學紀聞》卷十一引鄭樵説:"遊俠之徒,未足爲煦煦孑孑之萬一,況能當仁義之重名乎?"

⑥⑧⑨ 説,悦;和,樂;都是迎合,討人喜歡的意思。

⑥⑨⓪ 非獨,不僅;色愛,以色取愛;能,才能;所長,所擅長。各有所長,如韓嫣善射,李延年善歌。《讀書雜志》云:能,乃也。

⑥⑨① 埶利,勢力;上下,往來的意思;凝滯,阻礙。

⑥⑨② 害,妨害,不利;以,由於;道,滑稽之道,善用言辭諷諫之道;用,使用。此傳後有褚少孫所補續傳六章。

⑥⑨③ 都各按照風俗的不同而用不同的占卜方法。

⑥⑨④ 愚按:此語是司馬遷立傳的説明,因爲要想考察日者的總的意旨,所以寫《日者列傳》。清梁玉繩《史記志疑》三十五卷:"史缺此傳,褚生取記司馬季主事補之,序論亦僞記,然其文汪洋恣肆,頗可爱頌。"

⑥⑨⑤ 龜,龜甲,卜筮時所用的工具。三王所占卜的龜是不同的。

⑥⑨⑥ 四夷,四方各少數民族;異卜,占卜方法不同。

⑥⑨⑦ 愚按:此傳純系褚少孫所妄補,内容繁蕪淩雜。又按:日者言人,龜策言事,二者實無分列必要。《索隱》云:"三王不同龜,四夷各異卜。其書既王,無以紀其異,今褚少孫唯取太卜占龜之雜説,詞甚煩蕪,不能翦裁,妄加穿鑿,此篇不才之甚也。"《史記志疑》卷三十五云:"附案,史公此傳亡,褚生補之,而其序則託之史公者也。"

⑥⑨⑧ 取與,買賣;以時,按照時間不同的需要;息,增長,滋息。這句話的意思是:富賈們按照客觀的需要(不同的時間有不同的需要)作買賣,來增加自己的財富。

⑥⑨⑨ 愚按:此傳是司馬遷有深刻寓意的一篇文章。班固在遷本傳中譏評司馬遷:"述貨殖,則崇勢利而羞貧賤。"元王若虚甚至認爲司馬遷在這篇文章中議論是"罪不容誅"。這都是膚淺的污詞;清郭嵩燾《史記札記》稱"史公傳貨殖,自寫其湮鬱",而攬括天下大勢,上下古今,星羅棋布,惟所指畫。前後分立數傳,要自一氣灌輸,是一篇整段文字,中間指數關中、巴、蜀、天水、北地、上郡列郡情形,爲一大樞紐,亦見漢世承六國之遺,撫臨郡國,相獎勢力,盡天下皆然,而能者遂以致富,高掌遠蹠,睥睨千古。此自史公發攄生平一段胸臆,與他傳體全别,班固譏之,故爲不倫。"郭氏此論,確有卓識。司馬遷之所以能寫此巨製,正以身遭非刑,"家貧財賂不足以自贖"的經歷,而發出這種憤激言論。

⑦⓪⓪ 統業,漢書遷本傳作絶業,王念孫考證認爲應作絶業,標點本補入絶字,此從之。《讀書雜誌》云:"統當從《漢書》作絶,絶業與末流對。《文選》頭陀寺碑注引史記,正作絶。"

⑦⓪① 此二語是絶業的進一步説明。撥,廢除。

⑦⓪② 國家藏書所在。

⑦⓪③ 金匱,以金爲匱,藏書的地方;玉版,用文字刻在玉版上的重要文件。

⑦⓪④ 蕭次編次法律。清程餘慶云:"《刑法志》'蕭何采摭秦法,取其宜於時者,作律九

章。’”(《歷代名家評注史記集説》)

⑳⑤ 韓信闡述兵法。清程餘慶云:“《藝文志》《韓信》三篇,在兵法權謀家。”(《歷代名家評注史記集説》)

⑳⑥ 張蒼訂定制度。清程餘慶云:“章,歷數之章術。程,權衡丈尺斛斗之平法。《張蒼》十六篇,在陰陽家。”(《歷代名家評注史記集説》)

⑳⑦ 叔孫通制定禮節。

⑳⑧ 文學,文化;彬彬,文質相合,既有好的形式,也有豐富的内涵。

⑳⑨ 間出,不斷出現。

⑰⑩ 蓋公,齊膠西人,言黄老之學。事見《曹相國世家》。

⑰⑪ 賈生,賈誼。《史記志疑》卷三十六云:“史公言賈生明申商,與鼂並稱,似未當。”清程餘慶云:“《賈誼》五十八篇,在儒家。《鼂錯》三十一篇,在法家。”(《歷代名家評注史記集説》)申、商:申不害與商鞅。

⑰⑫ 公孫弘以提倡儒術而貴。清程餘慶云:“公孫弘十篇,在儒家。”(《歷代名家評注史記集説》)

⑰⑬ 漢統一至武帝太初年間。

⑰⑭ 遺文,流傳下來的文獻;古事,舊事。

⑰⑮ 纂,通纘,繼續。

⑰⑯ 於戲,嗚呼。

⑰⑰ 指史官的職務。

⑰⑱ 欽,敬;欽念哉,好好地記住吧!

⑰⑲ 放失,散失;舊聞,故事。罔,通網。清程餘慶云:“舊聞有放失者,網羅而考論之。”(《歷代名家評注史記集説》)

⑰⑳ 王迹,王業;原,推原;始,興起;察,考察;終,衰亡。分析研究興起衰落的原理。

⑰㉑ 見,表現出;觀,看到。顯示出盛衰的情況。

⑰㉒ 論,論述;考,驗證;行事,具體史事。把論述和史實相驗證。

⑰㉓ 三代,夏、商、周。三代史料缺乏,所以大致推考一下。秦漢史料豐富,所以詳細記録。

⑰㉔ 軒轅,黄帝。

⑰㉕ 兹,漢武帝時。

⑰㉖ 科條,科分條例,立大綱之意。此指本紀已成,大綱已立。清方苞《又書太史公自序後》云:“本紀十二曰著者,其父所科條也。餘書曰作者,已所論載也。總之曰太史公序者,明是書乃其父之書而已不敢專也。其本傳曰:‘請悉論先人所次舊聞,不敢闕,故序書既終,而特以是揭其義焉。’”(《望溪先生文集》卷二)

⑰㉗ 並時,當代;異世,過去;年差,年次;不明,不清楚。

⑰㉘ 指《禮書》、《樂書》。

⑰㉙ 指《曆書》。張文虎:《校刊史記三家注札記》卷五:“曆字,毛本作數。”

⑰㉚ 兵權指《律書》,山川指《河渠書》,鬼神指《封禪書》。李笠:《史記訂補》卷八案:“《漢書》云:‘十篇缺,有録無書’。注:張晏謂‘遷没後,亡《兵書》’。師古曰‘序目本無《兵書》’,張云亡失,非也。劉奉世云:‘《兵書》即《律書》’。今按:上文序《律書》云:‘非兵不强’。《索隱》云:此《律書》之《赞》而云‘非兵不强者,則此《律書》即《兵書》也’。古者師出以律,則凡出軍皆聽律聲,故曰:‘聞聲效勝負,望敵知吉兇也’。此注云《兵書》亡,少孫以《律書》補之,是復以兵律歧而爲二,非僅爲小顏所非,抑亦前後矛盾矣。《索隱》本‘即《兵書》也’,

‘兵’作‘律’(局本已据改)無‘遷没……補之’十三字,‘今’上有‘其云兵’三字,較是。然《赞》云百三十篇,《索隱》亦云《兵書》亡不補,略述律而言兵,誤同。”清梁玉繩《史記志疑》卷三十六謂“兵權即《律書》,似複初,當衍‘兵權’二字(《索隱》言《兵書》亡,妄也。)山川謂《河渠書》,然史有《河渠》而無地理,遂使自秦已前山野分畫,郡邑沿革,與夫名山之割棣開通,川源之遷移阨塞,皆湮没無考。《河渠》一書,豈足以概山川哉!”

㉛ 指《天官書》。

㉜ 指《平準書》。

㉝ 北辰,北極,星名,諸星都圍繞它。二十八宿,我國古代天文家將周天行星分劃爲二十八個星座。此用北辰喻君,諸星喻臣。

㉞ 輻,車輻;轂,車輪軸心;車輻聚於車輪軸心。此用轂喻君,輻喻臣。

㉟ 星與輪都是周而復始運轉不盡的,比喻臣以君爲中心,也同樣是無窮盡的。

㊱ 清程餘慶云:“拂,弼也。言文武之臣輔佐天子,如衆星拱繞北辰,諸輻咸歸一轂也。”(《歷代名家評注史記集説》)輔拂,拂通弼,輔弼;股肱,股是大腿,肱是手臂從肘到腕的部分。這是人體活動最不可缺少的部分,以比喻輔佐得力的大臣。配,相合。

㊲ 奉,奉事。主上,君主。《史記志疑》卷三十六評《史記》世家諸篇“似不得其序”,並定一次序。又以吴芮不列世家爲缺。

㊳ 扶義,持義,扶持正義;俶儻,不平常,出色人才。

㊴ 失時,失掉機會。

㊵ 清程餘慶云:“言扶義俶儻之士,能立功名於當代,不後於時也。”(《歷代名家評注史記集説》)

㊶《史記志疑》卷三十六《作七十列傳》條,以史記列傳有失次,有應傳不傳者,爲未曉其“去取之義”。愚按史公草紀傳未遑完備,且仁智各有所見,固未可以後人而繩前賢也。惟《史記志疑》卷三十六“凡百三十篇”條曾総評史記,以其“變編年之例,突起門户”,有鑿荒開創之功,駁班固對史記之譏評。

㊷ 太史公書非定名,史記全書字數系司馬遷自記的數字,後來經過删補改動,所以與現在《史記》全書總數字不符。清梁玉繩《史記志疑》卷三十六認爲史公所述字數與今本不合的原因是“今本史記歷經後人增删,非史公之舊。增者猶可辨其僞,删者無從得其真。”《漢志·春秋家》著録太史公百三十篇,是以太史公官名爲書名,《五行志》及《後漢書·班彪傳》有《史記》之名,清錢大昕《廿二史考異》卷五非之,言“此范蔚宗增益,非東觀舊文”,是以史記名遷書之始,但亦似指史藉而言,《漢書考異》:“班固所云史記非太史公書,古列國之史俱稱史記也。”《史記志疑》卷三十六云:“《史記》之名,當起叔皮父子,觀《漢·五行志》及《後漢·班彪傳》可見,蓋取古史記之名以名遷之書,尊之也。”清錢大昕《廿二史考異》卷五:“子長述先人之業,作書繼《春秋》之後,成一家言,故曰《太史公書》,以官名之者,承父志也”清程餘慶云:“言《史記》乃其父所著書,而已序之也。”(《歷代名家評注史記集説》)隋志以《史記》之名正式著録,以後相沿使用《史記》。朱東潤《史記考索·史記名稱考》云“稱《太史公書》爲《史記》者,其起于班、范之間乎?”遂成太史公書的定名。張文虎《校刊史記三家注札記》卷五:“《索隱》本引上五字不連序字,疑當屬下句”。近人錢鍾書:除記大昕之説外,又引“桓譚、《漢·志》、《後漢·范升傳》、《楊終傳》、俱稱《太史公》,無稱《史記》者”。又按“光聰諧《有不爲齋隨筆》卷甲謂錢(大昕)氏漏引《法言·問神》及《君子篇》、《晋書·劉殷傳》、《魏書·崔鴻傳》等,《後漢書·班彪傳》:‘司馬遷著《史記》’是泛言作史故下文又云:‘太史公書’。光氏復引《周本紀》、《陳杞世家》、《十二諸侯年表》、《老韓列傳》及《漢書·五行志》以駁《史通》言遷因舊目,名之《史記》,謂其上句是而下句失考。”

(《管錐篇》第一册,頁 394)

⑭3 序略,言其大概,引申作總括大意。愚按:或有云"序略"二字,"序"屬上,"略"屬下。

⑭4 拾遺,收集遺文;補藝,《索隱》云:《漢書》遷本傳作補闕,補六經的不足。李笠《史記訂補》卷八案:"今《漢書》亦作蓺,注:孟康曰:蓺音褉,謂裳下懔褉。李奇曰蓺,六蓺也。師古曰:蓺古藝字。以諸説覈之,《漢書》不作闕可知。《集解》取李説亦是班馬同文之證。宋宋邠校《漢書》曰:越本補下有闕字,闕蓺字連,不成文義,小司馬所見之誤本即宋代所傳之越本乎?"

⑭5 把許多材料,經過删削加工,編次成自成體系的著述。

⑭6 協,調和;異傳,不同解釋,不同意見。司馬遷折衷諸説,自成一説,希望這一説能調協各家之説。

⑭7 整齊,整理編次。

⑭8 名山,國家藏書處。所藏可防流失。

⑭9 副,副本;在京師,流傳於京師。

⑮0 清王念孫考證,此句本作"以俟後聖君子"。張文虎《校刊史記三家注札記》卷五"漢傳作以俟後聖君子,與《索隱》本同。《雜誌》云:今本無以字,有世人二字,皆後人所改。"

⑮1 愚按:此段文字系自序的叙録,重複叙述史記之編纂、體制、作用等等。

⑮2 朱東潤《史記終於太初考稱》:"史遷視元狩、元鼎、元封直至太初改定新歷,爲一整個之時期。獲白麟、得寶鼎、爲受命之起點;封泰山、禪梁父,爲受命之中峰;而改正朔,易服色,爲受命之終極,所以同時並陳而歸命于穆清者此也。就此整個時期之起點而言,則曰"至于麟止";就此整個時期之終點而言,則曰'太初而訖。'""然在今日,必爲《史記》立一斷限,自不得不据此時期之終點而言,故曰'終於太初',此則證之本書而可信者也。"(《史記考索》)

⑮3 王國維《太史公行年考》云:"史公所著百三十篇,後世謂之《史記》,《史記》非公所自名也。史公屢稱'史記',非自謂所著書。……漢人所謂'史記',皆泛言古史,不指太史公書……稱太史公書爲史記,蓋始於《魏志·王肅傳》,乃太史公記之略語。"(《觀堂集林卷十一》)史記一百三十篇,漢志稱十篇有録無書,《索隱》、《正義》均引張晏説,遷没以後,亡景紀、武紀,禮書、樂書、律書、漢興以來將相年表,日者列傳,三王世家、龜策列傳、傅荆蒯成列傳。元成之間,褚先生補闕,作武帝紀、三王世家、龜策、日者列傳,言辭鄙陋,非遷本意也。清吴見思曰:"《史記》自黄帝本紀起一百三十,合而論之,總是一篇。篇終必須收束得盡,承載得起,方無虎頭鼠尾之病。此篇以自序世系,逐層卸下,而中載兩論,氣勢已極崇隆,後乃排出一百三十段,行行列列,整整齊齊,而中間復錯綜變化作一層,無往不收,無微不盡,作書至此,無遺憾矣。"(《歷代名家評注史記集説》)清方苞《又書太史公自序》雲:"其復出餘述歷黄帝以來至太初而迄百三十篇,蓋舉其凡計綴於篇終。猶《衛霍列傳》特標左方兩大將軍及諸裨將名耳。"(《望溪先生文集》卷二)

主要參考書

1 瀧川資言:《史記會注考證》

2 程餘慶:《歷代名家評注史記集説》

3 方苞:《史記評論》(《望溪先生文集》)

4 姚鼐:《史記筆記》(《惜抱軒集》)

5　梁玉繩:《史記志疑》
6　邵懿辰:《書太史公自叙後》(《半巖廬集》)
7　沈修:《史記自序書後》(《未園集略》卷七)
8　郭嵩燾:《史記札記》
9　王國維:《觀堂集林》
10　高步瀛:《史記太史公自序箋證》
11　朱東潤:《史記考索》
12　李笠:《史記訂補》
13　王曉傳:《太史公自序注》(《史記選注》)
14　張文虎:《校刊史記集解索隱正義札記》(引用時簡稱《校刊史記三家注札記》)

後　記

少好讀史,《史記》爲讀史第一種。中學時代,謝國捷老師命讀前四史,並告以讀《史記》當先讀《自序》,得其大要,然後讀紀、傳、書、表。迨上世紀四十年代中期,負笈京華,就讀輔仁大學,受業於新會陳援庵老師,又命讀《史記》,並告以先讀《自序》,始悟此爲前輩學者經驗之談,乃潛心讀《自序》,亦隨手札録有關問題,旁參群籍,成札記多則。其後與學生及青年學人曾多次講論《太史公自序》,皆有訂補。上世紀六十年代漸成《太史公自序箋釋》一文,約五六萬字,藏之櫃篋。今夏整理廢舊叢稿,得此舊作,字多漫漶,文亦殘缺。粗加整理,得注釋解説700餘條,自視淺陋,不敢以《箋釋》名篇,乃易稱《太史公自序講義》,並重加增訂,付之書刊,以求正於賢達。

《太史公自序講義》經多次增訂整理,多承天津圖書館常虹女士襄助打印,爲我節省精力,特致謝意!

2012年12月修訂稿

【作者簡介】 來新夏,1923年生,歷任南開大學歷史學教授、校務委員、圖書館館長、出版社社長兼總編輯、圖書館學情報學系主任等職,現任教育部地方文獻研究室主任。

《南部新書》溯源簡論

梁太濟

《南部新書》一書的内容，作者親歷者絶無，親聞者絶少。

作者錢易生活的年代，主要在北宋真宗朝，而《南部新書》所載，百分之九十五以上爲唐、五代事，絶不可能親歷，所聞也只可能是隔代傳聞。其所撰述，依據的是前人或時人的現成著作。

其子錢明逸《南部新書序》："先君尚書，在章聖朝祥符中，以度支員外郎直集賢院，宰開封。民事多閑，潛心國史。"其直集賢院，始于大中祥符二年末或三年；宰開封，約大中祥符五年秋冬。館職使他有了廣泛閲讀館閣豐富藏書的方便，以館職知赤縣"民事多閑"又使他有了較豐裕的時間，得以從事撰述。宋初總結前代文獻的幾部大書，《太平廣記》《太平御覽》《文苑英華》《開寳大藏經》，已分别修成于太平興國或雍熙年間，《册府元龜》亦修成于大中祥符六年八月。這些，都使他的撰述，方便之中增添了更多的方便。

錢易撰述所依據的前人或時人著作都有哪些呢？

一　源自國史的内容份量不輕

筆記與史，在内容上是否有不可逾越的鴻溝？作爲筆記小説林藪的《太平廣記》，其書首所附"引用書目"中，即列有《史記》、《漢書》、范曄《後漢書》、《三國志》、《晋書》、《宋書》、《後魏書》、《唐史》等正史，其它史書更多。《唐語林》書首"原序目"所列小説五十家，其中也有《唐會要》一家。表明這些史書中都含有與筆記小説相當的内容。唐修《晋書》，《世説新語》的不少内容被修進書中，《新唐書》《資治通鑒》也曾大量援用筆記小説資料。筆記《隋唐嘉話》《大唐新語》乃至《譚賓録》，其内容又都主要取材于唐之《實録》《國史》。正是有鑒于此，整理涉唐筆記小説的集大成著作《唐人軼事彙編》，在材料取捨上，遂擬定了這樣一條凡例："本書不録正史，搜采範圍以唐宋人撰雜史、傳記、故事、小説爲主。與正史記載類同之資料，其成書在正史之前者則録入，以見正史來源；其成書在正史之後而顯系采自正史者則不收。"

《南部新書》作爲一部以選録前人的現成著述爲主寫成的筆記，其中源自國史系列的份量即相當不輕。此所謂國史，具體地説，是指《舊唐書》，《舊五代史》，《唐會要》，《五代會要》，《太平御覽》引録的《唐書》、《五代史》，《册府元龜》中的唐五代部分。其源自《舊唐書》者大都集中于甲　、乙、丙三卷，源自《唐會要》者以見于戊、壬者較多，而源自《舊五代史》者則多集中于癸卷。有些事條的内容,《舊唐》《會要》往往雷同重叠,很難準確區分究竟出于何書。不見于今本《舊唐》、《舊五代》、唐五代《會要》,而僅見于《御覽》《元龜》的事條,可能是其佚文,但也不一定全是佚文。因爲在《舊唐》《舊五代》以外,《元龜》尚録有列朝《實録》乃至《唐年補録》等書,《御覽》在《唐書》名下所録,是否全是劉昫《唐書》也還存有疑問。但是不管怎樣,全屬國史系統則無可懷疑。

甲 45 條:

> 建中末,姚況有功于國,爲太子中舍人。旱蝗之歲,以俸薄不自給,而以餒終。哀哉!

此條今見《册府元龜·總録部·運命》,如下:"姚況爲涇原判官,知州事。建中四年,德宗幸奉天,況發甲仗器械,車百餘輛,送至行在。及京師平,拜太子中舍人。況性簡退,未嘗言其功。旱蝗之歲,俸寡不自給,竟以餒終。"(895/19a)其中"送至行在"前,今亦見《舊唐書·張鎰附馮河清傳》(125/3549)。頗疑"及京師平"以下,亦是此傳佚文。蓋甲卷源自《舊唐書》者近 40 條,此條緊前 6 條,緊後 5 條,亦皆録自《舊唐書》,此條不應例外。《新唐書·馮河清附姚況傳》當據舊傳删潤,作:"京師平,贈河清尚書左僕射,拜況太子中舍人。況性簡退,未嘗言功,屬歲凶,奉稍不自給,以饑死。"(147/4755)亦可爲旁證。又,甲 66 條:

> 牛僧孺三貶至循州。本傳不言,漏略也。

此條亦載甲卷,"本傳"指劉昫《唐書》的本傳,今見于《舊唐書·牛僧孺傳》者,似無散佚,當與之同,確僅載:"會昌二年,李德裕用事,罷僧孺兵權,征爲太子少保。累加太子少師。大中初卒,贈太子太師,謚曰文貞。僧孺少與李宗閔同門生,尤爲德裕所惡。會昌中,宗閔棄斥,不爲生還。僧孺數爲德裕掎摭,欲加之罪,但以僧孺貞方有素,人望式瞻,無以伺其隙。德裕南遷,所著《窮愁志》引里俗犢子之讖以斥僧孺,又目爲太牢公,其相憎恨如此。"(172/4473)不只本傳,本紀亦壓根未載牛僧孺之貶。"牛僧孺三貶至循州"事,見李珏《牛僧孺神道碑》、杜牧《牛僧孺墓志銘》。此條隔前一條,即甲 64 條載駙馬都尉鄭潜曜孝行,源出獨孤及《鄭駙馬孝行記》,文載《文苑英華》卷八三〇。而牛僧孺的《碑》《志》則分别載于《文苑英華》卷八八八和卷九三八。當是在閲讀《文苑英華》中,於録載鄭潜曜事先後,寫下這一事條的。從中亦可見,在《南部新書》撰寫過程中,對于《舊唐書》的重視和用力之勤。

《舊唐書·姚崇傳》記載玄宗行幸東都前夕,因太廟屋壞引起的一場討論:"玄宗將幸東都,而太廟屋壞。上召宋璟、蘇頲問其故,璟等奏言:'陛下三年之制未畢,誠不可行幸。凡灾變之發,皆所以明教誡。陛下宜增崇大道,以答天意,且停幸東都。'上又召崇問曰:'朕臨發京邑,太廟無故崩壞,恐神靈誡以東行不便耶?'崇對曰:'太廟殿本是苻堅時所造,隋文帝創立新都,移宇文朝故殿造此廟,國家又因隋氏舊制,歲月滋深,朽蠹而毁。山有朽壞,尚不免崩,既久來枯木,合將摧折,偶與行期相會,不是緣行乃崩。且四海爲家,兩京相接,陛下以關中不甚豐熟,轉運又有勞費,所以爲人行幸,豈是無事煩勞? 東都百司已作供擬,不可失信于天下。以臣愚見,舊廟既朽爛,不堪修理,望移神主于太極殿安置,更改造新廟,以申誠敬。車駕依前徑發。'上曰:'卿言正合朕意。'"(96/3025)丁 11 條:"長安太廟殿,即苻堅所造。"即源于此。類似這樣節取長篇議論或大段記事中的片言隻語以爲事條或事條主體的現象,書中時有所見,而以源于國史系列者爲較多。如:"長安令李濟得罪因奴,萬年令霍晏得罪因婢。"(甲 44。源自《舊唐書·張鎰傳》)"巷議街談,共呼坊門爲宰相。"(丙 24。源自《唐會要》卷四三《水灾》。)"蕃中飛鳥使,中國之驛騎也。"(乙 75。源自《唐會要》卷九七《吐蕃》。)可見一般。

經粗略統計,源自國史系列的事條共 243 條,約占全書共 863 條的 28%强。確實份量不輕。《唐人軼事彙編》的編者由于忽視了《南部新書》淵源所自的這一特點,遂將不少顯系采自《舊唐書》《舊五代史》的記述搜録進了書中,筆者發現的即近 50 條,從而違背了自家擬定的凡例。

源自國史系統事條一覽:

甲卷:1、2、7、8、10、11、17、20、21、22、23、28、30、32、33、34、35、36、37、39、40、41、42、43、44、45、46、47、48、49、50、51、52、56、57、58、59、60、61、62、63、65、69、73、74、75、76、77、78、82、83、84、85

乙卷:1、2、5、6、7、10、13、14、15、16、17、21、22、23、26、27、28、38、42、44、46、47、50、51、56、58、59、60、62、63、68、69、70、71、72、75、77、78、81、82、84、85

丙卷:1、2、3、4、5、6、7、9、10、13、14、15、16、17、18、19、20、22、23、24、28、29、33、34、50、51、53、54、56、58、60、63、65、66、67、70、72、77、80、85

丁卷:1、2、6、11、15、16、29、36、37、43、44、45、46、47、48、51、57、58、59、61、75、76、80

戊卷:2、3、4、6、8、9、12、17、23、24、25、26、27、28

己卷:3、4、42、48、51、52、53、67、73

庚卷:2、21、22、23、30、33、39、50、61、62、83

辛卷:7、23、24、25、26、30、37、67、69、70、74

壬卷:5、7、9、10、11、13、14、18、19、27、28、33、34、36、40、41、42、43、46、47、53、65、66、73

癸卷:26、34、35、36、37、38、57、58、59、60、61、62、63、64、65、75、78、83、86

二　徑録《廣記》的筆記幾占半數

《太平廣記》爲小説林藪。太平興國二年三月奉敕撰集,次年八月書成奏進,奉敕送史館。太平興國六年正月奉旨雕印板,後以言者謂非後學所急,乃收板貯太清樓。而送史館之本見在,在館閣中閲讀仍極方便。《南部新書》源于筆記小説部分,直接録自《廣記》者幾占半數。

如書中源自劉餗《國史纂異》(即《隋唐嘉話》)的 3 條,其丁 68“元行沖在太常”條雖無確據,而另外 2 條却都留有可資佐證的痕迹。如戊 71 條:

明皇爲潞州別駕,有軍人韓凝禮,自謂明五兆,因以食箸試之。既而布卦,一箸無故自起,凡三偃三起。

原書、《廣記》與之彼此有一些異文,而關鍵詞,《廣記》“知五兆”(135/972)較之原書“知兆”(下/46)顯然與 “明五兆”更爲接近。又如己 49 條:

貞觀中,尚藥奏求杜若,敕下度支。有省郎以謝朓詩云“芳洲采杜若”,乃委坊州貢之。本州曹官判云:“坊州不出杜若,應由讀謝朓詩誤。郎官作如此判事,豈不畏二十八宿笑人耶?”太宗聞之,大笑。改授雍州司法。

《廣記》卷四九三“度支郎”録《國史》(汪校:“明鈔本、陳校本作出《國史纂異》。”),一字不差。(4048)然見于今本《隋唐嘉話》卷中者,却行文全異:“宋謝朓詩云:‘芳洲多杜若。’貞觀中,醫局求杜若,度支郎乃下坊州令貢。州判司報云:‘坊州不出杜若,應由謝朓詩誤。’太宗聞之大笑。判司改雍州司法;度支郎免官。”(20)或者《廣記》所據本與今本祖本非同一版本,却可證《新書》此條確系直接録自《廣記》。

此外,再未發現有源自《嘉話》而爲《廣記》所未録的事條。這是更强有力的標志,表明書中源自《嘉話》的事條并非直接録自于原書。

源自張鷟《朝野僉載》者共 12 條,亦全見《廣記》引録。4 條今本未載,即據《廣記》補輯。其中録于戊卷的 4 條(戊 60、61、62、67),與同在此卷的其前後共 13 條(戊 59—71),實際上都自《廣記》轉録。其原書除《僉載》外,尚有《三水小牘》、《廣德神異録》、《北夢瑣言》、《廣異記》、《紀聞》、《盧氏雜説》、《杜陽雜編》、《真陵十七史》、《國史纂異》。除《北夢瑣言》、《盧氏雜説》、《杜陽雜編》外,其餘 6 種皆無從《廣記》之外録入的事條。源自此三書的事條,雖然并非全從《廣記》轉録,而此卷此處却是直接從《廣記》録入的,詳下。

丁卷 26—44 條也是比較集中地直接録自《廣記》的例證:

26 條	卷 169	出乾𦠆子	27	168	尚書故實
28	168	北夢瑣言	29	169	譚賓録
30	167	乾𦠆子	31	169	廣人物志
32	169	朝野僉載	33	165	譚氏史
34	169	定命録	35		(未詳所自)
36	186	唐會要 74	37	187	唐會要 51
38	187	國史補	39(後半)	167	譚賓録
40		(未詳所自)	41	187	盧氏雜説

42	187	盧氏雜説	43	(未詳所自)
44	186	唐會要 74		

這些前後緊相挨連的事條,除未詳所自者外,共16條,源自11種書,本是相當分散的。由于曾被《廣記》引録于鄰近的數卷,《新書》才能這樣方便地將之集中轉録在一處。其中《乾饌子》《譚賓録》《廣人物志》《朝野僉載》《譚氏史》《定命録》6種,皆未見另有從《廣記》之外録入的事條。

源自《國史補》的丁38條:

長慶初,每大獄,有司斷罪,又令給事中、[中]書舍人參酌出入,百司呼爲參酌院。今審刑院,即其地也。

關鍵句,原書作"又令中書舍人一員參酌而出之"(下/50),《廣記》作"又令給事中、中書舍人參酌出入之"(187/1398)。全書源自《國史補》者共14條,4條未見《廣記》引録,可信録自原書,而本條却直接轉録自《廣記》。

源自《會要》的3條,丁36、丁37,原書一在卷七四,一在卷五一,《廣記》却在相鄰的卷一八六、卷一八七。丁44末句:"時人曰:'前有裴、馬,後有盧、李。'裴即行儉,馬即馬戴,李即朝隱。"原書:"時人曰:'前有裴、馬,後有盧、李。'謂裴行儉、馬戴、李朝隱。"(1594)"謂"以下爲注文。《廣記》:"時人曰:'前有裴、馬,後有盧、李。'裴即行儉,馬謂戴,李謂朝隱。"(1390)也表明確自《廣記》直接轉録。

全書源自《北夢瑣言》的共25條,6條未見《廣記》引録,當直接録自原書。但如庚77條:

沈詢有嬖妾,其妻害之,私以配内竪歸秦,詢不能禁。既而妾猶侍内,歸秦耻之,乃挾刃伺隙殺詢及其夫人于昭義使衙。是夕,詢嘗宴府中賓友,乃更歌著詞令曰:"莫打南來雁,從他向北飛。打時雙打取,莫遣兩分離。"及歸而夫妻并命。時咸通四年。

原本行文甚異:"唐沈詢,侍郎亞之之子也。……詢鎮潞州,寵婢,夫人甚妒,因配與家人歸秦。其婢旦夕只在左右,歸秦慚恨,伺隙剚刃于詢,果罹凶手。殺歸秦以充祭,亦無及也。"(12/97)而《廣記》所載却幾乎全同。表明在據原本録入的同時,也曾從《廣記》轉録。上揭丁28條亦是其從《廣記》轉録的一事例。

《盧氏雜説》今僅存殘本。源自此書者共16條,13條亦見《廣記》引録,2條見《類説》卷四九節録,另1條曾爲《雲麓漫鈔》卷三引據。源自《尚書故實》者共12條,未見《廣記》引録的7條集中見于乙、丙兩卷。兩書都從原書録入,但上揭丁27、丁41、丁42、戊68諸條也絕不排除其有從《廣記》直接轉録的可能。

丁39條:

李翺在湘潭,收韋江夏之女于樂籍中;趙驊亦于賊中贖江西韋環之女。或厚給以歸親族,或盛飾以事良家。此哀孤之上也。

此條已經過改寫。僅後半源出《譚賓録》的趙驊事直接轉録自《廣記》,前半李翱事源出范攄《雲溪友議》卷上《舞娥異》(20),《廣記》却未曾引録。《新書》中源自《譚賓録》的事條有十,皆見《廣記》引録;源自《雲溪友議》的事條有五,僅二條亦見《廣記》引録。李翱事當是據原書先已録存,而在又從《廣記》録入趙驊事後,感到兩者内容相近,遂予合并改寫的。另,丁13條似也值得一談:

有李參軍者,善相笏,知休咎必驗,呼爲李相笏。又有龍復本者,無目,凡有象簡竹笏,以手拈之,必知官禄年壽。

李參軍事源出《逸史》,龍復本事源出《劇談録》,《廣記》引録于卷二二四,不僅同卷,且前後緊挨。源于兩書的兩條記載,由于《廣記》已經録爲一前一後兩條,位于一處,才被《新書》節録爲一條的。

源自段成式《酉陽雜俎》者共26條,4條未見《廣記》引録,可信此書系從原書録入,然亦不排除同時也有徑從《廣記》録入者。庚26、庚28、庚34、庚78,原書分别載續集卷八、續集卷二、前集卷一四、前集卷一七,《廣記》皆引録于卷四七七,另有庚5,原書載續集卷三,《廣記》引録于卷四七六,而在《新書》中,則同載于庚卷一卷之内,即透露出了徑從《廣記》録入的信息。

可見,《南部新書》中源自前人筆記小説的内容,有從原書録入的,也有徑從《太平廣記》轉録的。即使從原書録入,也絶不排除同時亦有徑從《廣記》轉録者。粗略估計,徑從《廣記》録入的部分,幾近半數。

全從《廣記》轉録諸書一覽:(共43種)

朝野僉載(丁32　戊60、61、62、67　己55　庚12、31、32、58、69　辛55)

大唐傳載(丙77　丁17、79　庚55　辛16、59、60、61、62、63　壬70)

譚賓録(丙7、64　丁4、29、39　戊81　庚2　辛24、56、58)

幹朘子(丁26、30　戊43　庚47、54)

玉堂閑話(丙76　丁74　己13　庚51　癸66)

御史台記(甲31　丙64　庚11　辛50)

玉泉子(丁72　辛57　癸15、16)

定命録(丁14、34　壬68　癸52)

隋唐嘉話(丁68　戊71　己49)

紀聞(戊66、89　庚3)

宣室志(己13、58　庚4)

廣異記(戊65　己12　庚65)

稽神録(辛38　壬71　癸70)

嘉話録(庚66　辛52)

三水小牘(甲25　戊59)

投荒雜録(庚79　辛14)

戎幕閑談(己52　辛5)

劇談録(乙48　己18)

録異記(庚81　壬75)

原化記(己 13　辛 53)　　冥報記(己 28　庚 10)
本事詩(戊 38　壬 54)　　抒情集(庚 76　辛 4)
兩京新記(丁 12)　　譚氏史(丁 33)　　真陵十七史(戊 70)
廣人物志(丁 31)　　無雙傳(甲 68)　　南楚新聞(丁 78)
妖亂志(丁 63)　　啓顔録(辛 80)　　靈怪集(丙 12)
續玄怪録(己 13)　　前定録(庚 83)　　續定命録(乙 55)
感定録(庚 40)　　報應記(庚 45)　　廣德神異録(戊 63)
述異記(己 12)　　纂異記(壬 1)　　集異記(壬 76)
祥異集驗(己 17)　　法苑珠林(己 78)　　兩京道里記(己 15)

録自原書,可能同時又徑自《廣記》轉録諸書一覽(有＊號者系《廣記》未加引録事條):

酉陽雜俎(乙 8＊、12　丙 49　戊 75＊、83　己 14、27、31、82　庚 5、6、26、28、34、42、46、53、56、78　辛 16＊、32、48　壬 51、52＊、56、57)

北夢瑣言(乙 32＊、74　丙 80、84　丁 28、55、62＊、77、81　戊 64　己 63＊、69　庚 1、15、77＊　辛 6、31、49、65、66＊、82　癸 23、71、80＊、84)

獨異志(甲 87＊　乙 83＊、86　丙 21＊、79　己 39、50　庚 84＊　辛 29　癸 39＊、40＊、41＊、42＊、43、44＊、46＊、47、48＊、49、50、51＊、52、55＊)

盧氏雜説(丙 75　丁 21、41、42　戊 68　辛 51、81　壬 6、77　癸 12＊、13＊、25、27、29＊、30、32)

國史補(乙 9＊、73　丁 38　戊 15＊、53、54、55、56、57、58　己 11　辛 47　癸 14＊、53＊)

尚書故實(甲 9　乙 43、45、59＊、73＊　丙 25＊、26＊、32＊、33＊、37＊、38　丁 27)

杜陽雜編(乙 85＊　丙 62　戊 69、82　庚 7＊、67　壬 5)

因話録(甲 13、14、15、16＊、18＊　己 64＊　壬 69)

開天傳信記(甲 35、79、80＊　壬 12＊、25、29、31)

大唐新語(乙 87　戊 7　庚 68　壬 60＊、61＊)

雲溪友議(乙 31　丙 85＊　丁 39＊　己 32＊　壬 15)

幽閑鼓吹(戊 1、50＊、52　己 20)

松窗雜録(甲 27＊、38＊、55＊、72＊)

嶺表録異(戊 13＊、14＊　庚 59＊)

芝田録(己 65＊)

有一類筆記,如《封氏聞見記》《資暇集》《刊誤》,大概過于偏重學術考辯,如《次柳氏舊聞》《東觀奏記》《秦中歲時記》,大概被認爲系史學著作,如《賈氏談録》《中朝故事》《廣卓異記》,當是其作者并非宋前人,如《物類相感志》,其撰成已在《太平廣記》成書之後,《太平廣記》皆未收録,而《南部新書》從中抄節的却頗爲不少。《新書》并不排斥考辯,壬卷即載有作者新撰考據文字 3 條。史學著作中不乏類似小説的内容,何况又并非嚴格的史著。至于那些由五代或十國入宋之人的著作,更是受到特别的關注。如張洎《賈氏談録》全書共 31 條,爲《新書》節抄的竟有 15 條,足見其重視的程度。尤其值得注意的是僧贊寧的《物類相感志》。

源于《物類相感志》的共 12 條,11 條集中于辛卷。此書今獲見者爲明抄十八卷本,書名作《東坡先生物類相感志》,署“兩府僧統法戒都監選練明義宗文大師贊寧編次”。《四庫全書》入存目,其提要認爲系“不通坊賈僞撰售欺”之作。館臣并不否認贊寧作有《物類相感志》。在《筍譜》提要中只是説:贊寧“所著《物類相感志》歲久散佚,世所傳者皆贋本”。而在方以智《物理小識》提要中又説:方書“大致本《博物志》、《物類相感志》諸書而衍之”。又似贊寧書明代仍有存者。贊寧書“十卷”,“分天、地、人、物四門”(《郡齋讀書志》後志卷二)。十八卷本不僅卷數不同,而且分天、地、人、鬼、鳥、獸、草、木、竹、石、蟲、魚、寶器金玉附十三門,絶非原本之舊,其中含有後人作僞的成分是可能的,但也不能説原書的内容已被删除净盡。贊寧書《紺珠集》卷一〇、《類説》卷二三皆有節録本,十八卷本所載,凡是在節録本中亦能找到相應記載的,可以肯定即是原書的内容。同樣,《南部新書》中能在此書找見的相應事條,更不可能是僞作。

源于《物類相感志》的 12 條中,11 條集中于辛卷,而且集中于前後緊相連接的辛 39—46 和辛 77—79 兩處。辛 43 條:

> 懿宗賜公主出降幕,[廣]三丈,長一百尺。輕亮,向空張之,紋如碧絲之貫赤珠。雖暴雨不濡濕,云以鮫人瑞香膏傅之,故爾。云得自鬼國。

見《東坡先生物類相感志》卷六“鬼部”“琴瑟幕”條,全同(《存目》子 116—750)。《紺珠集》《類説》節録本皆有此條,可證確源自《物類相感志》。其始初記載見《杜陽雜編》,本書直接從《杜陽雜編》録有多條,而此條却是從《物類相感志》録入的。見于《杜陽雜編》的原文,行文不甚相類,如下:

> 咸通九年,同昌公主出降……罄内庫寶貨以實其宅。……又有瑟瑟幕、紋布巾、火蠶綿、九玉釵。其幕色如瑟瑟,闊三丈,長一百尺,輕明虚薄,無以爲比。向空張之,則疏朗之紋,如碧絲之貫真珠。雖大雨暴降,不能濕溺,云以鮫人瑞香膏傅之故也。……稱得之鬼谷國。(下/53)

蓋《物類相感志》的撰寫,亦有類于《南部新書》,以纂輯前人現成資料爲主。辛 46、辛 47、壬 20 的始初記載亦見《杜陽雜編》。壬 20 以“大曆八年,吴明國進奉”領起。“大曆八年”,《物類相感志》作“唐代宗八年”,而原書既無“大曆”、亦無“唐代宗”字,《太平廣記》所録則加有“貞元”字(480/3955)。按:原書緊前二條分别以“貞元三年”“上西幸有二馬”領起,“上”亦指德宗,確當作貞元八年,而《新書》却從贊寧書書作大曆八年。又如辛 40 條:

無名異,自南海來。或云燒炭灶下炭精,謂百木脂歸下成堅物也。一云藥木膠所成。然其功,補損立驗。胡人多將鷄鴨打脛折,將此藥摩酒沃之,逡巡能行爲驗。形如玉柳石而黑輕,爲真。或有橄欖作,嘗之粘齒者,僞也。驗之真者,取新生鹿子,安此藥一粒于腹臍中,其鹿立有肉角生,是真也。一云生東海者,樹名多茄,是樹之節膠采得,胡人煉作煎乾。緣生異,故有多説。

見《東坡先生物類相感志》卷一四“石部”,僅個別文字略有差異。明・方以智《物理小識》卷一二神鬼方術類:“無名異剪燈禦刀”條:“……贊寧云:‘無名異,出西海州,燒炭之下,百木之精也。一名藥木膠。胡人折雞脛,磨酒沃之,逡巡能行。形如玉柳石而黑輕。真者,安鹿子臍,即生肉角。一曰東海樹名多茄,取節煎膠。’是則無名異,有石者、木者。”可見本條亦是贊寧書原文。又如辛39條:

胡桐淚,出樓蘭國。其樹爲蟲所蝕,沫下流出者。名爲胡桐淚,言似眼淚也。以汁塗眼。今俗呼爲胡桐律,訛也。

見《東坡先生物類相感志》卷一三“木部”。“以汁塗眼”疑有訛誤,十八卷本作“可以汗金銀也”。其下無“今俗呼爲胡桐律,訛也”。按:始初記載見《漢書》顔師古注。《漢書・西域傳・鄯善國》:“國出玉,多葭葦、檉柳、胡桐、白草。”句下顔注:“胡桐亦似桐,不類桑也。蟲食其樹而沫出下流者,俗名爲胡桐淚,言似眼淚也。可以汗金銀也,今工匠皆用之。流俗語訛,呼淚爲律。”(96上/3876)闕載之語,如果不是十八卷本操辦者對之作過删削,即是《新書》作者憑原有知識對之作了補充。

此外,辛41、辛44的始初記載見《酉陽雜俎》(1/9、16/160);辛42的始初記載見《大唐新語》(5/78),又見《舊唐書》本傳(188/4924);辛78的始初記載見《國史補》(下/64),又見《太平御覽》所録《唐書》(966/1B)。但仍有辛45、辛79,再加上揭辛40,共三條,未能在唐五代宋初文獻中覓得相應記載。

源自《廣記》未收筆記或准筆記諸書一覽:

賈氏談録(戊20、21、己19、21、22、56、57、74　庚20、25、36、37　辛35、36、76)

物類相感志(辛39、40、41、42、43、44、45、46、77、78、79　壬20)

景德傳燈録(己2、30、43、71　庚17、27、52　辛12、15)

封氏聞見記(庚71、72、73、74、75、82　辛3、28)

東觀奏記(丁66、69、70、73、84　戊29、76)

秦中歲時記(乙30、40、49　丙31　丁60)

柳氏序訓(丁23、53　壬38、58)

金華子(丁65　戊18、19　己40)

次柳氏舊聞(己38　辛10、11)

嵐齋集(戊88　己5、34)

刊誤(丙 40、43、44)
文武兩朝獻替記(己 25　庚 64)
輦下歲時記(甲 71　乙 41)
廣卓異記(丁 15　己 62)
資暇集(壬 62)
譜噱録(丁 19)
中朝故事(丁 19)
蜀檮杌(己 41)
楊太真外傳(辛 27)
大宋僧史略(戊 5)

三　于白居易《集》情有獨鍾

《南部新書》中也有源自集部書的内容,似未怎樣引起人們的注意,也很少見有人曾加揭示。而這樣的内容却是存在的,而且數量也不是太少。上文提到甲 64 條所載駙馬都尉鄭潛曜孝行,源出獨孤及《鄭駙馬孝行記》,即是一例。此外,如己 44 條:"楊盈川,顯慶五年待制弘文館,時年方十一。上元三年制舉,始補校書郎。尤最深于宣夜之學,故作《老人星賦》,尤佳。"即源自楊炯《渾天賦・序》。如壬 16 條:"肅皇賜高士玄真子張志和奴婢各一人,玄真子配爲夫妻,名曰漁僮、樵青。人問其故,答曰:'漁僮使捧釣收綸,蘆中鼓枻,樵青使蘇蘭薪桂,竹裏煎茶。'志和字子同。"即源自顔真卿《浪迹先生玄真子張志和碑銘》。如庚 18 條:"奘法師至中印度,居那爛陀寺,館于幼日王院覺賢房第四重閣,日供步羅果一百二十枚,大人米等。"即源自劉軻《大唐三藏大遍覺法師塔銘》。如丙 45 條:"玉真公主玉葉冠,時人莫計其價。"即源自李羣玉《玉真觀》詩。如己 47 條:"天寶末,韋斌謫守蘄春。時李泌以處士放逐于彼,中夜同宴,屢聞鴞音。韋流涕而嘆,泌曰:'此鳥之聲,人以爲惡,以好音聽之,則無足悲矣。請飲酒,不聞鴞音者,浮以大白。'坐客皆企其聲,終夕不厭。"即源自李德裕《懷鴞賦・序》。

這類文字,有些録自號稱唐文淵藪的宋初詩文總集《文苑英華》,《英華》未載的,則從詩文别集或當時流傳的單行文本節録,作者的涉獵面相當地廣。值得注意的,是對白居易的詩文作品情有獨鍾,從中節録或據以改寫的事條竟有 10 條之多,集中于己卷和庚卷。己 75 條:

> 魏徵疾亟,文皇夢與徵别,既寤流涕。是夕,征卒。故御制碑文云:"昔殷宗得良弼于夢中,朕今失賢臣于覺後。"

即録自《七德舞》"魏徵夢見天子泣"句下自注。己 79 條:

> 平時開遠門外立堠,云西去安西九千九百里,以示戍人不爲萬里之行。

即録自《西涼伎》:“平時安西萬里疆,今日邊防在鳳翔。”句下自注。己 77 條:

> 永徽之理,有貞觀之遺風,制《一戎衣大定》樂曲。至永隆元年,太常丞李嗣真善審音律,能知興衰,云:近者樂府有《堂堂》之曲,再言之者,唐祚再興之兆也。後《霓裳羽衣》之曲起于開元,盛于天寶之間。此時始廢泗濱磬,用華原石代之。至天寶十三載,始詔(遺)[道]調法曲與胡部雜聲,識者深異之。明年,果有禄山之亂。

則是連掇《法曲歌》各句下自注并補之以《華原磬》題注而成。《法曲歌》:“法曲法曲歌《大定》,積德重熙有餘慶,永徽之人舞而咏。”句下自注:“永徽之思,有貞觀之遺風,故高宗制《一戎大定》樂曲也。”詩:“法曲法曲舞《霓裳》,政和世理音洋洋,開元之人樂且康。”句下自注:“《霓裳羽衣曲》起于開元,盛于天寶也。”詩:“法曲法曲歌《堂堂》,《堂堂》之慶垂無疆。中宗肅宗復鴻業,唐祚中興萬萬葉。”句下自注:“永隆元年,太常丞李嗣真善審音律,能知興哀,云:‘近者樂府有《堂堂》之曲,再言之者, 唐祚再興之兆。’”詩:“法曲法曲合夷歌,夷聲邪亂華聲和。以亂干和天寶末,明年胡塵犯宫闕。”句下自注:“法曲雖似失雅音,蓋諸夏之聲也,故歷朝行焉。玄宗雖雅好度曲,然未嘗使蕃、漢雜奏。天寶十三載,始詔諸道調法曲與胡部新聲合作,識者深異之。明年冬而安禄山反也。”(55)《華原磬》題下原注:“天寶中,始廢泗濱磬,用華原石代之。”(58)庚 14 條:

> 杭州靈隱山多桂,寺僧云:“此月中種也。”至今中秋望夜,往往子墜,寺僧亦嘗拾得。而巖頂崖根,復産奇花,氣香而色紫,芳麗可愛,人無有知其名者。招賢寺僧取而植之,郡守白樂天尤愛賞,因名曰“紫陽花”。

則不只連掇改寫,簡直是以白詩及注爲基本題材,結合當地傳説進行的重新創作。白詩及注如下:《紫陽花》:“何年植向仙壇上,早晚移栽到梵家。雖在人間人不識,與君名作紫陽花。”題下自注:“招賢寺有山花一樹,無人知名,色紫氣香,芳麗可愛,頗類仙物,因以紫陽花名之。”又《留題天竺靈隱兩寺》:“在郡六百日,入山十二回,宿因月桂落,醉爲海榴開。”句下自注:“天竺嘗有月中桂子落,靈隱多海石榴花也。”

總集中,除《文苑英華》外,比較看重高仲武《中興間氣集》。看重的不是《集》中的詩作,而是高仲武對詩人的品題。庚 57:“劉晏任吏部,與張繼書云:‘博訪群材,揖對賓客,無如戴叔倫。’”辛 2:“大曆來,自丞相已下出使作牧,無錢起、郎士元詩祖送者,時論鄙之。”辛 71:“孟雲卿詩,祖述沈千運。”辛 73:“章八元嘗于郵亭偶題數言,蓋激楚之詞也。會嚴維至驛,問元曰:‘汝能從我學詩乎?’曰:‘能。’少頃遂發,元已辭家,維大異之。乃親指喻,數年間,元擢第。”辛 75:“蘇涣本不平者,善放白弩,巴中號爲弩跖,賓人患之。比壯年後,自知非,變節從學,鄉賦擢第。累遷至侍御史,佐湖南幕,崔中丞遇害,涣遂逾嶺扇動。”凡 5 條,皆源自《中興間氣集》。

源自集部諸書一覽:

顔真卿集(丁 10　壬 16)

劉軻文(庚 18)

白居易集(己 61、75、77、79、80、81、83　庚 9、14、16)

李德裕會昌一品集(丙 82、83　己 47)

玉溪生詩集(己 66)

文苑英華(甲 64、86　丙 45、82、83　己 44、83)

中興間氣集(庚 57　辛 2、71、73、75)

松陵集(82)

以上是盡筆者之力所找見的《南部新書》一書淵源所自的大概。没有找見出處的事條尚有許多,這不外乎以下 3 個原因:一是淵源所自之書今已亡佚;二是并非出自前人或時人著作,而只是記録當日尚在流行的傳聞,乃至出于作者本人的撰述。三是由于筆者的疏漏而未能找見。特别是第三點,可能仍存在多多,懇請行家和讀者不吝批評指正。

【作者簡介】 梁太濟,原杭州大學歷史系教授。專業中國古代史,方向唐宋史,兼及古代文獻。

試論王維對七言律詩格律之探索
——兼論七言律詩之定型時代問題

董就雄

【提　要】 王維對七言四韻詩諸種諧和譜式進行積極創作，其"創作量多"、"創作時間早"、"試驗面廣"、"試驗形式均勻"等特點乃他對七律格律探索的貢獻所在。其二十首七律中，奇偶聯分應式（合律作品）多達八首，其他諸式只有一至兩首，顯示王維對七律格律雛形已有先覺。至於七律定型年代，肅宗乾元元年(758)或以前，盛唐諸家七言四韻詩不合律的情況很普遍，乃當時格律未定型的表徵。因此，學界認爲七律定型在初唐沈、宋時期的主流説法值得商榷。

【關鍵詞】 王維　七言律詩　格律　律詩定型

一　引　言

歷來學者對王維(701—761)七律詩的研究，主要集中在思想内容、應制詩類的成就、拗律等諸方面，鮮有談及他對七律格律形成的貢獻。事實上，王維曾對七律諸種諧和譜式進行積極創作，體現了他對七律格律定型之自覺意識。王維七律如何體現這種自覺意識是本文首要討論的問題。而每當學界提及七言律詩格律的定型（完全定型）問題①，總是歸功於沈（佺期）（約656—約714或715）、宋（之問）（約656—712），並以中宗神龍(705—707)、景龍(707—710)年間，即初唐後期②，爲七言律詩的定型時期。包括劉曾遂、許總、孫琴安、杜曉勤等學者都持有這種看法（下文將詳細引述討論），這是學界的主流意見。但本文卻提出新看法，認爲七律格律的最終定型要在盛唐的乾元二年(759)或

＊ 基金項目：中國教育部人文社會科學研究項目基金資助項目"歷代王維接受研究"，項目批准號：09YJA751070。

① 本文所謂的"定型"是指七言律詩格律逐漸形成且固定下來，並普遍爲時人所接受而較大量地主動從事創作。其中格律是指：一，七言八句，共五十六字；二，一聯中上下句平仄（主要指二四字）形成對的關係，聯與聯之間平仄（主要指二四字）形成黏的關係；三，中間二聯對偶；四，全詩押平聲韻，並一韻到底，不得換韻。

② 本文對唐詩初、盛、中、晚的年份劃分乃按明末沈騏《詩體明辨》之分法。詳見袁行霈《中國文學史綱要》，北京大學出版社，1986年，頁455—456。

之後,甚至更遲。這是本文第二個要論證的問題。

王維現存的七言律詩共二十首,其中有八首合律,分別是:《奉和聖制從蓬萊向興慶閣道中留春雨中春望之作應制》、《大同殿生玉芝龍池上有慶雲百官共睹聖恩便賜宴樂敢書即事》、《敕賜百官櫻桃》、《敕借岐王九成宮避暑應教》、《酬郭給事》、《既蒙宥罪旋復拜官伏感聖恩竊書鄙意兼奉簡新除使君等諸公》、《早秋山中作》、《送楊少府貶郴州》;有十二首不合律,分別爲:《和賈舍人早朝大明宮之作》、《和太常韋主簿五郎温湯寓目》、《苑舍人能書梵字兼達梵音皆曲盡其妙戲爲之贈》、《重酬苑郎中》、《酌酒與裴迪》、《輞川別業》、《積雨輞川莊作》、《過乘如禪師蕭居士嵩邱蘭若》、《春日與裴迪過新昌里訪吕逸人不遇》、《送方尊師歸嵩山》、《出塞作》、《聽百舌鳥》。

由於王維七律中有六成作品不合律,故受到後人關注,王世貞(1526—1590)《全唐詩説》謂:

> 王摩詰:"酌酒與君君自寬,人情翻覆似波瀾。白首相知猶按劍,朱門先達笑彈冠。草色全經細雨濕,花枝欲動春風寒。世事浮雲何足問,不如高卧且加餐。"……八句皆拗體也。①

認爲王維《酌酒與裴迪》②一詩是拗體,世貞又曰:

> 摩詰七言律,自"應制"、"早朝"諸篇外,往往不拘常調。至"酌酒與君"一篇,四聯皆用仄法,此是初盛唐所無,尤不可學。③

所謂"四聯皆用仄法"是指全詩都由"仄仄平平平仄仄,平平仄仄仄平平"兩個仄起基本句組合而成。世貞認爲這是初盛唐所無的句式,不主張學習。後來黄周星(1611—1680)亦指出此爲拗體:

> 律詩八句皆失粘,此拗體也。然語氣岸兀不群,亦何必以常格繩之。④

翟翬(1752—1792)《聲調譜拾遺》亦謂:

> 《酌酒與裴迪》,"細雨濕"三仄,"春風寒"三平,於中聯偶著拗調,求之前人詩中,亦不多見。豈是時詩律未嚴,沿襲齊梁之遺歟!⑤

認爲王維詩中用拗調,是沿襲齊梁三仄尾、三平尾等特徵之遺風。施補華(1835—1890)亦曰:

> 唐初七律有平仄一順者。至摩詰、少陵猶未改。如摩詰"酌酒與

---

① 〔明〕王世貞《全唐詩説》。收入《四庫全書存目叢書》,台南,莊嚴文化事業有限公司,1997年,集部第四一七册,頁20。

② 陳鐵民《王維集校注》,中華書局,1997年,第二册,頁435。

③ 《全唐詩説》,頁17。

④ 〔清〕黄周星《唐詩快》。轉引自《王維集校注》,第二册,頁436。

⑤ 〔清〕翟翬《聲調譜拾遺》。載王夫之等《清詩話》,上海古籍出版社,1999年,頁370。

君”一首,第三聯“草色全經”平仄一順;少陵“天門射日”一首,第三聯“雲近蓬萊”平仄一順,此類甚多,要是當時初創此體,格調未嚴,今人不必學也。[①]

施氏所云“平仄一順”是指律詩中第三聯與第二聯之平仄重複。王詩“草色”與“白首”聯亦是重複上述兩個基本句。施氏認爲這是初盛唐時格律未嚴所致,毋須循此創作。王壽昌(1864—1926)《小清華園詩談》:

唐人詩有全不拘律者,如王維之《酌酒與裴迪》,李白之《寄崔侍御》,杜甫之《城西陂泛舟》。唐初七言中亦有此體,然可偶一爲之,不可援以爲例也。[②]

指出此詩全不拘律,偶一爲之則可,不宜學習。

另一首受到關注的王維不合律詩是《和賈舍人早朝大明宫之作》,詩云:

絳幘雞人送曉籌,尚衣方進翠雲裘。九天閶闔開宫殿,萬國衣冠拜冕旒。日色纔臨仙掌動,香煙欲傍衮龍浮。朝罷須裁五色詔,佩聲歸向鳳池頭。[③]

毛先舒(1620—1688)《詩辯坻》謂其:“典重可諷,而冕服爲病,結又失嚴。”[④]以爲結尾失嚴,實指結聯和頸聯失黏。許印芳(1832—1901)《律髓輯要》評此詩曰:

尾聯與三聯不黏。唐人七律上下聯不忌失黏,後人七律聲律加密始忌之。若以後人之法繩唐人而病其失黏,則非矣。[⑤]

認爲唐人七律上下聯不忌失黏,若批評之,則是以後人之法繩唐人。還有一首受到關注的是王維的《出塞作》[⑥]:

居延城外獵天驕,白草連天野火燒。暮雲空磧時驅馬,秋日平原好射鵰。護羌校尉朝乘障,破虜將軍夜渡遼。玉靶角弓珠勒馬,漢家將賜霍嫖姚。

明人唐汝詢(約1624前後在世)《彙編唐詩十集》評此詩云:

王元美欲取此爲盛唐第一,恨其疊二“馬”字。余復恨其連連失黏。

---

① 〔清〕施補華《峴傭説詩》。載《清詩話》,頁990。

② 王壽昌《小清華園詩談》卷上。載郭紹虞編選、富壽蓀校點,《清詩話續編》,上海古籍出版社,1999年,頁1897。

③ 《王維集校注》,第二册,頁488。

④ 〔清〕毛先舒《詩辯坻》卷三。載《清詩話續編》,頁55。

⑤ 〔清〕許印芳《律髓輯要》。載〔元〕方回選評,李慶甲集評校點,《瀛奎律髓匯評》,上海古籍出版社,1986年,卷之二《朝省類》,頁60。

⑥ 《王維集校注》,第一册,頁136。

然骨力雄渾,不失爲開元名什。[①]

指出此詩有連連失黏之疵,而此詩前三聯俱失黏。

從以上引文觀之,王維不合律作品中,以《酌酒與裴迪》最受關注。後來詩評家俱指出此詩屬拗體,多認爲不宜學習;就其格律而言,詩評家抱持著的是較爲負面的態度。就王維創作此拗體之原因言之,翟翬與施補華俱認爲此乃當時格律未嚴所致,翟氏又認爲這是齊梁之遺風。對於《和賈舍人早朝大明宫之作》一首,毛氏和許氏的評價一負一正,許氏指出唐人七言上下聯不忌失黏的現象,但並未論及造成這種現象背後的創作動機。至於唐汝詢評《出塞作》一詩,只指出其失黏,亦未説出個所以然。其實,當時格律未嚴,以及尚存齊梁三仄尾、三平尾之遺風,上下聯間不忌失黏,都應是事實,但這都不是王維創作不合律七律的真正原因,只是結果。其背後實隱藏著王維對七律格律探索之深衷,這將是本文首要之研究重點。

二　七言四韻詩於盛唐之創作情況及七律定型於初唐之商榷

要探討王維七律詩(更確切地説,應是七言四韻詩[②])的不合律情況及其創作深心,我們要將視野放在整個盛唐時期(713—766)上看。七言律詩格律之定型,劉曾遂在《略談崔顥〈黄鶴樓〉的體制特徵》中提出是在初唐中宗神龍、景龍(705—710)年間。其説謂:

> 李嶠、杜審言、沈佺期、宋之問合乎黏對規則的五律所佔比例既已如此之大,可知五律定型於沈、宋之説,是完全符合實際的。……五言律詩似以定型於七世紀九十年代較爲接近實際。
>
> 七律的定型雖略晚於五律,但將五律擴展爲七律,有如瓜熟蒂落,水到渠成,是順乎自然的結果。核之七律的創作實際,可知七律最遲至八世紀初應已定型。武則天久視元年(700)五月遊嵩山,作《石淙》七律一首,從遊者太子李顯、相王李旦等十六人各作和詩一首。這次規模盛大的七律唱和,標誌著七律一體已經引起帝王卿相們的極大興趣,在上有所好、下必甚焉的封建時代,其對於詩壇的影響不可低估。而且在這十七首七律之中,狄仁傑、李嶠、蘇味道、沈佺期等人所作均已合於黏對規則。至中宗踐位,右文風雅,每有行幸,多與扈從文臣以七律詩唱和。在七律發展、定型的過程中,沈佺期較宋之問發揮了更爲重要的作用。據《全唐詩》卷

---

① 〔明〕唐汝詢編《彙編唐詩十集》。載周敬、周珽輯《删補唐詩選箋釋會通評林》,臺灣"國家圖書館"據明崇禎乙亥(8年)海昌周氏穀采齋刊本攝製,卷十三,《七言律》。

② 本文所指之七言四韻詩在不少情況下是指七言律詩,但由於王維及有些詩人某些一向被稱爲七律詩之作品實際上並不合律。故爲求準確起見,本文用"七言四韻詩"之名,所指的是押平聲韻、一韻到底的七言四韻之詩。

> 九六所載沈佺期七律詩統計,僅神龍(705—707)、景龍(707—710)間所作應制、侍宴、陪幸之七律即達十二首,且多爲格律嚴整之作。……君上唱於前,群臣唱於後,諸人共賦一題,帶有強烈的競爭性,必然會促進七律形式的日益成熟與創作技藝的日益精巧。所以我們認爲,中宗神龍、景龍年間,七言律詩應已定型。①

劉氏認爲武則天久視元年遊嵩山後作《石淙》七律所引發十六人的唱和,標誌著七律的受重視,其中有參與唱和的沈佺期更是七律發展、定型的重要功臣。並以中宗神龍、景龍年間爲七律定型期。

許總《唐詩體派論·四傑體》則謂:

> 在四傑全部詩作中,除七言歌行體之外,其運用最多、貢獻尤著的是五言律體。……四傑不僅大量運用五言近體,且完全合律者達三分之二以上,僅由這一比例看,就可見五律定型的格律規範在四傑的創作中已形成普遍而明確的詩體觀念與實踐法則……②

他在同一章中又説:

> 還需説明的是,首先,四傑對律體的建設,尚局限於五言方面,到沈、宋時則不僅五律體式更爲精密,而且七律亦已成熟定型,在這一意義上,沈、宋可謂是律詩全面成熟定型的標誌。③

許氏《唐詩體派論·沈宋體》又云:

> 當然,具體地看,沈、宋律詩自有其度越前人與流輩之處。首先,沈、宋近體詩合格率由文章四友的百分之八十七左右提高到百分之九十以上,表現了對律詩定式的完全性的掌握與運用,少量的聲調違拗現象完全可以認爲是一種懷舊性的自然表露或有意爲之;其次,沈、宋近體詩創作除七言排律以外基本上具備了各種類型,即五律、五排、七律、五絶、七絶等體式齊全……兩人現存近體詩分别皆超過一百二十首……這種熟練運用各種體式的全面性,也正是近體詩完全定型乃至精密化的一個重要標誌。④

綜上所引,許氏與劉氏之主要分别在於認爲五律定型在初唐四傑詩中已形成,但同様地,許氏主張七律在沈、宋時已成熟定型。並將沈、宋視爲促進近體詩各種體裁完全定型的最重要人物。許氏雖未有説明七律定型的具體年份,但其七律定型於初唐後期之意是不言而喻的。

---

① 劉曾遂《略談崔顥〈黄鶴樓〉的體制特徵》,載氏著《唐詩論稿》,杭州大學出版社,1992年,頁72—73。

② 許總《唐詩體派論》,臺北,文津出版社,1994年,頁98—99。

③ 許總《唐詩體派論》,頁102。

④ 許總《唐詩體派論》,頁153。

孫琴安在《簡論唐代的七律》一文中的説法較爲簡潔：

就七律本身來説，在唐代也有一個形成、發展的變化的過程。當然，在我們探討七律詩的起源時，也許可以追溯到庾信等人的詩作，但一般説來，這種形式的真正完成，還應該在初唐的沈佺期、宋之問手中，各種正史，以及一些最有權威的詩評家如元稹、嚴羽、高棅、胡應麟、馮班、趙翼等，幾乎都充分肯定了這一點。①

孫氏也是主張七律的定型在初唐沈佺期、宋之問的時期，並言簡意賅地指出，這是元稹、嚴羽、高棅、胡應麟、馮班、趙翼等唐宋明清權威詩評家的共有見解。

杜曉勤《齊梁詩歌向盛唐詩歌的嬗變》中云：

宋之問現存詩作中四韻以上五言新體詩共 34 首，黏式律有 33 首，佔 97.06%；沈佺期超過四韻的新體詩共 36 首，黏式律有 31 首，佔 86.11%。……所以，沈、宋詩歌的合律程度明顯高於其他人。他們不但在五言四句的"五律"中充分運用了"换頭"術，而且在四韻以上的五言律詩中也嚴守"律"法，沈佺期甚至將五言詩之"律"法移植到七言律體中，又促進了七律的産生，而李嶠、杜審言等人的律化多局限於五言四句之"五律"，長篇律詩合律程度都遠不如沈、宋。所以，沈、宋被人們公認爲詩律大師、律體的定型者，也就是很自然的事了。②

杜氏認爲沈、宋是五律格律的奠基者，更指出沈佺期將五律格律移植至七言律詩中，可見有關七律定型之見與劉曾遂、許總、孫琴安一致。

綜合以上四家之説，七言律詩格律在初唐詩人沈、宋手中確立是諸人的共識，劉曾遂更直接指出七律定型於初唐中宗神龍、景龍（705－710）年間，這應是目前學界的主流意見。但如果我們細看盛唐諸家的七言四韻詩創作，會發現不合律的情況仍然相當普遍，當時七律應未定型，則七律格律於初唐沈、宋手中定型之説就值得商榷了，此點在下表中可見端倪：

詩人及生卒年③	所有詩作總數④	七言四韻詩總數及佔全部詩作百分比	合律首數及百分比	不合律首數及百分比
張九齡（678－740）	207	3（1.4%）	1（33.3%）	<u>2（66.7%）</u>
孟浩然（689－740）	275	4（1.5%）	<u>4（100%）</u>	0（0）
李頎（690－751）	126	7（5.6%）	<u>6（85.7%）</u>	1（14.3%）

① 孫琴安《唐代律詩探索》，成都，西南交通大學出版社，1998 年，頁 33。

② 杜曉勤《齊梁詩歌向盛唐詩歌的嬗變》，北京大學出版社，2009 年，頁 79。

③ 盛唐另外兩位主要詩人常建（708－約 765）及元結（719－772）並無七言四韻詩作，故不在此列。

④ 表中詩人詩作總數除祖詠、儲光羲、裴迪、賈至四人是根據《全唐詩》現存詩作統計外，其餘大部分詩作總數是據尚永亮《開天、元和兩大詩人群交往詩創作及其變化的定量分析》一文之統計。尚文載《江海學刊》，2005 年第 2 期，頁 178。

續表

詩人及生卒年	所有詩作總數	七言四韻詩總數及佔全部詩作百分比	合律首數及百分比	不合律首數及百分比
王昌齡(698—757)	182	2(1.1%)	2(100%)	0(0)
王維(701—761)	378	20(5.3%)	8(40%)	12(60%)
李白(701—762)	1063	10(0.9%)	3(30%)	7(70%)
祖詠(約699—約746)	37	1(2.7%)	1(100%)	0(0)
崔顥(704—754)	42	3(7.1%)	1(33.3%)	2(66.7%)
儲光羲(約706—約763)	227	1(0.4%)	1(100%)	0(0)
高適(707—765)	225	6(2.7%)	4(66.7%)	2(33.3%)
杜甫(712—770)	1472	151(10.3%)	111(73.5%)	40(26.5%)
裴迪(716—?)	29	1(3.4%)	0(0)	1(100%)
賈至(718—772)	46	1(2.2%)	0(0)	1(100%)
岑參(725—770)	403	11(2.7%)	4(36.4%)	7(63.6%)

(表一)

其中可見盛唐詩人創作七言四韻詩的四個特點:一,盛唐詩家創作七言四韻詩佔其詩作總量的比例都不多,最多的是杜甫,但也只佔百分之十左右,其次依次爲崔顥、李頎、王維四人。

二,若不計算詩作總數,單就七言四韻詩的數量而論,仍以杜甫最多,達一百五十一首;王維居第二位,達二十首。但杜甫這些詩作大都作於天寶十四載(755)安史之亂後,在安史之亂或之前創作的七言四韻詩只有《題張氏隱居二首(另一首爲五律)》(作於開元二十七年,739)、《鄭駙馬宅宴洞中》(作於天寶五載,746)、《城西陂泛舟》(作於天寶十三載,754)、《贈田九判官梁丘》(作於天寶十三載,754)及《贈獻納使起居田舍人澄》(作於天寶十三年,754)五首[①]。反觀王維在安史之亂或之前創作的七言四韻詩則達十五首之多,此十五首分別是《奉和聖制從蓬萊向興慶閣道中留春雨中春望之作應制》(作於天寶十四載,755前)[②]、《大同殿生玉芝龍池上有慶雲百官共睹聖恩便賜宴樂敢書即事》(天寶七載,748)[③]、《敕賜百官櫻桃》(天寶十一載,752)、《敕借岐王九成宮避

① 五首詩之繫年資料見〔唐〕杜甫撰、〔清〕仇兆鼇注《杜詩詳注》,中華書局,1979年,2004年1月第六次印刷,第一册,卷一,頁8,頁47;卷三,頁179,頁186及頁204。

② 《王維集校注》,第二册,頁381。以下凡涉及詩作原文及繫年資料,俱參用陳鐵民校注《王維集校注》。下文注腳不再贅述。

③ 《王維集校注》,第一册,頁268。以下由《敕賜百官櫻桃》至《出塞作》共十三首分别出自:第二册,頁303;第一册,頁25;第二册,頁358;第二册,頁468;第二册,頁365;第一册,頁256;第一册,頁256;第二册,頁435;第二册,頁467;第一册,頁444;第一册,頁110;第二册,頁356;第一册,頁136。

暑應教》(開元八年,720)、《酬郭給事》(天寶十四載,755)、《早秋山中作》(天寶初742,至天寶十四載755之間)、《和太常韋主簿五郎温湯寓目》(天寶十四載,755前)、《苑舍人能書梵字兼達梵音皆曲盡其妙戲爲之贈》、《重酬苑郎中並序》(天寶五載746,或六載)、《酌酒與裴迪》(天寶初742,至天寶十四載755之間)、《輞川別業》(天寶初742,至天寶十四載755之間)、《積雨輞川莊作》(天寶初742,至天寶十四載755之間)、《過乘如禪師蕭居士嵩邱蘭若》(開元二十二年734秋至二十三年春)、《春日與裴迪過新昌里訪吕逸人不遇》(約天寶十四載,755前)及《出塞作》(開元二十五年,737)。杜甫最早一首七言四韻詩《題張氏隱居》作於開元二十七年(739),王維最早一首《敕借岐王九成宫避暑應教》則作於開元八年(720)。可見王維的七言四韻創作比杜甫更早,若以安史之亂之年作分界綫,王維所作數量亦更多。

三,在盛唐諸家中,七言四韻詩合符七律格律的首推孟浩然和王昌齡①,其此類作品全部合律,其次較多作品合律的要數李頎、杜甫和高適三人。四,就不合律的七言四韻詩而言,則依次以李白、張九齡、崔顥、岑參和王維五人佔其此類之創作比例最多。若以首數算,則王維不合律者最多,達十二首。

由以上四個特點可知,盛唐諸家的七言四韻詩創作數量不多,而此等有限創作中,合律的作品固然不少,但不合律的情況亦相當普遍。其中更值得注意的是,王維創作的七言四韻詩雖然只有二十首,不及杜甫的一百五十一首,但若以安史之亂爲分界綫,王維實質比杜甫創作得更早,數量亦更多。如果我們以王維最晚作的一首七言四韻詩《和賈舍人早朝大明宫之作》(作於乾元元年,758)作分界綫②,再與盛唐諸家作列表比較,則更能看出與王維同期詩人的創作特點:

盛唐主要詩人七言四韻詩合律與不合律統計表(截至乾元元年758,王維七言四韻詩最後一首七律創作年份止)

詩人及生卒年	七言四韻詩總數	合律首數及百分比	不合律首數及百分比
王維	20	8(40%)	12(60%)
張九齡	3	1(33.3%)	2(66.7%)
孟浩然	4	4(100%)	0(0)
李頎	7	6(85.7%)	1(14.3%)
王昌齡	2	2(100%)	0(0)
祖詠	1	1(100%)	0(0)

① 只創作過一首的詩人如祖詠、儲光羲不計算在内。

② 《王維集校注》,第二册,頁488。王維另一首《既蒙有罪旋復拜官伏感聖恩竊書鄙意兼奉簡新除使君等諸公》作於乾元元年(758)初春,原文及作年見《王維集校注》,第二册,頁487。餘下的《送楊少府貶郴州》、《送方尊師歸嵩山》、《聽百舌鳥》三首則未見繫年資料。

續表

詩人及生卒年	七言四韻詩總數	合律首數及百分比	不合律首數及百分比
李白	8(首數與前表有變)	3(37.5%)	5(62.5%)
崔顥	3	1(33.3%)	2(66.7%)
儲光羲	1(不能繫年姑視作一首)	1(100%)	0(0)
高適	6	4(66.7%)	2(33.3%)
杜甫	24(首數與前表有變)	17(70.8%)	7(29.2%)
裴迪	1	0(0)	1(100%)
賈至	1	0(0)	1(100%)
岑參	3(首數與前表有變)	2(66.7%)	1(33.3%)

(表二)

與前表比較,有四點值得注意:一,杜甫於此期間的七言四韻詩創作只有廿四首,顯示杜甫八成四以上的此類作品是作於肅宗乾元二年(759)或之後。而合律作品除孟浩然、王昌齡、李頎外,仍以杜甫最多。二,岑參的此類作品在乾元元年(758)或之前只有三首,合律比例因而增多,有近六成七左右,與前表多爲不合律的情形相反;可見岑參於肅宗乾元二年(759)或之後的七言四韻詩作以不合律者居多。三,不合律的情況相當普遍,張九齡、崔顥、李白、王維的不合律比例仍然最多,與前表相若,高適、杜甫、岑參、李頎、裴迪、賈至之七言四韻詩均有不合律的情況。四,若以首數計算,王維以十二首佔最多,次多的張九齡、崔顥、李白三人加在一起的總和還不及王維多。

從以上分析可以推測,七律格律在乾元元年(758)或之前可能還未完全定型,甚至在乾元二年(758)後的岑參七言四韻詩可能仍在對七律格律進行探索(説見後)。此有關七律格律定型的問題將是本文探討的第二個重點所在。而王維作爲盛唐詩人之代表,就七言四韻詩的首數而言,以合律計至少排列第二(杜甫之後),以不合律計則是排列第一。這並不是説不合律反而是好,而是很可能體現了王維對七言律詩格律探索的良苦用心。

三 七言四韻詩諧和譜式之種類及盛唐詩人對諸譜式之實踐

郭紹虞在《從永明體到律體》一文中曾詳盡分析五言詩如何由永明體發展到五言律詩之過程[①]。他在文中提出:

① 郭紹虞《從永明體到律體》,載氏著《照隅室古典文學論集》,上海古籍出版社,1983年,上編,頁327—343。該文原載《大公報·文藝副刊》,1937年5月,161—169期。

> 我覺得永明以後，初唐以前，一般詩人對於這些短製(董按：即五言四韻詩)，即就平仄的關係而言，也能很自由地創造多種諧和的方式。這即是律體研順聲勢之所本。①

認爲從永明至初唐期間，詩人在五律體未定之前，嘗試了多種諧和的方式(下稱譜式)，郭氏將這些譜式分成以聯爲本位、以句爲本位兩大類，前者下分八種譜式，後者下分三種譜式。筆者以爲，七言律詩發展的情況與此相類，現參照郭氏的分類，推演出七言四韻詩之十一種譜式，並配以盛唐十三位主要詩人(王維暫時除外，將置諸下節分析)截止乾元元年(758)的七言四韻詩用例闡析如下：

(一) 以聯爲本位者

1. 前後截分列式

這是指全詩四聯分成兩部分，前二聯將"平平仄仄平平仄，仄仄平平仄仄平"之聯式重複一次，後二聯則相反，將"仄仄平平平仄仄，平平仄仄仄平平"之聯式重複一次；如此即成八句。又或前二聯用"仄仄平平平仄仄，平平仄仄仄平平"兩次，後二聯用"平平仄仄平平仄，仄仄平平仄仄平"兩次。李白的《贈郭將軍》②即用此式：

> 將軍少年出武威，入掌銀台護紫微。平明拂劍朝天去，薄暮垂鞭醉酒歸。
>
> 平平仄平仄仄平，仄仄平平仄仄平。平平仄仄平平仄，仄仄平平仄仄平。
>
> 愛子臨風吹玉笛，美人向月舞羅衣。疇昔雄豪如夢裡，相逢且欲醉春暉。
>
> 仄仄平平平仄仄，仄平仄仄仄平平。平仄平平平仄仄，平平仄仄仄平平。

雖然首句第四字"年"本宜仄而作平，第六字"武"本宜平而作仄，但基本上仍屬"平平仄仄仄平平"句式，因而首聯、次聯均爲"平平仄仄平平仄，仄仄平平仄仄平"之聯式，③後二聯均爲"仄仄平平平仄仄，平平仄仄仄平平"之聯式。全篇不合律，因爲每聯只基本符合七律中"對"的規定，首聯與頷聯没有"黏"，頷聯與頸聯雖黏而不合全詩聲勢，頸聯與尾聯亦失黏。本文所及的十三位盛唐詩人中(不計王維)，只有李白有此式之用例。

---

① 《從永明體到律體》，《照隅室古典文學論集》，上編，頁332。

② 此詩作於天寶三載(744)，繫年資料見詹金鍈《李白詩文繫年》，北京，人民文學出版社，1984年，頁42。詩作原文見〔唐〕李白撰、〔清〕王琦注《李太白全集》，中華書局，1977年，卷九，頁484。

③ "平平仄仄仄平平"與"平平仄仄平平仄"同調，"仄仄平平仄仄平"與"仄仄平平平仄仄"亦同調，其分別只是入韻式與不入韻式而已。下同，不再一一説明。

2. 奇偶聯分應式

這是指奇聯與奇聯相應(相同),偶聯與偶聯相應的譜式,實際上是指七言律體了。律體平起首句入韻或不入韻式,及律體仄起首句入韻或不入韻式即屬此式。張九齡《奉和聖製早發三鄉山行》[①]即用此式:

羽衛森森西向秦,山川歷歷在清晨。晴雲稍卷寒巖樹,宿雨能銷御路塵。

仄仄平平平仄平,平平仄仄仄平平。平平仄仄平平仄,仄仄平平仄仄平。

聖德由來合天道,靈符即此應時巡。遺賢一一皆羈致,猶欲高深訪隱淪。

仄仄平平仄平仄[②],平平仄仄仄平平。平平仄仄平平仄,平仄平平仄仄平。

此詩第一聯與第三聯同調相應,俱爲"仄仄平平平仄仄,平平仄仄仄平平"之聯式,第二聯與第四聯同爲"平平仄仄平平仄,仄仄平平仄仄平"之調;這就是奇聯與奇聯相應、偶聯與偶聯相應之表現。

其他盛唐詩人作品符合此譜式者有:孟浩然《登安陽城樓》、《歲除夜有懷》、《春情》、《登萬歲樓》,李頎《送魏萬入京》、《宿瑩公禪房聞梵》、《送李回》、《寄綦毋三》、《寄司勳盧員外》、《題璿公山池》、《題盧五舊居》,王昌齡《九日登高》、《萬歲樓》,祖詠《望薊門》,李白《送賀監歸四明應制》、《題雍丘崔明府丹灶》、《代佳人寄翁參樞先輩》、崔顥《鴈門胡人歌》[③]、《行經華陰》、《黄鶴樓》[④],儲光羲《田家即事》,高適《金城北樓》、《同顔少府旅宦秋中》、《同陳留崔司户早春宴蓬池》、《送李少府貶峽中王少府貶長沙》,杜甫《曲江二首(其二)》、《送鄭十八虔貶台州司户傷其臨老陷賊之故,闕爲面别,情見於詩》、《紫宸殿退朝口號》、《題張氏隱居》、《題鄭縣亭子》、《贈田九判官(梁丘)》、《九日藍田崔氏莊》、《至日遣興奉寄北省舊閣老兩院故人二首》、《曲江二首(其一)》、《曲江陪鄭八丈南史飲》、《曲江對雨》、《曲江對酒》、《因許八奉寄江寧旻上人》、《奉和賈至舍人早朝大明宫》、《贈獻納使起居田舍人(澄)》、《臘日》,岑參《首春渭西郊行呈藍田張二主簿》、《奉和中書賈至舍人早朝大明宫》。

---

① 〔唐〕張九齡撰、熊飛校注《張九齡集校注》,中華書局,2008年,第一册,頁22。

② "仄仄平平仄平仄"是"仄仄平平平仄仄"之變式,唐人常用,故視爲同式,下同。

③ 〔唐〕崔顥《鴈門胡人歌》云:"高山代郡東接燕,鴈門胡人家近邊。解放胡鷹逐塞鳥,能將代馬獵秋田。山頭野火寒多燒,雨裡孤峰濕作煙。聞道遼西無鬥戰,時時醉向酒家眠。"此爲特例,若第一句"東"、"接"位置對調,及第二句"門"改作仄則全詩合律。其實際創作譜式是分應式,只三字不合,故仍置於此分應式之列。

④ 崔顥《黄鶴樓》云:"昔人已乘黄鶴去,此地空餘黄鶴樓。黄鶴一去不復返,白雲千載空悠悠。晴川歷歷漢陽樹,芳草萋萋鸚鵡洲。日暮鄉關何處是,煙波江上使人愁。"此爲特例,若第一句"乘"、"鶴",及第二句"去"、"不",第四句"空"字,平改仄、仄改平的話,全詩即合律。其實際創作譜式是分應式,只五字不合,故仍置於此分應式之列。

3. 首尾聯呼應式

首尾二聯同調(同一平仄對聯式),互相呼應。中二聯(亦稱腹二聯)必須同調①,但要與首尾聯之聯式相反②,方見首尾呼應之妙。高適《夜別韋司士得成字》③一詩即是此式用例:

高館張燈酒復清,夜鐘殘月鴈歸聲。只言啼鳥堪求侶,無那春風欲送行。

平仄平平仄仄平,仄平平仄仄平平。仄平平仄平平仄,平仄平平仄仄平。

黄河曲裡沙爲岸,白馬津邊柳向城。莫怨他鄉暫離别,知君到處有逢迎。

平平仄仄平平仄,仄仄平平仄仄平。仄仄平平仄平仄,平平仄仄仄平平。

其中首尾二聯俱是"仄仄平平平仄仄,平平仄仄仄平平"之聯式,中二聯則是"平平仄仄平平仄,仄仄平平仄仄平"之聯式,如斯呼應之妙顯而易見。此譜式全篇並不合律,因爲每聯只符合七律中"對"的規定,頷聯與頸聯没有"黏",頸聯與末聯雖"黏"而並不符合整首之聲勢。杜甫《宣政殿退朝晚出左掖》亦屬此式。

4. 首尾聯變化式

此譜式是指中二聯同調,首尾二聯又要與中二聯不同之式,由於首尾聯須與中二聯不同,所以首尾二聯往往一相承(即一聯中上下句平仄相同)、一相對(即一聯中上下句平仄相反)。此譜式可分成首聯承而尾聯對及首聯對而尾聯承兩種。張九齡《奉和聖製龍池篇》④即屬此譜,其首聯承而尾聯對:

天啓神龍生碧泉,泉水靈源浸迤延。飛龍已向珠潭出,積水仍將銀漢連。

平仄平平平仄平,平仄平平仄仄平。平平仄仄平平仄,仄仄平平平仄平。

岸傍花柳看勝畫,浦上樓臺問是仙。我後元符從此得,方爲萬歲壽

① 郭紹虞在闡析五言四韻詩此譜式時謂:"腹二聯的音節可同可不同。其腹二聯同調者,尤見首尾呼應之妙。"《從永明體到律體》,《照隅室古典文學論集》,上編,頁335。其實腹二聯的音節必須相同,並非可同可不同,若可同可不同,則會與其他譜式混淆。如腹前聯特異式全詩八句只有第二聯不同,首尾聯及第三聯同調,其腹二聯就屬可同可不同,若首尾呼應式不要求中二聯同調的話,則會與此式相混。

② 此點郭氏亦無提及,若無此點,則此式會與下文將論及的"四聯同調式"相混。

③ 此詩作於天寶十一載(752),原文及繫年資料見〔唐〕高適撰、劉開揚箋注《高適詩集編年箋注》,中華書局,1983年重版,頁249。

④ 《張九齡集校注》,第一册,頁41。

圖川。

仄平平仄平平仄，仄仄平平仄仄平。仄仄平平平仄仄，平平仄仄仄平平。

此詩首聯平仄相承（同式），尾聯則平仄相對（相反），中二聯俱同調，同用"平平仄仄平平仄，仄仄平平仄仄平"之聯式。此譜全篇也不合律，每聯只符合七律中"對"的規定，頷聯與頸聯失黏，因而導致頸聯與尾聯亦失黏。本文所列盛唐諸人，若不算王維，則只有張九齡有此式之用例。

5. 首聯特異式

本式是首聯獨異而平仄相反①，餘三聯俱同調。除王維外，本文所關注的另外十三位盛唐詩人俱無此式之用例，故此處用王維詩爲例，其《送方尊師歸嵩山》②即屬此式：

仙官欲往九龍潭，旄節朱旛倚石龕。山壓天中半天上，洞穿江底出江南。

平平仄仄仄平平，平仄平平仄仄平。平仄平平仄平仄，仄平平仄仄平平。

瀑布杉松常帶雨，夕陽彩翠忽成嵐。借問迎來雙白鶴，已曾衡嶽送蘇耽。

仄仄仄平平仄仄，仄平仄仄仄平平。仄仄平平平仄仄，仄平平仄仄平平。

此詩頷聯、頸聯、尾聯同調，俱用"仄仄平平平仄仄，平平仄仄仄平平"之聯式，僅首聯用"平平仄仄平平仄，仄仄平平仄仄平"之聯式，故屬此譜式。此式亦不合律，全詩每聯只符合七律中"對"的規定，頷聯與頸聯失黏，頸聯與尾聯也失黏。

6. 尾聯特異式

此譜式前三聯同調，尾聯獨異而平仄相反。杜甫《城西陂泛舟》③即屬此譜式：

青蛾皓齒在樓船，横笛短簫悲遠天。春風自信牙檣動，遲日徐看錦纜牽。

平平仄仄仄平平，平仄仄平平仄平。平平仄仄平平仄，平仄平平仄仄平。

---

① "平平仄仄仄平平"與"仄仄平平仄仄平"平仄本非完全相反，但由於前者作非入韻式則成"平平仄仄平平仄"，故仍視爲與"仄仄平平仄仄平"之式相反。另一式"仄仄平平仄仄平"與"平平仄仄仄平平"平仄本亦非完全相反，但前者變成不入韻式則作"仄仄平平平仄仄"，故仍視作與"平平仄仄仄平平"相反。下同。

② 《王維集校注》，第二册，頁625。

③ 《杜詩詳注》，第一册，卷三，頁177。

魚吹細浪摇歌扇，燕蹴飛花落舞筵。不有小舟能蕩槳，百壺那送酒如泉。

平平仄仄平平仄，仄仄平平仄仄平。仄仄仄平平仄仄，仄平仄仄仄平平。

此詩首三聯俱爲“平平仄仄平平仄，仄仄平平仄仄平”之聯式，尾聯是“仄仄平平平仄仄，平平仄仄仄平平”之聯式，與前三聯不同，故稱“尾聯特異式”。此式並不合律，每聯只符合七律中“對”的規定，首聯與頷聯失黏，頷聯與頸聯亦失黏，頸聯與尾聯雖黏而不符合全詩之聲勢。李白《寄崔侍御》、《别中都明府兄》俱屬此式。

7. 腹前聯特異式

這是指中二聯的前聯，即頷聯特異而平仄相反，餘三聯同調。賈至《早朝大明宮呈兩省僚友》[1]屬於此式：

銀燭朝天紫陌長，禁城春色曉蒼蒼。千條弱柳垂青瑣，百囀流鶯繞建章。

平仄平平仄仄平，仄平平仄仄平平。平平仄仄平平仄，仄仄平平仄仄平。

劍佩聲隨玉墀步，衣冠身惹御爐香。共沐恩波鳳池上，朝朝染翰侍君王。

仄仄平平仄平仄，平平平仄仄平平。仄仄平平仄平仄，平平仄仄仄平平。

本詩首聯、頸聯、尾聯俱是“仄仄平平平仄仄，平平仄仄仄平平”之聯式，惟頷聯作“平平仄仄平平仄，仄仄平平仄仄平”之聯式，遂爲獨異。此式不合律，每聯只符合七律中“對”的規定，頸聯與尾聯失黏。

8. 腹後聯特異式

此式腹後聯（即頸聯）特異而平仄相反，餘三聯同調。如裴迪《春日與王右丞過新昌里訪吕逸人不遇》[2]即用此譜：

恨不逢君出荷蓑，青松白屋更無他。陶令五男曾不有，蔣生三徑枉相過。

仄仄平平仄仄平，平平仄仄仄平平。平仄仄平平仄仄，仄平平仄仄平平。

芙蓉曲沼春流滿，薜荔成帷晚靄多。聞説桃源好迷客，不如高卧眄庭柯。

平平仄仄平平仄，仄仄平平仄仄平。平仄平平仄平仄，仄平平仄仄

---

① 〔唐〕賈至《早朝大明宫呈兩省僚友》，載〔清〕彭定求等編《全唐詩》，中華書局，1960年，卷二三五，第七册，頁2596。

② 〔唐〕裴迪《春日與王右丞過新昌里訪吕逸人不遇》，載《全唐詩》卷一二九，第四册，頁1312。

平平。

詩中頸聯作“平平仄仄平平仄,仄仄平平仄仄平”之聯式,與餘三聯之“仄仄平平平仄仄,平平仄仄仄平平”不同,故稱“腹後聯獨異式”。此譜式不合律,每聯只符合七律中“對”的規定,首聯與頷聯失黏,頷聯雖與頸聯黏而不合全詩格律聲勢,頸聯與尾聯雖黏但亦不合全詩聲勢。高適《送前衛縣李寀少府》、杜甫《望嶽》俱爲此譜式之用例。

(二) 以句爲本位者

1. 四聯同調式

此式是指全詩每聯俱同一聯式,或“平平仄仄平平仄,仄仄平平仄仄平”,或“仄仄平平平仄仄,平平仄仄仄平平”。例如李白《題東溪公幽居》[①]:

杜陵賢人清且廉,東溪卜築歲將淹。宅近青山同謝朓,門垂碧柳似陶潛。

仄平平平平仄平,平平仄仄仄平平。仄仄平平平仄仄,平平仄仄仄平平。

好鳥迎春歌後院,飛花送酒舞前簷。客到但知留一醉,盤中祗有水精鹽。

仄仄平平平仄仄,平平仄仄仄平平。仄仄仄平平仄仄,平平仄仄仄平平。

此詩首句第二字“陵”雖應仄而平,但基本上仍符合餘三聯所用的“仄仄平平平仄仄,平平仄仄仄平平”聯式,故可稱爲“四聯同調”。此譜式並不合律,每聯只符合七律中“對”的規定,四聯俱失黏。在本文關注的盛唐詩人中,在乾元元年(758)或之前,除王維外,就只有李白詩有此用例。

2. 單句同調式

顧名思義,此式是單數句同一句式:或“仄仄平平平仄仄”,或“平平仄仄平平仄”。上引李白《題東溪公幽居》一首亦可算作此式,其中“杜陵”、“宅近”、“好鳥”、“客到”諸句俱用“仄仄平平平仄仄”之同一句式,除“杜陵”句的“陵”字外,四句基本同調。此式亦不合律,由於只是單數句同調,則雙數句自有對與不對之可能,不對時就會在該聯失對;聯與聯之間亦可有失黏的情況,即使能黏,也不符合全詩聲勢。盛唐在乾元元年(758)或之前,除李白外(王維暫不算),就没有其他人有此種用例。

3. 雙句同調式

全詩雙數句用同一句式即屬此式,與“單句同調式”一樣,雙數句可用“仄仄平平仄仄平”,或“平平仄仄仄平平”。上引李白《題東溪公幽居》一首亦可算

---

① 此詩作於天寶三載(744),繫年資料見《李白詩文繫年》,頁43。詩作見《李太白全集》,卷二五,頁1156。

作此式，其中“東溪”、“門垂”、“飛花”、“盤中”諸句俱用“平平仄仄仄平平”之同一句式，平仄基本相同。與“單句同調式”的情況一樣，此式亦不合律，全詩亦可有失對或失黏的情況。盛唐在乾元元年(758)或之前，除李白外(王維暫不算)，就没有其他人有此種用例。

(三) 小結

由以上對盛唐十三位主要詩人(王維除外)應用十一種七言四韻諧和譜式情況的分析，我們可看到以下幾個重點：

其一，在十一種諧和譜式中，第二種譜式，即奇偶聯分應式，已是合律譜式，可見至乾元元年(758)或之前，律調已出現，只是未視作唯一律調譜式，也就是盛唐創作群體中未對此譜式作爲唯一律調譜式定調，那就是已成型，但未定型。

其二，除奇偶聯分應式外，其餘十式俱不合律，它們雖不合律，但都能做到律詩“對”(即每聯第二、四字平仄相反)的要求，只是不“黏”而已。而且盛唐七言四韻詩中每句基本上都是律句，雖然偶有三平、三仄，平仄平、仄平仄的情況，但例子不多，故這是有意識趨向七言律化的表現，與後來詩人掌握七律格律後刻意打破律調的拗體不同。

其三，以句爲單位的“四聯同調”、“單句同調”、“雙句同調”三種譜式中，後二種在盛唐詩人中極少用例，而且與四聯同調式有重疊之處，可以將之删除。這與五律的發展情況不同，從永明至初唐期間，五言四韻詩中的單句同調、雙句同調用例甚多[①]，這是七言四韻詩與五言四韻詩律調發展的一個顯著分别。

其四，從上文兩表中已可見，盛唐諸家七言四韻詩不合律的情況相當普遍，在奇偶聯分應式以外的十種不合律的諧和譜式的應用情況觀之，各種譜式創作俱有用例。譜式之紛紜，不合律情況之普遍，正體現盛唐時(截至王維最晚的創作758年爲止)，七律仍未完全定型，諸詩人心目中仍在探索最佳的諧和譜式。

其五，當時的創作實況應是：並不只有律譜一種譜式，而有諸種譜式並行，詩人可以按其喜愛創作。可以想見，要到了律調完全定型時，其他譜式才被淘汰掉。但這應是發生在乾元元年(758)後，甚至更後期。

四　王維對諸種諧和譜式之實踐及其對七律格律之積極探索

上文已及，盛唐諸家七言四韻詩創作量不多，不合律情況普遍，從個人創作喜好而言，這正體現他們對七言四韻詩這種新興陌生詩體的嘗試態度。其中抱持最積極嘗試態度者要數王維。在王維創作的二十首七言四韻詩中，上

① 詳見《從永明體到律體》一文，《照隅室古典文學論集》，上編，頁341—342。

列十一種譜式他都有實踐，現在我們再以王維諸作爲例作簡要説明：

就“以聯作本位者”一類而言，在前二聯同調，後二聯則與前二聯相反而同調的“前後截分列式”中，王維的《春日與裴迪過新昌里訪吕逸人不遇》①就是其例：

桃源一向絶風塵，柳市南頭訪隱淪。到門不敢題凡鳥，看竹何須問主人。

平平仄仄仄平平，仄仄平平仄仄平。仄平仄仄平平仄，平仄平平仄仄平。

城上青山如屋裡，東家流水入西鄰。閉户著書多歲月，種松皆老作龍鱗。

平仄平平平仄仄，平平平仄仄平平。仄仄仄平平仄仄，仄平仄仄仄平平。

至於等同七言律體的“奇偶聯分應式”，王維有八首用例：平起式有《敕賜百官櫻桃》、《酬郭給事》、《既蒙宥罪旋復拜官伏感聖恩竊書鄙意兼奉簡新除使君等諸公》、《早秋山中作》四首，仄起式有《奉和聖製從蓬萊向興慶閣道中留春雨中春望之作應制》、《大同殿生玉芝龍池上有慶雲百官共睹聖恩便賜宴樂敢書即事》、《敕借岐王九成宫避暑應教》、《送楊少府貶郴州》四首。

至於首尾二聯同調、中二聯與首尾所用式相反而同調的“首尾聯呼應式”中，王維《和太常韋主簿五郎温湯寓目》②即屬此式：

漢主離宫接露臺，秦川一半夕陽開。青山盡是朱旗繞，碧澗翻從玉殿來。

仄仄平平仄仄平，平平仄仄仄平平。平平仄仄平平仄，仄仄平平仄仄平。

新豐樹裡行人度，小苑城邊獵騎回。聞道甘泉能獻賦，懸知獨有子雲才。

平平仄仄平平仄，仄仄平平仄仄平。平仄平平平仄仄，平平仄仄仄平平。

“以聯爲本位者”類的第四種譜式是“首尾聯變化式”，要求中二聯同調，首尾聯或相承、相反，或相反、相承，王維《輞川别業》③即屬此式，其首聯反而尾聯承：

不到東山向一年，歸來纔及種春田。雨中草色緑堪染，水上桃花紅欲然。

仄仄平平仄仄平，平平仄仄仄平平。仄平仄仄仄平仄，仄仄平平平

① 繫年見《王維集校注》，第二册，頁356。
② 《王維集校注》，第二册，頁365。
③ 《王維集校注》，第二册，頁467。

仄平。

優婁比邱經論學，傴僂丈人鄉里賢。披衣倒屣且相見，相歡語笑衡門前。

平平仄平平平仄，仄仄仄平平仄平。平平仄仄仄平仄，平平仄仄平平平。

王維《送方尊師歸嵩山》一首所用的則是第五式"首聯特異式"，全詩首聯獨異而平仄相反，餘三聯俱同調，這在上節已分析過，此處不贅。

第六種譜式稱爲"尾聯特異式"，特點是前三聯同調，尾聯獨異而平仄相反。王維《苑舍人能書梵字兼達梵音皆曲盡其妙戲爲之贈》①、《出塞作》②兩首即是其例：

名儒待詔滿公車，才子爲郎典石渠。蓮花法藏心懸悟，貝葉經文手自書。

平平仄仄仄平平，仄仄平平仄仄平。平平仄仄平平仄，仄仄平平仄仄平。

楚辭共許勝揚馬，梵字何人辨魯魚？故舊相望在三事，願君莫厭承明廬。

仄平仄仄仄平仄，平仄平平仄仄平。仄仄平平仄平仄，仄平仄仄平平平。

居延城外獵天驕，白草連天野火燒。暮雲空磧時驅馬，秋日平原好射鵰。

平平平仄仄平平，仄仄平平仄仄平。仄平平仄平平仄，平仄平平仄仄平。

護羌校尉朝乘障，破虜將軍夜渡遼。玉靶角弓珠勒馬，漢家將賜霍嫖姚。

仄平仄仄平平仄，仄仄平平仄仄平。仄仄仄平平仄仄，仄平仄仄仄平平。

前詩首三聯俱同調，尾聯雖有"承明廬"之三平調，但其實基本是"仄仄平平平仄仄，平平仄仄仄平平"之調，與前三聯不同。《出塞作》亦如是，前三聯同調，只末聯不同。第七種譜式爲"腹前聯特異式"，王維《和賈舍人早朝大明宫之作》及《過乘如禪師蕭居士嵩邱蘭若》③兩首即其例：

絳幘雞人送曉籌，尚衣方進翠雲裘。九天閶闔開宫殿，萬國衣冠拜冕旒。

① 《王維集校注》，第一册，頁256。
② 《王維集校注》，第一册，頁136。
③ 《王維集校注》，第一册，頁110。

仄仄平平仄仄平，仄平平仄仄平平。仄平平仄平平仄，仄仄平平仄仄平。

日色纔臨仙掌動，香煙欲傍衮龍浮。朝罷須裁五色詔，佩聲歸向鳳池頭。

仄仄平平平仄仄，平平仄仄仄平平。平仄平平仄仄仄，仄平平仄仄平平。

無著天親弟與兄，嵩邱蘭若一峰晴。食隨鳴磬巢烏下，行踏空林落葉聲。

平仄平平仄仄平，平平平仄仄平平。仄平平仄平平仄，平仄平平仄仄平。

迸水定侵香案濕，雨花應共石床平。深洞長松何所有，儼然天竺古先生。

仄仄仄平平仄仄，仄平平仄仄平平。平仄平平平仄仄，仄平平仄仄平平。

前詩首聯、頸聯、尾聯俱同調，頷聯則作相反之調式，後一首亦如是。“以聯爲本位者”類的第八種譜式是“腹後聯特異式”，如王維《重酬苑郎中並序》①、《積雨輞川莊作》②二首：

何幸含香奉至尊，多慚未報主人恩。草木豈能酬雨露，榮枯安敢問乾坤。

平仄平平仄仄平，平平仄仄仄平平。仄仄仄平平仄仄，平平平仄仄平平。

仙郎有意憐同舍，丞相無私斷掃門。揚子解嘲徒自遣，馮唐已老復何論。

平平仄仄平平仄，平仄平平仄仄平。平仄仄平平仄仄，平平仄仄仄平平。

積雨空林煙火遲，蒸藜炊黍餉東菑。漠漠水田飛白鷺，陰陰夏木囀黃鸝。

仄仄平平平仄平，平平平仄仄平平。仄仄仄平平仄仄，平平仄仄仄平平。

山中習靜觀朝槿，松下清齋折露葵。野老與人争席罷，海鷗何事更相疑。

平平仄仄平平仄，平仄平平仄仄平。仄仄仄平平仄仄，平平平仄仄

① 《王維集校注》，第一册，頁256。
② 《王維集校注》，第二册，頁444。

平平。

二詩頸聯俱同調，與餘三聯之調相反，乃腹後聯獨異式之用例。

以"句爲本位者"一類中的第一種譜式是"四聯同調式"，王維《酌酒與裴迪》即是用例[①]：

酌酒與君君自寬，人情翻覆似波瀾。白首相知猶按劍，朱門先達笑彈冠。

仄仄仄平平仄平，平平平仄仄平平。仄仄平平平仄仄，平平平仄仄平平。

草色全經細雨濕，花枝欲動春風寒。世事浮雲何足問，不如高卧且加餐。

仄仄平平仄仄仄，平平仄仄平平平。仄仄平平平仄仄，仄平平仄仄平平。

此詩頸聯雖然有三仄尾和三平尾，但基本上仍符合餘三聯所用的"仄仄平平平仄仄，平平仄仄仄平平"聯式，故爲"四聯同調"。至於要求單數句同一句式的"單句同調式"，及要求雙數句同一調式的"雙句同調式"，盛唐諸人之用例均極少，上引王維的《酌酒與裴迪》可算其用例。

以上是王維使用七言四韻詩十一種諧和譜式的用例簡析，如果我們對王維與本文所引十三位盛唐詩人的七言四韻詩諸譜用例作列表統計，更能準確看出王維對七言律詩格律之積極探索態度：

盛唐詩人使用各種七言四韻詩諧和譜式列表（截至乾元元年(758)王維七言四韻詩最後一首七律創作年份止）：

詩人及生卒年	作品首數	前後截分列式	奇偶聯分應式	首尾聯呼應式	首尾聯變化式	首聯特異式	尾聯特異式	腹前聯特異式	腹後聯特異式	四聯同調式	單句同調式	雙句同調式
王維	20	1	9(合律者8首，平起仄起各4首)	1	1	1	2	2	2	1	1[②]	1[③]
張九齡	2[④]		1(仄起)		1							
孟浩然	4		4（平起3、仄起1）									

① 《王維集校注》，第二册，頁435。

② 與四聯同調式同例。

③ 與四聯同調式同例。

④ 張九齡七律共有3首，其中一首名爲《孤辰寡宿歌》，其平仄布列爲前二聯承，後二聯對，未能以上述諸式分類，故不算在内，乃得七律2首。

續表

詩人及生卒年	作品首數	前後截分列式	奇偶聯分應式	首尾聯呼應式	首尾聯變化式	首聯特異式	尾聯特異式	腹前聯特異式	腹後聯特異式	四聯同調式	單句同調式	雙句同調式
李頎	7①		7（平起6、仄起1）									
王昌齡	2		2（平起1、仄起1）									
祖詠	1		1(平起)									
李白	7②	1	3(平起)				2			1	1③	1④
崔顥	3		3(平起)									
儲光羲	1⑤		1(仄起)									
高適	6		4(平起)	1					1			
杜甫	20⑥		17（平起6、仄起11）	1			1		1			
裴迪	1								1			
賈至	1							1				
岑參	3		2（平起2）	1								

（表三）

從表中可見，王維與杜甫一樣是盛唐諸位詩人中創作最多七言四韻詩的人，達二十首之多。但正如前文第一節所言，王維在安史之亂或之前作的此類詩已達十五首之多，反觀杜甫在此段期間則只有五首，則他餘下的十五首都是在肅宗至德元年(756)至肅宗乾元元年(758)三年間所作。可見王維對諸種七言四韻譜式的試驗要比杜甫多及早。

---

① 李頎七律有兩首未見繫年資料，分別爲《宿瑩公禪房聞梵》(合律)、《題璿公山池》(基本合律，但首句三平尾)，暫視爲乾元元年(758)或之前所作。

② 李白在乾元元年(758)或之前創作之七律共有 8 首，其中《送族弟綰從軍安西》一詩以古風句爲之，全詩一句律句也沒有，亦無對仗，故不算在內。而《代佳人寄翁參樞先輩》一首(合律)未見繫年資料，暫視爲乾元元年(758)或之前所作。

③ 與四聯同調式同例。

④ 與四聯同調式同例。

⑤ 未見繫年資料，暫視爲乾元元年(758)或之前所作。

⑥ 杜甫在乾元元年(758)或之前創作之七律共有 24 首，但其中《早秋苦熱堆案相仍》、《崔氏東山草堂》、《鄭駙馬宅宴洞中》、《題省中院壁》四首俱屬拗體，各句多以三平、三仄、平仄平、仄平仄之古風句爲尾，並非以七律諧和譜式爲創作方向，故不計算在內。

就奇偶聯分應式而言,王維共作九首,有八首合律,而且四首平起式、四首仄起式,可以推想他是有意如此平均爲之、反覆實踐,有别於盛唐諸家的不規則爲之。

如果我們説王維奇偶聯分應式的平均爲之是偶然碰巧,非有意爲之的話,那麼在其餘十式中,王維每種譜式都有最少一首實踐用例,其對諸譜式運用之全面是盛唐詩人中首屈一指的,這應是刻意試驗的體現。反觀其他同期盛唐詩人,李白試驗的只是其中六式、杜甫試驗的是其中四式、高適實踐的是其中三式,其餘的或兩式或一式。俱不及王維之試驗作品多而試驗面寬。

或有人以爲,盛唐詩人奇偶聯分應式(律體譜式)的作品最多,豈非反映律體已定型?其實並非如此,他們所創作的七言四韻合律詩數量俱不多,十二人(裴迪、賈至没有合律七言四韻詩)加起來也不過五十三首,我們實難以此些微數量而認爲七言律體已定調,最多只能説此種譜式較受詩人認同和歡迎而已。

或許又有質疑會認爲王維會否是掌握格律未好,又或他如李白般不重視格律,故有不合律的七言四韻詩達十二首之多呢?實際情況並非如此,李白本來就不是一般人所認爲般不重視格律,隨意創作,其七言四韻詩共有十首,有八首在乾元元年(758)或之前所作,其中三首合律(即用奇偶聯分應式),一首以古風句爲之,其餘四首雖不合律,但其創作譜式都是有規可循,完全可用諸種諧和譜式範圍之,足見李白自己對七言律詩的格式亦在摸索之中。王維則更是如此,他能作合律(奇偶聯分應式)作品八首之多,數量在盛唐諸人中僅次於杜甫,足見對此種奇偶聯分應式成爲律體有先覺,而他仍試驗另外諸種諧和譜式,正體現他心目中仍未對以何種諧和譜式定型有最後定斷,故在積極探索之中。他積極試驗各種在我們今天看來不合律的諧和譜式,反而是他對格律極爲重視的表現,絶非未掌握格律、隨意爲之的反映。

五　結　語

經過前文對王維不合律七言四韻詩受後人關注的概述,以及對七言四韻詩於盛唐時創作情況之列表分析,還有探析過此詩體十一種諧和譜式的具體特點和盛唐諸人對此等譜式的創作實踐,最後切入王維對諸種譜式的試驗情况,我們可以得出以下結論:

就本文關注的首要重點,即王維對七言律體的探索意義問題而言,有以下幾點總結:一,王維對諸種諧和譜式的創作進行積極嘗試,體現了他對尋求格律定型之自覺意識。王維此特點一直爲學界所忽略,在歷史上甚至爲後人所誤解,例如王世貞謂王維"應制"、"早朝"諸篇外"往往不拘常調",而《酌酒與裴迪》一詩更被世貞指爲"初盛唐所無,尤不可學"。事實上,王維之不拘常調,乃積極探索格律之反映,而非好爲拗體。《酌酒與裴迪》此種"四聯同調式"的用例,亦非"初盛唐所無",李白的《題東溪公幽居》及後來岑參的《使君席夜送嚴河南赴長水(得時字)》(作於上元元年,760)①俱是此例,都作於盛唐期間。翟翬認爲王維於律詩中加入拗調,乃當時"詩律未嚴",沿襲齊梁三仄尾、三平尾遺風之表現;施補華亦認爲王維詩不合律乃受其時"格調未嚴"所影響;許印芳指出"唐人七律上下聯不忌失黏"之現象。凡此等等,都只是指出七言四韻詩創作實踐的結果,而未道出盛唐諸人不拘常調的真正原因。其原因乃在於,王維及盛唐諸人,尤其是王維,對七律格律正進行積極探索,還未決定哪一種譜式是七律的理想模式。

二,王維七言四韻詩有二十首,在截至他創作最晚的一首此類詩的乾元元年(758)爲止,其數量僅次於杜甫,對諸種諧和譜式的試驗比杜甫及主要盛唐詩人都早。而且每一種譜式他都有最少一首用例作實踐,其實踐之廣度冠絕時人。就後來被定爲律體的奇偶聯分應式,王維詩合律者有八首,其量亦僅次於杜甫,而王維以平起、仄起各四首平均爲之,與其説是巧合,不如説是他對此式作出窮極試驗的表現;在此點上,是王維優於杜甫之處。可以説,王維對七言四韻詩創作實踐上的"創作量多"、"創作時間早"、"試驗面廣"、"試驗形式均匀",乃是他對七律格律探索的貢獻所在,爲日後七律格律向前發展和確立奠定堅實基礎。

三,後人對王維七言四韻詩不合律的觀感,以負面佔多,很多認爲不可學、不宜學、不必學,似乎有一種王維對聲律掌握未穩的評價蘊含其中。其實,王維對諸種譜式的積極試驗,正體現他對聲律的重視和深入掌握,他與李白一樣受到後人"不拘聲律"之評價,都緣於他們未深入理解盛唐時諸詩人對聲律的真切關注所致。而王維的奇偶聯分應式(合律作品)有八首之多,其他諸式只有一至兩首,明顯是偏好奇偶聯分應之譜式,這正顯示王維對七律格律雛形已有先覺。

至於本文關注的第二個重點,即七言律體的定型年代問題,有以下幾點總結:一,肅宗乾元元年(758)或以前,盛唐諸家七言四韻詩的不合律情況相當普遍,張九齡、崔顥、李白、王維最多,高適、杜甫、岑參、李頎、裴迪、賈至七言四韻詩均有不合律的情況。這是當時七律格律未定型的一個表徵,説七律格律在初唐沈、宋時期已定型的説法不攻自破。沈、宋對五律格律定型的貢獻無可置疑,許總甚至提出早在初唐四傑時五律已定型,但無論五律定型於初唐四傑或沈、宋,我們都不能因而説七律就與五律同時或隨後不久定型,兩者情況應分别觀之。更重要的是,七律格律必須在爲時人普遍接受並有堅實的創作群大量從事創作之時,才可確定其完全定型。

二,盛唐諸家對七言律詩的格律定體尚未有一致看法,都在按自己的喜好試驗,探索最理想的諧和譜式,但作品不多。盛唐詩人於肅宗乾元元年(758)以前所創作的合律七言四韻詩加起來也不過五十三首,顯見七言四韻詩在當

① 詩作原文及繫年資料見〔唐〕岑參撰,陳鐵民、侯忠義校注《岑參集校注》,上海古籍出版社,1981年,頁222。

時是新興詩體，詩人只作探索式的嘗試，七律格律在當時亦並未定型。現在我們所謂的七律律體（奇偶聯分應式）在當時只是可供選用的諸譜式之一，而非定體。

三，盛唐七言四韻詩諸式創作中，每句基本上都是律句，各聯中都符合"對"的要求，偶有平平平、仄仄仄、平仄平、仄平仄句尾，但例子不多。這可視爲盛唐詩人有意識步向七言律化的表現，與後來詩人在掌握七律格律後刻意打破律調的拗體不同。

四，七律格律的定型起碼要在乾元二年（759）或之後，甚至更遲。這可初步在盛唐詩人後來的創作中得到證明，例如岑參作品中，上及的《使君席夜送嚴河南赴長水（得時字）》作於上元元年（760），所用的是"四聯同調"譜式；《暮春虢州東亭送李司馬歸扶風別廬》[①]、《秋夕讀書幽興獻兵部李侍郎》[②]、《奉和相公發益昌》[③]三首分別作於上元元年或二年（761）、廣德元年（763）及大曆元年（766），所用的俱是"首尾聯呼應式"；《九日使君席奉餞衛中丞赴長水》[④]作於乾元二年（761），用"腹後聯特異式"；《赴嘉州過城固縣尋永安超禪師房》[⑤]作於永泰元年（765），所用的是"腹前聯特異式"。這七首作品全不合律，佔岑氏十一首作品近六成四比例。岑參於乾元二年後創作的合律七言四韻詩（即用"奇偶聯分應式"者）只有《和祠部王員外雪後早朝即事》[⑥]，作於廣德二年（764）。從岑氏所用式達五種之多，而且直至標誌著盛唐終結的代宗永泰二年（766），他仍有律體（奇偶聯分應式）以外的諸式創作嘗試，可見當時律體可能還没完全定型。七律格律的最終定型，可能要到代宗大曆元年至文宗開成元年（766—836）的中唐時期。但這只是推想，要確立七律的完全定型年代須配合對中唐諸人之七律創作進行深入分析、驗證，這要有待另文探討了。

【作者簡介】 董就雄，香港城市大學中國文化中心一級導師，著有《葉燮與嶺南三家詩論比較研究》、《屈大均詩學研究》及論文多篇。

---

① 《岑參集校注》，頁 226。
② 《岑參集校注》，頁 265—266。
③ 《岑參集校注》，頁 326。
④ 《岑參集校注》，頁 247。
⑤ 《岑參集校注》，頁 310。
⑥ 《岑參集校注》，頁 310。

《小題才子書》所涉金聖歎交遊考

陸 林

【提 要】 金聖歎選評《小題才子書》,現僅存光緒掃葉山房石印本。該書所選明末清初舉人、進士八股小題文,涉及聖歎友人多位。其中王思任、沈幾、高承埏、高佑釲、王復陽、沈世奕、宋德宏、宋德宜、秦松齡等與聖歎的交往,罕見學者涉及。有關交遊考證,可以豐富對金聖歎生活圈的認識,更加清晰地感受其生存的環境和所處的時代。

【關鍵詞】 金聖歎 小題才子書 小題文 交遊考

明清科舉考試八股文,以《四書》、《五經》爲出題範圍,命題有小、大題之分。所謂小題就是以經書中的一個字至一句話命題,而大題就是用數句、一節、數節或全章内容來命題。"小題一般用於童試,限從《四書》中出題,小題内容很不整齊,大多纖佻瑣碎者。大題用於鄉、會試,從《四書》、《五經》中出題,題義一般完整明白。"①金聖歎(1608—1661)曾評點、編纂科舉範文(類似今作文輔導教材)多種,現存順治十四年(1657)自序的《小題才子書》一種。金氏的此類著作,《唱經堂遺書目録》著録有"《程墨才子》和《小題才子》"②,當即分别是周亮工所謂"聖歎尚有《歷科程墨才子書》"和"所批《西厢》、《唐詩》並《小題》文字,非不種種妙絶"③。對於前者,周氏云"已刻五百葉",因聖歎遭難而中止,"今竟無續成之者"。據古人考證,自晚明以來"程墨"是特指某類八股文的:"至(萬曆四十三年)乙卯以後,而坊刻有四種:曰《程墨》,則三場主司及士子之文;曰《房稿》,則十八房進士之作;曰《行卷》,則舉人之作;曰《社稿》,則諸生會課之作。"④程墨文字,是指主持或參加舉人、進士考試的官員和試子的範

---

* 基金項目:2013 年度教育部人文社科一般項目"金聖歎學術史編年"(13YJA751033),江蘇省社科基金一般項目"金聖歎事迹影響編年考訂"(13ZWB004),江蘇省高校優勢學科建設工程項目階段性成果。

① 劉海峰、李兵《中國科舉史》,北京,東方出版社 2004 年版,第 314 頁。

② 金聖歎著,劉獻廷選《沉吟樓詩選》卷末附録,上海古籍出版社影印清鈔本,1979 年版,第 155 頁。

③ 周亮工《賴古堂名賢尺牘新鈔》卷二嵇永仁《與黄俞邰》眉批、卷五金人瑞尺牘眉批,康熙元年(1662)刻本。

④ 顧炎武《日知録》卷十六《十八房》,乾隆刻本。

文;而"小題者,場屋命題之所不及,而郡縣有司及督學使者之所以試童子者也"①。故就内容看,《程墨才子書》所選評者可能不包括《小題才子書》。據周亮工所言,可以明確《程墨才子書》開雕而未竣,而《小題才子書》已經刊行②。據《小題才子書》自序,順治十三年(1656)秋天因爲教育子侄的需要,聖歎開始評選小題文,至次年三月完成評點。該書原刻本和李兆洛道光中期翻刻本③均已亡佚,現僅存光緒十五年(1889)掃葉山房石印本,是金聖歎的一部重要佚作。自二十餘年前梅慶吉先生披露《小題才子書》的存在後④,可能由於傳世的稀少,研究金聖歎生平事迹的學者對此一直缺乏關注;筆者輯校《金聖歎全集》首次收入此書出版亦有四年,專題研究文章仍付闕如。在這部成書於晚年的著作裡,共收入128位晚明和清初文人的小題文。從評語中可以看出或涉及到的,或結合其他史料可以判定與聖歎有關係的,有近20位。其中,如錢謙益、周亮工、葉紹袁、顧贇、顧予咸、許(顧)虬、許之漸、周令樹等,在相關拙文中已經有所介紹,此處不再涉及,以下僅就王思任、沈幾、高承埏、高佑釲、王復陽、沈世奕(兼及沈元鼎)、宋德宏、宋德宜、秦松齡(兼及秦松年)等略作考述,希望借此豐富對金聖歎生活圈的認識,通過交遊考證,更加清晰地感受其生存的環境和所處的時代。至於沈以曦(順治二年任長洲知縣,三年至十一年任蘇州府推官)、程邑(順治十三年至康熙元年任蘇州府學教授)等當地官員,按理會有交往,但因評語中没有流露迹象,故亦不予涉及。

王思任

王思任字季重,號遂東,又號謔庵,山陰(今浙江紹興)人。晚明文學家。生於萬曆三年乙亥七月二十一日⑤,萬曆二十三年(1595)乙未科進士,是稀見的進士履歷著録生年與實際一致者⑥。歷任興平、當塗、青浦知縣,萬曆四十六年"報移"袁州推官,以父老辭歸。崇禎初年復任刑部、工部主事,九江僉事等。弘光元年清兵攻下南京後,馬士英擬奉太后入越,致書以"吾越乃報讎雪恥之國,非藏垢納污之區"⑦相拒。魯王監國,以思任爲禮部侍郎。次年七月

① 戴名世《戴名世集》卷四《己卯行書小題序》,王樹民編校,北京,中華書局1986年版,第110頁。

② 周亮工於"《小題》文字,非不種種妙絶"之後云:"苦是一支筆,所謂數見不鮮也。若當時只行《水滸》一種,便令海内想煞。"可知已經見行於世了。

③ 參李兆洛道光十二年九月撰《金選小題文序》,《養一齋集》文集卷六,道光二十三年(1843)活字印本。

④ 梅慶吉《新發現的金聖歎著作——〈小題才子文〉》,《北方論叢》1990年第5期。

⑤ 王思任《王季重先生自叙年譜》,《北京圖書館藏珍本年譜叢刊》本。

⑥ 多洛肯《明代浙江進士名録與小傳》,"王思任:順天府宛平縣,民籍,浙江山陰縣人。字遂東,號乙亥,按《同年序齒録》下缺載。"《明代浙江進士研究》,上海古籍出版社2004年版,第368頁。

⑦ 王思任《讓馬瑤草閣部》,李漁輯《尺牘初征》卷一,順治十七年(1660)刻本。

紹興陷，自號"采薇子"，九月二十二日絶食而逝[①]。有《王季重十種》傳世。

思任少年多才，"十餘歲洞《易》義，通《性理》、《綱目》、《史》、《漢》、《左》、《國》諸書"[②]。各種文體兼擅，小題文字尤佳。萬曆三十九年(1611)任青浦知縣時，曾將自己當年所撰小題文刊行，湯顯祖爲之序[③]；題名爲《小題不朽》[④]，可見自負。金聖歎選其文《乃孔子則……苟去》一篇，截取《孟子·告子下》"乃孔子則欲以微罪行，不欲爲苟去"兩句頭尾而成。尤爲重要的是，在萬應隆《修其祖廟》小題文的解題評語中，有這樣一段王思任指點少年聖歎的記載：

> 昔者王遂東先生謂吾言："看花宜白袷，踏雪宜豔妝。"吾爾時甫十五歲，便識此語是古人筆墨秘訣。因持之以遍相《左》、《策》、《史》、《漢》等書，無不大驗也；逮於蔚宗《後漢書》以降，則已不能多得。因又入諮先生，先生笑曰："小子休矣！盡能是，即不必與子説。"今只如此題，若摭拾"祖廟"字樣，何止累牘不了？看他只是題外寫來，早已極盡奇勝。洵乎，遂東先生不負我！[⑤]

聖歎十五歲，即天啓二年(1622)壬戌，此年王思任四十八歲，自萬曆末以父老辭官，居鄉已多年，與老父"朝夕扶掖看青山"，七月十七日其父卒(享年九十三)(自叙年譜)。此際當有姑蘇之行。在王思任現存著述中，足迹涉及蘇州的詩文有數篇，如《泛太湖遊洞庭兩山記》、《太湖法海寺贈僧》、《西洞庭翠峰寺》、《宿包山寺空翠閣》、《虞山道中》等，除了遊記撰於萬曆四十一年(1613)，其他詩歌寫作時間多不可考，然以王思任後來曾在九江、蕪湖、南京爲官，當多次經蘇州，兩人交往應不止一次。

後人在論述金聖歎的精神師承時，多以唐寅、徐渭、李贄爲其先聲，其實聖歎對於李贄頗有微詞。《貫華堂第五才子書水滸傳》第三十一回《武行者醉打孔亮，錦毛虎義釋宋江》寫王英道"如今世上都是那大頭巾弄得歹了"之語，聖歎下評語曰："駡世語，竟似李贄惡習矣。然偶然一見即不妨，但不得通身學李贄，便殊累盛德也。"他並不喜歡以牢騷駡世爲尖鋭深刻的當時風氣。從各方面看，王思任對金聖歎至少也存在著很大的影響：

其一，王思任指教少年金聖歎，使之由此而悟"古人筆墨秘訣"，並用之指導自己閲讀古代文史名著。這十個字，表面看只是從色彩的搭配説明衣著與場景的關係，其實包藴了悲喜互襯、濃淡對比、動静結合、疾徐有致等一系列藝

---

① 邵廷采《思復堂文集》卷二《明侍郎遂東王公傳》，祝鴻傑點校，杭州，浙江古籍出版社 2010 年版，第 132 頁。

② 查繼佐《罪惟録》列傳卷十八《王思任》，《四部叢刊三編》影印手稿本。

③ 湯顯祖《湯顯祖詩文集》卷三三《王季重小題文字序》，徐朔方箋校，上海古籍出版社 1982 年版，第 1074 頁。按：參見徐朔方《晚明曲家年譜》第 3 册《湯顯祖年譜》，杭州：浙江古籍出版社 1993 年版，第 442 頁。

④ 張岱《石匱書》卷二百七下《董其昌黄輝陳繼儒王思任列傳》。

⑤ 金聖歎《小題才子書》卷四《中庸》，陸林輯校整理，《金聖歎全集》第 6 册，南京：鳳凰出版社 2008 年版，第 702 頁。

術辯證關係,王思任能不吝施教,金聖歎能深刻領悟。“洵乎,遂東先生不負我”的感歎,足見服膺之深。有關美學思想,十五歲受教,五十歲還記憶猶新。這裏應該只是以“看花宜白袷,踏雪宜豔妝”一例,説明自己早年曾多次向王思任請教爲文爲人之道。

其二,王思任的處世風範,對聖歎應有影響。季重擅書畫,“書法從米家,畫仿倪迂”,聖歎亦精於書畫;王思任語言詼諧調謔,“往往以口舌得罪”。晚改號謔庵,以自懺。“喜陰隲人,至有僞爲有子之喪,乞舉火者,書《易》示其子:乾初勿用,故能用九;大衍虛一,故能用萬。有乙千二百四十。嘗書同年商周祚山房柱聯,有‘好色想西施’之句,蓋無不謔也”①。清初談遷記載王思任“恃才傲物”的言行:

> 鄉人張汝懋,其門生也。過其家,聞鞭樸聲。張曰:“命奴市鴨子,云主人不在。鴨子安得有主人?”王笑曰:“箕子爲之奴,鴨子獨無主人乎?”②

張汝懋,元忭子,萬曆進士,官至大理寺右丞。“箕子爲之奴”,語出《論語·微子》“微子去之;箕子爲之奴;比干諫而死。孔子曰:‘殷有三仁焉!’”王思任此處以“箕子”諧“雞子”音,意思是説連儒家經典中都説雞子有主人,鴨子當然也有了。這在古代,是被視爲辱没聖人的行爲。金聖歎在評點《西厢記》時,因《鬧簡》【石榴花】曲“幾乎險被先生饌”而引發對通俗戲曲化用儒家經典的激賞:

> ○用《論語》入妙。湯海若先生《牡丹亭》傳奇,杜麗娘拜師,語曰:“酒是先生饌,女爲君子儒。”用《論語》入妙也。
>
> ○吾友斵山王先生……偶於舟中,時方九日,忽一女郎掉文曰:“何故此時則雀入大水化爲蛤?”座中斗然未有以應也。先生信口答曰:“我亦不解汝家何故雀入大蛤,皆化爲水也。”一時满舟喧然,至有翻酒濡首者。此真用《禮記》入妙也。

以上所謂用《論語》、《禮記》“入妙”的語句,分别出自《論語·爲政》“有事弟子服其勞,有酒食先生饌”,《論語·雍也》“子謂子夏曰:女爲君子儒,無爲小人儒。”《禮記·月令》“季秋之月……鴻雁來賓,爵入大水爲蛤,鞠有黄華”。爵即雀,“雀入大水爲蛤”爲寒露第二候,時間對應於農曆九月初六日至初十日。傳説鳥雀此時潛入大海而化爲蛤類(大約是因其貝殼紋路與雀鳥羽毛相似而生發的聯想)。兩人對待金錢的態度亦相似:

> 遂東有錢癖,見錢即喜形於色,是日爲文特佳。然其所入者,強半皆諛墓金,又好施而不吝,或散給姻族或燕會朋友,可頃刻立盡,與晋人持籌

① 查繼佐《罪惟録》列傳卷十八《王思任》。
② 談遷《棗林雜俎》和集《叢贅》,羅仲輝、胡明校點校,北京,中華書局 2006 年版,第 610 頁。

燭下、溺於阿堵者不同，故世無鄙之者。①

（聖歎）生平與王斲山交最善。斲山固俠者流，一日以三千金與先生，曰："君以此權子母，母後仍歸我，子則爲君助燈火，可乎？"先生應諾，甫越月，已揮霍殆盡，乃語斲山曰："此物在君家，適增守財奴名，吾已爲君遣之矣。"斲山一笑置之。②

王思任爲人"有俊才，居官通脱自放，不事名檢。性好謔浪，居恒與狎客縱酒，談笑大噱。遇達官大吏，疏放絶倒，不能自禁"③；金聖歎則"性疏宕，好閒暇，水邊林下，是其得意之處。又好飲酒，日爲酒人邀去"④，並自稱"我爲法門，故作狗子。狗子則爲人所賤惡，奔競之士决不肯來，所來者皆精微澹泊、好學深思之人也"⑤。可見兩人精神風貌的相似。

其三，聖歎學術興趣也與王思任有相通之處。思任萬曆四十一年（1613）曾編選"程墨"《壬癸合轍》，"行坊間，悉發作文之竅，翻刻遍天下，而紙爲之貴"（自叙年譜）；曾贊許《西厢記》作者王實甫"登峰造極"，"觀其詞章，變化高妙，入聖通神，上至九天，下至九淵，而終不出其位"⑥。尤其是其在天啓三年（1623）癸亥評點湯顯祖《牡丹亭》，認爲"火可畫，風不可描；冰可鏤，空不可斡。蓋神君氣母，别有追似之手，庸工不與耳"；而自古以來可以達到這一境界的，《易經》而下，只有"左丘明、宋玉、蒙莊、司馬子長、陶淵明、老杜、大蘇、羅貫中、王實甫，我明王元美、徐文長、湯若士而已"，其中莊子、司馬遷、杜甫、羅貫中、王實甫，與六才子書的作者人選有先後呼應的關係；序言中對劇中人物的性格點評有云：

> 杜麗娘雋過言鳥，觸似羚羊，月可沉，天可瘦，泉臺可瞑，獠牙判鬢可狎而處，而"梅"、"柳"二字一靈咬住，必不肯使劫灰燒失。柳生見鬼見神，痛叫頑紙，滿心滿意，只要插花。老夫人眢是血描，腸鄰斷草，拾得珠還，蔗不陪檗。……春香眨眼即知，錐心必盡，亦文亦史，亦敗亦成。⑦

亦直接啓發了金聖歎對鶯鶯、張生、老夫人、紅娘等人物形象的分析。

會稽徐沁（1626～1683）《贊采薇子像》云："公以詼諧放達，而自稱爲謔，又慮憤世嫉邪，而尋悔其虐。孰知嬉笑怒駡，聊寄託於文章；慷慨從容，終根柢於正學。"⑧這段讚語，即便移於金聖歎，亦無多少扞格之處。

① 陶元藻《全浙詩話》卷三五《明·王思任》，嘉慶元年（1796）刻本。

② 廖燕《二十七松堂集》卷十四《金聖歎先生》，康熙刻本。

③ 錢謙益《列朝詩集小傳》丁集中《王僉事思任》，上海古籍出版社 1983 年版，第 574 頁。按：張岱《石匱書》、陳田《明詩紀事》王思任小傳均據此。

④ 徐增《九誥堂集》文卷一《天下才子必讀書序》，康熙抄本。

⑤ 徐增《九誥堂集》文卷三《送三耳生見唱經子序》。

⑥ 王思任《王季重十種》"雜序"《王實甫西厢序》，任遠點校，杭州：浙江古籍出版社 2010 年版，第 65 頁。

⑦ 王思任《王季重十種》"雜序"《批點玉茗堂牡丹亭詞叙》，第 33～34 頁。

⑧ 邵廷采《思復堂文集》卷二《明侍郎遂東王公傳》引，第 133 頁。

高承埏、高佑釲

金批小題文中,選録了高承埏的兩篇文字,一是《論語》的《遠之事君》,一是《孟子》的《相窺》①。在前一題的解題中云:

> 先生第一輩人物,第一輩文章,茲不具論,今止論其小言。夫題中"事君"二字,此豈非小儒眼中天大干係耶?乃先生泠泠然、温温然,全副只是説《詩》,而"事君"二字不過附之自見。所以然者,此題本爲教小子學《詩》,故連説到"事君";非爲教小子事君,故追説到學《詩》也。故作此題而滿眼是君者,功名人也;滿眼是《詩》者,性情人也。先生真正性情之人,我欲因念祖社兄,一拜稽古堂下,以伸十年仰止之思焉。

高承埏是何許人,聖歎居然給予其"第一輩人物,第一輩文章"的評價?承埏(1603~1648),字寓公,一字澤外,晚稱鴻一居士,嘉興新豐鎮(在今嘉興市東南 17 公里處)竹林村人。其父名道素(?~1629),萬曆四十七年進士,官至工部員外郎,以督造桂府宫殿坍塌論死,時論冤之。所撰小題文《一介不以取諸人》,亦爲聖歎所選,贊許頗高:

> 是爲先輩分水犀文字,題中細處,一一分得開;是爲先輩珊瑚鐵網文字,題中難處,一一做得出;是爲先輩殺人刀、活人劍文字,題中魔佛不辨處,一一殺得明白、活得明白。後學須澄心静氣,細細讀其眼明處、手辣處、人做我不做處、人不做我做處,自然生出異樣氣力、異樣筋節。先生《景玄堂集》上與日月争光,固不止此經生小言。然止就此論之,一何凜凜森森也!②

承埏乃其獨子,少好讀書,有文名,崇禎十二年(1639)中舉,連捷成進士,因廷試"直言政府銓樞貂璫利弊,當局者抑置三甲"③。此後歷知遷安、寶坻、涇縣。其事迹值得一提的有數件:

崇禎十五年調任寶坻知縣,是冬清兵圍城,承埏集士民告曰"誓與城爲存亡",親率部下"擐甲城守,飛矢雨集,外援不至,吏民皆失色。承埏風雪中蓐食宿城上,顧盼指揮,意氣自如,凡九攻輒九卻之,遂解圍去"。次年四月,清兵自山東復圍城,承埏"堅壁清野,竭力捍禦,保孤城爲京師遮罩",再次擊退清軍。得到崇禎帝"全城卻敵,功在封疆"的褒獎,著從優任用。然"當事嫉其功,再調知涇"④。崇禎十七年,南都立,由涇縣令遷工部虞衡司主事,上書白父冤,以

---

① 金聖歎《小題才子書》卷三《論語》、卷五《孟子》,《金聖歎全集》第 6 册,第 673、736 頁。
② 金聖歎《小題才子書》卷六《孟子》,《金聖歎全集》第 6 册,第 751~752 頁。
③ 王岱《了庵文集》卷九《高寓公先生傳》,乾隆刻本。
④ 陳鼎《留溪外傳》卷六隱逸部下《高主事傳》,康熙三十七年(1698)刻本。

葬父養母乞歸，曰："承埏非忘君國大仇，奈獨子何？"[①]歸鄉隱居。

承埏入清隱居竹林村，稽古堂藏書七萬餘卷[②]，"夙躭丘索，入其室鄉嬛宛委，觸目奇秘。……既淹貫讎校，才思新綺，著作日新，有《稽古堂集》、《外集》、《藏書疏略》、《疑西樓書目》各若干卷"[③]，另撰《醉鄉春秋》、《會稽女子録》、《寶坻全城記》[④]；所著今存有《自靖録》六卷（所輯自崇禎以來殉節諸臣），其子佑釲補，稿本[⑤]；《崇禎忠節録》三十二卷[⑥]，佑釲補，清抄本；輯刻《稽古堂新鐫群書秘簡》二十一種七十九卷，"明末刻本"[⑦]，以其自中進士以來輾轉南北爲縣級父母官，刻書之舉或爲辭官隱居後的産物。《稽古堂文集》中有《藏書序》、《稽古堂書目序》、《藏書録自序》、《書直編年序》、《書籍轉輪録序》、《求書補書録序》，其於圖書的收藏校勘，"可謂求之勤而嗜之篤矣"[⑧]。民國葉德輝《書林清話》卷五《明人刻書之精品》列其要目。從《自靖録》、《崇禎忠節録》的編纂看，爲其後來有病不治、謝醫待盡的求死行爲，早就埋下了伏筆。

順治五年(1648)戊子"元日患疾，謝醫待盡，越二十五日賦詩而瞑，同於元亮自祭矣。春秋四十有六，生萬曆癸卯正月十六日"[⑨]。所賦詩《病中述志》二首云：

> 八載京華夢，天涯幾故人。和陶書甲子，吊屈賦庚寅。地下從吾父，堂前戀老親。酬恩無□可，生死其沾巾。
>
> 白眼乖時俗，煩憂抵自焚。撫時慚小草，抗志與浮雲。故國天難問，遺民史闕文。惟將前進士，慘澹表孤憤。[⑩]

絶筆而逝，年僅四十六歲。此題絶命詩，抒發了入清後效法陶潛不書新朝年號、屈原遺世獨立披髮行吟的忠節之舉，表達了追隨亡父與奉養老母的艱難抉擇。此即錢謙益所謂承埏"遭乙酉之變，痛憤不欲生，念太夫人春秋高，終鮮兄弟，未能即自引決，蓋其悲歌慷慨，低回結轖，以生爲可厭，而以死爲可樂也，決矣！祈病而病，祈死而死，庶幾從容就義者之所爲，而去夫榻前牖下之徒遠

① 鄒漪《啓禎野乘二集》卷一《高工部傳》，康熙十八年(1679)刻本。

② 朱彝尊《曝書亭集》卷七二《前進士高公墓表》："嘉興城破，誓墓不出，隱居竹林村窩，聚書八十櫝，多至七萬餘卷。"康熙刻本。

③ 錢士升《賜餘堂集》卷九《工部虞衡司主事寓公高公墓誌銘》，乾隆四年(1739)刻本。

④ 王岱《了庵文集》卷九《高寓公先生傳》。

⑤ 另有《自靖録考略》八卷《外編》一卷，爲高承埏撰，高佑釲補，王逢辰考證，咸豐八年(1858)嘉興竹裡王氏刻本。

⑥ 《崇禎忠節録》和《自靖録》的序跋提要，參見謝國楨《增訂晚明史籍考》，上海古籍出版社 1981 年版，第 155、732 頁。按：謝氏云《自靖録》"所記以崇禎時忠烈事迹爲主"，"故又名崇禎忠節録"(734 頁)，然又將兩書分置兩處。

⑦ 顧廷龍主編《中國古籍善本書目・叢部》，上海古籍出版社 1993 年版，第 323 頁。

⑧ 盛楓《嘉禾征獻録》卷十五，清抄本。

⑨ 錢士升《賜餘堂集》卷九《工部虞衡司主事寓公高公墓誌銘》。

⑩ 王岱《了庵文集》卷九《高寓公先生傳》。按：詩名見錢謙益《高寓公稽古堂詩集序》。

矣”[1]。

像這樣在明朝父親被冤死，自己以進士長期沉抑下僚的人士，入清以後，當新朝以國子監司業相聘時，本可以有無數的理由去做識時務的“俊傑”，高承埏卻以雖然談不上慘烈，卻同樣令人有錐心之痛的死法，毅然去殉了那個已逝的王朝。錢謙益之後爲其《稽古堂詩集》撰序，文中“彈丸左輔，烽火甘泉。百雉炮車，恥登樓而清嘯；一牆堅壘，愴聞笛以悲吟。嬰城之長句猶新，裹創之殘血已碧”云云，其實贊許的就是高氏知寶坻、抗清兵的壯烈事迹；並認爲僅以“文學世其家，爲文士；出令沖邊，乘城扞敵，爲才吏；瀝血帶索，爲父訟冤，爲孝子”概括其爲人風範，令人尚感歎“世之知君未盡也”，似有以“悲歌慷慨、以死爲樂，爲義士”視之的含義在，是研究錢謙益入清後思想的重要文獻。序文開篇和結尾分別感歎：“嗚呼！士君子不幸而生於天地板蕩、陸沉滄海之秋，懷忠抱義、抑没無聞者，可勝數哉”；“今之士大夫，讀寓公之詩，爲之髮植毛豎、羽聲變徵、酹酒而憑弔者，亦有人焉爾乎？如無其人，而忠孝之精氣，複疊攢仄於尺幅之間，光怪陸離見於山川而燭於天，我知其不終没没也已”。金聖歎評其爲“第一輩人物，第一輩文章……真正性情之人，我欲因念祖社兄，一拜稽古堂下，以伸十年仰止之思焉”，亦算是讀寓公之文，以特殊的方式“爲之髮植毛豎、羽聲變徵、酹酒而憑弔者”了。

聖歎順治十四年(1657)初選評小題文，所謂“我欲因念祖社兄，一拜稽古堂下，以伸十年仰止之思焉”，可以想見九年前稽古堂主人高承埏的自絶人世，對他有著怎樣的震撼，令其産生怎樣的景仰；由此也帶出了一個人的字號：念祖。高佑釲(1629～1713)，字念祖，號懷寓主人[2]，爲高承埏長子，貢生，候補州判。族弟高孝本(1649～1728)撰其《傳略》云：

> 大兄爲虞部公長子，虞部教子嚴，言小誤，即正色誚讓，未嘗稍假借。以是兄學問得早成。虞部公即世，兄年甫二十，爲譚掃庵先生婿。掃庵多讀書，富著述，兄之古學，得力於婦翁者居多。後同朱竹垞太史入都，兩載方歸，自是遊屐遍南北。兄博聞強記，於明季朝事及東林、復社門户分争始末，尤諳悉；故家舊族科第行輩，能鑿鑿言之；閲書籍有誤字，即能指摘。虞部公撰有《自靖録》，兄增輯之，梓於金陵。自朝紳、庠士、農賈、傔從，搜訪殆盡。作詩典雅，文詳贍。八十外燈下作蠅頭小楷，一行七八十字。今所存遺稿，非離婁幾不能讀。年八十五卒。子一，洪模。[3]

高承埏順治五年(1648)正月二十五日卒。所謂“虞部公即世，兄年甫二十”，可推其生於崇禎二年(1629)，梅文鼎(1633～1721)康熙四十七年(1708)戊子撰《壽嘉禾高念祖先生八十》，上推八十年，亦在崇禎二年；“年八十五卒”，可見其

---

① 錢謙益《牧齋有學集》卷十六《高寓公稽古堂詩集序》，錢仲聯標校，上海古籍出版社 1996 年版，第 749 頁。

② 《天樂鳴空集序》“秀水懷寓主人高佑釲念祖父識於新豐鎮之竹林草堂”。

③ 阮元輯《兩浙輶軒録補遺》卷一，嘉慶刻本。

逝於康熙五十二年(1713)。其岳父譚掃庵,即譚貞默(1590～1665),字梁生,號掃庵,嘉興人,崇禎元年進士,明季與同邑李肇亨"同主鴛社"①即鴛水詩社。聖歎稱佑釲爲"社兄",或與此有關。貞默官至工部主事,入清隱居,拒絶新朝的國子監司業之薦,康熙四年七十六歲卒於家②。金聖歎小題文選其"以皮冠庶"四句一題③。

高佑釲"夙承家學,文章之菁華,與名理之苕穎,皆成於胎性,根於種智"④。有著强烈的弘揚家族文化傳統的理念。曾輯高、曾以下先人手迹爲卷,隨身攜帶,"一飯不忘其先與之言,非祖父之言勿道也。嘗集其先世手書,裝潢成卷,蓋雖南游舒越,西北入於燕齊,梯涉數千里,必載以行,其用心勤矣"⑤。魏禧(1624～1681)題跋曰:"所搜輯皆親舊往返手書,或告語子弟米鹽瑣屑語",文字雖然"平平無奇",而"當時朝廷得失、天下大利弊,可互推而得;先人清忠大節,煩冤離憂之狀、學問之深造有得,皆一一如見。雖有讒口,吹毛求之不可疵也"⑥。魏禧的最後一句,其實暗中是與同時袁俊以表彰母節的《霜哺篇》請人題詠動機不純⑦相比較的。高佑釲還曾輯刻《高氏三世詩刻》,請金堡(1614～1680)爲序:"皆吉光片羽,而風雅之美,已洋洋乎三世大觀矣。"⑧所著有《懷寓堂詩》,錢謙益贊曰"清虚婉約,么弦獨唱,昔人所謂'孤桐朗玉,自有天律',庶幾似之"⑨,惜無流傳,"久佚無存"⑩。纂《内鄉縣志》十二卷,有康熙三十二年刻本。其父"晚輯《自靖録》,紀崇禎以來殉節諸臣,迄歲乙亥止,佑釲續之"⑪,即該書自崇禎九年起爲佑釲補撰。

高佑釲與陳維崧、朱彝尊爲好友,曾撰《迦陵詞全集序》、《竹垞文類序》。康熙三年五月與朱氏北上入京,有關軼事經汪琬(1624～1691)筆記而廣爲流傳:

> 朱十(彝尊)詩才雋逸,文尤跌盪可觀。然性好飲酒,嘗與高念祖(佑

① 沈季友《檇李詩系》卷二十《李太學肇亨》,《四庫全書》本。

② 譚新嘉等纂《嘉興譚氏家譜》卷三《宗支》譚貞默"萬曆庚寅八月二十九日生,康熙乙巳五月初一日卒,壽七十六";女三,"三適高工部主事諱承埏子、州判諱佑釲",光緒三十一年(1905)刻本。

③ 金聖歎《小題才子書》卷六《孟子》,《金聖歎全集》第6册,第764頁。

④ 錢謙益《牧齋有學集》卷十六《高念祖懷寓堂詩序》,錢仲聯標校,第751頁。

⑤ 朱彝尊《曝書亭集》卷五三《高念祖先世遺墨跋》。

⑥ 魏禧《魏叔子文集》外篇卷十二《跋嘉興高念祖先世手迹卷後》,胡守仁等校點,北京:中華書局2003年版,第628頁。

⑦ 參見杜桂萍《從"傭書養母"到"名士牙行"——袁駿〈霜哺篇〉與清初文學生態》,《文學評論》2007年第3期。

⑧ 金堡《徧行堂集》文集卷七《高氏三世詩刻序》,乾隆五年(1740)刻本。

⑨ 錢謙益《牧齋有學集》卷十六《高念祖懷寓堂詩序》,錢仲聯標校,第751頁。

⑩ 李道悠《竹里詩萃》卷三,光緒二十一年(1895)刻本。

⑪ 朱彝尊《曝書亭集》卷七二《前進士高公墓表》。按:"乙亥"原作"丁亥",據楊鳳苞《秋室集》卷二《南疆逸史跋一》改。

鉅)入都,每日暮泊舟,輒失朱所在。及高往求之,則朱已闌入酒肆中,醉卧壚下矣。①

康熙二十年(1681)從京城還鄉,陳維崧作詩《送高念祖還嘉禾》二首相送,並云:"第二首並柬秋岳先生,先生贈念祖詩有云:'貧許壁魚依老鬢,怨深征馬入通都。'且云:'念祖在家時,頻借書資我也。'故是章専及之。"②引詩見曹溶(1613～1685)《高念祖時爲余借書,有事東遊奉送》之一"盛時簪筆用珊瑚,兵後誅茅失壯圖。貧許壁魚依老鬢,怨深征馬入通都。三餘本藉琅玕在,二酉新看劍鏃無。倘遇輶軒諮訪遍,莫忘傳寫到潛夫。"③看來稽古堂藏書,至少在高念祖手裡尚未流失。

歸安吳景旭(1611～1695)在逝世那年寫的《爲高念祖年丈題竹林書屋圖》詩云:

竹林清節舊知聞,況是藏書備典墳。世業參天圍古木,遺編拔地護香芸。炎京筆落東西並,豪士夢回上下分。爲讀一門忠孝史,正宜翹首對層雲。④

讚揚了其父祖的氣節、勳業,藏書、家學的薰染,以及忠孝傳家的門風。宣城梅文鼎(1633～1721)康熙四十七年(1708)寫詩祝高佑釲八十壽云:"先生忠孝裔,遺編紹先志。網羅歷歲月,屐齒周粤薊。參互析疑誤,闡發吐生氣。其人餘四千,搜輯猶未置。"説的就是"虞部手輯《崇禎忠節録》,先生續成之,且募梓焉"⑤。雖然此書似乎最終亦無刻本問世,歷經網禁綦嚴的康乾時代而能以抄本流傳至今,亦算是一個異數了。

沈　幾

金聖歎《小題才子書》曾選《夫公明高……何哉》一文,解題曰:

題最纏綿佶曲,如舜自號泣,卻要長息問。先想長息胸中是何意思,長息特問,公明卻不答;次想公明胸中是何意思,公明不答,長息又便休;再想長息胸中又是何意思,長息尚不聞,孟子卻能代公明暢宣一上;又想孟子胸中又是何意思。如此放眼看題,便見此題一片純是眼淚,一片純是呻吟,一片純是車輪往復。看先生字字眼淚,句句呻吟,行行車輪往復。

① 汪琬《説鈴》,李聖華箋校《汪琬全集箋校》第4册,第2235頁。按:又見徐釚《續本事詩》卷十一、王晫《今世説》卷八《惑溺》、秦瀛《己未詞科録》卷九、陳康祺《郎潛紀聞》卷十二。

② 陳維崧《湖海樓詩集》卷八辛酉,清刻本。

③ 曹溶《静惕堂詩集》卷三六,雍正刻本。

④ 吳景旭《南山堂自訂詩》三訂詩卷四《晚霞草》二,康熙刻本。按:此詩之後爲《錢子蓼湑病後寄近詠》,然後就是《四時農唱》(追録)等三題,可見後三題爲編者補録。

⑤ 梅文鼎《績學堂詩文鈔》詩鈔卷四《壽嘉禾高念祖先生八十》詩、序,何静恒、張静河點校,合肥:黄山書社1995年版,第327頁。

某曾面贊先生，先生大肯。[①]

此題出於《孟子・萬章上》"夫公明高以孝子之心，爲不若是恝，我竭力耕田，共爲子職而已矣；父母之不我愛，於我何哉？"作者沈幾，字不疑，號大谷居士（《智囊序》），江南長洲人。天啓七年（1627）鄉試解元，入復社，崇禎四年（1631）進士，曾任福建福寧知州。與馮夢龍、馮夢熊兄弟爲友，所撰《智囊》序今存。如果中解元約在三十歲上下，其生當在萬曆二十六年（1598）年前後，約長於聖歎十歲。

沈幾爲啓、禎時著名文士，昆山張大復（約 1554～1630）曾撰詩《聞譚友夏沈去疑各解省喜而有作》[②]，賀其與湖廣譚元春（1586～1637）同爲兩省鄉試第一。尤以科舉文字爲時所稱，蘄州顧景星（1621～1687）云："有明以經藝取士，世廟前文體正，士交遊不出於鄉；神廟後文體駁，海内俊傑合梓其文，稱大社。時則金壇周介生鐘、簡臣銓、仲馭鑣、張公亮明弼、沈去疑幾、東鄉艾千子南英、臨川陳大士際泰、羅文止萬藻、章大力世純、烏程唐宜之時、無錫馬素修世奇，各有選刻，風尚分馳。"[③]崇禎前期，便有制義文稿《沈去疑稿》問世，一時名家如陳仁錫（1579～1634）、姚希孟（1579～1636）、張溥（1602～1641）皆爲之序，或贊其人品正大，氣象端嚴："沈去疑有道正人也，直肝義膽，其文雄深博大，予夢寐中嚴事之。雲陽多樹奇士，刻門人稿曰《練湖聚業》[④]；自名其新篇曰《後知集》，集中嶄然義利之辨，想見諸賢攝受，如晤陸象山也。"[⑤]或贊其睦族親黨，刻苦勤學："每聞維斗、雲子諸兄弟稱去疑：宫不及一畝而贍三族，槖無一銖而通十經，大家之業，卷登盈數，其則古昔者勤矣。"[⑥]姚希孟更評價其爲文氣勢宏大、氣韻飛揚，乃時文中的李贄、徐渭、袁宏道、湯顯祖：

> 邇求著述中有恢奇可喜，若李氏《焚書》，徐文長、袁中郎諸集，湯臨川諸傳奇，後先行世，皆足以蕩才士之心胸，而抒其筆膽，求之舉業，無與並其妙也。然而醉讀之醒，病讀之瘳，喜讀之忽變爲嘘欷，悲讀之忽起而跳舞，極性情之所至而惚恍莫測，時亦有之，獨於吴人未數數耳。吴之文，争爲輕揚婉麗，又或綿其詞、揉其骨，以蕲入於人心。雖皆投時之善物，要於文章之道，頗覺兒女情多，風雲氣少，余私病之。若夫吴人而不爲吴文者，吾於同社每嘆服馮杜陵，最後復得去疑云。去疑才最高，所喜讀者多非經生言；即讀經生言，亦必非啁啾喔咿語也。故能以慧鋋智鍔，斬題中之蒙茸而無所棘礙；又能振音揚袂，如樊將軍仰視重瞳，意氣橫厲而畢盡其

① 金聖歎《小題才子書》卷六《孟子》，《金聖歎全集》第 6 册，第 750 頁。

② 張大復《梅花草堂集》卷十六，崇禎刻本。

③ 顧景星《白茅堂集》卷三三《周鐘遺集序》，康熙刻本。

④ 雲陽乃丹陽古名，練湖即境内開家湖，沈幾似乎曾在此地開設學館。姚希孟《文遠集》卷二一書牘《馮杜陵》："沈去疑十載丹陽，合三千、七十而教誨之，屢試屢挫，而諸弟子與其父兄之心終不變。"

⑤ 陳仁錫《無夢園遺集》卷三《沈去疑稿序》，崇禎八年（1635）刻本。

⑥ 張溥《七録齋文集》存稿卷四《沈去疑稿序》，崇禎九年刻本。

欲吐。[1]

評價可爲極高！姚希孟此文亦寫得俊逸多姿，跌宕生風，關於吴地文風的臧否，對研究明末清初蘇州文壇亦不無價值。

沈幾崇禎四年進士，光緒《福寧府志》卷十五《秩官》明代崇禎朝知州載其與巫三祝名，均無具體任職起訖，巫三祝接任爲余之泰，乃崇禎九年(1636)任，故可推測沈幾任職時間約在崇禎五六年間。據尤侗云，是因爲貪贓被褫職：

沈去疑知福州，以貪黜歸，遇故友馮杜陵，問近況如何。馮上指頭、下指脚，曰"與公同"；中指心，曰"與公異"。沈不解，馮笑曰："我不過貧耳。"蓋譏其貪也。沈大慚，其後沈家遂敗。貪者必貧，信然。[2]

"貧"與"貪"的字形，上"八"、"人"近似，下"貝"相同，只有中間的筆劃不同。馮杜陵即馮夢熊，即上文姚希孟所"嘆服"者；福州乃福寧之誤。瞭解沈幾以貪黜歸，就可明白爲何清代方志中不見其傳記[3]，亦可讀懂晚清梁章鉅(1775～1849)《制義叢話》中的一段文字：

徐存庵曰：沈去疑幾，崇禎辛未進士，有"布縷之征"全章。文中一段云："夫民也，財力皆願自效，拮据亦所不辭。盡而征之，詎敢言怨？所最苦者，既已殍、既已離矣，有司課民而不應，罪乃在民；司農課吏而不應，罪又在吏。朝廷以爲此故額也，官府亦曰此故額也。指饑寒爲不謀朝夕之愚夫，坐流亡爲不事生業之遊手，孰悉其故而痛其傷者哉？由是觀之，緩不緩之際亦危矣。"荆石�曰：成法之所以害民者，以汙吏奸胥借功令二字行其貪暴。一草一木皆足殃民，尺帛寸絲俱能破産，雖深山窮谷，何處可免征徭。去疑洞悉古今之通弊而爲言，然在當日已知斯矣，孰知其更有甚焉者乎？[4]

題出《孟子·盡心下》"孟子曰：'有布縷之征，粟米之征，力役之征。君子用其一，緩其二。用其二而民有殍，用其三而父子離。'"是主張朝廷官府不要對百姓進行横征暴斂。徐存庵指徐越(1620～1687)，字山琢，山陽人。順治九年進士，官至監察御史，遷兵部督捕左理事官。雖然由於不詳"荆石筠"所指，故難以確認結尾有關沈去疑的幾句是何人所云，但還是可以看出"其更有甚焉者"與"汙吏奸胥借功令二字行其貪暴"之關係。

綜合明清兩代有關沈幾的資料，可以發現晚明多贊許，入清後幾乎不再提起此人；偶有記載，亦是譏刺，甚至以前的文章與以後的行事被構成了反諷。可見一個人做過什麽遠比説過什麽重要。只有金聖歎在自己的著述裡仍然録其文、憶其事："某曾面贊先生，先生大肯"，回憶著當年兩人曾經有過的交往。

---

① 姚希孟《響玉集》卷十制義序《沈去疑稿序》，《清閟全集》本。

② 尤侗《艮齋雜説》續説卷九，李肇翔、李復波整理，北京，中華書局1992年版，第176頁。

③ 如同治《蘇州府志》僅在選舉志中記其名，另在藝文志中著録"沈幾《原易》、《原老》、《原莊》"。

④ 梁章鉅《制義叢話》卷七，咸豐九年(1859)刻本。

王復陽

聖歎評李流芳小題文《五就湯五就桀者伊尹也》,解題曰:"此文真天下之奇也……我眼中唯見吾王禹慶兄,實能追步先生耳,是文中之麒麟,夫豈得多遇哉?"[①]另在《魚庭聞貫》中,聖歎有《與王禹慶復陽》書信,解釋爲何所編《唐才子詩》要以杜審言開卷:

> 弟選唐律詩六百篇,而必始之以必簡先生者,凡所以尊杜也。若曰唐一代之詩,既於杜乎集大成矣,則更不能不托始於杜也。又况必簡先生之詩,實爲唐初之鼎鼎者。[②]

可知王禹慶名"復陽",信寫於順治十七年春夏。王復陽,字禹慶,蘇州府吴縣光福鎮人。與尤侗關係至密。在紀念湯傳楹(1620～1644)的悼文中,尤侗崇禎十七年曾寫道:"嗚呼今日何日,歲行盡矣,又一日則去年迎春日也,弟與兄連袂東郊,薄暮飲於王子如武園,兄憶之乎?"[③]這位如武園主人,便是王復陽,三人相會時間爲崇禎十六年正月初一(湯傳楹次年去世);該年七八月間和崇禎十七年九月,尤侗與王復陽兩次游於吴淞江邊之千畝潭:

> 癸未七月之晦,予與王子禹慶避暑於千畝潭。……至八月九日有事歸,計居此潭者十日,恨不及一見芙蓉城。然四堤楊柳,依依學小蠻舞,有牽衣惜别意,長繫人去思。今年遭國變亂離,王子益州因卜居於此。九月之望,予與禹慶再往訪之,則秋風遲暮,芙蓉曉妝矣。[④]

這段時間,二人之所以頻繁交往,是因爲此際尤侗寓居於王氏宅中讀書。《悔庵年譜》"崇禎十六年癸未年二十六歲"載:"予讀書王禹慶復陽如武園,歲暮偶爲扶鸞之戲。"[⑤]

此位聖歎友人,在今人的著述中亦偶有涉及,如在論及清代前中期的中篇傳奇小説時,會説到"較重要的失傳作品有侯紀原的《昔病記》、王禹慶的《冥異記》(見《西堂雜俎》)、張雲璈的《鴛水仙緣》、王仲懋的《三橋夢》(見《咫聞録》)等"[⑥]。所謂《冥異記》,見尤侗《汪阿金小傳》:

> 予友王禹慶,與新安汪周士、晋賢昆弟善,嘗介而過予,蓋渢渢乎莊雅士也。臘月既望,王子以書來,道周士喪其愛女,屬予作傳。予頗訝:古未

① 金聖歎《小題才子書》卷六《孟子》,《金聖歎全集》第6册,第772頁。
② 金聖歎《貫華堂選批唐才子詩甲集七言律》卷二《魚庭聞貫》第99條,同上第1册,第126頁。
③ 尤侗《西堂雜組》一集卷三《再哭湯卿謀文》,康熙刻本。
④ 尤侗《西堂雜組》一集卷五《千畝潭記》。
⑤ 尤侗《悔庵年譜》,康熙刻本。
⑥ 薛洪勣《傳奇小説史》,杭州,浙江古籍出版社1998年版,第326頁。

有六歲女子立傳者！及讀王子所爲《冥異記》，歎詫久之，曰是可傳矣！[①]

從傳中記載“女生康熙己酉四月”即康熙八年，可見傳文寫於康熙十三年(1674)。其實就傳奇體小説創作而言，尤侗的另外一篇被收入《虞初新志》的名篇《瑤宫花史小傳》，也與王復陽有密切關係，其創作緣起，就是因爲“歲癸未，予讀書王氏如武園，偶爲扶鸞之戲，得遇瑤宫花史云”[②]，當即《悔庵年譜》自述該年“歲暮偶爲扶鸞之戲，得遇掌文孫真人過庭，爲予序《秋夢録》。……至明年三月，蹤迹遂絶，事雖恍惚，亦可感矣。詩詞甚多，真人題曰‘沙語’，予纂小傳撮其略焉”。

王復陽事迹可考者尚有如下數條：

明末，隨楊廷樞(1595～1647)學。廷樞字維斗，長洲人，鄉試解元，復社領袖，晚明在蘇州滄浪亭内設館授徒，“爲其子焯擇友會文，錢子鍈煉百、章子在兹素文、王子發其長、王子復陽禹載、尤子侗展成、彭子瓏雲客、宋子實穎既庭與焉”[③]。“禹載”當爲“禹慶”誤刻。後來，前四人創立或參與同聲社，後三人創慎交社，頗生齟齬。後人云“復社餘波分爲兩派，曰慎交社、曰同聲社，各植門户”[④]，洵爲確論。

順治四年(1647)，同門友人前明進士、長洲劉曙(字公旦)反清被戮，妻陳氏遁入空門，子劉葳尚在繈褓中，“爲通門王君禹慶所撫”[⑤]。

順治六年，友人章在兹(1619～1673)等創同聲社。次年宛平舉人金鋐來蘇州尋盟，盟者十子：除章在兹，分别是金鋐、彭瓏、繆慧遠、吴愉、宋實穎、宋德宜、宋德宏、尤侗、汪琬。諸人“初與同郡章素文爲莫逆交，素文有《滄浪社書》一選，其表彰諸子倍至；而後忽以言語相參商，與素文爲敵國，遂跳而有‘慎交’之約”，“爲三宋所主：德宜右之、德宏疇三、實穎既庭，而佐之者尤侗展成、彭瓏雲客也”，成立慎交社，各植門户。慎交社成立之日，邀集蘇州府轄七縣文士訂立盟書：“與斯盟而復與他社者，是謂敗盟，敗盟之人，七邑之人共討之”，意在攻擊章在兹同聲社，與會者人人“花押”表態。當天“章素文悒悒在家，而陰遣其友王禹慶、錢宫聲隨群而至。書押之時，禹慶執筆不肯下，衆苦之，奮袖出”[⑥]，場景頗有趣味，後世反右、文革的士子互鬥，於此可見胎息。蘇州姚佺(？～1662)致仁和徐士俊(1602～1681)的尺牘云：“稔知東南之間，蠻氏觸氏戰於牛角，血地數千里，其旌旗蔽天，皆書‘慎交’、‘同聲’二字。吾老矣，姑豈年少，吾豈可以入其軍中？”[⑦]這段寫於順治中期的私函文字，形象地描述了一些明遺民眼中的慎交、同聲兩社之爭的熱鬧和可笑。

① 尤侗《西堂雜組》三集卷六。
② 尤侗《西堂雜組》二集卷六。
③ 杜登春《社事始末》，《昭代叢書》戊集卷十六。
④ 阮葵生《茶餘客話》卷十六，光緒十六年(1890)刻本。
⑤ 金吴瀾《朱柏廬先生編年毋欺録》附《朱柏廬先生及門弟子》，光緒六年(1880)刻本。
⑥ 王家禎《研堂見聞雜録》，上海書店1982年影印神州國光社1951年排印本，第284～285頁。
⑦ 姚佺《寄徐野君》，李漁《尺牘初征》卷六，順治十七年(1660)刻本。

康熙初年,曾北上。吴江俞南史《次韻送王禹慶北遊》末句爲:“看君匹馬長堤外,猶見輕裝劍氣橫。”①康熙十三年間,亦曾寓居桐鄉汪家。尤侗《汪阿金小傳》“予友王禹慶,與新安汪周士、晋賢昆弟善”,所指即徽州(新安)休甯汪文楨(字周士)、汪森(1653～1726,字晋賢),與弟汪文柏(1659～1725,字季青)寓居浙江桐鄉,建華及堂,招待四方文士。“周士、晋賢當山水絶勝之地,葺宇讀書,而愛好詞章。四方同人,挐舟往會,相與彈絲揮斝、刻燭飛箋,於青峰緑樹間,洵可樂也。”②汪森有詞《綺羅香・送王禹慶之漳州幕》③;汪文柏有七古詩《王子禹慶近有鼓盆之慽,時過桐川,汪子見其意興蕭索,神思若褫,爲歌短章,用釋其歎》④。嘉興周篔(1622～1687)居汪氏華及堂時,有《王禹慶先生在館時,遣侍史回光福,採摘家園楊梅,飛棹遠餉主人,余因得飽啖……》⑤。吴江朱鶴齡(1606～1683)康熙十三年間爲汪文楨詩稿撰序,曰:

> 周士之詩,憶癸丑冬,松之攜以示余。見其清舉韶令,歎爲時賢第一流。今年冬,往過其廬,周士出一編相質。……余方欣賞不置,禹慶、青士起曰:周士才信美,抑詩道有進此者乎?⑥

癸丑指康熙十二年,松之是吴江徐崧的字,青士是周篔的字,都是華及堂的座上客。《華及堂視昔編》爲詩歌總集,汪森所輯,乃友人吴江俞南史、徐崧、嘉興周篔、沈進、長洲俞瑒、常熟顧文淵“在梧桐鄉倡酬之什,萃爲斯刻,……凡六家,各系小傳”⑦。

康熙十七年(1678)尚在世。九月十九日,尤侗妻曹氏年五十八卒於家,與友人赴祭。宋實穎《同鄉親友公祭文》列名有:

> 年眷弟宋實穎、宋德宜,年家眷弟何棅、汪琬、錢中諧、李嘉猷、范必英、王復陽、管正仁、吴芹、陳宏、孟亮揆、翁天游、吴兆宫、孫暘,年家眷小弟王濂、周象毅、曹漢、顧丁璞、蔡方炳,年家眷晚弟王式鈺、項亦鑾、席啓寓,年家眷侍生韓菼,年家眷晚生金祖彭、金祖庚、金秉掄、陸世恒、王曾斌、張塤、李聖芝、顧嗣曾……⑧

其中不乏當年分屬水火不容的同聲、慎交兩社之人,亦有數位如宋德宜、蔡方炳、陸世恒、顧嗣曾爲聖歎友人。

與金聖歎贊許王復陽八股文造詣相關的,是晚清陶樑收藏的“韓文懿公家書”手迹中的有關文字:

① 汪森編《華及堂視昔編》卷一,康熙四十六年(1707)刻本。
② 鄧漢儀《詩觀三集》卷四“汪文柏”,康熙刻本。
③ 程千帆主編《全清詞・順康卷》第16册,北京,中華書局2002年版,第9270頁。
④ 汪文柏《柯庭餘習》卷三,康熙刻本。
⑤ 汪森編《華及堂視昔編》卷三。
⑥ 朱鶴齡《愚庵小集》卷八《汪周士詩稿序》,《四庫全書》本。
⑦ 汪筠《謙谷集》卷五《書華及堂視昔編後二首》序,乾隆刻本。
⑧ 尤侗《西堂詩集・哀弦集》,康熙刻本。

五月末，上考滿洲進士舉人貢監秀才。有筆帖式胡里卷，甚被嘉獎，特許破例明年下場，且諭以"韓尚書理學名家，所選元墨名墨甚多，汝可往索取讀之，筆下自與衆不同"。胡里因來要選文，而吾所選坊中一篇無有，因取禹慶選本，精選百篇授之。此系真正法脉，吾欲公之於世，以維文風，刻成當印一二百部，以供應酬。即便將刻版寄歸汝輩，可爲我商所以行之之法，亦歸老之一助也。①

"文懿"乃長洲韓菼(1637～1704)的謚號，即上面參祭尤妻曹氏的"年家眷侍生韓菼"。此人號慕廬，康熙十二年(1673)狀元，三十九年至四十三年(1704)官禮部尚書，卒於任。這封家書，即寫於此際。寫過八股文專著的梁章鉅，曾引其父梁贊圖《四勿齋隨筆》，推舉"國朝制義，自以韓慕廬宗伯爲第一"②。就是這位清朝八股文第一名家的韓菼，將王復陽的制藝選本視爲"以維文風"的"真正法脉"，並指望致仕回鄉後靠賣其書以補家用，從一個側面亦可看出聖歎評價其爲"文中之麒麟"當非虚譽。梁章鉅編《制義叢話》據乾隆進士游光繹語，亦云筆帖式胡里奉旨從韓菼學科舉文，"先生爲精選前明程墨百篇授之，正變源流，一一闡發，惜此選本今未之見"(卷九)。可見到清代中葉時，已經不知"禹慶"其人了。

沈世奕及沈元鼎

《小題才子書》選沈世奕文兩篇。一是《禹稷躬稼而有天下夫子不答》，二是《賜也賢乎哉》，聖歎分别解題曰：

馬快則塵不及起，刀快則血不及縷。先生姑射冰雪人，居恒吹氣如蘭；而一致臨文，便如并州健兒：吾不能測才子之所致也。

紙上純是墨，卻又不是墨；因而問諸筆，卻又不是筆；因而問諸腕，卻又不是腕；因而問諸心，卻又並不是心。然則此千枝萬枝、離離新粉、無情有恨、煙啼露咽者，爲是一片新斫青光，爲是一片新寫楚辭也。我欲直闖木天，把先生袖，特地問之。③

"禹稷躬稼……"語出《論語・憲問》"南宫适問於孔子曰：'……禹、稷躬稼而有天下。'夫子不答。""賜也賢乎哉"語出《論語・憲問》"子曰：'賜也賢乎哉？夫我則不暇。'"

作者沈世奕(1625～1685)，榜籍昆山，順治八年(1651)貢生。順治十二年(1655)進士履歷載："沈世奕，竹齋，《書》二房，己巳年九月初四日生。吴縣籍，

① 陶梁《紅豆樹館書畫記》卷五《國朝韓文懿公家書》，光緒八年(1882)刻本。
② 梁章鉅《制義叢話》卷九，咸豐九年(1859)刻本。
③ 金聖歎《小題才子書》卷三《論語》，《金聖歎全集》第6册，第653、658頁。

昆山人。甲午六十三名，會試六十七名，二甲五十八名，欽授内翰林清書庶吉士。”[①]因此今人著録其生於 1629 年[②]。世奕出身世家，其父沈應明(1571～1641)，字鳴熙，號笏林，萬曆四十七年進士，官至兵部武選司郎中。生四子：元符、元箕、元鼎、世奕，分别爲原配徐氏和繼配周氏生。女五，“庶出一，適章靜宜”[③]，即《四庫全書總目》集部存目類著録之《吾好遺稿》的作者，亦爲圣嘆友人。現存蘇州《吴氏族譜》有沈世奕小傳：“世奕，應明四子，字子美，一字韓倬，號青城，順治乙未進士，秘書院編修，生天啓乙丑九月六日，卒康熙乙丑六月二十六日，年六十一。”[④]可知其生卒爲天啓五年(1625)至康熙二十四年(1685)，生辰月日與進士履歷近似而生年相差四歲。世奕順治七年“赴十郡大社，連舟數百艘，集於嘉興之南湖”[⑤]，爲同聲社領袖之一；十年參加虎丘大會，太倉王撰(1623～1709)《王隨庵自訂年譜》：“十年上巳，吴中兩社並興，慎交則廣平兄弟執牛耳，同聲則素文、韓倬、宫聲諸公爲之領袖，大會於虎丘，奉梅村先生爲宗主。”[⑥]廣平兄弟指長洲宋氏三兄弟(唐代宋璟字廣平，官至宰相，此處代指官至文華殿大學士的宋德宜)：德宜、德宏、實穎；素文指章在兹(靜宜長兄)，韓倬指沈世奕，宫聲指錢中諧。世奕十一年舉人，連捷成進士，以庶吉士官翰林編修。順治十五年戊戌科爲會試同考官[⑦]。不久，因母老辭官歸里[⑧]，所居在蘇州城東白塔子巷内，名止園[⑨]，中有懷雲亭[⑩]。從解題“居恒吹氣如蘭”、“我欲直闖木天”云云，聖歎對其頗爲瞭解，木天或即其地。

沈世奕與冒襄、陳維崧、王昊、秦松齡友善，多有詩歌唱和。如冒襄(1611～1693)曾贊其“斑管料君饒著作，金閶自古擅風流”[⑪]。陳維崧(1625～1682)順治十年虎丘大會時便與之相識，“眼中之人錢(煉百、宫聲)與沈(韓倬)，何日高歌還痛飲”[⑫]；太倉王昊(1627～1679)順治末年撰詩，推許其才情、豪氣與酒量：

> 君不見沈郎吴下文章伯，健筆淩雲最無敵。少年謁帝入承明，一朝聲動長安陌。奇才本合登天衢，卻令吾黨生顔色。憶昔傾蓋逢吴門，意氣直

---

① 《順治十二年乙未科會試三百八十五名進士三代履歷便覽》，順治刻本。

② 江慶柏《清代人物生卒年表》，北京，人民文學出版社 2005 年版，第 360 頁。

③ 沈昌齡等纂修《沈氏族譜》“守齋公後繼岩公支”第十二世，民國抄本。

④ 沈昌齡等纂修《沈氏族譜》“守齋公後繼岩公支”第十三世。

⑤ 毛奇齡《西河集》卷九八《駱明府倪孺人合葬墓誌銘》，《四庫全書》本。

⑥ 顧師軾《梅村先生年譜》卷四順治“十年癸巳，四十五歲”條，李學穎集評標校《吴梅村全集》附録二，上海古籍出版社 1990 年版，第 1463 頁。

⑦ 法式善《清秘述聞》卷十三，《清秘述聞三種》本，張偉點校，北京：中華書局 1982 年版，第 393 頁。

⑧ 釋曉青《高雲堂詩集》卷十《簡沈太史韓倬》之一有句云“乞歸侍養終無忝”，康熙刻本。

⑨ 同治《蘇州府志》卷四十六。

⑩ 徐崧、張大純：《百城煙水》卷三《長洲縣》：“懷雲亭，在東城，沈青城太史止園。”

⑪ 冒襄《巢民詩集》卷五《寄沈韓倬太史》，康熙刻本。

⑫ 陳維崧《湖海樓詩集》卷二《贈王升吉兼寄吴中諸舊遊》，清刻本。按：參周絢隆《陳維崧年譜》，北京，人民出版社 2012 年版，第 139 頁。

> 欲回乾坤。綺筵十日酒千石,愛客往往如陳遵。玉山嵯峨不知醉,胸中雲夢争吐吞。①

康熙六年,陳維崧爲沈母周氏八十大壽征詩撰文。世奕生母周氏,爲其父應明繼妻,"生萬曆戊子拾一月十四日,封孺人,卒康熙丁巳二月十三日,年九十"(《吴氏族譜》),即生卒爲萬曆十六年(1588)至康熙十六年(1677)。十一月爲仲冬,故文中云沈母"兹以仲冬,榮登八袠"②。

沈世奕卒於康熙二十四年乙丑,作爲當地名人,亦有異聞。長洲褚人穫(1625~1682)云:"康熙甲子,沈韓倬太史家,日有喜鵲數十,飛集庭中,攫所曬物,至拔其盆蘭殆盡。未幾太史遂卒。"③這是在未見族譜之前,記載其卒年最接近事實的史料。沈家四代五人進士,父子三翰林④,即便在功名鼎盛的蘇州,亦可謂科舉望族。

金聖歎不僅與沈世奕爲友,且與其兄沈元鼎交好,順治十七年(1660)兩人曾通信討論評選唐詩事。今存聖歎《答沈匡來元鼎》云:

> 作詩須説其心中之所誠然者,須説其心中之所同然者。説心中之所誠然,故能應筆滴淚;説心中之所同然,故能使讀我詩者應聲滴淚也。今如作中四句詩,此爲心中之所誠然者乎?此爲心中之所同然者乎?若唐律詩,亦只作得中之四句,則何故今日讀之,猶能應聲滴淚乎?⑤

沈元鼎(1622~1680)爲應明第三子,"字子銘,號匡來。附監生,考授州同知。生天啓壬戌正月十八日,卒康熙庚申六月七日,年五十九"⑥,即生卒爲天啓二年至康熙十九年。戴鎬有《送錢宫聲、沈匡來北上應青城太史之招》詩⑦,錢宫聲即錢中諧(1626~1693),青城太史即指元鼎弟世奕,兩人早年"同硯席,尤相善,(世奕)館選後(即爲庶吉士),致先生邸舍中,教其子瞿庵編修"⑧。另王抃(1628~1702)順治十四年赴北闈,"一路同行者,惟沈文人、匡來、伏庵三舟而已"⑨。看來其至少兩次赴京:一是順治十二年與錢中諧一起,應弟世奕邀請進京教其子;一爲後兩年參加北闈鄉試,落第而歸。王抃所謂"沈文人"即吴江沈永令(字文人、聞人),與戴鎬均爲聖歎友人,其母爲"秀水縣張氏,順治丁酉年七月十九日卒,年七十九"⑩,故此次亦是半途因丁憂而返。

---

① 王昊《碩園詩稿》卷十三《燕臺行贈沈韓倬太史》,五石齋抄本。

② 陳維崧《陳檢討四六》卷十六《征沈韓倬太史母周太孺人八十詩啓》,《四庫全書》本。

③ 褚人穫《堅瓠集》續集卷一《喜鵲惱鴉》,康熙刻本。

④ 沈世奕及子旭初、朝初皆由進士官翰林;朝初子曾純,後爲康熙三十六年進士。

⑤ 金聖歎《貫華堂選批唐才子詩甲集七言律》卷二《魚庭聞貫》第51條,《金聖歎全集》第1册,第109~110頁。

⑥ 沈昌齡等纂修《沈氏族譜》"守齋公後繼岩公支"第十三世。

⑦ 陶煦輯《貞豐詩萃》卷一,同治三年(1864)儀一堂刻本。

⑧ 韓菼《慕廬文稿》稿本不分卷《翰林院編修文林郎候補京職錢先生行狀》。按:瞿庵爲沈世奕子旭初(1645~1683)的號,康熙十五年進士,官編修。

⑨ 王抃《王巢松年譜》"丁酉三十歲順治十四年"條,民國二十八年(1939)《吴中文獻小叢書》本。

⑩ 《吴江沈氏家譜》卷四《密庵公支上》沈士哲小傳,民國鈔本。

宋德宜、宋德宏

清初蘇州有"三宋"之説,如王家禎《研堂見聞雜録》"慎交爲三宋所主:德宜右之、德宏疇三、實穎既庭"。三人均爲長洲人,其中宋實穎(1621～1705)年最長,字既庭,號湘尹,順治八年舉人,後官揚州興化教諭,所著今存《老易軒文鈔》。"既庭先生早得盛名,入都時,四方人士無不欲望見顔色。既爲慎交社宗主,提唱後學,士林重之"①。太倉陸世儀(1611～1672)《既庭、右之、疇三三宋兄枉顧賦贈》云:"蓬蒿三徑久蒙茸,慚愧高軒遠過從。劍佩清光摇薜荔,文章佳氣照芙蓉。鵬騫共羨河東鳳,蠖伏誰爲柱下龍。閉户虞卿窮已久,相逢遮莫笑疏慵。"②清中期江藩(1761～1831)曰"順治初,(彭瓏)結慎交社,始則宋實穎弟兄三人及尤侗、汪琬、吴敬生七人而已"③,進而將此三人視爲兄弟。其實,實穎與德宜、德宏並非親兄弟,只是同宗而已。"宋既庭(實穎)與宗弟疇三(德宏)俱以孝廉知名,時稱大宋小宋。"④實穎自有親弟,爲實栗、實方,母與實栗投井自盡於"乙酉閏六月薙髮令下"兵亂時⑤。在當時另有"三宋之目"的⑥,是晚明進士宋學朱之子:德宸、德宜、德宏。宋德宸(1625～1686)初名德寬,後改名宓,字御之,號儉齋。學朱崇禎十二年巡按山東時,死於濟南守衛戰。"初宋公之死也,骸骨無存。其子孝廉宋宓年甫十四,號泣尋父屍,乞恩請恤,一時稱爲篤孝"⑦。康熙十六年爲舉人,終老鄉里,有《山塘唱和詩》存世。與金聖歎有關係的,分别是其弟德宜、德宏。

宋德宜(1627～1687),字右之,號蓼天,學籍崇明,順治十二年進士,授編修,歷官吏部尚書、文華殿大學士,加太子太傅,年六十二卒於任,謚文恪。金聖歎選其小題文《吾十有五》和《既欲其生》兩篇⑧,前者題解曰:

> 善用兵者争上游,善弈棋者争先著。如此題"十五"字,雖是下文"三十"等字之務頭,抽之拽之,則能令通章節節之上半句,無不應手而動,然終何如"吾"字之能令節節下半句,皆應手而動耶?看先生一入手,便疾取"吾"字,一彈三鼓,凡作十餘唤猶未止,皆争上游、先著法也。余初識先生時,年猶未能十五也,不唯讀書,便已養氣,真仲尼之徒無忝也。此文即是

① 沈德潛《清詩别裁集》卷六,袁世碩標點,上海古籍出版社1984年版,第221頁。

② 陸世儀《桴亭先生詩文集》詩集卷四,光緒二十五年(1899)刻本。

③ 江藩《國朝宋學淵源記》卷下《彭瓏》,《國朝漢學師承記》附録,鍾哲整理,北京:中華書局1983年版,第172頁。

④ 汪琬《汪琬全集箋校》第4册《説鈴》,李聖華箋校,北京:人民出版社2010年版,第2222頁。

⑤ 魏禧《魏叔子文集》外篇卷十三《宋烈母傳書後》,胡守仁等校點,北京:中華書局2003年版,第653頁。

⑥ 徐幹學《憺園文集》卷三三《光禄大夫太子太傅吏部尚書文華殿大學士加一級宋文恪公行狀》,康熙刻本。

⑦ 李樹德《雙忠祠記》,道光《濟南府志》卷六六。

⑧ 金聖歎《小題才子書》卷一、卷三《論語》,《金聖歎全集》第6册,第564、647頁。

此時所作。

"吾十有五",語出《論語·爲政》"子曰:'吾十有五而志於學,三十而立……'"兩人認識時,在崇禎十二年(1639),此際聖歎三十四歲,德宜十四歲,正是其"入籍崇明,爲學官弟子,歲在己卯"之年。《吾十有五》當即德宜入學之作。入清後,考中順治五年舉人,十二年二甲第三名進士,改庶吉士。當年因生母喪而歸鄉守孝:"以本生母喪歸,持齊衰期年,服心喪三年",有看到《小題才子文》出版的可能。服喪畢再上京師,庶吉士假滿。"世祖章皇帝特授公翰林院編修,仍在館讀書,十八年始散館。時江南大吏核逋賦,羅姓名以聞於朝,里胥誤竄公名籍中,遂掛吏議"。從這段記載中可知,在聖歎慘遭殺害的同時,德宜也身陷江甯巡撫朱國治操控的"奏銷案"中。後經"公具陳其誣,久之得白,補原官。康熙三年遷國子監司業……"①,從此一路騰達。雖然他是後來最爲顯赫的聖歎友人,但因與聖歎無關,此處不贅。

宋德宜生年,一般著録爲1626年,據《順治十二年乙未科會試三百八十五名進士三代履歷便覽》署其"癸酉年十一月十七日生,崇明籍,長洲人",癸酉爲明崇禎六年(1633)的干支。據徐乾學《宋文恪公德宜行狀》,德宜康熙二十六年(1687)"丁卯六月以疾卒於官,享年六十有二"。根據筆者總結的進士履歷出生月日基本可靠的規律,則其生當在天啓六年丙寅(1626)十一月十七日(1627.1.4)。德宜娶妻,乃聖歎友人、蘇州王希次女②。

宋德宏(1630~1663),字疇三,年十三補諸生,"少負才名,出兩兄上"③,順治八年二十二歲,與族兄宋實穎同時順天鄉試中舉。次年進士不中,下第南返。四方之士"歸之如雲,户外屨常滿,詩篇筆劄相投贈,交錯於道"。其少年風采,傾倒衆人:

> 三月曲水觴,樓船燕高會。末座一少年,抵掌談天地。開拓萬古心,推倒千人氣。四方驚屬目,日出青萍鋭。吾道倚干城,匪獨重才藝!④

疇三熱情好客,無少年驕惰之色,"心思周密,於酬應事無敢忽,日出門啓,遠近同學畢集,敦盤高會,夜分不休"⑤。聖歎選其小題文兩篇《彌子之妻與子路之妻兄弟也》和《登泰山而小天下》⑥,前篇題解曰:

> 錢煉百曰:"只爲兩個人。兩個人者,孔子、靈公也。爲説兩個,因説四個。四個人者,彌子、子路與二妻也。今又爲説四個,卻反置兩個。兩個是主,四個是賓。"今已留賓失主,若依題衍寫,則失本旨;不依,則勢必

---

① 徐幹學《憺園文集》卷三三《宋文恪公行狀》。
② 道光《太原家譜》卷十一《尚寶公支》。
③ [同治]《蘇州府志》卷八八《人物》十五《長洲縣》,光緒九年(1883)刻本。
④ 尤侗《看雲草堂集》卷四《哭宋疇三》,康熙刻《西堂詩集》本。
⑤ 計東《改亭詩文集》文集卷十六《宋疇三行狀》,乾隆十三年(1748)刻本。
⑥ 金聖歎《小題才子書》卷六《孟子》,《金聖歎全集》第6册,第754、782頁。

> 徑露下文。行文之難,莫難於是。看疇三忽然先喚出章中主,忽然倒接出題中主;忽然再牽章主爲題賓,忽然倒落章賓爲題主。穿插變化之妙,真乃如火如花矣。許竹隱曰:"覽其文勢,似不欲止者,總是步步要耐,不喜遽盡,而於忽然轉接處生出許多不測來,真奇觀也。"凡文莫不用才,至此文而天下之才盡屈矣;凡文莫不用法,至此文而天下之法皆備矣。筆之行止,疇三亦不自由。文凡七百二十四字,欲删其一字而不可得也。

錢煉百名鍈,事迹稀見,康熙十八年宏博錢中諧(原名鏞)之兄。據杜登春《社事始末》載,明末從楊廷樞學。陳維崧在歷數蘇州舊友時,曾提及其兄弟:"章生(素文)宋子(既庭、右之)真大才,記同騎馬姑蘇臺。兩家小弟半黄土(疇三、湘御),舊遊欲説心先哀。眼中之人錢(煉百、宫聲)與沈(韓倬),何日高歌還痛飲。"[①]"少受業於徐汧,爲諸生,試輒冠其儕。居家孝友,年八十,無疾而終"[②]。許竹隱即許虬,事迹已撰專文考述。看來此二人皆與宋德宏爲友。德宏八股文造詣,可從計東《宋疇三行狀》看出:"既病矣,里中子弟猶相聚爲城南社,以文章求疇三是正之。凡經指示者,其爲文皆有法度,且有成進士者。"由此可見慎交社主的日常事務。

聖歎與德宏的交往,在順治十七年仍有記録。該年聖歎以分解法評選《唐才子詩》,廣泛寫信,以求輿論支持。他在《與宋疇三德宏》中談到:

> 律詩如四時,一二須條達如春,三四須蕃暢如夏,五六須揫斂如秋,七八須肅穆如冬。先生澄懷味道之暇,試復盡出唐人名作,處處測之。[③]

此年德宏三十一歲。其性格"平居見人一善,稱之不去口","每得一良友,必以進之仲兄,凡其所獎譽,仲兄必深相信,爲引翼之"。其仲兄即德宜,聖歎可能也是希望通過德宏,得到德宜的支持。

康熙二年,向來體弱的德宏"嘔血數年而歿,年三十四"[④]。尤侗撰740字五言長詩,痛悼這位與自己共創慎交社的友人。值得注意的是他對友人去世原因的歸納:

> 倉皇戎馬間,黄符捉逋税。鬱鬱憂傷人,形神日憔悴。消渴長卿亡,嘔血長吉逝。修短雖天命,吉凶由人致。君素善豪飲,淳于一石醉。酒闌重秉燭,竟夕呼盧戲。精氣坐銷磨,顛倒失興寐。頗好素女方,後房饒佳麗。自非枯木禪,未免爲情累。雅學岐黄書,雜投參苓劑。扁鵲有後言,知醫故不治。

看來,德宏之早卒,不像計東《宋疇三行狀》所説的是"竟以哀不勝喪,體益清羸

---

① 陳維崧《湖海樓詩集》卷二《贈王升吉兼寄吴中諸舊遊》,清刻本。

② [同治]《蘇州府志》卷八二《人物》九《吴縣》錢中諧傳。

③ 金聖歎《貫華堂選批唐才子詩甲集七言律》卷二《魚庭聞貫》第65條,《金聖歎全集》第1册,第113頁。

④ 計東《改亭詩文集》文集卷十六《宋疇三行狀》。

善病,病嘔血數年而歿”,即因母逝世哭悼傷身那麽簡單。這裏有奏銷案的打壓,酒色無度的斫傷,夜以繼日的博戲,病不求醫的延誤。尤侗歷數種種致病原因,對此頗感自責:“愧我乏箴規,使爾躭凝滯。”一位頗富才華的世家子弟,空留下“孤兒繈褓内,愛妾擁幃啼”[①],就這樣早早地離開了人世。就在德宏逝世的這一年,因丁酉科場案流放甯古塔獲釋不久的方孝標(1618～1697),南行路經蘇州,參加了當地官署爲唐代文學家韓愈舉辦的誕辰紀念宴會,參與的紳士衆多,然官位、功名多被褫革,只有三位尚穿官袍:“衮衮群公爲奏銷,懸車豈待北山招?轅門昨日昌黎壽[②],止有三人衣錦袍”[③]。在蘇州城中這一世家宦族蝟集蜂聚之地,足見奏銷案對豪門大姓的打擊。

秦松齡及秦松年

金聖歎爲秦松齡《不圖爲樂之至於斯也》題解曰:

> 蘇子由先生年十九時,自言嘗欲一登泰山之高,一觀黄河之大且深,更一觀天子宫闕之壯麗,一拜當時鉅公大人之英聲偉觀,然後畢收之於胸中,而發爲文章,自當崢嶸浩汗,變狀百起。今先生年又不迨子由,足迹曾不出於闑户,而其文章一何崢嶸浩汗、變狀百起如是也!後賢逐段細讀之,又通首疾讀之,必能以一賦化爲千賦也。[④]

蘇子由即蘇轍,有關話語是據其《上樞密韓太尉書》改寫。秦松齡(1637～1714),字留仙,一字次遊[⑤],號對岩,無錫人,順治十一年舉人,連捷成進士,即與沈世奕爲同年,時年十九歲。此後事迹家譜載之甚詳:“改翰林院庶吉士,(順治十四年)丁酉授檢討,尋以逋糧案罷歸。(康熙十三年)甲寅以賢能薦湖廣軍前效用,(康熙十七年)戊午以博學宏儒薦召一等,還原官,纂修明史,(二十年)辛酉充日講官起居注,江西鄉試正考官,升右春坊右中允兼翰林院修撰,(二十三年)甲子升左春坊左諭德,充順天鄉試正考官……生崇禎丁丑六月十九日,卒康熙甲午五月初一,壽七十八”。所著今存有《毛詩日箋》六卷、《蒼峴山人集》五卷、《微雲集詩餘》一卷。

在《歷代婦女著作考》中,記載了一位與秦松齡有關的女詩人王朗,著有《孱提閣詩集》、《斷腸草》和《古香亭詞》,並引《婦人集》和《宫閨氏籍藝文考略》小傳,云其爲“學博次回(名彦泓)女”,“無錫秦檢討松齡繼母”[⑥]。繼母,即生父再婚後

---

① 尤侗《看雲草堂集》卷四《哭宋疇三》,《西堂詩集》本。

② 韓愈生於醜月即十二月。據友人程傑教授與其高足黄浩然博士賜教,宋代文讜《詳注昌黎先生文集》注釋韓愈《三星行》“我生之辰,月宿南門”末句雲“建醜之月也”。

③ 方孝標《鈍齋詩選》卷二二《吴門竹枝詞》之四,清抄本。

④ 金聖歎《小題才子書》卷二《論語》,《金聖歎全集》第6册,第602頁。

⑤ 見《順治十二年乙未科會試三百八十五名進士三代履歷便覽》。

⑥ 胡文楷《歷代婦女著作考》(增訂本),上海古籍出版社1987年版,第86～87頁。

的妻子或父親的繼配。其實，王朗只是松齡的嗣母，即過繼給她做兒子的。嘉靖年間，無錫秦氏出了一位名人秦燿(1544～1604)，以隆慶五年進士官至右副都御史巡撫湖廣，長子秦埈(1566～1646)生三子：伯欽、仲錫、叔銘；次子仲錫亦生三子：德澄、德藻、德湛。德澄(1615～1638)字以時，“配金壇王氏，名諸生彦泓女，贈孺人，晋一品夫人，生萬曆癸丑七月三十，卒順治戊子九月三十，著有《孱提閣集》。子二：嗣德藻子松齡，德湛子松岱。女一，適華實椒，王出。”[①]也就是説，德澄妻王氏僅生一女，因丈夫早卒，分别將夫家兩個親侄過繼爲子。可見，松齡爲王朗(1613～1648)嗣子；明乎此，便明白王氏詩集取名“斷腸草”的含義：自己“生而宿悟，詩歌書畫，靡不精工”(《婦人集》)，卻多才薄命，丈夫早卒，身後無子，怎不令其肝腸寸斷？丈夫死後十年，年僅三十六歲即卒。

蘇州昆曲演唱家徐君見，曾向余懷(1616～1695)推薦自己的得意弟子：“得吾之傳者，乃在梁溪，今太史留仙秦公尊人以新公，所蓄歌者六七人是也，君倘游九龍二泉間，不可不見此人、聞此曲！”所謂留仙尊人，指的是松齡本生父德藻(1617～1660)，字以新，號海翁，生六子，“長松齡，以大宗出繼先兄文林公”[②]。德藻家班，後爲松齡所承，康熙九年(1670)庚戌九月，秦德藻已去世多年，余懷道經無錫，“太史留仙則挾歌者六七人，乘畫舫，抱樂器，淩波而至，會於寄暢之園”：

> 於時天際秋冬，木葉微脱，循長廊而觀止水，倚峭壁以聽響泉。而六七人者，衣青紵衣，躧五絲履，恂恂如書生，綽約若處子，列坐文石，或彈或吹。須臾歌喉乍轉，累累如貫珠，行雲不流，萬籟俱寂。余乃狂叫曰：“徐生、徐生，豈欺我哉！”……俾知徐生之言不謬：良輔之道，終盛於梁溪；而留仙父子風流跌宕，照映九龍二泉間者，與山俱高，與水俱清也！[③]

此時的秦松齡，已因奏銷案免職家居多年。風流跌宕的表面，不知是否流露出其内心的苦楚。

康熙十三、四年間，秦松齡在今江陵、武昌一帶，寫有《寄沈青城編修吴門》一首：

> 半世交深各鬢斑，悲歡何處不相關。三秋怨别千村雨，一路愁看萬仞山。襆被關河明月冷，草堂風日落花閑。與君共入金閨籍[④]，往事沉吟淚已潸。[⑤]

在考證沈世奕與金聖歎交遊時，一直讀不懂爲何詩意如此傷感。當在家譜中

① 秦蘭枝《錫山秦氏宗譜》卷七上《第十三世》，同治十二年(1873)木活字印本。

② 金之俊《金文通公集》卷十六《敕封孺人侯氏墓誌銘》，康熙二十五年(1686)刻本。

③ 余懷《寄暢園聞歌記》，張潮輯《虞初新志》卷四，石家莊，河北人民出版社1985年版，第67頁。

④ 金閨籍即金馬門，漢代宫門名，學士待詔之處，此處當指翰林院。

⑤ 秦松齡《蒼峴山人集》卷三《然竹集》，嘉慶四年(1799)刻本。按：此題上五首爲《遣信先至江陵僦舍》，下五首爲《過東湖》。

看到其簡歷，才明白秦松齡與進士同年、編修同事的沈世奕，很快便一因母老辭官，一因奏銷罷職，而自己以十九歲金榜題名的才華俊逸，二十餘歲翰林編修的文采風流，如今卻因三藩之亂，竟然要屈身以什麽"賢能"效用軍前，整天與軍弁武夫混迹行伍，怎不令其感傷落淚？直到康熙十八年中宏博，秦松齡才重新開始了人生的精彩，此後事迹不贅。

除了秦松齡，金聖歎還與一位秦氏有交往。他曾於順治十七年撰《答秦齊祖松年》與之商討唐律詩評選：

> 前解斷然不是後解，後解斷然不是前解。此譬如果核中仁相似，雖是兩瓣只成一合，然定是一瓣略雌，一瓣略雄。詩有前後解，亦是一解略雌，一解略雄者也。[①]

秦松年亦爲無錫人，"字齊祖，長洲縣庠生。生崇禎戊辰十一月初二，卒康熙丙寅七月初一"[②]，即生卒爲崇禎元年(1628)至康熙二十五年(1686)，年僅五十九歲。其父名德滋(1608～1676)，是秦伯欽的長子，"原名漁，字以巽，邑庠生，中崇禎癸酉副榜，名著復社，見《復社姓氏録》，又入涯臻詩社。生萬曆戊申十一月十六，卒康熙丙辰九月廿八，壽六十九；配蘇州王氏，太學生永燾女，生萬曆戊申九月廿一，卒崇禎己巳六月十六。子七：松年，王出；松丸、松承、松鱗，側潘出；松五、松壽、松辰，側李出。"

在秦埈諸孫中，長房長孫秦德滋在當時較有聲名。明末入復社，崇禎六年(1633)附貢生。善書法，輯有《梁溪秦氏帖》[③]。崇禎十二年，與同邑友人黄傳祖同游蘇州虎丘，探訪會試落第南歸的番禺黎遂球(1602～1646)[④]。其所娶妻乃蘇州王氏(1608～1629)，亦望族名門之後；其岳父爲明代長洲諸生王永燾，"四子：曾、瀚、希、學伊；三女：適附例生吴升聞，適附例生秦漁，適順治甲午副榜、禹州知縣許定升"[⑤]，次女所嫁秦漁，就是秦德滋。由於秦松年出生第二年其母即逝世，其後父親又分别與側室潘、李各生三子。可以想見爲了便於照顧，德滋將年幼喪母的長子松年送回蘇州外家，由王曾、王瀚、王學伊(他們在明末都是坐擁萬金的富户)等舅氏撫養，並在長洲考取諸生——這大約就是無錫秦松年爲"長洲縣庠生"的由來。順治七年蘇州録取的諸生，長洲縣學名單裡有"王松年"其人[⑥]，極有可能就是秦松年以庠姓王參加長洲縣學考試的名字。金聖歎在順治十七年與其有書信往來，既是因爲此人舅氏乃王瀚、王學伊等好友，似亦説明此際松年仍在蘇州讀書。聖歎對松齡撰寫《不圖爲樂之至於

---

① 金聖歎《貫華堂選批唐才子詩甲集七言律》卷二《魚庭聞貫》第27條，《金聖歎全集》第1册，第105頁。

② 秦蘭枝《錫山秦氏宗譜》卷七上《第十四世》。

③ 高鏷泉《錫山歷朝書目考》卷四，光緒二十八年(1902)刻本。

④ 黎遂球《蓮須閣集》卷三《梁溪黄心甫秦以巽二子訪予虎丘留詩失值》，康熙刻本。

⑤ 道光《太原王氏家譜》卷十一《尚賓公支》。

⑥ 錢國祥《蘇州府長元吴三邑諸生譜》卷一，光緒三十二年(1906)刻本。

斯也》這篇小題文字時的活動狀態之瞭解:“今先生年又不迨子由,足迹曾不出於闉户”以及兩人的交往,或許就與秦松年這位同曾祖的堂兄的介紹有關。

【作者簡介】 陸林,南京師範大學文學院研究員,博士生導師。

孫星衍遺文再續補

陳鴻森

【提　要】孫星衍爲乾嘉樸學名家。其所爲文,先後刊有《問字堂集》、《岱南閣集》、《五松園文稿》、《嘉穀堂集》、《平津館文稿》等五集十二卷。顧其遺文佚篇未入本集者不少,王重民曾輯《孫淵如外集》五卷;王欣夫復捃拾遺佚,爲《孫淵如先生文補遺》一卷。曩余披覽書海,二家遺漏失采者往往或見,嘗就譾陋所及,録爲《孫星衍遺文拾補》、《續補》兩稿,聊附二家之後。茲復從群籍、墨迹采獲,並四方友人惠録者,凡六十七文,今寫録成篇,以補前輯所未及云。

【關鍵詞】孫星衍　遺文　輯佚　乾嘉學術

孫星衍(1753—1818),字淵如,又字季逑、伯淵,江蘇陽湖人。乾隆五十二年,一甲第二人進士,授翰林院編修。歷官刑部主事、員外郎、郎中。乾隆六十年,簡放山東兗沂曹濟道,丁母憂歸。嘉慶九年,補山東督糧道;十六年致仕。孫氏研精經訓,旁及子史百家,復勤於譔述,所著書不下三四十種,其著者如《尚書今古文注疏》、《孔子集語》、《寰宇訪碑録》、《孫氏祠堂書目》、《續古文苑》等,皆卓卓可傳。又精校勘,長於流略之學,所刻《岱南閣叢書》、《平津館叢書》,多四部珍要及百家遺文逸典,霑丐來學匪淺。《清史列傳》卷六十九、《清史稿》卷四八一有傳①。

孫氏少以文才稱,其後專意於學,詩文不多作。所爲文每數年輒録爲一集,先後刊有《問字堂集》六卷、《岱南閣集》二卷、《五松園文稿》一卷、《嘉穀堂集》一卷、《平津館文稿》二卷。按《平津館文稿》刊於嘉慶十一年;十三年增刻《孔子題吴季子墓字考》等七篇,附於卷末②。《孫淵如年譜》嘉慶十四年條載:

* 本文係作者國科會專題研究計畫"孫星衍學術研究"(編號:NSC 99—2410—H—001—091—MY3)之部分研究成果。

① 《清史列傳》,北京,中華書局,1987 年,頁 5553—5555;《清史稿》,北京,中華書局,1976—1977 年,頁 13224—13226。

② 王重民《中國善本書提要》,上海,上海古籍出版社,1983 年,頁 681。

是年"輯《澄清堂文稿》"[①],此集未見傳本,蓋嘉慶十四年以後所爲文,實未付刻[②]。孫氏卒後,嚴可均輯其遺文之未刊者,爲《冶城山館遺稿》[③],書亦未刻,稿本莫知所歸。一九三二年,王重民先生集録孫氏岱南、平津兩《叢書》序跋,益以書札、傳狀等雜文,編爲《孫淵如外集》五卷,計文九十篇,附駢體文十篇[④]。其後,王欣夫先生復捃拾遺佚,凡二十二文,録爲《孫淵如先生文補遺》一卷[⑤]。余近年重纂孫氏年譜,見二家遺漏失采之文,輒手録存之。曾就譾陋所及,録爲《孫星衍遺文拾補》[⑥]、《續補》[⑦]兩稿,共得孫氏遺文一百十篇。今復從群籍采獲,並赴京、滬圖書館檢録孫氏手札,合諸友人寫録惠寄者,共六十七文,兹録爲《再續補》,以補前輯所未及。去年七月,赴滬檢書,猥荷上海圖書館梁穎兄惠助,感德無量,謹誌弗諼。從遊潘妍艷君爲校訂補闕,用心特爲周至,珍感莫名。二〇一三年二月六日,陳鴻森識,壬辰歲除前三日也。

目　次

---

① 張紹南編,王德福續,《孫淵如先生年譜》,《藕香零拾》本,卷下,頁 12。

② 張舜徽《清人文集别録》卷十"《芳茂山人文集》"條云:孫氏"所爲文,每數年輒自訂爲一集。乾隆五十九年,成《問字堂集》六卷;嘉慶三年,成《岱南閣集》二卷;七年,成《五松園文稿》一卷;十一年,成《平津館文稿》二卷;十四年,成《嘉穀堂集》一卷。"(1963 年,北京:中華書局,頁 272)其説蓋本張紹南《孫淵如年譜》。惟《孫譜》嘉慶十四年條云:"輯《澄清堂文稿》"(卷下,頁 12),非《嘉穀堂集》也。按《四部叢刊》本《孫淵如先生全集》,《嘉穀堂集》列於《平津館文稿》之前,其書前後無序跋。今觀篇内繫年諸文皆嘉慶二、三年撰,其刻必不在《平津館文稿》之後也。張氏謂《嘉穀堂集》成於嘉慶十四年,誤也。

③ 見《孫淵如先生年譜》嘉慶二十三年條,卷下,頁 15。

④ 王重民《孫淵如外集》,1932 年,國立北平圖書館鉛印本。

⑤ 王欣夫《孫淵如先生文補遺》,1938 年,《戊寅叢編》本。

⑥ 陳鴻森《孫星衍遺文拾補》,2011 年,《書目季刊》45 卷第 3 期,頁 69—100。

⑦ 陳鴻森《孫星衍遺文續補》,2012 年,上海師範大學《古典學》創刊號(上海,華東師範大學出版社),頁 476—497。

與阮雲臺書
與顧千里書
與梁曜北書
與法時帆書(五通)
與朱少白書
與唐陶山書
與王秋塍書
與顏運生書
與何夢華書(二通)
與許秋巖書
與江秬香書
與朱吉人張鄂樓書
與朱滄湄書
與趙季由書
與毛容門書
與蔣琴伍書
與陳十峰書
與友人書(十三通)
張育翁九旬壽序
陳徵君傳
可菴楊詩南傳
北魏故驤驃將軍營州刺史高使君懿侯碑銘
范縣古義士左伯桃表墓碑
歸母陳太孺人墓碣銘

校補元和姓纂輯本序

唐林寶撰《姓纂》,其佚文存在《永樂大典》,散附千家姓之下。宋鄭樵作《氏族略》、王應麟作《姓氏急就章》、謝枋得作《秘笈新書》,俱引其文,又多爲《永樂大典》所遺。今採輯諸書,依林氏原書例,先以當時皇族,餘分四聲,仍爲十卷。其非《永樂大典》而見他書者,注明出處。

唐時氏姓書尚多,《隋・經籍志》雖稱鄧氏《官譜》及《族姓昭穆記》晋亂已亡,自餘亦多遺失;而《譜系篇》所載,尚有四十一部三百六十卷。唐顯慶中,詔吕才等撰《姓氏録》;開元中,柳沖又改修其書;天寶中,李林甫亦撰《天下郡望姓氏族譜》,林氏作書時,當得見之。其體例亦如《元和郡縣志》,不載出典,惟僻姓一二引《姓苑》、《風俗通》及《新説》,間引當時家狀耳。其書宋時尚存,據《書録解題》云:"在莆田以數本參校……後又得蜀本校之,互有得失,然粗完整。"是陳振孫見其完書,鄭樵、謝枋得等亦用之,不知亡於何時,蓋在元明之間矣。

《唐會要》以《姓纂》爲王涯撰,因書有王涯序録言之。涯《序》稱相國趙國公創立綱紀,區分異同,以授博聞強識之士濟南林寶。案《書録解題》以爲宰相李吉甫以命寶,二十旬而成書,則以吉甫本趙郡人。《唐書・世系表》:趙郡李氏定著六房,宰相十七人,吉甫相憲宗;又吉甫本傳:元和二年,杜黄裳罷相,乃擢吉甫知平章事,故亦得稱趙公也。涯《序》又稱"濟南林寶",《書録解題》以爲"三原林寶",寶傳不見於史,亦未知何以異。至《郡齋讀書志》作十一卷,則古人每兼序録爲卷數,不足異也。

姓氏與郡望相屬,乃知宗派所出。樂史作《太平寰宇記》,載人物著姓於郡縣之下,亦有深意。三代以上,官有世禄,各居其國都;自漢時徙豪右入關,而郡望非其土著。晋室板蕩,中原大族半皆南渡,譜牒亡失;北朝以三字、二字複姓改爲一字,或與古姓相亂,僅賴魏收《官氏志》以别之。及宋南遷,士夫復多喪其譜牒;至明,太祖不能舉曾、高之名。其後官無譜局,私撰家狀者率皆未見古書,不能遠考漢唐世數,數典而忘其祖,非族而神不歆,實搢紳先生之所恥。自有此書出,而譜牒一家之學不至失守矣。

《永樂大典》引此書,證之鄧名世《古今姓氏書》,詳略互見,當由輯録人有所去取;且所遺著姓,其見於《秘笈新書》及《氏族略》者甚多。脱誤亦不少,如洪姓監察御史洪察,闕"察"字;及避孝敬諱,訛爲避玄宗諱之屬,皆據《秘笈新書》訂正。齊人孟軻字子展,《秘笈新書》作"子輿",亦兩存之。此外,有宋謝維新《合璧事類·類姓門》亦引《古今姓纂》,按其詞有引《通鑑》云云,則不盡林氏原書。其《廣韻》所引氏姓,亦有林氏之文,但不云出於《姓纂》,不敢濫補。吾友尚書郎歙人洪瑩篤愛此書,欲刊布傳遠,與予增校,條舉件繫,日得數十事,二旬而畢。猶有漏略,當俟來者云。賜進士及第,東方觀察使者署廉訪使、舊史氏孫星衍撰。**(録自林寶《元和姓纂》卷首,嘉慶七年古歙洪氏刊本)**

刊古今姓氏書辨證序

宋鄧名世撰《古今姓氏書》四十卷,其子椿年續成之。紹興時有刊本,久佚不存,其文在《永樂大典》,散附千家姓之下,有宣和六年高棐《序》及乾道四年鄧椿年《序》。國家開四庫書館,乃寫録成編,仍釐爲四十卷,目録一卷,並附按語。《玉海》載名世《自序》,《永樂大典》亦闕,今補録之。據《玉海》引《會要》云一十四卷,《書目》十二卷,《續書目》四十卷,卷數各異。椿年《序》稱書凡三本,其五卷者,成書於宣、政之間;其十四卷者,成書於建炎之初;椿年又取宋名公文集、行狀墓志,訂證次序之,釐爲四十卷,是以不同也。

譜牒之學,古有專門。自《周官》小史"奠繫世",鄭司農以"世"爲《世本》之屬;其在《魯語》,則曰"工史書世",在《周語》則曰"司商協名姓"。《白虎通》云:"古者聖人吹律定姓,以記其族。人含五常而生,聲有五音也。"秦既滅學,諸侯子孫失其本系;漢興,高祖不能推本曾、高世數,失官之弊甚矣。自司馬遷父子乃約《世本》修《史記》,因《周譜》明世家,粗知姓氏之所由出。魏晋置中正,考之簿世,然後授仕。隋唐以上有圖譜局,置郎令史掌之,仍用博通古今之儒知撰譜事。其時官有簿狀,家有譜系,選舉必由簿狀,婚姻必由譜系,所以别貴賤,分士庶。自宋已來,譜法漸廢,然士大夫猶有撰述淵源者,如歐陽修之作《宰相世系表》,鄭樵之作《氏族略》,王應麟之《姓氏急就章》,猶與鄧氏書並出於世也。

譜學古書亡佚尤多,亦如《孟子》所云"惡害己而去其籍"。最先有《世本》,顔之推據皇甫謐以爲左丘明所書,凡十五篇,劉向、宋衷又加增訂。漢有鄧氏《官譜》及《風俗通·氏族篇》,今皆不可見;《潛夫論·姓氏篇》雖存,文字多訛舛,無由是正。晋賈弼、宋王宏、齊王儉、梁王僧儒諸人,各有《百家譜》,其名僅見于經籍、藝文志;惟何氏《姓苑》之文爲唐宋人引據。其唐時高士廉、柳沖、路敬淳諸人,撰述不下數十家,俱無傳本;林寶《元和姓纂》十卷,亦以《永樂大典》

得存,殘缺尤甚。宋熙寧中,錢明逸撰《姓纂》,亦不可得,大半具于鄧氏之書,此誠列代譜學絶續之所寄也。

吾友洪編修出守沂州,以經義折獄,多所平反。嘉慶元、二之間,政成人和,欲刊古書,以循前輩書帕之例,因屬校刊此本。今世考譜系無專書,徒稽之淩迪之《萬姓通譜》,雜載著述通人,不述世系所出,未爲典要。俗人攀附顯宦,謂之通譜,不辨姓氏之本。其先賢嗣續,自孔、顔有世數可稽外,餘或造作漢唐名字以承宗派,多不見於史傳。族望不重,吏途至雜以廝役。國家患此,方將澄序官方,嚴查保賃之吏。自有此書,而百族之妄援著姓者,可以别黑白而定是非;名宗之自宋明以追漢唐遠胄者,亦有世數可稽矣。

太守從叔瑩修學好古,問字於余,又刊《元和姓纂》,以並行於世。二書皆中秘輯本,外間希見,一旦廣其流傳,庶幾譜學不墜于地,且望來者之補其缺漏也。嘉慶七年重九日,賜進士及第,分巡山東兗沂曹濟地方兵備道孫星衍撰。

(録自洪梧刊本卷首)

長溝王氏支譜序

昔先正有言:姓以辨氏,氏以辨族,凡得姓古而歷世久遠者,則爲故家。然子孫繁衍,不能聚族而居,甚至轉徙他郡,相違數十里或數百里者,所在多有。即如吾常王氏,支派甚繁,問其源流,非來自閩中,即本於徽邑;獨長溝一支,前明居於郡城,後又自城遷鄉,迄我朝而其族始蕃。

長溝一隅,子姓不下百餘指。前於乾隆庚申,君耀公創修《支譜》;越五十二載,聖儀公復加修葺,皆以通年公爲遷鄉始祖,未詳自何邑遷常也。逮聖儀令嗣方升,偕族中方芝等以事入郡城,省王燦煜於娑羅里,談及兩家世系,燦煜忽拊掌笑曰:“審是吾與汝皆同族也。”爰取昔年族議一券,共相展閲,其所載之昆弟子姪輩行,俱與長溝支譜相符。越數日,燦煜復取其族譜來鄉,細加考核,并得通年一名仁年之據。於是燦煜曰:“吾輩同族無疑。然吾宗本居京口,後自京口遷常,今祠宇尚在丹徒縣之苦竹村,非若他族之來自閩、徽也。”方升等即買舟,挈燦煜偕往拜謁先靈,外即誼尊長所,共談先世遺事,并再三諄囑:不數年增修家乘,將長溝一支補入仁年公名下,而返。

予思祖宗積德幾何年,方得子孫昌熾。既昌熾矣,一旦轉徙數百里外,數傳而忘所自來,每至族姓等於路人,骨肉如同秦越。今長溝王氏之於京口也,流離散佚於前,補苴掇拾於後,如水之百川泛濫而可溯淵源,如木之枝葉繁多而不離根本。此固王氏祖先靈爽使然,抑亦方升等以敬宗收族爲念所致也。予于王氏誼屬葭莩,故知之甚悉,爰於公餘之暇搦管而爲之序。(録自王振澤等修《潤東苦竹王氏族譜》卷六)

周小亭印録序

顧寧人説:“明以《急就篇》、《甲乙文》,薄如今《千字文》,而其書傳微哉!《説文》之傳,亦以摹印也。”予耽六書,謂篆絶于秦,六經三代之文爲隸所亂,始與《説文》乖異。

中起耽摹印，鐫人姓名，沾沾求合於古，或用假藉之義，不似陽冰、徐鉉依隸造篆。予服其識矣，然予考漢魏印章，多不合六書，由當時隸體既行，用爲名字，施諸印信，遂難改易。若漢溦仲翁、孫斌、晋郭璞、梁琅邪王暕之屬，唯使上蔡捉刀，南閣辨字，不能不通於俗，是以秦書有摹印，漢又有繆篆；所以摹印，師古謂其文屈曲纏繞。予疑"繆"讀如紕繆，繆於六書，所以通人姓名也。乃若三代文字，固無有此。《左傳》石碏、桓魋，篆文不箸。考漢石經，知"碏"當爲"踖"；覽《漢書》，知"魋"通於"椎"。中起講求其學，將由摹印以通經籍，由秦漢以窮三代，未見其已焉。

今世人摹印喜用古文，不本許氏，專取《汗簡》中《古老子》、《義雲章》等，加以傳寫之訛，豪釐千里，證以六書，反不可了。又喜屈曲填密，乃殳書、刻符法。曾見《抱朴・内篇》：符録用之，云當彌滿，非漢印體也。又喜破壞字樣，仿古爛銅，其人方新，其名已朽，定誰欺也！中起所造，皆無此病。昔子雲言"雕蟲篆刻，壯夫不爲"，退之言"《爾雅》蟲魚，定非磊落"。予觀子雲《方言》多别字，退之無聞經學，乃知二君護短之言。今予注《爾雅》，中起好摹印，方不聽信之。它日，中起得古印文曰"孫喜"贈予，適予姓及小名，翁宫詹、張舍人爲詩紀其事，亦好古之緣也。乾隆甲辰九月一日，武進孫星衍叙。（録自周世紹《周小亭印録》卷首）

森按：此文承北京大學中文系博士生潘妍艷君檢示，書此誌謝。

東皋詩存序

乾隆三十九年，詔開四庫館，搜輯海内遺文，而如皋汪公之珩所撰《東皋詩存》，得入集部《存目》中。公字楚白，號璞莊，先世自歙遷居如皋，世有隱德，至公以文學起家，好施與，所輸修建賑恤，貲逾數萬。公奉母至孝，不肯以仕違親，東南之士多歸之。構文園，以爲翹材之館，鑿池沼，樹卉木，貯文籍數萬卷，賦詩著書其中，人以比冒辟疆之水繪園。手輯邑人所爲詩，自宋胡直講瑗，及元、明、國朝人，以備一方掌故。易簀時，猶屬妻及子成其志；公既卒，并刊公詩於後，其書果行。會有牽連訐告者，天子命大臣檢視，别白無他，寢其事。公子春田觀察，名爲霖，時官比部郎，因上其書，得列四部；越廿餘年，重加校刊行世焉。

考前人録一方文獻，始自宋鄭虎臣《吴都文粹》及元汪澤民《宛陵羣英集》；近世則有《粵西詩載》、《山左詩鈔》、《甬上耆舊詩》諸家盛行於世。今阮芸臺撫部撰《淮海英靈集》，曾賓谷都轉撰《江西詩徵》，或先後公，其愛才好古之心則閉門合轍。予嘗惜三吴文物之邦，無人蒐録成編也。春田觀察亦以能詩世其家，未弱冠登朝，出守思恩、鎮安，擢鹽法道，年三十餘而致仕。所至有政聲，以强直爲上官見憚。及歸江鄉，與余爲文字交，往來金陵、吴門間，題詠勝迹，江淮間想聞其風采。倘更刊所作，如斜川之繼東坡，亦甚盛事。

夫著書難，成書難，其書行世益難，古人有覆瓿之憂，仰屋之歎。若東皋詩人之得公以顯其名，公之得妻若子以成其事，且達其書於朝，以呈乙覽，誠曠世之遇。公固無憾於述作，觀察亦無媿於家學也，因序其梗概如此。嘉慶十年夏六月中旬，賜進士及第，山東督糧道孫星衍撰。**（録自汪之珩編《東皋詩存》卷首，又周項等纂同治《如皋縣續志》卷十六）**

嶽雲詩鈔序

金陵古稱福地，高尚之士多棲真學道於此。余數十年前嘗遊茅山、鍾阜、清凉，訪求古迹，惜未遇異人如貞白、誌公者，即羽流名僧之能文者亦鮮見，則杜門校訂古籍，以消永日。

客歲至上河，友人爲言朱嶽雲道士能詩。過其居，新葺精舍，花竹瀟灑；聆其談論，超然不俗。閲月，招予與同人出郊，集飲麥浪軒。軒爲嶽雲所營，作室在水中洲上如小艇，金陵諸山四面環列如畫幅，其下田疇繡錯，麥苗萬頃，雖非十洲三島，而世塵自此遠矣。

嶽雲往還郊野，或至城市，必與幽人逸士之能詩者唱和，久之成帙。其詩亦抑揚爽朗，拔俗千丈，自欲學李青蓮，而饒有馬戴、劉長卿風格；少加以學，當不減唐時方外名流撰著流傳矣。余頃老疾，乏濟勝之具，又恨遇嶽雲晚，不復能相邀窮極江左山水名勝；春秋佳日，輒思再至麥浪軒，與嶽雲談詩瀹茗已耳。芳茂山人孫星衍書。**（録自朱福田本書卷首）**

森按：此文潘妍艷君檢示。

百花吟序

自周濂溪《愛蓮説》行，而水陸草木之花區别於好事者之評章多矣。張祠部有《十客圖》，一時之以客稱花者，復有《西溪叢語》、《萍洲可談》、《三柳軒雜識》；以友稱花者，復有《三餘贅筆》。至《瓶史月表》、《牡丹榮辱志》，踵事增華，則又不獨稱客、稱友而已。

巏嵍山人博學工詩，所著《百花吟》一卷，才情雄麗，格調清蒼，詠物詩以大家氣行之，身世之感悠然自見於意言之外，此騷人《橘頌》之遺音，而非好事者之所可同日而語也。余官濟南，與山人論古莫逆，知山人别有《演雅》一書，索而觀之，其於草木蟲魚之學，左挹烏程，右拍夾漈，超《通雅》、《駢雅》而上之。特以卷帙浩繁，未能棗木流傳，公諸海内。今觀《百花吟》之底藴緒餘，往往與《演雅》相爲表裏，世之未覩《演雅》者，讀是編即可得其管内之一斑、雲中之寸爪矣。蘭陵孫星衍。**（録自王初桐本書卷首）**

影宋鈔北堂書鈔識語

《北堂書鈔》百六十卷，明人影宋抄本，雖文字譌舛，然是虞氏原書，可寶也。世南此書成于隋代，故《隋志》及舊《唐志》皆已著録，惟作一百七十三卷，與此不同。《玉海》引《中興書目》則云“一百六十門”，卷數相符，知非後人刊落之本。《玉海》又稱“二館舊闕，惟趙安仁家有本，真宗命内侍取之，手詔褒美。”

則自宋代已珍秘之。以校今陳禹謨刊本，知禹謨所稱“是書未經剞劂，傳寫訛脱，幾不可讀”者，即是此本。舊本所引古書，今或亡佚，禹謨無從校正則删之；或引書與今本不同，則據俗本增充之。所引謝承《漢書》、《東觀記》之類，又以今本易之，陳本之謬甚矣。錢曾稱嘉禾收藏家有原書，疑即此本所由傳抄，後人守之勿失。星衍記。

四庫書未收得此本，但存陳禹謨本。此書訛舛，俟手校一過，抄存佳本，彙以進呈；或募好事刊刻，務須寶之。嘉慶六年四月，用白金□□購得於吴門，夏至日星衍又識，在金陵五松書屋。

嘉慶七年正、二月，又屬王石華兄手校一過。春分後一日，星衍記于五松書屋。(録自孔廣陶三十三萬卷堂刊本卷首)

自春堂詩識語

仲則靈妙，二樵幽險，子堅清超，如太華三峰，拔俗千丈。吾得盡友之，亦奇福矣。陽湖孫星衍。(録自楊鑄本書卷首)

書贈武虚谷楹聯識語

“爲藝亦云亢，許身一何愚。”虚谷大兄以去年冬仲之官博山，屬書此聯，時匆匆不及應命。今年虚谷罷職來都，始踐前諾，時乾隆五十七年太歲在壬子十二月六日，雪晴後篆于琉璃廠問字堂中。是日與少白、春涯、皋雲集飲，有瑞卿看題，豔亭捧硯并鈐印。南蘭陵弟孫星衍。(録自陳烈編《小莽蒼蒼齋藏清代學者法書選集(續)》)

立厓詩鈔題辭

氣成風雲，聲出金石。七古七律，開闔頓挫，直到古人。昌黎之筆，少陵之格，東坡之才，兼而有之。主持風雅，非公誰屬！年愚姪孫星衍拜讀。(録自蔣業晋本書卷首)

萬緑草堂詩集題辭

孝逸才如萬斛泉源，滔滔不竭。余於白下、吴門共寢處者數旬，見其興到爲詩，頃刻數首，無一字不愜人意。由其年少氣盛，而才華、詞藻足以副之，時流雖與靳勝，十駕不及也。嘉慶十七年壬申三月望後，伯淵孫星衍書於虎丘寓舍。(録自管繩萊本書卷首)

碧梧紅豆草堂詩題辭

以劉長卿、馬戴之風神，擅韓冬郎、羅隱之好句，由其秀骨天成，不獨膾炙人口。伯淵拜讀。(録自山東省圖書館藏李廷芳《碧梧紅豆草堂詩》稿本卷首)

題祝枝山書飲中八仙歌卷

祝枝山書有龍跳虎卧之勢，此卷尤其佳者。淡香主人授我，因題名幅後藏

焉。乾隆乙巳伏日,孫星衍。(録自李佐賢《書畫鑒影》卷七)

題黄小松嵩洛訪碑圖册

嘉慶二年三月晦日,偕蓮湖刺史、莪庭都水放舟泲上,直至葦西□畔。秋盦司馬出此圖相示,恍憶嵩洛舊遊,爲題卷端;惜行舟摇漾,不能施腕力也。蘭陵弟孫星衍。

"嵩洛風光記得真,此中著個向禽身。君才不獨書詩畫,黄絹捫碑過古人。"是年四月十四日題於泲上之南池,星衍。(録自龐元濟《虚齋名畫録》卷十六)

森按:蓮湖,謝葆霱;莪庭,顧禮琥也。

題黄小松岱麓訪碑圖册

嘉慶二年,秋盦司馬挈戚友爲登岱之遊。適予祈雪泰山,會合岱麓,因與訪古石經谷、王母池諸勝迹,留題而返。秋盦並紀所歷爲廿四圖,多予按部時所至,意境獨造,非親涉者不能知其神似。越歲戊午南歸,爲題篆于幀,陽湖孫星衍記于舟次。(録自龐元濟《虚齋名畫録》卷十六)

岱廟闕形方柱碑題名

嘉慶二年二月癸酉,署按察使孫星衍來謁岱廟。泰安府知府金棨、運河同知黄易、陽湖楊元錫、錢唐江鳳彝同至。次日,宿登封臺,觀日出始去。(録自泰安市文物局編《泰山石刻大全》册一)

森按:此文潘妍艷君檢示。

白虎通德論跋

此本有嘉靖改元夏五月壬申蜀昌泠宗元《序》,稱遼陽傅公希準乃正其誤而刊之太平以傳;又稱公名鑰,以給諫出守。今無此序,大率賈人去之以託元本耳。嘉慶五年十一月十二日,在黄氏讀未見書齋中假本讀之。
甲戌歲二月廿九日又閲,時雨雹,春寒甚厲。衍記。(録自上海圖書館藏本手跋)

蔡中郎集跋

《蔡中郎集》十卷,前有天聖間歐靜《序》,正德時錫山華堅活字板本。按之《書録解題》,陳氏所載即此,真宋時原編也。隋、唐《志》稱二十卷,《崇文總目》五卷(據歐序云:"《唐·藝文志》、吴氏《西齋書目》並云十五卷",則此"五卷"上脱"十"字),又在歐本前。今有六卷、八卷本(六卷徐子器刊,八卷汪士賢刊),皆不及此本之古。衍記。(録自上海圖書館藏本手跋)

篁墩程先生文集跋

《程篁墩文集》六十卷,壬申歲三月購得於白下,紙板精妙。粗閲一過,經學承宋人語録之習,與古義不合;古文差勝,碑版或有掌故可徵。論議亦不能考正,孔廟祀典一疏,請祀鄭康成于鄉,尤爲紕繆;幸後仍入廟從祀,足報注經之功。五松居士記于冶城山館。(録自韋力《芷蘭齋書跋初集》)

森按:此文承滬上友人黄曙輝君檢示,書此誌謝。

國朝名人詞翰跋

曲阜孔氏集前輩手札,刊爲《國朝名臣法帖》,余嘗樂觀之,書不必甚工,想見古人風格。筠軒藏此二册,況多詩翰,清詞麗句,每翻閱不能去手。傳之再數百年,有勒之貞石者,筠軒之名與之不朽矣。孫星衍。(録自洪氏小停雲山館刊本卷下)

顧秀野紀恩册跋

東吴爲聲名文物之邦,累朝御蹕南巡,留心問俗。此顧秀野太史紀述召見恩遇之册,當時進呈《元百家詩》及《韓詩》李漢編本,皆世所不可無之書,列於《四庫》。星衍曾撰《春秋長編》並《孔子集語》等數種,擬呈乙覽,屢未果行。異時恭繕成帙,或值聖駕南巡,負謁道旁,得蒙睿賞,亦微臣仰報知遇之一端,庶比之前輩,自解虚生之愧耳。丙子年十二月朔日,孫星衍記。(録自顧抑如等纂修《重修唯亭顧氏家譜》卷三)

兩當軒詩評

仲則《圈虎行》爲七古絶技,“似張虎威實媚人”,奇句精思,似奇實正。嚴道甫賦《未央宫》云“曾共金波麗鳷鵲,不隨夢雨化鴛鴦”,爲時所稱,不知本仲則“曾共朝霞映金爵,不隨夜雨飄鴛鴦”二語也。(録自黄景仁《兩當軒全集》附録第六)

上錢竹汀先生書

後學孫星衍頓首,竹汀先生大人閣下:春初曾奉書左右,想蒙覽及。前見示獻之札,有命駕關中之意,因共中丞時時盼望甚切。比從獻之家信中稔閣下體氣違和,舉動稍有不便,此時想已霍然痊也,念甚念甚。

閣下所著《漢書考異》,謹讀一過,于中得未曾(森按:“曾”下疑脱“有者”二字)不下千條,良足嘉惠來學。星衍近從中丞校注《墨子》,似尚精細;閏月中刊印當竟,再呈誨定也。頃從事《本草經》之學,亦似有得。此書足以考證《毛詩》、《爾雅》之處不少,如《御覽》引經云:“蜈蚣,一名至掌。”《爾雅》有“蛭蝚,至掌”,郭云“未詳”,今可詳也。《本草經》:“蕳茹主善忘不樂。”按《説文》云:“茅蒐,茹藘,人血所生,可以染絳。”茹藘即蕳茹,而《山海經》“牛首山有鬼草,服之不憂”,又合于經主治不樂之説,則“鬼”即“蒐”矣。凡若此類,必有一得也。

星衍今年承修此間咸寧、長安兩首縣志書。長安係漢唐宫闕所在,又有《長安志》、《雍録》等書在前,當勉成其役,但恨才劣耳,希閣下時教之。新遊仙

樓觀詩箋奉覽,餘不備。三月廿八日,星衍再拜上。(録自上海圖書館藏《國朝名賢手札·續集》第八册)

與袁簡齋書

客年曾奉兩函,未識已蒙台鑒否?每從南來人詢悉老前輩意興愈佳,精神增爽,益深企羡。讀《詩話》,闡發性靈,皆人意中所欲言而得前人所未曾有,快極快極。近有何著述,便中能示一二否?

此間李薌林河帥甚想足音,倘乘興東來,一訪鄒繹、孔林之迹,當追隨杖履,作十日遊耳。侍抵官後,鹿鹿奔馳,送兵防汛,毫無寧晷,非未嘗廢披尋書籍。惟見地方光景艱難,止有深自刻苦,不敢復傷東省元氣,仁人必鑒知之。來人怡雲向在都門樂部,玆依侍已久。渠挈眷南歸,寓邀貴井,不日仍欲東行。今其叩謁雩顔,一切尚祈垂照,並可從問侍近狀。許秋巖太守時見否?亦曾令其一見,舊在都相識也。此候台安,餘不一。簡齋老前輩閣下,侍孫星衍頓首。(録自上海圖書館藏《清名人尺牘》第九本)

與江艮庭書

孫星衍頓首江先生足下:星衍嘗聞古所謂神交者則有之,而所謂千里命駕者,則媿之矣。星衍始聞足下名於嘉定錢少詹事大昕,少詹事之言足下屏迹著述,不妄交與,研精六書,造爲《尚書古文》一書,辨時俗之隸,一皆歸之于篆。又舉足下緒言餘論,若"笑"字"从艸,惟緢有稽"之屬,信乎精核之至,前無古人。

星衍數年來曾于小學極深研幾,欲盡考九經之文,通之於篆,以爲後來石經之稿。聞足下此書成而遽爲閣筆,知斯世之有先覺也,然足下此書不可不令星衍一見。方今人物眇然,章甫之適,陽春之奏,何能自已乎!馮按察廷丞,時之好事者也。星衍嘗屬令訪足下,而未之值,豈足下辟人之深與!王君欆門負才學,好善之士,用是通殷勤于足下,以明昔者傾想之意。

星衍明春以事詣蘇,當得奉謁耳。又星衍讀《説文》有云:"戊,中宫也,象六甲五龍相拘絞也。""六甲五龍"嘗博問通人,未知其説。足下深于此書,當有所見,幸明教之。歲内並望德音,不宣。星衍再頓首,己亥十一月廿七日。

江聲信末附記:

聲聞之師云:"龍,辰也,辰有五干,故云五龍;天六地五,故云六甲。五龍戊爲中宫,五六天地之中,故云'六甲五龍相拘絞'。"《繫傳》亦不得其解。聲案《易》曰"天五地六",兹云"天六地五"者,天謂甲乙等,以配十二辰,各有其六;地謂子丑,以配十日,各有五也。(録自上海圖書館藏《清代學者手札》册墨迹)

與阮雲臺書

前山東兖沂曹沵道孫星衍扣頭,稟中丞軍大人閣下:接書,承招主紫陽講席，感不可言，已肅復函。星衍尚有所刊《六韜》諸書在浙中未竟，且樂親誨命，與諸同舍生商榷疑義，惟恐不能終事，虚糜館粲，是以未即應聘。俟月底一有定局，即行馳禀。即欲北上，不妨遲至下半年。星衍二三月間仍擬買舟奉謁，商訂刊經之事，他無所求，諒閣下知其素性也。

江南米貴異常，價至三兩六七錢一石。或云湖襄一帶價昂米少之故；或疑有出洋之事。竊以爲前人設倉糴糶，其存七糶三之制，原爲米貴時設，有平糶則米價立平，官收其利，存價以備買補而有餘，實利國利民之要著；否則陳陳相因，粃臭可虞。而阻其事者，輒云"存以待荒"，不知荒則宜盡出之，又不止存七糶三也。或又恐州縣滋事，此因噎廢食之説。此等事宜速行則行之，商之數月不決，則米價又落，官不能取贏餘以益國家矣，閣下試酌之。緝盜之嚴，浙中爲最，閣下之力，幸勉之！肅此，禀請年伯大人福安。雲臺軍大人閣下，星衍再扣頭上。(録自上海圖書館藏《清嚴繩孫等尺牘》册墨迹)

與顧千里書

《訪碑録》後四卷，曾否發刊？第一卷屬付將無年月古碑列《十字碑》之後，如吉日癸巳石鼓之類是也，祈爲定之。邢明府屬到此商榷妥當，與一復音，并云不足之資，渠爲補發，恐不止百金刻價也。今晚弟即行，乞示定奪。

王象之《輿地紀勝》，望抄一簿，不必影寫，將黑刻白字鉤出方匡，亦不必雙鉤字迹也。先付銀一封，有不足再繳，祈盡五月内抄付爲荷。《北堂書》八金，如讓弟買得固妙；否則借弟攜歸，不過二金，即屬友人鉤出明本，再將原本奉還。《祖庭廣記》便亦爲抄一部，交弟帶去更妙。茂堂《説文》既寫定發刻，尊處底本乞借去一閲，即當奉還，未知可否？陳大兄屬作《輿地紀勝跋》，此應閲過全書，再爲下筆，容再報命。乞言之竹友，爲道謝。書單一紙奉存，爲覓之，少頃相見，再悉一切。金石家姓氏示知，要事要事。此候文佳，不一。愚弟孫星衍頓首。(録自上海圖書館藏《清代各家書札》第十五册墨迹)

森按：此札未署受信人名，然據信中言刻《訪碑録》事，知爲寄顧千里書。所云"茂堂《説文》既寫定發刻"，檢《説文注》一篇下，卷末有"元和顧廣圻校字"一行，知即此卷。

與梁曜北書

匆匆拜讀大著，欣佩無既。《古今人表》一加考證，尤足嘉惠來學。弟見輯《春秋長編》一書，資于此書不少也。《史記志疑》略覽數條，發前人所未及；《天官》一書取《開元占經》對勘，更有極佳處。惟尊著以《允徵》之允爲國名，從僞孔，不從鄭康成，與鄙見未合耳。新輯《括地志》、新刻《元和志》、《易口訣義》奉正，指正謬誤爲感。此謝，並候台安。早晚走謁再悉，不一。年愚弟制孫星衍叩首。

謹璧尊謙。(録自上海圖書館藏《鐵保友朋手札》册墨迹)

森按：此札未具受信人名。梁玉繩著《史記志疑》三十六卷，《人表考》九卷，知與曜北書也。

與法時帆書一

日昨在都叩别，未晤爲歉，其時足傷未癒，竟以不能暢叙爲恨。秋爽宜人，益稔老前輩大人起居萬福。星衍由水程東行，直至節後抵省。足患漸癒，終不能復元，尚須調養。覺聽鼓應官，與軟紅塵中晨夕過從，脱略形骸，光景又大不同，始有玉堂天上之歎。惟望老前輩不以外吏薄之，常賜佳篇爲荷。來時承荐尊紀，已屬其同到山左，起行時不見其至，想緣見星衍處從人太多(現在撫軍尚囑淘汰從人)，未必如意，是以不欲東行。如再來，定當照應，幸勿以爲罪。肅此，布候陞安。後學孫星衍頓首，廿九。

與法時帆書二

久不奉書，深增馳企。恭稔老前輩大人辟雍坐論，稽古殊榮，實足傾動海内，下風欣忭。盛暑，伏想起居佳勝。東省堤工決裂，適當晚去任之後，雖可謝責素餐，不忍度外置之。大都以精白乃心，感格神明，方能不負國家。挽回冥漠，自媿未能，亦望當時存此心也。比閒居兖郡，校訂各書，先寄所刊《口訣義》奉覽，並指示一切，餘書再續寄。舍甥楊上舍元錫，能詩好學，慕詩龕照燿海内之名，欲謁龍門，老前輩藻鑑人倫，幸進而教之，再試其技可也。都門詞壇友人想時晤，望閣下持節校士而來耳。肅此，布候台安。館後學孫星衍頓首。

與法時帆書三

前奉一椷，並寄呈新刊《唐律》，想蒙鈞鑒。新春，伏稔老前輩大人陞祉潭禧，與時增勝爲頌。董琴南太史留心古學，知蒙青睞，兹過安德入都，屬至尊處一閲《永樂大典》，如將百家(森按："家"疑"三"字之誤)名家未載之文録出一編，並有未載之人如左貴嬪、庾闡、范泰之類，合之《弘明集》、《廣弘明集》、唐人三類書，彙爲《補百三名家集》，實爲盛事。不獨晚可寫留一部，國家既輯《全唐文》，似宜再輯《漢魏六朝詩文全集》，亦文章大觀也。此候春禧，餘不一。時帆前輩大人閣下，館後學孫星衍拜啓。

與法時帆書四

客年奉到手函，即已上復。春和，伏稔老前輩潭祉台禧，與時並勝爲頌。晚于月之下旬又得北運到都，公事完畢，或可趨謁教言，再與同人快晤。去年撰成《續古文苑》一書，多取選家、專集缺載之文，似頗可觀。因思《永樂大典》中漢魏六朝人文集尚有存者，竟不得一檢。此書若録出數部，與《四庫書》分存各省，實爲流通古學要務，于中唐已前經説史事，足資考證者甚多，中朝諸公其有意于此否？閣下一代文獻，又可通章，幸勿以爲不急之務。新刻各書小種呈覽。

孔典史向在都趨事内廷三館，其兄蒙閣下垂青，渠亦瞻拜顔色，兹以苦差北上時呈蕪札。該典史尚有文采，亦能書畫，惜沈于下僚。晚以家君秉鐸句容，與之世誼，故深知之。肅此，布請鈞安，餘不一。時帆前輩大人閣下，館後學孫星衍頓首。

與法時帆書五

昨承左顧，展轉在牀，輶褻之罪，惟知愛原宥。新刊《鄭注尚書》已成，奉上一部，祈誨正。今日發山左書，老前輩有札致撫軍，乞付來手；並感齒牙之惠。此啓。後學孫星衍頓首。（以上五首，據《名家書札墨迹・法式善家藏名人書札》迻録）

與朱少白書

戊申年秋，凡得漢印九于京邸，一曰申徒嘉，二曰廖立，三曰夏侯安世，四曰張最，五曰樂勝私印，六曰程猛，七曰徐□文□，八曰公孫彊印，九曰孫意。按申徒嘉，漢相使作“屠”；廖立，蜀侍中；孫憙，則與僕小名合。正之少白孝廉，星衍。（録自上海圖書館藏《清名人尺牘》第一本）

與唐陶山書

前有兩札，想俱鑒及。敝友范君名廷權，爲芝年太史之族，向在都門識晤。悉其精于相術，世以神仙呼之，文筆亦甚佳。兹索札介紹，趨謁龍門，可屬瞻眉間黄氣，並爲吹植是荷。此候陞安。陶山明府先生，治愚星衍頓首。（録自上海圖書館藏《清名人尺牘》第四本）

與王秋塍書

嚴明府來豫，曾肅一函，想經覽及。中州新撫調換，又益賢勞，想邀不次之擢也。弟趨事西曹，幾不能支其繁劇，而人之窘迫又復異常。稚存來都，稍叙契闊。每憶吾輩遊幕時友朋文字之樂，如天上矣。

吾兄陞轉後，略得買山之資，即當勇退，以圖他時湖海之遊，爲得計也。弟有家兄映垣，向同筆硯，後復遊幕山西介休汪上庭署多年。兹來覓館，弟卅已作札懇唐道臺轉札開封，不論書院、書記，推薦一地。家兄篋中現有所填詞曲，可以奉政，祈吾兄左右其事。寒士投人之苦，吾輩稔知，並祈加意吹植，俾不失所爲要；唐道臺處亦望時催之。專此布懇，並候陞安，不一。秋塍二兄大人閣下，弟星衍頓首。

新撫之子與弟同寅至好，他時可爲足下索一札也。（録自上海圖書館藏《國朝名人尺牘》第三册）

與顔運生書

久不得手書，甚深想念。聞宦況清佳，多文燕之樂，惜不能追隨也。弟行期當在閏月内。劉憲兼署撫印，意欲一换咨文而去，以免部中詰問遷延之故，甚爲妥便。春涯兄最關切，祈以此告之。《元和姓纂》刊成，版送揚州洪秉懷處，可向取一部。張菊園太守署蕪湖道來此，見與商刊《唐律疏議》。執事非寬餘之時，不知能于當道中爲糾一二分，成此事否？弟處有宋版，亦極精。馬元隨尊處，一切尚祈照應；其弟隨弟處，甚小心也。此候運生父臺陞安，世愚弟孫星衍頓首，十四。**(據北京國家圖書館藏《乾嘉間名人書札詩稿》墨迹迻録)**

與何夢華書一

前從廬郡歸，接到手書，並邢明府所寄《訪碑録》，大略尚好，中有複處，乞即改正，止可空黑。頃又得手書，藉悉近狀安適。《中山集》抄本，弟處亦有，阮刻本不可得，亦不必急購。頃有揚州洪生瑩來，屬刻《元和姓纂》，一月可成；家鳳卿又將錢可廬所集《世本》，補以諸書所引刊出，俱爲快事。弟所最要，如程公説《春秋分記》、劉恕《通鑑外紀》二種，乞爲留意。

本定于九月廿二北行，揚州洪生捐主事，亦欲赴都，極言道路多竊盜，不可行，應結伴而去，是以待至出月，亦斷不能遲矣。然弟在江南所校刻古書頗多，亦有益于世之事，未嘗一息稍暇，可告良友。惟《六韜》杳無完期，秋子想當著急，陳刻字人可惡殊甚。《乾象通鑑》已抄一本。近輯《古天文説》一編，未完。鳳卿刻諸輯本書，爲《逸子書》。惜章同年宗源遺稿付托非人，若以見貽，必盡爲刊刻矣。

《廬州府志》經弟手辦理，似尚可觀。張同年有五六百金之助，得以贖出貂裘等皮衣，一路售買，不患資斧。老親亦甚健旺，尚可暫出數年。近省大約可請，但鄙性耽著述，未免就宦途如探湯耳。新得天啓石刻《渾儀圖》搨本奉寄，此間無搨工，皆由手搨，不能多分贈他友也。《琅邪刻》摹本爲刻字人刻壞，粗肥可恨，亦寄一本。浙中如有新出書，千萬寄一二種。此候文佳。夢華三兄足下，愚弟孫星衍頓首。**(據上海圖書館藏《明清二代名人尺牘》上册墨迹迻録)**

與何夢華書二

匆匆别去，秋初或可再晤。此歸，鳳卿如未行，當屬寄各書□相助。所屬抄《輿地紀勝》，務即抄就，感難言喻，緣欲撰《水經疏》也。《瘞鶴銘》曾爲表就否？念念。此行到浙中，乞留心《唐會要》、東西漢《會要》；價值相當，不妨專人到金陵，易價而歸。外此屬覓各書，卷數過多者，如《毛詩稽古》、《春秋分記》，亦止可俟購寫成之本，抄録力不支也。朱朗齋處乞爲筭明賬目。《訪碑録》催完，要事。金石友人姓名記出示知。此候夢華仁弟足下，星衍頓首。
立厓先生、友竹賢仲俱道候。陳、徐兩兄俱候好。高爽泉并問好。**(録自《中國醫學通史·文物圖譜卷》頁 178)**

森按：原札藏上海中醫藥大學醫史博物館，此文潘妍艷君檢示。

與許秋巖書

秋巖仁兄足下：别後曾在平陽肅候日安，想蒙覽矣。到京後，託庇光景尚好,惟校書度日,忙不可説,一日僅得一金,一切用度幸尚可支耳。弟在此周旋前輩、同輩間,心平氣和,頗有"圓通"之號。始知風月之緣,一日絶之,即受福無窮,已後更不墮落此道也。

中丞回署,想多燕會之盛,朋友之樂,思之如夢。西安伍伯爺忽有入相之事。頃致書中丞,索其一札先容,諒無不可,惟足下催速行之。若非中丞,此間亦必有人汲引,然揆諸中丞薦士之公,應如此也。風便祈示音,慰其遠念。五月十八日,愚弟孫星衍頓首。

賈、王、徐三先生前問安。(録自上海圖書館藏《國朝名賢手札初集》第十三册)

與江秬香書

到東後,諸凡録録,且有催漕之行,未及致札,想起居安勝。嵇司馬在彼,當相得也。前送還《樂書》尚在否?新從南中攜來蘭泉先生所藏一部,紙版相同,可補缺葉。如吾兄不用此本,示價見售,可以專差送來補完,存爲什襲之珍,未知尊意如何?

再弟處會客廳有"澄心堂"一扁,係南唐名號,不便。意欲改爲"澄清堂",乞足下八分書就,如前第一次所書"平津館"之字之大,方爲合式,緣其扁寬大,非此不稱。明年公車北上,當在何時?並望先期示知,以便迎候。新年燈節前到省否?或可作晤。此候秬香先生文祉,愚弟孫星衍頓首,十一月十三日。(録自上海圖書館藏《清乾隆間各家尺牘》册墨迹)

與朱吉人、張鄂樓書

北運回東後,奉啓一椷,俱蒙及示,藉悉兩兄大人陞祉潭禧,與時協慶。弟肝疾總未除根,又加變症,每至日晡,輟廢眠食。且大府新來,又以病軀不能遠涉謁見,是以詳請開缺,以免誤公。祈兩兄進謁時轉爲緩達,并懇早賜委員前來署護,俾得結報脱身,攜眷口隨回空糧艘南下,感佩無既。惟數年共事,叨愛甚深,别懷惘惘。倘卸事後體氣少平,可以肩輿就道,即當到歷下謁謝大府,並與諸兄把别。肅此,布候陞安,餘不一。吉人、鄂樓兩兄大人閣下,世年愚弟孫星衍拜啓。(録自上海圖書館藏《翁覃溪等手札》册墨迹)

森按:據《孫淵如年譜》,孫氏嘉慶十六年七月引病歸田,此信是年夏所作也。朱錫爵,字吉人,順天大興人,時任山東布政使;張彤,字虎拜,號鄂樓,浙江歸安人,時官山東按察使。

與朱滄湄書

久不相見,駕至金陵,復以弟遠出不逢。歸讀手札,惆悵無已。褎然大集,讀之甚佩學有心得也。弟屢欲北上未果,亦萬不能遲,此次來浙,一謁中丞,歸即束裝。若得遠地,及在都候補多時,恐亦不能離老親而受禄,仍歸與兄輩論文矣。

世間作篆人,獻之手壞,不得不望之吾兄。近見篆體改易似漢人碑額,大以爲非。此種字體,如張皋聞、鄧石如,世之能爲此者甚多,又何揚其波?古人云"心正則筆正",弟所見兄曩時手筆,直接斯、冰,願勿變體作側筆,舍其能而徇人之能,未必及人,且非正格,不知兄以鄙見爲是否?紹興刊《嘉泰會稽志》,祈屬成千萬寄惠一部。肅此布復,並候滄湄世老先生二兄好。世愚弟孫星衍頓首,五月十五。(録自王貴忱、王大文《可居室藏清代民國名人信札》)

森按:此文承黄曙輝君檢示,書此誌謝。

與趙季由書

吴興密邇金閶,未得把晤一談是悵。比維五兄大人福茂聲宏、升祺並協爲慰。舍表妹丈陳澍齋,吾鄉之優廪生,積學甚富,睫下窮愁著書,未有所遇。特此晋謁台端,藉鼎吕吹植,授經一席,或書稟起稿,並考試閲文諸事俱有微長。足下愛士崇儒,屬在姻親,尤思加照拂,當不在弟之懇囑也。陳君詩文稿外,有《三五類編》一書,有裨後學,如得贊襄付梓,尤屬幸甚。此候升安,不一。愚弟孫星衍頓首。(録自上海圖書館藏《清名人翰墨手迹》册墨迹)

森按:此札不具受信人名,然册内前後諸札均與季由書。趙季由名學轍,號蓉湖,江蘇陽湖人,嘉慶己未進士,官湖州知府,與札首"吴興"之説正合。

與毛容門書

兩日天雨,未及奉候,□八尚未到此,使人望眼欲穿,奈何奈何。億生於江陰回轉時亦當至矣。啓者:錢君獻之屬有急用,屬札致足下爲移二十金。渠見有一項,不過十日内即來,便當奉上耳。弟前承借之銀尚未趙上,甚爲抱歉,不久亦當歸趙也。專此布候午安,餘面陳,不宣。弟星衍頓首,容門仁兄先生足下。
獻之均此奉候。(録自上海圖書館藏《毛榕坪友朋手札》册墨迹)

與蔣琴伍書

甘霖大沛,頗愜人心。適得手書,並蒙題《伏生授經圖》,古奥直逼韓杜,對聯如見曹景完碑,珍重無既。弟在金陵過夏,惜不獲邀旌節來暢叙一番,便中尚希將新刻尊稿見賜。弟亦刊所爲《尚書今古文疏》及《孔子集語》,大約秋杪可以奉正。蔣伯生新得泰山殘碑十字,口占報之,并書求教。琴伍先生館丈,同學愚弟孫星衍頓首。(録自上海圖書館藏《清初各家尺牘》册墨迹)

與陳十峰書

接手書,甚承存注,感佩無既。僕每歲春秋必至吴門,文旌在彼,作晤甚易。頃知駕過敝鄉,殷殷念舊,惜不能奉陪,一叙東道之誼。僕爲肝疾所苦,過數日即吐酸水斗許,服許學士神术丸亦復不效。幸老父今年八十有九,康健如常,稚子七齡,足以告慰。豈能復有出山之志邪?恐不久留人世,汲汲將舊著各書次第刊出,明春攜以奉質。尚有未刻之書,如《春秋長編》、《古天文説》、《天官書考證》、《續金石萃編》,留俟後之知音者代爲籌刊矣。因足下言及敝同年董、史諸君,記憶一詩呈閲。專此布復,並候近祉潭禧。十峰賢契足下,友弟孫星衍拜復。(録自《大清名賢百家手札》第五册)

與友人書一

昨飲酒過多,今日病困,擬邀兄明日一敘,竟不能矣。早間即解纜而去,委書聯幅,舟中筆墨圖書不備,且又地仄,未能展臂。攜歸寫就,漕臺到臨時,專差送上。官封六箇存留,止須江西全幫及湖廣全幫出口一報,不必日日禀報。體疲乏殊甚,明日竟不面辭。乞致金二兄切勿出送,以省應接。此謝,並候台祉,不一。愚弟孫星衍頓首。(録自上海圖書館藏《清名人尺牘》第三本墨迹)

與友人書二

敬啓者:弟查辦理北運,應給旂丁食米津貼等項,向在征收正漕一五耗内支給。今採買米□,漕耗無出,擬在各處九年支剩行糧及節年薊糧内支用,未知各處不致辦理竭蹶否?謹開摺奉商,餘俟面陳。此候陞安。愚弟孫星衍叩首。(録自《中國醫學通史·文物圖譜卷》頁178)

森按:原札藏上海中醫藥大學醫史博物館,此文潘妍艷君檢示。

與友人書三

前過津門,因未攜夫馬,不克趨謁起居,迺蒙寵賜多儀,甚增感佩。祇緣回署以來,公私録録,以致牋候稍遲爲歉。兹際荷風拂暑、槐蔭生涼,遥維大兄大人政祉升祺,與時並茂,以慰以頌。弟近狀如常,惟衝途差使絡繹,兼往來河干督催糧艘,靡有寧息。幸得透雨,秋禾長發,河水充裕,現在南糧行走甚爲迅速,藉可藏鳩。此時沈觀察想亦旋轅矣。專此布謝,順候陞安,不一。愚弟孫星衍頓首。(録自上海圖書館藏《孫星衍等尺牘》册墨迹)

與友人書四

今病小愈,初二日邀吾兄來冶城山館一叙,已刻早飯。坐中爲健堂、子山兩太守,周次立同年,皆熟人也。此候南翁文祉,弟衍頓首。(録自上海圖書館藏《清代名人尺牘》册墨迹)

與友人書五

銀蟾焕彩,金粟生香,正深燕賀之私,忽奉瑤章之賁,臨風三復,感佩難名。藉稔大兄大人撫時凝禧,順序集慶,政祉與桂香並茂,陞華共皓月同清,翹企黄望,可勝欣頌。弟自夏徂秋,河干催漕,靡有寧息,江廣尾幫已於月之初八日出臨清,早晚即可全數催出東境。專此,布賀節禧,並璧尊柬,不一。愚弟孫星衍

頓首。(録自上海圖書館藏《孫星衍等尺牘册》墨迹)

與友人書六

昨過雷封,承雇夫相送,得以晨達京江,感佩之至。接舍弟信,並悉一切,當爲在意。途中逃去夫三名,原票奉還。匆匆布謝,並候升安,不一。治世愚弟孫星衍拜啓。(録自上海圖書館藏《國朝名賢手札初集》第十三册墨迹)

與友人書七

連日應酬,同鄉親友未及把晤爲悵。想起居佳適,侍奉萬安。廿二日龔芸舟兄有帖奉邀,祈于于、金兩兄處稍爲關照,則感推愛。此候午安,甫翁大兄大人,愚弟孫星衍頓首。(録自上海圖書館藏《清代名人手札》墨迹)

與友人書八

連接手示,藉慰闊衷。頃稔老父臺榮蒞新任,政祉多宜爲頌。弟緣督辦引河,早夜焦勞,現在催有三四分挑工,知尊處亦經承辦,甚佩賢勞績茂,代辦有人,更省心力也。江南得良有司提唱風雅,必多新著,大工匆促,不能及此,歲暮祈示教一二。此候陞安,治愚弟孫星衍頓首。(據北京國家圖書館藏《乾嘉間名人書札詩稿》墨迹迻録)

森按:此札潘妍艷君檢示。

與友人書九

接讀手示,承賜潁濱《詩傳》,適爲弟所未有,書雖無益經義,亦北宋人之書,不可少也,感謝之至。冬間新作書堂,聊以卒歲,惜不得吾兄來觴詠爲樂耳。中丞年内未必來安德,所屬不敢以人微言輕辭也。與二弟字亦悉,查索甚不易爲力。開歲歸心最切,屈指雲松、辛眉諸前輩息機比弟爲早,登臨撰述之事,□覺汲汲顧影,似未可再戀此官也,惟與知己言之。匆匆布復,並候陞安,不一。愚弟孫星衍拜復。

鄭康成博士又爲方伯所抑,是在意中,想《通志》亦必不能辦也。弟之所遇殊可歎,一切更爲灰心耳。(録自北京國家圖書館藏《孫淵如先生書札》册墨迹)

與友人書十

從金玉如處見手書,藉悉近狀安勝。中丞早晚來勘支河,當爲説項。所云進署之處,向係朝更暮改,其言不可定準,虛與委虵最妙。弟在署略爲收拾,明窗净几,以圖過冬,與諸同人夜聚閒話。芸臺適遇於汶上,如簡放有地,回途過□,又可作一夕談。冬間雪澤全無,屯膏有象,恐明歲飛蝗遍處,人亦□温,奈何!是吾輩爲政之致。二弟已來,並屬道候。此候陞安,不一。愚弟孫星衍頓首,初五。

曼亭、尊季、春帆均道念。金玉如不另札,均此道候。(録自北京國家圖書館藏《孫

淵如先生書札》册墨迹）

與友人書十一

《清華閣帖》題就奉正。前托覔拙文一本，係刻本，上題“山左文稿”，蘭泉師説下人所收，祈足下屬王世兄一檢，不敢煩老人也。此候文佳，不一。世弟星衍叩首。（録自上海圖書館藏《清代學者手札》册墨迹）

與友人書十二

濶别忽又五年，甚深馳企。頃接家信，知老前輩以家父八旬，錫之屏障隆儀，光輝蓬壁，感謝無既。衍五月間入都引見，請訓之日，叩求賞假三個月，仰蒙恩旨俞允。現在辦理交卸事宜，回南當可面聆誨言，并申謝悃。那三先生于又五月初七過此，詢問起居，未知此時仍至維揚否？肅此布謝，並請鈞安，不一。館後學孫星衍拜啓。（據上海圖書館藏《清人手札》墨迹迻録）

森按：《孫淵如年譜》嘉慶十三年條載：“五月十五日引見，奏以老父在籍，乞假三月省視迎養，即邀俞允。”則此札十三年夏所撰也。

與友人書十三

前聞閣下榮調上元之信，盼望甚切。此簡齋先生舊治，位置通人，亦地方之福。接手書，知須出月到任，欣慰之至。此間有方葆巖制軍、石琢堂殿撰，晨夕過從，上游俱係雅人，應酬亦比金閶、竹西爲簡。缺雖清苦，亦有勝處，閣下以爲何如？且須辦理《通志》河道，亦必得大才經理。

弟肝疾時發，且又臂痛，日就衰積，廢書不觀，無以消永日。或閣下來，啓發之，當有進境耳。隨人沈貴爲江鄭堂舊僕，頗謹飭可用，未知尊處有驅策之處否？因其叩謁崇階，特肅數行奉答，並候升祉，并請堂上安福。同館愚弟孫星衍拜啓。（録自上海圖書館藏《孫星衍等手札》册墨迹）

張育翁九旬壽序

自昔君子修行于家，不必身都通顯，而能砥節力行爲先，利物濟人爲急，以一身自奮於山林里巷之間，布衣韋帶，不事干謁，而能使公卿造請，四方慕義，鶴蓋接于衡門，纁帛充于蓬户，斯亦當世之賢豪，所謂不待貴而尊，不待名而顯者矣。世而有是人也，閭里既奉之爲典型，彼蒼亦錫以壽考，雖存心長厚有以致之，而天之報施善人，良不誣也。人之稱壽，以七十爲古稀，謂古人中所稀有者也。今且越七十而至八十，又十年而九十，是不特爲古之所稀有，斯亦古之所難有者矣。其宅心處世，非有以大過人者，焉能及此哉！

今春正月，爲育翁張老先生九十大壽。翁之爲人，惟以躬行實踐爲當世法，其處已也恭，其與人也信，其應事也誠。且善岐黄術，所至之處，一以畜人爲急務，斯世斯人，得翁之利濟而享高壽者比比然也。誰知壽人即以自壽，而翁之壽正未有艾也。今已九十矣，且一堂四代矣，非翁之長厚有以致之哉！非天之報施善人爲不誣哉！予既因翁之縣弧令旦，爲文以祝翁之壽，且以勸世之人欲及翁之壽，必如翁之砥節力行，利物濟人，斯耄耋期頤可不勞而致矣。嘉慶歲次甲子上元月。（録自張坤照等修《韋莊張氏宗譜》卷八下）

森按：此文潘妍艷君檢示。

陳徵君傳

徵君姓陳氏，名榮杰，字遂南，一字無波。先世居蕭山，明季名世綸者官鄞縣教諭，始遷會稽，是爲徵君高祖，子孫多以科名宦迹顯。徵君幼隨父名宗器者任祁陽令，遂入籍應試，工舉子業，屢薦不售。所爲文日益進，時人目其詩似少陵杜氏，文似廬陵歐陽氏，徵君乃稱曰："昔曹子桓購孔北海文章，李太白低首謝宣城，余遠不及古人，致其慕之之意可耳。"因自號慕陵。

嗣又隨父任滇南琅鹽井提舉司，越數年歸里。時蕭山毛氏奇齡、甬江仇氏兆鼇，以經術重於世，與徵君晨夕講論，爲忘年交。同時胡氏天游、齊氏召南、魯氏曾煜、商氏盤，俱引爲文字知契。久之，游匡廬，涉洞庭，東至仙霞，南踰羅浮。所至名山大川，必窮其勝，爲之詩歌，究極其鬱奇瑰怪之狀。名公卿争迎致幕府，徵君性倜儻不拘，博聞強識，縱談古事，辟易四座，人比之孟參軍嘉云。

乾隆初，詔舉博學鴻詞科，湖南巡撫鍾公名保者薦於朝。試罷，游湘中，舒州牧成龍聘修《荆門州志》，時稱博核；後以乾隆乙亥年冬月卒於幕中。先是，徵君嘗手定《慕陵詩文稿》及《候蟲集》、《集唐詩》、《夢香詞》若干卷，置行笈，不肯付梓。以爲古無自刻文集者，始自五代和凝，世士或譏之；吾撰述無足問世者，録存之家，使後之人覽予詩，哀予志足矣。其才高不伐如此。

子鏡，扶櫬歸葬，能傳家學。孫三人，曰松齡，曰延齡，曰遐齡，遐齡改名昌。曾孫八人：鴻渭、鴻澧、鴻瀾、鴻逵、鴻熙、鴻磐、鴻圖、鴻煃。玄孫四人：楷、梧、本、杜。

徵君客死時，詩文多散佚。松齡乃採拾遺詩，仍署曰《慕陵詩稿》。今昌授諸剞劂，并以其兄松齡所著《大巖賸草》附刊於後。阮中丞元督學浙中，輯《兩浙輶軒録》，録徵君詩而表揚之。其他載在志乘及名人詩選、詞選者，均足傳世。

論曰：自明以來，人各刊所爲詩文，連篇累牘，求其如徵君之亮拔不羣者，蓋不數人。徵君卓然以古人自期，不屑與和凝輩以下争名，豈不偉哉！唐寅爲詩，言後世知我不以此，士之懷才未試，一託之於詩歌自見，亦可悲已。然徵君不求名，而其名卒大顯於身後。子孫等又能世其家學，走千里求當世之士大夫爲傳序，以表揚徵君。荀子有言："君子隱而顯，微而明，辭讓而勝。"其徵君之謂與！嘉慶八年歲在癸亥冬十有一月望日，陽湖後學孫星衍譔。（録自陳榮杰《慕陵詩稿》卷首）

可菴楊詩南傳

公諱詩南，字端叔，號可菴。楊爲吾郡望族，公之先，類有傳記載于志乘，故弗具述。公生席祖、父豐厚之基,擅聰穎特達之質,年未弱冠,即以文章名,鉅卿碩儒交相引重。而公之爲人則簡樸恬雅,自怡以真,不樂以標榜著也。省試者十,屢薦不售。乃鍵户教諸子讀書,爲古人之學。著有《樂志軒詩集》若干卷,在陶、韋之間,公之風趣可想矣。

方朝廷用兵蜀中,例許納貲爲郎。或以諷公,公曰:"吾幸守先人素業,即不第,命也,寧亟求升斗之糈哉!"平生不問家事,不妄交游。從之游者,終身不能見其尤悔,雖臧獲,不加訶譴;人有過舉,恒慮公知之。中年家稍替,然天懷曠達,絶不戚戚於貧。每當花時月夕,載酒扶筇,翛然自得,見者以爲羲皇上人也。

公子六人,已仕者三。次君倫,辛丑進士,〔授〕江西貴溪縣,甫至官而公卒。嗚呼!公之德多有人所不及見者,宜善人之有後也。次君爲星衍姊之夫,習公行義者莫星衍若,故得爲公傳。(録自楊道徐等修《安陽楊氏族譜》卷二十)

森按:此文潘妍艷君檢示。

北魏故驤驤將君營州刺史高使君懿侯碑銘

碑浮衛水兮,移之學官。墓崩陁兮,其人傳。惟貴戚之尚德兮,曷藉勛名之爛然。我無建樹於兹土兮,獨好古以窮年。愧峴首之羊公兮,庶後人之宁想乎碑前。

嘉慶丙寅歲,王孝廉保訓告我德州衛河第三屯出魏高貞碑,與知州原遜志庫大使沈志永移置學宫。賜進士及第,山東督糧道陽湖孫星衍撰書刊記。(録自《山東通志》卷一四九)

范縣古義士左伯桃表墓碑

嘉慶十四年十月,范縣唐大令晟訪得縣南六十里新安村,有左伯桃墓,考其迹見《地形志》。又考墓西北,有齊皇建時建義城寺碑;墓西南有左伯桃廟。詢之耆老,咸稱歷世以爲義士之墓,常有靈迹,不敢侵削;又傳有荆將軍争鬥事,故立廟厭之。士民等既捐地作墓田,申請糧道立碑表墓,以記其迹。

予按左伯桃、羊角哀事載《列士傳》,其書久亡,見《文選注》及《建康志》所引。羊、左,燕人,爲死友。聞楚王好賢,同入楚。至梁山,值雨雪,伯桃并衣糧與哀,令往事楚,自餓死空樹中。哀至楚,爲上大夫,乃告楚王備禮葬之。後夢伯桃告以與荆將軍戰,困迫求助,覺而悲之,往塚上自刎,就葬伯桃墓中。按羊、左俱燕人,自燕入楚,道經齊衛。伯桃既至梁山而死,不得之楚,其葬宜在范縣、鄆城之間。今墓東距梁山九十里,東南距廩丘九里,方志以義城爲古羊角城,即《春秋傳》之衛羊角,《水經注》所云"瓠河北有羊角城、廩丘城,西有羊里水"者也。宋《景定建康志》又載有墓在溧水,顔真卿過此爲詩,雖唐以來相傳舊迹,或恐後人以楚事宜在楚附會之,不及魏收所志"廩丘,羊左之墓"爲最古。

嗚呼!士夫居安樂時,禮讓自喜,徵逐酒食;遭顛沛,掉臂不相顧。或貧交,誓天日不負;及趨功名,争利己,擠人至死,又下石。吾讀《張耳陳餘傳》,痛之;及讀《范式傳》,又知世未嘗無節士,不負死友者。若羊、左之行,可以風薄俗矣。銘曰：

吾讀《琴操》，哀三士窮。猗嗟羊左，淳淳古風。一諾不渝，榮瘁同盡。死友千古，令聞不殞。梁山永峙，瓠河半湮。死士之壟，重於生人。立石旌義，惟令之德。以勵國俗，保此封域。**（録自余文鳳纂《續修范縣志》卷六，又徐繼儒輯《曹南文獻録》卷八十一）**

歸母陳太孺人墓碣銘

自范文正立義莊以贍族，東南士大夫之好義者恒踵而爲之。常熟歸氏，故巨室，世有隱德；至贈訓導君景泖，嘗以腴田六百畝請置義莊，當道以例非千畝不得上聞。贈君旋卒，嫡妻席氏相繼下世。後廿餘年，其簉室陳氏率其子訓導君衔等竟捐千畝，以終贈君未竟之志。有司申上其事，得旨旌表，祀主忠義孝弟祠。賢哉！閨閣之婦能成先志，而敦宗睦族之誼，其事尤可書矣。

按狀，太孺人姓陳氏，江南常熟人。贈君既四十，無子，謀置簉室。年十六來歸，性沈默柔和，善事嫡室，助理家政，秩然有節，連舉五男二女。乾隆五十一年，贈君捐館舍，孺人有娠，慟不欲生。席太孺人勉以大義，乃強進食，撫育諸子，婚嫁中禮。延師督課最嚴敬，親見二子一孫皆補博士弟子員，教以存心濟物，勿沾沾以科名爲無餘事。

至性醇摯，嫡室病，禱神求代，疾良已，又三年而卒。太孺人泣甚哀，以此得疾。母歿無嗣，爲營葬，立祭産勒石，俾其戚主祭掃之事。自奉儉約，暇則紡績，服無時飾，食不兼味，而祀先留賓，必豐必精。每食，必令臧獲輩食畢乃自餐；有過，諭令自愧，不加訶譴。年六十，不聽子孫等舉壽觴及諷佛書邀福，令恤鄉里之煢獨無依者。時亢旱，既出穀平糶，太孺人以謂貧民逐日得錢買穀亦大難，不如量給之，雖不能徧，盡吾所能爲可也。其周急好施率類此。

以嘉慶十九年七月二日遘疾，卒於内寢，春秋六十有一。子五：衔，候補訓導，前署金山縣學事，娶邵氏，繼陽湖吕氏。肇行，諸生，娶邵氏，俱前卒。衡，監生，娶元和嚴氏，繼蔣氏。健行、愼行，俱早殤。女二。孫十：令喬、令符，諸生；令憲、令瑜、令璋、令瓚、令戩、令璣、令望、令澤。孫女八。後三年，其子衔將卜葬，先期謁余金陵乞銘。墓銘曰：

無成有終，含章之行。懿彼淑媛，生有至性。相夫事嫡，見義必爲。千畝之腴，潤及宗支。稟命不融，積善有報。粲粲門子，蜚聲學校。祔棺厚穸，既堅既完。表我志節，松柏丸丸。**（録自歸令璣纂《京兆歸氏世譜》卷六）**

【作者簡介】 陳鴻森，現任台灣中研院歷史語言研究所研究員，成功大學、中央大學中文系合聘教授。主要從事中國經學史、清代學術、古典文獻學之研究。

李鱓名、字、號辨正

吉發涵

【提　要】 清代著名畫家、揚州八怪之一的李鱓，字宗揚，號復堂。今人卻多誤其名爲李鱓。本文從古人名字相協的禮俗出發，力證其名、字、號相協，且皆本自《禮記·檀弓下》"杜蕢揚觶"之典。它是解决問題無可質疑的雅正典源。文章接著又發微探幽，從古文字學和文獻學的角度，闡明和梳理了"觶"、"鱓"二字的形體演變，揭示了問題産生的原因與發展脉絡。然後又從統計學、方言學、歷史學多個角度，深入解讀了該問題上存在的諸多迷團和疑竇。最後對造成該問題的種種亂象，也進行了理性思考與批判。

【關鍵詞】 李觶　名　字　號　辨正　相協　撥亂反正

清代著名畫家、"揚州八怪"之一的李觶，名字到底叫什麽和讀什麽，歷來存在歧誤。時至今日，更是積重難返，甚至連許多專業人士或者工具書，都將其名認、讀作李鱓，而其字則更是衆説紛紜，莫衷一是。這種錯誤與混亂實在應當糾正。鑒於此，白化文先生在《文史知識》2012 年第 4 期上號召大家各抒己見，展開討論，並點名命筆者家父吉常宏先生和筆者二人作答。筆者躊躇再三，只好不揣淺陋，從以下幾方面向讀者報告自己的觀點，也權以搪塞白先生之命。

一　李觶名、字、號的理性解讀

廓清李觶的名、字、號問題，名字訓詁之學是最好的工具。古人有名又有字，《禮記·冠義》："已冠而字之，成人之道也。"孔穎達疏："且人二十，有爲父之道，不可復言其名。"①班固《白虎通·姓名》："或傍其名爲之字者，聞名即知其字，聞字即知其名。"②都要言不煩地揭示了古人有名有字的禮俗以及名、字相協，互爲表裏的規律。特别是班固的話，更是直白地告訴我們，古人的名和字是有關聯的，字是傍名而取的。因此二者有相互印證、相互解釋的功能。

據《古人名字解詁》："李觶，字宗揚。此取《禮記·檀弓下》杜蕢揚觶的故事以爲名字。杜蕢雖爲宰夫，能執禮勸諫其君，並揚觶罰酒，故飾以'宗'，言欲效其行。李觶多訛作李鱓。觶鱓形近易訛。'鱓'與揚不協。或以觶字復堂，

① 《十三經注疏》，北京：中華書局，1980 年，第 1680 頁。

② 《白虎通疏証》，北京：中華書局，1994 年，第 411 頁。

號宗揚。'復堂'乃取杜蕢先飲師曠,再飲李調,己乃'又酌堂上,北面坐飲之'之義。是字與號皆取同一故事。復,又。'復堂'謂'又酌堂上'。"①

上面這段文字中,有兩個詞語要先行解釋一下。觶,即是商周時的一種禮器,又是宴會上尊者用以敬酒的一種大酒杯。據説能盛三升酒。經典中多有它的身影,特别是"三禮"中更是反復出現。因此,"觶"字在古代算不上偏僻字。"揚觶"一詞的本義,是敬酒前把酒杯洗乾净,然後舉起示人以潔的一個禮節性動作。後來被用做爲表示尊賢、選賢的一個典故詞語。再後來,因《禮記·檀弓下》的故事,"揚觶"一詞又增加了新的含義。

看來,透徹瞭解"杜蕢揚觶"的故事,對於辨正李觶的名、字、號成了至爲關鍵的事情。所以有必要將《禮記·檀弓下》相關原文展示於下:

> 知悼子卒,未葬。平公飲酒,師曠、李調侍,鼓鐘。杜蕢自外來,聞鐘聲,曰:"安在?"曰:"在寢。"杜蕢入寢。歷階而升,酌曰:"曠飲斯。"又酌曰:"調飲斯。"又酌堂上,北面坐飲之,降,趨而出。平公呼而進之,曰:"蕢!曩者爾心或開予,是以不與爾言。爾飲曠何也?"曰:"子卯不樂。知悼子在堂,斯其爲子卯者也大矣。曠也,大師也,不以詔,是以飲之也。""爾飲調何也?"曰:"調也,君之褻臣也。爲一飲一食,忘君之疾,是以飲之也。""爾飲何也?"曰:"蕢,宰夫也。非刀匕是共,又敢與知防,是以飲之也。"平公曰:"寡人亦有過焉,酌而飲寡人!"杜蕢洗而揚觶。公謂侍者曰:"如我死,則必毋廢斯爵也。"至於今,既獻畢,斯揚觶,謂之杜舉。②

下面,我們不嫌辭費,對上文中的相關故事再爲大家説解一番:

春秋時,晋國大臣知悼子死了,靈柩停在堂上未葬,晋平公就與近臣師曠和李調在寢宫飲酒並奏樂。宰夫杜蕢闖進來,二話不説,罰師曠和李調各喝了一大爵酒,完了又酌滿一爵酒,面北坐在堂上一飲而盡。然後話也不説,快步出宫而去。晋平公對此大惑不解,立即把杜蕢叫回來詢問原由。杜蕢說:"知悼子是晋國大臣,靈柩在堂未葬,按禮法朝廷必須爲之舉哀停樂。師曠、李調二人作爲樂師和近臣,不僅不盡責規勸國君執禮致哀,反而讓國君違禮喝酒奏樂,因此罰他們各喝一大爵酒。"晋平公又問:"你自己爲什麽也喝了一大爵酒呢?"杜蕢回答説:"我只是一個廚師,現在卻超越了本職工作,管了不應當管的事情,也是有錯誤的,所以也罰了自己一大爵酒。"

晋平公恍然覺悟,説:"寡人也有錯,應當罰我。"於是杜蕢按照禮法洗乾净國君用的觶,做了一個"揚觶"的動作,然後斟滿酒,罰晋平公喝了一觶酒。

從此,"揚觶"既成了國君受諫之典,也成了忠君直諫之典。而"忠君直諫",在古代一直被視爲一種美德。所以,"揚觶"就成了追求或期望具有這種德行的標誌性詞語而存活於漢語中了。

---

① 吉常宏、吉發涵《古人名字解詁》,北京:語文出版社,2003 年,第 87 頁。

② 《十三經注疏》,北京:中華書局,1980 年,第 1305 頁。

李觶字“宗揚”，是以“揚”應“觶”，暗指“杜蕢揚觶”之典。綴以“宗”，是希望尊崇效法杜蕢，雖身處微末，卻忠君敢諫，不阿諛奉承。這應是李觶字“宗揚”的最雅正的典源與解説。

我們知道，名和字都是父母或尊長給起的，二者包含着長輩對晚輩的期望。這種期望有時會通過名字潛移默化地激勵名字的主人自覺踐行名字中的含義。李觶性情與處事風格是否與此有些關聯，這實在是個可探究的話題，此不贅。

現在再説號“復堂”。一般認爲，李觶字“宗揚”，號“復堂”，或説字“復堂”，號“宗揚”。李觶的畫作中有一枚出現過兩次的“字宗揚號復堂”的印章，此是推斷其字“宗揚”號“復堂”的證據之一。此外還有其他證據，下文還將説到。正如家父在《古人名字解詁》中所解，“復堂”乃明取《禮記・檀弓下》原文“又酌堂上，北面坐飲之”之義。可以看出，號“復堂”使李觶名字爲“觶”的指向更加確定。如果説僅憑以“揚”應“觶”還不能使人深信李觶之名是“觶”而非“鱓”的話，或者即便能理解爲“觶”，卻又可能把“宗揚”的意思理解爲前文所説的“示人以潔的禮節性動作”或“尊賢、選賢”等意義；那麽，李觶自號“復堂”的意義取向，則使李觶之名更加明確化，唯一化——它直指“杜蕢揚觶”之典。可以説，“復堂”一號既是我們判斷李觶名“觶”而絶非“鱓”的又一理由，更是我們把李觶之名與“杜蕢揚觶”之典相聯的最可靠的證明。

同時，應當指出，號或别號一般都是個人取命的。李觶自號“復堂”，也再一次説明了李觶本人十分珍視自己的名字，故以號“復堂”標榜己名爲“又酌堂上”的杜蕢“揚觶罰酒”之觶。同時也表明自己願以微末之身效法“杜蕢揚觶”，做一個忠君直諫的人。

説到這裏，或許有人會説，不是只有“字”才與名相協嗎，難道“號”也與名、字相協？這確實是個需要回答的問題。

家父常宏先生在《中國人的姓名字號》中曾指出：“號和名以無意義上的聯繫爲常格，而以有意義聯繫爲變格。清代人的别號，有的似字，如馮錫鏞字鳴虞，號侶笙。鏞是樂器，鐘的一種。笙也是樂器，笙、鏞同類相應。又如黄繪字子章，號太素。《論語・八佾》：‘繪事後素’，‘素’、‘繪’亦相協。又如朱風標字桐軒，號建霞。這是用孫綽《游天臺山賦》‘赤城霞起而建標’文意。……號不必與名有意義聯繫，它和字的區别就在於此，如果同名有了意義聯繫，那也不爲過。”①

其實，這種號與名字相聯的現象，明代即已出現，到清代已經比較多見。我們可以輕易舉出一些更加淺顯的例子：

張翼，明蘇州府吴縣人。字南伯，號雲翁。

馮夢龍，明蘇州府吴縣人。字猶龍，號翔甫、龍子猶。

朱鶴，明蘇州華亭人。字子鳴，號松鄰。

李漁，清浙江蘭溪人。原名仙呂，字笠鴻，謫凡，號天徒。後改名漁，字笠翁。

江聲，清江蘇常熟人。字飛濤，號白沙。

① 吉常宏《中國人的姓名字號》，濟南：山東教育出版社，1991年，第107頁。

王岱,清江蘇常熟人。字次嶽,號雲止。

褚人獲,清江蘇長洲人。字稼軒,號石農。

朱山,清浙江歸安人。字懷仁,號壽岩。

劉墉,清山東諸城人。字崇如,號石庵。

劉星瑋,清江蘇武進人。字映榆,號圃三。

張鏐,清江蘇江都人,字紫貞,號老薑。

通過筆者隨機尋找的這些例子,讀者會發現一個有趣的現象:即開名、字、號聯協風氣的,多是明清時江浙地區的文人。這一點,對本文論證李觶的名、字、號三者相協具有特殊意義,因爲李觶就是清代江蘇揚州興化人啊!

李觶名、字、號的理性解讀已如前述,但是有一些話仍須說明。即:運用名字訓詁之學來確定李觶之名及其字、號的關係,絶非我父子所獨創,也非僅我父子二人之所爲。在爲撰寫本文搜集李觶畫作資料時,筆者的研究生意外發現,2007 年 9 月 5 日《揚子晚報》上刊載的清末民初著名學者陳含光先生(1879—1957)在一幅名爲《柳枝雙蟬》的李觶畫作上,留有精彩的題文(參見所附照片一、二)。其内容,實爲用名字訓詁之學鑒定李觶名字之第一人也! 文字不長,照片又不甚清晰,特全文録出。一則不掠前輩之美,理當表而出之。二則又可借陳先生之卓見,證我説之不虚:

"自來著録及人口語,皆謂復堂名鱓,鱓蓋鼉之别體,非蛇鱓之鱓也。然復堂字爲宗揚,以《戴記·檀弓篇》"杜蕢舉而揚觶"之語證之,則斷不應名爲從魚之鱓,而應名能(按:原文如此,"能"字疑衍)爲從角之觶。然復堂自署款亦每多從魚,餘疑之久矣! 此一幅"觶"字顯然,即此一字,足定其爲真迹。畫筆古逸,直入天池,更不待論也。陳含光(印)"

當年陳含光先生僅看到一幅題名李觶的畫作,就如此急切地想向世人辨白李觶名字的正誤,如今我們有幸能見到題名李觶的作品已達六十幅,已數十倍于陳先生,我輩又當何如! 又當何如呢!

二 李觶被誤爲李鱓的文字學原因

李觶被誤爲李鱓的根本原因,實際上是古文字學延伸出的一個問題。始作俑者,可以追溯到秦漢時期的漢字形體演變。

秦漢時代,是漢字形體從混亂逐漸走向規範的時代。在漢字形體演變過程中,許多正體字或通行字,與異體字、不規範字同時存在。有些異體字與不規範字不僅造成的混亂很嚴重,而且對後世的影響也十分深遠。"角"字與"魚"字以及用它們做部首的字,情況就是這樣的。

"角"的甲骨、金文爲象形字,其中構件"仌[卄]",象獸角上的横向紋理。"魚"的甲骨、金文更是象魚形。這些都是古文字學已有的結論,不必煩言。但是到了篆文時代,"角"字寫成了"角","魚"字寫成了"魚",二者很有些相像。於是,與此二字相關的字就開始出現了混淆。

"魚"訛爲"角"的例子,從秦代就開始出現了:

《吕氏春秋·應同》:"山雲草莽,水雲角鰤"陳奇猷《新注釋》:畢沅改"角鰤"爲"魚鱗",曰:"舊本誤作'角鰤'。吴志伊《字彙補》載之。徐仲山謂'魚鱗'之訛。今案:宋人類部所引皆作'魚鱗'。《淮南子·覽冥訓》亦同,今改正。"又,蔣維喬等曰:"《類聚》一'角鰤'作'魚鱗',《書鈔》百五十作'如魚鱗',《御覽》八及《紺珠集》皆作'魚鱗'按:畢校是也。孫志祖《讀書脞録》四亦謂'角鰤'乃'魚鱗'之訛。'"①

此乃將"魚鱗"誤寫作"角鰤"。

稍後,東漢將"魚"訛爲"角"的例子多出。《漢語大字典·角部》"觻"字下舉了兩個東漢碑帖的例子:"觻,同鰥。《北海相景君銘》:'元元觻寡,蒙祐以寧'"。清·顧藹吉《隸辨·山韻》:"觻,即鰥字,變角從角。"《曹全碑》:"撫育觻寡。"②

此乃將"鰥"字誤寫成"觻"字。

"角"訛爲"魚"的例子,似乎比"魚"訛爲"角"更早。

《山海經·海外西經》:"女祭女戚在其北,居兩水間。戚操魚䱉,祭操俎。"袁珂校注:"郭璞云:'䱉,魚屬。'王念孫云:'《大荒西經》"有二人女祭、女薎"注云"或持觶,或持俎"。……魚䱉當爲角觶。注内"䱉,魚屬",當爲"角䱉,觶屬。"'珂案:王校語中'角觶'疑當作'角䱉'……"③

此乃將"角䱉(觶)"誤爲"魚䱉"。此例雖孤單無雙,卻彌足珍貴,因爲它已經直接涉及到我們要辨正的"觶"字。它向我們説明,李觶之"觶",早在《山海經》時代,就已經有誤爲"魚"旁的了!

最能代表東漢人"角"、"魚"形體相混的,莫過於許慎了。

《説文解字·角部》:"角,……角與刀、魚相似。"④由於許慎無可比擬的古文字學家身份,故其解説影響深遠。以至於清代的古文字學家段玉裁、孫詒讓等都附合其説。如孫詒讓在《契文舉例》卷上説:"角與刀魚相似……上象其耑及腮理,下象其柢,於形最切。"⑤只有王筠對許慎的誤解進行了批評,《説文句讀·角部》:"角……許君所以言此者,《曹全碑》、《景北海銘》'鰥'字皆從角。知是時六書裂壞,故言之。……北齊《藥方碑·療五痔方》'用牛角鰓',是又訛角爲魚也。雖非許君所及見,而魚、角互訛可見矣。"⑥

這裏,王筠不僅客觀地指出許慎等人誤解的根源在於"是時六書裂壞",同時,又增舉出了南北朝時北齊的"䚡"字訛爲"鰓"的例子,進而總結出了古代"魚、角互訛可見矣"的結論。其真知灼見,讓人嘆服。其他字書、韻書對魚、角互訛的現象也時有記録。如《集韻·混韻》:"鯀,人名,禹父也。或作觨,通作鮌。"(觨,

① 陈奇猷《吕氏春秋新校释》,上海,上海古籍出版社,2002年,第687页。
② 《汉语大字典》六,第3931页。
③ 袁珂《山海经校注》,上海,上海古籍出版社,1980年,第216页。
④ 《说文解字注》,上海,上海古籍出版社,1981年,第184页。
⑤ 转引自《古文字诂林》四,上海,上海教育出版社,2004年,第603页。
⑥ 王筠《说文句读》,北京,中国书店,1983年,第36页。

當魚而訛爲角)。《龍龕手鑒·角部》:"觼,鱌的俗字。"(觼,當魚而訛爲角)

總之,兩千多年前,《山海經·海外西經》中,已經將"角觛"訛爲"魚鉏 ",而王念孫與袁珂都對此進行了校注,把"觛"和"觶"建立起了文字與意義上的聯繫。由此可以證明,遠在《山海經》時代,就已經埋下了"觶"字訛爲"鱓"的種子。到《吕氏春秋·應同篇》,則又將"魚鱗"訛爲"角觾"。東漢許慎在"角"字形體的識別上也輸過法眼,各代文獻資料中,"角"、"魚"部首字互訛的現象更幾乎代有所見,記録不斷。所以,從根本上説,李觶被訛寫成李鱓,不過是這齣兩千多年的文字學公案發展到清代的又一個新例證罷了。

需要指出的是,許慎雖然對"角"字的形體解讀有誤,但其《説文解字》收録的有關"觶"字及其異體字,仍是幫助我們破解李觶名字問題的彌足珍貴的資料。我們特將它們抄録於下:

《説文解字·角部》:

"觶,鄉飲酒角也。《禮》曰:'一人洗舉觶。'觶受四升,從角,單聲。"

"觗,觶或從辰。"

"觝,《禮經》觶。"王筠《句讀》:"鄭《駁異義》曰:'今《禮》角旁單,古書或作角旁氏。"

"觛,小觶也。從角,旦聲。"①

上文中,"觛"字可以作爲我們理解《山海經》中"角觛"訛爲"魚鉏"的注脚。"觝"字則對下文破解李觶印章中出現的"宗楊氏"、"中洋氏"兩個别號大有啓發和幫助。

總之,行文至此,我們又進一步找到了問題的根源,抓住了又一種可信的解決問題的關鍵。因爲我們又從古文字學和文獻學角度掌握了"觶"與"鱓"互混的原因和例證。由此可以斷言,李觶在其早期畫作中,即便他是署名李鱓或者復堂、宗揚(按:實際未見用此署名,詳後),按照當時古文字學在學人中的昌明情況,其實他的内心和本意,都是表明和指向自己的本名李觶的。

然而,後來問題的複雜性在於,李觶被當真誤爲李鱓,早已不僅僅是名字訓詁學、古文字學和文獻學、校勘學方面的純學術化的問題了。因爲若只是學術方面的問題,大都可以一經發現或發明,便可彰明學界,一改了之,衆所從之,萬事大吉!而李觶被誤爲李鱓這潭渾水,三百年來卻已經被全社會越攪越渾,牽涉面也越來越廣。以至今天要想徹底説清和解決它,僅僅依靠學術論斷,仍屬不可能。你瞧,王念孫、王筠等乾嘉學者的明斷在前,袁珂先生的校勘在後。陳含光、白化文諸位先生前赴後繼地大聲疾呼,我們的《古人名字解詁》言之鑿鑿,論説都足供世人解惑。可事實卻遠非如此,大家都只落得個杯水車薪,泥牛入海,甚如蚍蜉撼樹,徒呼奈何而已!

看來,我們必須另想辦法,加大解疑釋惑的力度與廣度才行。爲此,筆者欲再通過對李觶畫作署名和印鑒的統計與梳理,採用歷史學、方言學等方法,

---

① 《説文解字注》,上海:上海古籍出版社,1981年,第40頁。

審視批判其中的問題,以進一步闡明事情的真相。或許會對事情的解決能提供些許幫助。

三 對李觶畫作中署名、印章等的統計、分析與解讀

用書畫中作家或相關人物所題詩文、署名、印章等,作爲第一手資料和資訊來源,分析判斷作家生平、姓名甚至思想等問題,是學界早就慣用的重要考證方法。前述陳含光先生曾僅憑一幅《柳枝雙蟬圖》做爲李觶名字撥雲見日的證據,就是一個典型例證。卞孝萱先生也曾在《中國文化》2006 年第 2 期上發表過《揚州博物館看"揚州八怪"書畫記》一文,他憑藉十幅經眼的李觶作品上的署名、印章、時間等,對李觶名字的問題發表了一些看法。雖然未中確的,但其方法也給我們以啓發和借鑒。

下面,我們以《李觶畫集》(上、下卷)(北京工藝美術出版社 2005 年出版,以下稱《畫集》)所收錄的 340 幅李觶作品爲觀察對像,把其中署名、印章(包括名、字、號)、年代等資訊進行窮盡而系統的統計。在前面我們對李觶名、字、號已經有了基本的理性分析基礎上,把這些資訊歸納分類,並將結果列成了三個表格,以幫助我們更加深入地觀察與思考李觶名、字、號的相關問題。

表一:李觶畫作署名情況統計表

(本表以《李觶畫集》所收錄的 340 幅作品爲統計對像)

<table>
<tr><th colspan="2">類別</th><th>序號</th><th>署名情況</th><th>數量(幅)</th><th>合計(幅)</th><th>百分比</th><th>備注</th></tr>
<tr><td rowspan="4">有名、字、號標識類</td><td rowspan="2">明含觶(鱓)類</td><td>1</td><td>李觶</td><td>57</td><td rowspan="4">285</td><td rowspan="4">84%</td><td rowspan="4">複式署名按主署名統計。其他次要署名不再進入二次計算。如"復堂李觶"、"懊道人李觶"等,只計李觶。</td></tr>
<tr><td>2</td><td>李鱓</td><td>188</td></tr>
<tr><td rowspan="2">指向觶(鱓)類</td><td>3</td><td>復堂(單一署名外加印章)</td><td>40</td></tr>
<tr><td>4</td><td>宗揚(含宗楊、宗楊氏、中洋、中洋氏)</td><td>0</td></tr>
<tr><td rowspan="5">無名、字、號標識類</td><td>其他別號</td><td>5</td><td>懊道人或墨磨人</td><td>28</td><td>28</td><td rowspan="5"></td><td rowspan="5"></td></tr>
<tr><td rowspan="3">無署名類</td><td>6</td><td>無署名,有印章</td><td>22</td><td rowspan="3">26</td></tr>
<tr><td>7</td><td>無署名,印章不清楚</td><td>2</td></tr>
<tr><td>8</td><td>無署名,無印章</td><td>2</td></tr>
<tr><td>調侃類</td><td>9</td><td>善夫</td><td>1</td><td></td></tr>
<tr><td colspan="2">總計</td><td colspan="6">340 幅</td></tr>
</table>

表二:李觶畫作印章使用情況統計表

(本表以《李鱓畫集》所收録的 340 幅作品爲統計對像)

<table>
<tr><th colspan="2"></th><th>印章名</th><th colspan="2">使用次數</th><th>占所用印章總數百分比</th><th>分布畫幅數</th><th>占全部畫作百分比</th></tr>
<tr><td rowspan="8">有名、字、號標識類</td><td rowspan="2">明含觶(鱓)類</td><td>(李)鱓</td><td>164</td><td rowspan="8">372</td><td rowspan="8">超過 82%</td><td rowspan="8">294</td><td rowspan="8">86.5%</td></tr>
<tr><td>(李)觶</td><td>5</td></tr>
<tr><td rowspan="6">指向觶(鱓)類</td><td>宗楊</td><td>111</td></tr>
<tr><td>宗楊氏</td><td>3</td></tr>
<tr><td>復堂</td><td>72</td></tr>
<tr><td>字宗揚號復堂</td><td>2</td></tr>
<tr><td>中洋</td><td>9</td></tr>
<tr><td>中洋氏</td><td>6</td></tr>
<tr><td colspan="2" rowspan="3">調侃類印章</td><td>李三</td><td>2</td><td rowspan="3">5</td><td rowspan="3"></td><td rowspan="3">5</td><td rowspan="3"></td></tr>
<tr><td>裹善</td><td>2</td></tr>
<tr><td>善夫</td><td>1</td></tr>
<tr><td colspan="2">其他別號、閒章</td><td>懊道人、臣非老畫師、酒後常稱老畫師等近三十種</td><td>74</td><td></td><td></td><td>未統計</td><td></td></tr>
<tr><td colspan="2">總計</td><td></td><td></td><td></td><td></td><td>340</td><td></td></tr>
</table>

表三:李觶畫作中署名李觶(或觶)的作品資訊分析表

<table>
<tr><th rowspan="2">朝代</th><th rowspan="2">年份</th><th rowspan="2">署名李觶作品數量</th><th rowspan="2">署名李鱓作品數量</th><th rowspan="2">作者年齡</th><th colspan="3">題畫詩文所表現用途</th></tr>
<tr><th></th><th>無題畫詩文</th><th>有題畫詩文</th></tr>
<tr><td rowspan="5">乾隆朝</td><td>元年至十二年(1736—1748)</td><td>0</td><td>未統計</td><td>51—62 歲</td><td></td><td></td><td></td></tr>
<tr><td>十三年(1748)</td><td>1</td><td>1</td><td>63 歲</td><td></td><td rowspan="4">5</td><td rowspan="4">祝嘏或奉送親友 8 幅,自遣與 33 幅,共計 41 幅</td></tr>
<tr><td>十四年(1749 年)</td><td>1</td><td>1</td><td>64 歲</td><td></td></tr>
<tr><td>十五年(1750 年)</td><td>4</td><td>2</td><td>65 歲</td><td></td></tr>
<tr><td>十六年(1751 年)</td><td>2</td><td>3</td><td>66 歲</td><td></td></tr>
</table>

續表

朝代	年份	署名李觶作品數量	署名李鱓作品數量	作者年齡	題畫詩文所表現用途		
						無題畫詩文	有題畫詩文
乾隆朝	十七年(1752年)	16	3	67歲			
	十八年(1753年)	8	3	68歲			
	十九年(1754年)	4	3	69歲			
	二十年(1755年)	5	1	70歲			
	二十一年(1756年)	5	4	71歲			
	二十二年(1757年)及以後	0	0	72歲及以後			
	合計	46	21				
無年代標識		11				5	6(自遣興)
總計		57					
備注	若將《畫集》未收録的陳含光、卞孝萱所見三幅署名李觶作品計入,則署名李觶或鱓的作品共六十幅。						

觀察上面三個表格,讀者會産生幾個疑問。

第一,全部三百四十幅畫作中,爲什麽没有一幅以其字“宗揚”署名的作品? 而署李觶(鱓)、復堂的畫作會高達84%呢?

其實,這是李觶深受“字”的禮俗用法束縛,同時又表現了當時社會風尚的一個很普通的現象。自古以來,“字”有尊稱意味,是給外人叫的,不能用於自稱,這一被遵行了兩千多年的禮俗,李觶當然會自覺履行。畫作的署名,是一幅作品中最正式的符號標誌,作者自然要以謙稱己名爲主,以署别號爲輔。因而李觶所有作品中或署名、或署號,而無署“宗揚”者。從這一點上,也可以證明“宗揚”是字而不是其號。明清兩代,稱别號的風氣極盛,從表一可以看出,署“復堂”與署“懊道人”、“墨磨人”别號的作品相加高達68幅,占到全部作品的20%之多,這一點,正是當時這種習尚的又一種表現。

第二,表一、表二中,爲什麽將宗楊、宗楊氏、中洋、中洋氏四種署名或印章,稱作“暗指觶(鱓)類”或“有明確的名、字、號標識類”呢? 確實,這是一個重要而有趣的問題。

首先請讀者注意,以上四種名稱,並無一例用作署名。而只是在印章中大量出現。僅“宗楊”一印,就多達111次,僅次於李鱓類的164次。若將四種印章合併計算,則高達131次之多。

如上所述,李鱓在全部畫作中無一次用其字“宗揚”署名,表現了他遵守禮俗,深諳字不可用於自稱之道,尊重字的嚴肅性。要之,典源“杜蕢揚觶”,絶不可寫爲“楊觶”,而李鱓的印章,是將“揚觶”之“揚”,改爲“楊”字而後使用的。如此以來,“宗楊”就只是一個與其字同音的類似别號的印章而已了,所以可以大用特用。

其次,“中洋”與“氏”字同樣也是李鱓利用同音效果表示自己“字宗揚,名李鱓”的一種方法,不過它們有點炫人耳目,一般人不易覺察罷了。何以見得呢?原來,在李鱓家鄉揚州方言中,“中”、“宗”二字的聲母都是濁聲母,讀如“資”,二字因此是同音的。“洋”與“揚”本來就同音。“氏”與“觶”也可算作同音字,因爲我們前面曾説到,“觶”的異體字中有一個“觗”字,其聲旁正是“氏”。這樣,“中洋”讀如“宗揚”;“中洋氏”或“宗楊氏”讀如“宗揚觶”,意思是説“字宗揚,名李鱓”。表二中我們之所以把上述四種印章全部歸入“指向觶類”或“有明確的名、字、號標識類”,原因即在於此。如表中所示,這類畫作高達 294 幅,占全部畫作的 86.5%,如此之高的比例,是很有説服力的。

第三,爲什麽表一、表二中將“李三、裹善、善夫”歸爲“調侃類”?

這個問題與上面“中洋氏”類有相似之處。在揚州方言裹,“三”與“善”、“鱔”(鱓)讀音相近。而李鱓的名字由於訛寫成“鱓”,而被世俗誤讀爲“shàn”,更進而以爲是鱔魚或黄鱔之“鱔”。後代又有人甚至還附會説“鱓”字應讀“鱓”的又音 tuó(即鼉,揚子鰐),則更屬胡扯和虚造。對此,畫家表現得十分無奈又很詼諧。他數次用“李善”、“裹善”、“李三”,還有“善夫”幾枚印章,表達了對此類“齊東野語”的否定。但特需要指出的是,李鱓即便在這種情况下,也絶無一次使用後代通用的“鱔”字作印章,更没有用作署名。足見他拒絶將自己的名與“shàn”相聯的決絶態度。他用“李善”、“裹善”、“善夫”作印章的意思,只是自我解嘲和調侃説:“衆人硬將鄙人之名誤認誤讀爲“shàn”,然而此“鱓”實非彼“鱔”,讓我權且把它解爲内心善良之“善”吧!”——這便是我們將“李三”、“裹善”、“善夫”歸入“調侃類”的原因。

第四,表三的統計結果説明了什麽?

從表三中我們可以看到,所統計的全部 340 幅畫作中,以“李觶”或“觶”署名的作品共有 57 幅,其中有年代標識的 46 幅,無年代標識的 11 幅。這一數字已不算少,若再算上陳含光、卞孝萱先生提及而未見於《畫集》的 3 幅,則目前可以統計到的署名“李觶”或“觶”的作品,已達 60 幅之多!較之以往,這實在可算作一個令人振奮的大數目了!

特别值得注意的是,有年代標識的 46 幅作品,全部集中在乾隆十三年到乾隆二十一年(1748—1756)九年之間。按一般説法,此時李鱓已是 63—71 歲的老人。而我們要特别指出的還有兩點:一、同一時間段,署名李鱓的作品只有 21 幅,顯見前者已是後者的兩倍還多。二、也是更有意思的一點,自乾隆二十二年之後,未見有傳世的李鱓作品。據此推斷,乾隆二十一年,李鱓 71 歲,大約就是其絶筆之年。(參見所附照片三、四:《乾隆二十一年七月初十寓居郡城天寧寺晨興爲此》)(另按:筆者也注意到,《畫集》346－363頁收録有四川省博物館所藏《花卉圖》册頁,共計九幅作品。其中最後一幅是李鱓好友鄭板橋爲此册頁所作題跋。所題年代爲"乾隆庚辰",即乾隆二十五年(1760)。李鱓的八幅畫作則皆無年代標識。但在題跋中鄭板橋明確寫道:"此册是三十外,學蔣時筆也。"可見此八幅畫應當是李鱓年輕時在北京師從蔣廷錫時的作品。然而個别研究者無視此語,將此畫册説成是李鱓乾隆二十五年的作品。並據此把李鱓的卒年後推至乾隆二十五年之後,實屬不察。)

根據有關李鱓的生平研究資料,他在58歲乾隆八年(1743)時,離開山東滕縣,結束了三十年的漂泊江湖、追求仕宦功名的坎坷生活,回到故鄉。但其心不甘,又在乾隆十年,當他已六十歲時,又曾一度從家鄉興化赴揚州,打算再次出山,入都謀生。據《李鱓作品年表》載:"1745年(乾隆十年,乙丑)60歲……十月,由興化赴揚州,居小東門内西雷壇。臘月,作《寄侄書》,内云:'近復作出山想,來郡城托缽,爲入都之計。'"然而不知什麽原因,重新出山的計劃未能成功,畫家60歲以後萌生的最後一次奮鬥希望最終歸於破滅。到乾隆十二年,六十二歲的李鱓漸漸表現出心灰意冷,或説漸歸平静,不復他想,正式開始了其回歸故里的晚年生活。這一年四月,他在所作的《玉蘭牡丹圖》(《畫集》第193頁)上題詩説:"少年囊筆走蓬瀛,垂老甘棠種澥濱。無復心情畫姚魏,無如從索玉堂春。"同年六月,又在《故園圖》中題詩説:"倪黄高處何人識,前有清溪後石溪。笑我廿年脂粉筆,白頭方悔故山迷。"(《畫集》第195頁),這些題畫詩,看似無心,實屬有意,只有解人才能真正體味出其中飽含畫家的無奈心情,以及一個晚年失意的老人强烈地決心回歸故鄉、回歸自我的欲望。

從此,李鱓在書畫中開始恢復自己的名字"李鱓"的正確寫法。到乾隆二十一年,他七十一歲時,已經至少有今天我們表三中統計到的46幅作品是署名"李鱓"或"鱓"的了。其中有一幅作品很能代表他這一署名習慣的更改,《畫集》第420頁收載的雍正四年(1726)他"書祝曾傳年姻翁"的一幅行書(泰州博物館藏),署名爲"復堂墨磨人李鱓"。到乾隆十五年(1750),這位曾傳年姻翁的侄子又拿著這幅當年李鱓送給他伯父的作品讓他看時,老人唏嘘不已,重新在這幅作品上題跋。然而,這次的落款不再是"李鱓",而是"復堂李鱓"了(參见所附照片五、六)。

按照中國古代名、字、號的用途和嚴格的禮制規定,一個人在正式場合,例如今天填報檔案的材料上,考試試卷上,或官方任命文書上,是應當規規矩矩正確書寫其真名的。因此推想,李鱓當年參加辛卯年(康熙五十年)江南鄉試並一度中舉,其試卷上自署與官方發布的登科録上的名字,都應屬於此類,即應當是"李鱓"而不太可能是"李鱓"。甚至康熙五十二年,他於熱河行宫獻詩時自署的名字或皇帝詔諭其爲内廷供奉、南書房行走的相關文書,似乎也應當是書其真名的。然而上述相關檔案至今未見披露。盼望有關部門和專家學者有朝一日若能發現並將其披露於天下,不僅可驗證筆者今日猜想的對錯,也可借以觀察彼時禮俗的寬嚴以及文字應用的情況。

因此，今天我們可以且不去管到底是李觶自己導演了自己名字長達三百多年的一場文字遊戲，還是由於當年某種偶然的或不可抗拒的機緣，客觀造成了李觶名字訛誤這場真假難辯的公案。慶幸的是，在他藝術生涯的最後十年，這位垂垂老矣的畫家，用行動和作品向世人表明了他堅決回歸自我真實名字的決心。正是他這最後十年所留下的豐富作品，才使我們對其名字的辨正握有充分的信心和最可靠的證據。否則，即便前面筆者的理性解讀再充分，也會顯得蒼白無力，也無法阻止人們對李觶名字近三百年來這場誤解的延續。

四　李觶名、字訛誤發展的三個階段

在對李觶名、字訛誤情況進行資料梳理時，筆者發現，三百年來，訛誤局面呈現出階段性逐漸惡化的態勢。

首先，李觶生活與創作年代當時的資料，如他參加科舉的試卷簽名、中舉後的題名録、朝廷對他的任命文書等，都未見諸報導。與李觶交遊者，如鄭板橋等人的詩文中，雖多次提到李觶，但多是遵循當時風尚，以稱其號"復堂"爲主，少有涉及其名字者。即便個別資料提及其名，也遠無法和他自己在畫中表露的資訊的準確與豐富程度相比。另外還有兩種較早且具有較高價值的資料，一是《石渠寶笈》(見《四庫全書・藝術類》)，此書是李觶尚在世且已回到揚州，並已開始用真名李觶署名後的七年，即乾隆十九年敕撰。其中卷三十五載:"李鱓《四季花卉》一卷，(次第曰一)，素絹本，著色。畫款云:臣李鱓恭畫。"另一種是嘉慶年間胡敬《國朝院畫録》，該書卷上載:"李鱓，字宗揚，號復堂，興化人。康熙辛卯舉人，官滕縣知縣。工花鳥，高其佩弟子。《石渠》著録一:四季花卉》一卷，款'臣李鱓恭畫'"(上海人民美術出版社，1963 年)

上述兩種資料，雖與李觶生活與創作年代相當或略晚，但《石渠寶笈》是僅據李觶當年任職宮中時的作品《四季花卉》上的落款予以著録，未及他返回故里，改署"李觶"的畫作署名。而《國朝院畫録》又是照録《石渠寶笈》。故二者中李觶名字皆爲李鱓，實屬情有可原。稍晚，還有第三種資料，即嘉慶十五年所修《重修揚州府志》，其中卷五十四《人物・藝術》載:"李鱓，字宗揚，興化人。……"李觶的名字也録爲"李鱓"。但是，按照乾嘉年間語言文字學的昌明情況，即便李觶的名字被寫爲李鱓，學者們只要根據其"字宗揚，號復堂"，便不難知道其真名當爲"觶"字，而不會當真認作"鱓"字的。從《重修揚州府志》我們還可看出，直到嘉慶年間，除了李觶的名被寫爲"鱓"，字與號卻都是被記録爲"字宗揚，號復堂"，尚未見將二者顛倒者。

根據以上這些情況，我們將李觶生活的康乾年間直到其身後的嘉慶時代，稱爲其名字的"訛誤生成階段"。

清代道光、咸豐之後，特別是到光緒、民國初年，情況則變得糟糕起來。

首先，我們先看看這一時期產生的正史資料。《清史稿・藝術三・華喦傳・附鄭燮》:"燮，字板橋。""燮同縣李鱓，字復堂。"不看不要緊，一看着實吃了一驚。鄭燮字克柔，號板橋，早已爲人所熟知。按名、字相協規律，此乃取《尚書・洪范》"燮友克柔"文句爲名、字。相協之切，昭然若揭。而《清史稿》所載顯然錯誤。且鄭、李二人名、字無一正確。正史的謬誤，竟與齊東野語無異，真真讓人大跌眼鏡！

正史既已如此，這一階段的其他資料，如方志、家譜等又如何呢？我們發現，目前經常被人們引以爲據的相關資料主要有兩種。一是清咸豐二年(1852)重修的《興化縣誌》，其中卷八《文苑傳》載"李鱓，字復堂。"顯然，咸豐年間的縣誌中，已將李觶的字開始誤爲"復堂"，而未及"宗揚"。筆者以爲，這是一個重要的信號和轉捩點。另一種是《李氏宗譜》。這種所謂的家譜，僅其傳承關係與版本等就存在許多疑問。就版本而言，就有清光緒十九年(1893)徐乃秋抄乾隆三十八年李培源纂修本，與民國十七年(1928)李氏師儉堂刊李氏三十二世孫李竹溪據乾隆十七年李培源重修本。[①] 稍微觀察即可發現，上述兩種版本，都是號稱以乾隆年間底本爲依託，但究其實則都是出自清末民初人之手。其中我們所關心的李觶名、字的資料似乎也可以證明這一點。二者或抄咸豐《興化縣誌》"李鱓，字復堂"。或抄民國九年所修《臨淄縣誌》，其中《老四房・卷三》載："鱓，字宗揚，號復堂"。一部家譜，對於族中聲名顯赫、引以爲榮的先賢名號，忽此忽彼，閃爍其詞，顯見爲後世拼湊假冒之作，實不足以取信。這些資料均表明，晚清直到民初，不僅李觶的名被誤爲"鱓"字已久，其字與號也開始變得撲朔迷離起來。

所以，我們把這一階段稱爲李觶名字被進一步訛誤的"迷失與混亂階段"。[②]

再往後，從上個世紀三十年代到六十年代，李觶名、字的問題沉寂了若干年少有人關注。到六十年代初，這個問題才又有人順便涉及，但人爲的錯誤表現得愈加明顯。《文物》1963 年 10 期刊載的天秀、澗瑩《李鱓生年考》一文就是一個例證。文中聲稱，"最近十竹齋征得李鱓晚年作品多幅。在一幅花鳥畫中，作者曾有這樣的題款：'鱓也年垂七十有一。……乾隆二十一年七月初十寓居郡城天寧寺，晨興爲此'。"從《文物》雜誌的級別水準以及作者的口氣，似乎我們應當相信，作者不應是憑道聽塗説而屬文的，而應是親眼見過此畫的。爲了證明這一點，我們特意從《李鱓畫集》中找到了此畫(參見所附照片三、四。載《李鱓畫集》315 頁《雜畫》之三，南京博物院藏)。看後卻着實讓人嚇了一跳，因爲上面提到的題款在畫中清楚地顯示爲"觶也年垂七十有一"。文章的作者不知爲什麽竟視而不見，硬是將其中關鍵的"觶"字，擅自改換成了"鱓"字。而更爲嚴重的是，這種妄改，已經成了今天一些專業人士或研究者司空見慣的手法。以至於到了九十年代，雖然社會其他方面早已進入了撥亂反正時

① 參見《中國地方志集成・江蘇府縣志輯》第 41－42 卷。

② 參見薛永年《李鱓的家世與早期作品》，載《揚州八怪考辯集》，南京：江蘇美術出版社，1992 年。

期，但是在李鱓名字的問題上卻不僅没有好轉，反而更加混亂和不可收拾了。我們注意到，此時出現的幾種材料，把本已迷失與混亂的李鱓名、字這潭渾水，攪得更渾了。

第一種材料是王魯豫的《李鱓年譜》（載《揚州八怪研究資料叢書》之《揚州八怪年譜》（上）江蘇美術出版社 1990 年 7 月出版）該年譜作者在《序》中開始有這樣一段話：

> 一九八二年春元，返故里臨淄探親。家父述及一件往事：少年時與清末舉人王烇卓談論書藝，言及李鱓時，王笑道："若令尊大人在世，定不致將李鱓名字讀錯。"原來李鱓曾在臨淄縣任過縣令，其名'鱓'字讀作'鼉(tuó)'音，取鼉龍之意。當時士人相告，切勿錯讀官諱。

上面這段話，本屬齊東野語，不足爲信。但從《年譜》發表以來的二十多年間，它的影響卻不可小覷，它使李鱓名字問題横生枝節，更加混亂。因此我們也得多説幾句。

首先，從這段話中，我們並不能知道那位王舉人説完"若令尊大人在世，定不致將李鱓名字讀錯"之後，還説了些什麽。《年譜》作者所云"原來"至"切勿讀錯官諱"，特别是"'鱓'字讀作'鼉(tuó)'音，取鼉龍之意"等語，並非實録而更像是作者自己的"創造"。退一步説，即使是《年譜》作者忠實地轉述其父親的話，權以 1982 年其父 90 歲高齡計，其出生時間則是 1892 年的光緒年間，則其與王舉人談論書藝之事當已在清末民初。且他既受到王舉人批評，一定是將李鱓之"鱓"讀錯了的緣故。至於讀成了什麽我們無法知道。那位王舉人認爲該讀什麽，我們也無從知道。再説，王舉人或《年譜》作者的祖父，二人生活年代的上限可以推測不會早于清咸豐年間(1851—1862)。前文表明，這期間，已經是李鱓名字發生混亂的時期。雖然李鱓名字此時訛寫爲"鱓"已是事實，但卻從未見之前有史料記載"鱓"字是取"鼉"字音、義的。但《年譜》作者的這一杜撰，使李鱓之"鱓"訛寫爲"鱓"，進而又讀爲 tuó，從此就變得更加有根有據起來了。《年譜》作者 1990 年以"跳躍尋史法"(按：該法屬筆者專門贈予《年譜》作者的。你看：從 1990 年推到 1982 年，又推到民國初，再推到"令尊大人在世"的清末什麽時候，一下子一百幾十年就下去了，讓一般人遐想不及。此還不算是"跳躍尋史法"麽?)亮出的這麽一種新證據、新説法，實在是讓人懷疑這是齊東野老們的以訛傳訛呢?還是《年譜》作者的一種故意欺骗呢? 要之，臨淄本是聊齋故鄉，年譜作者受些聊齋筆法的影響也是可以理解的。

另外，《年譜》所涉及的李鱓畫作，作者似乎都未曾親見。因爲若是曾經過眼，應不致於對其中幾十幅明明署名"李鱓"的作品，都如前面《文物》雜誌所載的《李鱓生年考》一樣，將署名統統都妄改做了"李鱓"。就如上面提到的作於乾隆二十一年的那幅畫，《年譜》特别注明"見《文物》1963 年 10 期 "。這清楚地表明，《年譜》作者所根據的，不是李鱓畫作，而是從《文物》雜誌上得來的二手资料。這種做法若是一般讀者也就罷了，但作爲專門研究者和研究專著，如此不嚴肅，則讓人情何以堪！如果作者見過李觶畫作卻仍勿視幾十幅作品的實際署名，那就不知作者是故意爲之，還是本來就對“觶”、“ 鱓”二字毫無分別能力了。

總之，此時出現的這種《李鱓年譜》流毒甚廣，它很快成了近年來一些以訛傳訛、穿鑿附會説法的新的源頭和依據。《揚州八怪傳》第一章《羞拈粉白與脂紅——李鱓的一生》(丁家桐著，上海人民出版社 1993 年版)充分表現了這一點。它也是我們所説的把本已迷失混亂的李觶名、字這潭渾水攪得更渾的又一種典型材料。

我們不妨將該傳記開頭的一段文字共同欣賞一下：

“李鱓的鱓字，有兩種讀法。一讀爲 tuó(駝)，同鼉，即豬婆龍，“神獸”也。據臨淄的老先生回憶，昔日李在臨淄爲縣令時，人皆知其爲李，士人相戒，切勿讀錯官諱。又一種讀法，即 shàn(善)，同鱔魚之鱔。李落拓江湖，多次題畫署名爲“鱔”，承認自己不過是江淮間一條普普通通的鱔魚罷了。從鼉到鱔，從神獸到淪爲一條其貌不揚的小魚，多少反映了主人公“兩革功名一貶官”的坷坎命運，反映了主人公仕途失意而不得不以畫爲業的始終不能求得自我平衡的悲涼心境。”

上文中，據“臨淄的老先生回憶”至“勿讀錯官諱”句下，注明“見王魯豫《李鱓年譜》”。顯然，《年譜》的杜撰摇身一變，就成了此傳記的依據。不僅如此，在這不長的一百多字中，又句句有驚人的“創新”與“發展”。我們不得不以按語的方式對其討論和批判。

1. “鱓……‘神獸也’”

按：鱓字確是“鼉”的異體，故可有 tuó 音。“鼉”，即今之揚子鰐，其皮可以冒鼓。但未聞鼉爲“神獸”之説。相反，古人因其兇猛、窟居、興風作浪，多以其爲不祥之物。南朝・宋・劉敬叔《異苑》卷八：“池先有鼉窟，歲久因能爲魅，殺之乃絶。”金代・元好問《湧金亭示同游諸君》詩：“雲雷涵鬼物，窟宅深蛟鼉。”所以古代中原士人絶少以鼉爲名字者。白化文先生在《文史知識》2012 年第 4 期的文中説“李鱓不會取與揚子鰐同義的名字”，即是此義。

2. “據臨淄的老先生回憶……人皆知爲李”等語

按：此句是對《年譜》説法的深加工與潤色。使人對它們更易信以爲真。

3. “李鱓落拓江湖，多次題畫署名爲“鱔”，承認自己不過是江淮間一條普普通通的鱔魚罷了。……”

按：此語純系《羞拈粉白與脂紅——李鱓的一生》的公然捏造！前文表一、二表明，李觶無一次以“鱔”字署名，更無一印章出現“鱔”字。相反，對與“鱔”字諧音，畫家都用幾種方法進行了無奈的調侃與反駁。這種編造實在讓人替作者感到悲哀與痛心！

4. “從鼉到鱔……悲涼心境”

按：此句不僅完全是臆説，且將自己捏造的事實強加于畫家，似乎李觶真的既叫過李鼉，又叫過李鱔似的。

我們看起來，此種傳記，更像是自娛自樂，甚至簡直就是白日説夢。但是它的惡劣影響卻是不可低估的。

從以上我們所舉上個世紀最後十年的兩種資料，可以看出，到上個世紀末，李鱓名字已經進入了更加混亂與令人不安的階段。所以我們把上世紀二三十年代至世紀末這一時期，稱爲李鱓名字的“以訛傳訛與穿鑿附會階段”。

結　語

進入21世紀以來，全社會注重傳統文化的研究和繼承，建設文化強國的呼聲甚高，李鱓名字的撥亂反正也出現了一些新契機。就如白化文先生的大聲疾呼與我父子《古人名字解詁》的出版，都是有助於解決這一積重難返問題的好兆頭。然而必須看到，數百年來的民族孱弱，近百年來西風東漸，對傳統文化的衝擊與漠視，對於民族文化的復興與重振都是極嚴重的考驗。有些當代學者，對於自已對傳統文化的無知不僅不以爲然，有時甚至以不屑于細節作爲擋箭牌，一味大談所謂的“形而上”。甚或憑一些既有的頭銜有意無意地干擾視聽。去年年末，我的朋友張建勇博士在《學術界》雜誌上發文，糾正和批駁了當今對於古人名、字、號以及涉及孫中山先生名、字、號的一些錯誤説法。[①] 文章所涉及的問題十分典型。試想，連孫中山先生這樣的中國近代史偉人，生活年代距今還不到一百年，對於他的名、字、號，在某些“××学者”眼中已然分辨不清，又何論近三百年前的“揚州八怪”畫家李鱓呢？

名、字、稱謂，問題雖小，可以見大。從中折射出的是現代人對於傳統文化的隔膜。雖然振興優秀傳統文化的口號現在很流行，衆多有識之士也做了許多扎實的工作，但我們必須清醒地認識到，現狀不容樂觀。須知，只有真正對我們的優秀傳統文化珍惜熱愛，認真去瞭解、學習、研究它，少一些嘩衆取寵，多一些脚踏實地和求實精神，才能真正談得上繼承和發揚，建設文化強國的宏偉目標才能實現。從這個角度講，李鱓名、字、號問題的撥亂反正，還是相當有意義的。

① 參見張建勇《關於古人名、字相協和字、號應用的幾個關鍵問題——兼與顧海兵先生商榷》，《學術界》2011年第12期。

附：

照片一：《扬子晚报》2007 年 9 月 5 日刊载陈含光所题李鱓《柳枝双蝉图》

扬子晚报

艺术欣赏 B7

他永远站在画布前

恽寿平李鱓画作鉴

照片二：李鱓《柳枝双蝉图》与陈含光题跋放大图

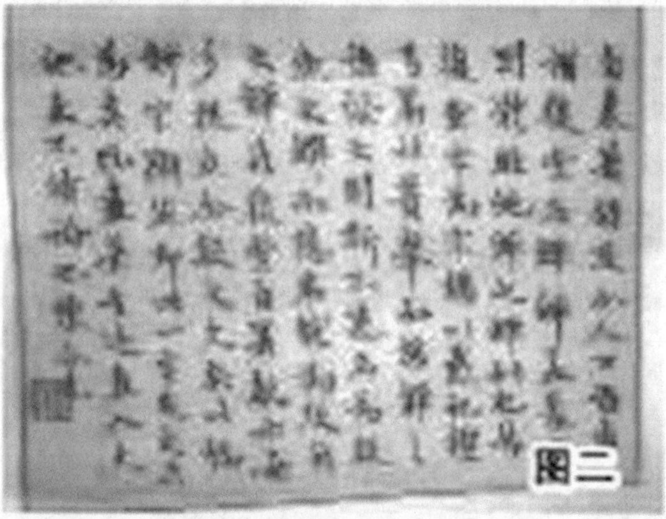

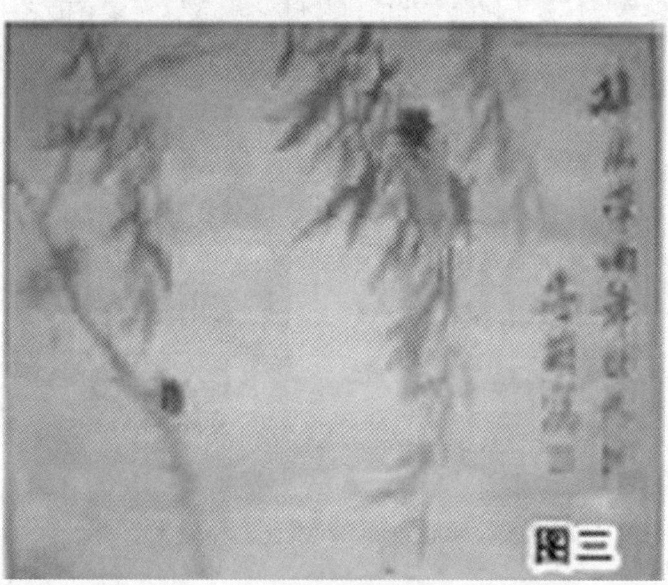

照片三:《乾隆二十一年七月初十寓居郡城天寧寺晨興爲此》,(南京博物院藏)(載《李鱓畫集》315 頁)

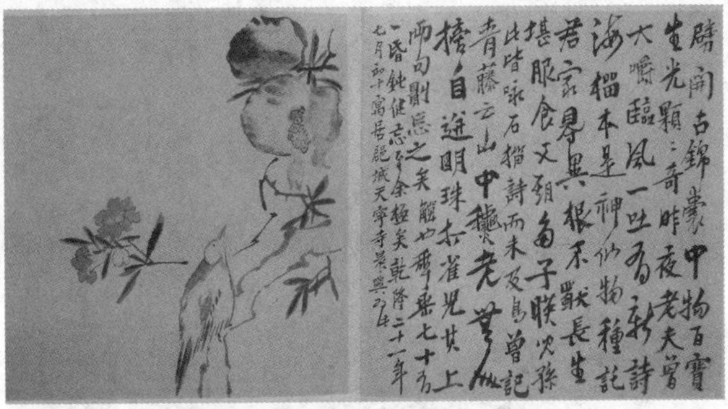

照片四:照片三局部放大图

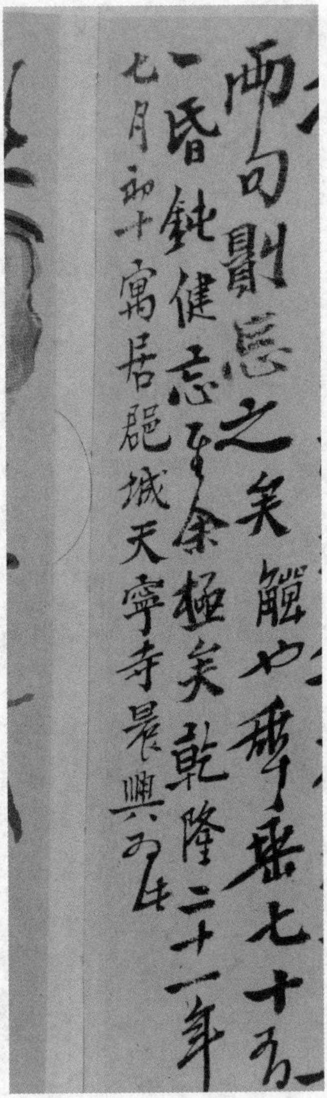

照片五:《"書祝曾傳年姻翁"行書》(泰州博物館藏)(載《李鱓畫集》420頁)

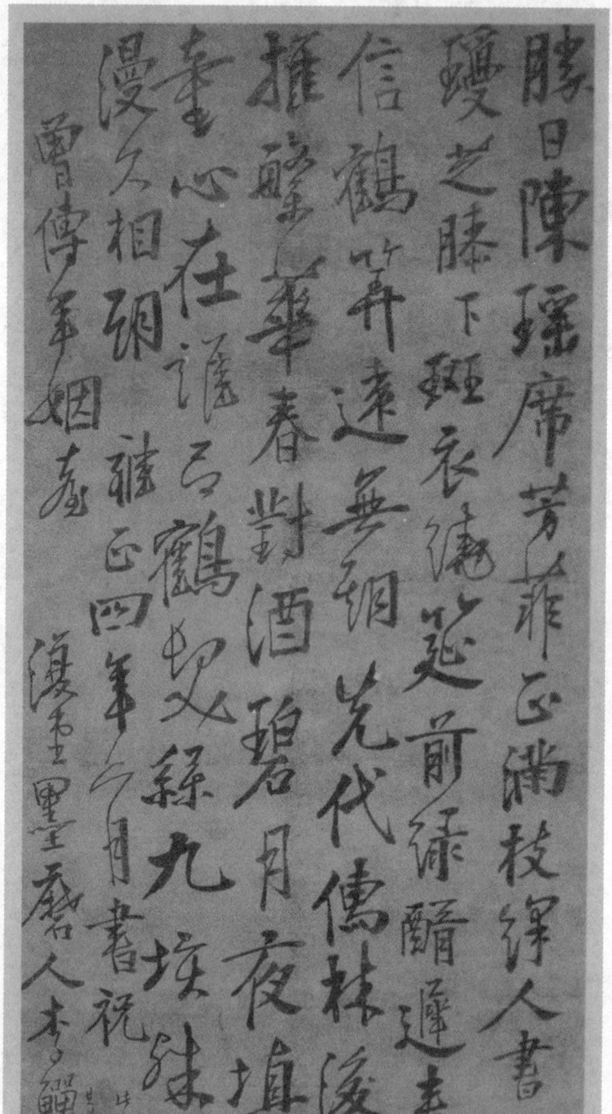

照片六:《"書祝曾傳年姻翁"行書》局部放大图

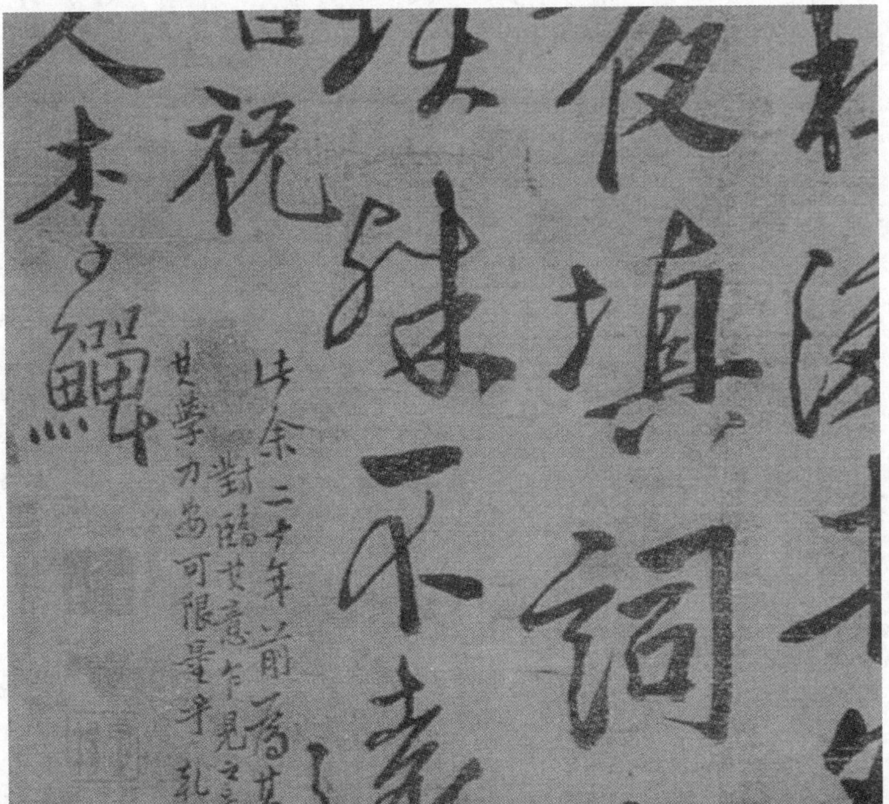

【作者簡介】 吉發涵,1947 年生,山東濟南人。山東大學文學院退休教授,博士生導師。研究方向为古代漢語和古代文化。

嚴復《王荆公詩》批語輯録

歐明俊

【提　要】 嚴復朱筆行草批點《王荆公詩》，所據爲通行本《王臨川全集》，嚴復批點前三十八卷即詩集，内容包括閲識、校勘、注釋、評點、和詩，批點有眉批、旁批、尾批、總批，批校語共二百三十餘則，和詩三十二首。此書嚴復生前未刊行，後爲福州曾克耑珍藏，一九六三年，曾氏始題名《侯官嚴氏評點王詩》影印行世，三十九卷。兹以臺北財團法人辜公亮文教基金會影印本《侯官嚴氏評點王荆公詩》爲據輯録點校，嚴復和詩校以《致吴保初》手札及《痛壄堂詩集》。

【關鍵詞】 嚴復　王荆公詩　批語　輯録

整理説明

嚴復朱筆行草批點《王荆公詩》，所據爲通行本《王臨川全集》，系光緒九年(1883)翻刻明嘉靖應雲鸑刻百卷本《臨川先生文集》，嚴復批點前三十八卷即詩集，内容包括閲識、校勘、注釋、評點、和詩，以清乾隆張青松重刻元大德本南宋李璧箋注《王荆文公詩箋注》本校勘，批點有眉批、旁批、尾批、總批，批校語二百三十餘則，和詩三十二首。嚴復自標批閲日期，自戊申(光緒三十四年，1908)八月十七日至十一月廿二日，三月有餘。卷首《宋史本傳》批于辛亥(1911)七月廿八日，表明爲最後批點。此書嚴復生前未刊行，後爲福州曾克耑珍藏，一九六三年，曾氏始題名《侯官嚴氏評點王詩》(曾氏題署《侯官嚴氏平點王詩》)影印行世，三十九卷，福建省圖書館藏。民國五十九年(1970)臺灣藝文印書館復以朱墨雙色套印刊行，綫裝四册，題名《侯官嚴氏評點王臨川詩集》，三十八卷(剔除卷三十九文批語)。一九九八年，臺北財團法人辜公亮文教基金會出版《嚴復合集》，亦收録該書影印本，題名《侯官嚴氏評點王荆公詩》。兹以影印本《侯官嚴氏評點王荆公詩》爲據輯録點校，嚴復和詩校以《致吴保初》手札及《痛壄堂詩集》。卷三十九《上仁宗皇帝言事書》批語爲散文，此删去。卷首《宋史本傳》批語及數處卷末批閲日期標識仍保留。附録嚴復《致吴保初》手劄一通、《和荆公子貢》一首，另附曾克耑《侯官嚴氏評點王詩序》。

《王臨川全集》卷首

《宋史本傳》:

大家深文如是。(“審如是”一段上眉批。)

荆公所謂變風俗,即今人所謂開民智。(“變風俗”三句上眉批。)

即今公債,在野則爲青苗,在邑則爲市易。(“市易之法”數句上眉批。)

開標法。(“又令民”句上眉批。)

公不知天下之欲敗吾法者,固不必皆奸人,而助吾法者,又未必非奸人,是其哲學逐處。(“今奸人”一段上眉批。)

此亦非所宜言。(“安石白帝曰”數句上眉批。)

此又非所宜言。(“修附麗”數句上眉批。)

效尤之言。(“華山之變”數句上眉批。)

此則近於相詬矣。(“近臣不知”一段上眉批。)

治三代下國,試問不以財利、兵革爲先務,當以何者爲先務耶?民生方困,而國時時有亡滅之憂,當此之時而云道德風俗,所論則誠高矣,而果有效耶?(“朱熹嘗論”一段上眉批。)

嚴復曰:以余觀之,吾國史書之中,其最宜爲學者所深思審問,必得其實而求其所以然者,殆無如熙寧變法之一事。商君、王莽之所當,其致力之難,得效之不期,不如是之甚矣。夫其人之經術、志願、文章、節行,雖與異黨,猶且稱之,得君至專,而其君又有英明睿斷之號,勵精圖治之誠。由來專制政府之權固爲極尊,以言國力,則真、仁之後,足爲善國,財賦猶未空也,人才方極盛也。而其所欲修舉之八九事,至今核而言之,猶爲善政。異党主之於前,來世師之於後,然而破衆難行之矣,行之又不蒙其利,而其人則爲累世所叢詬,言變法者或以之爲殷鑒焉。此豈非載籍所傳至奇之事,而人事所至不期者哉!後之論者,或訾其人爲邪,此不足辯已,即或以爲執拗,或以爲矜己,或以爲躁迫強戾,甚且謂其不宜以財政、兵革爲先務,而平情爲思,似皆未得其癥結也。且以余觀之,新法之害,必不如攻者所言之已甚也;果如攻者言,則他日紹述之説必無從起。蓋使行其法而舉國上下皆若焦溺如彼,則幡然廢罷,乃由事驗,僉衆同聲,尚何有於洛、蜀之争雁紋與章、蔡之復燃死灰乎?有敢言紹述,則必有可紹可述者存焉故也。嗟夫!民生而有妒忌之性,故權與名常爲衆矢之的,而苟且習慣本不易袪,故俗之變,常在亂亡之餘,貞元之際。而荆公之大蔽二:一不知政之宜於一郡一州者不必宜於天下,猶之今日之法,其宜於甲國者不必宜於乙國也;一不知人之攻我而立異者,不必皆奸人;而其助我而和同者,亦不必皆吾利。微論吾所重者非也,就令而是,而智量相殊,吾之所及知及見者,彼有不及知不及見也。至於學術不同,信守互異,由是憤好之趣,熕然大殊,吾出死力以與之争,幸勝而所傷已衆矣。是故西人有言,將爲宰相,必知其國,而調停衆異之際,尤必有操縱動静之術焉。相時而後可,得人而後行,徒自信吾道而任衆人之洶洶,吾未見其能濟也。辛亥七月廿八夜識。(篇末總批。)

《王臨川全集》卷一

《元豐行示德逢》:

指德逢。("湖陰先生"旁批。)

大德本亦作草室。("草室"上眉批。)

《陶縝菜》:

結語非他家所能。(批于"陶生"二句下。)

《招約之職方並示正甫書記》:

韓、孟聯句句法。("碧篅"數句上眉批。)

《同王濬賢良賦龜得升字》:

入後氣力略竭。("嗟余"數句上眉批。)

《奉酬約之見招》:

第三韻轉到本位,稍拙。("園屋"句上眉批。)

《寄楊德逢》:

全篇是《元豐行》後語。(全詩眉批。)

《仲明父不至》:

似韋、儲,其不似陶者,以稍練也。(全詩眉批。)

《與望之至八功德水》:

似陶矣而中不腴,遂成語與?(全詩眉批。)

《要望之過我廬》:

"獱獺"、"蟲蛆",殆指吕、張諸子。("獱獺"二句上眉批。)

《月夜二首》其一:

此數首皆類小謝。(全詩眉批。)

《王臨川全集》卷二

《洊亭》:

别深懷抱,是謂詩人之思。(全詩眉批。)

《用前韻戲贈葉致遠直講》:

此二首句法多學韓《南山》,顧遜其妥帖,亦無其排戛,退之筆力固不易到。(該詩及前首《再用前韻寄蔡天啓》眉批。)

《白鶴吟示覺海元公》:

長松受穢何足道,如蒼生何?此公之所以難辭禍宋之咎也。(全詩眉批。)

《我所思寄黄吉甫》:

可謂逋峭矣。("我所思"數句上眉批。)

《王臨川全集》卷三

《移桃花示俞秀老》:

"東風"句真活潑潑地。("東風"句上眉批。)

《對棋與道源至草堂寺》:

如此類詩，真不識當時所以托意者。（批於詩末。）

《放魚》：

居士仁心托魚鳥，然亦淺。（全詩眉批。）

《飌風》：

“天闕”二字疑誤，不知是“天闕”否？李注：天闕，建康山名，即牛首山，稍質然自佳。（“天闕”上眉批。）

《即事二首》

其一：

嚴復和詩：鐘山無雲起，鐘山無雲入。若問當時雲，無際鐘山碧。

其二：

嚴復和詩：無心即無雲，有雲因有心。所以雲生滅，還向心中尋。

《擬寒山拾得二十首》

其一：

地，即今的字。（“乾地”二句上眉批。）

嚴復和詩：可見輪回者，皆因不自由。若令得自由，濕險亦無憂。

其二：

嚴復和詩：我曾爲草豆，欣欣望春雨。及我身爲男，夢想鄰家女。我之知有我，正以有物故。物我各有需，□然起好惡。若令無好惡，此我豈得度。

其三：

嚴復和詩：人之生有求，只緣養身故。當其作夢時，此意仍未去。所以種種色，一若覺所遇。及其已死時，此身已無處。假令尚有求，寧與今殊趣。以死爲夢覺，此理吾未喻。

其四：

介甫正不可及。（批於詩末。）

嚴復和詩：人生處一世，以氣爲外緣。一切愛惡欲，常爲形質牽。既已不自主，云何爲彼愆。所以于衆生，無怒但哀憐。此是佛地語，仁者當勉旃。先生爲此論，吾乃無間然。

其五：

嚴復和詩：無記未即空，實事亦非有。此如桶水傾，下語不了了。

其六：

嚴復和詩：若説這個有，所見便已小。若説這個無，出語成糊塗。非有非無間，如如説涅槃。

其七：

嚴復和詩：根本固自立，從他有尋除。由來天下理，不在五車書。

其八：

嚴復和詩：只要自身無事，管甚張三李四。不斷邪思妄想，地獄當前即是。

其九：

嚴復和詩：世事相因起，人功亦有神。只須學鑽燧，自爾解傳薪。

其十：

嚴復和詩：所以嫌分别，都因自主張。能登佛地位，分别卻無妨。

其十一：

嚴復和詩：看破真無趣，貪嗔又自煎。先生行樂法，呆慧如隨緣。

其十二：

嚴復和詩：世間一切法，有變無窮盡。將變未變間，土炭有争競。

其十三：

嚴復和詩：一我分衆我，都來作戲具。四天王獻缽，與我復何與。

其十四：

嚴復和詩：愛好須嫌惡，念往即思來。由來相待立，同是没根栽。兩者原無積，其如續續開。只緣心有住，無地避風雷。

其十五：

嚴復和詩：接物起罪福，生心有苦樂。且看天淵中，鳶飛與魚躍。

其十六：

嚴復和詩：縱賊賊喜歡，慢客客恐怖。是非虚實間，由來兩相誤。未識難爲貧，既悟何妨富。所以佛菩薩，所争但這個。

其十七：

嚴復和詩：營畜原人事，何嘗只爲貧。君看世有賊，只爲拙謀生。

其十八：

嚴復和詩：以死空名利，生人未便休。只須持公道，各自識因由。懶識端宜凍，勤耕望有秋。由來賢不肖，名譽不相侔。

其十九：

嚴復和詩：無懼真爲寶，非兹不得生。禪門講坐下，所得盡平平。國弱猶能戰，家貧取力耕。生天成佛者，儘是有犧牲。

按：國弱：《瘉壄堂詩集》作國破。　　貧取：《瘉壄堂詩集》作亡尚。儘是：《瘉壄堂詩集》作都是。

其二十：

嚴復和詩：戒定方生慧，吾今病未能。從公一抖擻，且作在家僧。

《獨卧有懷》：

孤迥蕭瑟如此境，正不易到。（全詩眉批。）

《夢》：

以生爲夢矣，要不能無爲，故曰“夢功德”也。（全詩眉批。）

《車載板二首》：

二詩皆雅健。（全詩眉批。）

《王臨川全集》卷四

《望鐘山》：

二詩自輞川風格。（《望鐘山》詩上眉批，總批此詩與下首《思北山》。）

《謝公墩》：

此數語自非他人能作。（“天機”六句上眉批。）

《秋夜泛舟》：

隱秀。（全詩眉批）

《次韻約之謝惠詩》：

“愓”字頗難押，而能借作頓挫，可謂能手。（“一諾”句上眉批。）

以下皆言其應接之勤。（“右券”數句上眉批。）

《酬王濬賢良松泉二詩》

《泉》：

檀，越也。（“檀”字上眉批。）

“没羽之虎”，石也。“籜龍失職”，以石易竹也。（“没羽”二句上眉批。）

《老景》：

遊戲三昧，然終嫌非大雅集中所宜有。（全詩眉批。）

《雜詠八首》

其六：

是理想語。（全詩眉批。）

其八：

此云道大莫容、才大難用，而流俗多也。（全詩眉批。）

《張良》：

俊偉有氣。（全詩眉批。）

《明妃曲二首》

其一：

此詩則元、虞諸人皆可到。（全詩眉批。）

其二

此首實深于前，顧世俗則舍此取彼。（批於詩末。）

《桃源行》：

勝韓作。（批於詩題下。）

《兼併》：

荆公相術如此。所謂清純專制，到極好時便是父母朝廷。此在當時已做不到也。蓋如大江然，既至荆、揚而欲東之歸峽，如在瞿塘、灩滪之間，可復得耶？至於今日，愈不必言矣。（全詩眉批。）

亦自剽悍。（“俗儒”六句上眉批。）

《王臨川全集》卷五

《和吴禦史汴渠》：

此詩，今之計臣與談中央集權者不可不讀。（全詩眉批。）

《酬王詹叔奉使江南訪茶法利害》：

抵得萬言書讀。（批於詩題下。）

欲不必征榷而王府自有,於是均輸、青苗之法遂行。(“止能”四句上眉批。)

第三聯或謂如曰能權輕重之才,王府固多有耳,與前解未知孰是?(“止能”二句上眉批。)

荆公胸中社會主義甚富。(“至尊”數句上眉批。)

入茶法。(“永惟”四句上眉批。)

“否”不同押,固自微嫌,以其義異,故無害。(“謂民”句上眉批。)

頓挫。(“余知”旁批)

孔之均無貧,均得而各富也。荆之意乃欲均取而以富國。(“孔稱”四句上眉批。)

(余知君恤民,不好爲煩擾)張刻《李壁箋注王荆公詩》作(余知茶山民,不必生皆厚。)(“余知”二句上眉批。)

吾不謂此老爲無誤,然有經世力慮,則唐以來一人而已。使公而生於今,移其所信于古以信於今,加以詢謀,中國尚有豸乎!(批於詩末。)

《酬王伯虎》:

如此等詩,皆此老獨步蘇、黄,與之比較,適成詩人詩耳。(全詩眉批。)

《送潮州吕使君》:

明決老辣。(全詩眉批。)

《虎圖》:

狀態。(“壯哉”六句上眉批。)

畫理。(“固知”六句上眉批。)

餘波。(“悲風”六句上眉批。)

《次韻信都公石枕蘄簟》:

雙起工整。(“端溪”二句上眉批。)

《和吴沖卿雪》:

全體學昌黎,落想新刻,可謂精能者矣。(全詩眉批。)

賦物之體,固自應爾。(全詩眉批。)

《和沖卿雪詩並示持國》:

凝重遜前什,能不竭而已。(全詩眉批)

《河間》:

説得聖王心事出。(全詩眉批。)

《澶州》:

陳橋、澶州皆趙宋歷史地,公於澶州有議論,于陳橋無之者,蓋事有難言,而於結語稍露微旨而已。(詩題上眉批。)

《王臨川全集》卷六

《北客置酒》:

真寫得意態出,使今人竭力盡氣爲之,非移漢作胡,即乞靈新名詞矣。(全詩眉批。）

結作險語，知公未嘗一日忘此虜也。（“爲胡”二句上眉批。）

《奉使道中寄育王山長老常坦》：

此真奇節，合與表章。以此種人而學佛，足見往日法門之盛，而一時風俗之厚尤可思也。第不知當海船破碎時，金抱滿篋，法當沉没，而師之所以不沉者操何術耶？惜介甫不深考問而令讀者疑也。（“道人”數句上眉批。）

《送李屯田守桂陽二首》其一：

郄，倦也。（“郄”上眉批。）

《送鄭叔熊歸閩》：

古詩多隔韻作轉，此是一韻中作轉，尚有一句上二與下三作轉者。（全詩眉批。）

《寄二弟時往臨川》：

沉著，是杜派。（全詩眉批。）

《和王微之登高齋三首》

其一：

王詩真泱泱大風，可表海矣。（全詩眉批。）

卷末：戊申八月十七□公園。

《王臨川全集》卷七

《董伯懿示裴晋公平淮右題名碑詩用其韻和酬》：

清明：當作“明月”，“蛙”韻乃堅。（“清明”句上眉批。）

“兩”韻推波幽深。（“兩階”句上眉批。）

《和仲庶即席分題得庶字》：

“邵”字出《法言》，宜從“卩”。（“邵朱”句上眉批。）

《書任村馬鋪》：

結語非過來人不能道。（“爾來”二句上眉批。）

《西風》：

大家爲詩，只是直寫肝鬲，無一毫爲人意，故工拙雖少異，皆傳作也。（全詩眉批。）

《久雨》：

此較老杜何如？（全詩眉批。）

《和吴沖卿鵶鳴樹石屏》：

索，愛也。（“索”字上眉批。）

《韓持國從富並州辟》：

自言不能薦賢而欲歸也。（“他年”八句上眉批。）

《韓持國見訪》：

解《論語》匏瓜節與集注，意謂孔子亦云不能無求食也。（“余生”四句上眉批。）

《思王逢原》:

此詩沉摯極矣,讀之令人氣厚。(全詩眉批。)

《和劉貢甫燕集之作》:

情後入景,往往動人。("空堂"四句上眉批。)

卷末:戊申八月十九日讀。

《王臨川全集》卷八

《結屋山澗曲》:

此殆意在涑水諸公。(全詩眉批。)

《朝日一曝背》:

可謂澹遠矣。(全詩眉批。)

《今日非昨日》:

是波斯匿王語。("今日"數句上眉批。)

《秋日不可見》:

泓靜蕭瑟,此境吾何日到耶?(全詩眉批。)

《日出堂上飲》:

宋代已然,以公處今宜如何耶?("蟻力"四數句上眉批。)

此天下之所以卒不救也,悲夫!(批於詩末。)

《王臨川全集》卷九

《揚雄二首》

其二:

公契子雲如是,而蘇子瞻以爲淺陋,此兩人事事皆反對也。至紫陽以爲莽大夫,而後世束縛氣矜之禍成矣。(全詩眉批。)

《漢文帝》:

此論卻有所蔽,然近人亦謂自火器行而戰禍日少。(批於詩題下。)

《秦始皇》:

如公所云,則拿破崙其人也。(批於詩題下。)

此較近人淘汰之説何如?(全詩眉批。)

《楊劉》:

楊惲、劉禹錫也。(詩題下注。)

以言今之報律又如何?(全詩眉批。)

《一日歸行》:

公亦有悼亡之痛耶?(全詩眉批。)

《陰山畫虎圖》:

此劉海峰所謂來頭得勇猛者。("陰山"四句上眉批。)

《杜甫畫像》:

論杜推此爲絕唱矣。(全詩眉批。)

《吴長文新得顔公壞碑》：

公長篇必有動人驚俗高論。蘇長公有淩鑠千古之才，故以巧慧見長。若論傲兀，甚不及也。（“延陵”六句上眉批。）

《送元厚之待制知福州》：

福建子正自不惡。（全詩眉批。）

《哭梅聖俞》：

雖有武斷，故自可喜。（“詩行”四句上眉批。）

如大江潮來，無風自湧。（“衆皆”四句上眉批。）

此中正不知有幾曲折。（“棲棲”六句上眉批。）

《送孫長倩歸輝州》：

雖以文爲詩，亦自渾健。（全詩眉批。）

《雲山詩送正之》：

造語似昌黎《山石》。（全詩眉批。）

卷末：戊申八月，時客天津。

《王臨川全集》卷十

《示平甫弟》：

“鞘”、“詭”兩韻無不甚明白。（全詩眉批。）

《老樹》：

公亦知異議者之多君子而憂其去矣。（全詩眉批。）

《寓言九首》

其四：

青苗、均輸之法本此。（全詩眉批。）

《舟中讀書》：

此律詩。（全詩眉批。）

《彼狂》：

此篇是王氏《天演論》。（全詩眉批。）

《衆人》：

此老執拗之名所以著也。（全詩眉批。）

《王臨川全集》卷十一

《和王樂道烘虱》：

吾國人於潔清視爲兒女家事，以此濁穢遂成性習，昧者且自以爲高雅不屑，以之淩人，真去畜生道不遠。嗟乎！治國亦猶此身而已，囚首垢面而談相業，吾知其無能爲也。（全詩眉批。）

《次韻酬微之贈池紙並詩》：

當玩其曲折如意處，所謂如百金戰馬水曲蟻封者也。（“善價”數句上眉批。）

《送子思兄參惠州軍》：

公父嘗爲韶州。（全詩眉批。）

《明州錢君倚衆樂亭》：

亭構。（"載沙"四句上眉批。）

遊人。（"春風"四句上眉批）

《王臨川文集》卷十二

《和平甫舟中望九華山二首》：

險韻長篇。（全詩眉批。）

《收鹽》：

仁者之言。（"海中"四句上眉批。）

《寄曾子固》：

公於子固傾倒如此，而子固乃蕭然自遠，不爲末路諍友，則子固之過爲多。（全詩眉批。）

"帶"再押，作者固謂義殊。（"扁鵲"句上眉批。）

《公羊傳注》：愒，急也。（"愒"上眉批。）

《既别羊王二君與同官會飲于城南因成一篇追寄》：

非大家集中所宜有。（全詩眉批。）

《書會别亭》：

中間忽起六平一句，得乎？（"春風"句上眉批。）

神似太白。（批於詩末。）

《題舒州山谷寺石牛洞泉穴》：

此與陳伯玉"前不見古人"皆有出世入冥之思，人道只是此關打不開耳。（批於詩末。）

《王臨川全集》卷十三

《張氏静居院》：

得此一段神妙。（"留侯"數句上眉批。）

《丙戌五月京師作二首》：

"閣"字佳。（"閣"字上眉批。）

《次韻唐彦猷華亭十詠》

其二《寒穴》：

高峻。（全詩眉批。）

其八《陸機宅》：

如此著筆，尤爲高抗，其不及陸機一字者，以爲不足及也。（全詩眉批。）

《秃山》：

抵得一篇馬爾圖《户口蕃息論》。（全詩眉批。）

此等思想皆非同時諸公所有。（批於詩末）

《贈曾子固》：

此傾倒子固又如此。（批於詩末）

《杭州修廣師法喜堂》：

此其晚年學佛之意。（全詩眉批。）

《復至曹娥堰寄剡縣丁元珍》：

發論極工。（“溪水”二句上眉批。）

《答曾子固南豐道中所寄》：

“應逮犯秋陽”，費解。豈子固亦嘗被逮耶？（“應逮”句上眉批。）

“潺”、“山”二韻，皆未老成。（“原言”四句上眉批。）

《憶昨詩示諸外弟》：

神似昌黎。（批於詩題下。）

《王臨川全集》卷十八

《謁曾魯公》（即赴會時）：

中用四古人，非律。（全詩眉批。）

《奉酬聖從侍制》：

綱目所本。（全詩眉批。）

卷末：戊申九月二十日，在天津孫家園閲點訖，幾道記。

《王臨川全集》卷十九

《春風》：

燕雲非宋地，故爲次句。（“卻疑”句上眉批。）

《和曾子翊授舒掾之作》：

可謂不煩繩削者矣。（“皖城”四句上眉批。）

《和祖仁晚過集禧觀》：

“方空”，紗制也。（“方空”上眉批。）

《貴州虞部使君訪及道舊竊有感惻因成小詩》：

波瀾老成。（“韶山”四句上眉批。）

卷末：戊申九月廿一。

《王臨川全集》卷二十

《與微之同賦梅花得香字三首》

其二：

仍用前意，是病。（全詩眉批。）

其三：

律句最費事處，自是對仗。如此詩“須嫋黄金”句，可謂奇警，而對仗平遝，令人意惡。（全詩眉批。）

《四月果》：

此乃奮軼絶塵。(“一春”四句上眉批。)

《狄梁公陶淵明俱爲彭澤令至今有廟在焉刁景純作詩見示繼以一篇》:

雙引雙承。(全詩眉批。)

《和正叔懷其兄草堂》:

如十卷五頁。

是伊川否? 後題有陳正耐,不知爲誰也?(全詩眉批。)

《寄題思軒》:

起二句,拙。(起首二句上眉批。)

《丁年》:

荆公視富貴甚重,如此首結語與“但願一門皆貴仕”等語,殊令人意惡。(全詩眉批。)

按:《寄闕下諸父兄兼示平甫兄弟》詩:“但願一門皆貴仕,時將車馬過茆茨。”

卷末:九月廿一日。

《王臨川全集》卷二十三

《留題微之廨中清輝閣》:

此聯奇警。(“鷗鳥”二句上眉批。)

《王臨川全集》卷二十四

《次韻答丁端州》:

元珍。(題下注。)

《王臨川全集》卷二十五

《藏春塢詩獻刁十四丈學士》:

景純。(題下注。)

《寄虞氏兄弟》:

自襲前意,要是一病。又此聯與廿四卷《寄父兄》有仙凡之别。(“久聞”二句上眉批。)

《和錢學士喜雪》:

長篇若少回斡頓挫處,自可不作。(批於詩末。)

《送江甯彭給事赴闕》:

此詩真無益而費精神者矣。(批於詩末。)

卷末:九月廿四。

《王臨川全集》卷二十七

《一陂》:

澀别。(批於詩末。)

《隨意》：

聞道之語，正不易到。（批於詩末。）

《王臨川全集》卷二十八

《謝安墩二首》：

此自詩家設趣戲語。顧當日人乃據此謂作者爲好事，真癡人前説不得夢也。（全詩眉批。）

《封舒國公三首》

其三：

此種説法多見，自佳，但詩中同此機軸真不知有幾千萬回，雖極隱秀，亦少味矣。（批於詩末。）

《北陂杏花》：

佳。（批於詩末。）

《與耿天騭會話》：

因記陳弢庵與陳伯平五絶句，其第一首云："人生禁得幾滄桑，夢裹春容尚玉堂。臨發翦燈深語夜，微君善記我幾忘。"想即用此之機栝也。（批於詩末。）

《王臨川全集》卷二十九

《壬戌五月與和叔同遊齊安》：

自鈔前稿。（全詩眉批。）

《傳神自贊》：

此物即耶教所謂靈魂，佛家所謂元妙、明性，哲家所謂真我。（全詩眉批。）

《勘會賀蘭溪主》：

純用問語，是一格。（批於詩末。）

《書湖陰先生壁二首》：

"護田"、"排闥"皆出《漢書》，作者得意在此。（批於詩末。）

《泊船瓜洲》：

此首已見前題注。（批於詩末。）

卷末：戊申九月廿六晨記。

《王臨川全集》卷三十

《觀明州圖》：

此用《楞嚴》"波斯匿王"一段。（批於詩末。）

《暮春》：

多情如此。（批於詩末。）

《中牟》：

此指佛肸事，謂聖人道大，以救物爲急，詩忽出此道，無糧縎，非正法。（批於詩末。）

《神物》：

謂人主得人宜致其用，豈但禄之而已，後謂唯劉（按：指劉累）乃足知龍，猶昌黎《馬説》之意。（批於詩題下。）

鄭太夷極賞此絶，然但意句新穎耳，卻無深義。（批於詩末。）

《文成》：

此譏人主徒有喜功騖遠之心而無實至之業也。（批於詩末。）

《讀漢書》：

此意真無人道過，蓋前人只説小人誤國，而不知君子之可以迷邦也。（批於詩題下）

於此等詩最覘此老識力，涑水、眉山豈能望其肩背。（批於詩末。）

《賜也》：

一肚皮不合時宜，盡於此等處流露。（批於詩末。）

《重將》：

别深懷抱。（批於詩末。）

《春雨》：

我公相業得無類是，所謂"留潤"者，特爲紹述諸人地耳，悲夫！（批於詩末。）

《松間》：

此章與《中牟》一首同意，而措詞超妙，殆若天成。（批於詩末。）

《王臨川全集》卷三十一

《崇政殿后春晴即事》：

□□佳，但覺"應"字、"亦"字總有一未安處。擬改之，□山鳥可能知地禁，每逢春暖即啾喧。（批於詩末。）

《吴任道説應舉時事》：

賢者於名場故多落後。（批於詩末。）

《夜直》：

真《千家詩》語。（批於詩末。）

《出塞》：

"燕淚"二字不可解，自是平聲。然"燕淚"是甚麼淚，若作□，更無此物。（批於詩末）

《書汜水關寺壁》：

汜，當作氾，音范。（眉批）

疑得是。（批於詩末。）

《和惠思歲二日二絶》：

逃儒歸墨矣。（批於詩末。）

其二：

爲守舊者發也。（批於詩末。）

《三品石》：

駡得痛快，今之從政者殆而。（批於詩末。）

《和崔公度家風琴八首》

其一：

蓋即鐵馬。（批於詩題下。）

其三：

本平也，風撓雲，斯不平矣。（批於詩末。）

其六：

意好而語拙。（批於詩末。）

《適意》：

嚴復和詩：十年燈火縵成鄰，斷簡殘編説極陳。不知適意緣何事，爲信捐書一語真。

按："十年"句：《瘉壄堂詩集》作燈火年年作近鄰。"斷簡"句：《瘉壄堂詩集》作韋編汗簡苦陳陳。爲信：《瘉壄堂詩集》作只信。

《辱井》：

嚴復和詩：奢淫何事堪亡國，似爲身心不兩謀。卻怪歐洲今日事，利於刀劍巧倡優。

按：奢淫：《致吴保初》手札作色荒。何事：《瘉壄堂詩集》作何至。堪亡國：《瘉壄堂詩集》作終亡國。似爲身心：《致吴保初》手劄作殆爲君心，《瘉壄堂詩集》作可是君心。卻怪：《致吴保初》手劄作但怪。歐洲：《致吴保初》手札、《瘉壄堂詩集》俱作歐羅。

《詠月三首》

其一：

嚴復和詩：寒光清影蟾隨兔，此語吾知喻得君。聞道玉川悲月蝕，蝦蟆而外更無雲。

按：聞道：《瘉壄堂詩集》作不道。而外：《瘉壄堂詩集》作以外。

其三：

嚴復和詩：持管而今象可覘，冰輪無數火山熸。自他有耀爲圓缺，不見常儀桂兔蟾。

按：而今：《瘉壄堂詩集》作分明。自他有耀：《瘉壄堂詩集》作日光分與。不見：《瘉壄堂詩集》作那有。

《王臨川全集》卷三十二

《杏園即事》：

吹皺一池春水。（批於詩末。）

《滑儒坑》：

嚴復和詩：范雎蔡澤兼商鞅，皆使秦強不爲身。若向先身求智力，控頤別頰盡能臣。

按:“皆使”句,《痛壄堂詩集》作知足強秦不庇身。“若向”二句:《痛壄堂詩集》作若道學葵先衛足,稱詩發塚政能臣。

《懷舊》:

嚴復和詩:少年辛苦頭仍黑,老大優遊已白頭。識得隨緣薪盡理,早知霜鬢不因愁。

按:識得:《痛壄堂詩集》作悟得。早知:《痛壄堂詩集》作始知。

《破塚二首》

其一:

哀哉!殆爲曾、吕諸人發也。(批於詩末。)

《相州古瓦硯》:

此直先見紹述時事矣。(批於詩末。)

《揚子二首》:

介甫是千載下揚子雲,最知子雲深處。(批於詩末。)

《商鞅》:

此是不朽語,今日又大可見也。(批於詩末。)

《範增二首》:

此革命黨詩也。(批於詩末。)

《賈生》:

嚴復和詩:古人名位心原淡,絳灌何能阻賈生。賦服深衷人不解,只言未得作公卿。

按:阻賈生:《致吴保初》手劄作尼賈生,《痛壄堂詩集》作沮賈生。賦服:《痛壄堂詩集》作賦鵩。深衷:《致吴保初》手劄作深心,《痛壄堂詩集》作深情。未得:《致吴保初》手劄作未與。

《謝安》:

嚴復和詩:清談亦未能亡晋,法令如何可過秦。天子驕昏臣子諂,天能無意救斯民。

按:亦未:《致吴保初》手札作豈未,《痛壄堂詩集》作豈必。臣子:《致吴保初》手札、《痛壄堂詩集》俱作臣隸。“天能”句:《致吴保初》手劄作盡無公道是真因。

《世上》:

此真驚心動魄矣。(批於詩末。)

《讀蜀志》:

蘇堪有句云:“田舍意最高,本是輕玄德。”余不謂然。

此言不是輕玄德,入世先安七尺躬。爲有南陽桑八百,孔明出處不匆匆。(批於詩末。)

《戲長安嶺石》:

此人所以云其執拗也。(批於詩末。)

《促織》:

此言民力未充,徒爲聚斂之無益也。(批於詩末。)

《王臨川全集》卷三十三

《過皖口》:

桓子野當嗟奈何。(批於詩末。)

《别皖口》:

"千"字不穩,宜改"多"字。(批於詩末。)

《金山三首》

其一:

公于裕陵有知己之感如此。(批於詩末。)

其三:

嚴復和詩:江山亦自皆時事,舟壑潛移覺者稀。爲問金焦山下客,别來幾度見塵飛。

《烏江亭》:

可贈康長素。(批於詩末。)

《望越亭》:

此兩首皆唐格,惟其惘惘,所以爲佳。(批於詩末。)

《木芙蓉》:

凡詩作欲語明用如、似等字者,常患淺而不耐人尋味,此皆刻畫□□□□□致□□,用"正似"二字,遂落第二義矣。(批於詩末。)

《精衛》:

此真可泣鬼神矣。(批於詩末。)

《驪山》:

意謂秦蔑古而亡,漢復古而亦亡也。(批於詩末。)

《縣舍西亭二首》:

此二首刺用人如傳舍,政之所以不成也。(批於詩末。)

《王臨川全集》卷三十四

《送僧惠思歸錢塘》:

機利可喜。(批於詩末。)

《松江》:

前人不稱意時感世情之變,每指無情以爲有情,此則謂惟此乃能無情耳。此文章翻巧慣技也。(批於詩末。)

《殘菊》:

嚴復和詩:此與落英同爲不考事實語,幾見菊有飄零滿地者,余試代菊訴之:黄爲正色抱秋心,自向乾坤得氣深。縱然風霜欺到骨,不曾飄墜到牆陰。

《初晴》:

淵澹。(批於詩末。)

《釣者》：

此意雖高卻淺。士果以利濟爲心，雖皇皇求仕，義耳。（批於詩末。）

《詠月》：

此謂雖得君而無如盈廷衆議，何也？（批於詩末。）

《寓言二首》

其二：

此如晋人讀《莊》，開卷尺許，便云了不異人意。（批於詩末。）

《王臨川全集》卷三十五

《神宗皇帝挽辭二首》：

於前二帝即有哀思都無諛頌，至神宗乃有將聖成能達聰求賢諸語，以此見作者措詞矜慎。（批於題下）

《河中使君修撰陸公挽辭三首》

其三：

切姓。（"詞人空甫裏"旁批。）

《王臨川全集》卷三十八

《新田詩並序》：

"背"字未安，或是"被"字。（"環唐"句上眉批。）

《釋謀賦》：

以上八首均爲佳制，而《龍賦》尤可繼退之《龍説》。（批於詩末）

《伍子胥廟銘》：

全是腐遷聲響。（批於序文下。）

卷末：戊申十一月廿二日乙。

附録一：

嚴復《致吴保初》手札

王荆公七絶寄託深美，多自得之語，所微嫌者，稍涉理障，似禪家偈語，非樂府弦歌正脉法乳耳。然有極中理者，客窗無事，往往和之，有時自託千載下諍友之列，起公九原，定相視而笑也。如其《辱井》云："結綺臨春草一丘，尚殘宫井戒千秋。奢淫自是前王恥，不到龍沉亦可羞。"余和之云："色荒何事堪亡國，殆爲君心不兩謀。但怪歐羅今日事，利於刀劍巧倡優。"《賈生》云："一時謀議略施行，誰道君王薄賈生。爵位自高言盡廢，古來何啻萬公卿。"余和之云："古人名位心原淡，絳灌何能尼賈生。賦服深心人不解，只言未與作公卿。"《謝安》云："謝安才業自超群，誤長清談助世紛。秦晋區區等亡國，可能王衍勝商君。"和之云："清談豈未能亡晋，法令如何可過秦。天子驕昏臣隸諂，盡無公道是真因。"戊申十月初三書與彦復有道商政，弟復。

（程道德《中國近現代文化名人遺墨》上册，第三十二頁，中國方正出版社二零零八年版。)

附録二:

嚴復《和荆公子貢》

荆公詠史諸絶句,雖落言詮,識解往往超絶。獨《詠子貢》云:"一來齊境助奸臣,去誤驕王亦苦辛。魯國存亡宜有命,區區翻覆爾何人。"奸臣謂田常也,驕王謂夫差也。意云:子貢不宜設機詐如戰國策士之所爲。其陳義可謂高矣。雖然,果如荆公言,則孔子且無所逃責。子貢之出,孔子之使也。顧不知子貢所爲,有大異于戰國儀、秦諸策士者,策士志在權利,而子貢則存魯而外,無他圖焉,機詐豈非所汙,而宗國不可以不救。今人動言愛國,至於謀國專對,則瞻徇毁譽,愛惜毛羽,而置宗國利害於不顧。深恐荆公之説,助其張目,乃爲和一絶,以抒余憤焉。

賜也才賢擅外交,一言三敵起紛淆。存亡所計惟宗國,翻覆何須與呰謷。

(嚴璩輯校《瘉壄堂詩集》卷上,一九二六年,稿本)

按:王安石《子貢》詩,見張元濟影印季振宜舊本《王荆文公詩李雁湖箋注》卷四十八。

附録三:

曾克耑《侯官嚴氏評點王詩序》

荆公經世大慮,爲唐以來第一人,其文章、節行、經術、志事,雖異黨猶且稱之,獨以變法故,被謗者且千歲,烏乎!是孰使之然哉?然則錮習之不易革,陋儒之不易喻,聞道大笑之之言爲不誣,而超絶不世出之士,其襟抱識力終不爲世知、世諒、世則,終於世無救也,豈不大可哀邪!獨其文光燄猶足震一世,世莫敢非也。然僅以文求公,抑非公之全,尤不足探其學之本源也。自金谿蔡氏爲之譜,而其誣以雪;自新會梁氏爲之傳,而其學以顯;自閩縣陳氏、鄭氏起而倡其詩,而閩派以立。蓋公之政術、歌詩沉伏且千載,一旦而悉發其真,於公可謂無遺憾矣。顧陳氏、鄭氏於公詩,僅以聲色、格律求之,恣其剽竊摹擬而已,其于公詩本源所在,則猶未窺其微也。

獨侯官嚴氏,以通儒雄筆,通貫中西學,既評釋老、莊以通其郵,復以其餘力手公詩而評隲之,其於公格律、聲色,既有以發其微,而于學術本源之發於詩而與西哲相通貫,淺學所不知者,則反復稱道之曰:此王氏之《天演論》也,此馬爾圖之《人口蕃息論》也,此老胸中社會主義固其富也。其識見既非同時諸公所及,則以公詩而較蘇、黄,蘇、黄適成爲詩人之詩,而非所語於政學之大者也。氏鑽研既久,所獲益深,思所以發其微,圈識之不足,則評贊之,評贊之不足,乃復取其談禪論古之作,一一而追和之,魂遊魄戀,上下千古,若非公無足以發其意、厭其望者。噫!何氏嚮往公之至於斯極邪?曰:二子者,皆千古不常見之人也。

荆公當北宋積弱之初,知非變法不足圖強,時君用之,則阻于曲學陋儒不之助，而反攻誹之，其説未盡行而國以敝。嚴氏睹清政不綱，又知非變法不足圖存，時君未之用，而曲學陋儒盈天下叫囂鼓噪，猶北宋之末也，其説不行而國亦以敝。遇不遇，雖若有維綱施設者存，而二公破俗警頑救世澤民之旨，終懸於冥漠而莫之喻也。然則生千載之後，舉世無喻之者，仰望千載之前有先覺焉，其閎識孤懷若與吾同焉，則氣類相感，若唯諾一堂，有不咨嗟詠歎以嚮往之者邪？心神既接，曠世鮮遘，有不相喻於意言之表，而發其心聲、興其歎喟而疏通證明之者邪？氏于公治學之廣，擇術之正，用心之微，既有以深察而默契之矣，則本其通識，深賞以批郤導窾，抉其精，發其真，以示來兹，有不涣然冰釋，怡然理順者邪？而豈世之沾沾以箋疏自喜、尋章摘句之流所可望者哉？烏乎遠矣！

癸卯夏五月福州曾克耑。

（曾克耑一九六三年影印《侯官嚴氏評點王詩》卷首）

【作者簡介】 歐明俊，福建師範大學文學院教授，博士生導師，著有《詞學思辨録》、《陸遊研究》等。

關於《内閣庫存書目》

【日】 高橋智 撰　杜軼文 譯

一　清宫藏書情況

宣統帝溥儀(1906—1967,1912年退位)因馮玉祥的政變於民國十三年(1924)十一月五日離開了紫禁城。民國政府隨即封鎖了故宫,並組建清室善後委員會,開始對故宫各處所藏進行了點查。此次點查從1924年一直延續到1930年,其過程和結果後撰寫爲《故宫物品點查報告》。在清查過程中,曾於民國十五年(1926)三月十九日於毓慶宫發現《諸位大人借去書籍字畫玩物等糙賬》,隨後又於同年七月三十一日發現了《賞溥傑單》等清單,據此可以清晰地瞭解到溥儀在民國十一年(1922)七月十三日至十二月十二日期間下賜給溥傑的寶物全貌,這其中也包括了二百多種善本。這份清單先於民國十五年(1926)六月刊行,故宫博物院成立後又於民國二十三年(1934)再次印刷出版。隨後,記入清單的善本幾乎都被溥傑帶到長春(當時稱"新京")的新宫加以保管。僞滿政權倒臺後,這批書籍又被轉移至瀋陽,最後回到北京並收歸故宫博物院。據傳,書籍在輾轉過程中有相當一部分散佚,流入市場的也爲數不少。爲了讓更多人瞭解這批善本的價值所在,故宫博物院於民國三十五年(1946)十二月再次出版了這份清單。

追溯到民國十四年(1925)故宫博物院圖書館成立之際,陳垣(1880—1971)被任命爲首任館長,設址壽安宫。楊守敬(1839—1915)的"觀海堂藏書"也於民國十八年(1929)被納入館藏。此後,民國二十二年(1933)迫於日本軍的大舉逼近,一千四百五十箱貴重書籍被運往南方,輾轉上海、南京、四川等地,並於民國三十八年(1949)被運至臺中。

這些由溥儀賜給溥傑的,遺留於東北的善本以及故宫南遷的善本,在清宫藏書中,除去諸多災厄的影響,它們的輾轉遷移次數之多,規模之大,堪稱第一。而目前,對於如何正確地對目録上的記載與現實情況進行追蹤調查,仍未得出明瞭的結論。新中國成立後,爲了協助全國各地的圖書館建設,故宫善本被重新調整配置,共有十五萬册被分送到全國的十六家圖書館收藏。無法否認,故宫善本要再現昔日風采困難萬分。據傳,明初永樂十八年(1420)建成的紫禁城共有九千間,要把數百年散落其間的藏書蒐集起來恢復原樣也只能是想象罷了。

可以窺探清末藏書情況的《故宫物品點查報告》,是以宫殿爲單位進行了詳細記録的,價值極高。現藏於臺北"故宫"博物院文獻館的圖書中還夾有一些小紙條,上面記載著點查時藏書所在宫殿之名,現在也都成爲了這份珍貴資料的一個組成部分。例如卷一《乾清宫》第二十四號中載"圖書集成 五百二十函",此書即爲編纂於康熙年間,成書於雍正年間的銅活字本《古今圖書集成》,下面還注釋道:"共計五千十一册,殿版,開花紙,帶木匣匣内有二夾板。第一函第一册目録中夾一紙條上書:'光緒二十六年八月初四日,洋人拿去欽定圖書集成目録一本三四函'。第二百八十四函匣粘著未能開,視不知匣内究有幾本。點查此書之時,每函編號登記曆五次而點畢,今將函數册數並一號。"而其中對八國聯軍搶掠的記録也着實令人痛心。據《北平故宫博物院圖書館南遷書籍清册》來看,運抵臺灣的《圖書集成》包括了文淵閣和皇極殿所藏,及乾清宫收藏的五百二十函五千零十九册,其流傳途徑均可辨認。

利用上述資料可以大致對清宫各處的藏書特色等作出歸納。

首先,縱觀清朝末期,從數度機構改革到溥儀出宫,直至故宫博物院成立這幾段時期所整理出的的故宫藏書(檔案除外)目録,就不難發現,京師圖書館的創設,宫内藏書在宣統年間曾被移送至學部等,確切情況很難把握,現對其錯綜複雜的過程進行如下梳理。

清光緒三十一年(1905)	十一月,清朝學部設立。
清宣統元年(1909)	奏請京設立師圖書館,内閣大庫的圖書作爲基礎圖書被移送至學部,繆荃孫編纂《清學部圖書館善本書目》(稿本,爲《古學彙刊》所收)。
民國元年(1912)	八月,京師圖書館開館,江瀚任館長,隸屬教育部管轄,圖書藏於廣化寺,江瀚編纂《京師圖書館善本簡明書目》(稿本)。
民國四年(1915)	六月,館址由廣化寺遷至安定門内的國子監南學。
民國六年(1917)	一月,於方家胡同重新開館,魯迅、蔡元培、張宗祥等出席開館儀式。
民國十三年(1924)	十一月五日,溥儀出宫,清室善後委員會點查故宫各殿物品。
民國十六年(1927)	十月,故宫博物院圖書館開館,傅增湘任館長。
民國十七年(1928)	六月,北伐告成後,京師圖書館改名爲國立北平圖書館。十二月遷址中海居仁堂。
民國十八年(1929)	六月,《故宫善本書影初稿》刊行。八月,與北海圖書館合并改組,仍稱國立北平圖書館,楊守敬的觀海堂藏書移送至壽安宫。

民國十九年(1931)	十一月,故宫博物院圖書館對文淵閣《四庫全書》等點檢完畢。並將故宫各宫殿藏書集中於壽安宫。
民國二十年(1931)	四月,北平圖書館移址北海新館。六月新館落成,蔡元培任館長。八月《故宫方志目》刊行。(同年"九・一八"事變爆發)
民國二十一年(1932)	九月,《故宫所藏觀海堂書目》刊行。(同年三月一日,溥儀執政僞滿洲國)
民國二十二年(1933)	一月,故宫博物院圖書館準備將重要書籍南遷。三月,《故宫所藏殿本書目》刊行。八月,《故宫殿本書庫現存目》出。十一月,《重整内閣大庫殘本書影》出。(同年二月,該館文物開始南遷)
民國二十三年(1934)	北平圖書館善本六萬册及其它重要典籍運抵上海租界倉庫。一月,《故宫善本書目》、《故宫普通書目》出。九月,《故宫已佚書籍書畫目録四種》。(同年三月一日,溥儀稱帝僞滿洲國)
民國三十年(1941)	北平圖書館善本三批二萬册,由上海秘密運抵美國國會圖書館寄存。(袁同禮時任館長)
民國三十七年(1948)	一月,《故宫方志目續編》刊行。十二月,南遷圖書開始運往臺灣。(至翌年二月,共三批)
1965 年	十一月,北平圖書館寄存於美國的善本運抵臺灣(蔣複璁時任館長),交由臺北"故宫"博物院保管。
1969 年	十二月,臺灣"中央"圖書館刊行《北平圖書館善本書目》。

民國八年(1919)上海涵芬樓曾借用内府藏宋刊本《孟子趙岐注》(蜀大字本,現所藏不明)影印本(《續古逸叢書》),借此也可對清末内府藏書情況略知一二。而《故宫善本書影初編》首次揭開了内府本的神秘面紗,書中主要影印收録了昭仁殿所藏宋元版共四十一種,並編有書録,記述版本大略。此書出版正值故宫物品點查的高潮期。民國二十二年(1933)出版的《重整内閣大庫殘本書影》雖同爲内府舊藏書的珍貴書影,但其中收録的均爲零本。故此推測,京師圖書館成立之際,被移送的内閣大庫藏書並未保存於京師圖書館,而仍留存故宫博物院内,但由文獻部代爲保管,而非院内圖書館。根據阿部隆一《故宫博物院藏北平圖書館宋元版解題》(《中國訪書志》增訂版,汲古書院,1983)的調查,上述兩部書影所收宋元版善本現均藏於臺北"故宫"博物院。

根據上表,現對故宫主要藏書的流向做一個粗略整理。

○各殿所藏本—1925 年收入故宫博物院—點查—1930 年集中於壽

安宫—1933 年南遷至上海—1948 年移送至臺北

〇觀海堂藏本—1929 年保管於壽安宫—1933 年南遷至上海—1948 年移送至臺北

〇内閣大庫本—1909 年,部分移至學部—1912 年移入京師圖書館—1928 年移至北平圖書館—1934 年移送至上海。其中三分之一於 1941 年寄存美國,後於 1954 年運抵臺北,另外的三分之二又運回北京。一部分殘存於故宫—1930 年集中於壽安宫—1933 年南遷至上海—1948 年移送至臺北

關於楊守敬(1839—1915)的觀海堂藏書,在拙著《室町時代古抄本〈論語集解〉的研究》(汲古書院,2008)中有相關叙述。民國四年(1915)由民國政府購入後分藏於松坡圖書館和故宫北部的大高殿内。後大高殿内的藏書又轉藏壽安宫,而松坡圖書館的藏書現已從北京圖書館轉藏中國國家圖書館。雖説主要藏書都移至壽安宫,但事實上,現存國家圖書館的楊氏本包括了相當精良的日本古寫本(古寫經)和古刊本。鑒於松坡圖書館所藏楊氏舊藏本均保存於書庫内而無法調查,其全貌也無從得知。而收入壽安宫的藏書,除去朝鮮本等之外,在民國二十一年(1932)出版的《故宫所藏觀海堂書目》均有著録。日後這批藏書運抵臺灣,阿部隆一《中國訪書志》增訂版(汲古書院,1983)爲其主要書籍編寫了解題。

此外,出版家、藏書家陶湘(1870—1940)所編纂的《故宫所藏殿本書目》,在明清兩代内府所制的出版物目録以及《故宫殿本書庫現存目録》的基礎上,進一步按"實録"、"聖訓"、"禦制"、"欽定"、"校刊"、"史學"、"目録"、"類書"等對内府的編刊物進行分類整理,將内府本的價值闡明得一清二楚。而被著録的藏書中,有一部分爲避免重複,被運往臺北。因此,這個目録是南遷開始前,即民國十八年至二十二年(1929—1933)期間在書庫進行慎重調查後的成果。傅增湘爲此書所寄題辭中曾寫道:"提囊載筆,犯風雪冒炎,歒徒步走神武門,經西長街,坐壽安北殿中,手披目玩,淩晨而届,日昳而出,時而饑疲,或挾餠餌,與小史走,卒雜坐食飲,而不以爲苦,蓋厲精焠掌,閲五六寒暑……"可見,當年他不辭辛勞,確實進行了一番徹底調查。

由於體現着國家威嚴,内閣所藏地方志理所應當地保持着舉世無雙的高品質,直至清末。這些方志後都移送京師圖書館,最終收歸北平圖書館所有。民國二十年(1931),江瀚任館長期間,故宫殘存的地方志得到整理,並出版了《故宫方志目》。書目中著録的與移藏於北平圖書館的重要方志,後經南遷,最後都移至臺灣。隨後,南遷的遺留本與之後新發現的方志等又被集合成《故宫方志目續編》,於民國三十七年(1948)出版。

另外,幾乎同時,民國二十三年(1932)一月,《故宫善本書目》(張允亮序)、《故宫普通書目》(江瀚序)先後出版。其中《善本書目》按"昭仁殿《天禄琳琅》現存書目"、"《天禄琳琅》録外書目"、"養心殿《宛委别藏》目録"三部分列,但因其著録原本均已於前一年南遷,無法進行縝密調查,只能依靠簿録而作。

在專門書目(包括滿文書目)編纂完成之後,普通書庫的書目編纂工作也隨即展開,並出版了《故宫普通書目》。此書著録了包括經、史、子、集、叢書等五庫以及方略館、資政館、清史館的遺留書共九萬九千四百册,是在江瀚的督促下趕制而成的。這些藏書現均爲故宫博物院圖書館所收。至此,在圖書館家的有力指導下,加之館員們的盡力奮鬥,除一部分以外,清末至南遷前後的故宫藏書之全豹可得一窺。

如上所述,通過現存的民國時期所編的藏書目録,我們就能對藏書流轉的概況有一定的瞭解。如果希望在此基礎上,進一步追溯過去,對清宫内各處藏書情況有所把握的話,那麽可以這麽説,主要的藏書處除了翰林院、皇史宬等宫外書庫之外,内閣大庫、國史館、方志館、會典館、實録館等是以收録文書爲中心的,而武英殿、文淵閣、乾清宫、昭仁殿、南書房、上書房、懋勤殿、摛藻堂、養心殿、毓慶宫、景陽宫等則是以收藏圖書爲中心的,各具特色。

二 "天禄琳琅"

位於乾清宫東側的昭仁殿内所藏的特級善本被稱爲"天禄琳琅"。嘉慶二年(1797),乾清宫失火,殃及昭仁殿,其中宋版悉數化爲灰燼。乾隆九年(1774)編纂的《欽定天禄琳琅書目》將宫中宋元善本收入其中。火災後,再度收集善本編成了《欽定天禄琳琅書目後編》(嘉慶二年刊)。前編收四百二十九種,後編雖收六百五十九種,卻與前者的精善無法相比。前後兩編均設有"宋版"、"元版"、"明版"、"版種"等分類目録,具有劃時代意義。而書中對所録藏書上的書印加以詳細説明,成爲另一大特色。這樣一來,我們既可以瞭解到這些"天禄琳琅"善本之前曾經過哪些藏書家之手,還能由此追溯到揆叔、季振宜、毛晋、明内府、徐乾學、錢謙益、文徵明、項元汴等明清享有盛名的藏書大家的舊藏。《天禄琳琅後編》所録善本的排架圖於民國二十二年(1933)由故宫博物院影印出版。前層十五架,後層二十架,並設計了各部書的專用位置以及函套。民國十四年(1925)二三月,當時的清室善後委員會點查之際,"天禄琳琅"的舊藏包括了宋版二十一部、元版六十二部、明版二百十九部以及抄本九部。民國二十三年(1934)出版的《故宫善本書目》中提到的"天禄琳琅"現存書目包括宋版三十五部、影宋抄本二部、遼版及影遼版各一部、元版六十二部、明版二百〇三部、明抄本七部。對照嘉慶年間的記録來看便知,當時宋版約八成,其它版本約三成都已流出宫外。可以想像,這些佚失善本幾乎都是伴隨溥儀的出宫而消失的。

此外,昭仁殿后室專設有收藏宋版五經的五經萃堂,後被燒毁,但於乾隆四十八年複刻了宋版五經。之後,此殿版翻刻不絶。乾清宫爲順治、康熙兩帝的起居處,殿内高懸著順治帝御筆的"正大光明"匾額,實録、御製殿版以及前述的《古今圖書集成》等均藏於殿内。乾清宫南面的乾清門外西側便是南書房,東側則爲上書房。南書房是翰林聚集,爲皇帝解問答疑之所,而上書房則是皇子的讀書之地，兩處書房都配有經史子集四部圖書。乾清宫西側類似回廊的建築物便是懋勤殿。此處亦是翰林聚集之地，爲皇帝的御用書房，集中配置了各類名著以及宫内的藏書目録等。位於乾清門東側，齋門與奉先殿之間，爲皇帝的讀書處，配有著名的《宛委别藏》（四庫未收書）、《古今圖書集成》。而《宛委别藏》後移至乾清宫西側皇帝起居處的養心殿。養心殿亦是慈禧太后垂簾聽政、宣統帝宣布退位之地。此外，珍藏有乾隆帝畢生珍愛的《快雪時晴帖》（王羲之）、《中秋帖》（王獻之）、《伯遠帖》（王珣）的三希堂也坐落於此間。乾清宫北側，出坤寧宫外的坤寧門，在御花園的東北建有摛藻堂。《四庫全書薈要》便貯藏於此。此書在圓明園另藏一部，但於咸豐十年（1860）爲英法聯軍所燒毁。御花園西北的位育齋亦藏有數百部古籍。進南邊的午門便可看到東側的文淵閣和西側的武英殿。文淵閣藏有《四庫全書》、《古今圖書集成》，而武英殿爲宫廷修書處，編纂《四庫全書》時所用底本以及殿本均貯藏於此。同治八年（1869）、光緒年間的歷次失火使得歷史資料被焚燒殆盡。御花園東側的景陽宫、其北側的御書房、甚至更北的古董房都貯藏有皇帝專用的圖書，内容豐富，其中不乏宋元明各朝善本。任繼愈主編《中國藏書樓》一書對此介紹周詳。

故宫所藏宋元版，就其版本審定標準而言，與現代不盡相同，並且收藏地也不局限於昭仁殿一處。關於被運往臺北"故宫"博物院的原故宫舊藏宋元版的情況，之前提到的阿部隆一《中國訪書志》增訂版中都有詳細記述，但中國内地現藏宋元版的全貌尚不明確。而流入民間、流入日本的宋元版也有待於日後的調查研究。

三　内閣大庫

明正統六年（1441）由華蓋殿大學士楊士奇等人編纂的《文淵閣書目》按千字文排序，自天地字至往字共二十號，大致按四部分類，共著録了七千二百五十六部，據此可以推測出明代前期内閣藏書的情況。根據楊士奇的《題本》所言，永樂十九年（1421）由南京北遷而來的内府圖書被安置在紫禁城左順門北廊（即清朝的協和門），隨後移入了附近新建（後被燒毁）的文淵閣，書上皆按有"廣運之寶"大印。這些藏書經整理後收入《文淵閣書目》（《讀書齋叢書》本）。而清朝貯藏《四庫全書》的文淵閣並非明代之物，而是在原址上重建的。根據《欽定四庫全書提要・文淵閣書目》可以看出，由南京北遷後，禮部命續購書籍，共計鋟板十三種、抄本十七種，分别占當時宫内所藏宋元版的三成、抄本的七成，正統年間尚保存完好，可惜的是，進入中期後藏書就開始不斷散佚。萬曆三十三年（1605）編纂而成的《内閣藏書目録》中收録了藏書二千四百四十七部，並配有簡單的版本説明，基本上延續了四部分類法，但所收内容的豐富程度遠遜於《文淵閣書目》。此書的編者爲内閣敕房辦事大理寺左寺副孫能傳、中書舍人張萱等，看來當時已將内府的藏書稱爲内閣藏書。原本，稱大學士當值之處爲内閣,也就是説主掌文淵閣的大學士進入的是位於現午門東側的坊閣。可知,明代内府藏書處的文淵閣與内閣毗鄰。據説,文淵閣因其權高位重又被稱爲“秘府”。在遭遇了嘉靖三十六年(1557)、萬曆二十五年(1597)的兩次大火之後,一部分藏書被分别移送至皇史宬(城外,今南池子大街)與古今通集庫(東華門南)兩處保存。隨後,由於建築物的重建修繕以及受1664年李自成起義軍的影響,文淵閣的藏書大部分被燒毁。

清代又在明代文淵閣遺址上興建了内閣大庫,將明内府的遺留本加以整理保存。内閣大庫所藏的御用書籍均爲明末大亂後的餘燼,自然都是殘本。然而,這些卻都是明内閣以來的殘本,其中還包括了從宋元時代保留下來的殘本,意義重大。而移至皇史宬的圖書檔案因幸免於祝融之災,清朝建立後,很可能被再度搬回了内閣收藏。隨著清朝敕撰圖書數量的不斷膨脹,宫内藏書也大爲充實,加之清初著名藏書家的精品也不斷獻入宫中,清宫藏書盛況空前。因此,清内閣藏書並不是宫廷藏書的全部,而僅指藏於内閣大庫的遺留書籍。不過,在《四庫全書》、“天禄琳琅”編成之後,藏書中心便轉至皇帝起居處,而内閣大庫則變身爲收藏圖書、録册爲中心的書庫。而除去檔案之外,内閣藏書在清末被移出宫外,成爲日後京師圖書館創建之初的基礎藏書。

也正因此,内閣舊藏檔案的情況在民國時代便已明朗,而藏書情況也可以根據繼承了京師圖書館藏書的北平圖書館所修訂的目録推測出來,但要探明藏書的來源卻極其困難。

值得一提的是,繼承了一部分内閣藏書的京師圖書館曾編纂過以下書目:在籌備開館期間由監督繆荃孫(1854—1919)主持編纂的《清學部圖書館善本書目》(爲《古學彙刊》所收,上海國粹學報社,1912)、首任館長江瀚編纂《京師圖書館善本簡明書目》(稿本)以及時任館員的王懋鎔編寫的書目(未見)。民國五年(1916),夏曾佑館長對上述諸本進行了整理排印,以《京師圖書館善本書目》之名出版。而另一部將江瀚所編書目的清稿本和增加的内容彙集成册的抄本《京師圖書館善本書目》藏於京都大學人文科學研究所。相比之下,著録數量最多的是京大本,而繆本、江本、夏本各本所録數量基本一致。但斯道文庫所藏江本中江瀚親筆訂正之處甚多,就江瀚於民國二年(1913)二月從圖書館離職來看,這應是他初到館時的訂正稿本。之後,發展至北平圖書館時代,《北平圖書館善本書目》編纂完成,它完全吸收消化了之前諸本内容。只是北平圖書館在對善本的取捨上所採取的標準稍稍有别於京師圖書館,因此收録的書目與以前的出入較多。此後爲了躲避戰亂,藏書南遷,内閣藏書的原貌不復存在。這裏要指出的是,江本的一大特色便是將那些内閣舊藏都標注上了“清内閣書”,京大本也沿襲了這一特點。京師圖書館最初的藏書就是以内閣書與歸安姚氏咫進齋的藏書爲中心的,因此區分舊藏書具有重大意義。之後,民國十八年(1929)在倉石武四郎、橋川時雄的不懈努力下,《舊京書影》編纂完成(當時洗印成像後發行,2011年人民文學出版社將其影印出版,書中附有北京大學教授橋本秀美所作"解説")。此書中著録了諸多京師圖書館所藏舊内閣書,是窺探内閣書舊影的絶好資料。並且,此書與江目分别成書於内閣藏書從内閣移至京師圖書館,以及移送至現在的中國國家圖書館、臺北"故宫"的一連串輾轉變遷的時間點上,對掌握當時的内閣藏書情況而言,是彌足珍貴的著録資料。

而通過這兩份資料一路追溯清末内閣藏書情況,那麽就可以追回到藏書開始散佚的階段,這份記録是下一節要提到的《内閣庫存書目》稿本的底本,應成書於清末。

四 《内閣庫存書目》、《内閣庫存殘本書目》及《内閣庫存圖籍》

據張升《明清宫廷藏書研究》(商務印書館,2006)調查顯示,北京大學圖書館所收李盛鐸(1859—1934)舊藏書中包含了此三種目録,但具體内容不詳。此外,中國國家圖書館的普通書庫、科學院圖書館分别藏有認爲同一母本的傳抄本。相傳,李氏舊藏本是由清朝劉啓瑞(1878—?)編寫而成。因書中夾有劉氏自署的紙片,使得傳聞可信度大增,目録的學術價值極高。這是由於劉啓瑞對清末的内閣瞭若指掌,"字翰臣,號韓齋,爲光緒二十九年癸卯科舉人,同三十年甲辰科進士。江蘇寶應人,曾任内閣中書、内閣侍讀等,民國革命後離開仕途。今在北京静養"(橋川時雄《中國文化界人物總鑒》,1940)。他精通版本,因將流出宫外的内閣大庫本介紹給藏書家而名聲大噪。鑒於民國初年内閣藏書有過大規模的遷移,此書當編於光緒末年,其精准的鑒賞力在書中更是隨處可見。

其中的《圖籍》即"内閣庫存圖籍 劉啓瑞輯 稿本 一册(李□1057)",毛裝,書寫於10行絲欄紙上,按"詔諭"、"御筆"、"碑版"、"圖繪"、"輿圖"、"輿圖總類"、"雜存"分類,將圖又細分爲"陵圖"、"王府圖"等,"圖繪"類還下設"經版庫圖","輿圖"包括了各省、府、鎮之圖。《庫存書目》即"内閣庫存書目 劉啓瑞輯 稿本一册(李□1058)",此爲完本,是册數齊全的一部書目,毛裝(26×16.5厘米),外題《内閣庫存書目》(筆體與正文相同),書寫於一頁10行的藍絲欄稿紙上(粗黑口雙魚尾),一人書寫。内框(18.3×11.3厘米,71枚),書上有"木犀軒藏書"、"李印盛鐸"、"木犀"等印。其主要著録殿版、敕撰本稿本以及明代傳下來的經廠本等,鮮見宋元舊版。而被認爲著録宋元藏書最爲豐富的則是《殘本書目》,即"内閣庫存殘本書目 劉啓瑞輯 稿本 一册(李□1059)",毛裝(26×16厘米),使用半頁10行藍絲欄稿紙(18.3×11.3厘米,版心粗黑口,雙黑魚尾,60枚),上有"木犀軒藏書"、"李印盛鐸"、"木犀"等印,一人書寫。同時還揭示了這樣一個事實,即南京明故宫流傳下來的殘本才是内閣藏書的精華所在。此處翻印的包括《庫存書目》中主要的宋元舊刻和《殘本書目》全本。而這部《殘本書目》與藏書移動後編成的江瀚手寫目録相比，出入頗多，無法簡單地對當時的藏書遷移情況做出定論，但可以想像劉氏編纂之前或許内閣藏書的移動已初見端倪。無論如何，此書是劉氏於清末確認了庫中所藏而作的目録，這一事實毋庸置疑。而其對著録的縝密清查也一定會在今後内閣藏書的復原研究中貢獻良多。

【作者簡介】 高橋智，日本慶應義塾大學附屬研究所斯道文庫教授。

【譯者簡介】 杜軼文，日本早稻田大學日本古籍研究所招聘研究員。

北京大學藏《内閣庫存書目》三種

(清)劉啓瑞 輯　蘇揚劍 整理

劉啓瑞(1878—?),字翰臣,號韓齋,江蘇寶應人。光緒二十九年舉人,三十年進士,任内閣中書、侍讀。清代内閣大庫建於明代文淵閣舊址,承繼前朝留存書籍,經戰火蟲蠹、時局人事,至清末内閣存書混亂不堪,是目未注年代,宣統年間劉啓瑞奉命整理内閣大庫藏書,當於此時編輯三種書目,著録内閣大庫藏存情況。

本文所整理者乃北京大學藏書,除此以外,國家圖書館善本部藏有清抄本《内閣庫存詔諭碑版輿圖目一卷内閣庫存書目一卷殘書目一卷殘複書目一卷》,六册,卷首有"國立北平圖書館收藏"方印,無欄格白紙抄寫,半葉八行,字迹正楷,清晰,與北大藏本字體、版式皆異。另外,中國科學院圖書館、國家圖書館普通古籍部分別藏有與國圖善本同源的民國時期鈔本各一部。第一册爲《内閣庫存詔論碑版輿圖目》,實際卷首題名"殘複書目一卷",内容與北大藏《内閣庫存圖籍》相同,應爲同書異名。第二、三册爲《内閣庫存書目》,格式規整,分三部分,上段抄寫書名,中段抄寫部數、本數、卷數,下段抄寫作者、版本。嚴格區分欽定書與普通書,前者頂格,後者下兩格。第四、五册爲《内閣庫存殘書目》,後二目内容較北大藏本完整,修改了北大藏本的闕如、錯誤,當在北大藏本抄寫後整理重録。第六册無題,首書"謹將殘複各書書目繕册恭呈",著録如"周禮義疏稿本一束二十一本,禮記義疏稿本一束九十九本,駁吕留良四書講義義疏十六本,禮記義疏稿本一束三十四本,明典禮志義疏十五本,杜氏通典二束六十四本,明勸善書七束一百五十一本,江南通志四束一百六十五本,御製詩集一束十三本,文選二束四十二本,朱文公集一束三十本,零本雜書三十五束一千八百一十本,零篇八包不計本"等數十種書目,末記"以上約計共一萬五千八百六十六本八包"。

本文按原書格式録存,保留原書誤字、錯行,原書闕如處注明"(原闕)",爲方便閱讀於正文中修正錯葉,并於脚注中注明。國家圖書館藏善本對校所得亦詳呈於脚注中,以饗讀者。

一　《内閣庫存書目》

北京大學圖書館藏,索書號 LSB1058,稿本,一册,半葉十行,藍色印刷稿紙,版心粗黑口,雙魚尾,版心上書分別著録四部名稱,四周雙欄,内框長 18.3

釐米,寬 11.3 釐米[①]。卷首鈐"木犀軒藏書"、"李印盛鐸"、"木齋"、"北京大學藏"四印。卷前有總目,四部之下分十七細目,著録書名,各書部、本、卷數、作者、版本。經類 40 種 89 部;史部 1086 種 2170 部,其中地理類各府縣方志有 998 種之多;子類 41 種 202 部;集類 54 種 173 部。凡 1221 種 2644 部。多爲明、清兩朝刊本、殿本、稿抄本,著録爲宋刊、元刊本者各僅有三種。卷末有"李滂"、"少微"、"北京大學藏"三印。

正文

經類
正經正注列朝經注經説
史類
詔令
正史
編年
紀事本末
傳記
載記
史鈔
總目
奏議
地理
政書
子類
儒家
天文算法
雜家
釋道家
集類
別集
總集
總目

經類

御纂周易折中　七部每部　十本廿二卷康熙五十四年李光地等奉敕撰殿本

钦定書經傳説彙纂　二部每部　二十四本二十四卷康熙六十年王項齡等奉敕撰
雍正八年御製序文刊行殿本

欽定詩經傳説彙纂　一部　二十四本廿卷序一卷康熙六十年王鴻緒等奉敕撰
雍正五年御製序文刊行殿本

欽定周官義疏　二部每部　四十九本四十八卷目一卷乾隆十三年奉敕撰進呈本又稿本

欽定儀禮義疏　一部　五十本四十八卷目二卷乾隆十三年奉敕撰殿本

欽定儀禮義疏　一部　五十本四十八卷乾隆十三年奉敕撰稿本

欽定禮記義疏　一部　八十三本八十二卷目一卷乾隆十三年奉敕撰進呈本

欽定禮記義疏　一部　八十三本八十二卷乾隆十三年奉敕撰稿本

① 稿紙、版框長寬數據,參考高橋智《清宫内閣藏書一斑》,見於《故宫學:故宫學的範疇體系與方法》學術研討會論文集(下册),故宫博物院故宫學研究所,2011 年 11 月,第 478 葉。

欽定春秋傳説彙纂　二部每部　二十四本三十八卷康熙三十八年奉敕撰

欽定日講禮記解義　二部每部　二十本廿六卷康熙年間講義乾隆元年奉敕纂刊

欽定日講春秋解義　一部　三十二本六十四卷康熙年間講義雍正年間奉敕纂刊

周易爻象説　一部　二本宋俞琰撰宋刊本

書集傳　二部每部　二本宋蔡沈輯元刊本

詩傳名物集覽　一部　六本十二卷國朝陳天章撰

周易注疏　一部　二十本四十二卷漢鄭元注唐賈公彦疏明嘉靖年刊本

周易鄭注　一部　十二本二十卷漢鄭元注明嘉靖年重刻宋本

周禮訓注　一部　二本二十卷明陳深注

周禮注疏删翼　一部　十二本三十卷明王志長輯

周禮述注　一部　五本五卷明金瑤撰

周禮折衷　一部　六本六卷國朝胡興銓輯

周禮節訓　一部　三本六卷國朝黄叔琳撰雍正壬子年刊本

周禮集解　一部　八本二十卷國朝高愈撰華泉增訂鈔本無考工記

周禮注疏　一部　六本十卷國朝吕心忠注乾隆年鈔本

周官圖　一部　四本乾隆十三年敕修稿本

正續儀禮經傳通解　一部　二十四本正三十七卷續二十九卷宋朱子撰黄幹續刊本

續禮儀經傳通解　一部　二十六本二十九卷宋黄幹撰

重編儀禮經傳通解　一部　四十本六十九卷國朝梁開宗撰抄本

儀禮鄭注句讀　一部　十七本國朝張爾歧撰

儀禮節略　一部　十四本二十卷國朝朱軾撰

儀禮節略　一部　十一本二十卷同上

禮記集説　一部　六十本一百六十卷宋衛湜撰内有一函十本霉爛緑格舊鈔本①

禮記纂言　一部　十二本三十六卷元吴澄撰明刊本

禮記集記大全　一部　十八本三十卷明胡廣等奉敕撰永樂年刊本

禮記　四部每部　十本十卷明陳澔注重刻監本

禮記裒言　一部　八本十六卷明李天植撰萬曆年刊本

禮記擬言　一部　十本十卷國朝王者佐撰鈔本

三禮考注　一部　八本六十四卷元吴澄注羅倫校鈔本

三禮論　一部　一本一卷明吕心忠撰寫本

禮經搜義　一部　八本十八卷明余心純撰萬曆年刊本

駁吕留良四書講義　二十三部每部　八本國朝朱軾等纂輯雍正九年刊本

學庸集説啓蒙　一部　一本元景星撰元刻本

孟子節文　十部每部　二本二卷明劉三吾奉敕撰

---

①　國圖藏本作“宋衛湜撰鈔本”。

讀孟子叢説　一部　二本二卷元許謙撰元刊本

樂書　一部　三十本二百卷宋陳暘撰宋刊本

右正經正注列朝經注經説四十種八十九部一千二百五十本①

史類

硃批諭旨　一百部每部　一百十二本雍正十年敕編乾隆三年告成所載臣工奏摺凡二百二十三人

雍正上諭　四十四部每部　二十四本莊恪親王等奉敕校刊自雍正元年至七年每月别爲起訖

雍正上諭　三部每部　十本校刊一本和恭親王等奉敕校刊自雍正八年至十三年每月别爲起訖

雍正上諭　一百八十　三部每部　一本五十六篇係校勘雍正前七年上諭

三朝聖訓　二十部每部　十六本十六卷乾隆四年御製序文敕刊

仁廟聖訓　二十部每部　六十本六十卷乾隆六年御製序文敕刊

憲廟聖訓　十九部每部　三十六本三十六卷乾隆五年御製序文敕刊

聖諭像解　九部每部　十本國朝梁延年編釋

大義覺迷録　九部每部　四本四卷雍正年敕編

賜諸番詔敕　一部　一本明洪武年刊本

祖訓録　一部　一本明洪武六年御製鈔本

明御製大誥　三部每部　一本明洪武年刊本

續大誥　三部每部　一本同上

再續大誥　一部　一本同上

大誥武臣　一部　一本同上

右詔令十五種　四百十七部一萬四千八百九本

宋書　一部　二十四本一百卷明萬曆二十六年監本梁沈納撰

南齊書　一部　十本五十九卷梁蕭子顯撰明萬曆三十三年監本

梁書　一部　十本五十六卷唐姚思廉撰明萬曆三十三年監本

陳書　二部每部　六本三十六卷同上

北齊書　一部　八本五十卷唐李百藥撰明萬曆三十四年監本

周書　二部每部　八本五十卷唐令狐德棻等撰明萬曆三十四年監本

隋書　二部每部　二十本八十五卷唐魏徵等撰明萬曆二十六年監本

南史　二部每部　二十本八十卷唐李延壽等撰明萬曆三十一年監本

北史　一部　三十本一百卷唐李延壽撰明萬曆二十六年刊本

元史　一部　五十本

明史稿　一部　七十八本三百六十卷王鴻緒奉敕撰進呈寫本

右正史十一種　十五部三百一十八本

---

①　國圖藏本作"九十部一千二百六十本"。

資治通鑑綱目　一部　五十九卷十二本①

通鑑續編　一部　二十四卷六本②

唐鑑　一部　一本

宋中興編年通鑑　一部　五本上十八卷下十五卷宋李燾撰元劉時舉撰元明刻本③

續宋中興編年通鑑　一部　二本十五卷元劉時舉撰元明刻本

右編年五種　五部二十一本

歷代十八史史略　一部　四本八卷

元史略　一部　一本四卷明梁寅編洪武十九年刊本

右史鈔二種　二部五本④

親征平定朔漠方略　一部　五十本四十八卷康熙四十七年温達等奉敕編殿本

平閩紀　一部　八本十三卷國朝楊捷撰康熙癸亥年刊本

右紀事本末二種　二部五十八本

岳飛傳　三部每部　一本元岳祠住持僧可觀從大德宋史内抽印傳後附名賢詩二十一篇⑤

八旗滿洲氏族通譜　四部每部　二十六本八十卷乾隆九年敕撰殿本

八旗滿洲氏族通譜　二部每部　八十二本同上稿本

昭忠祠列傳　一部　三百六十本寫本

昭忠祠列傳續編　一部　二百本⑥

右傳記五種　十一部八百三十一本⑦

大禮記注　一部　十本國朝張廷玉恭纂雍正四年刊本

聖孝鴻篇　一部　四本即大禮記注籤題聖孝鴻篇鈔本

昭鑑録簡略　一部　二本明敕撰分善鑑惡鑑二録鈔本

諸王會要　一部　一本鈔本

鄭氏旌義編　一部　一本三卷鄭氏自編明洪武年刊本

義勇録　十七部每部　一本明成化六年刊本

閩大記　一部　十本五十二卷明王應山撰萬曆年刊本

熙朝宰輔録　一部　一本國朝潘世恩輯道光十八年刊本

聖門禮樂統　一部　八本國朝張行言撰刊本

大成通志　二部每部　二十本二十卷國朝楊慶撰康熙八年刊本

嵩陽書院志　一部　四本國朝耿介輯康熙二十三年刊本

嵩陽書院志　一部　二本二卷同上

---

① 國圖藏本作“十二本五十九卷宋朱子撰”。

② 國圖藏本作“六本二十四卷元陳桱撰”。

③ 國圖藏本作“明刻本”。

④ 國圖藏本“史鈔”二種書位於“載記”下。

⑤ 國圖藏本此條下有“康熙名臣傳稿一部二十本”

⑥ 國圖藏本有“寫本”二字。

⑦ 國圖藏本作“右傳記六種十　二部八百五十一本”。

朱陽書院志　一部　二本五卷國朝竇克勤輯康熙三十四年刊本

右載記十二種　三十部一百二本

陸宣公奏議　二部每部　三本唐陸贄撰

政府奏議　一部　二本二卷宋范仲淹撰元刻單行本

包孝肅奏議　一部　二本十卷宋包拯撰張田編

右奏議三種　四部十本

皇輿表　十二部每部　二十四本康熙十八年初修四十三年增修告成御製序文敕刊

皇朝輿地略　一部①

龍虎山志　二部　宋元明善修延祐元年刊本②

太嶽太和山志　三部每部　二本明任自垣修宣德六年刊本

雞足山志　一部　六本十卷國朝范承勳修

山海關志　二部每部　四本國朝陳廷謨修康熙八年刊本

盛京通志　一部　六本三十二卷國朝哲備等修康熙二十三年刊本

全遼志　一部　二本明王之誥

畿輔通志　一部　七十二本一百二十卷國朝李衛修雍正十三年刊本

寧武關志　一部　一本國朝王鎬修鈔本③

江南通省輿圖册説　一部　八本

山東通志　三部每部　四十一本三十六卷國朝岳濬修

山西通志　二部每部　一百本二百卅卷國朝覺羅石麟等修雍正十二年刊本

山西通志　一部　三十六本國朝穆爾賽修康熙二十一年刊本

河南通志　三部每部　四十本國朝田文鏡修雍正九年刊本

河南通志　一部　三十二本國朝王士俊修雍正十三年刊本

河南通志　一部　十六本八十卷仝上

陝西通志　一部　一百本一百卷國朝劉於義修

陝西通志　一部　三十本國朝賈漢復修康熙三年刊本

甘肅通志　七部每部　三十六本五十卷國朝許榮修乾隆元年刊本

福建通志　一部　六十四本七十八卷國朝郝玉麟修乾隆二年刊本

福建通志　一部　三十二本國朝金鋐修康熙甲子年刊本

浙江通志　一部　二十本明徐階等修嘉靖年刊本

浙江通志　一部　一百十二本二百八十卷國朝嵇曾筠等修雍正十一年刊本

浙江通志　一部　五十本乾隆元年刊本

江西通志　一部　一百二十本一百六十二卷國朝謝旻等修

江西通志　一部　六十本國朝高其倬等修雍正十年刊本

---

① 國圖藏本無“皇朝輿地略”條。

② 國圖藏本此條下有“太和山啓聖實録一部一本明永樂年間撰”。

③ 國圖藏本此條位於“山海關志”下。

湖廣通志　一部　八十本一百二十卷國朝邁柱修雍正十一年刊本
四川通志　一部　四十九本四十七卷國朝黄廷桂修雍正十一年刊本
廣東通志　一部　四十六本六十四卷國朝郝玉麟修雍正九年刊本
貴州通志　三部每部　三十二本四十六卷國朝鄂爾泰修
貴州通志　一部　十二本國朝潘馴修康熙十二年刊本
遼陽州志　一部　二本國朝楊鑣修康熙二十年刊本
蓋平縣志　一部　三本國朝駱雲修康熙二十年鈔本
開原縣志　一部　二本國朝劉超凡修康熙戊午刊本
鐵嶺縣志　一部　二本國朝賈弘文修康熙丁巳年刊本
錦州府志　一部　四本國朝劉源溥修康熙庚申刊本
大興縣志　一部　四本國朝張茂節修康熙二十四年刊本
宛平縣志　三部每部　四本國朝王養濂修康熙廿刊本
良鄉縣志　一部　四本國朝楊嗣奇修康熙年刊本
固安縣志　二部每部　四本國朝鄭善述修康熙五十三年刊本
永清縣志　一部　四本國朝萬一鶚修康熙十五年刊本
東安縣志　一部　二本國朝張其善修康熙十一年刊本①
香河縣志　一部　二本明沈惟炳修萬曆庚申年刊本
通州志　二部每部　四本國朝吴存禮修康熙三十六年刊本
通州新志　一部　四本國朝黄成章修雍正元年刊本
三河縣志　一部　二本國朝陳伯嘉修康熙十二年刊本
寶坻縣志　一部　八本國朝牛一象修
寶坻縣續志　一部　二本國朝杜立德修
順義縣志　一部　五本國朝黄成章修康熙五十九年刊本
密雲縣志　一部　六本同上
懷柔縣志　二部每部　四本國朝潘其燦修康熙年刊本
涿州志　一部　六本國朝馮源濟修康熙丙子年刊本
房山縣志　一部　四本國朝齊忻修康熙三年刊本
霸州志　一部　四本國朝朱廷梅修康熙年刊本
大城縣志　一部　四本康熙三年刊本
薊州志　一部　四本國朝張朝琮修康熙四十三年刊本
平谷縣志　一部　四本雍正六年刊本
遵化州志　二部每部　二本國朝鄭僑生修
玉田縣志　一部　四本國朝王光謨修康熙辛酉刊本
豐潤縣志　一部　四本 國朝羅景泐修 康熙三十一年刊本
保定府志　二部每部　十二本 國朝於成龍 紀宏謨修 康熙庚申十九年刊本
清苑縣志　一部　四本 康熙十六年刊本

① 國圖藏本此條下有“東安縣志一部六本國朝李光昭修乾隆十四年刊本”。

定興縣志　一部　六本 國朝張其琛修 康熙十一年刊本
新城縣志　一部　四本 國朝高基修 康熙乙卯年刊本
唐縣志　二部每部　四本 國朝王政修 康熙十一年刊本
博野縣志　二部每部　四本 國朝王國泰修 康熙十五年刊本
望都縣志　一部　六本 國朝李天機修 康熙十七年刊本
容城縣志　一部　六本 國朝趙士麟修 康熙十二年刊本
完縣志　一部　六本 國朝朱懋德修 雍正九年刊本
蠡縣志　一部　四本 國朝祖廷明修 順治辛卯年刊本
雄縣志　一部　三本 國朝姚文燮修 康熙年刊本
祁州志　一部　五本
祁州續志　一部　四本
束鹿縣志　一部　四本 國朝劉昆修 康熙十五年刊本
高陽縣志　一部　六本國朝李其旋修雍正八年刊本
易州志　三部每部　三本國朝朱懋文修順治二年刊本
淶水縣志　一部　四本國朝王治修乾隆八年刊本
廣昌縣志　一部　八本國朝王景升修康熙癸亥年刊本
廣昌縣志　二部每部　二本國朝杜登春修康熙三十年刊本
建昌縣志　一部　六本國朝李道泰修康熙乙卯年刊本
永平府志　二部每部　十二本國朝張朝琮修康熙五十一年刊本
盧龍縣志　一部　四本
遷安縣志　一部　四本
撫甯縣志　一部　四本國朝趙端修康熙年刊本
昌黎縣志　二部每部　二本國朝閆允吉修康熙十三年刊本
灤志　一部　四本明周宇修嘉靖年刊本
樂亭縣志補　一部　二本明陳鳴華修萬曆癸巳年刊本
河間府志　一部　十二本國朝袁元修康熙十二年刊本
河間府志　一部　十二本國朝徐可光修康熙十六年刊本
河間縣續志　一部　四本
獻縣志　一部　四本國朝劉徵廉修康熙十二年刊本
阜城縣志　一部　四本雍正年刊本
肅甯縣志　一部　二本國朝王宏翼修康熙十一年刊本
肅甯縣續志　一部　一本
任邱縣志　二部每部　四本國朝姚原溈修康熙年刊本
交河縣志　一部　二本明馬中良修萬曆十六年刊本
甯津縣志　一部　二本國朝程裕昌修康熙十八年刊本
景州志　一部　四本國朝屈成霖修乾隆十年刊本
吴橋縣志　一部　四本國朝任先覺修康熙十三年刊本
故城縣志　一部　六本明李元忠修萬曆四十二年刊本

東光縣志　一部　四本國朝白爲璣修康熙十二年刊本
天津衛志　一部　四本國朝薛桂斗撰康熙十三年刊本
青縣志　一部　三本國朝楊霞修康熙年刊本
靜海縣志　一部　四本國朝閻甲胤修康熙十一年刊本
南皮縣志　一部　三本國朝馬士瓊修康熙癸丑年刊行
鹽山縣志　一部　二本國朝錢國壽修康熙十年刊本
正定府志　二部每部　十本明嘉靖己酉年刊本
正定縣志　一部　四本國朝陳謙修
獲鹿縣志　一部　四本國朝韓國瓚修乾隆元年刊本
井陘縣志　一部　四本國朝宗文英修乾隆八年刊本
欒城縣志　一部　四本國朝賀應旌修康熙二十二年刊本
靈壽縣志　一部　四本國朝陸隴其修
晉州志　一部　六本國朝康如璉修康熙三十九年刊本
無極縣志　一部　二本國朝高必大修康熙年刊本
藁城縣志　一部　四本國朝閻堯熙修康熙五十九年刊本
新樂縣志　一部　四本明林華皖修萬曆辛丑年刊本
冀州志　一部　八本國朝李顯忠修康熙年刊本
冀州志　一部　十本國朝范清曠修乾隆十三年刊本
南宮縣志　一部　六本國朝胡胤銓修康熙十二年刊本
新河縣志　一部　四本
棗強縣志　一部　四本
武邑縣志　一部　六本國朝許維梴修康熙三十三年刊本
衡水縣志　一部　二本
趙州志　一部　四本明莊誠修萬曆十五年刊本
趙州志　一部　四本國朝王懿修康熙十二年刊本
柏鄉縣志　一部　五本國朝魏裔介修康熙年刊本
隆平縣志　一部　一本明趙炯修崇禎二年刊本
高邑縣志　一部　三本國朝劉瑜修康熙乙丑年刊本
臨城縣志　二部每部　四本國朝楊寬修康熙辛未年刊本
深州志　一部　四本國朝徐綬修雍正十年刊本
武強縣志　二部每部　四本國朝賈振裘修康熙六年刊本
饒陽縣志　一部　二本國朝單作哲修乾隆十四年刊本
安平縣志　一部　五本國朝陳宗石修康熙年刊本
定州志　一部　六本國朝王人年修雍正十一年刊本
深澤縣志　一部　四本國朝趙憲修雍正十三年刊本
順德府志　一部　四本國朝李盛枝修順治八年刊本
順德府志　一部　十本國朝徐景曾修乾隆十五年刊本
邢臺縣志　一部　四本國朝劉蒸雯修乾隆五年刊本

沙河縣志　二部每部　二本國朝丁克梀修康熙二十七年刊本
廣宗縣志　一部　二本明秦鄴晉修萬曆二十六年刊本
廣宗縣志　一部　四本國朝吴存禮修康熙三十二年刊本
鉅鹿縣志　一部　六本國朝王蕭修順治十八年刊本
唐山縣志　一部　二本國朝孫鑽修康熙十二年刊本
任縣志　二部每部　四本國朝賀勳修康熙三十年刊本
廣平府志　一部　十本國朝吴穀修乾隆乙丑年刊本
廣平府志　二部每部　六本國朝沈奕琛修康熙十五年刊本
永年縣志　一部　六本國朝王玲修康熙十一年刊本
曲周縣志　一部　四本國朝李時茂修順治十三年刊本
曲周縣續志　一部　五本國朝勞宗華修乾隆丁卯年刊本
肥鄉縣志　一部　六本國朝李學裕修雍正十三年刊本
雞澤縣志　一部　四本國朝姜炤修康熙年刊本
威縣志　一部　四本國朝李之棟修康熙十一年刊本
磁州志　一部　六本國朝蔣擢修康熙三十九年刊本
大名府志　一部　十二本國朝周邦彬修康熙十一年刊本
大名縣志　一部　四本國朝顔咸泰修康熙十五年刊本
魏縣志　一部　四本國朝馬襄修雍正五年刊本
元城縣志　一部　四本國朝陳偉修康熙十五年刊本
南樂縣志　一部　四本國朝王培宗修康熙辛卯年刊本
南樂縣志續　一部　二本國朝方元啓修康熙年刊本
開州志　一部　五本國朝孫啓修康熙癸丑年刊本
長垣縣志　一部　八本國朝宗琮修康熙十九年刊本
宣鎮志　一部　十二本
宣鎮下北路志　一部　二本國朝王治國修
續修宣府志　一部　四本國朝萬際龍修康熙十二年刊本
宣化縣志　二部每部　六本國朝陳坦周起渭修康熙四十八五十年刊本
赤城縣志　一部　四本國朝孟思誼修乾隆十二年刊本
萬全縣志　一部　四本國朝左承業修乾隆七年刊本
龍門縣志　一部　五本國朝章焞修康熙五十一年刊本
懷來縣志　一部　六本國朝許隆遠修康熙五十一年刊本
蔚州志　一部　二本國朝任先覺修順治十六年刊本
蔚縣志　一部　四本國朝王育榞修乾隆乙未年刊本
蔚州志補　一部　五本
西甯縣志　一部　四本國朝張充國修
懷安縣志　二部　每部四本國朝錢蕺曾修乾隆六年刊本
延慶州志　一部　五本國朝賈希顔修順治十年刊本
延慶州志　一部　四本同上

延慶衛志 一部 一本國朝周碩勳修乾隆十年刊本
保安州志 二部每部 四本國朝甯完福修康熙八年刊本
保安州續志 一部 二本
溧水縣志 一部 四本國朝劉登科修康熙十五年刊本
江浦縣志 一部 二本明李維嶽修崇禎辛巳年刊本
江補縣志 一部 二本國朝郎廷泰修康熙甲子年刊本
六合縣志 一部 五本國朝孫宗岱修順治丙戌刊本
高淳縣志 一部 六本國朝劉澤嗣修康熙己未刊本
長洲縣志 一部 六本國朝祝聖培修康熙甲子年刊本
崑山縣志 一部 四本明周士昌修萬曆二年刊本
崑山縣志 一部 十六本國朝杭允佳修康熙年鈔本
吴江縣志 一部 六本國朝郭琇修康熙甲子刊本
吴江縣續志 一部 二本國朝董爾基修康熙三年刊本
太倉州志 一部 六本國朝朱士華修康熙十七年刊本
南匯縣志 一部 四本國朝欽連修雍正十二年刊本
青浦縣志 一部 六本國朝魏邱修康熙己酉年刊本
常州府志 一部 二十本明唐鶴徵修萬曆年刊本
常州府志 一部 十六本明萬曆年刊本
金匱縣志 一部 六本國朝王允謙修雍正十二年刊本
靖江縣志 一部 五本明秦鏞修崇禎年刊本
鎮江府志 一部 十二本明林魁修正德年刊本
淮安府志 一部 八本順治五年刊本
淮安府志 一部 四本國朝高成美修康熙二十四年刊本
山陽縣志 一部 三本康熙三十三年刊本
鹽城縣志 一部 二本國朝賈國泰修順治丁酉刊本
清河縣志 一部 四本國朝孫煥修康熙戊午年刊本
安東縣志 一部 一本國朝喬宏德修康熙三十七年刊本
桃源縣志 一部 六本國朝睦文焕修乾隆三年刊本
海州志 一部 四本
揚州府志 一部 十二本國朝尹會一修雍正十二年刊本
江都縣志 一部 十本國朝五格等修乾隆七年刊本
甘泉县志 一部 十本
儀徵縣志 一部 六本國朝陸師修康熙五十七年刊本
高郵州志 二部每部 六本康熙十一年刊本國朝張可立修
興化縣志 一部 六本仝上
寶應縣志 二部每部 四本國朝徐韆修康熙庚午年刊本
泰州志 一部 十本國朝褚世瑄修雍正六年刊本
通州志 一部 四本明萬曆年刊本

徐州府志　一部　十本國朝胡廷佐修順治年刊本
徐州府續志　一部　一本國朝劉元勳修康熙二十二年刊本
蕭縣志　一部　四本國朝閻允吉修康熙二十二年刊本
碭山縣志　一部　二本明劉芳修崇禎己卯
豐縣志　一部　四本國朝閻玿修順治丙申年刊本
安慶府志　二部每部　十二本國朝陳焯修康熙十四年刊本
彭城志　一部　一本明宋驥修正統六年刊本
潛山縣志　一部　八本
太湖縣志　一部　四本國朝章時化修康熙三十二年刊本
宿松縣志　一部　八本國朝黄鉞修康熙十四年刊本
望江縣志　二部每部　四本國朝劉天維修康熙癸丑刊本
徽州府志　二部每部　二本國朝鄧天棟修鈔本
歙縣志　一部　十本國朝宋希肅修順治四年刊本
婺源縣志　一部　八本國朝劉光宿修康熙八年刊本
祁門縣志　一部　二本國朝謝存仁修年月無
黟縣志　一部　四本國朝竇士範修順治十二年刊本
績溪縣志　一部　三本明何棠修萬曆九年刊本
甯國府志　一部　十四本國朝莊泰宏修康熙十二年刊本①
涇縣志　一部　四本國朝孫登第修順治十一年刊本
池州府志　一部　八本明李思恭修萬曆年刊本
東流縣志　一部　三本順治八年刊本
廬州府志　一部　十本國朝佟國楨修康熙十二年刊本
廬江縣志　一部　四本國朝孫弘喆修順治十三年刊本
無爲州志　一部　六本國朝顔堯修康熙十二年刊本
巢縣志　二部每部　六本國朝於覺世修康熙十二年刊本
中都志　一部　六本明劉昌欽修成化六年刊本
臨淮縣志　一部　四本國朝魏宗衡修康熙年刊本
懷遠縣志　一部　三本明王存敬修萬曆三十三年刊本
壽州志　一部　五本國朝李大升修順治十二年刊本
宿州志　二部每部　三本明崔維嶽修萬曆丙申刊本
靈璧縣志　一部　四本國朝吴嵩修康熙十三年刊本
潁上縣志　二部每部　二本國朝翟乃慎修順治乙未年刊本
亳州志　一部　四本國朝劉澤溥修順治十三年刊本
太和縣志　二部每部　四本國朝陳大綸修順治十六年刊本
蒙城縣志　二部每部　四本國朝何名雋修康熙丙辰年刊本
廣德州志　一部　六本國朝高拱乾修康熙十二年刊本

① 國圖藏本此條下有“睢甯縣志一部四本國朝孫大經修康熙四年刊本”。

滁州志　三部每部　六本國朝余國楷修康熙十二年刊本
和州志　二部每部　四本國朝夏瑋等修康熙年刊本
含山縣志　一部　四本國朝凌嘉瑞修順治七年刊本
英山縣志　一部　一本鈔本
盱眙縣志　一部　一本國朝朱宏祚修康熙十一年刊本
天長縣志　二部每部　四本國朝江映鯤修康熙十一年刊本
五河縣志　一部　四本國朝李雲景修康熙壬子年刊本
五河縣志　一部　五本國朝鄭肅修康熙癸亥年刊本
虹縣志　一部　二本國朝彭翼宸修康熙十七年刊本
濟南府志　一部　二十本國朝蔣焜修康熙三十一年刊本
歷城縣志　一部　八本國朝李師昌修康熙六十一年刊本
章邱縣志　二部每部　六本國朝鍾運泰修康熙辛未年刊本
章邱縣志　一部　五本國朝董復亨修
鄒平縣志　二部每部　二本國朝徐政修順治十七年刊本
鄒平縣志　二部每部　四本國朝程素期修康熙三十五年刊本
如皋縣志　一部　六本明李從龍修萬曆戊午年刊本
淄川縣志　一部　八本國朝王康修乾隆八年刊本
長山縣志　一部　二本國朝陳憲祖修康熙十三年刊本
長山縣志　一部　四本國朝孫衍修康熙五十五年刊本
新城縣志　一部　六本
新城縣志　一部　五本國朝崔懋修康熙癸酉年刊本
新城縣續志　一部　一本
齊河縣志　二部每部　四本國朝藍奮興修康熙十二年刊本
齊河縣志　一部　五本國朝程開業修乾隆元年刊本
齊東縣志　二部每部　六本國朝余爲霖修康熙乙丑年刊本
濟陽縣志　五部每部　二本國朝邢其藩解元才修順治己丑六年刊本
德州志　五部每部　四本國朝金祖彭修康熙十二年刊本
德平縣志　四部每部　四本國朝戴王縉修順治癸丑年刊本
禹城縣志　二部每部　三本國朝王表修康熙十二年刊本
臨邑縣志　三部每部　四本明邢桐修萬曆十九年刊本
平原縣志　一部　二本明張惠修萬曆庚寅年刊本
平原縣志　一部　四本國朝李懷祖修乾隆十三年刊本
陵縣志　二部每部　四本國朝史飏廷修康熙十二年刊本
長清縣志　四部每部　二本國朝岳之嶺修康熙十一年刊本
泰安縣志　一部　四本國朝林杭學修康熙八年刊本
東平州志　一部　六本明康海修嘉靖十四年刊本
東平州志　二部每部　六本國朝張聰修康熙十九年刊本
東阿縣志　一部　四本國朝劉沛先修康熙四年刊本

東阿縣志　二部每部　六本國朝鄭廷瑾修康熙五十四年刊本
平陰縣志　一部　六本國朝陳秉直修順治戊戌年刊本
萊蕪縣志　五部每部　五本國朝葉方恒修康熙十二年刊本
新泰縣志　四部每部　二本國朝宗之璠修康熙癸亥年刊本①
肥城縣志　四部每部　二本國朝尹任修康熙十一年刊本
陽信縣志　四部每部　四本國朝周虔材修康熙十一年刊本
海豐縣志　二部每部　二本國朝張爲仁修康熙庚戌年刊本
樂陵縣志　一部　五本國朝楊陛修順治庚子年刊本
濱州志　一部　四本明艾梅修萬曆十一年刊本
濱州志　三部每部　四本國朝楊容盛修康熙四十年刊本
利津縣志　一部　四本國朝韓文焜修康熙癸丑年刊本
利津縣志　二部每部　二本國朝韓文焜修康熙癸丑年刊本
蒲臺縣志　二部每部　二本明王爾彦修萬曆辛卯年刊本
蒲臺縣志　一部　二本國朝嚴曾業修康熙己巳年刊本
青城縣志　一部　二本國朝王儀修
商河縣志　一部　二本明王柏修萬曆十一年刊本
兖州府志　一部　六本國朝金一鳳修康熙六十一年刊本
滋陽縣志　二部每部　五本國朝李渿修康熙壬子年刊本
曲阜縣志　一部　三本
甯陽縣志　二部每部　三本乾隆八年刊本
鄒縣志　一部　四本國朝婁一鈞修康熙五十四年刊本
泗水縣志　二部每部　二本國朝盧應龍修康熙壬寅年刊本
滕縣志　二部每部　六本國朝金一鳳黄浚修康熙五十六五年刊本
嶧縣志　一部　六本國朝劉允恭修康熙乙丑年刊本
壽張縣志　一部　四本國朝滕永順修康熙五十六年刊本
汶上縣志　一部　二本明檀芳邃修萬曆戊申年刊本
汶上縣志　二部每部　四本
濟甯州志　三部每部　十本國朝廖有恒修康熙壬子年刊本
金鄉縣志　一部　六本國朝蔣陳錫修康熙五十一年刊本
嘉祥縣志　一部　四本國朝張太昇修順治九年刊本
魚臺縣志　二部每部　六本國朝馬得禎修康熙三十年刊本
沂州府志　一部　八本國朝邵士修康熙十三年刊本
郯城縣志　二部每部　四本國朝馮可參修康熙十二年刊本
莒州志　一部　二本國朝張文乾修康熙十一年刊本
莒州志　一部　四本國朝李方膺修雍正十一年刊本
沂水縣志　三部每部　二本國朝黄臚登修康熙十一年刊本

---

① 國圖藏本此條位於“平陰縣志”條下。

蒙陰縣志　三部每部　四本國朝劉德馨修康熙二十四年刊本
日照縣志　二部每部　五本國朝成永健修康熙五十四年刊本
曹州府志　一部　十本國朝佟企聖修康熙十三年刊本
曹縣志　一部　八本國朝郭通生修康熙五十五年刊本
曹縣志　一部　八本
濮州志　三部每部　六本國朝張實斗修康熙十一年刊本
范縣志　三部每部　三本國朝霍之琯修康熙十一年刊本
觀城縣志　一部　四本國朝沈璣修康熙十一年刊本
朝城縣志　二部每部　四本國朝祖植桐修康熙十二年刊本
鄆城縣志　二部每部　八本明米嘉穗修崇禎甲戌年刊本
鄆城縣志　二部每部　四本國朝張盛銘修康熙五十五年刊本
單縣志　一部　一本明夏維藩修隆慶三年刊本
單縣志　二部每部　八本國朝王傭修康熙五十六年刊本
城武縣志　一部　五本國朝劉佐照修康熙九年刊本
城武縣志　一部　六本國朝王國昌修康熙四十一年刊本
定陶縣志　一部　四本國朝趙國琳修順治十二年刊本
鉅野縣志　二部每部　五本明吕鵬雲修天啓三年寫本
鉅野縣志　一部　四本康熙四十七年刊本
東昌府志　三部每部　八本明楊光訓修萬曆庚子年刊本
聊城縣志　三部每部　四本國朝何一傑修康熙二年刊本
堂邑縣志　一部　三本國朝郭毓秀修順治丙戌年刊本
博平縣志　二部每部　五本國朝華汝梅修康熙三年刊本
茌平縣志　一部　四本國朝王晝一修康熙二年刊本
茌平縣志　二部每部　五本國朝孫克緒修康熙庚寅年刊本
清平縣志　一部　二本國朝王佐敬修康熙五十六年刊本
莘縣志　二部每部　四本國朝劉蕭修康熙五十六年刊本
冠縣志　一部　二本明杜華先修萬曆戊申年刊本
冠縣志　二部每部　二本明譚自省修萬曆已酉年刊本
館陶縣志　二部每部　四本國朝鄭先民修康熙十四年刊本
恩縣志　一部　四本明於慎行修萬曆已亥年刊本
恩縣志　一部　三本明於慎行修萬曆已亥年刊本
續恩縣志　一部　一本國朝陳學海修雍正元年刊本
高唐州志　二部每部　六本國朝龍圖躍修康熙五十一年刊本
臨清州志　一部　四本國朝於睿明修康熙十二年刊本
臨清州志　一部　十本國朝王俊修乾隆十四年刊本
武城縣志　二部每部　四本國朝方萬達修順治庚寅年刊本
武城縣志　一部　二本
夏津縣志　一部　五本乾隆六年修

邱縣志　一部　四本國朝張珽修康熙四年刊本
邱縣志　二部每部　四本國朝王輅修康熙雍正六年刊本
青州府志　二部每部　八本康熙六十年刊本
青州府志　一部　十二本國朝崔俊修康熙癸丑年刊本
益都縣志　三部每部　六本國朝陳食花修康熙十一年刊本
臨淄縣志　三部每部　四本國朝於玠修康熙十一年刊本
博興縣志　一部　二本國朝萬雲修康熙十二年刊本
博興縣志　二部每部　六本國朝李元偉修康熙六十年刊本
正續高苑縣志　一部　二本國朝宋弼古今譽修康熙壬子五十五年刊本
高苑縣志　二部每部　二本國朝沈荃修康熙丙辰年刊本①
樂安縣志　一部　五本明孟楠修萬曆癸卯年刊本
樂安縣志　二部每部　四本國朝李方膺修雍正十一年刊本
壽光縣志　一部　三本國朝劉有成修康熙三十七年刊本
昌樂縣志　三部每部　二本國朝賀基昌修康熙十一年刊本
臨朐縣志　三部每部　四本國朝尹所遴修康熙十一年刊本
安邱縣志　一部　八本明劉希孟修萬曆已丑年刊本
正續安邱縣志　一部　六本正明熊元修萬曆已丑年刊本
續國朝劉祚遠修康熙二年刊本
諸城縣志　二部每部　六本國朝卞穎修康熙十二年刊本
登州府志　三部每部　八本國朝任璿修康熙甲戌年刊本
續登州府志　二部每部　四本國朝永泰修乾隆七年刊本
蓬萊縣志　二部每部　四本康熙癸丑年刊本
黄縣志　一部　四本國朝李蕃修康熙癸丑年刊本
福山縣志　二部每部　五本國朝羅博修康熙十二年刊本
棲霞縣志　三部每部　四本國朝武國柱修康熙五十年刊本
招遠縣志　二部每部　四本國朝張鳳羽修順治十七年刊本
萊陽縣志　二部每部　四本國朝萬邦維修康熙十七年刊本
甯海州志　一部　一本國朝楊引祚修康熙壬子年刊本
文登縣志　一部　四本國朝王一夔修雍正三年刊本
海陽縣志　四部每部　五本國朝包桂修乾隆七年刊本
萊州府志　一部　八本
萊州府志　一部　八本國朝嚴肖禧修乾隆五年刊本
濰縣志　一部　五本國朝王珍修康熙十一年刊本
昌邑縣志　一部　二本國朝許全臨修康熙十一年刊本
昌邑縣志　二部每部　四本國朝周來邰修乾隆七年刊本
膠州志　二部每部　六本國朝孫蘊韜修康熙十二年刊本

① 國圖藏本此條位於“博興縣志”下。

高密縣志 一部 四本國朝唐允中修康熙四十九年刊本
即墨縣志 二部每部 二本明許鋌修萬曆七年刊本
太原府志 二部每部 十二本明閻廷芳修萬曆壬子年刊本
陽曲縣志 一部 八本國朝戴夢熊修康熙二十一年刊本
太原縣志 一部 四本國朝沈繼賢修雍正九年刊本
榆次縣志 二部每部 五本國朝錢之青褚鐵修乾隆年刊本
太谷縣志 一部 五本國朝喬允升修順治壬辰年刊本
太谷縣志 一部 四本國朝王廷贊修雍正七年刊本
祁縣志 一部 四本國朝郭霈①修康熙四十五年刊本
清源縣志 一部 二本國朝王灝儒修順治十八年刊本
交城縣志 一部 六本國朝洪璟修康熙四十八年刊本
岢嵐州志 一部 三本國朝何顯祖修康熙十一年刊本
嵐縣志 一部 二本國朝沈繼賢修雍正八年刊本
興縣志 一部 二本明朱學介修萬曆五年刊本
興縣志 一部 四本國朝程雲修雍正八年刊本
盂縣志 一部 四本國朝蔡璜修康熙己卯年刊本
壽陽縣志 一部 二本康熙十一年刊本
忻州志 一部 六本國朝竇容邃修乾隆十二年刊本
定襄縣志 一部 四本國朝王時炯修康熙五十一年刊本
五台縣志 一部 六本國朝楊鳴鶴修康熙二十六年刊本
河曲縣志 一部 二本明苗朝陽修明萬曆二十六年刊本
平陽府志 一部 十七本乾隆元年修
平陽府志 一部 十二本國朝張尚修順治乙酉年刊本
臨汾縣志 一部 八本雍正己酉年刊本
臨汾縣志 一部 三本國朝邢雲路修康熙癸丑年刊本
洪洞縣志 一部 八本國朝余世堂修雍正辛亥年刊本
浮山縣志 一部 六本國朝賈酉修乾隆九年刊本
鄉甯縣志 一部 二本國朝侯世爵修順治七年刊本
鄉甯縣志 一部 三本國朝焦守已修康熙十一年刊本
岳陽縣志 一部 四本國朝趙温修雍正十二年刊本
曲沃縣志 一部 四本國朝潘錦修康熙四十五年刊本
翼城縣志 一部 四本順治丁酉年刊本
翼城縣志 一部 六本國朝李居頤修乾隆二年刊本②
汾西縣志 一部 二本國朝蔣鳴龍修康熙十三年刊本

---

① 國圖藏本作“郭雨溥”三字。

② 國圖藏本“翼城縣志”以下八條順序爲“太平縣志”、“襄陵縣志”、“汾西縣志”、“霍州志”、“趙城縣志”、“榮河縣志”、“平陸縣志”、“絳縣志”。

榮河縣志　一部　二本國朝李長庚修康熙十二年刊本
太平縣志　一部　四本國朝劉崇元修雍正三年刊本
襄陵縣志　三部每部　四本明隆慶二年修國朝趙懋本續修刊本
霍州志　一部　四本國朝黃復生修康熙十二年刊本
趙城縣志　二部每部　四本國朝安錫祚修順治十二年刊本
平陸縣志　一部　四本國朝柴應辰修康熙十八年刊本
垣曲縣志　一部　四本國朝紀宏謨修康熙十一年刊本
絳縣志　一部　二本國朝趙士弘修順治十六年刊本
絳縣志[①]　一部　三本國朝劉顯第修康熙壬戌年刊本
隰州志　一部　三本國朝錢以塏修康熙四十八年刊本
大甯縣志　一部　四本
蒲縣志　一部　二本
潞安府志　二部每部　十本國朝楊晙修順治己亥年刊本
長治縣志　一部　八本國朝衛周祚修康熙癸丑年刊本
長子縣志　二部每部　五本國朝徐颬廷修康熙四十四年刊本
襄垣縣志　一部　六本國朝袁良修康熙四十五年刊本
潞城縣志　一部　四本國朝張士浩修康熙丙戌年刊本
平順縣志　一部　四本國朝杜之昂修康熙三十二年刊本
壺關縣志　一部　四本國朝章經修康熙二十年刊本
黎城縣志　一部　五本國朝崔起鳳修康熙壬戌年刊本
汾州府志　一部　六本明萬曆年修刊本
汾陽縣志　一部　八本
平遥縣志　一部　二本國朝陳以恂修康熙十二年刊本
沁州志　一部　八本國朝汪宗魯修康熙甲寅年刊本
沁州志　一部　十本國朝雷暢修乾隆六年刊本
沁源縣志　一部　四本國朝韓瑛修康熙五十二年刊本
澤州志　一部　六本明萬曆年修刊本
澤州府志　一部　十六本國朝朱樟修雍正十三年刊本
高平縣志　一部　四本國朝范繩祖修順治十五年刊本
陽城縣志　一部　六本國朝陳國珍修順治十六年刊本
陽城縣志　一部　八本國朝田六善修康熙二十六年刊本
陵川縣志　一部　六本國朝雷陽修順治五年刊本
沁水縣志　一部　六本國朝李瀚修康熙三十六年刊本
遼州志　一部　四本康熙十三年刊本
和順縣志　一部　四本國朝鄧憲璋修康熙十二年刊本
榆社縣志　一部　四本

① 國圖藏本作“絳州志”。

雲中郡志　三部每部　八本國朝胡文爗修順治九年刊本
渾源州志　二部每部　二本國朝張崇德修孫志辛丑年刊本
國朝鄧源濂修康熙壬寅年刊本
應州志　一部　二本明田蕙修萬曆己亥年刊本
應州志　一部　三本國朝蕭綱修雍正四年刊本
陽高縣志　一部　四本國朝房裔蘭修雍正七年刊本
天鎮縣志　一部　四本國朝胡元朗修乾隆四年刊本
廣靈县志　一部　二本国朝李焕斗修康熙乙丑年刊本
靈邱縣志　一部　二本
靈邱縣志　一部　四本國朝陳超鳳修順治庚子年刊本
朔平府志　二部每部　十本國朝劉士銘修雍正十一年刊本
馬邑縣志　二部每部　四本國朝秦擴修康熙四十一年刊本
馬邑縣志　一部　二本明宋子質修萬曆三十六年
開封府志　三部每部　八本國朝管竭忠修康熙三十四年刊本
儀封縣志　一部　四本國朝朱弘士修康熙辛未年刊本
河陰縣志　一部　四本國朝申奇彩修康熙三十年刊本
祥符縣志　一部　十二本國朝張淑載修乾隆四年刊本
正續蘭陽志　一部　八本國朝申奇彩修康熙三十四年刊本
陳留縣志　一部　四本康熙三十年刊本
杞縣志　一部　八本國朝沈青崖修乾隆十二年刊本
通許縣志　一部　四本國朝王應珮修雍正六年刊本
尉氏縣志　一部　三本國朝高桂修順治十五年刊本
鄢陵縣志　二部每部　五本國朝經起鵬修順治己亥年刊本
洧州縣志　一部　四本國朝張世綬修康熙三十一年刊本
中牟縣志　一部　二本明段燿然修天啓丙寅年刊本
中牟縣志　一部　四本國朝吴彦芳修順治十六年刊本
鄭州志　一部　四本國朝何錫爵修康熙癸酉年刊本
滎陽縣志　一部　四本國朝孟登雲修順治十五年刊本
滎陽縣志　二部每部　六本國朝李煦修乾隆十一年刊本
滎澤縣志　二部　四本國朝王畹修康熙三十四年刊本乾隆十一年刊本
古汜城志　二部每部　四本國朝劉青芝修乾隆四年刊本
汜水縣志　一部　四本國朝吴興儔修順治十六年刊本
汜水縣志　一部　八本國朝許勉燉修乾隆九年刊本
禹州志　一部　十二本國朝戴廷恂修乾隆十三年刊本
禹州志　一部　四本國朝孟希舜修順治十五年刊本
密縣志　一部　四本國朝袁良怡修康熙三十四年刊本
新鄭縣志　二部每部　四本國朝朱廷獻修康熙三十三年刊本
陳州府志　一部　二十本國朝崔應階修乾隆十一年刊本

陳州府志　二部每部　四本國朝王清彦修康熙三十年刊本
淮甯縣志　一部　四本國朝莫爾漼修康熙九年刊本
商水縣志　一部　八本國朝郭天煕修乾隆十二年刊本
西華縣志　二部每部　三本國朝王敬民修順治己亥年刊本
項城縣志　一部　二本國朝李芳春修順治十五年刊本
項城縣志　一部　六本國朝張爲旦修乾隆十一年刊本
沈邱縣志　三部每部　四本國朝李芳春修順治十五年刊本
太康縣志　一部　四本國朝章履咸修乾隆二十九年刊本
扶溝縣志　一部　四本國朝楊在陛修順治壬辰年刊本
許州志　一部　八本國朝胡良弼修乾隆五年刊本
許州志　一部　十二本國朝甄汝舟修乾隆十年刊本
臨穎縣志　一部　六本國朝劉沅修乾隆乙丑年刊本
襄城縣志　一部　五本國朝劉沅修乾隆乙丑年刊本
襄城縣志　一部　十本國朝汪運正修乾隆十年刊本
郾城縣志　二部每部　四本國朝趙作霖修乾隆十年刊本
郾城縣志　一部　八本
長葛縣續志　二部每部　四本國朝阮景咸修乾隆十二年刊本
歸德府志　三部每部　十本國朝宋國榮修順治庚子年刊本
商邱縣志　一部　六本康熙四十四年刊本
甯陵縣志　一部　四本國朝王圖盗修康熙三十二年刊本
鹿邑縣志　一部　四本康熙三十一年刊本
夏邑縣志　一部　五本國朝方士權修康熙丁丑年刊本
永城縣志　一部　四本國朝耿晋光修康熙卅六年刊本
虞城縣志　二部每部　四本國朝蔣光祖修乾隆八年刊本
睢州志　一部　四本國朝馬世英修康熙癸酉年刊本
考城縣志　一部　四本國朝王貫三修康熙三十七年刊本
柘城縣志　一部　四本康熙三十八年刊本
彰德府續志　二部每部　三本明郭樸修萬曆辛巳年刊本
彰德府志　一部　四本國朝侯爾東修順治十六年刊本
彰德府志　一部　十本國朝湯傳楷修康熙三十五年刊本
彰德府志　一部　十二本國朝陳錫輅修乾隆六年刊本
安陽縣志　一部　四本國朝馬國正修康熙三十二年刊本
安陽縣志　一部　十本國朝陳錫輅修乾隆三年刊本
湯陰縣志　二部每部　四本國朝楊世達修乾隆三年刊本
臨漳縣志　一部　六本雍正元年刊本
林縣志　一部　六本國朝王玉麟修康熙三十三年刊本
内黄縣志　一部　六本乾隆四年刊本
武安縣志　一部　八本國朝黄之孝修康熙五十年刊本

武安縣志　一部　六本國朝蔣光祖修乾隆四年刊本
涉縣志　一部　四本國朝黃澤修康熙五十三年刊本
衛輝府志　三部每部　六本國朝胡蔚光修順治十五年刊本
汲縣志　二部每部　六本國朝佟國瑞修康熙年刊本
新鄉縣續志　一部　六本國朝任昌期修康熙癸酉年刊本
新鄉縣志　一部　六本
獲嘉縣志　一部　四本國朝金雲鳳修康熙二十六年刊本
淇縣志　一部　二本國朝白龍躍修順治十七年刊本
輝縣志　一部　四本國朝滑彬修康熙廿九年刊本
延津縣志　一部　四本國朝余心孺等修康熙四十一年刊本
胙城縣志　一部　二本順治十六年刊本
濬縣志　一部　四本國朝劉德新修康熙十八年刊本
滑縣志　二部每部　十本順治甲午年刊本
封邱縣志　一部　五本國朝余縉修順治十六年刊本
懷慶府志　一部　二本明朱黨修嘉靖丙寅年刊本
懷慶府志　一部　六本國朝蕭家芝修順治庚子年刊本
河内縣志　一部　五本康熙三十二年刊本
原武縣志　二部每部　四本國朝甯弘舒修順治十五年刊本
原武縣志　一部　五本國朝吴文昕修乾隆十二年刊本
修武縣志　一部　四本國朝邊爆修康熙三十四年刊本
武陟縣志　一部　一本明李日茂修萬曆辛卯年刊本
武陟縣志　一部　四本國朝王化鶴修康熙庚午年刊本
孟縣志　一部　六本國朝張之紀修康熙乙亥年刊本
温縣志　一部　二本明張第修萬曆五年刊本
温縣志　一部　二本國朝吴國用修順治十五年刊本
温縣志　一部　六本國朝江景瑞修康熙四十一年刊本
陽武縣志　二部每部　六本國朝朱繡修乾隆十年刊本
河南府志　一部　十二本順治十八年刊本
河南府志　一部　十六本國朝張聖業修康熙三十四年刊本
洛陽府志　一部　二十一本國朝龔崧林修乾隆十年刊本
偃師縣志　一部　八本國朝朱乾隆十一年刊本
孟津縣志　一部　四本國朝徐元燦修康熙己丑年刊本
宜陽縣志　一部　四本國朝楚元士修乾隆十二年刊本
登封縣志　一部　四本國朝張聖誥修康熙三十五年刊本
永甯縣志　一部　四本國朝單履咸修乾隆十二年刊本
新安縣志　一部　四本國朝夏作煥修康熙壬申年刊本
新安縣志　一部　六本國朝韓佑唐修康熙辛未年刊本
澠池縣志　一部　三本國朝鄧珙棻修康熙辛亥年刊本

嵩縣志　一部　四本國朝李滋修康熙癸酉年刊本
陝州志　一部　二本國朝吴士英修順治十五年刊本
陝州志　一部　十二本國朝龔松林修康熙三十三年刊本
靈寶縣志　一部　二本國朝梁儒修順治十四年刊本
靈寶縣志　一部　四本國朝霍濬源修康熙二十九年刊本
閿鄉縣志　一部　二本國朝賈漢復修順治十六年刊本
閿鄉縣志　二部每部　八本國朝龔崧林修乾隆十二年刊本
盧氏縣志　一部　四本國朝謝任麟修康熙三十三年刊本
南陽府志　一部　六本國朝徐騰茂修順治十五年刊本
南陽府志　一部　十本國朝朱璘修康熙甲戌年刊本
南召縣志　一部　四本國朝任應烈修乾隆十二年刊本
鎮平縣志　一部　三本國朝張琮修康熙三十四年刊本
泌陽縣志　一部　二本國朝程一千修康熙五十三年刊本
桐柏縣志　一部　一本國朝高士鐸修康熙乙亥年刊本
内鄉縣志　一部　五本國朝竇鼎望修康熙三十二年刊本
新野縣志　一部　四本國朝武國樞修康熙五十一年刊本
裕州志　一部　二本國朝宋名立修乾隆五年刊本
舞陽縣志　一部　二本國朝張藎修順治十五年刊本
舞陽縣志　一部　四本國朝丁永珙修乾隆十年刊本
葉縣志　一部　六本國朝石其灝修乾隆丙寅年刊本
汝寍府志　三部每部　十六本國朝張瑞徽修康熙元年刊本
汝甯府志　一部　二十本[①]
汝陽縣志　一部　八本國朝邱天英修康熙二十九年刊本
正陽縣志　一部　四本國朝安圻修康熙二十五年刊本
上蔡縣志　一部　八本國朝張希良修康熙二十九年刊本
新蔡縣志　一部　六本國朝吕民服修康熙三十三年刊本
西平縣志　二部每部　四本國朝李弘植修康熙三十年刊本
遂平縣志　一部　二本國朝張鼎新修順治六年刊本
確山縣志　一部　四本國朝周三瑚修順治十年刊本
信陽州志　一部　八本國朝馮原修乾隆十四年刊本
羅山縣志　一部　六本國朝葛荃修乾隆九年刊本
光州志　一部　四本國朝繆發修康熙三十一年刊本[②]
光山縣志　一部　四本順治己亥年刊本
固始縣志　一部　六本國朝楊汝楫修康熙三十二年刊本
固始縣續志　一部　四本國朝李汝彬修乾隆十年刊本

---

① 國圖藏本此條下屬第二册。
② 國圖藏本此條下有“光州志一部六本”。

息縣志正續　一部　五本正四本國朝邵光胤修順治十五年刊本
續一本國朝蔣彪修康熙卅二年刊本
商城縣志　一部　四本國朝許全修康熙二十九年刊本
汝州志　二部每部　十二本國朝王登魁修康熙三十四年刊本
汝州續志　一部　七本乾隆八年刊本
魯山縣志　二部每部　四本國朝王雍修康熙三十三年刊本
郟縣志　一部　五本國朝金世純修康熙三十三年刊本
寶豐縣志　一部　五本國朝馬格修乾隆八年刊本
伊陽縣志　一部　三本國朝謝夢弼修乾隆三十三年刊本
長安縣志　二部每部　二本明馮從吾修萬曆乙卯年刊本
咸甯縣志　一部　六本國朝鄭邦相修康熙六年刊本
咸甯縣志　二部每部　四本國朝黄家鼎修康熙七年刊本
咸陽縣志　一部　二本國朝張枚修康熙四十四年刊本
興平縣志　二部每部　四本國朝趙廷亮修乾隆元年刊本
臨潼縣志　一部　一本國朝馬良史修順治辛丑年刊本
臨潼縣志　一部　四本國朝趙於京修
高陵縣志　一部　四本國朝丁應松修雍正十年刊本
鄠縣志　一部　六本國朝康汝璉修康熙二十一年刊本
藍田縣志　二部每部　四本國朝李元昇修雍正八年刊本
涇陽縣志　一部　六本國朝王際有修康熙九年刊本
涇陽縣志　二部每部　四本國朝王際有修康熙庚戌年刊本
三原縣志　一部　四本明朱昱修成化辛丑年刊本
三原縣志　一部　五本康熙四十四年刊本
盩厔縣志　一部　四本國朝周儒修乾隆十四年刊本
渭南縣志　二部每部　六本國朝尚九遷修順治十三年刊本
渭南縣志　一部　八本國朝尚九遷修順勢十三年刊本
富平縣志　一部　五本國朝喬履信修乾隆五年刊本
醴泉縣志　一部　三本明着海東修崇禎戊寅年刊本
醴泉縣志　一部　六本國朝裘陳珮修康熙三十八年刊本
同官縣志　一部　二本明冦慎修萬曆戊午年刊本
商州志　一部　二本國朝唐慶曾修乾隆甲子年刊本
鎮安縣志　一部　一本國朝武淮渚修雍正四年刊本
同州志　一部　四本明張一英修天啓五年刊本
大荔縣志　一部　四本國朝沈應俞修乾隆七年刊本
朝邑縣志　一部　六本正統乙卯年刊本
朝邑縣志　一部　二本明王學謨修萬曆甲申年刊本
郃陽縣志　二部每部　二本明王學謨修萬曆壬辰年刊本
澄城縣志　一部　二本順治六年刊本

韓城縣志　一部　三本國朝康行僴修康熙四十二年刊本
白水縣志　三部每部　二本國朝王永命修順治四年刊本
華州志　二部每部　四本明李可久修隆慶六年刊本
華陰縣志　一部　二本明王九疇修萬曆甲寅年刊本
蒲城縣志　一部　二本國朝鄧永芳修康熙丙午年刊本
蒲城縣志　二部每部　四本國朝汪元仕修康熙五十三年刊本
乾州新志　一部　二本明楊殿元修崇禎癸酉年刊本
乾州志　一部　三本康熙年刊本
乾州志　一部　四本乾隆三年刊本
武功縣志　一部　二本明康海修正德十四年刊本
武功縣志　一部　四本國朝沈華修雍正十一年刊本
武功續志　一部　二本國朝張文熙修康熙元年刊本
永壽縣志　一部　一本國朝張焜修康熙戊申年刊本
邠州志　三部每部　二本順治庚寅年閻奉恩修萬曆己亥年楊延裕修
三水縣志　一部　二本國朝林逢泰修康熙丁巳年刊本
淯化縣志　一部　二本明羅廷繡修隆慶四年刊本
淯化縣志　一部　四本國朝羅廷繡修康熙四十一年刊本
長武縣志　一部　二本國朝張純儒修康熙丙申年刊本
鳳翔府志　一部　四本國朝朱琦修康熙四十九年刊本
鳳翔縣志　二部每部　六本康熙三十三年武之亭修雍正十一年韓鏞修
岐山縣志　一部　二本明於邦棟修萬曆十八年刊本
寶雞縣志　二部每部　一本明黨崇雅修崇禎庚辰年刊本
扶風縣志　一部　三本明宋之傑修崇禎十二年刊本
扶風縣志　一部　四本國朝孫爾玉等修雍正九年刊本
郿志　一部　三本國朝張素修雍正十一年刊本
郿縣志　一部　五本明李維楨修萬曆乙巳年刊本
麟遊縣志　一部　二本國朝程雲翼修順治丁酉年刊本
研陽縣志[①]　一部　二本國朝郭亮修順治壬辰年刊本
隴州志　一部　四本國朝羅彰彝修康熙五十二年刊本
漢中府志　一部　十二本
又[②]　一部　六本國朝馮達道修順治丙申年刊本
城固縣志　一部　四本
又　一部　一本明楊守正修嘉靖年刊本
洋縣志　一部　四本康熙三十三年刊本
西鄉縣志　一部　十本國朝王穆修康熙五十七年刊本

---

① 國圖藏本作“汧陽縣志”。

② 國圖藏本“又”皆寫書名全稱。

沔縣志　一部　一本國朝錢兆沅修康熙四十九年刊本
略陽縣志　一部　二本國朝范昉修雍正辛亥年刊本
興安州志　一部　四本
洵陽縣志　一部　二本國朝渠陽葉修雍正辛亥年刊本
延綏鎮志　一部　八本國朝譚吉璁修康熙十二年刊本
延安府志　一部　十本國朝吴禮修康熙四十三年刊本
靖邊縣志　一部　一本國朝郭允升修康熙二十二年刊本
鄜州志　二部每部　五本國朝顧耿臣修康熙五年刊本
洛川縣志　二部每部　二本國朝李楷修康熙辛丑刻本
綏德州志　一部　二本國朝王元士修順治辛丑年刊本
米脂縣志　二部每部　二本國朝白乃貞修康熙二十年刊本
清澗縣志　三部每部　二本國朝廖元發修順治十八年刊本
懷遠縣志　一部　二本國朝蘇其炤修乾隆十三年刊本
蘭州府志　一部　八本國朝高錫爵修康熙丁卯年刊本
皋蘭志書　一部　二本國朝陳如稷修康熙二十五年刊本
金縣志　一部　一本國朝耿喻修康熙丁卯年刊本
狄道州志　一部　二本國朝李觀我修康熙戊辰年刊本
又　一部　一本
渭源縣志　一部　一本
靖遠衛志　一部　六本康熙四十八年刊本
河州志　一部　一本國朝王全臣修康熙四十六年刊本
五涼全志　武威鎮番永昌古浪平番　一部　五本國朝張之竣修乾隆十四年刊本
平涼府志　二部每部　十本明趙時春修嘉靖庚申年刊本
涼鎮志　一部　四本國朝蘇銑修順治丁酉年刊本
靜寧州志　一部　四本國朝王烜修乾隆十一年刊本
隆德縣志　一部　二本康熙二年刊本國朝劉灡修
固原州志　二部每部　二本明劉敏寬修萬曆四十四年刊本
崇信縣志　一部　一本國朝於元煜修
鎮原縣志　一部　二本國朝錢志彤修康熙五十四年刊本
靈臺縣志　二部每部　二本國朝黄居中修順治十五年刊本
隴西縣志　一部　六本國朝劉於義修雍正十二年刊本
安定州志　一部　二本國朝吴�修雍正八年刊本
甯遠縣志　一部　二本國朝湯同憲修康熙四十八年刊本
伏羌縣志　一部　四本國朝鞏建豐修乾隆十三年刊本
又　一部　一本國朝汪文煜修康熙二十六年刊本
西和縣志　一部　一本國朝王殿元修康熙二十六年刊本
岷州衛志　二部每部　一本國朝黄鍾修康熙二十六年刊本
岷州志　一部　六本國朝田而穟修康熙四十一年刊本

洮州衛志　二部每部　一本國朝吴壘修康熙二十六年刊本
階州志　一部　一本國朝祖肇慶修康熙二十六年刊本
又　一部　二本國朝陳勳修乾隆元年刊本
文縣志　一部　四本
成縣志　一部　一本國朝楊德修康熙二十六年刊本
成縣新志　一部　四本國朝黄泳修乾隆六年刊本
清水縣志　一部　三本國朝劉俊聲修康熙二十六年刊本
禮縣志　一部　一本國朝董興國修雍正六年刊本
又　一部　一本國朝王榆善修康熙二十六年刊本
兩當縣志　一部　一本國朝武國棟修康熙二十六年刊本
西甯府志　一部　十二本國朝楊應琚修乾隆十二年刊本
朔方新志　三部每部　五本明楊壽修萬曆五年刊本
甘鎮志　二部每部　四本國朝楊春茂修順治丁酉年刊本
肅鎮志　一部　四本明李應魁修萬曆四十四年刊本
肅州新志　一部　十一本國朝黄文煒修乾隆二年刊本
清浪衛志　一部　一本國朝朱龢修康熙二十三年刊本
福州府志　一部　二十本明林烴修萬曆癸丑年刊本
連江縣志　一部　十二本國朝戚弢言修乾隆五年刊本①
羅源縣志　一部　三本康熙六十一年刊本
永福縣志　一部　二本明謝肇淛修万历壬子刊本
又　一部　四本國朝俞荔修乾隆十三年刊本②
福清縣志　一部　十二本國朝邵應龍修乾隆丁卯年刊本
又　二部每部　六本國朝李傳甲修康熙十一年刊本
泉州府志　二部每部　十本明陽思謙修萬曆壬子年刊本
南安縣志　一部　六本國朝劉佑修康熙十一年刊本
惠安縣志　一部　二本明張岳修嘉靖庚寅年刊本
又　一部　一本明張岳修嘉靖庚寅年抄本
安溪縣志　一部　四本明謝宸荃修康熙十二年刊本
建甯府志　一部　二十本國朝張琦等修康熙癸丑年刊本
建安縣志　二部每部　四本國朝崔銑修康熙五十二年刊本
甌甯縣志　一部　六本國朝鄧其文修康熙三十二年刊本
浦城縣志　一部　六本國朝李葆貞修順治庚寅年刊本
又　一部　八本國朝李藩修乾隆癸酉年刊本
政和縣志　二部每部　二本明車鳴時修萬曆二十七年刊本
松溪縣志　一部　四本康熙三十九年刊本國朝張伸修

① 國圖藏本此條下有"連江縣志一部二本明謝肇淛修萬曆壬子刊本"。
② 國圖藏本無此條。

延平府志　一部　十二本國朝宋杞修順治庚子年刊本
南平縣志　一部　六本康熙五十八年刊本
將樂縣志　一部　四本國朝陳仕禎修順治甲午年刊本
沙縣志　一部　十本國朝范光陽修康熙辛巳年刊本
尤溪縣志　一部　四本國朝劉宗樞修康熙五十年刊本
順昌縣志　一部　五本國朝郭鍈修康熙四十八年刊本
永安縣志　一部　四本國朝陳廷樞修順治九年刊本
又　一部　二本明葉春及修萬曆丙戌年刊本
又　一部　三本國朝陳廷樞修順治九年刊本
汀州府志　一部　四本
上杭縣志　二部每部　五本國朝蔣廷銓修康熙二十六年刊本
武平縣志　一部　二本康熙三十八年刊本
清流縣志　一部　五本國朝王廷掄修康熙四十一年刊本
連城縣志　一部　四本國朝杜士晋修康熙六年刊本
歸化縣志　一部　四本國朝湯傳榘修康熙三十七年刊本
永定縣志　二部每部　四本國朝熊興麟修康熙十二年刊本
莆田縣志　一部　十二本國朝金世榮修康熙四十四年刊本
仙遊縣志　一部　八本國朝盧學僑修康熙己酉年刊本
又　一部　十六本國朝唐思榘修乾隆十四年刊本
邵武府志　二部每部　四本明韓國藩魯史修萬曆丁未年刊本
又　一部　十二本國朝汪麗日修康熙庚戌年刊本
光澤縣志　一部　五本國朝金鳴鳳修康熙三十三年刊本
泰甯縣志　一部　二本國朝洪濟修康熙十年刊本
建甯縣志　二部每部　四本國朝柳文標修康熙壬子年刊本
建甯縣續志　一部　二本國朝魏靈徵修康熙十一年刊本
漳州府志　一部　廿一本康熙甲午年刊本
龍溪縣志　一部　五本康熙五十六年刊本
又　一部　三本鈔本
同安縣志　一部　八本國朝葉心朝修康熙癸巳年刊本
漳浦縣志　二部每部　八本國朝陳汝咸修康熙三十九年刊本
南靖縣志　一部　四本國朝姚循義修乾隆八年刊本
長泰縣志　二部每部　三本國朝王玨修康熙二十六年刊本
平和縣志　一部　六本國朝李秉衡修康熙戊戌年刊本
又　一部　一本國朝金鏞修康熙壬戌年刊本
海澄縣志　一部　四本國朝李敬之修康熙癸酉年刊本
詔安縣志　二部每部　四本國朝秦炯修康熙辛未年刊本
福甯州志　一部　十本明殷之輅修隆慶二年刊本
福安縣志　一部　四本明陵心載修崇禎十一年刊本

甯德縣志　一部　四本明舒應卯修萬曆辛卯年刊本
壽甯縣志　一部　二本國朝王錫卣修康熙二十五年刊本
永春州志　一部　六本
又　一部　四本國朝鄭功勳修康熙二十三年刊本
大田縣志　二部每部　四本國朝葉振甲修康熙二十四年刊本
龍巖州志　一部　四本國朝江藻修康熙廿八年刊本
又　一部　十本乾隆戊午年刊本
漳平縣志　一部　四本國朝查繼純修康熙廿二年刊本
甯洋縣志　二部每部　三本國朝沈荃修康熙廿二年刊本
錢塘縣志　一部　十本國朝魏嵲修康熙戊戌年刊本
富陽縣志　二部每部　八本國朝牛奐修康熙十二年刊本
嘉興府志　一部　十本明劉應鈳修萬曆年刊本
又　一部　二十本國朝吴永芳修康熙六十年刊本
嘉興縣志　一部　八本國朝何鋕修康熙廿四年刊本
又　一部　十本
秀水縣志　二部每部　八本國朝王廳修康熙廿四年刊本
嘉善縣志　一部　八本國朝楊廉修康熙十四年刊本
又　一部　六本國朝莫大勳修康熙十六年刊本
又　一部　四本國朝戈鳴岐修雍正十一年刊本
海鹽縣志　一部　十一本國朝王如珪修乾隆十二年刊本
又　一部　六本明樊維城修天啓二年刊本
又　一部　八本國朝王如珪修乾隆十二年刊本
海鹽縣圖經　一部　五本國朝陳世倕修乾隆十二年刊本
石門縣志　二部每部　五本國朝鄺世培修康熙十五年刊本
平湖縣志　二部每部　八本國朝高國楹修乾隆十年刊本
桐鄉縣志　二部每部　五本國朝徐秉元修康熙戊子年刊本
湖州府志　一部　二十四本國朝程量修順治六年刊本
又　一部　六本
烏程縣志　二部每部　六本乾隆十一年刊本
歸安縣志　一部　四本康熙癸丑年刊本
長興縣志　二部每部　十二本國朝譚肇基修乾隆十四年刊本
德清縣志　三部每部　四本國朝侯元棐修康熙癸丑年刊本
安吉州志　二部每部　八本國朝劉薊植修乾隆十四年刊本
孝豐縣志　二部每部　五本國朝王弘仁修康熙十二年刊本
甯波府志　三部每部　十六本明張時轍修嘉靖卅九年刊本
奉化縣志　一部　八本明王英修嘉靖十一年刊本
慈溪縣志　一部　六本明李逢甲修天啓甲子年刊本
定海志　一部　六本國朝繆燧修康熙五十四年刊本

山陰縣志　一部　二本明劉以守修崇禎庚午年刊本
餘姚縣志　一部　四本
嵊縣志　一部　四本國朝張逢修康熙辛亥年刊本
臨海縣志　三部每部　八本國朝洪若臯修康熙廿二年刊本
黄巖縣志　二部每部　八本國朝劉寬修康熙己卯年刊本
又　一部　二本明汪道昆修萬曆己卯年刊本
赤城新志　一部　四本明謝鐸修弘治廿年刊本
赤城新舊志　一部　六本宋陳耆卿修
天台縣志　一部　七本國朝郭維垣修康熙甲子年刊本
仙居縣志　二部每部　五本國朝鄭録勳修康熙十七年刊本
甯海縣志　二部每部　八本國朝崔秉競修康熙戊午年刊本
太平縣志　一部　二本明王度修嘉靖十九年刊本
又　二部每部　三本國朝曹文珽修康熙二十二年刊本
金華府志　一部　十二本國朝張藎修康熙廿二年刊本
蘭谿縣志　一部　四本明萬曆年刊本
衢州府志　一部　十本明林應翔修天啓二年刊本
江山縣志　二部每部　八本國朝汪浩修康熙五十二年刊本
嚴州府志　一部　十三本國朝錢廣居修順治六年刊本
遂安縣志　一部　四本國朝劉從龍修康熙十二年刊本
分水縣志　一部　二本國朝任鳳厚修康熙廿二年刊本
永嘉縣志　三部每部　四本國朝趙藩等修康熙廿一年刊本
瑞安縣志　二部每部　八本國朝陳永清修乾隆十四年刊本
樂清縣志　二部每部　二本國朝徐化民修康熙廿四年刊本
平陽縣志　一部　四本國朝吕弘浩修康熙卅三年刊本
泰順縣志　二部每部　四本國朝朱廷琦修雍正己酉年刊本
又　一部　二本
處州府志　二部每部　十六本國朝曹掄彬修雍正十一年刊本
慶元縣志　二部每部　二本國朝程維伊修康熙十一年刊本
雲和縣志　一部　二本
景甯州志　二部每部　四本國朝李應機修雍正十三年刊本
南昌郡乘　一部　十六本國朝張朝璘修康熙二年刊本
南昌縣志　一部　廿本國朝顧錫鬯等修乾隆辛未年刊本
進賢縣志　一部　十本國朝聶當世修康熙十二年刊本
奉新縣志　一部　八本國朝孫佘潮修乾隆十五年刊本
靖安縣志　一部　二本國朝高克藩修康熙卅二年
武甯縣志　一部　四本國朝廖科齡修雍正三年刊本
饒州府志　二部每部　十二本國朝王澤洪修康熙壬子年刊本
鄱陽縣志　一部　六本國朝黄家遴修康熙廿二年刊本

又　一部　十二本國朝黄登穀修乾隆十四年刊本
萬年縣志　一部　四本國朝王萬鑑修康熙戊年刊本
餘干縣志　二部每部　四本國朝黄家遴修康熙廿三年刊本
浮梁縣志　一部　八本國朝沈嘉徵修乾隆四年刊本
德興縣志　一部　五本國朝韓世俊修康熙廿三年刊本
安仁縣志　一部　八本國朝刁鵬斗修乾隆十六年刊本
廣信府志　一部　二十本國朝周悎元修康熙五十二年刊本
上饒縣志　一部　六本國朝馬之驦修康熙甲子刊本
又　一部　八本國朝汪文林修乾隆九年刊本
玉山縣志　一部　四本國朝唐世徵修康熙十年刊本
又　一部　四本國朝魯士贊修康熙廿一年刊本
弋陽縣志　一部　五本國朝譚瑄修康熙廿二年刊本
貴溪縣志　一部　七本
鉛山縣志　一部　六本國朝潘士瑞修康熙廿二年
又　一部　十本國朝鄭之僑修乾隆八年刊本
興安縣志　一部　四本
南康府志　三部每部　六本國朝廖文英修康熙十二年刊本
都昌縣志　一部　六本國朝康烈修康熙廿五年刊本
安義縣志　一部　四本國朝陳瑋[1]修康熙十二年刊本
九江府志　一部　十四本國朝江殷修康熙十二年刊本
德化縣志　一部　十本國朝魯鼎梅修乾隆十一年刊本
又　一部　四本國朝范正輅修康熙廿六年刊本
又　一部　五本國朝胡宗虞修抄本
德安縣志　一部　三本國朝馬璐修康熙丙申刻本
瑞昌縣志　二部每部　四本國朝江皋修康熙十三年刊本
湖口縣志　一部　六本國朝范之煥修康熙十一年刊本
彭澤縣志　一部　四本國朝王廷藩修康熙廿二年刊本
建昌府志　一部　十六年康熙癸丑年刊本
又　一部　十五本國朝高天爵修康熙癸丑年刊本
南城縣志　一部　八本國朝姚瀚修康熙庚申刊本
新城縣志　一部　十二本國朝乾隆十六年刊本
又　一部　六本乾隆十六年刊本
瀘溪縣志　一部　七本國朝李如瑤修雍正九年刊本
又　一部　五本國朝佘履度修康熙十二年
又　一部　八本國朝朱崧修乾隆十六年刊本
撫州府志　一部　廿四本國朝羅復晋修雍正七年刊本

---

① 國圖藏本"瑋"作"瑋"。

宜黄縣志　一部　四本國朝尤稺章修康熙三年刊本
崇仁縣志　一部　五本國朝陳潛修康熙十二年刊本
樂安縣志　一部　五本
東鄉縣志　一部　三本國朝朱旋修康熙五十六年刊本
臨江府志　二部每部　六本國朝施潤章修康熙丁未年刊本
清江縣志　一部　五本明秦鏞修崇禎壬午年刊本
又　一部　四本明秦鏞修崇禎壬午年刊本
新淦縣志　一部　六本國朝李煥年修康熙己丑年刊本
新喻縣志　一部　六本國朝符執桓修康熙癸丑年刊本
峽江縣志　二部每部　二本國朝佟國才修康熙己酉年刊本
瑞州府志　一部　十本明崇禎元年刊本
高安縣志　一部　十一本國朝張文旦修康熙十一年刊本①
新昌縣志　二部每部　六本國朝黄運啓修康熙四十八年刊本
又　一部　三本國朝吕正音修康熙辛亥年刊本
上高縣志　二部每部　八本國朝劉啓泰修康熙癸丑年刊本
袁州府志　二部每部　十六本國朝麻勒吉修康熙丁未年刊本
宜春縣志　一部　十本國朝王光烈修康熙四十七年刊本
分宜縣志　二部每部　四本國朝蔡文鷟修康熙癸亥年刊本
萍鄉縣志　一部　四本國朝尚崇年修康熙癸亥年刊本
萬載縣志　一部　十二本雍正十一年刊本
吉安府志　一部　十二本國朝李兵元修順治十七年刊本
廬陵縣志　一部　十本國朝陸在新修康熙廿八年刊本
永豐縣志　一部　五本康熙元年刊本
又　二部每部　六本國朝陸湄修康熙甲子年刊本
龍泉縣志　一部　二本國朝康奇勛修康熙癸亥年刊本
萬安縣志　一部　四本國朝黄圖昌修康熙乙巳年刊本
永新縣志　一部　八本國朝王瀚修乾隆十一年刊本
永甯縣志　一部　二本國朝賴能發修乾隆十五年刊本
贛州府志　二部每部　十二本順治十七年刊本
贛州府續志　一部　四本國朝吴本立修康熙廿三年刊本
贛縣志　二部每部　四本國朝劉瀚芳修康熙廿三年刊本
雩都縣志　一部　四本國朝盧振先修康熙四十七年刊本
信豐縣志　三部每部　四本國朝張瀚修康熙五十八年刊本
興國縣志　一部　八本國朝郭蔚修乾隆辛未年刊本
會昌縣志　一部　十二本國朝戴體仁修乾隆十五年刊本
又　二部每部　四本國朝賈還樸修康熙乙卯年刊本

① 國圖藏本此條之後爲另一字體,當爲不同抄手書寫。

安遠縣志　一部　四本國朝劉爲先修康熙廿二年刊本

又　二部每部　二本萬曆年刊本

長甯縣志　一部　二本國朝文安井廞修康熙四十八年刊本

龍南縣志　一部　四本康熙四十八年刊本國朝徐士敬修

又　一部　八本國朝闞朝柱修乾隆十五年刊本

定南志　一部　三本明章瑩修萬曆十二年刊本

甯都縣志　二部每部　三本明胡祥鸞修萬曆九年刊本

又　一部　六本國朝鄭昌齡修康熙廿年刊本①

上猶縣志　一部　抄本一本

石城縣志　一部　四本國朝李琰修康熙十一年刊本

又　二部每部　二本②

又　一部　六本國朝劉飛熊修乾隆十年刊本③

南安府志　一部　八本康熙十二年抄本

又　一部　八本國朝遲維璽修康熙四十九年刊本

崇義縣志　二部每部　一本國朝王璧修康熙廿二年刊本

大庾縣志　一部　八本國朝余光璧修乾隆戊辰年刊本

武昌府志　一部　十二本國朝裴天錫修康熙廿六年刊本

江夏縣志　一部　六本國朝潘宗鼎修康熙六十一年刊本

武昌縣志　二部每部　六本國朝熊登修康熙十二年刊本

嘉魚縣志　一部　四本國朝張其維修乾隆二年刊本

蒲圻縣志　一部　十本乾隆三年刊本

崇陽縣志　一部　七本國朝黄衮修乾隆辛酉刊本

通城縣志　一部　二本國朝丁克楊修康熙十一年刊本

又　一部　一本仝上

興國州志　一部　二本國朝楊遵修康熙四年刊本

又　一部　四本國朝顔星修雍正九年刊本

大冶縣志　一部　四本國朝陳廷寄修康熙廿二年刊本

通山縣志　一部　二本國朝任鍾麟修康熙乙巳年刊本

漢陽府志　一部　廿本國朝陶士偰修乾隆十二年刊本

又　一部　十二本國朝劉嗣孔修乾隆十三年刊本

黄陂縣志　二部每部　八本國朝楊廷蘊修康熙五年刊本

沔陽州志　一部　八本

安陸府志　一部　十六本國朝沈會霖修康熙丙午年刊本

---

① 國圖藏本此條下有"甯都縣志二部每部二本"、"甯都縣志一部六本國朝劉飛熊修乾隆十年刊本"，即北大藏本屬"石城縣志"下的兩條在國圖藏本中屬"甯都縣志"。

② 國圖藏本無此條。

③ 國圖藏本無此條。

安陸郡縣志　二部每部　六本國朝張振德修康熙七年刊本
鍾祥縣志　一部　八本國朝程湛修康熙六年刊本
又　一部　十本國朝高世榮修乾隆六年刊本
瀟江縣志　一部　七本國朝姚琅修康熙十四年刊本
又　一部　八本國朝劉煥修康熙卅三年刊本
天門縣志　一部　八本國朝錢永修康熙卅一年刊本
當陽縣志　一部　四本國朝婁肇龍修康熙九年刊本
遠安縣志　一部　二本國朝安可願修順治辛丑年刊本
鄖陽府志　一部　五本國朝劉作霖修康熙十九年刊本
鄖縣志　一部　四本
鄖縣志略　一部　四本國朝侯世忠修康熙廿年刊本
鄖西縣志　一部　一本國朝侯世忠修
德安府志　一部　十二本國朝傅鶴祥修康熙廿四年刊本
雲夢縣志　二部每部　四本國朝彭祖曙修康熙十年刊本
應城縣志　一部　四本國朝李可寀修雍正四年刊本
隨州志　二部每部　四本國朝劉霖修康熙六年刊本
黄安初乘　一部　二本國朝耿應昌修康熙四年刊本
蘄水縣志　一部　五本國朝李振宗修康熙廿三年刊本
又　一部　三本仝上
羅田縣志　一部　五本國朝張琳修康熙五十六年刊本
又　一部　二本康熙四十年刊本
麻城縣志　二部每部　四本國朝宋祖法修康熙九年刊本
黄梅縣志　一部　二本國朝徐昱修順治十七年刊本
荆州府志　二部每部　十六本國朝郭茂泰修康熙廿四年刊本
荆州衛志　二部每部　一本國朝王大基修康熙癸亥年刊本
公安縣志　一部　六本國朝楊之騂修康熙六十年刊本
石首縣志　一部　八本國朝魏嘉修康熙十一年刊本
松滋縣志　一部　一本國朝屈超乘修康熙庚戌年刊本
又　一部　二本國朝陳麟修康熙卅五年刊本①
枝江縣志　一部　四本國朝王世爵修乾隆五年刊本
鶴峰州志　一部　二本國朝毛峻德修乾隆六年刊本
長沙府志　一部　四十本乾隆十二年刊本
湘潭縣志　一部　四本國朝張軸修康熙十九年刊本
湘鄉縣志　一部　四本國朝劉象賢修康熙十二年刊本
安化縣志　一部　六本國朝丘象豫修康熙癸亥年刊本

---

① 此處北大藏本有錯葉,“又一部二本國朝陳麟修”至“九谿衛志”爲第五十五葉,在北大藏本中錯編至五十七葉“謍山縣志”後,造成文字錯亂,本文已按正確葉碼重排。

又　一部　四本國朝王丕振修康熙六年刊本

岳州府志　一部　十本國朝黄凝道修乾隆十一年刊本

巴陵縣志　一部　四本國朝趙士珩修康熙廿四年刊本

澧州志　一部　廿六本國朝何璘修乾隆十五年刊本

石門縣志　一部　一本國朝張霖修康熙廿二年刊本

慈利縣志　一部　二本國朝胡公威修康熙廿四年刊本

衡州府志　一部　十一本國朝張奇勛修康熙十年刊本

衡山縣志　一部　一本明劉熙修弘治元年刊本

桂陽州志　一部　四本國朝張明叙修雍正己酉年刊本

嘉禾縣志　一部　一本張聲遠修

常德府志　一部　十本

平谿衛志　一部　一本國朝鄭逢元修康熙十二年刊本

九谿衛志　一部　三本國朝袁颾修康熙廿四年刊本①

沅陵縣志　一部　五本國朝郎廷槤修康熙四十四年刊本②

辰谿縣志　一部　二本國朝陳承虞修雍正九年刊本③

又　二部　二本鈔本

溆浦縣志　二部每部　一本

溆浦志略　一部　一本

永綏廳志　一部　四本國朝段汝霖修乾隆十六年刊本

黔陽縣志　二部每部　四本國朝張扶翼修康熙五年刊本

麻陽縣志　一部　六本國朝陳輝璧修康熙甲戌年刊本

永州府志　一部　一本明虞自銘修洪武十六年刊本

又　一部　十四本國朝吴璵修康熙卅四年刊本

道州新志　一部　四本國朝張大成修康熙六年

甯遠縣志　一部　二本沈仁敷修

會同縣志　一部　一本國朝曹興隆修康熙癸丑年刊本

郴州志　一部　六本國朝謝允文修康熙卅七年刊本

桂陽縣志　一部　二本國朝沈玘修康熙壬子年刊本

桂東縣志　一部　一本國朝田國輔修康熙壬子年刊本

永順縣志　一部　四本國朝王伯磷修乾隆九年刊本

保靖縣志　一部　四本國朝王欽命修雍正九年刊本

成都府志　一部　八本康熙廿五年刊本

雙流縣志　一部　三本過後草黄鍔修乾隆八年刊本

---

① 國圖藏本此條位於“慈利縣志”下。

② 國圖藏本“沅陵縣志”至“營山縣志”四十條位於“平谿衛志”下，即北大藏本“又一部二本國朝陳麟修康熙卅五年刊本”之“又”應爲“松滋縣志”的簡稱，而非“營山縣志”。

③ 國圖藏本此條下有“辰谿縣志一部一本刊本”。

溫江縣志　一部　四本國朝馮中存修乾隆十六年刊本
新繁縣志　一部　六本國朝鄭方城修乾隆八年刊本
金堂縣志　一部　一本國朝張南瑛修乾隆十六年刊本
新都縣志略　一部　一本國朝楊綿祚修乾隆十七年刊本
崇慶州志　一部　一本國朝吴昌蔭修康熙丙寅年刊本
什邡縣志　一部　六本國朝史進爵修乾隆十三年刊本
資縣志　二部每部　一本國朝佟世庸修康熙丙寅年刊本
井研縣志　一部　二本國朝黄光燦修雍正十三年刊本
内江縣志　二部每部　一本國朝徐家霖修康熙丙寅年刊本
綿州志　一部　六本乾隆元年刊本
德陽縣志　二部每部　四本國朝闞昌言修乾隆九年刊本
綿竹縣志　一部　六本國朝陸箕永修康熙六十年刊本
羅江縣志　一部　四本國朝闞昌言修乾隆十年刊本
蒼溪縣志略　一部　一本國朝陶淑禮修康熙庚午年刊本
南江縣志　一部　一本國朝門肇煌修乾隆十六年刊本
通江縣志　一部　一本
劍州志　一部　五本雍正丁未年刊本
順慶府志　一部　十一本國朝張鳳翮修康熙丙寅年刊本
西充縣志　一部　五本國朝戴氏凱修康熙六十一年刊本
營山縣志　一部　二本國朝李榕修乾隆八年刊本
廣安州志　一部　四本國朝曹蘊錦修雍正癸丑年刊本
鄰水縣志　一部　一本國朝徐枝芳修康熙丁亥年刊本
宜賓縣志　一部　二本國朝平廷鼎修康熙丙寅年刊本
長甯縣志　一部　四本國朝黄源修乾隆十四年刊本
長壽縣志　一部　四本國朝傳珩等修康熙五十三年刊本
定遠縣志　一部　二本國朝王彦紳修康熙四十一年刊本
豐都縣志　一部　四本國朝朱家鼎修康熙四十九年刊本
墊江縣志　一部　五本國朝丁漣修乾隆十一年刊本
大甯縣志　一部　四本國朝杜瑾修雍正八年刊本
達州志　一部　四本國朝宋名立修乾隆十二年刊本
新甯縣志　一部　二本國朝竇容邃修乾隆二年刊本
渠縣志　一部　二本國朝李聖韙修乾隆五年刊本
江油縣志　一部　二本國朝彭阯修雍正五年刊本
石泉縣志　一部　一本國朝潘瑞奇修康熙廿六年刊本
鹽亭縣志　二部每部　一本抄本
中江縣志　一部　八本國朝王以秀等修康熙五十四年刊本
又　二部每部　五本
遂甯縣志　一部　四本國朝周彭年修乾隆十二年刊本

又　一部　五本國朝田朝鼎修乾隆十一年刊本
蓬溪縣志　三部每部　二本國朝周甲徵修康熙廿四年刊本
又　一部　五本
樂至縣志　二部每部　一本國朝楊佐龍修雍正六年刊本
安岳縣志　二部每部　三本國朝姚孔鏞修康熙五十八年刊本
眉州志　一部　五本國朝張漢修康熙丁酉年刊本
又　一部　三本
嘉定州志　一部　一本國朝彭欽修
邛州志　一部　六本國朝戚延裔修康熙卅三年刊本
瀘州志　一部　四本國朝張士浩修康熙四十八年刊本
雅州志　一部　十二本國朝張植等修乾隆四年刊本
榮[1]經縣志　一部　四本國朝勞世沅修乾隆十年刊本
南海縣志　一部　五本明朱光熙修萬曆己酉年刊本
順德縣志　一部　七本國朝嚴而舒修
龍門縣志　一部　五本國朝章焞修康熙五十一年刊本
新甯縣志　二部每部　二本國朝林甯修康熙十一年刊本
番禺縣志　一部　六本國朝孔興璉修康熙廿五年刊本
新會縣志　一部　七本明黄佐修萬曆己酉年刊本
花縣志　一部　一本
連山縣志　一部　二本國朝劉允元修康熙卅二年刊本
保昌縣志　一部　四本國朝張進貢修康熙丙寅年刊本[2]
曲江縣志略　一部　一本
樂昌縣志　一部　二本國朝李成楝修康熙丙午年刊本
乳源縣志　一部　四本國朝裘秉鈁修康熙二年刊本
始興縣志　一部　四本國朝李燦修康熙十二年刊本
和平縣志　一部　一本國朝唐開先修康熙十一年刊本
潮州府志　一部　十七本國朝林杭學修康熙甲子年刊本
饒平縣志　一部　四本國朝劉抃修康熙廿五年刊本
澄海縣志　一部　六本國朝楊鍾岳修康熙丙寅年刊本
興甯縣志　一部　七本國朝耿念郇修康熙九年刊本
平遠縣志　一部　二本國朝張天培修康熙廿二年刊本
高要縣志　一部　十五本國朝梁登印修康熙十二年刊本
陽春縣志　一部　一本明張文浩修嘉靖年抄本
萬州志　一部　四本國朝李琰修康熙十八年刊本
高明縣志　一部　五本國朝區簡臣修康熙己酉年刊本

---

① 國圖藏本“榮”作“滎”。
② 國圖藏本“保昌縣志”至“歸德縣志”三十條順序與北大藏本相異。

德慶州志　一部　六本國朝譚桓修康熙十二年刊本①
電白縣志　一部　三本國朝郭柏南修康熙十二年刊本
信宜縣志　一部　三本國朝李棠修康熙十三年刊本
吴川縣志　一部　四本國朝黄若春修康熙己酉年刊本
石城縣志　一部　一本
又　一部　六本
瓊山縣志　一部　八本國朝佟世南修康熙廿六年刊本
澄邁縣志　一部　四本國朝曾典學修康熙十一年刊本
定安縣志　一部　四本國朝張文豹修康熙廿五年刊本
海康縣志　一部　三本康熙廿六年刊本
桂林府志　一部　六本
懷遠縣志　一部　二本
梧州府志　一部　六本明謝君惠修崇禎四年抄本
晋甯州志　一部　二本抄本
歸德縣志　一部　九本
宜良縣志　一部　一本國朝黄澍修康熙五十五年刊本
呈貢縣志　一部　四本國朝朱若功修雍正三年刊本
又　一部　二本抄本
安甯州志　一部　四本國朝楊若椿修雍正九年刊本
羅次縣志　一部　四本康熙五十六年刊本
禄豐縣志　一部　四本國朝劉自唐修康熙壬辰年刊本
易門縣志　一部　一本康熙年刊本
賓川州志　一部　三本國朝周鉞修雍正五年刊本
大理府志　二部每部　八本國朝黄元治修康熙卅二年刊本
建水州志　二部每部　八本國朝陳肇奎修康熙五十四年刊本
雲龍州志　一部　四本國朝陳希芳修雍正戊申年刊本
石屏州志　一部　二本國朝程封修康熙十二年刊本
阿迷州志　二部每部　二本國朝姚文爕修康熙癸丑年刊本
甯州志　一部　三本康熙廿六年刊本
又　一部　十本國朝馬爲俊修康熙三十年刊本
又　一部　二本國朝張耀曾修乾隆二年刊本
通海縣志　二部每部　五本國朝魏藎臣修康熙三十年刊本
河西縣志　一部　二本國朝周大任修康熙五十一年刊本
嶍峨縣志　一部　四本國朝陸紹閎修康熙戊寅年刊本
蒙自縣志　二部每部　四本國朝韓三異修康熙壬辰年刊本
楚雄府志　一部　十本國朝張嘉穎修康熙五十四年刊本

① 國圖藏本此條下有“陽山縣志一部二本國朝熊兆師修順治十五年刊本”。

姚州志　二部每部　一本國朝管棆修康熙五十二年刊本
南安州志　一部　二本康熙四十八年刊本
大姚縣志　一部　一本
徵江府志　一部　七本康熙五十八年刊本
新興州志　一部　六本國朝任中宜修康熙五十一年刊本
又　一部　四本仝上
景東府志　一部　六本國朝徐樹閎修雍正十年刊本
路南州志　一部　二本國朝李汝湘修康熙壬辰年刊本
廣西府志　一部　四本國朝周埰修乾隆四年刊本
師宗縣志　一部　二本國朝夏治源修雍正七年刊本
彌勒縣志　一部　四本國朝傅騰蛟修乾隆四年刊本
又　一部　二本
順甯府志　一部　三本國朝董永芰修康熙卅九年刊本
又　一部　五本國朝范溥修雍正三年刊本
雲州志　一部　二本國朝蔣敩修康熙年刊本
羅平州志　一部　二本國朝蔣陳錫修康熙五十九年刊本
又　一部　一本國朝楊于鼎修康熙辛未年刊本
馬龍州志　一部　二本國朝許曰藻修雍正元年刊本
又　一部　一本鈔本
平彝縣志　一部　二本國朝任中宜修康熙四十四年刊本
元謀縣志　一部　五本國朝王宏任修康熙五十一年刊本
禄勸縣志　二部每部　四本國朝李廷宰修康熙五十八年刊本
劍川州志　一部　四本國朝王士貴修康熙癸巳年刊本
元江郡志　一部　二本國朝章履成修康熙十三年刊本
開江縣志　二部每部　八本國朝孫錦修雍正七年刊本
東川府志　一部　二本國朝崔乃鏞修雍正乙卯年刊本
天柱縣志　一部　二本國朝王復宗修康熙廿三年刊本
右地理　九百九十八種一千五百二十部九千六百二十二本
幸魯盛典九十　二部每部　廿本四十卷康熙廿三年孔毓圻等編進呈本
通典詳節　二部每部　四本元刻本
文獻通志　五部每部　八十八本三百四十八卷元馬端臨撰殿本
大清會典　一部　一百本二百五十卷雍正十年莊恪親王等奉敕編殿本
簡易條例　二部每部　一本乾隆廿年吏部等衙門彙纂
憲綱事類　一部　一本明正統四年編刊本
謚法通考　一部　十六本十八卷明王圻編萬曆廿四年刊本
乘輿儀仗做法　一部　二本二卷
學政全書　一部　二十四本八十二卷乾隆五十八年王杰等奉敕編刊本
太常紀要　一部　四本十五卷康熙四十二年江繁編纂刊本

科場條例　一部　十八本六卷嘉慶廿一年景安等編纂
長蘆鹽法志九部每部　八本十六卷國朝莽鵠立修雍正二年進呈本
山東鹽法志八部每部　八本十六卷同上
長蘆鹽法志　一部　廿四本廿四卷附編十卷國朝顔檢等編纂進呈本
漕運全書　一部　四十本三十九卷雍正十三年敕編抄本
夏鎮漕渠志略　一部　四本四卷國朝狄敬編纂順治十年刊本
重修河東運志　一部　五本國朝馮達道編纂康熙十一年刊本
陝西賦役全書　一部　七十七本
福建賦役全書　一部　八十六本
兩浙裁減賦役全書　一部　十八本
廣東賦役全書　一部　一百四本
八旗通志　一部　八十四本二百五十三卷雍正五年和恭親王等奉敕編乾隆四年告成殿本
又　二部　八十二本同上
又　四部每部　八十本二百五十三卷
中樞政考　一部　十八本旗員十五卷漢員十六卷乾隆三十四年尹繼善等奉敕編
大清律纂修條例　一部　二本乾隆四十三年阿桂等奉敕編刊本
大清律續纂修條例附總類　三部每部　四本乾隆廿一年舒德等奉敕編
大清律續纂修條例　二部每部　二本乾隆五年莊恪親王等奉敕編刊本
三流道里表　二部每部　四本乾隆八年徐本等奉敕編刊本
工程做法　一部　五十一本七十四卷雍正九年慎靖郡王等奉敕編刊本
工部則例　一部　十本乾隆十三年三和等奉敕編刊本
物料價值　二部每部　四本四卷乾隆元年邁柱等奉敕編刊本
華夷譯語八部每部　一本元火原潔撰
高昌譯語　一部　一本四夷館抄本
三事忠告　一部　一本四卷元張養浩撰
右政書三十三種　一百六十四部三千六百四十二本

子類

新序　二部每部　三本十卷漢劉向撰經廠本①
説苑　一部　五本廿卷同上經廠本
朱子全書　二部每部　廿五本六十六卷康熙五十二年李光地等奉敕編刊本
近思録　一部　四本十四卷宋朱熹吕祖謙同撰經廠本
張子全書　一部　六本十四卷附録一卷宋張載著朱熹注經廠本
張子全書　一部　四本同上經廠本②

---

① 國圖藏本"新苑"、"説苑"、"近思録"、"張子全書"未著録版本。
② 國圖藏本作"張子全書一部四本宋張載著朱子注"。

性理大全　二部每部　三十本七十卷明胡廣等奉敕編
聖學心法　二部每部　四本明永樂七年敕刊
高子節要　一部　二本明高攀龍撰
論性書　一部　二本國朝魏裔介撰
希賢録　一部　六本同上
右儒家十種十　四部一百二十八本
御製曆象考成　一部　十三本上編十六卷下編十卷康熙十三年敕刊
御製曆象考成表　一部　十六本十六卷康熙十三年敕刊
御製數理精蘊表　一部　八本八卷康熙十三年敕刊
欽定選擇曆書　一部　十本康熙廿四年安泰等奉敕編刊本
算法全能集十　五部每部　一本明賈亨撰刊本
右天文算法　五種十九部六十二本
青瑣高議　一部　二本廿卷宋劉斧撰抄本
天人歸德頌　一部　一本明成化十九年趙玉芝獻
龍舒净土文　一部　四本①
爲善陰騭　二部每部　一本明永樂十七年御製敕刊
明仁孝皇后内訓　十八部每部　一本明永樂年敕刊
明仁孝皇后勸善書廿　六部每部　十本同上大字本
又　九十六部每部　五本同上小字本
欣賞繪妙　一部　一本明東海生撰萬曆庚申年刊本
薛文清從政名言　一部　一本明薛瑄撰崇禎十六年刊本
碎金　二部　大字一本小字二本明刻本
畸人十篇　一部　二本利瑪竇撰
右雜家八種　一百四十七部七百六十七本
黄檗禪師傳心法要　一部　一本唐裴休輯明永樂十二年刊本
頓悟入道要門論　一部　一本唐沙門慧海撰
釋迦成道紀　二部每部　一本唐王勃撰
廣清涼傳　一部　三本唐郗濟川傳
三教平心論　一部　一本明劉謐撰刊本
雪竇和尚集　一部　一本宋明覺大師撰
佛日圓明大師語録　一部　一本元至正刊
禪林寶訓　一部　一部沙門淨善重集
石屋珙禪師語録　一部　一本元沙門清珙撰門人至柔編明洪武刊本
雲門山主頌古　一部　一本宋沙門悟本撰紹興癸丑年刊本
蒙山和尚普説　一部　一本元沙門吾靖撰
臨濟禪師語録　一部　一本元沙門普仁撰刊本

---

① 國圖藏本此條位於釋道家"神僧傳"下。

吉祥喜金剛本續王後分注疏　一部　一本抄本
諸佛名號歌曲　一部　一本明永樂十五年敕刊
祠山事要指掌　一部　一本明羅汝敬撰
神僧傳　六部每部　三本九卷同上
右釋道家　十八種廿二部六十五本

集類
仁廟御製文二集　二部每部　二十八本五十卷張玉書等奉敕恭編
仁廟御製文二集　一部　十二本五十卷同上
仁廟御製文三集　一部　十二本五十卷同上
仁廟御製文四集　一部　十本卅六卷莊恪親王等奉敕編
仁廟御製詩初二集　一百十二部每部　四本張玉書等奉敕恭編
憲廟御製文集　二部　十六本卅卷①
憲廟御製文二集　二部每部　廿四本②
御製盛京賦　一部　卅二本范恪親王等奉敕編③
范忠宣公集　一部　三本宋范純仁撰
王文公集彙選　一部　二本宋王安石撰陸九淵選
東坡和陶詩　一部　一本四卷宋蘇軾撰宋刊
草廬文粹　三部每部　一本元吴澄撰
劉靜修全集　一部　三本廿二卷元劉因撰元刊
明太祖詩集　一部　三本二卷明洪熙元年刊本
聖德瑞應詩　一部　一本明永樂七年臣工應詔作
恩紀詩集　一部　一本明興獻王撰
劉文烈公集　一部　六本明劉理順撰
張抱初先生稿　一部　二本六卷明張信民撰
宏山集　一部　一本四卷明張後覺撰
白石山房集　一部　六本明張孟兼撰
張鷃庵集　一部　一本明張昭季撰
蒼霞集　一部　十二本明葉向高撰
交輝園遺稿　二部每部　一本國朝怡賢親王撰
紫峰先生全集　一部　四本國朝杜越撰
棲雲閣集　一部　八本國朝高珩撰
己畦集　一部　十本國朝葉燮撰
飲醕堂集　一部　二本國朝周金然撰

① 國圖藏本作“一部每部十六本三十卷”。
② 國圖藏本無此條。
③ 國圖藏本此條下有“分類杜律注　一部一本唐杜甫撰元虞集注”。

礪岩續文部　一部　四本同上

樸村文集　一部　四本國朝張漢瞻撰

谿田文集　一部　四本八卷國朝馬理撰

禮山園集　一部　十一本國朝李來章撰

槐軒文集　一部　五本十卷國朝王曰高撰

魏文毅公集　一部　十二本國朝魏裔介撰

學庵文集　一部　四本國朝王原摘録

甓湖草堂集　一部　五本國朝吴世杰撰

二希堂集　一部　四本十二卷國朝蔡世遠撰

頻陽四先生集　一部　四本四卷國朝張紞李宗樞楊爵孫丕揚撰

葉忠節公稿　一部　四本十二卷國朝葉映榴撰

正誼堂集　一部　六本國朝張伯行撰

尚志館文述　一部　十本國朝盧錫晋撰

藜乘初二集　一部　二本國朝劉以貴撰

石齋文集　一部　四本國朝楊運昌撰

易安齋集　一部　三本國朝徐與喬撰抄本

涑亭詩略　二部每部　一本國朝林堯光撰

七一軒稿　一部　三本國朝劉青蓮撰

花梧山房詩文小抄　一部　一本國朝顧天成撰

膽餘軒集　一部　八本國朝孫光祀撰

翁銕庵文集　一部　二本國朝翁叔元撰

江園集　一部　十本國朝陳常夏撰

李文襄公集　一部　十二本國朝李之芳撰

郝中丞集　一部　二本國朝郝浴撰

鳳阿集　一部　二本國朝侯開國撰

續錦機　一部　四本十二卷國朝劉青藜撰

慎墨堂詩品　一部　一本國朝彭桂撰

右别集　五十三種一百七十二部八百五十九本①

文章類選　一部　二十一本四十卷明慶靖王編輯刊本

右總集一種　一部二十一本

都　一千二百廿一種二千六百四十四部三萬二千一百六十七本②

① 國圖藏本作"右别集五十三種一百七十一部八百一十三本"。

② 國圖藏本作"都一千二百二十一種二千六百四十　五部三萬二千一百五十本"。

二、《内閣庫存殘本書目》[1]

北京大學圖書館藏，索書號 LSB1059，稿本一卷，一册。版式、字體與《内閣庫存書目》同，從劉氏案語可知是目與《内閣庫存書目》爲同時期先後編輯。卷首鈐“木犀軒藏書”、“北京大學藏”、“李印盛鐸”、“木齋”印，著録書名、原卷數、作者、版本及殘存詳細卷數，間有劉啓瑞案語三十條。原書有文字、部卷空闕數處，統計數字與實際不符，當爲倉促成書且未定稿；子類原葉碼爲六十一至六十九，集類爲五十一葉至六十葉，或初爲分開編纂，後按四類編輯成書。卷末有“北京大學藏”、“李盛鐸印”、“木齋”、“李滂”、“少微”五印。

正文

經類

周易會通十四卷元董真卿撰　明洪武間刊本存三本　存卷一至卷十

周易傳義大全明永樂中敕撰　寫本存五本　存卷四至卷十四

又　刻本存五本　存卷九至卷二十四

易經殘缺雜本存十六本

以上易經四種共存廿九本

日講書經解義十三卷[2]　殿本存七本　存卷七至卷十三

尚書注疏二十卷唐孔穎達撰　舊刊本十三行行廿八字存二本　存卷二至卷十卷十六至卷二十

書經諺解五卷不詳撰人　刻本存四本　存卷二三四五

謹案此書與《詩經諺解》當同爲元時官撰，直録《書》、《詩》白文，每字釋以蒙古字，當是教習漢文之課本。

書經義無卷數不詳撰人　抄本存二本

謹案四庫書目有《書義矜式》六卷，元王充耘撰，不知即此書否。

書經殘缺雜本存十六本

以上書經五種共存三十一本

欽定詩經傳説彙纂二十二卷存二十二本　存卷二至卷十四卷十六至卷二十二

詩傳通釋二十卷元劉瑾撰　原刻本存六本　存卷一至卷七卷十一至卷十三卷十七至卷二十謹案此書已爲大全所采録，惟原刻稀如麟鳳，甚足寶貴。

詩經諺解二十卷不詳撰人存五本　存卷一至卷六卷十四至卷二十

詩傳通釋劉瑾通釋存二本　存卷一卷八至十五

又存五本　湊本不全存首至卷二四至十一十九至二十内複十九至二十一

---

① 國圖藏本書名作“内閣庫存殘書目”，卷首有總目“經類易書詩禮樂春秋四書諸經總解小學韻書；史類正史編年紀事本末別史譜牒詔令奏議傳記史鈔地理職官政書；子類儒家兵家法家農家醫家術數雜家類書釋道家；集類別集總集”。

② 國圖藏本“日講”前皆有“欽定”二字。

又存五本　大小本湊全内複十十一十四至十六卷

又存四本　缺卷三

詩集傳存二本　存柏舟至裳一者華前後缺

詩傳大全存三本　存卷一卷三十至十七十三卷複

又存二本　存卷一至五十二至十七

詩朱氏傳存二本　存九至十二十八至二十

詩經殘缺雜本存十六本

以上詩經七種共存七十四本

周禮正義四十二卷唐賈公彦撰　殿版存十六本　缺目録前三葉

周禮注疏四十二卷　坊本存卷二至卷十八

周禮會注不詳卷數不詳撰人　寫本存三本　存卷七至卷十三

謹案《經義考》有李如圭著《周禮會注》十五卷，不知即此否。

周禮注疏删翼三十卷明王志長撰　明嘉靖己卯刻本存七本　存卷十三至卷三十

又存十二本　存卷一至四卷九至卷二十六

周禮集注無卷數明何喬新撰　嘉靖七年褚選刊本存三本　缺春官

周官圖稿本敕撰　三禮館原稿本存四本　謹案此圖應在《周官義疏》稿本之後。

以上周禮六種共存五十本

儀禮注疏十七卷唐賈公彦撰　明李元陽刻本存九本　缺卷三至卷六卷八至卷十三

儀禮節略二十卷存六本　存卷二至卷三卷九至卷十卷十三

儀禮節略二十卷國朝朱軾撰存二本　存卷三至卷十一

儀禮經傳通解二十七卷宋朱子撰　刻本存十三本　存卷二至卷二十七

欽定儀禮義疏稿本存四十二本

欽定儀禮義疏副本　四十八卷存三十四本　存卷一至卷十五卷十七至卷二十二又卷廿六卷廿八卷三十卷三十八又卷四十一至卷四十八又缺禮節圖一本

儀禮十七卷　從永樂大典抄出之底本存十一本　缺卷五卷七

謹案此書未知即李如圭《集釋》十七卷本否，原書從《永樂大典》抄出，每段抄至李如圭《集釋》釋曰云云而止，依提要原抄缺《鄉射》、《大射》二篇，今所闕適合，當是完書。

讀禮通考一百二十卷國朝徐乾學撰　家刻本存二十七本　存卷四至卷百二十

經禮補逸九卷元汪克寬撰　明刻本存二本　存卷一至卷五

以上儀禮八種共存百六十七本

欽定禮記義疏稿本八十二卷存八十一本　缺圖一本

欽定禮記義疏副本存七十九本　缺卷六十六卷六十七卷七十三有圖一本

禮記集注三十卷明徐師曾撰存六本　存卷五至卷三十

禮記詳説未詳撰人　寫本存五十七本　存卷三至卷五卷七至卷四十一卷四十四至五十一卷五十三至卷六十二又一本無卷數

謹案此書較集説尤詳

禮記纂言三十六卷元吴澄撰　刊本存九本　存卷二至卷三十六

禮記説義纂訂國朝楊梧撰　刻本存十一本　存卷三至卷五卷十至卷二十四終喪服四制

禮記大全三十卷明永樂中敕撰　明刻大字本存八本　存卷二至卷三十

又　存七本

禮記集意明張養浩撰存三十五本　缺卷未查

又存二十六本　缺卷未查

禮記解詁十三經解詁之一種　明陳深刊存六本

以上禮記八種共存三百二十五本

讀禮記略國朝朱朝瑛撰　抄本存二本　存禮記一册儀禮一册

謹案儀禮册内有藍筆評語深詆之。

禮書一百五十卷元陳祥道撰　元刻廿六行本存九本　存卷一至卷十六卷廿八至卷六十四卷一百十八至卷一百廿九又重二册卷六至卷十六卷廿八至卷三十六

謹案首本後有籤題洪武二十八年五月二十五日長史王友行禮部領到　一部十五本

三禮編繹二十六卷明鄧元錫撰　萬曆刊本存九本　存卷一至卷三卷六至卷八卷十至卷十四卷十八至卷二十六

謹案此書有孫承澤印。

以上三禮三種共存二十本

樂書存十二本

以上樂類一種共存十二本

春秋大全七十卷明永樂中敕撰　抄本存十一本　存卷一卷十六至卷三十七

京本春秋左傳　無注存四本　存卷六至卷七卷十

春秋傳義國朝張爾岐撰　稿本存十四本　缺第十二卷

春秋胡傳三十卷宋胡安國撰　寫本存三本　存隱上中下卷僖上下卷文上下卷

春秋殘缺雜本存十六本

三傳辨疑二十卷元程端學撰　原刻本存六本　存卷六至卷十四

以上春秋六種共存五十四本

日講四書解義二十六卷存十二本　存卷一至卷五卷七卷十五至卷十七卷十九至卷二十卷二十六

論語集注大全二十卷明永樂中敕撰　明刻大字本存七本　存卷三至卷二十

又存四本　存卷六至卷七卷十三至卷二十

又存六本　存卷三至卷十卷十三至卷二十

又存七本　存卷三至卷二十

孟子集注大全明永樂中敕撰存四本　存卷三至卷十

孟子集説啓蒙存一本

四書集義精要廿八卷元劉因撰　元刊本存九本　存卷一至卷二卷五至卷八卷十一至卷十九卷二十二至卷二十八

謹案提要言原三十卷,今佚二卷,不知所佚卷次。

又案此書内有夾條言此書劉夢吉所著,或當存之,疑爲修四庫時采進本。

四書章句或問元王侗録　元至正刊本存一本　僅存學庸

以上四書六種共存五十一本

通志堂經解國朝納蘭性德輯刻　原刊本存四百十八本

易經全一百三十一本

詩經全三十五本

書經存四十九本　林氏《尚書解》十六以下全闕，又缺句解，十二三卷又缺纂述，第二三卷又缺管見下卷，又缺洪范一卷。

周禮訂義十三本

考工記三本

儀禮集説七本

禮記集説廿九本

春秋九十九本

論語六本

孟子七本

四書三十八本

又詩經解全部存四十本

以上諸經總解一種共存四百五十七本

埤雅二十卷宋陸佃撰　明刻本存二本　存卷首至卷六卷十四至卷二十内卷六抄本

又　刻本存三本存卷一至卷五卷十一至卷二十

六書故三十四卷宋戴侗撰　明刊本存八本　存卷一至四卷十四卷二十一卷二十四卷二十七至卷二十八卷三十一卷三十三

又存六本　存卷六卷十四至卷十五卷十七至卷十八卷二十卷二十二至卷二十三卷二十五至卷二十六

以上小學三種共存十九本

廣韻十卷宋（原闕）撰　刻本存一本　存卷四至卷五

禮部韻略五卷宋毛居正撰　小字本存四本　存卷一至卷五，又卷二複

謹案書大小湊配，故不入全書。

又　大字本存四本　存卷二至卷五

五音集韻十五卷金韓道昭撰　三種刻本存四本　泰和刻存卷十至十二己丑刻存卷一至卷三卷五至卷九崇慶刻存卷一至卷三

以上韻書三種共存十三本

總共經部十三類六十一種共存一千三百零二本

史類

史記一百三十卷漢司馬遷撰　元刻本綿紙印存五本　存卷七至卷十七卷三十一至卷三十八卷七十七至卷八十九卷一百二十三至一百三十

又存三本

又　監本存二十三本　存卷一至卷十九卷二十三至卷一百三十

又　監本存五本　存卷七十五至卷八十一八十八至一百零三卷一百十六至卷一百二十六

漢書一百二十卷漢班固撰　宋刻九行本存三本　存志卷四上下卷七中之下又卷八

又　九行本存四本　存卷十六至卷二十卷廿四至卷廿五卷九十四至卷九十五

又　大德正統至大三朝本存十三本　存卷一至卷五卷七至卷十二卷廿七至卷三十卷三十六至卷四十三至卷六十卷六十四至卷六十八[1]卷八十二至卷九十四卷九十九至卷一百

又　同上複本存九本　存卷一至卷十二卷二十七卷三十一至卷三十五卷四十四至四十九卷六十六至卷七十一九十一至卷九十四卷九十三至卷一百

又　大德本存五本　存卷二十七至卷三十卷六十至卷九十卷九十七至卷一百

又　正統本存卷一至卷五十三至卷十九卷三十七至卷四十三卷五十五卷八十四卷九十至卷一百又複一本卷六十六至卷七十一

又　監本存廿五本　存卷一至廿八卷五十五至卷一百

又存十本　存九十三至九十六上廿四至廿六又一至十二九十九至一百卅一至卅五九十至九十四又二十七四十三至五十六十一至六十七

後漢書[2]　存傳卷一至十一卷十四至廿七卷三十下至三十八卷四十八至四十九卷五十五至八十又志卷十一至二十二複十四至十六廿五至三十四四十三至五十四六十三至六十五七十四至七十九

又存二十七本　存紀卷一至三傳卷七至八卷十六至十九卷二十五至三十上卷三十九至四十一卷四十五至五十一卷五十八至六十四卷六十七至八十又志卷六至九卷十三至三十複志十九至二十六傳六十七至六十八

又　大德甯國路儒學刊本存八本　存卷一至卷四卷十一至卷十七卷三十至卷三十五卷四十六至卷五十一卷五十九至卷六十一卷八十二至卷九十志卷十一至卷十九

又　宋大字刻本存十四本　存志卷十一至卷廿二列傳卷十四至卷十六卷廿五至廿九卷卅二至卷三十四卷四十三至卷五十四卷六十三至卷六十五卷七十四至卷七十九

又　大德本存七本　存卷十一至卷二十五卷二十三至卷三十卷三十八至卷四十三卷七十至卷七十四志卷二十四至卷三十

又　同上刊本存十四本　存紀卷四至卷九志卷一至卷三卷十五至卷二十傳卷十二至卷廿一卷三十九至卷四十二卷四十七至卷四十九卷五十二至卷五十四卷五十八至卷六十卷六十九至卷七十卷七十七至卷七十八

又　正統本存十二本　存卷一至卷二卷八至卷十五卷廿一至卷三十卅七至四十三四十五至五十二卷五十九至卷六十三卷七十至七十五卷八十一至卷八十五志卷十一至卷三

又　正統本存八本　存卷一至卷四卷十一至卷十五卷三十一至卷三十六卷五十九至卷六十三志卷一至卷七卷十七至卷三十又志卷一

又　正統本存十九本　存卷一之卷十五卷二十一至卷八十六又志卷一至三十內

---

[1] 國圖藏本作"卷三十六至卷四十八卷四十三至卷六十卷六十四至卷六十六"。

[2] 國圖藏本作"後漢書一百二十卷宋范蔚宗撰宋大字本存二十五本"。

複第七十五卷又律歷志一卷

又　監本存廿六本　缺卷四十三至卷四十八卷七十三至卷八十五

又　九行本存九本　存卷四至卷八卷五十八至卷五十九卷七十四卷七十六卷八十一至卷八十二卷八十六至卷八十七

又　監本存廿三本　缺卷二十二至卷四十卷五十四至卷五十七卷八十六至卷九十二卷一百〇九至卷一百〇十

又　監本存十六本

又存十本　存一至二八十一至八十五二十七至三十八志十八十一至八十七五十九至六十三志二十至三十又志二十至三十

又存二十本　存一至四十一至十五十七至廿二二十三至廿七二十八至三十五十二至五十七十一至十七十八至廿五三十八至四十二四十八至五十二四十二至四十六三十一至三十六三十一至卅四五十九至六十三七十至七十四志一至八十七至廿五廿四至三十又志一至七廿一至三十又志一四十二至四十七①

晉書一百三十卷②　撰本存二十本　存卷一至卷十二卷十七至卷廿八卷卅八至卷四十六卷五十三至卷六十八卷七十九至卷八十七卷九十二至卷九十八卷一百〇四至卷一百三十又音卷十一至卷二十

又　十行本存十六本　存目音卷一至卷十四卷十六至卷四十八卷五十四至卷六十卷六十九至卷七十八卷八十五至卷一百

又　舊刻本存六本　存紀卷一至卷六卷四十七至卷五十三卷六十至卷六十四卷七十又紀卷一至卷五卷十四至卷二十六

又　監本存廿五本　缺卷七十五至卷七十八卷九十五至卷九十七卷一百〇一至卷一百〇五卷一百一十至卷一百一十八

又　監本存廿三本　缺卷十至卷廿四卷廿八至卷三十又缺卷一百二十六以下各卷

又　監本存廿四本　缺卷六至卷十一卷二十八至卷五十九卷六十三至卷六十六卷七十至卷七十二卷八十八至卷九十

又　監本存二十一本　存卷十一至卷十三卷十八至卷廿六卷四十六至卷六十一卷七十至卷八十一卷九十七至卷一百卷一百十八至卷一百三十又音卷二添卷五至卷十卷三十一至卷四十五又卷八十二至卷八十四卷一百〇六至卷一百十二

又存二本

宋書一百卷梁沈約撰　監本萬曆廿二年刻本存二十四本　缺目録兩葉

又　監本萬曆廿二年刻本存十一本　存卷一至卷三十九

又　九行本存十四本　存本紀卷二至卷十志卷一至卷二卷四至卷十八卷二十至卷二十一卷二十九卷五卷六卷七卷八又卷十三至卷十四卷十七至卷十八卷二十至卷二十一列傳卷一至卷八卷二十六至卷三十二卷三十五至卷五十八又卷十二至卷二十五

魏書一百四十卷北齊魏收撰　監本存十八本　存卷一至卷十四卷十九下至卷

① 國圖藏本此條下有"三國志六十五卷晉陳壽撰監本存八本存魏志"。

② 國圖藏本作"晉書一百三十卷唐房喬等撰存二十本"。

六十二卷七十二至卷九十二卷一百十三至卷一百一十四

又　監本存十本　存卷四十七至卷九十四

又　監本存八本　存卷四至卷四十四

又　監本存八本　存卷一之卷三卷三十六至卷一百一十四

又　監本白紙印存廿四本　存本紀全列傳卷一至卷二卷七至卷廿二卷二十九至卷四十六卷五十一至卷五十五卷六十九至卷七十四卷八十一至卷九十二志全二十卷

又　監本存十七本　存卷四至卷五十八卷六十八至卷九十二

又　宋九行本晋府藏本存五本　存志卷六卷九至卷十卷十三至卷十四卷十七至卷十八

又　宋九行本存三十三本　存本紀全志卷五上卷八卷八十至卷八十二傳卷一至卷三十五卷四十二至卷五十八卷六十至卷六十三卷六十六至卷七十七

又　同上重複存三本　存卷十至卷十四卷二十四至卷二十七卷二十八至卷三十二

南齊書五十九卷梁蕭子顯撰　監本白紙印存九本　存卷一至卷六卷十二至卷五十九

又　監本存四本　存卷七至卷二十一卷四十八至卷五十三

北齊書五十卷唐李百藥撰　宋九行本存五本　存傳卷二十七至卷四十二

又　存二本[1]

梁書五十六卷唐姚思廉撰　監本白紙印存二本　存卷三十八至卷四十八

又　九行本存十四本　存本紀卷一至卷六卷十一至卷二十一卷二十六至卷四十一卷四十六至卷四十八卷五十一至卷五十四

周書五十卷唐令狐德棻撰　監本白紙印存一本　存卷一至卷五

又　監本存四本　存卷十六至卷二十四卷二十九至卷三十六卷四十二至卷四十六

陳書三十六卷唐姚思廉撰　監本存三本　存卷五至卷二十六

又　宋九行本存三本　存卷二十二至卷三十

隋書八十五卷唐魏徵等撰　監本白紙印存四本　存卷四至卷十一卷十八至卷十九卷四十八至卷五十四

又　監本存十二本　存卷四至卷八卷十五至卷十七卷二十至卷二十二卷二十七至卷四十一卷四十八至卷六十卷六十六至卷七十卷七十六至卷八十五

又　九行本天聖二年刻存五本　存卷二十一至卷二十四卷四十至卷五十七卷七十二至卷八十五

又　十行本存十二本　存志卷三至卷五卷八至卷十一卷十四至卷二十二傳卷一至卷十五卷二十五至卷二十八

又　十行本晋府藏存十五本　存卷一至卷五志卷十九至卷二十四卷三十傳卷一至卷十一卷十五至卷十八卷二十三至卷三十九

南史八十卷唐李延壽撰　監本存十本　存卷一至卷四十

又　十行本存十二本　存本紀卷四至卷七列傳卷一至卷五卷二十八至卷三十卷三十四至卷五十一卷五十八至卷六十

---

[1] 國圖藏本無此條。

又　十行本存八本　存傳卷十九至卷二十三卷三十四至卷三十七卷四十二至卷六十六

又　十行本存九本　存本紀全列傳卷一至卷八卷十七至卷四十四卷五十五至卷七十

又　十行本存六本　存本紀全傳卷一至卷八卷二十七至卷三十六卷五十五至卷七十

又　十行本存九本　存本紀卷二至卷三卷六至卷七列傳卷九至卷十卷十二至卷十六卷三十四至卷三十六卷五十二至卷六十

又　十行本存五本　存卷一至卷六卷二十七至卷三十三卷六十一至卷七十

又　監本存二本　存卷五十六至卷五十九卷六十五至卷六十八

又存六本　存一至六廿七至四十三七十一至八十又一至五又一至三十四卷三十七至卷四十二卷五十二至卷八十五①

又　十行本存九本　存本紀卷一至卷十二列傳卷一至卷二十九卷五十七卷七十四

又　十行本存十本　存本紀卷一至卷十二列傳卷八至卷四十九卷六十六至卷八十二至卷八十八

又　十行本存十三本　存本紀卷一至卷十二列傳卷十二至卷二十五卷四十九至卷五十一卷五十七至卷五十九又本紀卷三至卷五卷九至卷十又列傳卷十九至卷二十

又　十行本存三十二本　存本紀卷一至二卷五至卷六卷九至卷十二列傳卷一至卷二卷五至卷八卷十一至卷二十卷二十九至卷三十七卷四十四至卷五十二卷五十六至卷五十九卷六十二至卷七十一卷七十四至卷七十八卷八十三至卷八十四卷八十七至卷八十八

又　十行本存十本　存本紀卷九至卷十列傳卷五至卷六卷二十三至卷二十四卷四十至卷四十三卷四十六至卷四十八卷六十九至卷七十卷七十四至卷七十六卷七十九至卷八十卷八十三至卷八十四

又　十行本存廿一本　存本紀卷二至卷五列傳卷十三至卷十四卷二十六至卷二十八卷三十五至卷八十五

謹案以上　七部同一刻本，裝背大小不同，故未湊紀。

新唐書二百二十五卷宋歐陽修宋祁同撰　十行小字本存廿四本

又　元官牘紙背印十四行本存二十二本　存本紀一至十志一至三十七表十下十四上至十五下傳十七至三十四八十一至百四十上百四十五至百四十七

又　監本存四十一本　存卷四十二至卷一百二十五又釋音一卷

又　明初南監十行本存二十七本　存本紀卷一至卷十志書卷一至卷三十六卷四十五至卷五十表卷五十表一至卷六卷十下至卷十二傳卷一至卷六卷十四至卷二十一卷二十九至卷四十二卷五十五至卷九十八卷一百〇六至卷一百二十一卷一百二十七至卷一百三十二卷一百三十九至卷一百四十一卷一百四十六下至卷一百五十

又　十行本存六十六本　存卷十一至卷三十四卷四十二至卷四十七卷五十一至

---

①　國圖藏本無“三十四卷三十七至卷四十二卷五十二至卷八十五”。此條下有“北史一百卷唐李延壽撰十行本存二十二本存本紀卷一至卷八列傳卷五至卷七卷十至卷十二卷十六至卷十七卷二十四至卷二十八卷三十三至卷三十四卷三十七至卷四十二卷五十二至卷八十五”。

卷七十一下卷七十二下至卷七十四上卷八十二至卷八十七卷九十一至卷九十七卷一百至卷一百十二卷一百二十至卷一百三十卷一百三十三至卷一百五十二卷一百六十三至卷一百六十四卷一百六十七至卷一百八十卷一百九十一至卷一百九十二卷一百九十八至卷二百〇二卷二百〇八至卷二百十四卷二百十六至卷二百二十一卷二百二十三至卷末又釋音卷九至卷十五

又　十行小字本存二十二本　存志書卷一至卷十四卷十九至卷二十七卷四十七至卷五十傳卷七至卷五十一卷六十八至卷七十四卷八十三至卷九十五卷七十三至卷七十九卷一百十七至卷一百二十二卷一百二十七至卷一百三十七卷一百四十至卷一百四十六卷一百四十九至卷一百五十表卷十一至卷十三

又　十行本存四十九本　存目録全本紀卷一至卷七志卷十一至卷二十卷四十三至卷五十表卷八至卷十三下列傳卷十七至卷二十一卷四十七至卷五十卷六十五至卷七十卷七十六至卷九十卷九十六至卷一百〇一卷一百〇七至卷一百三十卷一百三十五至卷一百三十九卷一百四十七至卷一百四十九釋音

又　十行本存三十一本　存志卷五至卷十三上卷十六至卷三十九上表卷四至卷九卷十下至卷十五下列傳卷二十三至卷三十卷三十五至卷四十七卷五十一至卷五十七卷六十三至卷六十七卷八十七至卷九十四卷一百〇四至卷一百廿卷一百廿四至卷一百廿五卷一百廿九至卷一百四十六下一百五十上下釋音

又　監本存五本　存卷四十一至卷六十一

又　監本存十七本　存卷三至卷六卷五十至卷六十三卷七十一至卷七十二中卷一百二十六至卷一百三十一卷一百九十二至卷二百二十五音一卷

又　十行小字本存六本　存志書卷十五至卷十八卷四十七至卷五十表卷一至卷十一卷十四至卷十五列傳卷八十六至卷九十二

又存七本

新五代史記七十五卷宋歐陽修傳　十行本存八本存卷一至卷十六卷三十三至卷七十四

又　監本白紙印存四本　存卷九至卷十七卷四十二至卷四十九卷五十七至卷六十六

又　監本存四本　存卷十五至卷二十二卷二十五至卷四十卷四十八至卷五十四卷七十至卷七十四

又　十行本存二本　存卷九至卷十六卷五十七至卷六十

又存六本　存十一至二十九五十一至五十八六十四至七十四又十二至二十二二十二至二十八

又存八本　存一至十七六十一至七十四又十五至二十二二十五至四十四十八至五十四七十至七十四[1]

又存二十六本　存目録卷十三至卷二十八卷三十五至卷五十五卷二百〇五至卷

---

① 國圖藏本此條下有"宋史四百九十六卷元托克托等撰監本存八十本存卷一至卷五卷三十八至卷五十七卷五十八至卷一百四十一卷一百六十九至卷二百三十四卷二百三十七至卷二百三十八二百四十五至卷二百四十八卷二百五十四至卷二百五十七卷二百六十三至卷二百七十三卷二百八十三至卷四百零二"。

二百十八卷二百三十三至卷二百四十一卷二百四十六至卷二百四十九卷二百五十至卷二百五十五卷二百六十一至卷二百六十五卷二百七十至至卷二百七十五卷二百八十七至卷三百〇二卷三百〇九至卷三百二十五卷四百三十二至卷四百三十七

又　監本白紙印存二十一本　存卷七十三至卷七十六卷八十三至卷八十四卷八十九至卷九十九卷一百五十八至卷一百七十六卷一百八十一至卷一百八十四卷一百九十至卷一百九十四卷二百〇五至卷二百二十八又卷二百二十五至卷二百二十六卷二百三十一至卷二百三十二卷三百二十至卷三百二十五卷三百七十八至卷四百

又　元刻十行本郭成裝背晋府書存六十六本　存本紀卷十九至二十二卷四十三至四十四志卷四又卷六至七卷十七至二十卷二十八至二十九卷三十七至三十九卷五十六至五十七卷六十三至六十五卷七十四至七十六卷七十九至八十卷九十至九十七卷一百至一百〇三卷一百〇八至一百〇九卷一百十三僅數葉　卷百二十三卷百二十六卷百二十八卷百三十至百三十一卷百三十四至百三十八表卷六又卷八卷十二至十三又卷二十七又卷三十傳二十二至二十三卷二十六僅數葉　卷二十八卷三十二卷三十三卷三十六至三十八零存數葉　卷五十至五十一卷六十至六十一卷六十四至六十七卷七十至七十一卷七十八至七十九卷九十二至九十三卷九十六僅存數葉　至九十七卷百〇三卷百七至百八卷百十一至百十二卷百十七至百十八卷百四十八至四十九卷百五十一至百五十二卷百五十八至百六十三卷百六十八至七十卷百八十八至百八十九卷二百至二百〇四卷二百〇九至二百十二二百九未完卷二百廿至二百廿一二百廿一未完

又　十行本存三本　存卷二十三至卷二十九又卷三十六

又　監本存六本　存卷二百三十三至卷二百四十一卷二百四十六至卷二百四十九卷二百六十一至卷二百六十五

又　監本存三十六本　存目録卷七至卷二十一卷六十八至卷七十二卷一百十一卷一百二十五至卷一百二十八卷一百三十三至卷一百三十七卷一百五十四至卷一百五十七卷一百七十三至卷一百七十六卷一百八十五至卷一百八十九卷二百至卷二百〇四卷二百〇六至卷二百〇八卷二百十四至卷二百二十八卷二百四十二至卷二百四十四卷二百六十一至卷二百六十五卷三百八十九至卷四百三十一至卷四百四十八卷四百四十九至卷四百五十四卷四百七十六至卷四百八十二又卷二百十六至卷二百十七卷三百八十七至卷三百九十五又卷八十五至卷八十八卷九十四至卷九十九卷四百三十二至卷四百三十七卷四百七十至卷四百八十二

又存四本　存一百二十九至百三十二二百二十一至二百二十四四百〇二至四百十二①

又　十行本存八本　存卷一至四十七卷五十八至九十七

又　十行本存六本　存卷一至四十七卷六十九至七十八

又　十行本存五本　存卷一至十一二十五至三十六五十八至九十七

又　十行本存四本　存卷一至四十四卷六十三至七十

又　十行本存二十本　存紀二十四至三十表一至八傳一至三十一志十至十四十八至三十一

又　北監本存九本　存卷一至九二十一至三十二四十二至七十八十至百十六

---

①　國圖藏本此條下有“遼史明寫本存十九本缺本紀卷九至卷十四”。

又　北監本存六本　存卷一至九二十一至五十一四十六至五十一

又　北監本存三本　存卷一至二十卷九十三至百〇四

又　北監本白紙印存三本　存卷十至二十卷七十一至九十二

又　存四本

金史　明寫本一存四十四本　存目録不全本紀三至四七至十九志卷一有缺又志三至九十三至三十九表一至四傳一至三八至十二十六至卅二卅七至四十九五十一至五十六此六卷内篇帙不齊　五十九至六十九七十二七十三

又　明初杭州刻本存四十本　存目録全本紀卷三志卷五卷六卷八卷十六至十七二十至二十七卅至三十一三十三至卅四三十六至三十八傳卷十十三至十四十七至十八二十至廿二三十一至三十五三十九至四十一四十六四十八至四十九五十一至五十三五十九至六十二六十六至六十七七十七十二至七十三

又　同上本存三十三本　存目録上本紀五表一至三志卷七九至十十四至十九廿一至廿六二十九卅二至卅四卅六至卅九傳卷三至五十五至十六廿五至廿八卅六至卅八四十一四十九至五十

又　杭州刻本複印存十八本　存本紀七至九十至十三表一至二志四至六十五至十九二十三至二十六三十四至三十六傳十至十二十八至二十五二十九至三十五三十九至四十一四十五至四十七五十一至五十八又四十五至四十七五十五至五十八

又　監本存九本　存卷二十四至四十一四十八至五十三五十九至六十八八十三至八十八五十五至九十九一百至一百〇四

又　白紙印存十本　存卷一至七四十八至五十八九十五至一百一十五一百二十二至一百三十五

又　存大小本存卷四十至四十四一百二十三至一百二十八六十三至七十一九十一至九十二

又　監本存二十二本　存一至一百〇九一百十六至一百二十一一百二十九至一百三十四

又存十一本　存一至三二十四至四十一四十八至五十三五十九至六十八八十三至八十八九十五至百〇四又二十九至三十五

元史　明寫本存七十二本　缺本紀三十五至三十八志十至十一三十七至三十八表六卷上下傳二十一至二十三七十一至七十三

又　寫本存二十九本　存目録本紀五至九二十一至三十五四十一至四十七志四至五八至十一二十七至二十九五十二至五十三表卷六上下傳十六至十七廿一至廿二三十七至三十八五十五至五十六六十九至八十一九十至九十七

又　刻本存二十四本　存本紀二十八至三十一志一至二五至十二二十六至二十八四十四至四十九表一至六傳一至五十三至十六二十一至二十四二十八至三十一三十六至八十一九十五至九十七

又　一包不計本重複

又存十七本　存目録本紀十七至十九志一至三上七至十二十二至二十五二十八至三十三十六至卅八四一下至五十表一至六傳一至十二五十至五十六六十七至七十

又存九本　存紀三十五至四十三志九至十一十七下至二十三十六至三十九四十二至四十四五十至五十三傳二十六至三十三十七至四十印本甚大與前同版

又　監本存四十本　存十六至十九三十四至三十五四十三至六十五六十七至七十七十至八十三八十六至八十八九十六至一百一十

又存十八本　存四六至十一十七至廿一四十一至四十七八十五至八十八一百十四至一百二十一百廿九至百三十四百四十二至百五十四百六十一至百七十五百八十七至二百〇四又五十九至六十八七十四至七十八

又存十七本　存四十八至五十六十至六十二七十一至七十六九十六至九十七一百〇二至一百〇四一百〇六至一百二十八一百三十至三十七一百四十一至一百四十四一百六十一至一百六十四一百九十四至二百〇四又一百十四至一百十九

又　嘉靖十年刻本存十三本　存一至十一十七至二十一四十一至四十七一百十四至一百二十一一百廿九至百三十九百四十二至百五十四百六十一至七十八百八十七至二百〇三

又　監本存四十本　存十六至十九三十四至三十五四十三至六十五六十七至七十七十至八十三八十六至八十八九十六至百二十百二十至百八十八百九十四至二百一十

明史　殿版存五十四本　存二十八至三十二三十五至六十八八十四至九十九百〇九至百十二百三十至百三十八百六十七至百七十一百七十七至百八十百九十六至二百〇一二百〇五至二百〇七二百一十至二百十四二百十八至二百二十三二百三十一至二百四十二百六十五至二百八十二百八十九至二百九十四二百九十八至三百十四三百十七至三百二十一

又　殿版存九十六本　存一至十九二十五至六十八七十二至百二十一百二十六至百五十八百六十三至百七十一百七十五至百八十百八十四至百八十六百九十三至二百二十三二百二十七至二百四十九二百五十三至二百五十五二百六十一至二百八十二百八十六至三百二十九

又存五十一本

又　原稿本存六十本

又存一百〇三本

又　歷志稿本存十六本

史書存七本存唐一後漢二元史一隋一通鑒前篇一金書一魏一

以上正史類一百四十部共存二千四百九十九本

資治通鑑二百九十卷宋司馬光撰　宋刻無注本存二十本

又　同上本存三本　存七十四至七十五八十至八十一九十至九十二一百二十二一百二十八一百卅二至百卅四百四十五至百四十七百六十至百六十二又百四十七

謹案此書有禮部評驗書畫關防長方印，又有解物人沈盛、沈茂名，名下各有押，當是宋時官物。

音注資治通鑑元胡三省音注　元刻本集配存十二本　存九至十一三十四至三十六四十一至四十四六十二至六十四七十八至八十又八十九一百廿一至一百二十七一百四十一至百四十八百五十四至百五十六一百五十九至百六十二百八十一至百八十四百八十九至百九十一二百〇七至二百〇八二百二十九至二百卅五二百五十三至二百五十六二百五十九至二百六十又二百七十九又複四十一至四十四六十一至六十三一百二十一至百二十二一百八十九至百九十一二百五十五至二百五十六

又存二十九本　存六十一至六十三八十二至八十四九十七至九十九一百〇九至

百一十百二十七至百二十九百四十至百四十一百四十五至百四十七百五十一至百五十四百七十二至百七十四百七十八至百八十百八十七至百八十九百九十二至百九十五二百〇三至二百〇四二百四十一至二百四十三二百五十七至二百五十九二百六十六至二百七十一又二百七十四二百八十一至二百八十二二百九十三至二百九十四

又存十本　存二十五至二十六又五十一一百〇一至一百〇二一百〇六至百〇八一百十九一百四十二至百四十四又二百十二又二百八十四附釋文誤一本第一至六

又　同上本存十一本　有批存五本存四十至四十二九十五至九十七百二十二至百廿四百廿八至百三十百六十七至百六十九

又存七本

又存二十六本　存百六十至百六十二百八十四至百八十五二百十九至二百二十一

又　二包不計本

陸狀元集百家注通鑑詳節一百二十卷宋陸唐共編存八本　存志首至三十一四十七至八十又複二十三至三十又六十七至七十一

少徵通鑑節要五十卷宋江摯撰　大小雜本存八本　存卷十一至十八十八至二十九二十二至三十三十三至三十四四十至五十一四十至五十四十三至五十十四至三十

又　朝鮮本存八本　存二至四十二至十五廿七至卅一三十六至四十一四十五至四十七附續編二十三上二十四至二十五

又存四本　存卷八至十三又五至二十六複卷八至十

通鑑詳節存八本　存首至三十一四十七至八十複二十三至三十六十七至七十

又存六本　存卷一至十又三十一至四十六十一至七十八十至一百一百十一至一百二十

又存二本　存首至三十一六十七至八十①

又存五本

又存六本　存一至二十十九至四十又三十五至四十一又四十至四十七又四十五四十八又四十五至五十九

又存四本

綱目書法五十九卷明劉友益撰存五本　存三至六十九至三十四五十三至五十九又四十九至五十九

綱目集覽五十九卷明王幼學撰存五本　存一至十四二十九至五十九又一至五四十一至五十九又四十三至五十九

又存十二本

宋史全文續資治通鑑三十六卷存五本　存卷五至七十至十二二十至廿一廿五

---

① 國圖藏本此條下有“資治通鑑綱目五十九卷宋朱子撰大小雜本存十二本存卷一又八至九又卷九二十四至二十六三十一至三十六三十五至四十又八至九又二十四至二十六四十九至五十一又四十至四十四四十八至四十九。又存三本。又大字本存十八本。又明刻本存十四本。又存六本存十二至十三二十至二十二二十五至二十六四十至四十一五十六至五十九。又存八本。綱目發明五十九卷存三本存十六至四十五又三十三又四十五。又明刻本存三本存五至六九至十一。又存九本存十二至十五四十四至四十八。”

至廿六二十九至三十一

又存一本　存卷三至八

宋鑑　即宋史全文附季朝事實存五本存六至八二十三至三十六

又存二本　存五至八十四至十八

又存一本

通鑑節要續編三十卷張先啓撰　元刊本存八本　存十六至十七二十一至二十九

謹案此書有永年伯章及王棟之印,又欽賜書籍大方印,乃明端皇后兄家藏書,欽賜書籍蓋賜由神宗也。

又存一本　存十一至十五

通鑑續編二十四卷　又題曰遼金史明陳桱撰存六本

又存七本

又存十一本　存一至四七至九九至十一十三至十四二十一至廿二又存九至十又二十一缺廿三至二十四

宋史新編二百卷明柯維騏撰存三本　存四十七至五十六十五至七十一七十七至八十一

元史續編貳十四卷明胡粹撰存十一本　存一至二十二

又存六本　存一至二五至二十二

又存九本　存一至四七至九九至十一十三至十四廿一至廿二又複九至十

歷代通鑑纂要九十二卷　明李東陽等修刻本存三十七本　存卷五至七卷十五至廿二卷廿七至卅六四十一至四十四卷四十六至六十卷六十五至六十六卷七十至七十二卷七十四至七十六卷八十二卷八十四至八十六卷八十八至九十二①

通鑑全書國朝馮溥等奉敕撰　稿本存九本存周安王、烈王、顯王、威烈王、慎靚王、赧王、秦莊襄、秦二世、漢高帝

明通鑑綱目　草本存七十二本

明史綱目　草本存二十六本

又　稿本存十四本

又存十本

又存十本

以上編年類五十　五部共存五百五十七本

通鑑紀事本末四十三卷宋袁樞撰　刻本存十本

又　抄本存七本

又存十二本

又存十二本

又　紅皮本存十二本

---

①　國圖藏本此條下有"大方通鑑四十卷明葉向高撰存十九本存通鑑卷二至卷二十宋元一至二十一。通鑑納言不詳撰人存二本。"

又存二十三本

又存十本

又存十四本

又存二十四本

又存十本

又存十一本

又　黃綾蝶裝宋本存十四本　存卷三至四卷十至十一卷十七十九卷二十六至二十七卷三十又卷三十四卷四十一至四十三

又存八本

又存二本

又存十二本

宋史紀事本末二十六卷明陳邦瞻撰　明刻本存十四本　存卷四至五卷七至十二卷十五至十九

又存十一本　存卷二至七卷二十七至二十八卷三十至三十

唐鑑二十四卷宋范祖禹撰　存一本

漢唐秘史存一本

欽定歷代紀事年表一百卷　康熙五十一年奉敕撰刻本存廿七本　存卷七至二十一二十七至三十一三十五至九十七

歷代臣鑑三十七卷存九本　缺卷三十至三十三

謹案宣德自序,録春[①]秋迄元代人臣事略,分法善、成惡二類。

相鑑存十二本

平定三逆方略[②]存八本

以上紀事類二十　五部共存三百〇八本

明實録　抄本存二百卅七本

太祖廿二本卷一至十三叙南都事卷廿五至二百五十九自洪武元年二月起至三十五年閏五月止叙太祖事迹

太宗廿二本卷十至十五自洪武三十五年七月起至十二月止

宣宗十四本宣德元年正月至七年六月八年五月止十年十二月

英宗十九本正統元年正月至十四年十一月

景帝六本景泰元年五月至二月十日三年六月至五年六月

英宗八本天順元年正月至八年正月

憲宗二十九本自天順八年正月至成化二十三年八月

孝宗二十三本自成化二十三年八月至宏治四年三月五年正月至十四年閏七月十六年九月至十八年五月

---

① 國圖藏本"録春秋"作"録書(原闕)"。

② 國圖藏本此條上有"親征平定朔漠方略刻本存十本存十四至末。又存三十四本存首又一又三又十又十四至十六十九二十二二十四至二十八"。

武宗二十一本自宏治十八年五月至正德五年十二月六年四月至十一年九月十三年六月至十六年六月

世宗二十本自正德十六年七月至嘉靖元年十二月嘉靖五年正月至十二月七年正月至九月十二月 十一年正月至十二月 十六年正月至十二月 十八年正月至十九年十二月 二十一年正月至十二月 二十三年正月至十二月 二十七年正月至廿八年十二月 三十三年正月至十二月 卅五年正月至十二月 卅八年正月至十二月 四十年正月至四十二年十二月

穆宗四本 自隆慶二年正月至六月 四年正月至六月 五年七月至十二月六年五月至十二月

神宗四十七本 自萬曆元年正月至十年十二月十本 十一年正月至二十年十二月十本 二十一年正月至二十七年十二月 二十九年正月至三十年十二月九本 三十一年正月至四十年十二月十本 四十一年正月至四十八年七月八本附光宗一本

熹宗十二本 自泰昌元年九月至天啓三年十二月 天啓五年正月至七年七月十二本

複弘治五年五月至九月 天啓五年正月至十二月 共三本

謹案有明一代,除建文崇禎二朝原無實録外,此所存計缺永樂一朝,以《汲古閣書目》考之有四十册,不知庫中有無殘册也。聞日本圖書館有《明實録》全部,惟缺太祖一朝,如能就彼抄補,殘帙便可成完書。

以上别史類　一部共存二百卅七本

太祖下六世卷一存十九葉卷廿二存十二葉七世卷二存十一葉不全卷二十二存十五葉卷二十六存五葉不全卷三十存十七葉不全卷四十五存十九葉[1]

太宗下六世卷四存七葉不全卷六存十三葉卷二十一存十六葉卷三十九存十八葉卷四十一存十四葉不知卷數存十五葉半不全卷五十六存十六葉七世不知卷數存十二葉不全卷二十七存十五葉不知卷數存八葉不全卷四十四存十二葉卷五十存十八葉卷六十二存十一葉不全卷九十六存十四葉半不全卷九十八存二十二葉半不全卷一百存十七葉卷百十一存十八葉卷百十四存十六葉卷百廿二存十七葉卷百二十五存十二葉卷百三十一存十七葉不全卷百三十八存七葉半不全卷百四十存十六葉

南宋寫本宗藩慶系録　不知卷數存二十一本

太祖下六世卷四存十一葉七世卷十三存九葉卷十七存九葉

太宗下六世卷廿存十葉七世卷十八存三葉不全卷十九存八葉卷廿三存九葉卷廿七存七葉卷廿八存九葉卷三十存十葉卷卅四存八葉卷三十九存八葉

魏王下卷七存十四葉六世卷二存九葉不全卷三存十一葉卷九存七葉不全卷十二存十葉七世卷八存九葉卷廿二存八葉卷廿三存八葉卷三十五存八葉卷

① 國圖藏本此條上有"南宋寫本仙源類譜不知卷數宋史浩奉敕撰存二十九本",據劉啓瑞案語是書當有此名。

三十六存七葉

以上二書共存五十一本計六百〇三葉

謹案二書當出一人所編，爲歷來著録家所未見。《宋史·藝文志》亦不載，宋世系表稱有宋宗室有譜有牒，有録有籍，此二書當一爲譜，一爲録。録分太祖、太宗、魏王三大支，祗載子嗣官秩。譜分太宗二支，兼載子女生卒年月，其中又有六世、七世之别，每世卷數又自爲起訖，以原存卷數考之，當有數百卷。今二書所存五十一卷而已。譜存六世，卷首首載史浩奉敕編一行，浩封衛國公當在淳熙朝，對高、孝、光三朝當稱謚。今卷中與高宗名同處貼黄，作“今上御名”，高宗譜内又作“太上皇帝”，又或作“孝宗皇帝”，光宗皇帝或又稱“孝宗”，爲今上皇帝，稱光宗爲“今上皇帝”，蓋譜録均南渡後敕修。至史浩時，始奉命就原本編定，或已貼改，或漏未更正耳。又裝定不知出何人手，以籤題作“宋宗藩系録宋仙源類譜”，不稱“皇宋”，疑非宋代所裝，然不可考矣。以校《宋史世系表》，史中訛誤百出，閣中有元初宋史刻本，惜無暇取以讎校也。

八旗滿洲氏族通譜存五十九本

又存二十一本

又存四十本

又存三十六本

以上譜牒類　二部共存二百〇六本

三朝聖訓存十本

世宗聖訓[①]存十八本

又存八本

聖祖聖訓[②]存四十本

聖祖仁皇帝[③]政治典訓一百卷雍正年間敕撰抄本存九十九本缺一本

謹案此書與《列朝聖訓》體例略同，其初蓋名爲典訓，不知何以撰而不用。

高宗純皇帝[④]聖訓三百卷　刻本存九十五本存卷一卷三卷五至十三卷十六至十七卷十九至二十一卷二十四至一百

硃批諭旨都存二千六百〇八本

1部缺末函石麟下一本存一百十一本

又仝上存一百十一本

又缺末六本存一百〇六本

又仝上存一百〇六本

又仝上存一百〇六本

又仝上存一百〇六本

① 國圖藏本作“憲朝聖訓”。

② 國圖藏本作“仁廟聖訓”。

③ 國圖藏本作“仁廟”。

④ 國圖藏本作“純廟”。

又仝上存一百〇六本

又仝上存一百〇六本

又仝上存一百〇六本

又仝上存一百〇六本

又仝上存一百〇六本

又缺第十三十八函存一百本

又缺十三十七函十四十八函存八十八本

又仝上存八十八本

又仝上存八十八本

又缺十六十八函十四十八函存八十八本

又缺十三十四函十六十七十八函存八十二本

又仝上存八十二本

又缺十三十四十六十七十八函存八十二本

又仝上存八十二本

又缺一十三十四十五十六十七十八函存七十本

又缺一十三十四十五十六十七十八函存七十本

又缺一十三十四十六十八函存七十本

又缺一四十三十五十六十八函存六十四本

又仝上存六十四本

又缺一九四十三十四十五十六十七十八函存五十八本

又仝上存五十八本

又仝上存五十八本

又仝上存五十八本

雍正上諭存二十三本

又存二十三本

雍正上諭續編存九本

又存九本

聖諭像解存九本缺一本

大義覺迷録存三本缺第四卷

兩漢詔令存一本

宋諸臣奏議一百五十卷宋趙汝愚編　宋刻本存十本　存一至八三十六至四十二五十八至百〇五百十三至百二十六百三十三至百三十八

又　元刻本存七本　存一至九十九至二十六五十一至五十四五十四至五十九六十七至八十二一百〇九至百十一

又　元印本存十四本　存三十四至三十七六十二至六十八七十八至八十九九十八至百〇四百〇五至十一一百二十六至百卅百卅三至百四十一又三十四至三十七

又　宋刻本存十本　存三十五至三十八四十二至五十二九十至九十四一百〇一至百〇三一百〇八至百〇十一一百二十二至二十九一百四十五至四十八

又存六本　存一至十二十三至三十九十七至百〇四一百十五至百十九一百二十六至百三十又一至八

又存二本　存六十五至七十一一百三十九至百四十四

歷代名臣奏議明永樂中撰　明刻本存五本　存二百六十至二百六十二二百六十五至二百七十二百七十六至二百七十八

陸宣公奏議　存四本

又存四本

列女傳漢劉向撰存三本存卷一卷三又複卷一

百將傳宋張預撰存六本

昭忠祠列傳廿六本

又續集四十四本

又續集九十本

又列傳四十四本

又列傳四十一本

又列傳廿七本

又列傳八十一本

又初集三十本

又集五十三本

明名臣言行録存二本前集六卷後集四卷

天聰名臣傳稿存二本

以上傳記類十　三部共存四百四十九本

周簡肅公奏稿存一本

督撫奏議明人輯存九本

順治元年吏户禮　三部章奏存五本

以上詔令奏議類五十　五部共存三千三十二本[①]

通鑑總類二十卷存十六本　缺七至八十八至十九

又存八本　缺三至四十五至二十複四至五十至十一

又存五本

又存十三本　存一至五又九至二十二又十五至十六十八至十九

又存四本

又存五本

又存七本

又存八本　存三至六九至末

又存十一本　存一至三五至十一又十四

十七史詳節宋吕祖謙撰存十二本　存史記二本全東漢二本不全三國一本不全

① 國圖藏本"周簡肅公"至"三千三十二本"位於"陸宣公奏議存四本。又存四本"下，此四種皆屬詔令奏議類，北大藏本有誤。

北史二本南史二本均不全隋書二本全複北史一本

又存三本　存西漢一本東漢一本唐一本

又存五本　存西漢一本東漢一本南史一本北史二本

十七史策要存廿五本

十八史史略存二本

史學稽古不知卷數存八本　存卷四至十二卷十八至廿八卷卅八至五十五

謹案原書無首卷本數以子丑寅卯十二字爲次計缺四册

讀史管見存四本

又不計本

函史存二十本

荆川史纂左編存四十二本　存四十三至五十八又四十五四十九至五十五十四至五十五五十七至六十四六十九至七十七十二至七十五七十七至七十八八十一至八十五八十七九十七至九十八一百〇六至百〇七一百十一一百十八一百二十一至百二十四一百卅至百三十四又一百〇一至百〇二一百〇九至百十一一百十三至百十四

太平寰宇記二百卷宋樂史撰　明經廠本存十九本原缺第四卷第百十三至百十九今存一至三五至二十四四十至五十七八十九至九十五百〇至三至百十二一百二十至百三十二一百四十三至百四十八又一百五十七一百七十二至二百重五十二至五十五

明一統志九十卷明李賢等奉敕撰存三十二本　存卷八至三十五三十八至五十五五十九至六十六六十九至八十七

又存二十九本

又存二十五本　存廿二至二十四二十六至三十四又三十七四十九至七十一七十四至七十八八十一至八十二八十五八十九至九十

寰宇通志一百十九卷明陳循等修存三十二本

皇輿表十六卷存　二部各二十三本①

大清一統志存八十七本　缺卷首卷一二二十八至三十卅七七十一至七十三九十一至九十八一百十二十三一百三十六卅七一百五十七至一百五十九一百七十二至一百七十四一百八十七至一百八十九二百〇五至二百〇七二百二十一至二百廿三二百三十五二百六十至二百六十二二百七十四至二百七十六二百九十至二百九十二三百〇四〇五三百二十九三百三十

大清一統志②存③二百五十九本直隸二十四河南二十四山東八陝西十八甘肅十二四川十九雲南八貴州十六廣東十五廣西十二江南三十江西十八湖南十二湖北十六福建十二浙江十五缺山西

又　稿本存三百二十本

---

① 國圖藏本作“皇輿表存二十三本。”

② 國圖藏本“大清一統志”下有“存八十七本缺卷首卷一卷二二十八至三十三十七七十一至七十三九十一至九十八一百十二十三一百三十六三十七一百五十七至一百五十九一百七十二至一百七十四一百八十七至一百八十九二百零五至二百零七二百二十一至二百二十三二百三十五二百六十至二百六十二二百七十四至二百七十六二百九十至二百九十二三百零四至五三百二十九三百三十。”

③ 國圖藏本“存”上有“又”。

又　刻訂本存四十二本

又　鈔本存一百三十本

又　千[①]存一百十九本

又　紅格抄本存十七本

又　抄本存六十五本

又草稿存一百四十一本

又　稿本存四十本

又　抄本存廿四本

又存三十七本

又　抄本存四十本存山東十四又五雲南四浙江五廣西六河南六

又　抄本存七十四本

又存二十五本

又　草稿本存十七本

又　草本存七十八本

又　刻本不全存八十七本

讀史方輿紀要二百卷國朝顧祖禹撰　原稿本允恭手批存九十七本　缺三本

欽定方輿路程考略存九十二本　存直隸三本陜西二十二本河南廿一本浙江七本安徽一本福建五本江西九本廣東七本湖南十四本四川三本

金陵新志元張鉉傳撰　抄本存四本　存卷一至二卷四至五卷十四至十五

又　刻本存六本　存卷四至十五

又存四本存卷一至二卷四卷六卷十三下

閩都記存四本

莊浪彙記存五本

御製盛京賦　清漢篆文存卅二本

畿輔通志存六十九本

又存廿八本

又存六十九本

江南通志存九十八本

山西通志存九十九本

河南通志存十四本

浙江通志存九十九本

又存九十九本

廣東通志存四十四本

雲南通志存三十二本

又存三十一本

四川通志存四十八本

---

① 國圖藏本無此字。

江西通志存四十本

天①和山志存三本

以上地理類四十　六部共存二千七百四十五本②

明會典一百八十卷　宏治十年撰刻本存一百廿一本

又存三十二本

又存三十七本

又存二十一本

又　二百廿八卷明萬曆十五年申時行寫本存百廿一本存序例卷三至十四十六至五十六五十八至五十九六十一至八十七百〇一至百〇九百十二至百十三百十六至百四十七百五十五至二百二十八

大明集禮存八本

又存七本

明典故紀聞十八卷明余維登撰　刻本存八本　存三至十四十七至十八

明世法録存五本

吾學編明鄭曉編存八本

大清會典存五十三本　存卷一至三十三至六十六十四至八十四八十七至九十五九十九至一百〇四一百八至一百三十五一百三十七至一百三十八一百四十二至一百四十六一百五十一至一百六十二

又存百零四本　存首卷至十九二十四至廿七二十九至三十三十至三十九四十四至四十六五十一至五十三五十五五十九六十一至六十二六十四至六十六七十一至七十六八十一至八十六九□③至一百一百〇三一百〇至百十五百七十一至百三十七一百三十五至百四十六一百四十八至一百五十一一百五十五至一百六十二

又存九十五本　缺序目四十二至四十三二百三十四至二百三十五

又　寫本存一百廿一本存户部十六本祭祀行禮圖十四本兵部十一本刑部八本工部九本盛京户禮刑工部各一本理藩院七本都察院一本通政司一本大理寺一本内務府廿三本太僕寺一本中書科一本欽天監五本太醫院一本侍衛處一本八旗都統五本步軍統領一本護軍營一本前鋒營一本建鋭營一本大器營一本圓明園護軍營一本嚮導處一本虎槍營一本

大清會典則例存六十九本　缺卷二十四至十七五十四至五十六六十六至六丨七七十一至七十四七十六至七十七八十七至九十九十三至一百十二一百廿二至百廿三一百二十四一百四十七一百四十八一百五十三至百五十五一百五十九至百六十一百六十五一百六十七一百六十九一百七十一百七十五一百七十六百八十

大清會典事例　進呈寫本存四百八十三本

存吏部十三本户部九十本禮部十三本兵部一百廿七刑部十三本工部六十四本盛京户禮兵刑部各一本工部四本理藩院二十八本都察院十六本通政司一

---

① 國圖藏本"天"作"太"。

② 國圖藏本地理類下有"詞林典故八卷乾隆九年奉敕撰刻本存七本缺卷六。又存六本缺卷五至六。以上職官類　二部十三本"。

③ 國圖藏本作"十"。

本大理寺一本内務府二十三本翰林院四本起居注一本詹事府一本太常寺十八本順天府二本奉天府一本太僕寺一本鴻臚寺三本國子監一本欽天監一本太醫院一本鑾儀衛三本侍衛處二本八旗都統卅五本步軍統領四本大器營一本建鋭營一本護軍統領二本前鋒統領一本圓明園護軍營一本嚮導處一本三旗虎槍營一本

又存六十七本

又存一百八十一本

大清會典[①]存一百三十九本　缺卷八十

會典則例存一百二十本

大清會典圖存七十四本

幸魯盛典存十本

科場條例存一本

工程做法存五十本

八旗通志二百五十卷雍正五年奉敕撰存七十八本　缺卷十至十一又二百二十至二百二十三

又存六十七本

又　白紙印存四十三本

又　毛太紙印存四十三本

八旗通志　寫本存一百四十九本　缺卷一至廿五五十至六十四八十三至一百四十一百八十八至一百九十

又　寫本存二十三本

又　寫本存二百四十八本目録全三册志二百四十五本

中樞政考存十六本

兵部處分則例存三十一本

工部軍器則例存二十三本

唐律義疏三十卷唐長孫無忌等奉敕撰　刻本存四本

通制條格元時官撰元寫本存一本　存卷二十七至三十

謹案此書四庫存目止二十三卷疑誤[②]。

大清律集解附例存十八本律存首至十八二十至三十總類存一至五

治河奏牘二十四卷國朝張鵬翮撰存廿二本[③]

謹案此書不書奏議,先正事略稱所著爲聖謨全書,今書首無名不知何故[④]。

山東鹽法志存七本　缺卷十一

---

① 國圖藏本"大清會典"作"又",下條"會典則例"作"又",即二條皆爲《大清會典事例》殘本。

② 國圖藏本無"通制條格"此條内容。

③ 國圖藏本無此條内容。

④ 國圖藏本此案語屬"大清律集解附例"條。

長蘆鹽法志存八本

明兩淮鹽法志存五本

福建賦役全書存八十二本存一至六

又存八十二本

又存八十四本

又存七十本

湖廣賦役全書一百卌八本

江西賦役全書九十二本

廣東賦役全書一百〇一本

康熙晴雨録存十九本

以上政書第一類四十九部共存三千三百八十五本

通志二百卷宋鄭樵撰存三十九本　存一百一十五至百二十六百廿九至百三十二百四十至百六十四百七十八至二百重一百六十五至百六十七百七十一至百七十七

又　存一百五十四本存卷一至四十四十二四十四至八十九九十三九十五至九十六九十八至百〇九百十二至百二十八百三十至百三十二百三十五至二百

又　存一百三十一本存一至四五下至六下十至十下十二至十五下十六十九二十二十三三十一至

三十八五十一至六十二六十五至七十四七十七七十八七十九八十八十二至八十五八十九九十一九十三至一百〇二一百〇七百十一一百十二至一百十五一百十六一百十八至一百二十九一百三十至一百三十七一百卌八至一百五十八一百六十一百六十一百六十一一百六十三至一百七十一百七十二至一百七十六一百七十八至百八十一百八十四至一百八十六一百九十至二百

又　存四十八本存一至五上六上十二至十五上十七十八廿五至二十七三十一至三十五五十一至五十二五十五至五十七六十七至六十八七十七至七十九八十八十三至八十四八十六至八十七八十九九十四九十八九十九百〇二上百〇七百〇九百十三百十七至百十八百廿二至百廿三百二十六至百二十七百卅一至百卅六百卅八至百四十五百四十七至五十八百六十百六十二至百六十九百七十四至百八十一百八十三至百八十六百八十八至百九十六百九十九二百

又存四十二本

通典　抄本存二十八本缺卷八至十三卷二十九至四十三卷六十六至七十二卷八十五至八十七卷一百廿五至一百廿九卷一百六十一至一百七十卷一百八十一至一百八十四

文獻通考存三十三本　缺卷一至九卷十四至二十四三十二至三十四四十至四十六五十四至五十七六十四至六十七七十五至七十九一百十一至百廿七一百三十三至百三十八一百四十五至一百六十五一百七十至一百七十三一百八十至一百八十七二百〇七至二百十四二百五十六至二百七十七二百八十三至二百九十五三百〇六至三百十四

又存六十七本　卷九至十二八十至八十二三百四十一至三百四十四二百五十至二百五十二一百六十五至一百六十七三百廿五至三百廿八二百二十九一百五十六至一百五十九二百二十五二百三十三三百三十二至三百二十五一百八十一至一百八十六七十七至八十一九十五至九十八三百三十二至三百三十六三百三十至三百三十一二百九十二至二百九十六二百七十四至二百七十七二百八十六至二百九十一二百七十至二百七十五二

百七十六至二百七十九二百二十七至二百三十三二百五十四至二百五十八二百六十五至二百六十九一百五十六至一百五十九一百四十五至一百五十一百三十九至一百四十四六十六至六十八七十三至七十八十三至十七三十五至三十七四十八至五十二五十七至六十五一百八十二至一百九十一百十五至百十七六十一至六十四七十四至七十六一百至一百〇二一百〇六一百〇六至一百十一一百十二至一百十七三百〇八至三百十一二百四十四至二百四十六二百九十五至二百九十八五十四至五十七二百八十九至二百九十一一百〇三至一百〇五一百七十八至一百八十一二百五十一至二百五十三二百八十五至二百八十八三百三十三至三百三十六一百六十二至一百六十四七十一至七十三四十八至五十一百九十一至一百九十五三百十八至三百二十一一百五十八至一百六十一二百七十至二百七十三二百四十七二百五十四至二百五十六

又存九本　二百三十四至二百四十七十九至八十四九十七三百一百〇一至百〇六一百十二至一百二十八一百三十五至一百四十六

又存十本

又存四十本　卷七十九至八十一九十七至九十九一百九十至一百九十三一百三十一至一百三十六一百至一百十九一百二十五至一百二十七一百四十九至一百五十一一百九十四至一百九十八二百〇二二百〇五一百八十三至一百八十九一百四十六至一百四十八一百七十九至百八十二二百七十八至二百七十九二百二十一至二百二十四二百〇六至二百〇九二百四十六至二百四十九二百七十五至二百七十七二百七十二至二百七十四二百六十七至二百六十八二百五十九至二百六十一二百三十二至二百三十四二百四十三至二百四十五二百三十五至二百三十八二百六十五至二百六十六二百六十九至二百七十一二百八十至二百八十二二百十三至二百十六二百十七至二百二十二百二十九至二百三十二二百五十三至二百五十四二百五十七至二百五十八一百九十九至二百〇一

又存十二本

又存一百二十八本

又存八十一本

又存二十八本　卷二十五至二十七二十八至三十三十一至五十五五十八至六十六十六至六十七七十一至七十六九十七至九十九一百〇三至一百〇五一百十五至百十七一百二十八至百三十一一百三十六至百四十五二百七十四至二百七十七二百九十五至二百九十八三百〇三至三百十四

又存九本

又存十本

通典詳節存四本

殘複

以上政書第二類十八部共存八百七十三本

以上（原闕）　類十九部只存一百九十八本①

總共史類四百廿八部一萬四千五百〇二本

---

① 國圖藏本無此條内容。

子類[1]

説苑二十卷漢劉向撰　明初刊本存三本　存卷一至十三

又存二本　存卷五至十二

又存二本

又存二本

又存二本　存卷首至四十七至二十

朱子語類大全一百四十卷宋黎靖德編存十八本　存卷一至二卷四至六卷九至十卷十二至十五卷二十二卷二十六卷三十四至三十八卷四十末

又存八本　存卷一至六十五至三十五四十四至六十一八十三至九十

朱子成書存六本

文公經世大訓宋楊簡撰存五本缺末本

顔子元徐大左輯存一本存卷五至七

大學衍義四十三卷宋真德秀撰　元小字刻本配一本仍缺存五本　缺卷三十七

又存七本

又存四本

又存三本

又存三本　存卷六至二十四

又存八本

又存十一本

又存三本　存卷廿二至廿六三十一至三十四又卷四十三

大學衍義補一百六十卷明邱濬撰　刻本存十七本

又存十五本

又存十三本

又存九本

讀書記六十一卷宋真德秀撰　宋刊大字本存三本　存卷四五又卷八

閫範四卷明吕坤撰存一本

性理大全七十卷明胡廣奉敕撰存四十八本　缺二本

五倫書　缺卷六卷二十四卷五十一

又存五十三本

又存五十八本

又存六本

黄氏日抄宋黄震撰不計本

自警編九卷宋趙善璙撰存四本　缺第三本

又存四本　缺第三本

傳習録存二本　存前三卷

朱子爲學考三卷存二本　存卷二卷三

---

① 國圖藏本"子類"以後屬第二册。

以上儒家類 (原闕)部共存 (原闕)本①

武經總要四十卷抄本存殘複六本 存前集一至六又一至二六至九後集五至十十三至十七

以上兵家類 一部共存六本

大德重校聖濟總録二百卷宋政和中奉敕撰 宋刻本存廿六本存一至下二至中十七十九二十六十一六十二六十五六十六七十一八十三八十四九十三九十九一百百廿三百廿四百廿七百廿八百廿九百卅百卅七百卅八百五十百五十一百五十四百五十五百五十八百六十百六十三百六十四百八十四百八十五百八十六百九十

普濟方百六十八卷明周定王朱橚撰 周府初印本前有印施記文半葉存十六本 存卷卅一三十四四十五至四十六四十九五十二五十八六十三七十二八十八十二至八十四八十七至八十八百零二百零四百十六百四十

回回藥方 鈔本存四本

纂圖類方馬經存一本 存卷五至七

以上醫家類 五部共存 (原闕)本②

古今律曆考七十二卷明邢雲路撰存九本 存卷一至十六二十二至二十五

新法算書一百卷明徐光啓等撰存五十四本

西域曆法通徑不詳卷數 抄本存四本存卷十一至十四卷二十三至二十四

統歷會集元龜不詳卷數 抄本存一本

御製數理精蘊存二十八本 缺卷六至十

算法全能集存八本 篇葉不全

以上曆算類 六部共存 (原闕)本③

焦氏易林十六卷漢崔篆撰 舊刻本存四本 存卷三至四七至十又十三共七卷

大統通占存八本 存五至六十一又十五至十六又三十六至四十一

命書 抄本存四百十本存甲命九十七本乙命五十三本丙命五十一本丁命一本戊命四十八本己命一本庚命六十六本辛命四十八本壬命四十五本癸命無

以上術數類 三部共存 (原闕)本④

欽定授時通考七十八卷乾隆二年敕撰 内府刊本存廿一本缺五十二至五十三又存廿一本

以上農家類 一部共存廿一本

宣和博古圖宋大觀中敕撰元刊本存一本

以上譜録類 一部共存一本

爲善陰騭存一本 存前五卷

容齋隨筆存二本 存四筆五筆各一本

説郛一百二十卷明陶宗儀編 舊抄本存五本存卷三卷四卷二十三至卷三十二

---

① 國圖藏本作“以上儒家類三十 三部共存四百十九本”。

② 國圖藏本作“以上醫家類 四部共存四十七本”。

③ 國圖藏本作“以上曆算類 六部共存百零四本”。

④ 國圖藏本作“以上術數類 三部共存四百二十二本”。

謹案此書世俗刻本都不完備,此舊抄本書名,持校現行書目録多未刻者,雖系殘帙亦屬可貴。

以上雜家類　二部共存七本①

雲笈七籤一百二十卷宋張君房撰　清真館刻本存十四本

上清雲寶大成全書四十卷不詳撰人　刻本存四十本　缺第三卷

五燈會元二十卷宋釋普濟撰　抄本存六本　存卷一卷三至卷五卷十九至二十

又　宋刻本存七本　存卷五至十八

大明三藏法數　抄本存四本　存卷三至卷五卷廿三

神僧傳九卷存四本　缺第五卷

法苑珠林一百卷唐釋道世撰　明寫本存二十一本　存目録卷一至八卷十一至十九卷廿三至三十卷卅三至卅九卷四十六至五十三卷五十七至六十卷六十五至六十七卷七十一至七十八卷八十七至一百

普菴語録　刻本存二本　存卷一卷三

禪林類聚釋道泰撰存一本　存卷十三至十四

景佑太一福應經集要十卷宋景祐中敕撰　宋抄本存一本　存一至五

宗門武庫存一本

繙譯名義存一本

圓悟禪師碧巖集存一本

大慧禪師年譜存一本

以上道釋家類　(原闕)部共存　(原闕)本②

藝文類聚一百卷唐歐陽詢奉敕撰存　(原闕)本③

太平御覽一千卷宋李昉奉敕撰　宋抄本存十九本存目録一至四卷一至十六廿一至廿六七十二至八十一三百零四至三百十三五百廿六至五百三十五五百五十六至五百六十六六百廿九至六百三十八七百零七至七百二十七百七十三至七百八十四八百零三至八百十二八百四十七至八百六十二八百八十四至九百四十五

又宋刻本存三十五本　存廿一至二百七十七百十一至八百二十

册府元龜宋王欽若奉敕撰　宋刻本存六本存甲三十六至四十三六十九至七十二八十五至九十乙目録上下全又十六至二十六

又　宋刻本晉府藏書存十七本　存卷四十一至四十五卷五十六至六十卷二百七十一至二百七十五卷二百九十一至二百九十五卷二百八十六至二百九十卷三百四十一至三百四十五卷三百五十六至三百七十五卷三百八十六至三百九十卷三百九十六至四百卷四百十一至四百十五卷四百五十六至四百六十卷四百七十一至四百七十五卷四百九十一至四百九十五卷四百八十六至四百九十

事文類聚一百七十卷宋朱謨撰　晉府藏書存三十八本　前後集不全

又續集存十二本缺卷一又十一又十二又廿一又廿二又廿七至四十二

---

① 國圖藏本作"以上雜家類　三部共存八本"。

② 國圖藏本作"以上釋道家類,十四部共存一百零四本"。

③ 國圖藏本無此條内容。

又存一百三十四本

又存二十三本

山堂考索宋張如愚撰存三十六本　存前集七本後集十四本續集十一本別集四本複湊書

又存四本

又存四本

又存三本

又前後別續四集存三十六本

玉海二百卷　附詞學指南四卷又書十三種宋王應麟撰　元刻初印本存六十六本　存一至二十五三十六至四十四十三至五十二五十五至六十六十四至九十二九十五至九十八百零七至百零九百十一至百十九百三十四至百三十九百五十五至百五十九百七十三至百七十七百七十八至以下全缺附書存十種不全又複是至十一十四至十五五十九至六十六十八至六十九八十一至八十二百零七至百零九百十三至百十四百四十八僅存數葉百五十一至百五十二百五十八至百五十九百七十一至百七十二百七十六至百七十七

又存五十八本[①]

又存二十七本[②]

又存五本[③]

又　小字本存四十二本　存首至二六至八十二至十六十九至廿三三十七至四十七五十二至五十九六十五至七十二七十五至八十七九十二至九十六一百至百廿二百卅至百四十二百九十六至百九十九又詞學指南存卷三至四又附種不全

又　小字本存十七本

又　小字本存三十四本　存卷二至三卷十卷十二卷廿二至二十九卷三十二至三十六卷四十至四十八卷五十四至五十五卷五十七至五十八卷七十九至八十卷八十三至九十二卷百〇九至百一十百十五至百十六卷百二十至百二十一卷百五十三至百五十四卷百六十七至百六十八卷百七十三至卷百七十六卷百七十九至百八十卷百八十六至百八十七卷百九十八至二百〇一又卷二百〇四

又存二十本存卷百六十三至百六十八百七十三至七十八百八十五至百九十六百九十五至百九十六　通鑑地理通釋存一至十一周書王會全漢制考存一至四踐祚篇全急就篇存一至二姓氏急就篇全小學紺珠存九至十

又存三十一本　存卷十八至廿三二十六至廿九四十至四十一四十七六十五七十四至七十五七十八至七十九九十三至九十六一百至零二百十至百十一百二十三百三十六至百卅八百五十五至五十六百六十五至百六十六百七十一百九十一至九十三上漢藝文志考證存三至六姓氏急就篇存卷上

又存二十九本　存卷廿三至四十二四十六至四十七六十三至六十五六十九至七十六九十至一百一百〇七百廿三至百卅三百六十二至百六十五百七十至百七十二百七十七至百八十三百八十八至百九十九通鑑地理通釋存卷十九至廿四六經天文編全通鑑答問

① 國圖藏本此條下有“又存十本”。

② 國圖藏本無此條。

③ 國圖藏本此條下有“又存十五本”。

存卷四至五詩考全急就編全漢藝文志考證全詩地理考全漢制考存卷一至四

天中記六十卷明陳輝文撰存卅五本　存卷三至卷八卷十至十二十四十六至十九廿二至廿六廿八至卅二三十五至四十四十二四十四至四十五五十至五十二五十三以下全缺

萬姓通譜一百四十六卷明凌迪知撰存三十八本

以上類書類二十　四部共七百三十五本①

集類

李太白集三十卷唐李白撰　朝鮮刊本存五本　存卷一至二六至九十二至十三

纂注分類杜詩三十六卷唐杜甫撰　朝鮮刊本存十七本　存卷三卷五至九卷十一至十三卷十五至卷十七卷十九卷二十一至三十六

杜工部詩集雜存三本　存無注一本卷十三至二十存千家注二本卷六至十又卷六至十四

陸宣公集唐陸贄撰　存三本存二至六九至十

以上唐人集　(原闕)部共存　(原闕)本②

范文正集宋范仲淹撰存六本　存年表奏議及文集不全

又元刊本存五本　存卷一至三五至七又一又四至五十七至二十

元豐類稿五十卷宋曾鞏撰存七本　存三份下半部

周濂溪集宋周子撰存四本　存一至二又七至

伊川擊壤集二十卷宋邵雍撰　明刊本存一本　存六至十

又　小字本存八本　小本不全③

又　小字本湊配存二十七本　存總目年譜又集存卷十至五十卷五十五至六十五卷七十至七十五卷七十九至八十五卷九十三至九十五卷一百零二至一百零八卷一百十三至一百十四卷一百十七至一百二十三卷一百三十一至一百三十五卷一百四十至一百四十二卷一百四十七至一百五十三附録全又重四本④

又　宋刻本蝶裝有批存十四本存年譜目録全外集卷五至十七(内十二至十五抄配)内制集卷六至八

奏議卷十六至十八河奏使上下全河北奏使卷上濮儀卷二至四崇文總目叙録全書簡卷三存二葉卷五存二葉卷八之十卷存十葉

謹案此本不知何人所批，與下十九本同式，疑此爲過批。上有籤寫“古詩無批”及“直叙事無批”字様⑤。

---

① 國圖藏本作“以上類書二十　二部共存五百七十二本。總共子部五十五類八百五十部共存一千二百九十七本。”

② 國圖藏本作“以上唐人集　四部共存二十八本。”

③ 國圖藏本此條内容位於“又小字本湊配存二十七本”條下，屬“歐陽文忠集”。

④ 國圖藏本此條内容位於“又宋刻本有補版晋府藏書存四本”條下，屬“歐陽文忠集”。

⑤ 國圖藏本“又宋刻本蝶裝有批存十四本”條内容位於“又宋刻本蝶裝有批存十九本”下，屬“歐陽文忠集”。

又存二本　存十一至二十四兩部[1]

廬陵文集　明刻本陳斐校勘晋府藏書存二本存卷一至九卷三十六至五十

又　宋刻本有補版晋府藏書存四本存四十至五十九十七至一百一十一百五十至一百五十三[2]

歐陽文忠集一百五十三卷宋歐陽修撰

又　宋刻本蝶裝有批存十九本存卷五十一至六十五卷七十一至七十五　以上外集卷七十六至八十九　内易童子問三卷外制集三卷内制集不全卷百〇二至百十四　以上奏議卷百十五至百四十三附録五卷　以上河東奏草、于役志、歸田録、詩話、筆説、試筆、近侍樂府、集古録全

又　宋刻本元印有批存二十一本　存卷二十至二十四卷四十六至五十卷五十一至七十五卷九十五至九十六卷百〇二至百十三卷百十七至百廿七卷百三十四至百三十七卷百四十一至百四十二卷百四十四至百四十六

謹案此書批與前　二部同而刻本微異年譜未有删改處

居士集考異五十卷存二本　存卷十一至三十

歐陽文集　即居士集舊抄本晋府藏書存五本存一至二十三三十二至五十

范忠宣集二十五卷宋范純仁撰存三本　存

王荆川集一百卷宋王安石撰不計本　篇目散亂未及清查

王氏集注東坡詩二十五卷宋蘇軾撰王十朋注　宋刻本存六本存卷一又三至十五十九至二十二十三至二十五又二十四至廿五

又存四本　存卷三至十五又卷八

蘇文忠集一百十五卷存廿二本　存卷一至四卷十一至十六卷五十二至六十七卷七十一至八十八卷八十五至八十七卷九十一至九十三卷九十七至一百零四

蘇穎濱集宋蘇轍撰存八本

三蘇文集　元刻本存四本　存卷一至十六卷至五十三

三蘇文選評注詹惟修注存四本　存卷一卷三卷六卷八

三蘇文不計本[3]

坡仙集存一本　存卷二

晦庵集一百十二卷宋朱子撰存九十本　存一至十又十二十四至十六十八至十九二十一至四十四四十六至四十七四十九至六十一六十四至九十六九十九至一百十二卷

又存四十八本　存卷二至六又十二十四至十六又十八二十二至二十七二十九三十一至三十八四十一四十三至四十四五十二五十四至六十六十八至七十五七十七至八十六八十八九十一至一百十二卷

又存三十七本　重十六十七二十一四十四四十七四十八五十三五十九八十一缺三十八三十九五十五六十三至六十五六十九至七十

又存十二本　存一至二十八五十六至末

---

① 國圖藏本此條位於"盧陵文集明刻本"條下。

② 國圖藏本此條内容位於"又宋刻本元印有批存二十一本"條下，屬"歐陽文忠集"。

③ 國圖藏本無此條。

又存四本

又存四本

又存十二本　存一至二十八五十六至末

又存四本①

又存四本②

共　七部③

又存十五本　存二十九三十三三十八四十一八十六九十三至九十五又三十三三十五三十六④

朱子大全集　附别集五卷存二十八本　存卷一至四九至四十三四十九至六十六十九至七十二七十五至八十一八十四至九十九十五至九十七一百零一至末又别集全

又　福建刻本存二十五本　缺序目又缺八十至八十九

又存二十一本　缺卷二卷三卷八卷九卷十四

又抄本存十三本

文公全集存十四本　存一至四十三至十八三十三至三十四五十一至五十三六十至六十一六十四至末

朱子全書存十本

又存八本

又存八本

又存八本

又存六本　存一至十四

又存十一本

二程集十三卷宋胡安國編　宋刊本存二本　存明道集八卷⑤

真西山文集宋真德秀撰存三本

梅溪先生集五十四卷宋王十朋撰　紹熙刊本存六本　存前集一至四十一至二十後集目録兩部又卷八至十五

後村居士集五十卷宋劉克莊撰　宋刊本存五本　存卷十九至二十五又四十至五十又重二本

文文山集宋文天祥撰存六本　存卷二至卷六又卷八至卷末

又詩集存一本　存前三卷

以上宋人集　(原闕)部共存　(原闕)本⑥

魯齋全書元許衡撰存一本　存卷三

---

① 國圖藏本無此條。

② 國圖藏本此條下有"晦菴先生集存三十五本存一至十四十七至二十五二十九至三十四又三十九四十五至五十五十二至六十七十二至九十九十三至末"。

③ 國圖藏本無此三字。

④ 國圖藏本此條位於脚注3"晦菴先生集存三十五本"條下。

⑤ 國圖藏本此條位於"范忠宣集"條下。

⑥ 國圖藏本作"以上宋人集五十　一部共存六百一十五本"。

秋澗集一百卷元王惲撰　刻本存八本　存一至七十四至十九二十六至三十一三十九至四十四五十七至六十三六十六至七十三七十九至八十四

謹案此書世謂無刊本，誤。惟刊本不易得，此殘帙頗可貴，惜麻沙①太多耳。

道園類稿五十卷元虞集撰　元刊本存八本　存一至二十二十五至二十七三十七至四十三四十七至五十

謹案此書有學古録及遺稿兩種所未載，且系元刊甚足寶貴。

黄文獻公文集二十三卷元黄溍撰明危素校刊　明刊本存二本　存一至三十二至十五

知常先雲山集元釋姬翼撰　抄本刻本存五本　存抄卷三四刻卷三四五

以上元人集　(原闕)部共存　(原闕)本②

明太祖御製集二十卷　鈔本存十九本　存卷一至十三又十六至十八又二十

明宣宗御製集未詳卷數　鈔本存八本　存目録卷一二九至十二十六至十八三十二至四十三

宋學士集三十六卷明宋濂撰　刻本存一本　存卷六至八

清江貝助教文集三十一卷明貝瓊撰存一本

蘇平仲集十六卷明蘇伯衡撰存二本　存卷九至十六

楊東里集二十五卷明楊士奇撰存一本　存卷一至四

升庵文集八十一卷明楊慎撰存五本

蒼霞集一百十八卷明葉向高撰存本

鵠灣集明譚元春撰存一本　存卷六至七

歇庵集明陶望齡撰存二本　存卷九至十二

以上明人集　(原闕)部共存　(原闕)本③

御製詩集存十六本④

紺寒亭文集存五本⑤

豹陵集存九本　存卷一至五又十六至⑥

劉文烈集存四本

學庵類稿未裝本⑦

鬱蘢樵詩文存三本⑧

趙清獻集　抄本存三本　存卷七至十六又重一册

---

① 國圖藏本"麻沙"作"模糊"。

② 國圖藏本作"以上元人集　五部共存二十四本"。

③ 國圖藏本作"以上明人集九部共存四十本"。

④ 國圖藏本此條作"仁廟御製文集存八本。又三集存十一本。又文集存十七本。又文集存二十五本。"

⑤ 國圖藏本此條作"紺寒亭文集四卷詩集十卷國朝趙俞撰存五本"。

⑥ 國圖藏本此條作"豹陵集二十六卷國朝梁雲構撰存十本存卷一至十又十六至二十五"。

⑦ 國圖藏本"未裝本"下有"存明食貨志一卷銅仁公牘一卷至六卷茂名公牘一至四六至八"。

⑧ 國圖藏本此條作"鬱蘢樵詩文國朝睦思永撰鈔本存三本存殆編詩集卷二詞文集卷八九"。

梓溪文鈔存十本　缺外集卷九至十

以上國朝人集　(原闕)部共存　(原闕)本[1]

六臣注文選梁昭明太子撰　宋刻本存十三本

謹案此書刻本頗精,惟非尤氏本殘篇,篋中有尤氏刻本數卷,較此更佳,惜太散亂。

又[2]存十本

又存三本

又存十二本

又不計本

文苑英華一千卷宋李昉奉敕編　宋刻初印本存十本　存卷六百零一至七百卷

謹案此書裝池後有"景定三年某月某日背裝臣某人"一行,其月日每本不同,有　(原闕)等印[3]確爲宋本無疑,是内閣藏書之冠。

文章正宗續集二十卷宋真德秀編存二本　存前四卷

文鑒一百五十卷宋吕祖謙奉敕編　明後印本存六本

又　宋刊本存十七本　存目録中二至九三十三至三十五三十九至四十一七十一至七十三八十七至九十三九十八至一百零五一百零八至一百十二一百十六至一百十九一百三十四至一百四十三一百四十六至一百四十八

又　明弘治刊本存十二本　存卷一至五三十至三十五五十至五十七六十六至九十九一百零八至一百二十一百二十九至一百五十

又　明刊本存二本　存(原闕)　[4]

蘇門六君子粹七十卷不詳編輯人　鈔本存二本　存卷十五至三十五五十四至五十九

唐詩鼓吹十卷存一本　存卷五至七

十三家唐人集存五本　存卷五至七

皇華集不詳編輯人　朝鮮刊本存四十六本

謹案此書所録皆出使人送行詩,未詳何人編輯。

群英詩傳存一本

文章類選存十七本

又存十三本

箋注古文真寶存一本

明文翼運存二十本

文體明辨存三十一本

明四大家文鈔存四本　存卷二至卷五

---

① 國圖藏本作"以上國朝詩文集十部共存八十六本"。

② 國圖藏本"又"作"文選"。

③ 國圖藏本"(原闕)等印"作"宋内府印章"。

④ 國圖藏本"又宋刊本"、"又明弘治刊本"、"又明刊本"三條屬"文章正宗續集"内容。

以上詩文總集　(原闕)部共存　(原闕)本[1]

三、《内閣庫存圖籍》

北京大學圖書館藏，索書號 LSB1060，稿本一册。版式、字體同前二目，卷首鈐"木犀軒藏書"、"北京大學藏"、"李滂"、"少微"印，有總目，分詔諭、御筆、碑版、圖繪、輿圖、輿圖總類、雜存七類。著録題名、時間、件數，包括康熙、雍正、乾隆三朝御筆百餘件，碑版四十餘件，各省輿圖一百四十餘件。卷末有"北京大學藏"、"李印盛鐸"、"木齋"印。

正　文

總目

詔諭類

天命丙寅年封佟延

敕書　　一道

睿親王諭　唐通馬科書稿四件

順治元年

諭旨　　一道

順治元年

詔諭九道

順治八年

詔諭　　一道

順治十年

諭西甯官民

敕書　　一道

康熙二十二年

南巡渡黄河

恩詔　墨刻　　一軸

康熙二十三年

南巡渡黄河

恩詔　墨刻　　一軸

---

① 國圖藏本作"以上詩集總集二十　二部共存二百二十二本"。下有"總共集部六類一百零　一部共存一千零一十五本。經史子集缺卷書統共一萬八千一百十六本"。

康熙二十三年

南巡江南渡黄河

恩詔 墨刻二册二匣

康熙二十三年防護明太祖陵寢

恩諭 墨刻 一軸

防護明太祖陵寢

恩諭 墨刻裱本 一册

康熙三十七年

諭喇嘛

敕書 一道

滿蒙文

制誥二道

雍正上諭硃筆點定 一包

雍正上諭 怡親王事鈔本 一本

雍正那年

上諭田文鏡 墨刻 一幅

雍正十年十月

硃批王公大臣賀本

乾隆三十年四月二十三日

諭旨 二道清漢字黄封 一匣

上諭敬謹封固仍交内閣收藏 嘉慶二十五年九月初七日托津戴均元盧蔭溥文孚面奉

御製書明臣史可法復睿親王事 史可法書録後後半殘佚

曉諭諸王大臣等於朝期後各歸衙署辦事不可在外閑遊

諭旨 清文 一道

咸豐九年

諭覺羅耆齡

敕書 一道

御筆類

康熙御製孔子贊序 一軸

康熙御製孔廟四配贊 二十八年 一軸

康熙御筆怡情泉石四大字 一卷

康熙御筆丹誠二大字 墨刻横幅甲子年賜將軍楊捷 一軸

康熙御筆功存河洛四大字 一張

康熙御筆嵩峻極四大字 墨刻横幅 一軸

康熙御筆靈瀆安瀾四大字 墨刻 一幅

康熙御筆昌明仁義四大字 墨搨 一軸

康熙御筆沇濟靈源四大字 墨刻 一軸

康熙御製詩序 施琅刻墨刻 一軸
康熙御筆萬世師表四大字 墨刻 一卷
雍正御筆功裕蓋藏四大字 一幅
雍正御筆畿輔盈甯四大字 一幅
雍正御筆豐亨廣積四大字 一幅
雍正御筆積懋倉庾四大字 一幅
雍正御筆甘澤普應四大字 一幅
雍正御筆 上諭明黨論合裱橫幅 一軸
雍正御筆安瀾濟運四大字 一卷
御筆曠觀二大字 墨刻 一軸
御筆曠觀二大字 册葉 一匣
御製閱河堤詩 墨刻 一軸
賜衍聖公 墨刻 一卷
御筆福字 一軸
乾隆御筆靈泉昭貺 橫幅 一張廣東白雲山龍神廟 一匣
乾隆御筆雙鉤與天地参四大字二幅
乾隆御筆性道宗傳四大字 一張
乾隆御筆入雲二大字 三張 一卷
乾隆御製至公堂詩二張
乾隆御筆福字 二十七年賜浙江撫臣熊學鵬 一軸
乾隆御筆福字 二十九年賜浙江撫臣熊學鵬二軸
乾隆御製西湖詩 墨刻四軸
乾隆御製杭州閱武詩 墨刻四軸乙酉本 一匣
乾隆御製詩 拓本十四章墨刻三軸 一匣
乾隆御製策馬登吴山作 墨刻四幅 一匣
乾隆御製遊瑞石洞覽古詩刻 四軸 一匣
乾隆御製詩 墨刻 三十三張
乾隆御製詩 墨刻 一軸
乾隆御製登玉符山歌 墨刻 一軸
乾隆御製詩 墨刻五十七種 七十張
登泰山依皇祖詩韻 一張
過泰山再依皇祖詩韻 一張
過泰山三依皇祖詩韻 一張
登泰山五依皇祖詩韻 一張
三依皇祖吴山詩韻 一張
恭依皇祖靈隱寺詩韻 一張
詣聖因寺瞻禮皇祖神御殿敬成 一律 一張
恭頌皇祖勒崖雲峰二大字 一張
謁岱廟詩六韻 一張

岱廟即事二律　一張
初遊龍井誌懷　二張
再遊龍井即景雜詠　一張
龍井山作　二張
雨中再遊龍井山　二張
留餘山居雜詠　一張
雨中留餘山居即景雜詠　一張
壺天閣憑眺作　一張
望壺天閣作　一張
度廻馬嶺作　一張
經廻馬嶺作　一張
駐蹕古泮池作　一張
古泮池證疑横幅　一張
古泮池雜吟横幅　一張
登玉符最高峰詩横幅　一張
登日觀峰詩　一張
朝陽洞題句　一張
水樂洞口號　一張
理安寺作　一張
閱武　一張
塘上三首　五張
詠五大夫松詩　一張
漢柏圖詩　一張
奉皇太后登岱麓敬紀　一律　一張
十八盤作　一張
觀湖詩　一張
湖山第一佳五大字　二張
甘露泉三大字　一張
一片雲三字　一張
鳳篁嶺三字　二張
龍泓澗三字　二張
神運石三字　二張
戊辰仲春御題　一張
辛未謁岱廟作　一張
丁丑昭慶寺作　一張
丁丑登泰山作　一張
壬午登泰山作　一張
壬午昭慶寺作　一張
壬午謁岱廟作　一張
壬午春遊韜光寺泉詩　一張
壬午暮春御題　一張
壬午暮春御題　一張

壬午暮春御題　二張
壬午暮春御題　一張
壬午暮春月御題　一張
壬午暮春月御題　一張
壬午暮春月御題　一張
壬午清和御題　一張

乾隆御製詩　墨刻　一百四十七軸敬注起首二字爲識別共　一匣
乙酉春閏御題淥水　三張三軸
乙酉春閏御題嶼山　四張三軸
乙酉春閏御題八音　四張四軸
乙酉春閏御題山色　五張四軸
乙酉春閏御題　一張·　一軸
乙酉春閏御題聞說　五張四軸
乙酉春閏御題南山　四張三軸
乙酉春閏御題孤山　五張四軸
乙酉春閏御題喬林　四張四軸
乙酉春閏御題旌功　三張三軸
乙酉春閏御題岧嶢　四張四軸
乙酉春閏御題何處　一張一軸
乙酉春閏上澣　二張一軸
乙酉春閏中澣　三張三軸
乙酉春閏三疊前韻春和　五張四軸
乙酉春閏三疊前韻月色　四張四軸
乙酉春閏三疊前韻春來　四張四軸
乙酉春閏三疊前韻一雙　五張四軸
乙酉春閏三疊前韻斜陽　四張四軸
乙酉春閏三疊前韻恒沙　三張三軸
乙酉春閏三疊前韻麥色　三張三軸
乙酉春閏三疊前韻輕風　四張四軸
乙酉春閏三疊前韻花港觀魚　五張四軸
乙酉春閏遊黃龍洞作　三張三軸
乙酉春閏紫雲洞口號　三張三軸
乙酉春閏理安寺作　五張四軸
乙酉春閏上澣登眺成什　三張三軸
乙酉春閏再疊舊作韻湖山　四張四軸
乙酉春閏韜光庵雜詠三首　四張三軸
乙酉春閏韜光庵疊舊作韻　五張三軸
乙酉春閏瞻禮六和塔作歌　五張四軸
乙酉春閏登尖山觀海作　四張四軸
乙酉春閏遊煙雨樓即景雜詠　五張四軸
乙酉春閏擬白居易寄韜光禪師詩仍用其韻　五張三軸
乙酉春閏擬韜光禪師答樂天詩　四張四軸

乙酉春閏命添建海甯縣城石塘前坦水石詩以誌喜　五張一軸
乙酉春閏净慈寺瞻禮作　五張四軸
乙酉春閏小有天園詩　二張一軸
乙酉春閏排衙石口號　五張四軸
乙酉春遊大佛寺作　二張二軸
乙酉春視塔山誌事疊舊韻　五張一軸
乙酉春上澣褒嘉　五張一軸
乙酉春清漣寺觀魚三疊舊作韻　五張四軸
乙酉春詣聖因寺瞻禮皇祖神御殿敬成一律　二張二軸
三依皇祖靈隱寺詩韻　四張四軸
再登鳳凰山詩　四張四軸
乾隆御筆詩　墨刻　一軸
嘉慶御筆化成耆定四大字　一卷
嘉慶御筆衍慶安瀾四大字　一卷
碑版類
大清皇帝功德碑　崇德四年　一軸
昭陵聖德神功碑文　一葉
諭祭明太祖陵紀事碑　康熙廿三年墨刻裱册　一匣
諭祭明太祖陵紀事碑　横幅　一軸
御製蜚英東碑搨片　康熙三十九年　一張
聖德撫苗碑銘　康熙五十二年　一張
廣西緑營兵丁紀
恩碑　康熙五十四年　一張
聖祖功德碑　清字墨搨　一軸
景陵聖德神功碑　四軸　一匣
景陵聖德神功碑文　清漢文各一張　共一卷
景陵碑額　清漢文各一張内附清字碑文一張　共一卷
雍正御製惠遠廟碑文　墨刻　一張
恭紀
聖恩碑記　雍正朝閣學彭始搏　一張
泰陵碑文　滿蒙漢文各一張共三張　共一卷
泰陵碑文　同上　共一卷
泰陵聖德神功碑額　清文漢篆各一張　二張
泰陵聖德神功碑文　漢字　一軸
普濟堂紀
恩碑記　乾隆十　一年府尹蔣炳記　一張
三希堂帖　乾隆十二年刻殘本　一本
壽皇殿清字碑文并額　一卷
隆恩殿匾額　清漢字樣　一卷

追封保壽碑文 附碑額 一張
敕建忠勇公傅恒宗祠碑文 清漢文各 一張碑額 一份二張
兵部車駕習題名 墨拓 二張
清字碑文二張
大清二字 清文漢篆 共五軸
大清昌陵聖德神功碑 内附摺底碑文底各一件雙鉤裱本 二本
昌陵神道碑文 雙鉤式一張漢字二張 共一卷
昌陵碑文 一張
昌陵神道碑文 一張
昌陵匾字 共五張 一包
隆恩 殿門匾字 二張
岣嶁碑 八十六張内附釋文二十八張 四包
秦碑殘葉 一葉
唐元宗書孝經 墨刻全部一册缺四葉一册自容止可觀止字至三牲之養三字 二册
又 零葉 三十八葉
舊元秘塔帖殘葉 一開
明李景清神道碑 墨拓 一張
明彭占祺入祀鄉賢祠牒文 墨刻 一張
明諭祭王雅量碑文 墨刻 一張
明徐如珂碑文 一張
明無逸殿石碑 嘉靖辛卯 一張
明欽天記頌七卷
殘損石刻八字 出師表字 一葉
殘損篆字 一葉
圖繪類
皇城宫殿衙署圖 一幅
聖駕輿衛圖 三軸
天壇圖 一張
地壇圖 一張
太廟圖 一張
社稷壇圖 一張
先農壇圖 一張
朝日壇圖 一張
夕月壇圖 一張
傳心殿圖 一張
齋宫圖 一張
黑龍潭圖 一張

經板庫圖　一張
帝王廟圖　一張
關帝廟圖　一張
都城隍廟圖　一張
昭忠祠圖　一張
神樂所圖　一張
犧牲所圖　一張
以上十七張共　一包
景陵圖草底
恒親王府圖　一張
信郡王府圖　一張
康親王府圖　一張
賢良祠圖　一張
以上五張共　一包
昭忠祠位次圖　大小各一張　二張
玉儿黼扆圖　二張
天尊像設幢旛供獻圖　一卷
真武像　一軸
諸神相位圖　殘損　一幅
明太和先生圖贊　五十三葉全嘉靖十八年刻印本　二册
又　缺圖一葉一册存主葉一册　二册
進獅使臣像　十五人像明成化十九年四月十一日進到獅子二號一名虎塞尼一名虎兒捨的共十五人名分注各圖　一本
南城察院正副指揮吏目衙門圖　八張
天文圖　破損　一張
嘉禾圖　一張
水操圖　一張
足經圖　殘葉三張　一包
輿圖類直省
盛京圖　一幅
清字盛京圖　一張
盛京五路圖　二幅
盛京城圖　一幅
盛京錦州府圖　一幅
盛京口外地圖　清漢文　一張
口外五路總圖　一幅
口外各路地圖　喜峰口　一幅殺虎口　一幅張家口二幅獨石口　一幅五幅　一包

口外地圖 内有清字 二十張
清字口外各路地圖 八張
清字口外地圖 六張
科爾沁地圖 二幅
甯古塔等處地圖 一幅
喀爾喀圖 一軸
順天府圖 一幅
直隸全省總圖 一幅
又 一張
直隸永平府圖 一幅
直隸保定府圖 一幅
直隸沙間府圖 一幅
直隸真定府圖 一幅
直隸順德府圖 一幅
直隸宣化府圖 一幅
直隸宣府鎮圖 一本
又 十六本
南山圖 十二本
江南全省總圖 一幅
江蘇全省總圖 一張
江蘇海岸圖 一軸
丈勘通州崇明昭文三州縣沙地總圖 一張
江蘇清河鮑家營開挑引河圖 一幅
安徽徽州府圖 一卷
山東全省總圖 一幅
山東濟南府圖 一幅
山東兗州府圖 一幅
山東青州府圖 一幅
山東登州府圖 一幅
山東萊州府圖 一幅
山西全省總圖 一幅
山西太原府圖 一幅
山西平陽府圖 一幅
山西潞安府圖 一幅
山西汾州府圖 一幅
山西沁州府圖 一幅
山西澤州府圖 一幅
山西大同府圖 一卷

山西大同府圖　不全　一卷
山西大同鎮　十七本　二包
又　一本
又殘本　一包
山西邊垣圖　巡按劉漪進　三册
又[①]　三册
又　一包
清字山西邊垣圖　巡按黄徽允進　三册
又同上　三册
雁門關邊垣圖　巡按白尚登進　一册
甯武關邊垣圖　同上　一册
山西地圖册葉　三十四葉
河南全省總圖　一幅
河南開封府圖　一軸
河南歸德府圖　一軸
河南彰德府圖　一軸
河南衛輝府圖　一軸
河南懷慶府圖　一軸
河南河南府圖　一軸
河南南陽府圖　一軸
河南汝甯府圖　一軸
河南汝州圖　一軸
陝西省城全圖　一幅
陝西鎮戰守圖略　一册
陝西鳳翔府圖　一幅
陝西興安州圖　一幅
陝西禮縣等圖　四張
陝甘圖　内殘損一幅　二幅
甘肅總圖　清漢文　一幅
甘肅河圖　一幅
甘肅鎮戰守圖略　三册
甘肅行都司所屬五部總圖　一册
甘肅臨洮府圖　一幅
甘肅慶陽府圖　一幅
新疆哈密廳圖　二張
浙江全省總圖　二張

① 國圖藏本有"巡按吕維槮進"六字。

浙江五府圖 杭州紹興台州温州處州各一幅共 一包
浙江杭州府圖 一軸
浙江嘉興府圖 一軸
浙江湖州府圖 一軸
浙江湖州府圖 二張 一夾
浙江甯波府圖 一軸
浙江甯波府圖 一張
浙江甯波府圖 一幅
浙江紹興府圖 一軸
浙江紹興府圖 一張
浙江台州府圖 一軸
浙江金華府圖 一軸
浙江金華府圖 一張
浙江衢州府圖 一軸
浙江衢州府圖 一張
浙江嚴州府圖 一張
浙江温州府圖 一軸
浙江處州府圖 一軸
浙江府縣分圖册葉 缺金華衢州嚴州三府存八府 八册

杭州缺總圖各縣全嘉興缺總圖各縣全湖州總圖各縣俱全甯波缺總圖各縣全紹興缺總圖各縣全台州總圖各縣俱全温州缺總圖各縣全處州缺總圖各縣全

江西全省總圖 一張
江西南昌府圖 一幅
江西瑞州府圖 一幅
江西饒州府圖 一幅
江西南康府圖 一幅
江西九江府圖 一幅
江西廣信府圖 一幅
江西撫州府圖 一幅
江西建昌府圖 一幅
江西吉安府圖 一幅
江西臨江府圖 一幅
江西袁州府圖 一幅
江西贛州府圖 一幅
江西南安府圖 一幅
福建全省總圖 一大幅
臺灣圖 二張
湖廣總圖 一幅

湖北鄖陽府圖　一張
湖北荊州府圖　一張
廣東連州圖　一幅
廣西全省總圖　橫幅　一卷
廣西南甯太平鎮安三府關隘全圖　一張
四川全省總圖　橫幅　一卷
四川全省總圖　一幅
川貴圖　一幅
貴州全省總圖二幅
雲南全省總圖　一幅
雲南圖說　一册

輿圖類總目

九州萬國全圖　刊印　一軸
各省鎮圖　原十二張缺一張　十一張
九省河圖
黄河圖　青緑畫絹橫幅裝裱分數段轉折接湊觀之幅闊三尺長約十餘丈　一軸
黄河圖　紙畫似前圖粉本長橫幅　一軸
黄河圖　三軸
黄河圖　橫幅　一軸
黄河圖　有破損處　一軸
南河圖　一軸　一匣
邊口圖　清漢文　一葉
邊口圖　一軸
無字地圖　一卷
各省諸府殘圖　共七張山東登州山西朔平等府　一包
驛鋪道里圖　一軸

雜存類

敕書印領　内附番字　一包九包
甯萬吾奏疏　清文　一張
蘇禄國表底　一包
唐古忒文　二幅
閒中清玩四大篆字　一幅
碑式　二包
碑式　二卷
絹地金龍碑式　一張
墨迹千字文殘葉　存嫡後嗣續驢騾犢特八字　二葉

清字列國表　　一張
無字大册葉　　一册
無字册葉　　一束
無字素卷　三軸　　一匣
鹿皮簽四十四條
龍箋　四十七卷二百十四張　　一匣
龍箋　十二卷六十張　　三包
龍箋　三張　　一包
龍箋　殘損　　一包

【整理者簡介】　蘇揚劍，北京大學中文系博士研究生。

關於《京師圖書館善本簡明書目》及其稿本

【日】 高橋智 撰　杜軼文 譯

前　言

這裏提及的京師圖書館，即現在中國國家圖書館的前身，其先後改稱北平圖書館、北京圖書館，新中國成立後再度改稱爲北京圖書館。筆者從中國宫廷藏書流傳研究的角度，著重收集清代主要藏書處的天禄琳琅與内閣大庫的資料，而其中最不爲人所了解的就是内閣大庫所藏古籍（檔案文書除外）的原貌及其流轉過程，前載《關於〈内閣庫存書目〉》文（以下簡稱“前稿”）中就曾介紹過涉及相關内容的《内閣庫存書目》。最初，在二十世纪初葉，也就是清末，在羅振玉（1866—1940）和張之洞（1837—1909）的盡力奔走之下，創立國立近代圖書館的準備工作得以啓動，并在監督繆荃孫（1854—1919）的带領下開始蒐集書籍，擬定章程等，藉址什刹海北岸廣化寺，於1912年8月27日開館，這正是京師圖書館，此館實際上與内閣大庫之間有非常深厚的關聯。

兩者的關係，就如前稿《内閣庫存書目》“解説”中的“第三章内閣大庫”所述，創立之際，京師圖書館便從學部接收了内閣大庫内幾乎全部的藏書，更由首任館長江瀚親自編纂了其開館以來的第一部善本書目。當然，其時學部已編成了《清學部圖書館善本書目》（爲《古學彙刊》所收），江瀚也主要據此進行編纂。但筆者在這裏介紹此書，不僅因爲它是近代中國公共圖書館編纂的第一份目録，更因爲它清晰地記録下了其所收善本主要来自清宫内閣大庫的這一事實。因此，在此要特别指出一點，即本稿與前稿《内閣庫存書目》是屬於同一系列的研究資料。而爲了闡明上述兩點意義，這裏特將其全文翻印以辨明其稿本原貌，同時为了更好地探明京師圖書館發展成北平圖書館後分藏於北平、北京两處的善本與本目録之間的吻合度，筆者又稍加補注，以資參考。而書中“參考：臺北北平、北京”等的標注均屬翻印者的補記，分指1970年臺北出版的《國立北平圖書館善本書目》（原本保管於臺北“故宫”博物院内）及1986年《北京圖書館古籍善本書目》中所提到的善本。而北京圖書館編號冠以“0”的善本均原屬北平圖書館，作爲參考，也提到了冠以其它編號的善本。例如子部儒家類的“五倫書六十二卷”，屬清内閣藏書，爲京師圖書館接收，北京的國家圖書館現存六十一册（缺卷三十三），而這卷三十三却著録於臺北北平目録之中。不知何故，僅有一册移往别處，諸如此類的例子還是可以發現的。

更不可思議的是，還有大量著録於京師圖書館目録中的藏書在北京、北平两館的善本目録中却都不見其踪。筆者認爲,這可能是因爲這些藏書都非善本而被安置到了普通書庫所致,但明确的原因不得而知。京師圖書館的書目共著録了八百五十餘條,其中可以在北京、北平两館的善本書目找到的,前者不過一百零四條,後者不過一百九十條而已,其餘皆無從查找。縱觀其歷史,錯綜複雜,1928年(民國十七年)京師圖書館改名爲北平圖書館,并由原來坐落於方家胡同的國子監南學移至中海的居仁堂。翌年又與北平北海圖書館(由中華教育文化基金所設,原名北京圖書館)合并,1931年(民國二十年)再度移址文津街的新館。1935年(民國二十四年)爲避戰亂,館内六萬册善本由北京移送至上海、南京。之後的1941年,南遷善本中的约三萬册,合一百零二箱寄存至美國國會圖書館。日本占領下的北京,於翌年1942年,將北平圖書館改稱北京圖書館,期間遺留在上海的一百二十八箱善本被平安運回。1945年抗戰勝利後,再度改稱北平圖書館。1949年新中國成立後,更名北京圖書館,南遷善本逐一回歸。寄存美國的善本則於1965年歸還臺灣。在如此復雜的歷史背景下,善本輾轉遷移,要完璧歸趙談何容易,但事實上善本幾乎没有散佚。無論如何,此京師圖書館善本目録的出版正值歷史紛亂時期的正當中,就其展示出了國家圖書館創建之初的面貌而言,理應得到世人矚目。

江瀚(1853—1935),福建長汀人,字叔海。清末曾經營四川東川書院,曾任職學部和京師大學堂,後被任命爲京師圖書館的首任館長,繆荃孫爲同館首任監督。此後他還歷任故宫博物院圖書館代理館長等職。江瀚在1912年5月至翌年2月間担任京師圖書館館長一職,本目録的編纂也應在此期間。1934年(民國二十三年)《故宫普通書目》刊行。

此稿本經由北京工匠用四方帙包裹珍藏。封面爲茶色厚紙(即所謂的毛裝),外題《經部/京師圖書館善本簡明書目》等,筆體與書中文字相同。稿本縱29.5 cm,横21.8 cm,大開本。書中用紙亦爲茶色厚稿紙,绿絲欄,半頁縱18.3 cm,横14 cm,11行,外側印有同色的"京師圖書館"字樣。版心爲白口單魚尾。目録用工整的楷書(全卷由一人寫就)謄清,其中諸多用黑筆校改之處,均出自江瀚之手。正如參考插圖所示,江瀚曾將别人寄給自己的書簡影印出版,若將書中的親筆跋文與獻辭作比較的話,就可以明顯地看出两者皆出自江瀚之手。此處翻印的清稿本已將訂正内容整理插入正文。第一册開頭印有"江都薄/氏鑒藏/書畫記"的陰刻方印,此印曾爲《文藝春秋》社薄井恭一所有。他在東大師從長澤規矩也,對鑒别版本獨具慧眼。抗戰爆發前,曾於北京蒐集了衆多珍貴書目而名聲鵲起。據説,此印是過去專爲清宫刻印的篆刻師在琉璃廠雕琢而成的。

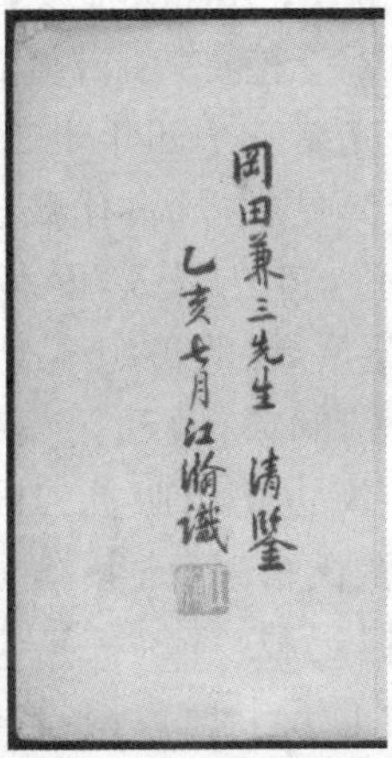

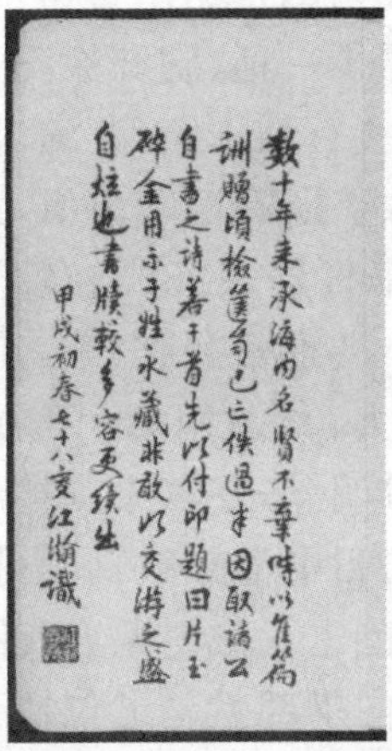

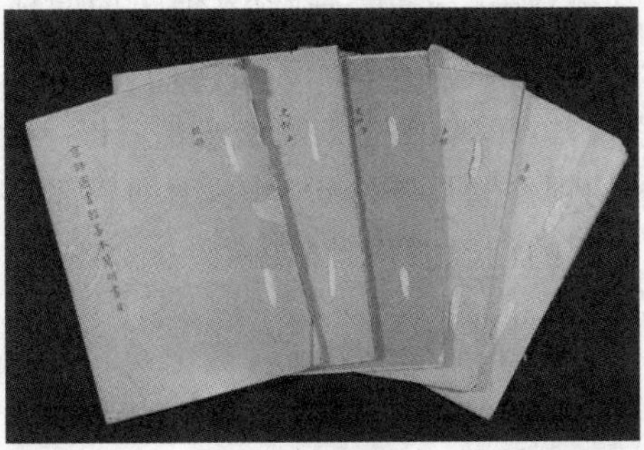

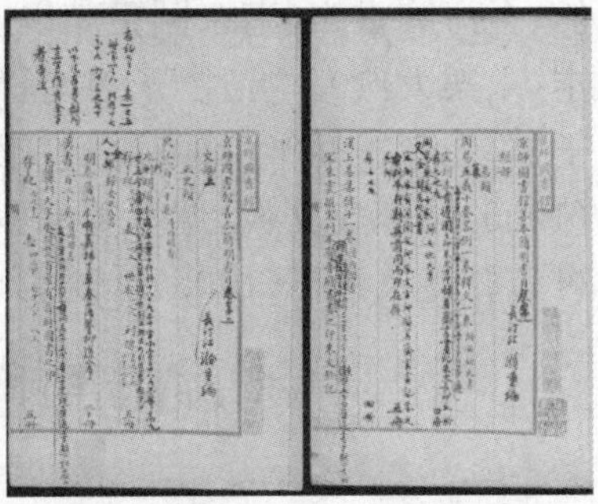

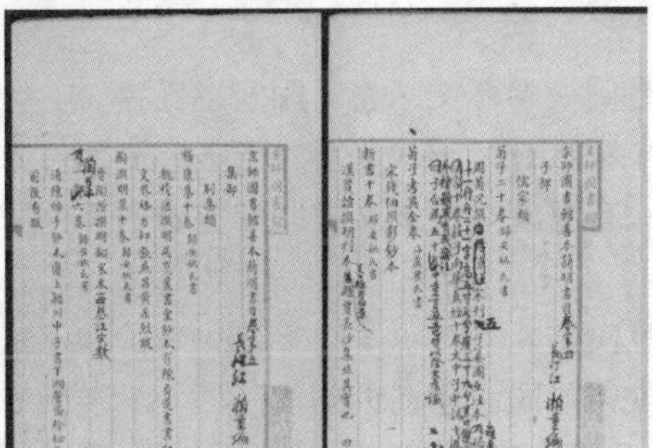

這部書目共收八百五十三條。其中,由内閣大庫移送來的“内閣書”有四百八十五條,記作“歸安姚氏書”的姚覲元藏三百零七條。除此以外,還有来源他處的共計六十一條。“内閣書”與《内閣庫存書目》所録相比亦有差距,但“歸安姚氏書”與京都大學人文科學研究所所藏《咫進齋善本書目四卷二册》(傳抄本)完全吻合。此外,可以追溯由来的還有“海虞瞿氏書”。“南陵徐氏書”、“本館購進書”、“清翰林院”、“清國子監南學書”。關於“内閣書”请參考前稿。“歸安姚氏書”爲浙江吴興姚覲元舊藏;“南陵徐氏書”則是徐乃昌(1868—1936)的積學齋藏書,於 1908 年被學部所購。此事在《两江總督端方奏江南圖書館購買書价请分别籌給片》中有所提及,“購定浙紳姚氏藏書一千零十一種、皖紳徐氏藏書六百四十一種,两項書籍計共十二萬九百餘卷,分裝一百八十箱,共編目録一份,於光緒三十四年十二月,委員領賫解送學部驗收。所有两項書價,共银二萬两”(見《中國古代藏書與近代圖書館史料》,中華書局,1982)。姚覲元,字彦侍,道光舉人,歷任廣東布政使等,曾出版過《咫進齋叢書》等,其事迹收入葉昌熾《藏書紀事詩》卷三。徐乃昌,安徽南陵人,爲翁同龢(1830—1904)同門師弟,收藏了衆多清代珍本,其事迹收入倫明《辛亥以來藏書紀事詩》(上海古籍出版社,1990)之中。但徐氏書在本書目中僅録數點。另外,“海虞瞿氏書”屬常熟鐵琴銅劍樓瞿氏舊藏。據《中國古代藏書與近代圖書館史料》記載,宣統三年(1911)瞿啓甲整理舊藏,共向學部獻呈了包括舊刊本在内的五十種藏書,均收入本書目。此外,新中國成立後,瞿氏藏書中的珍品先後三次被調整配置到北京圖書館、上海圖書館、南京圖書館以及常熟圖書館内。“清翰林院”舊藏書即明抄本《永樂大典》。“清國子監南學書”指的是,建於順治元年(1644)的清朝國子監,在雍正九年(1905)擴充了南學之後,貯藏其中的書籍。光緒三十一年(1905)學部成立後,這批善本與國子監的圖書同爲學部所接收,隨即學部圖書又於宣統元年(1909)伴隨着京師圖書館的創設而移入館内。

京師圖書館善本簡明書目卷第一

長汀　江瀚重編

經部

易類

周易兼義十卷略例一卷釋文一卷　歸安姚氏書

宋刊本　每半葉八行行十八字小二十五字高六寸八分寬五寸二分白口單邊　有澹園之印朱文方印醉茗齋書畫記朱文長印

存七至九　四册

又　全　歸安姚氏書

宋刊本　行款與前同而印在後　五册

參考:臺北北平永樂二年刊本

漢上易集傳十一卷　清内閣書

宋朱震撰　宋刊本　每半葉十行行二十一字高六寸七分寬四寸五分白口單邊上有字數下有刻工姓名蝶裝　有晋府書畫之印朱文鈐記

存三至十一　字大小同　二册(〇三)

大易粹言七十卷　清内閣書

宋曾種撰　宋刊本　每半葉十二行行二十三字不等高六寸二分寬四寸三分口有細墨綫在魚尾上　宋史藝文志作十卷蓋誤

存六十至六十七　字大小同　一册(〇一)

周易集説四十卷　清内閣書

宋俞琰撰　元至正九年刊本　每半葉十二行行二十一字高六寸寬四寸四分黑綫口用牘背紙印

存下經一卷　爻傳上下　彖傳上一　象辭説上下　字大小同彖傳及象傳空一格□後卷數仿此　三册（〇七）

大易輯説十卷　歸安姚氏書

元王申子撰　舊鈔本　有秀水朱氏潛采堂圖書朱文方印　四册

參考：臺北北平

周易本義集成十二卷　歸安姚氏書

元熊良輔撰　元至治二年刊本　每半葉十行行十八字小字二十四高六寸寬四寸二分小黑口　八册

又　清内閣書

元刊本　行款同上

存七至十　一册

周易會通十四卷　清内閣書

元董直卿撰　明洪武戊辰建安務本堂重刊本　每半葉十一行行二十字高六寸五分寬四寸一分黑口雙邊

存一至十　三册

周易參義十二卷　歸安姚氏書

元梁寅撰　元刊本　每半葉十二行行二十一字高五寸七分寬三寸九分黑口單邊

存三至十　一册

參考：臺北北平

周易大全二十四卷　海虞瞿氏書

明胡廣等奉勅撰　明刊本　三十二册

周易像象述六卷　海虞瞿氏書

明吴桂森著　明刊本　十册

周易傳義大全十四卷　清内閣書

不著撰人名氏　明鈔大字本

存四至十四　五册

易守二十二卷　歸安姚氏書

清葉佩蓀撰　舊鈔本　六册

焦氏易林注十六卷　清内閣書

漢焦贛撰　注不著撰人名氏　宋刊本　每半葉八行行十五字白口高五寸二分寬四寸五分雙邊中縫魚尾下卷數葉數　蝶裝　注亦作大字無注則標無注

存三四　七至十　十三　十四　四册

書類

尚書正義二十卷　清内閣書

金刊本　每半葉十三行行大字約二十八小字三十五高七寸一分寬四寸一分白口單邊蝶裝

存六至十　十六至二十　二册(〇一三)

又　清内閣書

明李元陽刊十三經本　十册

書集傳音釋六卷　清内閣書

宋蔡沈注　元鄒季友音釋　元刊本　每半葉十二行行二十一字高六寸四分寬四寸一分黑口雙邊　七册

又　清内閣書

元刊本　行款與上同而印稍後

存三至六　二册

又　全　清内閣書

元刊本　每半葉十三行行二十三字高七寸一分寬四寸四分黑綫口雙邊　二册

參考:北京四册(〇一二)

尚書要義二十卷　歸安姚氏書

宋魏了翁撰　傳鈔本　十二册

書傳大全　清内閣書

明彭勗通釋　董鏞音點　明宣德已卯刊本　五册

參考:臺北北平　十册

尚書百家彙解八卷　海虞瞿氏書

明兪鯤撰　明刊本　八册

尚書旁訓二卷　清内閣書

不著撰人名氏　黑口大字本　每半葉六行行十七字高八寸八分寬五寸五分雙邊似明人刊

存下卷　一册

參考:臺北北平二册

詩類

詩集傳二十卷　清内閣書

宋朱熹撰　宋刊大字本　每半葉七行行大小十五字高五寸九分寬四寸六分白口上有大小字數下有刻工姓名　蝶裝　今通行本八卷

存九至十二　十八至二十　二册

詩集傳十卷　清内閣書

元刊本　每半葉十三行行二十三字高七寸寬四寸四分黑口雙邊

此作十卷　蓋首變原書舊第者

存五至十 一册

呂氏家塾讀詩記三十二卷　歸安姚氏書

宋吕祖謙撰　明嘉靖刊本　有孫氏星衍朱文方印　東魯觀察使朱文方印

存一至六　十七 五册

毛詩要義二十卷　歸安姚氏書

宋魏了翁撰　影鈔宋本　有臨寫錢天樹莫友芝跋 二十二册

詩童子問二十卷　清内閣書

宋輔廣学　元刊本　每半葉十一行行二十一字高六寸七分寬四寸一分黑口雙邊

存四至十二 一册

詩傳通釋二十卷　清内閣書

元劉瑾撰　元至正壬辰刊本　每半葉十二行行二十三字高六寸九分寬四寸二分黑口雙邊 八册

參考:北京八册(八五六)

又　清内閣書

元刊本　雜配 七册

又　清内閣書

元刊本　雜配破爛較多 五册

明經題断詩義衿式五卷　清内閣書

元林泉生撰　元刊本　每半葉十一行行二十一字高六寸寬四寸小黑口雙邊　此書清四庫未著録明文淵閣書目一册全 一册

參考:臺北北平

毛詩故訓傳三十卷　歸安姚氏書

清段玉裁撰　家刻本　黄丕烈校　顧鳳藻過本 四册

參考:北京(〇一九〇九)

韓詩外傳十五卷　歸安姚氏書

漢韓嬰撰　明刊本第二葉未脱最爲善本　有吴竹屏藏書記朱文長方印 八册

禮類

周禮六卷附考工記　歸安姚氏書

明陳鳳梧刊　經注本　嘉靖丁亥鳳梧自序　清馬銓以明本釋文校訖蔡孫峰臨校 四册

周禮十二卷　歸安姚氏書

明翻岳本 十二册

周禮正義四十卷　歸安姚氏書

明李元陽刊十三經本　十五册
周禮正義四十二卷　清内閣書
明應檟刊本　聞人詮校正　二十册
參考:臺北北平
周禮述注六卷附周禮二氏改官文議　清内閣書
明金瑶述　明刊本　五册
參考:臺北北平
儀禮注疏十三卷　歸安姚氏書
明李元陽刊十三經本
存三至六　八至十三　九册
儀禮集説十七卷　清内閣書
元敖繼公撰　元刊本　每半葉十二行行十八字高七寸二分寬五寸五分白口單邊　蝶裝
存十七　一卷首尾缺　一册
經禮補逸九卷　清内閣書
元汪克寬撰　明刊本
存一至五　二册
禮記注疏六十三卷　歸安姚氏書
明汲古閣刊本　過惠棟校　二十册
禮記集説一百六十卷　清内閣書
宋衛湜撰　舊鈔本　每卷有校人姓名　六十册
參考:臺北北平
雲莊禮記集説三十卷　歸安姚氏書
元陳澔撰　明刊本　上有音釋
存二至十　十二　十八　九册
禮記集説大全三十卷　清内閣書
明胡廣等奉勅撰　明刊大字本　十八册
參考:北京(八七七〇・八七七一)
日講禮記解義六十四卷　清内閣書
精寫本　有纂修謄録等官銜名　有經依石經校五字　二十册
又　清内閣書
稿本　二十册
參考:以上二書北京(〇一五三・〇一五四)
三禮考注十卷　清内閣書
元吴澄撰　明萬曆刊本　六册
正本三禮義疏一百七十卷　清内閣書
舊寫本　八十二册
禮書二百卷　清内閣書

宋陳祥道撰　宋刊本　每半葉十三行行大字二十二十一、二不等小字二十八高四寸九分寬五寸二分白口單邊上有大小字數下有刻工姓名　蝶裝

存一至十六　二十八至六十四　一百十八至一百二十九　七册

參考:臺北北平另有一百三十三　八册

又　清内閣書

宋刊本　蝶裝　行款同前

存六至十六　二十八至三十六　二册

參考:臺北北平

讀禮通考一百二十卷　南陵徐氏書

清徐乾學撰　稿本　三十二册

樂類

樂書二百卷　清内閣書

宋陳暘撰　宋刊本　每半葉十三行行大字二十一字小字雙行夾注或二十二、二十六不等高六寸五分寬五寸二分白口單邊上有大小字數下有刻工姓名　蝶裝　卷首有長方朱文蘇州常熟虞山精舍至樂樓主人河南行御史陳察原習之記　又有白文程稷私印朱文育氏聯珠印　三十册

參考:北京(三七四六)

又　清内閣書

宋刊本　蝶裝　此與禮書印裝皆出同時故俱用藍皮　每册之首間有晋府書畫之印末有敬德堂圖書印子子孫孫永寶用朱文鈐記

存六十至七十五　一百零三至一百二十八　一百五十三至一百七十八　六册

參考:臺北北平　存六十二至七十五　以下同

又　清内閣書

宋刊本　行款同上而印本較精　蝶裝　卷首有御府圖書末有輯熙殿書籍印皆朱文

存八十二至一百　一百七十至一百八十一　二册

參考:臺北北平

意見:若此版本元至正七年福州路儒學刊本、藏印之時代爲元以後矣

樂書正誤一卷　歸安姚氏書

影宋朱墨本　一册

律吕正聲六十卷　清内閣書

明王邦直撰　明刊本　七册

春秋類

春秋左傳三十卷　清内閣書

宋刊大字本　每半葉七行行十二字高七寸二分寬五寸二分白口單邊蝶裝首行題京本春秋左傳第六所存四册中尚缺僖公二十二年傳至二十三年經兩葉後人鈔補列入是本刊印極精而絶無著録

存六　七　十二　十六　二十九　四册

參考:北京(〇二二)

巾箱本左傳一百九十八葉　歸安姚氏書

宋刊本　每半葉二十行行十六字小字同高六寸五分寬四寸八分白口單邊上有音釋

春秋經傳集解三十卷　歸安姚氏書

明翻宋本　每半葉十行行十七字高四寸二分寬三寸四分黑口雙邊　八册

春秋經左傳句解七十卷　歸安姚氏書

宋林堯叟撰　元刊本　每半葉十四行行二十五字小黑口高六寸二分寬四寸有棲雲樓朱文腰圓印　二十四册

參考:臺北北平

又　清内閣書

元刊本　行款同前

存一至三十一　四十三至五十六　三册

精選東萊先生博義句解二十五卷　歸安姚氏書

宋吕祖謙撰　元刊本　每半葉十行行二十一字大黑口高六寸二分寬四寸一分　四册

參考:北京(〇二〇)

春秋左傳類編　海虞瞿氏書

宋吕祖謙撰傳鈔本　六册

左傳詁二十卷　歸安姚氏書

清洪亮吉撰　舊鈔本　八册

春秋公羊傳讞六卷　歸安姚氏書

宋葉夢得撰　舊鈔本　二册

春秋穀梁注疏二十卷　清内閣書

宋南監本　每半葉十行行十七字注疏俱雙行行二十三字高六寸四分寬四寸二分黑綫口單邊

存十一至二十　一册

又全部　歸安姚氏書

宋十行本　此蓋宋印　四册

參考:北京(〇二一)

春秋集傳辨疑十卷附微指三卷　歸安姚氏書

唐陸淳撰　舊鈔本　據龔翔麟刻本寫　四册

春秋胡傳三十卷　歸安姚氏書

宋胡安國撰　宋刊巾箱本　每半葉八行行十七字白口高三寸寬二寸四分　紙印極精

存一至四　十一二　十四至十七　二十一二　二十五　十册

春秋胡氏傳三十卷　清内閣書

元刊本　每半葉十六行行大字二十小字二十九高六寸五分寬四寸三分黑口雙邊干支記邊上

存二十一至三十　一册

又　清内閣書

元刊本　每半葉十五行行大字二十小字二十八高六寸三分寬三寸九分

存一至五　一册

又　歸安姚氏書

明鈔本　三册

春秋集注十一卷　歸安姚氏書

宋張洽撰　宋刊大字本　每半葉八行行十六字小字同高六寸五分寬四寸八分白口單邊上有字數下有刻工姓名

存七至十一　六册

參考:北京十二册(〇二五)

春秋本義三十卷　清内閣書

元程端學撰　元刊本　每半葉十行行大小二十一字高七寸寬四寸八分黑綫口單邊板心上魚尾上記字數下記刊工姓名

存十　十一　十六七　二十五六　三册

參考:臺北北平

春秋三傳辨疑二十卷　清内閣書

元程端學撰　元刊本　每半葉十行行大小二十一字高六寸一分寬四寸九分

存六至十四　六册

參考:臺北北平存六～十四　十八　七册

春秋胡傳纂疏三十卷　清内閣書

元汪克寬撰　元刊本　每半葉十一行大小二十一字高六寸二分寬三寸九分黑口雙邊

存二十三至二十六　一册

春秋四傳三十八卷　歸安姚氏書

不著編輯者名氏　明刊本　黑筆圈點間有藍筆簽書　趙敬夫先生手批　十册

參考:北京(八七八〇)

春秋傳義十五卷　清內閣書　明張爾岐撰　稿本　十四册

春秋通説　歸安姚氏書

清黄若晦撰　舊鈔本　此書罕見　三册

總經類

六經雅言圖辨八卷　歸安姚氏書

舊鈔本　原題莆陽二鄭先生　六册

參考:臺北北平

六經三注粹鈔　歸安姚氏書

明許順義撰　明刊本

存書經　左傳　周禮　禮記　二十册

六藝堂詩禮七編　歸安姚氏書

清丁晏撰　鈔本　十二册

四書類

孟子集注十四卷　歸安姚氏書

宋朱熹撰　明經廠本　六册

孟子注疏十四卷　歸安姚氏書

明李元陽刊十三經本　七册

讀晦菴孟子集解衍義十四卷　清內閣書

不著撰人名氏　元刊本　每半葉十行行二十字高六寸五分寬四寸二分黑綫口蝶装　各家書目均未著録

存七至十四　一册

參考:臺北北平　二册

孟子節文二卷　清內閣書

明劉三吾撰　明洪武刊本　共二部　四册

參考:北京(〇二九　〇三一)

四書待問二十二卷　海虞瞿氏書

元蕭鎰編　傳鈔本　四册

四書集義精要二十八卷　清內閣書

元劉因撰　元刊大字本　每半葉九行行十七字高九寸一分寬五寸九分板心魚尾上有細黑綫下列葉數並刊坐謝文炳等姓名雙邊

存一二　五至八　十一至十九　二十二至二十八　九册

參考:臺北北平

讀四書叢説八卷　清內閣書

元許謙撰　元刊本　每半葉十六行行二十六字高六寸二分寬四寸黑口　清四庫處收中庸闕其半此書完善

存大學　中庸　孟子　一册

参考:臺北北平三册

又全　海虞瞿氏書

影元刊本　與刊本格式同而首尾無缺　四庫論語全缺　六册

四書箋注批點　清内閣書

元王侗撰　元刊本　每半葉十三行行大字二十小字二十二高六寸寬四寸四分黑口雙邊　一册

四書集説啓蒙　清内閣書

元景星撰　明正統三年刊本　四庫僅收學庸此本有孟子惟缺論語　二册

参考:臺北北平

小学類

爾雅注疏十一卷　歸安姚氏書

宋刊本　每半葉九行行二十字高五寸六分寬三寸九分黑口卷首有吴興姚氏邃雅堂鑑藏書畫圖籍之印　八册

参考:北京(三二九二)臺北北平楊傅第題記

爾雅新義二十卷　歸安姚氏書

宋陸佃撰　舊鈔本　有嘉定陳詩庭跋　六册

参考:臺北北平

埤雅二十卷　歸安姚氏書

宋陸佃撰　明刊本　三册

参考:臺北北平

以上訓詁

急就篇注四卷　歸安姚氏書

漢史游撰　宋王應麟注　明刊本　四册

説文解字十五卷　歸安姚氏書

明汲古閣刊本　有紅筆校語　六册

又　歸安姚氏書

明汲古閣刊本　有桂馥校籤　孟廣均跋　附許瀚書一通　六册

参考:北京(〇二〇九三)

又　歸安姚氏書

唐翰題蕉安校　藤花榭本　六册

説文繫傳四十卷　歸安姚氏書

南唐徐鍇撰　影汪氏宋本　有宋印葆淳白文小印

存三十至四十　二册

又　歸安姚氏書

祁刻宣紙初印本　附校勘記三卷　八册

說文校議十五卷　歸安姚氏書
清嚴可均姚文田同集　孫星衍商訂　稿本　有朱筆校語　二册
參考:北京(〇二一〇五)
說文解字考異三十卷　歸安姚氏書
清姚文田輯　嚴可均同纂　稿本　塗乙鈎勒並夾細籤　清本上有朱筆校語　二十八册
參考:北京(〇二一〇二　〇二一〇四)
說文解字鏡十二卷　歸安姚氏書
清顧瞻輯　注以明刻五音韻補刻本　顧瞻手注於上改題此　十二册
說文解字義証五十卷　歸安姚氏書
清桂馥撰　寫本　有朱筆校語　四十九册
參考:北京(〇二〇九四)
增修復古編二卷　歸安姚氏書
宋張有撰　舊鈔本　首有錫山龍亭華氏珍藏白文長方印世濟美堂項氏圖籍朱文長印汲古閣朱文小方印吴兔牀書籍印朱文長印　二册
參考:臺北北平
續復古編四卷　歸安姚氏書
元曹本撰　傳鈔本　四册
參考:北京(〇二一二八)
六書故三十三卷　清内閣書
元戴侗撰　孫□校刊　四明袁大□作賦　元刊本　每半葉七行行十六字高七寸六分寬五寸白口單邊蝶装　有都省書畫之印有禮部評驗書畫關防
存一至三　六　十四至十八　二十　二十二至二十八　三十至三十三　十三册
參考:臺北北平　存六　十四五　十七八　二十　二十二三二十五六　六册
龍龕手鑑四卷　歸安姚氏書
遼僧行均撰　影宋鈔本　每半葉十行字大小不一高八寸寬六寸白口口上記大小字數　三册
參考:臺北北平
六書正譌五卷　歸安姚氏書
元周伯琦撰　元刊本　每半葉五行行小字二十至正十五年宇文公諒序　有寒青閣圖書印白文方印白鶴山樵朱白文方印　五册
參考:臺北北平
又　清内閣書
明刊本　二册
摭古遺文二卷　歸安姚氏書

明李登撰　明刊本　萬曆甲午自序　二册

以上字書

增修互注禮部韻略五卷　清内閣書

宋毛晃增注　宋刊本　每半葉十行行大小字二十八三十不等高九寸寬六寸七分白口單邊板心上魚尾上記大字數魚尾下記刻工姓名

存下平至入聲　四册

參考：臺北北平

禮部韻略五卷　清内閣書

元至正乙未刊本　每半葉十一行行六十四小二十八字高六寸八分寬四寸五分黑口單邊

存上平下平去聲　三册

參考：臺北北平　存卷二四　二册　北京（○一一六一）　四册

新刊韻略五卷　歸安姚氏書

影寫元本　三册

五音集韻十五卷　清内閣書

金韓道昭撰　金刊本　每半葉十三行行二十一字高七寸一分寬四寸八分白口單邊　卷首有晋府書畫之印卷末有敬德堂圖書印子子孫孫永寶用朱文鈐記

存一　一册

又　清内閣書

元刊本　行款與金本同高六寸六分寬四寸七分□板心有黑口

存一至三　五至九　二册

參考：北京（○三八　○三九）

四聲篇十五卷　清内閣書

金韓道昭撰　元刊本　每半葉十三行行大小三十一二字不等高六寸八分寬四寸八分黑口雙邊　清天禄琳琅所收尚是明成化刊本

存十至十二　一册

參考：臺北北平

古今韻會舉要三十卷　歸安姚氏書

元熊忠撰　明修補元刊本　三十二册

參考：北京（八六三）

又　歸安姚氏書

描寫精能校讎細密蓋姚氏擬刻之書　十六册

毛詩古音考四卷　歸安姚氏書

明陳第撰　明鈔本　四册

金石韻府五卷　歸安姚氏書
明朱雲撰　嘉靖朱印刊本　　五册
參考:臺北北平
以上音韻

共計宋本十五部全者七部金本二部元本二十八部全者七部

京師圖書館善本簡明書目卷第二

長汀江瀚重編

史部上

正史類

史記一百三十卷　清內閣書
元刻明補本　每半葉十行行十八十九二十字小字二十八九不等高九寸五分寬四寸八分綫黑口單邊下有刻工姓名修刻甚多粗黑口
存紀七至十二　表一至五　世家一至八　列傳十七至二十九　六十三至七十
以下凡存卷數均直□惟有全字者傍注
又　全歸安姚氏書
明秦藩刊本　有嘉靖十二年秦藩鑑抑道人序　　二十册
參考:臺北北平
漢書一百二十卷　清內閣書
宋紹興刊大字本　每半葉九行行十六字小字同高七寸三分寬六寸四分綫口單邊上字數下刻工姓名蝶装首葉有晋府書畫之印
存紀六至十二　志四上下　七中上下　八上　　五册
參考:北京(〇四〇)
又　清內閣書
宋刊大字本　行款與上同蝶装
存表四至八　志四上至五下　傳六十四上至六十五　　四册
參考:臺北北平
又　清內閣書
元修宋淳化本　每半葉十行行十九字高七寸四分寬五寸單邊白口首行小題在上班固二字在中大題在下板心上魚尾上記大小字數下魚尾下記大德至大延祐元統補刊及刊工姓名
存紀一至五　志七中上至十　傳十三至二十　三十一至六十　五十八至六十四　六十七下至七十　又重本志七中至七下　傳六十九上至七十下　　十册
參考:北京(〇七八五)

又 清内閣書

元刊本 每半葉十行行二十二字大小同高七寸二分寬五寸二分黑綫口寬邊雙綫板心上魚尾上有細黑綫兩旁記大小字數下魚尾下有刻工姓名

存紀一至十二 傳二十六至三十 六十三至六十六上 四册

參考:臺北北平

又 清内閣書

明正統刊本

存紀一至五 七至十二 志七至十 表一至七下 傳七至五十四 六十至七十 十六册

又 清内閣書

明正統刊本

存傳七至二十五 二十至二十五 三十六至四十一 六十至六十四 八册

參考:以上正統刊本 臺北北平五册六册四册

又 歸安姚氏書

明刊本 二十八册

新斠漢書地理志十六卷 歸安姚氏書

清錢坫 原刻本 徐松朱墨筆校補於上 四册

參考:北京(〇二一六〇)

後漢書一百二十卷 清内閣書

宋紹興刊大字本 每半葉九行行大十六字小二十字高七寸一分寬五寸九分白口單邊蝶裝 與大字本漢書相同皆宋槧本上駟

存傳一至十一 十六至二十七 三十下至三十八 四十八九 五十五至八十 附十四十五零葉 二十三册附零葉一本

參考:臺北北平

又 清内閣書

宋刊大字本 行款同前特前本用黄綾裝而此用藍紙耳

存紀一至三 志六至九 一三至一五 一九至三十 傳七至八 十六至十九 二十五至三十上 三十九至四十一 四十五至五十一 五十八至六十四 六十七至七十五 七十八至八十 二十六册

參考:北京二十三册(〇四二)

又 清内閣書

宋刊本 大小字行款同前用綿紙蝶裝

存紀四至八 志一二 六至九 十三至十五 傳四十八九 六十四下至六十六 七十一至七十二下 七十六七 九册

參考:臺北北平

又 清内閣書

宋刊本　大小字數行款同前　惟爛脱殊甚
存志十一至二十二傳四至六　十五至十九　二十二至二十四
三十三至四十四　五十二至五十五　六十四下至六十九下　十四册
參考:北京(〇四一)

又　清内閣書
元刊本　每半葉十行行大小字二十二字高七寸一分寬五寸三分
白口雙邊板心上魚尾上記字數下魚尾記刻工姓名使用紅絲羅紋
紙印紅絹裝書贉有晋府圖書每卷首晋府書畫之印卷末有敬德堂
圖書印子子孫孫永寶用皆朱文鈐記
存紀四至九　志一至三　十五至二十　傳十二至二十一　五十
八至六十　六十九至七十　七十七八　十四册
參考:臺北北平

又　清内閣書
元大德九年刊本　每半葉十行行大字十九字小字不等餘與前同
存紀一至四　志十一至十九　傳一至七　二十至二十五　三十
六至四十一　四十九至五十七　七十二至八十　九册
參考:北京(〇七八八)

又　清内閣書
元刊明修本　行款與前同
存志一至八　又一至七　傳七至二十四　三十二至四十二　五
十一至五十七　九册

又　清内閣書
元刊明修本　行款與前同補較多印較後
存志二十四至三十　傳一至十五　二十八至三十六　六十至六
十四下　六册

又　清内閣書
明正統刊本
存紀一二　八至十　志一至三十全　傳一至五　十一至三十二
三十五至七十六　十八册

又　清内閣書
明正統刊本
存紀全　志一　傳一至五　十一至四十二　四十九至五十三
六十至六十五　七十一至七十五　十二册

三國志六十五卷　清内閣書
元刊本　每半葉十行行二十二字大小字同高七寸寬五寸白口雙
邊上有字數下有刻工姓名
存傳十五至十九　一册

晋書一百三十卷　清内閣書

宋刊本　每半葉十行行十九字高六寸四分寬四寸四分白口單邊上字數下刻工姓名蝶装
存志一至三　八至十六　傳十六至三十一　四十至五十一　六十七至七十　載記十八至三十　音義全　十四册
參考:臺北北平十六册
又　清内閣書
宋刊元明遞修本　行款同上　蝶装
存目録　紀十卷全　志一二　七至十八　傳一至十八　二十三至三十八　四十九至五十七　載記四至三十　附音義全　又重本　紀五至十　志一二　七至十　九至十二　傳七至十八　四十八至五十四　載記六至十二　三十册
又　清内閣書
元刊本　每半葉十行行二十字高七寸二分寬五寸七分黑綫口單邊上有字數下有人名蝶装
存序目録音義　紀一至十全　傳十六至十九　二十四至二十九　三十九至四十八　五十五至七十　十六册
參考:臺北北平
又　清内閣書
元刊明補本　每半葉十行行二十字高七寸二分寬五寸三分黑綫口雙邊上有字數存路學二字
存紀一至六　傳四十七至五十三　六十至六十四　七十　載記一至五　十四至二十六　六册
晋書載記十一卷　歸安姚氏書
明刊本　七册
宋書一百卷　清内閣書
宋蜀大字本　每半葉九行行十七字高七寸寬五寸九分黑綫口單邊板心上記字數下有刻工姓名蝶装　每册首尾有朱文晋府書畫之印及敬德堂圖書印鈐記
存紀二至十　志一二　四至十八　二十至二十一　二十九　傳一至八　十二至三十二　三十五至四十三　五十三至五十八三十八册
又　清内閣書
宋刊本　行款同上　蝶装
存志五至八　十三四　十七八　二十至二十一　傳一　十二至十七　二十一至二十二　十二册
梁書五十六卷　清内閣書
宋刊本　每半葉九行行十八九字不等高七寸一分寬六寸白口單邊上有字數下有刻工姓名無魚尾蝶装
存紀一至六全　傳十二至二十一　二十六至四十一　四十六至

四十八　五十至五十四　十四册
參考:臺北北平

陳書三十五卷　清内閣書
宋刊本　每半葉九行行十八九字不等高七寸二分寬五寸九分白口單邊蝶裝
存傳二十三至三十　三册

魏書一百十四卷　清内閣書
宋蜀大字本　每半葉九行行十六字高七寸二分寬六寸黑綫口單邊上字數下人名蝶裝配三册有晋府書畫之印前有一部五十本洪武二十八年五月二十五日長史王有行禮□領到一行
存目録一册　紀一至十二全　志五六　八至十　十三四　十七八傳一至三十五　四十二至五十八　六十六至七十七　三十五册

又　清内閣書
宋刊蜀大字本　行款同前
存傳十至十四　七中下　二十四至二十八　三十二　六十至六十三　八十至八十二　五册

又　歸安姚氏書
宋刊蜀大字本　行款同前印稍後印有缺葉　四十册
參考:北京(〇五三)

北齊書五十卷　清内閣書
宋刊蜀大字本　每半葉九行行十八字高七寸七分寬六寸一分黑口雙邊蝶裝　每册首尾均有白文橋氏家藏印
存傳二十七至四十二　五册
參考:臺北北平

隋書八十五卷　清内閣書
元刊本　每半葉十行行二十二字高七寸寬五寸二分黑綫口單邊上有字數下有刻工姓名　三分合湊尚未能全
存紀一至五全　志三至五　八至十一　十四至二十　十九至二十四　三十傳一至十八　十四至三十九　二十五册
參考:臺北北平十七册

又　歸安姚氏書
元刊本　行款同前　口上有間有堯學之字有正德十三年司禮監谷重刊字様　二十册

南史八十卷全　清内閣書
元刊本　每半葉十行行二十二字高七寸四分寬五寸四分黑綫口單邊下間有刻工人名蝶裝後有一部永樂二年十月二十五日蘇□買到一條墨迹　十二册
參考:北京(〇五四)

又　清内閣書

存紀一至六　傳一至五　二十七至三十三　六十一至七十　六册

又　清内閣書

存傳二十四至二十七　三十二至五十六　六十一至六十三　八册

又　清内閣書

存紀四至七　傳一至五　二十八至三十　三十四至四十二　五十八至六十　九册

又　清内閣書

存傳六至十　十二三　三十四至三十六　四十三四　五十五至五十七　六册

又　清内閣書

存紀二三　六七　二册

參考:以上二點合湊　臺北北平七册

北史一百卷全　清内閣書

元刊本　每半葉十行行二十二字高七寸寬五寸二分黑綫口單邊下有刻工姓名　二十册

又　清内閣書

元刊本　行款與上同口上無字

存紀一至十二　傳十一至二十九　五十七至七十四　七册半

又　清内閣書

元刊本　行款與上同

存紀三至五　九至十二　傳十二至二十五　四十九至五十一　五十七至五十九　十册

又一部　清内閣書

元刊本　行款與上同

存紀二至四　九至十　傳五六　十九至二十　二十三四　四十至四十三　四十六至四十八　六十一至七十　七十四至七十六　八十三四　十二册

又　清内閣書

元刊本　行款與上同蝶裝

存紀二三傳十三四　二十六至二十八　三十五至三十六　四十五至四十九　六十六至七十三　十册

又　清内閣書

元刊本　行款與上同蝶裝有晋府書畫之印

存紀一至六　傳五至七　十至十二　十六七　二十四至二十八　三十三四　三十七至四十二　五十二至八十五　二十二册

又　清内閣書

元刊本　行款與上同蝶裝　口上有信州路戈陽學等字

存紀一至六　九至十二　傳一二　五至二十　二十九至五十二
五十六至五十九　六十二至七十一　七十四至八十五　八十七
八　四十册

又　歸安姚氏書
元刊本　行款與上同　首册配明萬曆本
存紀全　傳一至十五　四十三至八十八　十六册

唐書二百二十五卷全　歸安姚氏書
宋刊本　每半葉十行行十九字高六寸一分寬四寸白口單邊上有
大小字數下有刻工姓名　四十八册

又　清内閣書
宋刊元補本　每半葉十四行行二十五字高六寸四分寬四寸白口
單邊上有字數下有刻工姓名蝶裝
存序目録紀一至十　志一至三十七　表十下十四五上下　傳十
七至三十四　八十一至一百四十上　一百四十五至一百四十七
二十二册
參考:北京(〇六〇)

又　清内閣書
宋刊本　每半葉十四行行二十五六字不等高五寸寬四寸白口單
邊蝶裝字極精
存表一二中下　十四上下　傳一百四十上至百四十五　三册
參考:北京(〇七九三)

又　清内閣書
宋刊本　每半葉十行行十九字六寸四分寬四寸二分白口單邊有
元修元補等葉又有宣德九年知府宋補
存序目全　紀一至十全　志一至六　十五至十八下　三十四至
四十七　表十二中十五下傳一至三　二十五至三十　三十七
至五十一　六十一至六十九　七十八至九十七　一百零五至一
百十九　百二十五至一百五十　二十五册
參考:北京(〇五四一二)

又　清内閣書
元刊本　每半葉十行行二十二四字高七寸四分寬六寸一分白口
單邊間有字數下只刻工姓名以下三部行款同可配全　四十九册
參考:臺北北平

又　清内閣書　三十一册
參考:臺北北平三十二册

又　清内閣書　二十七册
參考:臺北北平

又　清内閣書　六十六册

參考:臺北北平

又 清內閣書

宋元明三朝板 十行十九字本黑口本

存紀一至十 志十五至十八 四十七至五十 表一至十一 十四五 傳六至十 四十三至四十八 五十至五十六 七十九至九十二 九十七至一百零六 一百二十四至一百二十八 一百四十二至一百五十 十八册

又 清內閣書

宋元明三朝板 行款同上

存志一至十四 十九至二十七 四十七至五十 表十一至十三 傳七至五十一 六十八至七十九 八十三至九十五 一百十七至一百二十二 一百二十七至百三十七 一百三十九至一百四十六 一百四十九至一百五十 又重本傳 七十九至九十 一百十七至一百二十二 一百四十六至一百四十八 二十七册

又全 歸安姚氏書

南監元刊本 每半葉十行行二十二字釋音二十五卷大德九年雲謙跋 八十册

又全 歸安姚氏書

南監黑口本印有補板 三十册

五代史記七十五卷 清內閣書

宋刊本 每半葉十行行十八字高六寸寬四寸白口單邊上有大小字數下有刻工姓名有旁□蝶装

存十至二十一重一 二十二至二十九重一 五十一至五十八 六十四至七十四 六册

參考:北京八册(〇七九八)

又 清內閣書

元刊本 每半葉十行行二十二字高六寸八分寬五寸三分白口單邊上有字數

存序目 一至十六 三十三至七十四 八册

又 歸安姚氏書

元大德刊本 每半葉十行行二十二字高七寸寬五寸一分白口單邊上有字數

存四十三至六十六 八册

又 歸安姚氏書

明王文盛刊本 高穀傅汝舟校 每半葉十二行行二十二字 十二册

宋史四百九十六卷 清內閣書

元刊本 每半葉十行行二十二字高六寸九分寬五寸二分黑綫口雙邊中縫一面紀志表傳一面字數下有刻工姓名蝶装

存紀十九至二十一　四十三四　志四　六七　十七至二十　二十八九　三十七至三十九　五十六七　六十三至六十五　七十四至七十六　七十九至八十　九十至九十七　一百至一百零三　一百零八九　一百十三九葉　一百二十三　一百二十六　一百二十八　一百三十至一百三十一　一百二十四至一百三十八　表六卷半　八　十二三　二十七　三十　傳二十二三　二十六上七葉　二十八　三十二三　三十六九　三十八上十四葉　五十至五十一　六十六十一不全合爲半册　六十四至六十七　七十至七十一　七十八九　九十二三　九十六七　一百零一二　一百零七八　一百十一二　一百十七八　一百四十八九　一百五十一二　一百五十八至一百六十三　一百六十八至一百七十　一百八十八九　二百零九至二百十二　二百二十　二百二十一只四葉　六十二册

參考:北京六十九册(〇一二〇六)

又　清内閣書

元刊本　行款與上同蝶裝

存志二十三　二十九　三十六　三册

遼史一百十六卷　清内閣書

元刊本　每半葉十行行二十二字高七寸寬五寸二分黑口單邊初印本有修史館員姓名

存紀三十卷全　志一至十七上　二十七至三十　表八卷全　傳一至二十八　重九至二十六　九册

參考:北京(〇八〇一)　臺北北平八册

又　清内閣書

元刊本　行款與上同蝶裝　晉府藏書畫之印

存紀二十四至三十　志一至十四　十八至三十一　表一至八全　傳一至三十一　十二册

參考:臺北北平另有紀一至七　十三册

又　清内閣書

元刊本　行款與上同蝶裝

存志一至十四　十八至三十四　傳一至三十一　八册

參考:北京(〇七九九)

又　清内閣書

元刊本　行款與上同

存紀一至三十全　志一至十四　表八卷　四册

又一部　清内閣書

元刊本　行款與上同

存紀一至十一　二十五至三十　志一至六　表七至八　傳一至

八 三册

又 清内閣書

明内府鈔朱絲欄本每半葉十行行二十字高八寸二分寬五寸九分

存紀一至八 十五至三十 志一至三十一 表一至八 傳一至

四十六 十九册

參考:臺北北平

遼史拾遺二十四卷續五卷 歸安姚氏書

清厲鶚撰 舊鈔本 十册

參考:臺北北平

金史一百三十五卷 清内閣書

元刊本 每半葉十行行二十二字高七寸一分寬五寸二分白口雙

邊上有字數下有刻工姓名蝶裝

存目録上 志十 六七 二十一至二十六 三十三四 三十六

八 傳四十一至四十九 十三册

又 清内閣書

元刊本 行款與上同蝶裝有敬德堂圖書記子子孫孫永寶用兩印

存目録上下 紀三五 志五至十 十四至二十七 二十九至三

十四 三十六至三十九 表一至三 傳三至五 十 十三至十

八 二十至二十二 二十五至二十八 三十一至四十一 四十

六 四十八至五十三 五十九至六十二 六十六七 七十 七

十二三 六十册

又 清内閣書

元刊本 行款與上同蝶裝

存紀七至十三 志四至六 十五至十九 二十二至二十六 三

十四至三十六 表一二 傳十至十二 十八至二十五 二十九

至三十五 三十九至四十一 四十五至四十七重一 五十五至

五十八重一 十八册

又 清内閣書

元刊本 行款與上同

存紀六至一 志二十一至二十五 傳一至九 三十一零 六十

一至六十六 四册

又 清内閣書

明内府朱絲欄本每半葉十行行二十字高八寸二分寬五寸九分

存紀二至四 七至十九 志一半卷 三至九 十三至三十九

表一至四 傳一至三不全 三十五至五十六 五十九至六十九

七十二三 四十四册

參考:北京四十册(〇八〇五)

元史二百十卷 清内閣書

明刊本　每半葉十行行二十字高八寸四分寬五寸八分黑口上字數下刻工姓名此真明初印本白皮紙蝶裝

存紀三十五至四十三　志九至十一　十七下至二十　三十六七　四十二至四十四　五十至五十三　傳二十六至三十　三十七至四十　九册

又　清内閣書

明刊本　行款與上同蝶裝

存目録連表六卷　紀十七至十九　志一至三上　九至十　二十二至二十五　二十八至三十　三十六至三十八　四十一至五十　傳一至十二　五十至五十六　六十七至七十　十七册

參考:北京(〇一一七四)

又　清内閣書

明刊本　行款與上同蝶裝

存紀二十八至三十一　志一二　五至十二　二十六至二十八　四十四至四十八　表一至六全　傳一至五　十三至十六　二十一至二十四　二十八至三十一　三十六至五十三　五十七至八十一　九十五至九十七　二十四册

參考:北京(〇一一七三)

又　清内閣書

明内府朱絲欄鈔本每半葉十行行二十字高八寸二分寬五寸九分

存紀一至三十四　志一至九　十二至三十六　三十九至五十三　表一至五上　傳一至二十　二十四至七十　七十四至九十七　七十二册

參考:臺北北平

又　清内閣書

明鈔黑格本

存目録一册　紀五至九　二十一至三十五　志四五　八至十一　二十七至二十九　五十二三　表六　傳十六七　二十一二　三十七八　五十五六　六十九至八十一　九十至九十七　二十九册

參考:臺北北平三十册

明史三百三十二卷　清内閣書

進呈寫本　一百十二册

參考:臺北北平

又　清内閣書

黄綾本　朱圍句讀

存目録　紀五至十五　二十至二十四　志一至七十五　表一至十三　傳一至一百五十二　一百六十六至一百七十　一百八十至二百二十　一百零三册

參考:臺北北平

野史稿三百十卷　清内閣書

清王鴻緒撰　進呈寫本　前有□諭及鴻緒進史表　缺傳一百九十至一百九十二及一百九十五至一百九十九　七十八册

參考:臺北北平(勅修明史稿)

明史歷史志稿十六卷　清内閣書

舊寫本　十六册

編年類

元經十卷　歸安姚氏書

隋王通撰明藍格舊鈔本　三册

通歷十五卷　海虞瞿氏書

唐馬総撰　傳鈔本　書中殷敬皆減筆蓋依宋本影寫　六册

資治通鑑二百九十四卷　歸安姚氏書

宋司馬光撰　宋刊本　每半葉十一行行二十一字高六寸五分寬四寸三分白口單邊每卷有汪士鐘白文閬原珍賞朱文小方聯珠印

存二十至三十八　五册

參考:北京(〇八一二)存二十二至三十六

又　清内閣書

宋刊本　每半葉十一行行十九字小字二十四高八寸寬六寸白口單邊上有字數下有刻工姓名雙魚尾蝶裝晋府藏書

存四至五　九至十一　十五至十七　二十四至二十九　三十九至五十九　六十三至六十五　七十六至七十八　一百五十八至一百六十九　一百七十七至一百七十九　二百四十二三　二百四十五至二百四十七　二百八十六七　二十二册

參考:北京(〇一一八二)二十九册

又　清内閣書

宋刊本　行款與上同蝶裝有禮部評驗書畫關防官印都省書畫之印朱文方印

存目録一册　七十四至八十一　九十至九十二　一百零八至一百十零葉　一百二十六至一百二十八零葉　一百三十二三　一百四十五至一百四十七　一百六十至一百六十二　一百七十二至一百七十四　一百八十七至一百九十五　二百二十五至二百二十七　二百四十二　二百五十四五　十六册

音注資治通鑑二百九十四卷　清内閣書

元胡三省注　元刊本　每半葉十一行行二十字高七寸三分寬四寸八分黑口雙邊上有字數下有刻工姓名蝶裝有姜氏圖書朱文方印

存三十九至四十二　五十一　七十七至八十　八十五至八十七

一百零一二　一百零六至一百零八　一百四十二至一百四十五
重一百四十二三兩卷　一百六十至一百六十二　一百八十四五
二百十二　二百十九至二百二十一　二百六十七至二百六十九十四册
　參考:臺北北平三十册
又　清内閣書
元刊本　行款同前有晋府圖書
存一百七十三至一百七十五　二百五十三至二百五十五　　二册
　參考:北京(〇七二)
又　清内閣書
元刊本　行款同前
存四十至四十二　九十五至九十七　一百二十二至一百二十四
一百二十八至一百三十　一百六十七至一百六十九　　五册
　參考:北京(〇七一)
又　清内閣書
元刊本　行款同前蝶裝
存五十三四　六十三至六十八　七十一二　七十六　八十一二
八十五至八十八　九十七八　一百十五　一百二十三至一百二
十六　一百三十一至一百三十四　一百四十七八　一百五十七
八　一百六十三四　一百六十七八　一百七十九至一百八十六
一百九十三四　二百十七八　二百四十六至二百四十八　二百
六十二三　二百八十至二百八十一　　二十九册
　參考:北京(〇五四三二)
又　清内閣書
元刊本　行款同前
存三十四至三十六　六十二三　八十二至八十四　八十八九
九十七至九十九　一百二十七　一百四十至一百四十一　一百
四十五至一百四十七　一百七十二至一百七十四　一百七十八
至一百八十　一百八十七至一百八十九　二百零三四　二百四
十一至二百四十三　二百五十七至二百五十九　二百七十四
二百九十三四　　十四册
　參考:臺北北平二十二册
又　清内閣書
元刊明補本　行款同前
存九至十一　二十五六　四十至四十四　六十一至六十四　七
十八至八十　八十至九十　一百零九十　一百二十一至一百二
十九　一百四十五至一百四十八　一百五十四至一百五十六
一百八十一至一百八十四　一百八十九至一百九十一　二百零
七八　二百十七至二百二十　二百二十九至二百三十五　二百

五十三至二百五十六　二百六十六至二百七十一　二百七十三至二百七十九　二百八十一二　二百八十四　二十三册

參考:臺北北平二十五册

又　清内閣書

元刊明補本　行款同前

存四十至四十四　一百十九至一百二十三　一百五十一至一百五十四　一百五十九至一百六十二　一百八十九至一百九十五　二百五十五至二百五十七　二百五十九至二百六十　二百七十一至二百七十四　十一册

參考:臺北北平十二册(下與辨誤合湊)

通鑑釋文辨誤十三卷　清内閣書

元胡三省撰　元刊本　每半葉十行行二十字高五寸四分寬四寸黑口單邊上有字數下有刻工姓名

存一至六　一册

參考:臺北北平　資治通鑑十二册之内

通鑑地理通釋十四卷　清内閣書

宋王應麟撰　元刊本　每半葉十行行二十字小字同雙行夾注高六寸七分寬四寸二分白口單邊上有字數下有刻工姓名　四册

通鑑外紀十卷　歸安姚氏書

宋劉恕撰　舊鈔本　十二册

通鑑前編十八卷　清内閣書

宋金履祥撰　元刊本　每半葉十行行二十二字高七寸八分寬五寸一分白口單邊上有字數下有刻工姓名蝶裝

存十八　一册

參考:臺北北平四册(四至六　十八)

續資治通鑑　清内閣書

宋李燾撰　元刊本　每半葉十三行行二十二字高六寸一分寬四寸二分黑口雙邊上標事迹蝶裝　一册

宋史全文資治通鑑前集十八卷後集十五卷　清内閣書

前集署李燾撰後集劉時舉撰　元刊本　每半葉十三行行二十二字高六寸寬四寸二分黑口雙邊　六册

宋史全文續資治通鑑附宋季朝事實二卷　清内閣書

明刊本

存五至八　二十五至三十六　宋季朝事實全　六册

皇朝編年備要三十卷　歸安姚氏書

宋陳均撰　舊鈔本　影宋精鈔每半葉八行行十六字有錢大昕跋　十二册

參考:臺北北平

通鑑續編二十四卷　清内閣書

元陳桱撰　元刊本　每半葉九行行二十一字黑口高五寸八分寬四寸八分至正二十一年周伯温序有朱叔□字朱文方印泰峯朱文方印　十二册

參考:臺北北平

又　清内閣書

元刊本　行款同前

存一至二十二　六册

參考:臺北北平

又全　歸安姚氏書

元至正二十三年刊本　每半葉十行行二十二字高六寸八分寬四寸八分黑綫口單邊下有刻工姓名　二十四册

資治通鑑綱目五十九卷　歸安姚氏書

宋朱熹撰　宋刊本　每半葉八行行十七字大小字同高七寸寬四寸五分白口雙邊上注年分干支陰陽文不一前序及卷一鈔配亦缺二葉刊印俱精有菉竹堂藏印白文大長方印　五十七册

參考:臺北北平

又　歸安姚氏書

明刊本

存十三　十五六　三册

又　清内閣書

舊鈔本

存一至三四　三十一至四十一　四十三至五十　五十二三　五十七　五十九　二十六册

參考:臺北北平

又　清内閣書

明刊本

存三　十二　十四　二十九至三十一　三十三　三十五六　四十一　五十　五十一重　五十三　五十九　十五册

又　清内閣書

明弘治刊本　書法集覽發明考異俱全

存十二三　二十五六　四十至四十一　五十六至五十九　六册

參考:臺北北平

資治通鑑綱目發明五十九卷　清内閣書

元尹起莘撰　明洪武二十一年刊本　每半葉十二行行二十字高六寸一分寬四寸一分黑綫口雙邊字畫英挺不減宋元　四册

參考:臺北北平

又　清内閣書

存一至三十一　四十五至五十七　四十五至五十九　四册

又　清內閣書

存十四至二十二　四十至五十九　三册半

資治通鑑綱目書法五十九卷　清內閣書

宋劉友益撰　元刊本　每半葉十三行行二十五字高五寸六分寬三寸五分黑綫口單邊上□記年月下有字數

存三至六　十九至三十四　五十三至五十九　重四十九至五十九　五册

參考:臺北北平八册及一册

資治通鑑綱目集覽五十九卷　清內閣書

宋王幼學撰　明洪武戊辰刊本　每半葉十行大十六字小二十四字高六寸四分五分寬五寸黑口雙邊旁有小耳記年號有晋府圖書

存一至十四　十八至五十九　四册半

參考:臺北北平

又　清內閣書

元刊本　每半葉十二行行十九字大小字同高六寸九分寬四寸四分黑口雙邊

存一至四　八至五十九　十二册又重四册

又　清內閣書

明刊大字本

存四至八　一册

大明通鑑綱目　清內閣書

不著撰人明氏　稿本

存前紀上下　一至四　六至九　十三　二十　又清本二册　十四册

紀年鴻史十二卷　歸安姚氏書

不著撰人名氏　明鈔本　卷首有序称兄典曰則甫書不知何姓有白文御兒吕留良印天蓋樓珍藏朱文方印　三册

少微通鑑節要五十卷　清內閣書

宋江贄編　朝鮮刊本

存二至四　十二至十五　二十七至三十一　三十六至四十一　四十五至四十七　六册

資治通鑑節要續編　清內閣書

不著編輯者名氏　明刊本

存十六七　二十三至二十九　八册

增修陸狀元集百家注資治通鑑詳節一百二十卷　清內閣書

元張晋亨撰　元刊本　每半葉十四行行二十三字高六寸寬四寸黑口單邊有小耳

存一至四十　四十七至七十一　八十一至一百　一百十至一百
二十　重六十一至七十　六十七至八十　七十九至八十九
大小十二册又重四册

參考:臺北北平

又　清内閣書

元刊本　行款與上同

存八十四至九十一　一册

紀事本末類

通鑑紀事本末四十二卷全　歸安姚氏書

宋袁枢撰　宋刊大字本　每半葉十一行行十九字高八寸寬六寸
三分白口單邊上有字數下有刻工姓名　五十二册

參考:北京(〇八一八)

又　清内閣書

宋刊大字本　行款同前白皮紙蝶装

存七　十六　十八九　四十一　五册

參考:臺北北平

又　清内閣書

宋刊大字本　行款同前　竹紙蝶装

存二　四　六　七　十一　十三　二十四　二十七半本　三十
九　四十一　十六册半

參考:臺北北平十八册

又　清内閣書

宋刊大字本　行款同前

存十九　二十四鈔　二十六　二十八鈔　三十　三十三　三十
九　四十一　九册

參考:臺北北平

又　清内閣書

宋刊大字本　行款同前

存一至九　十一至十九　二十一至二十二　二十七至三十三
三十五　三十七至四十一　七十四册

參考:北京(〇八二〇)

又　清内閣書

宋刊小字本　每半葉十三行行二十四字高六五分寸寬五寸白口
單邊上有字數下有刻工姓名緜紙蝶装書法秀整体兼顔柳訛字極
少遠勝大字本

存三至二十八　三十　三十二　三十四　三十七至四十二　三十五册

參考:臺北北平

又　清内閣書
　明紅格鈔本
　存二十　二十一　二十三　二十五六　三十七八　七册
　　參考:臺北北平

別史類

隆平集二十卷　歸安姚氏書
　宋曾鞏撰　明刊本　有怡府世寶朱文方印
　存一至六　十三至二十　六册
古史六十卷　歸安姚氏書
　宋蘇轍撰　宋刊本　每半葉十一行行二十二字高七寸五分寬五
　寸二分白口單邊上字數下刻工姓名末五卷鈔補　十六册
又一部　歸安姚氏書
　宋刊本　行款與上同
　存一至十七　二十七至三十　七册
宋太宗實録八十卷　海虞瞿氏書
　宋錢若水等同撰　傳鈔本
　存二十六至三十　七十六　七十九至八十　二册
明太宗實録二百五十七卷　清内閣書
　明姚寬孝等修　紅格寫本
　存一至十三　二十五至二百五十七　二十一册
太宗實録一百三十卷　清内閣書
　明張輔等修　明紅格寫本
　存十至十五　一册
宣宗實録一百十卷　清内閣書
　明張輔等修　明紅格寫本　十三册
英宗實録三百六十一卷附郕王　清内閣書
　明孫継宗等修　明紅格寫本
　存一至一百八十七　一百九十六至二百九十二　二百七十四至
　三百六十一　三十四册
憲宗實録二百九十三卷　清内閣書
　明劉吉等修　明紅格寫本　二十九册
　　參考:臺北北平
孝宗實録二百二十四卷　清内閣書
　明李東陽等修　明紅格寫本
　存一至四十九　五十至六十　六十三至七十七　二百零三至二
　百二十四　二十四册
又　歸安姚氏書

綠格舊鈔本　弘治二年六月止以下缺　八册

武宗實録二百七十七卷　清内閣書

明費宏等修　明紅格寫本

存一至七十　七十四至一百五十三　一百六十四至一百九十七　二十册

參考:臺北北平另有七十一二三　一百六十三　二十册

世宗實録五百二十八卷　清内閣書

明徐階等修張居正等續修　明紅格寫本

存一至二十一　六十至七十一　八十四至一百二十　一百三十五至一百四十五　一百九十七至二百零七　二百二十至二百四十四　二百五十七至二百六十九　二百八十二至二百九十三　三百三十二至三百五十五　四百零六至四百十七　四百三十至四百四十七　四百六十八至四百七十九　四百九十二至五百十六　二十一册

穆宗實録七十卷　清内閣書

明張居正等修　明紅格寫本

存十六至二十一　四十一至四十六　五十九至六十四　三册

參考:北京(〇一二一〇)原爲一帙

神宗實録五百九十六卷附泰昌七卷　清内閣書

明温體仁等修　明紅格寫本

存一至三百四十二　三百五十七至五百九十六　四十九册

參考:臺北北平五十册

熹宗實録八十六卷　清内閣書

明葉向高等修　明紅格寫本

存一至四十二　五十五至八十六重二本　十四册

參考:臺北北平十二册

通志二百卷　清内閣書

宋鄭樵撰　元刊本　每半葉九行行二十一字大小字同高九寸八分寬六寸九分白口單邊上有大小字數下有刻工姓名蝶裝初印缺第四十三卷以殘本補配　一百六十五册

又　清内閣書

元刊本　行款同前蝶裝

存三下　十上　十七八　二十一　三十九至四十　四十四五　四十九至五十　七十七　八十四下　九十八上　一百零七　一百零九上　一百十三　一百十八　一百四十九至一百五十二　一百七十三至百八十一　一百八十四至一百八十六　一百九十至百九十六　一百九十九至二百　三十七册

又一部　清内閣書

元刊本　行款同前蝶裝
存一至十七　十九　二十一至三十九　五十至五十八　六十
六十二　六十四至六十七　七十一至七十四　七十七至八十
八十二至八十六　八十九　九十三至九十六　九十八至一百零
二　一百零七八　一百十二至一百三十六　一百三十八至一百
六十九　一百七十二至一百八十六　一百八十八至二百
一百四十三册

又　清内閣書
元刊本　行款同前蝶裝
存目録　四至五　十上　十二至十四　五十五至五十七　六十
七八　七十四至七十七　八十三　八十四下　八十九　一百零
九上　一百十八下　一百三十八至一百四十五　一百四十九至
一百五十　一百五十二　一百五十四至一百五十六　一百五十
八九　一百六十二至一百六十七　一百七十二至一百七十八
一百八十一　一百九十　一百九十四　一百九十九至二百
四十八册

又　清内閣書
元刊本　行款同前蝶裝
存目録一本　一至三下　六上　十　十五　三十一至三十六
五十一二　五十五至五十七　七十九至八十　九十六　九十八
上　九十九　一百零二上　一百二十二三　一百二十六七　一
百三十一至一百三十三　一百三十五至一百四十八　一百五十
三止三頁　一百五十四至一百五十八　一百六十　一百六十三
至一百六十七　一百七十二　四十四册

又　清内閣書
存一至三下　六　九至十　十六七　二十　二十五至二十七
三十一至三十五　四十三至四十九　五十四至五十七　六十六
至七十　七十八九　八十一至八十七　九十一　九十七　一百
至一百零五　一百零七　一百十一　一百五十五六　一百十八
一百二十　一百二十五六　一百二十八九　一百三十三至一百
三十八　一百四十四至百四十五　一百四十七至一百五十三
一百五十七　一百六十一至一百六十三重一百六十二　一百七
十一二　一百七十五至一百七十八　一百八十一至一百八十四
一百九十一至一百九十四　一百九十七至二百　六十一册

又　清内閣書
元刊本　行款同前蝶裝
存五上　十上　十五上　十六　二十八至三十　三十六至三十
九　五十八九　六十七八　七十一三　八十　八十二三　一百

十一　一百十八　一百二十至百二十一　一百二十五六　一百
二十八九　一百四十二三　一百四十五六　一百五十一　一百
五十七　一百六十一二　一百九十四五　一百九十七八
二十八册

又全　歸安姚氏書
元至治二年刊本　行款同前　舊印　百二十册

又　歸安姚氏書
明刊本
存一至八十九　九十四至一百五十二　七十三册

又　清内閣書
明刊本
存二至四　十三至十八　二十一至七十六　七十九至九十　九
十三至九十七　九十九至一百零一　一百零五至一百三十二
一百四十至二百　八十二册

契丹國志二十七卷　歸安姚氏書
宋葉隆禮撰　舊鈔本　二册
參考:臺北北平

十八史略十卷　清内閣書
元曾先至撰　元刊本　每半葉八行行十七字高六寸七分寬四寸
二分白口單邊上有字數下有刻工姓名　五册
參考:臺北北平

元史略四卷　清内閣書
元梁寅撰　明洪武十九年刊本　一册
參考:臺北北平

元史續編十六卷　清内閣書
明胡粹中撰　明刊本
存一至四　一册

雜史類

國語二十一卷　歸安姚氏書
明刊本　過録顧寛圻校天聖本　二册
參考:臺北北平

又　歸安姚氏書
校本過段玉裁校有顧寛圻跋　四册

國語二十一卷附古文音釋　歸安姚氏書
明許宗魯刊本　十册
參考:臺北北平

戰國策校注十卷　清内閣書

元吴師道撰　元刊本　每半葉十一行行二十字小黑口高六寸二分寬五寸單邊欄外有國名卷末有至正乙巳前藍山書院山長劉鏞重校勘一行

存卷四　一册

參考:北京(〇八二三)

又　清内閣書

元刊本　行款同上卷末有平江路儒學正徐昭又校勘一行

存八至十　一册

貞觀政要十卷　清内閣書

唐吴競撰　明經廠大字本

存一五六　二册

南燼紀聞録二卷　歸安姚氏書

原題宋辛棄疾撰　舊鈔本　一册

平宋録三卷　歸安姚氏書

元平慶安撰　舊鈔本　有雪苑宋氏蘭揮藏書記朱文長印　一册

酌中志略　歸安姚氏書

明劉若愚撰　舊鈔本　三册

酌中志余　歸安姚氏書

不著撰人名氏　舊鈔本　一册

三朝野紀七卷　南陵徐氏書

明李遜之輯　舊鈔本　六册

劫灰録附録別集　歸安姚氏書

珠江廙航記　舊鈔本　此即馮甦滇黔筆記之別本　六册

荒書一卷　歸安姚氏書

清費密編　舊鈔本　一册

京師圖書館善本簡明書目卷第三

長汀江瀚重編

史部下

詔令奏議類

兩漢詔令二十三卷　清内閣書

西漢十二卷　宋林慮編　東漢十一卷　宋樓昉編　元刊本　每半葉十行行十八字高六寸二分寬四寸五分白口雙邊上有字數朱圍句讀

存一至四　一册

陸宣公奏議二十二卷　清内閣書

唐陸贄撰　明刊本　永樂十四年浙江嘉興府淮陽齊改後序

三册

重刊陸宣公奏議二十二卷　清內閣書

明宣德刊本

存一至六　一冊

陸宣公奏議纂注十二卷　清內閣書

元潘仁注　元刊大字本　每半葉七行行大小十七字高八寸六分寬六一分寸黑口單邊板心有細黑口上魚尾上記字數下魚尾下記刊工姓名潘仁纂注各家絶無著録此本用潤□羅紋紙印卷首有白文文府胡盧印清真軒方印

存一至六　九至十　四冊

參考:臺北北平

范文正公政府奏議二卷　清內閣書

宋范仲淹撰　元元統二年刊本　每半葉十二行行二十二字高七寸四分寬五寸白口上有字數　二冊

參考:北京(〇八三二)

包孝肅奏議十卷　清內閣書

宋包拯撰　明正統丙辰刊本　共二部　二冊

參考:臺北北平

國朝諸臣奏議一百五十卷　清內閣書

宋趙汝愚撰　宋刊本　每半葉十一行行二十三字高七寸二分寬五寸二分白口單邊中縫上上有字數下有刻工姓名有大德四年九月補葉

存目録一冊　一至三十　三十五至一百五十　二十四冊

又　清內閣書

宋刊本　行款同前

存三十六至三十八　四十二　九十至九十四　一百零一至一百零五　重一百零三　一百零八至一百十一　一百十三至一百十九　一百二十二至一百二十六　一百二十八九　一百三十三　一百四十五至一百四十八　十冊

又　清內閣書

宋刊本　行款同前

存三十四至三十七　六十二至六十八　七十八至八十九　九十八至一百零四　一百一十至一百十一　一百二十六至一百三十　一百三十三至一百四十一　十五冊

又　清內閣書

宋刊本　行款同前

存一至八　五十一二　五十至八十二　一百零九至一百十四

四冊半

又　清內閣書

宋刊本　行款同前
存一至九　二十四五　五十八至七十一　九十七至一百零四
一百二十六至一百三十五　六册
又　清内閣書
宋刊本　行款同前
存一至八　一百一十至一百十九　三册
総督宣大山西軍門奏議十一卷　清内閣書
明楊時寧撰　宋刊本　前有萬曆勅諭　十一册
參考:臺北北平
吏户禮曹章奏　清内閣書
清梁清寬彙鈔　順治元年九月鈔本　五册

譜牒類
宗藩慶系録　清内閣書
宋寫本　每半葉五行行十九字宣祖皇帝太祖皇帝黄綾金書
存太祖位下　第六世卷四　第七世卷十三　十七
太宗位下　第六世卷下　第七世卷十八　十九衹三葉　三十三　二十七八　三十　三十四　三十九
魏王位下　卷七　第六世卷二三　九缺末葉　十二
第七世卷八　二十二至二十三　三十五六衹半卷　二十六册
仙源類譜　清内閣書
宋史浩奉勅編修　宋寫本　每半葉五行行十五字僖宗皇帝至太祖皇帝均黄綾朱書
存太祖位下　第六世卷一　二十二　第七世卷二　二十二　二十六缺下半卷　三十　四十五
太宗位下第六世卷四缺下半卷　六　二十　二十九　四十一　五十六　第七世卷□缺上半卷　二十七
四十四　五十　六十二缺末葉　九十八
一百一　一百十一　一百十四　一百二十二
一百二十五　一百三十一　一百三十八缺後半卷　一百四十　又零葉約一册不知卷數
二十一册

傳記類
闕里志十三卷　清内閣書
明陳鎬修　明刊本　弘治乙丑徐源序正德紀元陳鎬跋

存十至十三　三册
又　清内閣書
明刊本　朱頣琢後序編中載萬曆丙辰謁聖林文則刻在萬曆時矣
存十至十二　三册
關王事迹五卷　清内閣書
元胡琦撰　明成化六年重刊本共十四部　十四册
鄘王劉公家傳三卷　海虞瞿氏書
不著撰人名氏　傳鈔本　一册
宋史岳飛傳附岳忠武廟名賢詩　清内閣書
元僧可觀編　元刊本　此取大德本宋史列傳覆刻後附詩文一卷
共三部　三册
金陀粹編二十八卷續三十卷　歸安姚氏書
宋岳珂撰　明翻宋本　十六册
精忠廟志十卷　清内閣書
明張應登撰　明刊本
存一　三至十　五册
太和山啓聖賢録四卷　清内閣書
明刊本　上圖下書與宋刊列女傳同　一册
祠山事要指掌集十卷　清内閣書
明盛希年撰　宣德癸丑刊本　一册
高士傳三卷附虞槃高士傳一卷　歸安姚氏書
清周世敬　輯舊寫本　一册
四史外戚傳四卷　清内閣書
不著編輯者名氏　蓋南監晋書隋書十行本魏書北齊書九行本外
戚傳印訂别行共二部　四册
稗史集傳一卷　海虞瞿氏書
元徐顯卿撰　傳寫本　舊爲毛子晋藏書　一册
列女傳三卷　清内閣書
明仁孝皇后撰　明經廠大字本
存一重一册　三　三册
常熟先賢事略十六卷　海虞瞿氏書
明馮復京嗣宗撰　明萬曆刊本　二册
鄭氏旌義編三卷　清内閣書
明鄭濤等輯　洪武丁丑刊黑口本　一册
紹興十八年同年録　歸安姚氏書
精鈔本　有璜川吴氏收藏圖書朱文方印　二册
十朝名臣言行録四十卷　歸安姚氏書
宋刊本　每半葉十四行行二十三字高五寸九分寬四寸黑口是書

為罕見秘笈自建隆開□至紹興乾道中興名臣碑傳概括略畫有怡
親王朱文方印　二十四册
相鑑二十卷　清内閣書
明太祖欽定　明刊本原分賢臣傳十六卷姦臣傳四卷據文淵閣書
目兩部均缺有晋府書畫之印　八册
歷代臣鑑三十七卷　清内閣書
明宣宗御製　明刊本　文淵閣書目亦注残缺
存一至二十九　三十四至三十七　九册
元名臣史略十五卷　歸安姚氏書
元蘇天爵撰　傳鈔本　六册
忠州人物志十六卷　歸安姚氏書
明朱睦㮮撰　隆慶刊本　六册
謨烈輯遺二十卷本紀一卷　歸安姚氏書
明魯府輯本癸丑年九月十五日印有明善堂賢書畫印記白文長方
印安樂堂藏書記朱文長方印　八册
諸王會要□卷　清内閣書
不著編輯者名氏　明寫本　卷首有晋府書畫之印卷尾有敬德堂
圖書印子子孫孫永寶用朱文鈐記　一册

史鈔類

歷代史鈔□卷　歸安姚氏書
不著編輯者名氏　舊鈔本　八册
通鑑總類二十卷　清内閣書
宋沈枢撰　元刊本　每半葉十一行行二十三字高七寸八分寬五
寸六分黑綫口單邊上有字數下有刻工姓名　二十四册
參考:臺北北平
又　清内閣書
元刊本　行款同前有晋府書畫之印　二十册
參考:臺北北平
又　清内閣書
元刊本　行款同前　十二册
參考:臺北北平
眉山新編十七史策要　清内閣書
不著撰人名氏　宋刊小字本　每半葉十四行行二十一字高四寸
六分寬三寸四分白口單邊
存一至十九　二十三至三十　三十二　二十五册
參考:北京(〇四一九)
東西漢詳節三十卷　歸安姚氏書

宋刊本　每半葉十四行行二十一字高四寸八分寬三寸四分白口單邊眉上標事題首行眉山先生東漢叙録次行唐庚子西纂有揭印奚斯朱文方印極佳

存一至九　十九至三十　十四册

史書詳節　清内閣書

元刊本　每半葉十三行行二十四字高五寸二分寬三寸二分黑口首行東萊先生增入正義音注史記詳節卷之幾

存史記二十卷全　東漢五至九　二十二至三十　三國十一至二十一　南史一至七　十七至二十五　同一行寫但空一格可□北史一至八重一　十九至二十八　隋書二十卷全　十二册

參考:北京十一册(〇四二一)

又　歸安姚氏書

元刊本　行款同前　漫漶甚

存史記一至七　一五至二十　西漢十四至二十五　二十八至三十　東漢三十卷全　三國二十卷全　晉書三十卷全　隋書二十卷全　南史一　三至二十五　北史二十八卷全　唐書一至九　十一至六十　五代十卷全　一百十六册

時令類

月令通考十四卷　清内閣書

明盧翰撰　萬曆己丑刊本　五十册

輿地類

三輔黄圖六卷　歸安姚氏書

不著撰人名氏　元刊本　每半葉十一行行二十一字高黑口有元本朱文字張月霄朱文方印愛日精廬藏書朱文方印　一册

又　歸安姚氏書

明弘治刊　黑口本　二册

明順天府志六卷　歸安姚氏書

明沈應文修　萬曆癸巳刊本　十二册

欽定日下舊聞考一百二十卷　歸安姚氏書

清高宗勅撰　稿本　三十六册

以上都邑

山海經圖讃十三卷　歸安姚氏書

舊鈔本　有葉樹廉印白文石君朱文聯珠兩方印樸學齋朱文大方印歸来草堂朱文大方印孫從添白文慶增氏朱文兩方印　一册

輿地総圖二册　歸安姚氏書

明精鈔本圖表均極精 二册

太平寰宇記二百卷 清内閣書

宋樂史撰 舊鈔本

存一至二十四 四十至五十七 八十九至九十五 一百零三至一百零五 一百十二至一百四十六 一百五十至一百五十五 一百五十七 一百七十二至二百 十九册

大明清類天文分野之書二十四卷 本館購進書

明洪武十七年官集 官板大字本於元明間分并割隸頗爲詳備 十册

寰宇通志一百十九卷 清内閣書

明陳循等奉勑撰 明鈔朱絲欄本内閣書目已云闕第八一册

存一至二十二 四十五六 五十至一百十五 三十三册

參考:臺北北平

明一統志九十卷 清内閣書

明李賢等奉勑撰 官刊本

存八至三十五 三十七至八十七 八十九至九十 三十六册

又 清内閣書

存八至十 十四至二十 二十四 二十九至三十五 三十八至四十 六十三四 六十九至七十一 七十七八 十三册

又 清内閣書

存八至三十五 三十八至四十 四十五至六十六 六十九至七十八 八十一二 八十五 三十一册

又 清内閣書

存十一至三十五 五十九至六十 六十三至六十六 六十九至七十八 八十一二 二十三册

又 清内閣書

存十四至十八 二十八九 三十二至三十四 重三十二三 七十七八 八册

地理沿革表四十七卷 本館購進書

清陳芳績撰 舊鈔本 十四册

方輿路程考略 清内閣書

清康熙中奉勑修 舊寫本 有纂修官汪士鋐錢名世等銜名

存直隸三十册 四川三册 湖南十四册 安徽一册 浙江七册 寬東七册 河南二十册 陝西二十二册 江西九册 福建五册 九十一册

新安志十卷 歸安姚氏書

宋羅願撰 清乾隆刻本 據影宋本校 四册

仙溪志四卷 海虞瞿氏書

宋黄巖孫編　傳寫本　四册

咸淳臨安志一百卷　歸安姚氏書

宋潛説友撰　舊鈔本　有臣弘謀印白文榕門朱文兩大印張篆字元健朱文方印師子林舊主人朱文長方印又有汪士鐘讀書朱文小長方印

存一至六十三　六十五至八十九　九十一至九十七　四十册

參考:臺北北平

琴川志十五卷　海虞瞿氏書

宋鮑廉撰　毛刻初印本　六册

琴川三志補記十卷　海虞瞿氏書

清黄廷鑑撰　道光刊本　一册

琴川三志補記續八卷　海虞瞿氏書

清黄廷鑑輯　道光癸巳刊本　二册

至正金陵新志十五卷　清内閣書

元張鉉撰　元刊本　每半葉九行行大小十八字高七寸七分寬五寸二分黑單邊板心上魚尾上記字數下魚尾下記刻工姓名每册首有白文朱氏伯京印末有朱文東倉朱伯京家藏圖書印

存一至二　四至十五　七册

參考:北京(〇一〇九)

又　清内閣書

元刊本　行款同上

存四　六　十一　十三下　四册

又　清内閣書

舊鈔本　末行有編寫儒生姓名

存一　二　四　五　十四　十五　四册

宣府鎮志四十二卷　清内閣書

明孫世芳修　嘉靖刊本　十二册

以上都會郡縣

水經注四十卷　歸安姚氏書

明嚴氏刻鍾譚評本另有朱筆標何焯校本　五册

水經注釋四十卷　歸安姚氏書

清趙一清撰　舊鈔本　有拜經樓吴氏藏書朱文方印愚谷白文小方印　十册

天臺山志一卷　海虞瞿氏書

不著撰人名氏　傳寫本　卷末有至元間桐柏道士王中立遭遇世祖皇帝宣授仁靖純素真人云云殆爲元人所作　一册

仙都志二卷　海虞瞿氏書

元道士陳性定撰　傳寫本　仙都山枉括蒼縣即縉雲山　一册
龍虎山志三卷續一卷　清内閣書
元元明善撰　元刊明修本　每半葉十行行二十四字不等高七寸八分寬六寸白口單邊共二部　六册
太和山志十五卷　清内閣書
明任自垣撰　永樂刊本　共三部　六册
又　清内閣書
明大字寫本
存四至十四　三册
破山興福寺志五卷　海虞瞿氏書
明程嘉燧輯　崇禎刊本　有錢謙益序　一册
濂溪志十卷　清内閣書
明胥從化編　萬曆壬辰刊本
存一　二　七至十　四册
以上山川

治河奏牘二十四卷　清内閣書
清張鵬翮撰　寫本
存二　四至八　十至二十四　二十二册
以上水利

武林舊事六卷　歸安姚氏書
宋周密撰　明刊本　二册
西事珥八卷　歸安姚氏書
明魏濬撰　舊鈔本　有舊史徐軌白文方印菊莊徐氏藏書白文長方印　二册
以上瑣記

政書類
唐六典三十卷　歸安姚氏書
唐玄宗御撰　李林甫注　明刊本　十册
太常紀要十五卷　清内閣書
清江繁撰　康熙四十一年刊本　四册
憲綱事類一卷　清内閣書
明洪武中御史臺進　正統四年官刊本　一册
蘭臺法鑑録　清内閣書
明褚鈇撰　萬曆二十五年刊本　孫丕楊序
存一至二　一册

以上職官至官制

太平寳訓政事紀年五卷　海虞瞿氏書
不著撰人名氏　傳寫本　書中称高宗爲太上皇帝當係孝宗時人所編　二册
三事忠告四卷　清内閣書
元張養浩四卷　明洪武二十七年刊本　一册
通制条格二十五卷　清内閣書
舊鈔本　雜令僧道營繕三門
存二十七至三十　一册
大誥一卷　清内閣書
明太祖御製　官刊本　共二部　二册
參考:臺北北平
大誥續編一卷　清内閣書
明太祖御製　官刊本　共二部　二册
參考:北京(〇四一六)　臺北北平
大誥武臣一卷　清内閣書
明太祖御製　官刊本　大誥卷首御製序在洪武十八年續編御製序在洪武十九年此書勅序則洪武二十年也卷末仍有洪武十八年劉三吾後序　一册
參考:北京(〇四一八)
賜諸番詔勅一卷　清内閣書
明官刊本　書中諭琉球國王察度有云自朕即位十有六年則是書之刻當在洪武十六年後矣　一册
祖訓録一卷　清内閣書
明洪武六年頒布諸王分十三目　綿紙鈔本　一册
宗藩昭鑑録五卷　清内閣書
明陶凱等編集　明鈔朱絲欄本　二册
以上職官至官箴

通典二百卷　清内閣書
唐杜佑撰　舊鈔本
存一至七　十四至二十八　四十四至六十五　七十三至八十四　八十八至一百二十四　一百三十至一百六十　一百七十二至二百　二十八册
參考:臺北北平
通典詳節四十二卷　清内閣書
不著撰人名氏　元至正丙戌刊本　每半葉十四行行二十三字高

五寸九分寬四寸一分黑綫口單邊 十册
參考:臺北北平
又 清内閣書
元刊本 行款同前 四册
五代會要三十卷 歸安姚氏書
宋王溥撰 舊鈔本 清乾隆甲寅華潛重訂 八册
文獻通考三百四十八卷 清内閣書
宋馬端臨撰 元刊本 每半葉十三行行二十六字高八寸一分寬
六寸一分黑綫口單邊上有大小字數 九十册
又 清内閣書
元刊本 行款同前蝶裝
存七十九至八十一 九十七至一百十九 一百二十五至一百二
十七 一百三十一 一百四十六至一百五十一 一百七十九至
二百零九 二百十三至二百三十八 二百四十三至二百四十九
二百五十三四 二百五十七至二百六十一 二百六十五至二百
八十二 三十九册
參考:北京四十册(〇八六九)
又 清内閣書
元刊本 行款同前蝶裝有晋府書畫之印
存二五至六十 六十六至七十六 九十七至九十九 一百零三
至一百零五 一百十五至一百十七 一百二十八至一百三十一
一百三十六至一百四十五 二百七十四至二百七十七 二百九
十五至二百九十八 三百零三至三百十一 二十七册
又 清内閣書
元刊本行款同前
存目録 三 九至十二 三十七至五十三 六十五至六十九
八十九至九十三 九十八至一百零八 一百十五至一百十九
一百二十八至一百三十一 一百四十六至一百五十二 一百五
十九至一百六十四 一百七十六至一百八十三 一百九十三至
二百零九 二百七十二至二百七十八 二百八十七八九 三百
三十八至三百四十二 十九册
又 清内閣書
元刊本 行款同前
存三十七至五十 八十九至九十五 一百零二 一百零六至一
百二十九 一百四十四至一百七十一上 一百八十至一百八十
七 二百二十八至二百三十三 二百三十五至二百四十三 二
百四十五至二百五十七 二百六十四至二百六十九 十七册
參考:北京(〇五四二)

又　清内閣書

元刊本　行款同前

存八至十三　十至十三　三十四至三十九　七十六至八十　八十至八十三　八十五至九十　九十至九十五　一百零三至一百零五　一百零一至一百零六　一百十六至一百十九　一百三十二至一百三十五　一百九十三至二百零一　二百三十四　二百四十四　三百三十二至三百三十九　　十三册

又　清内閣書

元刊本　行款同前

存目録　四至五十二　重四十三四十七　二卷　五十四至五十八　五十八至六十三　六十八至七十　八十至八十一　八十八至一百　一百零六至一百零十　一百零八至一百十四　一百十二至一百二十　一百三十五至一百四十五　一百四十三至一百四十九　一百九十一至一百九十九　二百三十二至二百三十八　二百四十六至二百五十二　二百六十六至二百七十一　二百七十八至二百八十二　二百八十四五　二百九十六至三百零五　三百三十三至三百三十七　三百四十三至三百四十八

三十二册

又　清内閣書

元刊本　款式同前

存三至二十五　二十三至三十一　三十六至三十九　五十八至六十二　七十一至七十四　七十九至八十四　九十二至九十五　九十八至一百　一百至一百零九　一百二十八　一百三十七至一百四十二　一百八十八至一百九十二　一百九十七至二百二十四　二百三十四至二百四十　二百六十六至二百七十一

二十册

又　清内閣書

元刊本　款式同前蝶裝

存九至十七　三十五至三十七　四十七至五十　五十四至五十七　六十一至六十四　七十一至七十三　七十七至八十二　一百至一百二十二　一百三十九至一百五十　一百五十六至一百六十四重一百五十八　二百三十三至二百三十五　二百四十四至二百五十五　二百五十七　二百七十至二百七十七　二百八十五至二百九十八　三百零八至三百十一　三百十八至三百二十一　三百二十五至三百二十八　三百三十三至三百三十六　三百四十一至三百四十四　　三十七册

參考:北京四十一册(〇八六八)

又　清内閣書

元刊本　款式同前

存四十八至五十二　五十七至六十八　七十三至八十一重七十四至七十六　九十五至九十八　一百五十八至一百六十七　一百七十一至一百八十五　一百八十一至一百九十五　二百二十五至二百二十八　二百二十七至二百三十三重二百二十九至二百三十二　二百五十四至二百五十八　二百六十五至二百七十九　二百八十六至二百九十六　三百二十二至三百三十六

三十册

又　清内閣書

元刊本　款式同前

存一百十七至一百二十一　一百二十八至一百四十四　一百六十二至一百六十七　一百六十六至一百六十九　一百七十四至一百七十九　一百九十三至二百零六　二百十五至二百五十五重二百十九至二百二十九　二百九十六至三百零五　三百十五至三百二十三　三百二十七至三百四十八　二十一册

又　清内閣書

元刊本　款式同前

存四十四至九十四重六十四至七十　又重八十五至八十九　一百三十九至一百四十一　一百六十七至一百七十三　二百五十至二百五十五　二百六十至二百七十　二百九十二至二百九十五　三百十五至三百十八　二十册

文獻通考詳節　歸安姚氏書

清嚴虞惇輯　舊鈔本　八册

大明會典一百八十卷　清内閣書

明弘治十五年奉勅撰　官刊本

存目録　八至十　十九至二十二　二十六至三十四　四十至四十一　六十至六十七　八十一至八十三　一百零八九　一百十七八　一百二十三四　一百二十八九　一百三十四至一百三十七　一百四十五六　一百四十九五十　一百五十五至一百五十七　一百六十至一百七十一　一百七十四至一百八十

三十六册

參考:北京四十二册(〇八七七)

大明會典二百二十八卷　清内閣書

明萬曆四年張居正等奉勅撰　官刊本　清四庫著録爲弘治本提要云萬曆本世不甚傳而天禄琳琅所收即此本内閣亦儲六部也

存十四至四十二　一百十九至一百三十二　一百三十六至一百五十一　一百五十五　二百零九零十　二百十四至二百十五脱後半册　二百十六至二百二十八　三十二册

又　清内閣書
存四十三至五十四　六十至七十六　八十四至八十六　九十一至九十五　二十一册
又　清内閣書
存四十七　七十至八十　百二十三　百二十七至百三十二　百四十一至百四十六　一百五十至一百五十二　一百五十四五　一百七十一至一百七十五重一百七十三至一百七十五　一百九十四五　二百零八　二百十二三　二百十九至二百二十七
十六册
又　清内閣書
存十　八十一二　一百五十九至一百六十二　一百八十一至百八十五　一百九十六至二百零八　二百十三至二百二十八
十册
又　清内閣書
存序目　一至二十二　二十四至八十　八十二至一百二十　一百二十三至一百五十五　一百五十八　一百六十七至一百九十九　二百零一至二百十五　二百十九至二百二十八
一百二十四册
參考:北京一百二十六册(〇八七六)
又　清内閣書
明鈔本
存序　三至十二　十六至五十六　五十八九　一百十六至一百四十七　六十一至八十七　一百零一至一百零九　一百十二三　一百五十至二百二十八　一百二十一册
參考:臺北北平
皇明典故紀聞十八卷　清内閣書
明余繼登撰　明刊本
存三至十四　十七至十八　八册
以上通制

大唐郊祀録十卷　海虞瞿氏書
唐王涇撰　傳寫本　四册
太常因革禮一百卷　歸安姚氏書
宋蘇洵撰舊鈔本　六册
廟學典禮六卷　海虞瞿氏書
不著撰人名氏　傳寫本　書中間存蒙古語未尽翻譯之字卷首有曾在當湖胡遂江家朱記　三册
聖朝通制孔子廟祠一卷　海虞瞿氏書

傳寫本　菉竹堂書目有釋奠格例一册即此書也卷首有嗣盛印章朱記　一册

大明集禮五十三卷　清内閣書
明徐一夔等奉勅撰　官刊本
存四七八　十一二　二十七　三十七　四十六七　五十三
十二册

明倫大典二十四卷　清内閣書
明張居正等奉勅撰　官刊本
存九　十一至十五　十七至二十　二十二三　十二册

謚法通考十八卷　清内閣書
明王圻撰　萬曆二十四年刊本　十六册
參考:臺北北平

乘輿儀仗做法一卷　清内閣書
明官刊本　二册

高昌譯語二卷　清内閣書
緜紙藍格寫本　口上有四夷館三字　一册

華夷譯語二卷　清内閣書
明火源潔撰　洪武二十二年刊本　共六部　六册

聖孝鴻篇四卷　清内閣書
不著撰人名氏　舊鈔本　蓋紀清世宗喪儀　四册

以上禮制

大元海運記二卷　海虞瞿氏書
元胡書農撰　傳鈔本　二册

兩淮鹽法志十二卷　清内閣書
明史起蟄撰　嘉靖辛亥刊本　五册

福建鹺政全書二卷　清内閣書
明周昌晋修　天啓丁卯刊本　二卷分四册
存一　三　二册

河東運司志十卷　清内閣書
清馮達道修　順治庚子刊本　五册

夏鎮漕渠志略二卷　清内閣書
清胡廷佐修　順治十年刊本　四册

以上邦計

目録類

國史經籍志五卷　歸安姚氏書
明祥興焦竑撰　舊鈔本　五册

千頃堂書目三十二卷　歸安姚氏書
清黄虞稷撰　咫進齋鈔本　姚覲元手校　十六册
曹楝亭書目三册　歸安姚氏書
清曹寅撰　舊鈔本　有曾在當湖胡邃江家朱文長方印　三册
江蘇采輯遺書総目二册　歸安姚氏書
清高晋等編　傳鈔本　此書未刊行　二册
孫氏祠堂書目四卷　歸安姚氏書
清孫星衍撰　舊鈔本　二册
參考:北京(〇二五七〇)
秘書省續編到四庫闕書二卷　歸安姚氏書
舊鈔本　師石山房過録　一册

金石類

歷代鍾鼎彝器款式法帖二十卷　歸安姚氏書
宋薛尚功撰　明朱謀垔隠之甫刊本　四册
參考:臺北北平
寶刻叢編二十卷　歸安姚氏書
宋陳思纂　舊鈔本　六册
參考:臺北北平
金薤琳琅二十卷　歸安姚氏書
明都穆撰　精鈔本　有蕭爽齋書畫記朱文長方印朱敷之印西村明朱文兩小方印又兩大方印　四册
吴下冢墓遺文三卷　海虞瞿氏書
明都穆撰　傳鈔本　一册
吴下冢墓遺文續三卷　海虞瞿氏書
明葉恭焕撰　傳鈔本　三册
金陵古今石考一卷　歸安姚氏書
明顧起元撰　舊鈔本　有江恂私印白文於九朱文方印蠅鬚館珍藏書畫印記朱文長印　一册

史評類

致堂讀書管見三十卷　清内閣書
宋胡寅撰　宋刊本
存七至十五　十九至二十四　十册
參考:北京十五册(〇八八九)
大事記十二卷解題十二卷　歸安姚氏書
宋吕中撰　明刊黑口本
存二至十二　解題全　二十四册

皇朝大事記九卷中興大事記四卷　歸安姚氏書
宋吕中撰　明藍格鈔本　有黄虞稷白文方印園客朱文聯珠方印慕齋鑑定朱文圓印宛平王氏家藏白文方印燕趙胡茨村氏藏書印白文大方印愛日精廬藏書朱文方印士禮居藏朱文長印有黄虞稷跋　十册
參考:臺北北平
史鉞二十卷　歸安姚氏書
明晏璧撰　嘉靖刊本　有白文明善堂覽書畫印記　十册
共計宋本二十二部全者五部元本四十五部全者九部

京師圖書館善本簡明書目卷第四

長汀江瀚重編

子部

儒家類

荀子二十卷　歸安姚氏書
周荀況撰　宋刊五子纂圖互注本　每半葉十一行行二十一字高五寸七分寬三寸九分黑口雙邊欄外標題或有或無注中重言互意皆以陰文爲識　六册
參考:臺北北平
荀子考異全卷　海虞瞿氏書
宋錢佃撰　影鈔本　一册
參考:北京(六八一三)
新書十卷　歸安姚氏書
漢賈誼撰　明刊本　黑口極舊原題賈長沙集非其實也　四册
參考:臺北北平
新序十卷　清内閣書
漢劉向撰　明刊黑口大字本　共二部　六册
參考:臺北北平
説苑二十卷　歸安姚氏書
漢劉向撰　元刊本　每半葉十一行行十八字前五卷鈔配
八册
又　清内閣書
明刊黑口大字本　五册
參考:臺北北平
説苑新序合刻歸安姚氏書
明嘉靖丁未刊本　六册
楊子法言十卷　歸安姚氏書
漢揚雄撰　宋刊五子纂圖互注本行款同前　四册

參考:臺北北平

又 歸安姚氏書

明刊世德堂六子本 三册

文中子中説十卷 歸安姚氏書

隋王通撰 宋刊五子纂圖互注本行款同前 四册

參考:臺北北平

又 歸安姚氏書

明世德堂六子刊本 二册

伊洛淵源録十四卷 海虞瞿氏書

宋朱熹撰 明刊本 六册

新刊分類近思録 歸安姚氏書

宋朱熹撰吕祖謙同撰 宋刊巾箱本 每半葉九行行十六字高四寸寬三寸四分白口字畫精湛惜所闕過多

存七至十 四册

近思録集解十四卷 清内閣書

明朝鮮刊大字本 四册

參考:臺北北平

朱子成書 清内閣書

元刊本 每半葉十一行行十一字高六寸寬三寸黑口雙邊有晋府書畫之印敬德堂圖書記 四册

參考:臺北北平

朱子語類大全一百四十卷 清内閣書

宋黎靖德編 明成化刊本

存一至六 十五至三十五 四十四至六十一 八十三至九十八册

參考:北京十册(〇一四三〇)

文公先生經世大訓十六卷 清内閣書

明余祐撰 明天啓三年刊本

存一至十二 五册

晦庵先生朱文公語録四册 清内閣書

不著撰人名氏 元鈔藍格本内閣書目作三十册 四册

木鐘集十一卷 歸安姚氏書

宋陳埴撰 明刊本 四册

大学衍義四十三卷 清内閣書

宋真德秀撰 宋刊本 每半葉十行行二十字高七寸五分寬五寸五分白口單邊蝶裝

存一至九 二册

又全 清内閣書

明翻宋本　每半葉十行行二十一二字不等高七寸三分寬五寸四分黑口雙邊　三十二册

又　清内閣書

元刊本　每半葉十一行行二十一字高五寸五分寬三寸六分黑綫口

存一至三十六　三十八至四十三　五册

又　清内閣書

元刊白口大字本　每半葉九行行十七字高九寸五分寬六寸九分白口雙邊雙魚尾下有刻工姓名字近趙体

存一至九　十九至二十三　三十四至四十二　六册

參考:北京(〇八九二)

又　清内閣書

明刊大字本

存一至十一　二十二至二十六　三十一至三十四　四十三　五册

又　清内閣書

明刊小字本

存一至十一　八册

又　清内閣書

明經廠本

存六至三十　四十一至四十三　五册

又一部　清内閣書

明朝鮮刊本

存一至四　十至四十三　九册

真西山讀書記六十一卷　清内閣書

宋真德秀撰　宋刊本　每半葉九行行大字十六七字不等小字二十五高六寸九分寬四寸九分白口單邊有延祐五年補刊

存甲集五至六　十一二　十八至二十　乙集四　四册

參考:臺北北平五册

黄氏日抄九十五卷　清内閣書

宋黄震撰　明刊本

存一至十三　三十七至四十二　七十七至八十六　三册

性理群書句解前集二十三卷後集二十三卷　清内閣書

宋熊節編熊剛大注　宋刊本　每半葉十三行行二十四字大小字同黑口單邊上有象有賛

存前集全　後集十七至二十三　三册

聖学心法四卷　清内閣書

明成祖御撰　官刊大字本　共二部　八册

參考:臺北北平

內訓一卷　清内閣書

明仁孝文皇后撰　官刊大字本蝶装共二部　二册

勸善書二十卷　清内閣書

明仁孝文皇后撰　官刊小字本采三教聖賢勸善懲惡之書類編爲書附以事實凡五集集四卷　小字本係高煦等刊　五册

又　清内閣書

官刊大字本　凡十集二卷　大字本序後有坤厚載物圖書　十册

性理大全七十卷　清内閣書

明胡寬等奉勅撰　官刊大字本　三十册

參考:北京(〇八九四)

又　清内閣書

官刊大字本

存五十二至七十　九册

又　清内閣書

明刊小字本

存一二　六至八　十至十三　四十三至四十六　四册

又　清内閣書

明鈔本

存序目卷一　四五　八至十　十五六　二十一二　六册

參考:臺北北平

爲善陰隲十卷　清内閣書

明永樂中編官刊大字本　共二部　二册

五倫書六十二卷　清内閣書

明宣宗采經傳子史嘉言善行爲是書正統中英宗製序官刊本六十二册

參考:北京六十一册(闕卷三十三　〇八九三)

臺北北平一册卷三十三

兵家類

兵要望江南詞一卷　歸安姚氏書

唐易静撰　舊鈔本　有當湖小重山館胡氏篯江珍藏珠文長方印　一册

虎鈐經二十卷　歸安姚氏書

宋許洞撰　元鈔本　用大德公事紙鈔有晋陽家藏朱文方印天籟閣朱文長印竹垞朱文方印花山馬仲安家藏善本朱文方印鞠農白文小長印吴翌鳳家藏文苑白文長印　四册

參考:臺北北平(明藍格)

百将傳十卷　清内閣書
　宋張預撰　朝鮮刊本
　存二三五　七八十　六册
武經総要四十卷　清内閣書
　宋曾公亮等撰　舊鈔緜紙藍格本
　存前集一至四　六至九　後集五至八　十三至十七　五册
又　清内閣書
　亦綿紙本鈔手更舊
　存前集一至四　一册

法家類

故唐律疏義三十卷　歸安姚氏書
　唐長孫無忌等奉勅撰　舊鈔本有嚴長明校藏印朱文長印□竹齋小長印孔継涵題記　五册
又　清内閣書
　元刊本　每半葉十二行行二十三字高六寸三分寬四寸一分黑口雙邊
　存六至十九　二册
　　參考:臺北北平一册(卷十三至十九)
又　清内閣書
　明刊本　此與前刊不同上有疏義無問答惟附纂例耳纂例存一册至檀興上
　存二十七至三十　二册
刑統賦疏一卷　海虞瞿氏書
　宋傅霖撰　元沈仲緯疏傳鈔本　賦共八册　四册
刑統賦解二卷　海虞瞿氏書
　元郄□韻釋　元王亮增注　傳鈔本　二册
粗解刑統賦一卷　海虞瞿氏書
　元孟奎解傳鈔本　一册

医家類

肘後備急方八卷　歸安姚氏書
　晉葛洪撰　明刊本　口上分元亨利貞四字有袁又愷藏書朱文方印五硯樓圖書記朱文大長方印　八册
大德重校聖濟総録二百卷　歸安姚氏書
　宋徽宗勅編　元刊本　每半葉八行行十六字高七寸四分寬六寸小黑口雙邊上有字數下有人名
　存六十五六　七十一　九十三　一百五十　四册

參考:北京五册(〇一四四六)

大觀本草三十卷　歸安姚氏書

宋唐慎微撰　宋刊本　每半葉十二行行二字高六寸六分寬四寸五分黑口雙邊圖亦甚精

存十二　十三　一册

政和經史証類備用本草三十卷　歸安姚氏書

宋唐慎微撰　元刊本　每半葉十一行行二十三字刻印絶精

二十四册

類証普濟本事方十卷　歸安姚氏書

宋許叔微撰　舊鈔本　有韓印之圻白文禮春朱文兩方印古柏山房朱文方印　二册

張仲景注解傷寒百証歌五卷附傷寒發微論二卷　海虞瞿氏書

宋許叔微述傳寫本　二書清四庫未著録提要云今皆未見傳本疑其散佚　四册

外科集驗方一卷　歸安姚氏書

楊清叟編　明洪武戊午刊本　有怡府世寶朱文方印明善堂安樂堂兩印

秘傳外科方一卷　明洪武二十八年刊本

仙授理傷續断方一卷　舊題藺道者所傳　明刊本　共三册

普濟方四百二十六卷　清内閣書

明周定王撰　舊鈔本　密行小字氣息古雅首有曾藏王聞源家朱文長印

存八至十　十六至二十一　二十三至二十七　三十四至三十六　四十至四十三　一百三十二至一百三十四　一百四十九至一百五十四　一百五十八至一百六十五　二十八册

參考:北京(〇一四四八)

又　明刊本　清内閣書

存三十一　三十四　四十五至四十九　五十二　五十八　六十二　七十二　八十　八十二至八十四　八十七八　一百零二　一百零四　一百十六　十六册

參考:北京(〇一四四九)

玉機微義五十卷　清内閣書

明徐用誠撰　明刊本

存七至五十　五册

本草原始十二卷　清内閣書

明李中立撰　明萬暦刊本　八册

回回藥方三十六卷　清内閣書

不著撰人名氏　舊鈔本　旁注天方字

存下卷目録　十二　十三　三十四　四册
纂圖類方馬經　清内閣書
不著撰人名氏　舊鈔本
存　五　六　五無首　六無尾　一册
足經圖附説　清内閣書
彩筆畫　三葉

天文算学類

景祐乾象新書三十卷拾遺十卷　歸安姚氏書
宋楊惟德等奉勅撰　明鈔綿紙藍格本有何印元錫白文夢華館藏書印白文兩方印李印兆洛白文方印杲堂手校朱文方印
三十二册
古今律歷考七十二卷　清内閣書
明邢雲路撰　萬曆庚子刊本
存　一至十六　二十二至二十五　九册
天文秘書歸安姚氏書
不著撰人名氏　舊鈔本　二十册
西洋新法歷書一百卷　清内閣書
明徐光啓等修　明刊本　今存二十二種内尚有缺佚　五十四册
參考:北京(〇二七〇三)
西域曆法通径　清内閣書
明劉信編輯　刻格舊鈔本
存十一至十四　二十一至二十四　四册
參考:臺北北平
以上推步

算法全能集二卷　清内閣書
元賈亨撰　元刊本　每半葉十行行二十字高八寸寬五寸黑口單邊下有刻工姓名　共四部　四册
以上算法

景祐太乙福應經集要十卷　清内閣書
宋楊惟德等奉勅撰　舊鈔本
存一至五　一册
參考:臺北北平
觀象玩占五十卷　歸安姚氏書
唐李淳風撰　明鈔紅格本　二十册
玄珠密語十七卷　歸安姚氏書

唐王砅撰　舊鈔本　黄丕烈跋有武林高深甫妙賞樓藏書朱文大長方印古杭瑞南高士琛藏書記朱文長方印曾藏汪閬源家朱文長印士禮居白文方印蕘夫朱文長印　四册

天元玉歷祥異賦十册　清内閣書

不著撰人名氏　舊鈔五色絵圖本　明仁宗製序　十册

大統通占　清内閣書

明劉哲奉勅編　明鈔本

存五至六　十一　十五至十六　三十六至四十一　五十四至五十七　八册

參考:臺北北平

以上占候

龍法五册　清内閣書

明官應震撰　舊鈔本　二册

以上占卜

太乙統宗寶鑑二十卷　歸安姚氏書

元旲□撰　舊鈔本　此書作至崇禎末年始後人增入　六册

選擇歷書五卷　清内閣書

洪武九年欽天監奉勅撰定　明刊本　五册

統歷彙集元龜　清内閣書

不著撰人名氏　舊鈔本　存十一月四至十二月十五止　一册

命書　清内閣書

不著撰人名氏　舊鈔本　分六十干支缺佚将半　三百九十一册

以上陰陽五行

藝術類

宣和畫譜二十卷　歸安姚氏書

不著撰人名氏　明刊本　四册

書叙指南十二卷　歸安姚氏書

宋任寬編　明嘉靖刊本　有錢氏叔寶白文句逸民朱文兩方印榮木齋白文方印黄丕烈跋　四册

書畫史二卷　歸安姚氏書

宋米芾撰　明翻宋本摹印極精有結一廬藏朱文□印唐栖朱氏結一廬圖書記朱文方印　四册

書學會編十四卷　歸安姚氏書

明黄瑜集編　天順壬午刊本　内分法帖釋文十卷書史一卷法帖刊誤二卷法帖譜系一卷　四册

參考:臺北北平二册

欣賞繪妙續編丙集全卷 清內閣書

東海生康伯父撰 明萬曆刊本 一册

譜録類

考古圖十卷 歸安姚氏書

宋吕大臨撰 元大德己亥刊本 每半葉八行行二十二字高六寸寬四寸四分黑口雙邊 四册

至大重修宣和博古圖録三十卷 歸安姚氏書

宋王黼撰 元刊本 每半葉八行行十七字高九寸六分寬七寸四分白口單邊有孫印星衍白文方印繡衣執法大夫印白文方印 十五册

又 清內閣書

行款與上同印在先今存鐘四爲周至漢鑑三爲龍鳳門至鉄鑑門 一册

新纂香譜二卷 海虞瞿氏書

宋陳啓撰 傳鈔本 原書四卷此存卷一卷二□秀品秀異修製印篆□和諸類卷首有文瑞樓藏書記朱記 二册

雜家類

吕氏春秋二十六卷 歸安姚氏書

秦吕不韋撰 元刊本 每半葉十行行二十字白口高七寸寬四寸四分有周印良金朱文方印毘陵周氏九松迂叟藏書記朱文長方印 十二册

參考:臺北北平

淮南鴻烈解要略間詁二十八卷 歸安姚氏書

漢淮南王劉安撰 高誘注舊鈔本 有蕘圃手校朱文大方印士禮居藏白文方印黄丕烈跋 四册

參考:北京(〇四四九)

劉子二卷 歸安姚氏書

齊劉晝撰 影鈔宋本 首有石研齋秦氏印朱文長方印 二册

顔子家訓二卷 歸安姚氏書

隋顔之推撰 明程伯祥刊本 二册

長短經九卷 歸安姚氏書

唐趙蕤撰 舊鈔本 後有浄戒院新印五字獨醉醒居士白文方印迂松閣白文方印 四册

參考:臺北北平

畸人十篇二卷 清內閣書

明利瑪竇撰　明刊本　二册

以上雜学

白虎通德論二卷　歸安姚氏書

漢班固撰　元大德九年刊本　四册

參考:北京(六八九〇)

容齋随筆五卷四筆五卷　清内閣書

宋洪邁撰　宋刊本　每半葉十行行二十一字高六寸八分寬五寸二分白口單邊下有刻工姓名間有大德乙巳補葉

存随筆一至五　四筆一至五　二册

參考:臺北北平四册

程氏考古編十卷　清内閣書

宋程大昌撰　舊鈔本　四册

參考:臺北北平

程氏續考古編十卷　海虞瞿氏書

傳寫本　卷端有王芑孫跋舊爲何焯藏書有何焯之印惕甫借觀二朱記　二册

續墨客揮犀十卷　海虞瞿氏書

宋彭乘撰　傳寫本　卷首有葉樹廉印石君孫從添印慶增氏金庭玉隖人家諸朱記　二册

芥隱筆記一卷　歸安姚氏書

宋龔頤正撰　舊寫本　有湘城九霞野逸龔文照紫筠堂藏書白文長印文照之印白文野夫所藏朱文連珠小方印　一册

困學紀聞二十卷　歸安姚氏書

宋王應麟撰　清乾隆戊午馬曰璐刊本　錢大昕校語瞿中溶録於書眉　六册

參考:臺北北平

校訂困學紀聞集証二十卷　歸安姚氏書

十箋本香山黄培芳校　十二册

以上雜考

論衡三十卷　歸安姚氏書

漢王充撰　通津草堂刊本　有洛下王孫世家朱文方印陸氏子□白文方印飛雲閣朱文圓印松窗小隱朱文方印　十四册

參考:臺北北平十六册

封氏見聞記十卷　歸安姚氏書

唐封演撰　舊鈔本　一册

參考:臺北北平

吹劍録二卷　歸安姚氏書
　宋俞文豹撰　舊鈔本　有高詮之印白文固叟朱文兩方印　二册
　霏雪録一卷　歸安姚氏書
　明鎦績撰　舊鈔本　一册
棗林外索三卷　歸安姚氏書
　清談遷撰　舊鈔本　三册
以上雜説

意林四卷　本館購進書
　唐馬総撰舊鈔本　八册
事物起原十卷　歸安姚氏書
　宋高承撰　明刊本照宋本校過　十册
紺珠集十三卷　歸安姚氏書
　不著撰人名氏　舊鈔本　四册
自警編五卷　清内閣書
　宋趙善璙撰　宋刊本　每半葉十行行二十字高七寸一分寬五寸
　一分白口單邊分甲乙丙丁戊五集明刻本改爲九卷　四册
　　參考:臺北北平
又　清内閣書
　存甲乙丁　三册
説郛　清内閣書
　元陶宗儀編　舊鈔本
　存三四　二十三至二十六　二十八九　三十至三十三　五册
　碎金二卷　清内閣書
　不著撰人名氏　明刊本　大字行書寫刻俱精　一册
又　清内閣書
　明刊小字本　刻亦佳　一册
策場便覽十卷　清内閣書
　明馬子諒撰　明刊本　景泰七年陳宜序
　存一至四
以上雜纂

天學初函五十二卷　本館購進書
　明徐光啓等編　崇禎間刊本　三十二册
傳是樓彙鈔十一種　歸安姚氏書
　明李東陽等撰　舊鈔本　皆明人著　五册
以上雜編

類書類

藝文類聚一百卷　歸安姚氏書

唐欧陽詢撰　明古繽宗刊本　陸采跋清同治間杭州譚獻借陳氏帯經堂馮已蒼錢求赤校本過録於胡本上　二十册

參考:臺北北平

大唐類要一百六十卷　歸安姚氏書

唐虞世南撰　藝海樓鈔本　朱筆校有莫友芝丁日昌之記　二十四册

參考:臺北北平

初學記三十卷　歸安姚氏書

唐徐堅等奉勅撰　明項氏刊本　板口有寧寿□三字有華山馬仲安藏書本朱文方印金星軺藏書記朱文長方印　三十二册

元和姓纂歸安姚氏書

唐林寶撰　舊鈔本　五册

太平御覽一千卷　歸安姚氏書

宋李昉等奉勅撰　明藍格寫本　有日本人印　一百册

又　清内閣書

明鈔本

存目録一至四　卷一至十六　二十一至二十六　七十二至八十一　三百零四至三百十三　五百二十六至五百三十五　五百五十六至五百六十六　六百二十九至六百三十八　七百零七至七百二十　七百七十三至七百八十四　八百零三至八百十二　八百四十七至八百六十二　八百八十四至九百四十五　十九册

參考:臺北北平四十册

册府元龜一千卷　清内閣書

宋王欽若等撰　宋刊本　每半葉十四行行二十四字高六寸二分寬四寸白口單邊羅紋紙蝶装有晋府書畫之印有國子監崇文閣印書横立直寫卷數

存四十至四十五　五十六至六十　二百七十一至二百七十五　三百四十一至三百四十五　三百五十六至三百七十五　三百八十六至三百九十　三百九十六至四百　四百十一至四百十五　四百五十六至四百六十　四百七十一至四百七十五　四百九十一至四百九十五　五百八十六至五百九十　十七册

參考:臺北北平十六册

又　歸安姚氏書

明鈔彙萃本

存七百零一至七百零五　七百零九至七百十六　七百二十三至七百三十六　七百四十一　七百五十七至七百六十　八百零一

二　八百零七至八百一十　八百十三四　八百六十六至八百七十五　九百三十四五　九百三十九　九百四十三　九百四十八九　九百五十七至九百六十六　十四册

國朝册府畫一元龜甲集九十卷乙集七十四卷　清内閣書

不著撰人名氏　舊鈔本　所載宋事分門類纂載至徽欽爲止引用書加方匡各家書目均未著録

存甲集三十六至四十三　六十九至七十六　八十五至九十　乙集目録二册　十六至二十二　七册

錦繡万花谷前集四十卷後集四十卷　歸安姚氏書

不著撰人名氏　宋刊本　每半葉十一行行十九字高六寸五分寬四寸一分小黑口

存前集一至八　十一至十九　二十一至二十五　二十九　三十一二　三十五至四十　後集二至三十七　四十三册

參考:北京四十四册(〇四九二)

山先生群書考索前集六十六卷後集六十五卷續集五十六卷别集二十五卷　清内閣書

宋章如愚撰　元刊本　每半葉十五行行二十四字高五寸一分寬三寸四分小黑口舊缺前集十七至二十續集一二兩卷今轉取歸安姚氏書補鈔以完成書　三十二册

參考:臺北北平

又　歸安姚氏書

元刊本　行款同前印在後又破爛　七十五册

古今事文類聚六十卷後集五十卷續集二十八卷别集三十二卷新集三十六卷外集十五卷　清内閣書

前後續别四集宋祝穆撰新外二集元富大用撰其合爲一編不知始自何人　元刊本　每半葉十四行每行二十六字高六寸寬三寸九分黑單邊　四十八册

參考:臺北北平缺新集十二至十四

又　前集　清内閣書

存一至二十九　三十四至六十　十二册

又　清内閣書

存序目至一　四至十三　八至十四　十至十七　十四至二十四　四十三至六十

又　後集　清内閣書

存序目至二十七　三十九至四十九　五册半

又續集　清内閣書

存一至十一　五至十　五至十一　六至十三　十五至二十八　二十一至二十八　四册

又　新集　清內閣書

存序目一至十　二十一至二十五　十六册

又　外集　清內閣書

存一至十一　十四至二十八　五册

古今源流至論後集十卷別集十卷　歸安姚氏書

後集宋林駉撰別集宋黄履翁撰　元刊本　每半葉十二行行二十五字高五寸八分寬三寸五分白口

存後集六至十　別集六至十　四册

玉海二百四卷　歸安姚氏書

宋王應麟撰　元刊本　二百册

參考:北京一百九十八册(○九一七)

又　清內閣書

元刊本　每半葉十行行二十有二部蝶裝共七部具存卷數別記

二百六册

增廣事聯詩學大全三十卷　歸安姚氏書

不著撰人名氏　元刊本　每半葉十三行行大小字數不等大字起聯結皆陰文小字雙行夾注書名亦陰文

存十五至三十　四册

永樂大典二万二千八百七十七卷　清翰林院書

明解縉等奉勅撰　嘉靖重録正本此書尚有四册留教育部

存二支七百八十二至七百八十四

八灰二千七百四十三四　二千八百零八至二千八百十三

九真二千九百四十八至二百五十五　三千零三四　三千一百五十至三千百五十一　三千五百零七八　三千五百二十七八　三千五百四十九　三千五百八十六七

十八陽六千五百二十三四　六千五百八十四　六千七百六十四至六千七百六十七　七千一百零四五　七千二百四十一二　七千三百二十九　七千三百七十八九　七千三百八十五至七千三百八十八　七千四百四十九至七千四百五十　七千四百五十三至七千四百五十九　七千四百六十一二　七千六百五十一

十九庚七千七百零一二　七千八百八十九　七千八百九十一至七千八百九十五　七千九百六十三　八千百九十九　八千五百零六七

二十尤八千八百四十四五　八千九百零九至八千九百一十　八千九百八十至八千九百八十一

六姥一万八百七十六七

一送一万三千零十八　一万三千零二十　一万三千零七十四

四霽一万四千四十六　一万四千零四十九至一万四千零五十二

一万五千一百三十八九
五御　一万四千四百六十一二
一屋一万九千九百三十一
二質二万零百二十一二　二万零百九十七　二万二百零四五
二万三百零十至二万三百零十一　二万四百二十四五　二万四
百二十六七八　六十册

小説類

酉陽雜俎二十卷　歸安姚氏書
唐段成式撰　舊鈔本　朱筆校首有江山劉履芬彦清父收得朱文
方印　四册
廣異記二十卷　歸安姚氏書
唐戴孚撰　精鈔本　有汪士鐘藏朱文長印　十册
博異志一卷　海虞瞿氏書
題谷神子名還古撰傳寫本　卷首有孫氏藏本朱記　一册
燈下閑談二卷　海虞瞿氏書
不著撰人名氏　影鈔本　所記皆唐及五代時異聞　一册
北窗炙輠録　歸安姚氏書
宋施德操撰　姚覲元手鈔本　一册
桯史十二卷　歸安姚氏書
宋岳珂撰　元刊本　每半葉九行行十七字高六寸七分寬五寸黑
口雙邊有夢鴎仙館白文小方印　六册
青瑣高議二十卷　清内閣書
宋劉斧撰　墨格鈔本　薰授經有明刊本
存前集一至五　二册
歸潛志十四卷　歸安姚氏書
元劉祁撰舊鈔本　二册
参考:臺北北平

釋家類

波羅密經一卷　歸安姚氏書
宋嘉熙二年刊本　每半葉六行行十七經摺装有鬱岡精舍白文方印
笪字朱文圓印江上外史朱文方印繡衣御史章白文方印　一册
密哩斡巴上師道果十卷　清内閣書
大瑜伽士名称幢師述持呪沙門莎南屹羅譯　明鈔本
存卷十　一册
釋迦成道記一卷　清内閣書
唐王勃撰　明成化庚子刊大字本　一册

法苑珠林一百卷　清内閣書
唐釋道世撰　明鈔朱絲欄本　鈔極精
存目録　一至八　十一至十九　二十二至三十　三十三至三十九　四十六至五十三　五十七至六十　六十五至六十七　七十一至七十八　八十七至八十九　九十七至一百　二十一册
參考:北京(〇九二六)

黄檗心要一卷　清内閣書
唐裴休撰　明永樂刊本　一册
參考:北京(〇九三一)

頓悟入道要門論二卷　清内閣書
唐釋慧海撰　舊鈔本　一册
參考:北京(〇九二九)

景德傳燈録四卷　歸安姚氏書
宋釋道原撰　宋刊本　每半葉十三行行二十四字高七寸寬五寸黑口單邊上有字數下間有刻工姓名有巢鶴堂白文小方印曰藻珍玩朱文方印上湖朱文小長方印葉印時愷褱虞兩朱文聯珠印
存二至三　十至十一　二册

五燈會元二十卷　清内閣書
宋釋普濟撰　宋刊本　每半葉十三行行二十四字高六寸八分寬五寸一分白口單邊上有字數下有刻工姓名
存五至十八　七册

又　清内閣書
明鈔本　有至正四年釋廷俊林鏞序
存一　三至五　九　二十　六册
參考:北京(〇九四九)

翻譯名義集十四卷　歸安姚氏書
宋釋法雲編　元刊本　每半葉十二行行二十二字高六寸三分寬四寸二分白口雙邊有漢陽葉名澧潤臣印朱文方印　八册

又　清内閣書
宋刊本　每半葉十行行二十七字高六寸一分寬三寸九分白口單邊上有越虞澄照院趙諸閣下比丘懷則置墨書一行
存卷六　一册
參考:北京(〇九四七)

龍舒浄土文十四卷　清内閣書
宋王日休虚中撰　明永樂十九年重刊元本　一包

禪林寶訓二卷　清内閣書
宋釋浄善重集　明刊本　一册
參考:北京(〇九五一)

宗門武庫一卷附雪堂和尚拾遺録　清内閣書
宋釋道謙編　明洪武翻宋刊本　一册
參考:北京(〇九五〇)
大慧普覺禪師年譜一卷　海虞瞿氏書
宋釋祖詠編　傳寫本　二册
釋氏通鑑十二卷　清内閣書
宋釋本覺編集　明刊本
存一至六　一册
參考:北京(〇九六〇)
東林和尚雲門庵主頌古一卷　清内閣書
釋悟本撰　宋刊本　每半葉十一行行二十字字高五寸八分寬三寸九分白口單邊上有字數下間有人名　一册
參考:北京(〇九四六)
佛果圜悟禅師碧巖集十卷　清内閣書
宋釋圜悟撰　元刊本　每半葉十一行行十一字高五寸七分寬三寸九分
存一至五　一册
參考:北京(〇九四〇　爲明刻本)
蒙山和尚普記一卷　清内閣書
元釋祖立編　舊鈔本　一册
參考:北京(〇九六一)
别岸和尚語録一卷　清内閣書
元刊本　每半葉十一行行二十二字高五寸四分寬三寸七分黑綫口單邊下有字數　一册
普庵語録四卷　清内閣書
不著撰人名氏　明永樂刊本
存一　三　二册
華嚴原人論解三卷　清内閣書
元釋圓覧述　明刊本蝶装　一册
三教平心論一卷　清内閣書
元劉謐撰　元刊本　每半葉十一行行十八字高六寸一分寬四寸三分黑口單邊　一册
福源石屋珙禪師語録一卷　清内閣書
門人至受柔編　明刊本　洪武十五年沙門豫章来復序　一册
楞嚴會解十卷　清内閣書
明釋維則撰　明嘉靖辛酉刊本　有誦清芬齋收藏朱文長方印庵摩羅室朱文方印長白熙元造石象一区願一切書永脱諸厄白文扁方印有象　五册

神僧傳九卷　清內閣書
　不著撰人名氏　明刊本　共六部　十八册
禪林類聚　清內閣書
　比丘智境集　明刊本
　存十三至十四　一册
普薩尊者名称歌曲一卷　清內閣書
　明永樂十五年刊本　一册
天人歸德頌二卷　清內閣書
　明趙玉芝撰　成化十九年刊本　一册

道家類

道德經講義十二卷　歸安姚氏書
　題宋左街鑑義主管教門公事祐聖觀虛白齋高士吕知常撰進　明正德刊本有籛後人受之甫讀書記朱文方印越谿草堂朱文方印明善堂書畫記白文長方印安樂堂藏書記長方印　四册
　　參考:北京(〇九七九　〇一五七七)
列子十卷　歸安姚氏書
　周列禦寇撰　元刊本　每半葉十二行行二十六字大小字同高六寸四分寬四寸二分黑口雙邊　二册
南華真經十卷　歸安姚氏書
　周莊周撰　宋刊五子纂圖互注本　行款同前　六册
　　參考:北京(〇一五七六)
又
　明世德堂六子本有朱筆圈點　六册
參同契二卷　歸安姚氏書
　魏伯陽撰　明鈔本　二册
周易參同契發揮三卷釋疑一卷　歸安姚氏書
　宋俞琰撰　明刊本　六册
　　參考:北京(〇九九〇)
三子口義十八卷　歸安姚氏書
　宋林希義撰　明刊本　四册
雲笈七籤一百二十二卷　清內閣書
　宋張君房撰　明張萱刊本
　存一至十一　二十至二十二　二十七至三十　三十五至四十五　五十至五十三　五十八至六十　六十至一百零五　十五册
上清靈寶大成金書四十卷　清內閣書
　明周思德撰　宣德七年刊本　四十册
靈寶聚玄經三卷　清內閣書

明鈔本　三册

共計宋本十八部全者七部元本二十一部全者十二部

京師圖書館善本簡明書目卷第五

長汀江瀚重編

集部

别集類

嵇康集十卷　歸安姚氏書

陶淵明集十卷　歸安姚氏書

陶集六卷　歸安姚氏書

東坡和陶詩四卷　清内閣書

分類補注李太白詩集二十五卷　歸安姚氏書

又　清内閣書

集千家注批點杜工部詩集二十卷　清内閣書

又　清内閣書

又　清内閣書

集千家注分類杜工部詩集二十五卷　清内閣書

杜詩千家注六卷　歸安姚氏書

杜詩全集二十卷　海虞瞿氏書

纂注分類杜詩二十五卷　清内閣書

顔魯公文集十五卷年譜一卷行狀一卷　歸安姚氏書

顔魯公文集補遺一卷　歸安姚氏書

劉隨州集十一卷　歸安姚氏書

朱文公校昌黎集四十卷外集十卷遺文一卷　歸安姚氏書

又　歸安姚氏書

又　歸安姚氏書

昌黎外集十卷　歸安姚氏書

柳先生文集四十三卷别集二卷外集二卷　歸安姚氏書

又　歸安姚氏書

又　清内閣書

吕和叔文集十卷　歸安姚氏書

皇甫持正集六卷　歸安姚氏書

長江集十卷　歸安姚氏書

又　歸安姚氏書

又　歸安姚氏書

項子遷詩集一卷　歸安姚氏書

李君虞集二卷　歸安姚氏書

會昌一品集二十卷别集十卷外集四卷　清國子監南學書

唐李德祐撰　明鈔本　歸安陸心源據明正嘉時刊本校一過又以影宋鈔覆校　三册

温庭筠詩七卷附別集　歸安姚氏書

薛許昌詩集十卷　歸安姚氏書

皮日休文藪十卷　歸安姚氏書

唐風集三卷　歸安姚氏書

咸平集三十卷　歸安姚氏書

張乖崖集十二卷附録一卷　歸安姚氏書

小畜集三十卷　歸安姚氏書

范文正公集二十卷別集四卷　清内閣書

宋范仲淹撰　元刊本　每半葉十二行行二十字高七寸寬五寸白口單邊蝶裝

存目録一至七　一包

又　清内閣書

元刊本　行款同前蝶裝

存一至四　六至七　十三至二十　又附録五種　三册

又　歸安姚氏書

元刊本

存十七至二十　一册

范文正公集附録十四種歸安姚氏書

鉅鹿東觀集十卷　歸安姚氏書

蘇魏公集七十二卷　歸安姚氏書

傅家集八十卷　歸安姚氏書

欧陽文忠公集一百五十三卷附録五卷　清内閣書

宋欧陽修撰　宋刊本　每半葉十行行十六字高六寸二分寬四寸八分白口單邊上有字數蝶裝上加批語並朱圍句讀

存年譜全　目録一至一百四十二　缺末尾　居士集二十至二十四　四十六至五十　外集五十一至六十四　六十八至七十五　表奏四六　九五六　奏議一百零二至一百十四　雜著一百十七至一百二十四　一百二十五至一百十八　集古一百三十四至一百三十七　一百四十一二　書簡一百四十四至一百四十六

二十册

又　清内閣書

宋刊本　行款同上蝶裝亦上加批語並朱圍句讀書底号字直下可見當日皮書與今之西裝同

存外集五十一至六十五　七十一至七十五　答問七十六至七十八　外制七十九至八十一　内制八十二至八十九　奏議一百零二至一百十四　雜著一百十五至一百十八　一百二十五至一百

三十三　集古録一百三十四至一百四十三　附録一至三
十九册
　參考:北京二十册(〇五六〇)
又　清内閣書
宋刊本　每半葉十行行十六字高六寸八分寬五寸白口單邊上有
字數下有刻工姓名蝶裝前兩本字寬而瘦此肥而緊
存年譜目録全　居士集四至七　外集五十五至六十七　七十二
三　内制八十七至八十九　奏議一百十二至一百十四　雜著一
百十五至一百十七　一百二十一至一百二十四　書簡一百四十
九至一百五十二　十五册
又　清内閣書
宋刊本　行款同上晉府收藏
存居士集四十至五十　奏議九十七至一百零一　書簡一百五十
至一百五十三　四册
　參考:北京(〇五五九　〇一〇二九)
又　清内閣書
明刊本
存一至九　十一至二十四　重一册　三十六至五十　四册
又　清内閣書
明刊本
存居士集十至五十　外集五十五至六十五　七十至七十五　外
制七十九至八十一　内制八十二至八十五　書奏四十六　九十
三至九十六　奏議一百零二至一百零八　一百十三四　雜著一
百十七至一百二十三　一百三十一至一百三十三　集古録一百
三十四至一百三十六　書簡一百四十至一百四十三　一百四十
七至一百五十三　附録三至五　三十册
　參考:臺北北平
又　清内閣書
明寫考異本　九行十八字
存七至二十三　三十二至五十　四册
　參考:臺北北平
居士集五十卷　清内閣書
明刊本蝶裝
存十一至三十　二册
　參考:北京(〇五六一)
又　歸安姚氏書
明刊本　有秦印致舜静虚居士白文兩小方印
存三至二十五　五册

伊川擊壤集二十卷　清內閣書
宋邵雍撰　明刊本
存至十　一册
趙清獻文集十六卷　清內閣書
宋趙抃撰　宋刊本　每半葉九行行十七字高八寸四分寬五寸
存七至十六　一册
參考:臺北北平四册
范忠宣集二十五卷　清內閣書
宋范純仁撰　元天曆歲寒堂刊本　行款與文正公集同
存七至十四　一册
臨川先生文集一百卷　清內閣書
宋王安石撰　明刊本
存二十八至三十六　四十七至四十八　五十九至六十九　八十一至九十一　七册
蘇文忠公集一百十五卷　清內閣書
宋蘇軾撰　宋刊本每半葉九行行十五字高七寸二分寬五寸七分白口單邊原本雖破爛實宋刻之精者
存三十二至三十三　三十八　又奏議卷六　四包
參考:北京(〇一二〇〇)
又　清內閣書
明刊黑口本
存一至四　十一至四十六　五十二至六十七　七十一至七十八　八十五至八十七　九十一至九十三　九十七至一百零四　二十二册
又　清內閣書
明刊本
存二　八至十　十五至十七　二十　二十五　三十六　十册
又
明刊本
存二十二至二十五　三十八至四十　六十至六十三　八十五至八十七　四册
王狀元集諸家注分類東坡先生　清內閣書　原刻無詩字無集字
宋刊本　每半葉十一行行十九字高六寸二分寬四寸一分白口單邊上有字數在欄外
存十九至二十　二十四　二十五　二册
參考:北京(〇五六三)
增刊王狀元集諸家注分類東坡先生詩二十五卷　清內閣書
劉辰翁批點　元刊本　每半葉十二行行二十一字小二十六字高

六寸五分寬四寸三分黑口雙邊

存序目一　三至十五　二十三至二十五　五册

參考:北京十册(〇一〇三四)

蘇文定公集九十六卷　清内閣書

宋蘇軾撰　宋刊本　行款與文忠公集同皆宋槧精本

存詩集四至六　十至十二　文集十三至十五　三十六無首　二十七　三十七八　四十一至四十四　後集八至十三　十八至二十一　三集六至十　應詔集一至十二　十四册

參考:臺北北平十六册

豫章先生遺文十二卷　海虞瞿氏書

宋黄庭堅撰　傳寫本　舊爲平津館藏書　卷首有孫星衍芳茂山人二朱記　八册

參考:北京(一〇二九四)

山谷老人刀筆二十卷　海虞瞿氏書

宋黄庭堅撰　傳寫本　六册

后山詩注十二卷　歸安姚氏書

宋任淵撰　影鈔宋本　六册

古靈先生文集二十五卷　歸安姚氏書

宋陳襄撰　舊鈔本　有海寧楊芸士藏書之印朱文方印楊印文蓀芸子兩方印　八册

范太史集五十五卷　歸安姚氏書

宋范祖禹撰傳寫文瀾閣本　有劳格白文小方印　十六册

傳忠肅公文集三卷　歸安姚氏書

宋傳察撰　明鈔本　有西河朱文長方印毛古愚藏白文方印奕苞白文葉九来朱文兩聯珠印西河毛氏藏書之印白文長印　三册

參考:臺北北平

唐眉山集二十卷　歸安姚氏書

宋唐庚撰舊鈔本　二册

參考:臺北北平

石林居士建康集八卷　歸安姚氏書

宋葉夢得撰舊鈔本　有翁澍之印　季霖兩白文聯珠印種石軒印朱文小方印江山劉履芬校定書籍朱文大方印　四册

參考:北京(〇五七四)

陵陽先生詩集四卷　歸安姚氏書

宋韓駒撰舊鈔本　有西昀草堂朱文方印　二册

參考:北京一册(〇五七八)臺北北平一册

北山小集四十卷　歸安姚氏書

宋程俱撰　影宋鈔本　大字本極精　十二册

參考:臺北北平八册

又 歸安姚氏書

傳寫本 姚覲元以影宋鈔本手校並鈎勒行款 二十册

沈忠敏公龜谿集十二卷 歸安姚氏書

宋沈興求撰 舊鈔本 有得樹樓藏書朱文長方印岐昌印白文方印査岐昌跋 四册

參考:臺北北平

孫尚書大全集七十卷 歸安姚氏書

宋孫覿撰 舊鈔本 缺卷四十有伯淵朱文小方印 二十四册

内簡尺牘編注十卷 歸安姚氏書

宋孫覿撰 李祖堯編注 舊鈔本 二册

欧陽修撰集七卷附録一卷 歸安姚氏書

宋欧陽澈撰 傳鈔本 四册

東萊先生詩集二十卷 歸安姚氏書

宋吕本中撰 舊鈔本 有仲魚小篆長方印得此書費辛苦後至人其鑑我白文長方印汪士鐘白文藝芸主人朱文聯珠小方印 六册

參考:臺北北平

知稼翁集十二卷 歸安姚氏書

宋黄公度撰 舊鈔本 四册

晦庵先生文集一百卷 清内閣書

宋朱熹撰 宋刊本 每半葉十行行十九字高七寸四分寬五寸六分白口單邊下有□白綿紙蝶裝館本爲是者共五部拼凑成一書皆紙墨精潔筆畫整齊僅缺六十二三兩卷 一百零二册

又 清内閣書

宋刊本 行款同上蝶裝共四部見存卷數别記 一百十九册

晦庵先生朱文公集一百卷續集十一卷别集十卷 清内閣書

宋刊本 每半葉十行行十八字高六寸七分寬五寸二分白口單邊存目録無首 十三至二十三 三十至三十四 五十三至五十四 五十八至六十一 六十四至七十二 七十五至七十七 八十一至八十三 八十五至九十一 九十五上下 九十八至一百 續集卷一至卷四上 别集六至十 二十二册

參考:北京四十四册(〇一〇四四)

又 清内閣書

元刊本 行款同上

存前集六十九至七十 别集七至十 二册

又 清内閣書

明南監印本 原板模糊共六部見存卷數别記 一百零二册

又 清内閣書

明成化重刊閩本
存一至七十九　八十至一百　二十五册
又　清内閣書
舊鈔本
存八至十三　十八至二十　二十二至三十二　三十九至四十七
五十一二　六十三至六十五　七十至七十二　八十一至九十
九十五至九十六　十四册
參考:北京十五册(〇一五九九)
東萊先生别集十六卷附年譜碑志二卷　歸安姚氏書
宋吕祖謙撰　宋刊本　每半葉十行行二十字有藥盦珍玩宋元秘
本朱文長印　十册
參考:臺北北平
止齋文集五十二卷附録一卷　歸安姚氏書
宋陳傅良撰　明刊黑口本　十六册
梅溪先生前集二十卷後集三十卷奏議四卷　清内閣書
宋王十朋撰　明刊本
存前集一至四　十一至二十　後集八至十五　五册
雲莊劉文簡公文集十二卷　歸安姚氏書
宋劉爚撰　淡生堂鈔本從天順本出　八册
參考:北京四册(〇一〇五二)
雲莊詩集一卷　歸安姚氏書
宋劉爚撰　舊鈔本　此下二書並從石門吴氏宋本録
棣華館小集一卷　宋楊甲撰　舊鈔本
蕙黄詩稿一卷　宋何耕撰　舊鈔本　共一册
誠齋文膾前集十二卷後集二卷　歸安姚氏書
宋楊万里撰　宋刊本　每半葉十二行行十九字高四寸六分寬三
寸三分小黑口雙有圈點墨擲
存前集一至四　七至十二　後集一至二　四至五　八至十
十二册
葉水心集二十九卷　歸安姚氏書
宋葉適撰　舊鈔本　十六册
友林乙稿一卷　清國子監南學書
宋史彌寧撰　影鈔宋本　一册
北澗文集十卷　清國子監南學書
宋釋居簡撰　傳鈔本　歸安陸心源據宋本校　四册
參考:北京(〇一〇六七)
後村居士集五十卷　清内閣書
宋劉克莊撰　宋刊本　每半葉十行行二十一字高六寸一分寬四

寸一分黑口

存八至二十八　四十至五十　五册

山房集八卷　歸安姚氏書

宋周南撰　傳鈔閣本　二册

文山先生全集十六卷　清内閣書

宋文天祥撰　明刊本

存三至十二　十五至十六　六册

文山先生别集六卷附録三卷　清内閣書

明刊本

存一至三　一册

燕堂詩稿一卷　海虞瞿氏書

宋趙公豫撰　舊鈔本　一册

湛然居士集十四卷　歸安姚氏書

元耶律楚材撰　舊鈔本　有汪印士鐘白文民部尚書郎朱文小方聯珠印汪厚齋藏書朱文小方印　八册

參考:臺北北平

月屋漫稿一卷　歸安姚氏書

元黄庚撰　勞氏鈔本八行本從文瀾閣本傳録　二册

參考:臺北北平一册

又　歸安姚氏書

勞氏鈔校十二行本據宋賓王校本傳録　二册

參考:臺北北平一册

桂隱詩集四卷　歸安姚氏書

元劉詵撰　舊鈔本　有仲遵朱文長方印陳嶟私印白文西畇居士朱文聯珠小方印西畇草堂藏本朱文長方印　二册

魯齋遺書十卷　歸安姚氏書

元許衡撰　明刊本　嘉靖乙酉蕭鳴鳳刊行紙印均佳有陳嶟白文西畇居士朱文兩方印　三册

參考:臺北北平

白雲集四卷　歸安姚氏書

元許謙撰　舊寫黑格本　有潘印顯謨勝夫氏白文聯珠印包子莊秘笈印朱文長印高銓之印固叟朱文兩方印　二册

參考:臺北北平

紫山大全集二十六卷　海虞瞿氏書

元胡祗遹撰傳寫本　十六册

吴文正公集一百卷　清内閣書

元吴澄撰　明刊本　此百卷非四十九卷可比

存四十一至六十　一册

草廬集四十九卷　本館購進書
文津閣寫本　四十八册
草廬文粹五卷　本館購進書
明吴訥編　宣德九年刊本　一册
又　清内閣書
明正統六年重刊本　一册
澹游集二卷　海虞瞿氏書
元釋見心撰　舊鈔本　四册
秋澗先生大全文集一百卷　清内閣書
元王惲撰　明弘治刊本
存一至二十　二十六至三十一　三十九至四十四　四十六至七十三　七十九至八十四　十五册
又　歸安姚氏書
舊鈔本　四十册
参考:臺北北平
中庵集十八卷　歸安姚氏書
元劉敏中撰　舊鈔本　有容夫校定朱文方印甘泉汪氏鈔秘書之一白文方印蕘圃手校朱文方印陳鱣顧寬圻跋
存八至十八　五册
参考:臺北北平
道園学古録五十卷　歸安姚氏書
元虞集撰　明嘉靖刊本　間有鈔配　二十四册
雍虞先生道園類藁五十卷　清内閣書
元刊大字本　每半葉九行行二十字高七寸二分寬五寸黑口有鈔葉均在目録之外似同時録增目録文亦間有缺者清四庫未著録
存一至二十　二十五至二十七　三十七至四十三　又四十三至五十　八册
参考:北京九册(〇一二〇一)
黄文獻公集二十三卷　清内閣書
元黄溍撰　元刊本　每半葉十四行行二十五字高六寸三分寬四寸四分黑口雙邊
存一至三　十二至十五　二册
参考:北京五册(〇一〇八六)
又　歸安姚氏書
舊鈔本　有西圃蔣氏手校鈔本朱文長方印孫爾準讀書記朱文方印舒本魯蔣氏西園跋　六册
参考:臺北北平
圭齋集十六卷　歸安姚氏書

元欧陽玄撰　明刊本　王鳴盛跋　三册
參考:臺北北平

柳待制文集二十卷　歸安姚氏書
元柳貫撰　松江謝氏鈔本　蓋影鈔元板爲主而以他本輔焉增附文十五當刻本所無有宋蔚如謝浦泰黄丕烈跋　六册
參考:臺北北平八册

雁門集八卷　歸安姚氏書
元薩天錫撰　舊鈔本　從張習刊本録出有後跋有馬曰璐白文方印臣孫星衍伯淵兩白文方印　二册

羽庭集六卷　歸安姚氏書
元劉仁本撰　舊鈔本　有世守陳編之家朱文蟠龍腰圓印老屋三間賜書万卷歙西長塘鮑氏知不足齋藏書印朱文兩大方印遺稿天留朱文方印　四册

鹿皮子集四卷　歸安姚氏書
元陳樵撰　舊鈔本　有丹鉛精舍朱文長方印勞格季言朱文聯珠小方印　二册

丁鶴年集四卷　歸安姚氏書
元丁鶴年撰　舊鈔本　有知不足齋朱文方印　遺書天留朱文方印　一册
參考:臺北北平

梧溪集七卷　歸安姚氏書
元王逢撰　舊鈔本　三册
參考:臺北北平

三聖集一卷　歸安姚氏書
元釋梵琦和寒山子撰　元刊本　每半葉十三行行二十四字高六寸三分寬三寸八分黑口雙邊　一册

知常先生雲山集四卷　清内閣書
元道士吕知常撰　舊鈔本
存三至四　二册
參考:臺北北平

黄楊集六卷　歸安姚氏書
元華幼武撰　淡生堂鈔本　有淡生堂經籍記朱文長方印　曠翁手識白文方印山陰淡生堂藏書白文大方印　二册
參考:臺北北平

南湖集六卷　歸安姚氏書
元貢性之撰　舊鈔本　一册
參考:臺北北平

大明太祖皇帝御製集二十一卷　清内閣書

明朱絲欄鈔本　清四庫所收只二十卷
存一至十三　十六至十八　二十至二十一　十九册
參考:臺北北平
御製詩集二卷　清内閣書
明仁宗撰　洪熙元年正月刊本　二册
大明宣宗皇帝御製集四十四卷　清内閣書
明朱絲欄鈔本　此與明史藝文志載宣宗文集四十四卷合清四庫著録僅宣宗詩文一卷蓋未見此本也
存一二　九至十二　十六至十八　三十二至四十四　八册
恩紀詩集二卷　清内閣書
明興王祐杬撰　明朱絲欄鈔本　弘治壬戌興藩純一道人自序　二册
參考:臺北北平
潛溪集八卷　歸安姚氏書
明宋濂撰　嘉靖翻元刊本　高節跋　四册
參考:臺北北平
劉文成公詩鈔一卷　歸安姚氏書
明劉基撰　舊鈔藍格本　分体鈔有圈點　一册
清江集三十卷　清内閣書
明貝瓊撰　明刊本　一册
高太史大全集四卷　清内閣書
明高啓撰　明刊本　一册
鳧藻集五卷　歸安姚氏書
明高啓撰　舊鈔本　二册
海叟集四卷　歸安姚氏書
明袁凱撰　裘杼樓鈔本　一册
參考:臺北北平
花溪集三卷　歸安姚氏書
明沈夢麟撰　陸珩編舊鈔本　一册
岩居稿八卷　歸安姚氏書
明華察撰　明刊本　有慶增朱文小印　紅豆齋考藏漁洋山人跋　一册
何翰林集二十八卷　歸安姚氏書
明何良俊撰　明嘉靖乙丑刊本　六册
楊氏南宫集七卷　海虞瞿氏書
明楊儀撰　傳鈔本　六册
交輝園遺稿一卷　清内閣書
清怡親王胤祥撰　乾隆刊本卷首有清世宗御製題辞　一册

參考:北京(○二九九六)

確庵文集卷　歸安姚氏書

清陳瑚撰　舊鈔本　密行小字本　葉祐仁校跋　四册

陸鉄莊文集十二卷　歸安姚氏書

清陸楣撰　藁本　四册

撫雲集八卷　海虞瞿氏書

清錢良擇撰　傳鈔本　四册

金吾集一卷　海虞瞿氏書

清錢曾撰　初印本　一册

臧拜經手藁二十册　歸安姚氏書

清臧庸撰　凡拜經樓稿日記文集均在内并有未刻逸文　二十册

參考:北京(○三二二八)

總集類

文選六十卷　清内閣書

梁昭明太子蕭統撰　唐李善注　宋刊本　每半葉九行行大十五字小一九字高七寸五分寬五寸八分白口單邊下有人名此本是贛州郡齋開雕者流傳頗少

存目録二　十二至十三　十七至十九　二十三　二十六至二十九　三十一至三十三　三十五　三十八至四十二　四十六　五十　五十三至五十六　五十八至六十　三十册

參考:臺北北平　實爲六臣本

李善注文選六十卷　歸安姚氏書

元張伯顏重刊本　每半葉十行行二十一字大小字同高六寸三分寬四寸五分白口有汪士鐘字春霆号頣園圖書印白文長方印　四十九册

參考:北京(○一一○七)

又　清内閣書

元張伯顏重刊本　蝶装　印在先紙墨倶精

存三至八　十三四　十七八　二十一至二十四　二十七八　三十一至三十六　四十五六　五十三至五十八　十四册

參考:臺北北平十五册

又　清内閣書

明重刊張伯顏本　每半葉十行行二十二字比元本多一字行款全别

存一至三　八至十六　二十六至三十四　三十九至四十一　四十八至五十一　十册

六臣注文選六十卷　清内閣書

唐李善吕延濟劉良張銑吕向李周翰注　宋刊本　每半葉九行大
十五字小二十字
存目録一　四五　八九　十三至十五　十七八　二十二三　又
二十三四　又二十四五　二十八至三十三　又三十三至三十四
又　三十四五　四十至四十五　又四十五至四十八　五十至
六十　又五十七至六十　二十五册
又　清内閣書
宋刊本　行款同上蝶裝
存五　缺尾　七八　十四缺尾　十五下　十八九　二十四　二
十六七　十册
又　歸安姚氏書
明袁褧刊本　紙墨極精　三十一册
参考:臺北北平
增補六臣注文選六十卷　清内閣書
宋陳仁子校補　宋刊本　每半葉十行行大十八字小十九字高七
寸四分寬四寸五分白口單邊上有字數
存四至九　十三至十八　二十三四　二十七至四十二　三十六
至三十八　四十至五十九　十六册
又　歸安姚氏書
明翻宋本　行款同前
存一至十四　十七至六十　三十册
文苑英華一千卷　清内閣書
宋李昉等奉勅編　宋刊本　每半葉十三行行二十二字不等高七
寸寬五寸白口單邊版心上魚尾記字數下有刻工姓名每册用黄綾
裝後有墨印小字景定元年月日裝背臣王潤照管訖月日上皆空而
以筆填十一十二於月上初一二十六於日上每册首一葉上方有晋
府書畫之印下方板匡外有内寳璽御府圖書二印末葉上方有敬德
堂章子子孫孫永寳用二印下方板匡外有緝熙殿書籍印皆朱文
存六百一至七百　十册
唐文粹一百卷　海虞瞿氏書
宋姚鉉撰　明刊本　二十册
参考:臺北北平二十四册
河南程氏文集八卷　清内閣書
宋程顥程頤撰　宋刊大字本　每半葉八行大小十四字高六寸寬
五寸白口單邊蝶裝有汲古堂朱文長印蘇氏書印白文方印　二册
聲畫集八卷　歸安姚氏書
宋孫紹遠撰　舊鈔本　二册
三蘇先生文集七十卷　清内閣書

不著編輯者名氏　元刊本　每半葉十四行行二十六字
存一至五十三　三册
蘇門六君子文粹　清内閣書
不著編輯者名氏　舊鈔本
存十五至二十五　五十四至五十九　二册
東萊集注類編觀瀾文集七十卷　清内閣書
宋林之奇編　元刊本
存甲集二十五卷　乙集二十五卷　丙集二十卷　六册
格齋四六南塘四六梅亭四六三種　歸安姚氏書
宋刊本　每半葉十行行十九字高六寸二分寬四寸白口單邊有海虞毛表奏叔圖書記朱文方印汲古閣圖書記朱文長方印東吴毛表圖書朱文長印虞山毛氏汲古閣收藏朱文方印叔鄭後裔白文方印乾學朱文徐健庵白文聯珠方印　六册
吴都文粹十卷　歸安姚氏書
宋鄭虎臣集　舊鈔本　有包子莊秘笈印朱文長印　五册
皇朝文鑑一百五十卷　清内閣書
宋吕祖謙撰　宋刊本　每半葉十行行十九字高六寸六分寬四寸九分白口單邊上有字數下有刻工姓名皮紙蝶裝
存目録中　二至九　十四至十六　三十三至三十五　三十九至四十一　七十一至七十三　八十七至九十三　九十八至一百零五　一百零八至一百十二　一百十六至一百十九　一百四十至一百四十三　一百四十六至一百四十八　十六册
參考:北京二十三册(〇一一一〇)
又　清内閣書
明翻宋本　首去皇朝二字
存一至五　十六至二十三　三十三至三十五　五十至五十七　六十六至九十九　又配本一百零六至一百十二　一百零八至一百二十　一百二十九至一百五十　十四册
宋文鑑一百五十卷　清内閣書
明晋藩刊本
存目録全　六十三至七十二　二册
又　歸安姚氏書
明刊本　有黎陽朱文小長印夢鷗仙館朱文小方印　六十四册
西漢文類四十卷　海虞瞿氏書
宋陶叔憲編　傳寫本
存三十六至四十　二册
文章正宗二十四卷　歸安姚氏書
宋真德秀撰　宋刊本　每半葉十行行二十字小字同高七寸一分

寬五寸二分白口有古吳蔣氏白文方印 二十四册
又 清内閣書
宋刊本 行款同前蝶装有晋府圖書之印
存卷四缺尾 一册
又 清内閣書
元刊本 每半葉十行行二十一字小字同
存四至六 一册
續文章正宗二十卷 清内閣書
宋刊本 每半葉十一行行十二十一字高七寸四分寬五寸七分白口單邊
存一至四 十至十三 又十三四重本 四册
九僧詩一卷 歸安姚氏書
西漢文鑑二十一卷東漢文鑑二十卷 歸安姚氏書
西漢文鑑二十一卷 歸安姚氏書
諸儒箋解古文真寶前集五卷 清内閣書
不著編輯者名氏 明刊本 一册
中州集十卷樂府一卷 歸安姚氏書
注唐詩鼓吹十卷 清内閣書
玉山名勝集八卷 歸安姚氏書
選詩補注八卷補遺二卷續編四卷 歸安姚氏書
唐百家詩附唐詩品 南陵徐氏書
文體明辨八十四卷 清内閣書
明文翼運卷 清内閣書
文章類選四十卷 清内閣書
唐詩十二家十二卷 清内閣書
三蘇文粹七十卷 歸安姚氏書
潁陽四先生集四卷 清内閣書
唐律多楊集十二卷 歸安姚氏書

詩文評類

崇古文訣三十五卷 歸安姚氏書
東萊先生古文関鍵二卷 歸安姚氏書
詩話總龜前集四十八卷後集五十卷 歸安姚氏書
七家批錢注杜詩二十卷 歸安姚氏書
東觀選要六册 歸安姚氏書

詞曲類

東坡樂府二卷 歸安姚氏書

稼軒長短句十二卷　歸安姚氏書
滄江虹月詞一卷　歸安姚氏書
共計宋本二十四部全者六部元本二十二部全者十部

【作者簡介】　高橋智，日本慶應義塾大學附屬研究所斯道文庫教授。

【譯者簡介】　杜軼文，日本早稻田大學日本古籍研究所招聘研究員。

歐陽輔《語石校勘記》整理補説

趙陽陽

【提　要】 清末學者葉昌熾《語石》一經刊印，即成爲通論石學最經典之著作。民國間柯昌泗有《語石異同評》之作，考訂補缺，堪稱《語石》之功臣。同時泰和歐陽輔亦作《語石校勘記》，以略盡私淑弟子校勘之勞，然此《校勘記》迄今未被學界揭示并利用。本文首次對此《校勘記》進行點校整理，并對歐陽輔生平及著述略作考論，同時對有關《語石》校訂的成果進行匯總、述説。

【關鍵詞】 語石校勘記　整理　補説

長洲葉昌熾先生(1849—1931)《語石》一出，歷代通論石學之著作即黯然失色。葉昌熾在其1901年日記中説："碑額志蓋尚有知者，幢座像龕無非叩盤捫燭，金石之學殆絶矣！此《語石》一書所以亟欲出而問世也。"[①]可見，葉氏撰作此書，係有一種"爲往聖繼絶學"的使命感支撑，故此書爲其精心結撰之作。福州林鈞(1891—1972)稱此書："上溯古初，下迄宋元。原覽中區，旁徵島索，製作之名義，標題之發凡，書學之升降，藏弆之源流，以逮模拓裝池、軼聞瑣事，分門别類，不相雜廁。既非歐、趙之目，亦非潘、王之例，非考釋，非輯録，但示津塗。俾學者毋域方隅，毋旁皇於歧路，此即葉公著書之本旨也。"[②]泰和歐陽輔(1863？—1933以後)評《語石》云："先生搜羅貞石拓本，會通前賢名著，創爲此書。不矜不才，不炫博，不作大言高論，而條理縝密，評斷公允。應有盡有，洵爲古今絶詣，非時輩所能望其肩項。"[③]林鈞、歐陽輔皆深諳金石之學者，由其評價可知《語石》之學術價值。於是，柯昌泗(1899—1952)有《語石異同評》之作，辨析考訂，拾遺補缺，堪稱《語石》之功臣。而泰和歐陽輔棠丞先生平生于葉緣督最爲膜拜，亦作《語石校勘記》，以略盡私淑弟子校勘之勞。

《語石校勘記》附載《集古求真補正》卷四之末，雖有石印本傳世，然一直未

---

* 本文受陕西省教育厅2011年科学研究项目"明代关中金石学研究"(编号11JK0227)及2011年度教育部人文社会科学研究青年基金项目"明代书学文献整理与研究"(编号11YJCZH252)资助，特此致谢。

① 葉昌熾《緣督廬日記》"辛丑七月廿四日"條，臺北文海出版社，1964年，第25頁。

② 林鈞撰《石廬金石書志》"目録"卷十二"《語石》十卷"提要，民國間寶岱閣刻本。

③ 歐陽輔《集古求真續編》卷十《金石書目選》"語石"條，民國二十二年(1933)開智書局石印本，此據台灣新文豐出版公司《石刻史料新編》第一辑之影印本。

被學者提及。陳公柔、張明善點校本《語石 語石異同評》[①]於《校勘記》未寓目；韓鋭《語石校注》[②]不及《語石校勘記》；王其禕點校《語石》[③]亦未參考《語石校勘記》；盧芳玉《〈語石〉研究》[④]設有專章董理語石闕誤，亦未提及《語石校勘記》；黄會奇《對〈語石〉等石刻學著作的研究》[⑤]一文綜述歷來研究《語石》的著作及論文，亦不及《語石校勘記》。歐陽輔生當亂世，黽勉於學，孜孜不倦，垂數十年，學成而不彰，此非後學之過歟？黄永年先生《碑刻學》曾列此書爲石學入門之參考書，可謂歐陽棠丞先生之知音[⑥]。今整理此《校勘記》，不惟以其爲讀《語石》之一助，亦爲棠丞先生奔走呼籲，希其著作能見重於世也。世人讀書重出土文獻甚于傳世文獻，重稿抄本甚於刊印本，此皆爲學之大弊，故纂輯此文，亦藉以引起學者警醒。至於個人校讀《語石》文字之整理，則俟諸異日。

今《校勘記》之整理，一依原文次第，惟於每條之末注明在整理本《語石 語石異同評》中之頁碼，以便讀者查檢。

一 《語石校勘記》整理

余於宋以後金石大家，所最瓣香而膜拜者，惟葉緣督先生一人而已。所著《語石》一書，體大思精，爲斯學之淵海。有清三百年中，無可與抗手者。先生《自序》云“上溯古初，下迄宋元。玄覽中區，旁徵島索”，足見其網羅之富。故能匯通古今百數十家之著述，吸其菁華，而别出機杼以經緯之，不必騁才逞奇。而斯世之談金石者，無不心悦而誠服。余於壬戌之秋，避亂申江，始得此書。一月三復，有左右逢源之樂，洵太史公所謂“雖爲之執鞭，所欣慕焉”。自是以後，舟車長途，攜之行篋，閒暇無俚，輒取而熟讀之，時覺其有鈔胥之承訛，記憶之偶誤，悉爲拈出。因再進而詳校之，又覺有未諦審石刻全文之處。或沿昔人之謬，亦間有掛漏未及遍舉之失。所引証者，或遺先而援後，未免爲大醇小疵，殆因覆校無人，不及磨白圭之玷尓。余先所校勘，筆之於書眉，屢爲戚友攜去。丁卯至滬，又購一帙。自念年已垂老，兒輩不能助予繕寫，乃手録所記，成一册以備忘。倘先生尚在人間，當呈此爲進見之階。如已歸道山，則綴於拙著之後，使讀《語石》者參觀之而泯遺憾，斯固爲先生充校勘之役以自附於私淑之義。若妄議余爲道短説長者，是不但不知余之真忱，亦不知先生之高深矣。蓋

① 葉昌熾撰、柯昌泗評，陳公柔、張明善點校《語石 語石異同評》，中華書局，1994年版。

② 韓鋭《語石校注》，今日中國出版社，1995年版。此本係《北京石刻藝術博物館叢書》之一。

③ 王其禕點校《語石》，遼寧教育出版社，1998年版。點校者用光緒元年原刊本（1901）作底本，將原書避清諱之處回改，發現原刊本有錯字則出校記而不改動原文。

④ 盧芳玉《〈語石〉研究》，山東大學文史哲研究院2005年，碩士論文。盧芳玉另有《〈語石〉標點錯誤舉例》，載《古籍整理研究學刊》2006年第3期，係從碩士論文中析出者。

⑤ 黄會奇《對〈語石〉等石刻學著作的研究》，載《新世紀圖書館》2011年第4期。

⑥ 《碑刻學》（《新美術》1999年第3期）之“參考書”五“拓本”部分列入《集古求真》，黄先生按語云：“民國歐陽輔《集古求真》及《續編》、《補正》，兼講書法，所見舊拓善本太少，而自詡爲宋元拓本者復皆僞物，惟議論尚平實可讀耳。”褒貶互見，頗爲公允。

聖賢著書，亦不能絶無錯誤。朱子於注經述史，往往使弟子成之，或使弟子校之。文忠公《集古録》既成，使叔弼爲之録目，中有與《跋尾》互異者，亦校訂也，而文忠公不以爲忤，而兩仍之，亦以見叔弼之精勤也。近人好自炫，如有指其誤者，則銜之，何氣量之褊淺乎？然余附此書之外，他人著作，縱滿紙訛誤，亦不願爲之校勘矣。

卷一：

二頁一行。"申屠駉"，誤作"申徒駠"。六行二十"一"字，一誤作"七"。（見中華書局點校本《語石 語石異同評》頁 3 行 6，下僅著頁碼行次）

五頁。陳《張慧湛墓誌》。按，張雖陳人，其《誌》爲貞觀二十三年所立。【見《集古録目》】[①]不得認爲陳刻，而與宗慤母並論也。（頁 13 行 2）

十頁四行。《東巖壁紀》，"紀"字誤作"記"。吴山夫、孫淵如、繆小山等皆誤。石刻實"紀"字，且文首句即作"紀曰"。（頁 24 行 3）

十四葉五行。趙子函，"趙"字誤作"郭"。（頁 27 行 11）

十四（按，當作五）頁一行。田義晊，"義"字誤作"羲"。殆因陝州《孔子廟碑》"田義晊書"義字寫作"義"，頗似羲字。然文中義字迭見，皆作"義"，故趙子函、天一閣、繆小山俱作"義晊"。（頁 28 行 10）

十六頁二十一、二兩行。趙子函，"趙"又誤作"郭"，且云"白義二字，均郭氏誤釋"。趙未見陝碑，故"田"字誤釋爲"白"，因《乙速孤行儼碑》，"田"字已漶漫而致誤，"義"字固不誤也。（頁 30 行 9）

十八頁九行。樊興不在陪陵之列，按碑中明有"陪葬獻陵"之語，又《于德芳碑》亦云陪葬獻陵，不得以估人止售八碑而遺此二人。（頁 31 行 13）

十四行。于知微，"知"字誤作"志"。（頁 32 行 2）

十九頁十一、二兩行。楊少師，"楊"字誤作"和"。而無凝筆，"凝"下當加"式"字，楊名凝式，和則名凝也。（頁 32 行 14）

二十一頁二、三行。且誤"匡直"爲"匡真"。按碑文，匡聖在生賜號匡真，死後十餘年，乃改賜謚曰匡聖。兩吴作"匡真"，固不爲誤。【詳見《續編》《匡聖碑》條下，此不抄】此則先生未及詳讀《匡聖碑》之誤也。（頁 41 行 6）

廿五頁十三行。范公致能，按石刻皆作"至能"，惟木板書或作"致"。（頁 47 行 15）

二十八頁六行。《張留孫碑》，趙承旨爲書兩通，南北分建。按趙文敏實止書一通，南北先後模刻，皆在文敏卒後。今北京本筆意與江西本不同者，殆刻手模勒失真所致。北本原爲茅紹之所鐫，今所傳者，雖仍茅名，實複刻也。余于許仙屏中丞振禕家見北本舊搨，則江西本相近而更佳矣。試觀安陽《許熙載碑》，茅紹之集趙書也。其中所集此碑之字，皆與江西本類似，與今之北京本迥

---

① 爲方便排印，雙行小注仿黄永年先生點校《古本西遊證道書》體例，改用仿宋字單行排印，並加括號以與正文區别。

不相同，亦足以証今北京之石，確爲複刻，但不知爲何時何人所改作耳。（頁51行4）

卷二：

十五頁七行。三闕爲最古，尚是西京文字。按三闕中最先者爲元初，後者爲延光，均安帝時所刻，未爲最古，亦非西京文字。豈先生喜其文字高古，可比西京歟？（頁100行5）

十八頁末行。《東巖壁紀》，"紀"字誤作"記"。【已見於一卷十頁】（頁107行7）

十九頁五行。《新修使院記》，"使"字誤作"試"。（頁107行10）

二十二頁八行。畫像誤作"書"（按，原本似不誤）。（頁115行6）

二十三頁七行。乘廣禪師誤作"廣乘"。（頁116行10）

十行。《福田寺三門記》，"三"字誤作"山"。（頁116行11）

二十三頁十七行。小注云"頗疑與《張留孫碑》是一刻重列"。按張碑爲趙撰趙書；《玄教宗傳碑》則虞道園集撰，而趙書之，顯然二物。廠肆亦恒有出售，先生殆偶忘爾。（頁117行1）

十八行。上饒有《仁靜真人銘》，按仁靜真人，亦即張留孫也。【余未見此銘，屢詢上饒人，亦無知者，不知是重刻否？】又鄱陽有《番君廟碑》【原石已亡，今存重刻】、《程鉅夫妻楚國夫人徐氏碑》，均趙書，殆先生未見，故未列名。《藝風目》（按，指繆荃孫《藝風堂金石文字目》）雖俱有之，然不知《番君碑》爲複刻。（頁117行1）

四十頁七行。文中有"小兄"二字，定爲長壽王時所刻。按近出《泉男生墓誌》，男生降唐，然在其本國時，亦爲大兄、小兄之官。則石刻有小兄字，亦未確爲長壽時所刻。金秋史謂大兄、小兄爲當時縣令，亦不足信。【長壽王當中國陳時】（頁141行16）

卷三：

十二頁末行末。"而"字誤作"之"。（頁177行5）

十七頁十一行。雷音洞七千三百餘石，"七"字誤作"二"。（頁184行5）

十八行。張南軒書云云。按此經末題"熙寧壬子八月壬寅，書付姪慥，時寓鄧之廢寺，居東齋南軒書"。孫氏見"南軒"二字，遂誤認爲張栻。《越中金石記》以爲謝景初書，亦不足信。杜氏取證于歐、王二集，然文忠公《謝絳墓誌》，止云男四女六，而王荆公《謝景平》、《景回》兩志，亦止云絳子，均無景温、景初與慥名字，何足爲証？況同世同姓名者亦多，碑既無姓，豈能據一字之名，強指爲即此某人，故葉先生不強作解事。（頁184行10）

十八頁末行。郭忠恕有《説文偏旁字原》，按此僧夢瑛（按，當作英）所篆，但附刻郭《答英大師書》于後，與《十八體篆》後所刊相同。蓋夢英欲借郭名爲重爾。（頁193行2）

十九頁七行。"今西安碑林中"至"良爲知言"。按崔氏真迹，薛氏刻置漕司南廳，王元美跋云："今漕司之石，已非故物。若今日碑林之石，更不知誰人所模刻。薛跋下少'姪方綗摹'四小字，又少'李壽永、壽明鐫'六小字。'虎'、'民'、'基'等字薛刻亦無缺筆。"【詳見《前編》"千文"條下】(頁 193 行 7)

二十頁十六七行。鄭承規釋文，亦刻於碑陰。按《碧落碑》之陰，實刻黄公《記》。承規《釋文》，乃别刻一石。(頁 194 行 10)

二十二頁三行。《先天太后贊》。按此贊亦真宗御製御書，不列于前真宗諸碑内，此又不言御書，先生殆未見拓歟？(頁 196 行 15)

二十四頁十行。夫人亓官氏。按孔子夫人并官氏，迭見漢唐碑碣【《韓勑碑》等刻】與漢唐人著述，不知何世村學究誤作"亓"，無識盲從，先生亦涉筆沿誤，未及訂正。(頁 199 行 3)

卷四：

十五頁二、三行。襄陽張軫有二誌。按後誌乃與其妻合葬而立，《鄭準》、《孟女》則文詞雷同，《鄭誌》早已見於《古刻叢鈔》，今二本皆不合。《孟女》余已見三本矣。(頁 237 行 5)

十七頁十八行。中小字云："《枝提龕銘》，則道家，道亦得用之。"按石作《支提龕記》，記後附義紭、乾壽二僧道行，非道家也。(頁 264 行 14)

十八頁四五行，隋之龍華【仁壽三年文皇帝造龍華塔記】，按碑無年月，不知趙《續訪碑録》何所據，竟注爲仁壽三年，其額云"敬爲高祖文皇帝"、"敬造龍華塔銘"，既曰高祖，又曰文皇帝，皆死後廟號，決非仁壽時所爲。先生沿趙氏之誤耳。(頁 265 行 4)

十九頁廿一行。小注"暉福寺"，"福"字誤作"法"【二十頁八行亦誤作法】。(頁 268 行 14)

四十一頁二行。"太上洞元靈寶經"至"托文敏以傳耳"。按此經爲文敏書以壽張留孫者，其徒薛玄卿，求袁清容跋以入石，茅紹之模刻，最爲精善。後丹徒有一刻，不知爲何人所鐫，亦甚佳妙。隆慶中，沈幼文取丹徒本複刻之，增二跋于後，尚不爲惡。京師本乃廠估翻沈本，雖失真已極，然來源有自，固非俞紫芝輩所託名。(頁 291 行 4)

卷五：

四十六頁十八至廿行。"南昌大安寺鐵香爐"，又云"共六層，五層皆有字"。按此爐止蓋爐座三層，並非六層。惟蓋座有字，爐無字，惟爐足作虎頭，頭上各作王字，此爲虎紋，不能謂之字。則五層有字，亦傳聞之誤。先生未至南昌，固未能知其實，不足爲先生道也。惟此爐爲南昌城内第一古物，舊志誤以楊吴爲孫吴，並附會其説，以爲有赤烏紀年。後來考訂者，謂蓋上明有太和五年，何得指爲孫吴。好事者又杜撰異説，謂楊氏僅改鑄蓋座，爐則仍爲孫氏物。斯言亦似可通，然蓋有一萬二千斤之文，非并爐決無如此之重，蓋座殆不及其半耳。是改鑄之説，亦不足信。況蓋上又有捨鐵錢數，亦足爲重量之証，故考古家多定爲楊吴所造矣。乃光緒季年，有趙椿年、張鳴珂所記，則又確指爲赤烏，且有"赤烏元年"四字拓本，惟"元"字不明，差似二字。余見之頗以爲奇，因迭往寺中摩挲諦審，終未見四字蹤影，趙、張二君，章門聽鼓，俱逾十年，何以作此狡獪，以誑他人，豈以省垣别無長物，不妨借此舊根，加意點綴，以爲談古之助，並爲舊志解嘲？其用心固與他人作僞者不可同日語。（頁 378 行 15）

歲在己巳，林石廬鈞書來，囑余再詳察此爐，並寄到赤烏四字拓本及吴絅齋先生（按，即吴士鑒）《九鐘精舍題跋》，先生曾任江西學政，石廬亦任江西幕府，皆親見此爐，而石爐未見字迹，故不能無疑，見絅齋先生跋，並所贈拓本，并告以字在爐腹，因要余細心再審。余率子弟，邀朋友，往返四五次，終未見四字形迹，因思絅齋先生以督學之尊嚴，偶臨此廢寺，衣冠濟楚，未便扳躋摸索，一聽趙、張面陳而已。張本能書，造此拓進呈，先生不能不信而記之矣。余少之時，即常詣寺中，拓其字以遺人，於今已六十年。中間往往與人争論赤烏之虚實，輒攜手同觀，每罰人醵飲，以爲笑樂，今其人十不存一，略爲追憶，不禁黯然。按此爐形制奇異，著述者僅撮文字，不詳體質，請補言之。全體高逾六尺，今座足已損失，累爲石基以承之，非登石翹足，不能見蓋上字，凡圓爐三足，方者四足，而此五足，殊爲罕見。爐身分九面，面各一獸，已繡澀，不辨爲何物，然其餘隙均不能容此四字，五足均虎頭虎爪，座面作蓮葉式，四周作蓮花瓣，高五六寸，每瓣題數人姓名，亦繡澀如爐，皆鐵質所致也。惟虎足頭爪，與蓮葉平面，皆青銅質，光黑如漆，略無垢蔽，不能指爲兩次所造。蓋亦全爲銅，潔净如新，但微露紫銅色，然其字與蓮瓣之字相類，皆左欹，明爲一手所作。《金石粹編》（按，"粹"當作"萃"）所載人名，不過得三分之二，然有捨鐵捨錢及勸首十人，每一勸首下列人名，少則數人，多則一二十人，而前列二百餘則無勸首，殆自行施捨者也。合衆人之財力，爲國主令公祈福而鑄一爐，何至半新半舊乎？《粹編》所記層數、方向均不合，王字在虎頭，乃題下注，蓮花瓣上，通著王字，尤屬大誤。其他字誤與脱漏，以近拓對勘，亦不勝枚舉。

大安寺，在舊南昌府衙署後，寺門即對府衙後牆，今寺已頽敗，惟大門之牆上，石刻大安寺尚在。門内兩傍，均壞屋敗舍，中進猶存。爐在此後，矗立院中，後進亦存兩傍，舍宇俱朽腐不堪，住户十餘，皆污穢不潔，多謝姓，且謂此爲謝氏祖庭。每歲聚族行祭，不知其所自來，不可究詰。近且以木板紙字招牌，遮蔽石刻大安寺字額，尋大安者，非人指引，不知何處矣。若此牆一倒，石額被匿，則此一大爐恐將爲私人所據，或羽化而仙去矣。拙著原不論金，但此爐爲本省唯一古器，特附記於此。

卷六：

二頁。邊韶撰《老子銘》。按《魯峻碑》文末云："息叡不才，弱冠而孤，承堂弗構，析薪弗荷，悲蓼莪之不報，痛昊天之靡嘉。頫企有紀，能不悼嗟，刊石叙

哀，詳其辭意。”此碑文實爲其子所撰，亦漢碑之有撰人者，先生殆未憶及耳。(頁 385 行 1)

十三行。孫秋生一刻，孟廣達文，蕭顯慶書。按太和尚有始平公一刻，孟達文，朱義章書，且更在先，先生又偶忘之。(頁 385 行 7)

六頁三行。《潘尊師碣》，題雍州司功王適撰序，而無作頌之人。按碑有弟子司馬子微書，不爲列名，恐閲者以無書人爲疑。書者爲弟子且可佐証作頌者亦當爲弟子矣。(頁 392 行 5)

卷七：

二頁十一行。趙子函，“趙”字又誤作“郭”。(頁 430 行 11)

五頁十一行。稷書惟存《昇仙太子碑》陰數十字。按武三思以下八人並稷而九，職銜姓名已二百二十字，題御製建辰二行又三十餘字，固不止數十字也。(頁 436 行 3)

七頁十七、八行。與薛少保各存數十字。按紹京所題並京十九人，並紀年凡三百四十餘字，亦非數十字也。尚有採石二人間于薛、鍾之間，未能決爲誰書。故未并計，蓋二人署名相近，在薛前者爲薛書，在鍾後者爲鍾書。一作於聖曆二年，一作於神龍二年，而筆頗相似。若不見二人名，幾疑爲一手書，然細審之，鍾稍遜矣。(頁 439 行 12)

八頁二十一、二行。惟《郎官石柱記》，真本亦不可見，見戲鴻堂本，如見虎賁耳。按蘇州府學早有翻刻本，比戲鴻堂刻勝之多矣。先生爲蘇人，乃未之見，殆其石已佚歟？(頁 440 行 14)

十六頁十行。田義晊，“義”字又皆誤作“羲”。(頁 449 行 4)

二十二行。《東巖壁紀》，“紀”又誤作“記”。(頁 449 行 11)

又十五行。韓秀弼下漏《臧希晏碑》未列。(頁 449 行 7)

十七頁五行。鄭承規《絳州碧落碑》。按此碑乃李譔所爲，鄭承規但釋文耳。且作於百年之後，似不能以其名冠此碑。(頁 449 行 14)

二十五頁七行。黄中美，“中”字誤作“士”。(頁 463 行 15)

二十五頁十八行，庭筠爲去非之子。按庭筠，王遵古子。【詳見後】(頁 466 行 4)

卷八：

一頁。唐太宗書《晋祠銘》、《屏風碑》。按《晋祠銘》劖剔失真，《屏風碑》至宋始入石，未可確信。惟《告少林寺教》，刻于少林寺《裴漼碑》上者，爲太宗真迹，尚未剥落，足見太宗筆法。(頁 468 行 3)

十五頁七行。楊纇即承和，以字行。按纇與承和，實是二人，非以字行。余有舊本《六譯金剛經》，序文題宏農楊纇述，其首尾各失去一頁，唐元度、楊承和等銜名，均不存。証以《集古録目》，及葉九來《金石録補》所記，纇與承和，皆同列名，纇無官位，僅署郡望，承和則署官位，可決知其非一人矣。(頁 490 行 1)

二十頁十二行。唐元度集。按集字者,爲唐元序,元度但篆其額尔。原本同列名於前。【詳見《續編》此經條下】(頁494行14)

十六行。《周孝侯碑》"元和六年"。按元和六年,乃陳從諫樹正書碑之年,舊碑之集王書者,其石已佚,不知何年,今存之石,乃明周公瑕天球所集,有跋在後,今已剥落。(頁494行16)

二十一頁二十一行。《唐昇仙太子碑》陰,從臣各自題名其上,遂開分書之體。按此碑陰止薛、鍾二人書,並無他人筆。薛自記云:"題御製及建辰并梁王三思以下名臣薛稷書。"鍾自記云:"題諸臣等名,左春坊録事直鳳閣,臣鍾紹京書。"可知其非各自題名矣。從臣各自題名,實始於太宗之《晋祠銘》,長孫無忌等七人。高宗之《萬年銘》,則碑陰首行云:"奉勑中書門下,及見從文武三品以上,并學士並聽自書官名於碑陰。"自英國公勣,至學士上官儀,共四十六人,二碑在《昇仙》之前,乃足爲開分書之體。(頁496行1)

二十三頁三行。一碑而各體書者。按此當以魏正始三體石經爲首創,唐、宋二刻,殆仿而爲之,先生偶忘石經未及舉尔。(頁497行2)

二十四頁七行。或云華覈,或云皇象,要無確證。按《雲麓漫鈔》與吴騫《國山碑考》,俱作蘇建書,余有舊拓全本,蘇建一行仿佛可見,實爲蘇書。(頁498行1)

三十頁。"一碑字體大小不同"一則。按此條先生所舉,惟吴越二碑,爲錢竹汀説,竹汀所見亦未廣矣。余見《標異鄉義石柱頌》,題字大四寸,又"元造義王興國,義主路仁和"十一字,大三寸,又有"明使君大行臺尚書令斛律荆山"十三字,大二寸餘,另一"王"字,所得爲裝本,不知"王"字上下有脱失否。又張從甲書《李含光碑》,字大不及一寸,而"大曆七年"一行,字大三寸,"李陽冰篆額"五字,大二寸,仍作篆書,固不止吴越有之也。(頁509行4)

卷九:

三頁六行。引《潛研跋》(按,指錢大昕《潛研堂金石文字跋尾》)云:"唐人碑,惟國子學九經横刻,以便諷誦,此外無横刻"。按《六譯金剛經》,亦横刻,刻於大和四年,尚在石經之前,但竹汀未見此孤本耳。又開成石刻,實十二經,亦不可隨俗稱九經也。惟《字様》則九經耳。(頁516行7)

四頁十五行。僧夢英《説文偏旁字(原)》又誤作郭忠恕。【已見於前】(頁517行14)

二頁。歷舉左行諸刻,而最先最著者未舉。最先則褚遂良《雁塔聖教序》右行,而《記》則左行。最著者顔魯公《中興頌》,原刻爲左行,翻刻皆右行【惟川中有一左行】。《大盧舍那像龕碑》亦左行,其他題記左行者,不勝舉。(頁515行8)

卷十:

一頁。聖教序有五本:一懷仁集王。一王行滿書。褚書有三:雁塔;同州;

《蒼潤軒跋》(按,指明盛時泰《蒼潤軒碑跋》)有褚行書本,咸亨三年刻,《竹雲題跋》云"褚《聖教》行書,爲瘦金書之祖,今已亡",《觀妙齋》(按,指清李光暎撰《觀妙齋金石文考略》)云"又得一本,年月同雁塔,而字法不同"。按此所舉,尚遺《妙墨亭》所記(按,當指清人張鑒《墨妙亭碑目考》)一本。此一本《吴興志》與《吴興掌故集》俱云僧智永集王右軍書,真可笑之甚。太宗、高宗時,安得有智永尚在人間乎?以余意論之,除懷仁、行滿、雁塔、同州四本外,其餘皆僞作耳。《蒼潤軒》所云"咸亨三年",則與懷仁本同年,褚已早卒。《虚舟》(按,指清人王澍,號虚舟,有《虚舟題跋》)所云殆亦此物。李光暎識見淺陋,其《觀妙齋》一書,刊刻極爲精美,然無一語足資考証,固不能辨真贋者。故盛、王、李三人所記之本,今皆絶迹,蓋帖估或學究作僞,不久即泯滅矣。余先亦有真行數本,或翻王、褚而失真,或竟録寫而冒褚,且故作不同字句以稱奇【《妙墨亭》所記,字句亦與王、褚均有不同】,余悉置之不閲不論。若僧雲勝一刻,文與時俱不相涉,更不必雜廁於此中,以混唐、宋之别。

一頁十四行。當塗亦有一本,"當"字誤作"堂"(按,原本似不誤)。(頁536 行 8)

十九行。《醉翁亭記》,東坡有真、草二本,草書本世不經見。按草書本,實明人僞託【見拙著《續編》】。先生殆未見,故云世不經見耳。(頁 536 行 12)

二頁三行,程浩《夫子廟碑》,原刻在三原,他郡邑廟及學宫亦間有借刻者,大都明人不學者爲之耳。按三原本亦非原刻;西安、扶風二本,宋人刻;廣州、當塗二本,則元人刻。若云明人,固未之見。【詳見《補正》第五卷】(頁 537 行 3)

五頁六、七行。"後得《武侯碑》陰,明蜀府承奉滕嵩題字"云云。按滕題在碑面之右下角,尚有榮華一跋。先生所得本,既無滕題,後得滕題,乃云碑陰,恐皆係重刻。原石補刻僅數字,其餘尚奕奕有神,不似《南海神廟碑》之索然無生氣也。(頁 542 行 14)

六頁五行。近數年《高翻碑》與《高盆生》、《高盛》兩碑,同出於磁州。按盆生即高盛字,不應歧出,碑估原有"磁州三高"之稱,則併高肅而言,先生殆偶忘肅,而誤分盛爲二。(頁 543 行 12)

七頁二十行。金石家未嘗聞有金拓,有之,自余此碑始。按此語則先生亦好奇矣,世所稱榷場本,非金拓歟?(頁 546 行 12)

八頁十二、三行。"王蘭泉侍郎藏四楊碑"云云。按先生既得徐紫珊雙鉤本,則應知蘭泉四楊之僞,何以仍信重之,殆未及校對耳。(頁 548 行 3)

十二葉九行。即片片作胡蜨飛,兩"片"字均誤作"月"(按,原本並不誤)。(頁 555 行 4)

十七頁五行,"一曰録文,如陶南村《古刻叢鈔》"云云。按録文實始於《隸釋》,又趙紹祖有《金石文鈔》,固非專録晥刻。(頁 559 行 8)

二十一頁,碑林刱始,不知何年。按黎持《移石經記》云"始于吕大防"。(頁 563 行 3)

二十七頁十六、七行，李翕《西狹頌》在成縣，此碑後爲《五瑞圖》。按余所有整拓本，則《五瑞圖》實在前①，與《頌》接聯，近屢見全本，無不然者。先生沿昔人著録之誤，而馮氏《金石索》，以“惠安西表”四字爲此頌之額，亦無稽之言矣。（頁 568 行 13）

右皆抄自書眉，頗多遺漏，補録於後。

卷二：

二十五頁一行。世所見者，惟《黄中美神道碑》耳。“中”字誤作“仲”，閩中尚有《劉子羽神道碑》，尤高大，字與黄碑如同日所書。（頁 119 行 2）

又九頁。“惟《郭林宗碑》”云云。按此碑傅、鄭、李三刻之外，又有吴清卿中丞大澂一刻，自跋云“以千金購得真本於山西”云云，其實亦僞託耳。書法方整肥厚，不類漢人，且泰字作太，未免失考。漢以前不但泰字無作太者，即太王、太公、太子，與太師、太傅、太保，亦皆作大，絶無有作太者，況爲人名乎？《説文》無太字，可知爲後人所增。窓齋博雅好古，何昧昧若此。先生與窓齋非不相識，豈未見其刻本耶！殆不便駁斥，故姑置之，不爲臚列耳。（頁 88 行 12）

卷六：

一頁八行。新豐郭香察書，“新”字誤作“廣”字。（頁 384 行 5）

十頁十四行。及韋絢所録，“絢”字誤作“詢”。（頁 400 行 2）

十二頁三行。次行題“懷惲及書”。按此四字，即在首行題下，非在次行，又云此“及”字，摹上奉勑而言，蓋文爲懷惲所撰，“及書”者，猶言并書云尓。按碑文明言，惲化于大足元年，至神龍元年，始勑贈隆禪大師，又越三十九年，天寶二年，乃爲建碑，安得自撰自書，此王元美不詳讀碑文，而漫爲臆説，先生遂沿其誤。文末云“弟子思莊，敬想清徽，勒兹玄琰”等句，則文殆爲思莊所撰，書則不能知爲誰矣。（頁 402 行 10）

十九頁十五行。金之《博州廟學記》，撰文者爲王去非，而其子庭筠書之。按庭筠非去非子，實撰《碑陰記》之王遵古乃爲庭筠父，兩面皆庭筠所書，碑面僅稱庭筠，碑陰則稱男庭筠，固甚明瞭，先生誤記耳。（頁 408 行 15）

二十五頁九行。郭忠恕《説文偏旁字原》并序，按《字原》實夢英所篆，又誤作郭忠恕，郭僅一答書附刻尓。（頁 413 行 13）

又十一行。皇甫儼《篆書千字文》。按《千字文》亦夢英所篆，惟碑陰序文，則陶穀撰，而皇甫儼爲之正書。（頁 413 行 14）

以後尚有數十條，正誤處少，補明者多，恐涉吹求，不如其已，且老眼昏花，亦難繕寫，留俟異日，再爲考定。

---

① 按頁眉有批注：“《隸釋》亦云前爲《五瑞圖》。”

二 補 説

(一) 歐陽輔其人與《集古求真》之編纂

歐陽輔,字棠丞,江西泰和人,其生卒年不詳,然據其自云“壬戌夏五(1922),兵禍猝發,挾第六次稿本,避地歙浦。自顧年已周甲,恐溘先朝露,則半生精力,淪於無何有之鄉。因急付石印,惟期流傳於世,不計示人以樸”(《集古求真補正》緒言),知其生當1863年左右。又其自署之最晚時間爲“癸酉(1933)良日歐陽輔棠丞甫自記”(《集古求真續編》緒言),知其享年至少71歲。其研治金石學的緣由,蓋因“年政三十後,連遭先君及繼母之喪,而祖父母在堂,俱已年逾七旬,自度不能進取,遂拋棄舉子業,而孜孜于金石之學,旋慮力難兼顧,又去其金而專攻石”(《集古求真續編》緒言)。在《集古求真》中,歐陽輔屢次提及友人林鈞。按,林鈞(1891—1972),字亞傑,號石廬,福建福州人。自幼癡迷金石古器,喜搜羅、庋藏圖籍。其《石廬金石書志·自序》中云:“己未(1919)于役燕京,道出浙蘇齊魯,舟車所經,勤加搜訪,所得益宏,而四方書賈知余所好,紛投靡已,窮年兀兀,不以爲疲。”[①]其後又偶得繆荃孫遺書,藉之成《石廬金石書志》二十二卷。又曾收藏古鏡百面,編成《石廬藏鏡目》一書,另有《篋中剩影録》二卷等。[②] 正是由於彼此的相互切磋,歐陽輔、林鈞才各有金石學著述,名垂後世。

《集古求真》十三卷,卷首一卷,卷末一卷,《補正》四卷,《續編》十卷。《集古求真》卷首爲序言、目録,卷末爲餘論,其文薈萃前代金石目録題跋著作300餘種,摘録其切實可據者,惟均不注出處,每種甄録不一,而採擷其意,節删其詞。未見著録之本,則自爲之説;有似是而非者,則加以辨證,間附己見。《補正》四册乃補《正編》未完備之説,並正其訛誤之字句。末附《語石校勘記》。《續編》分十卷,補《正編》所漏略未及登載者,約200餘種。其體例一仍《正編》。惟卷十前半部分爲《碑選》,擇取劉宋至唐末碑刻百種,欲爲學書者定圭臬;後半部分爲《金石書目選》,所録墨迹碑帖,凡800餘種,以書體編次,先楷書,次行、草、隸、篆,又次爲匯帖。各體只分朝代,其年世先後不復排比。

《集古求真》有民國十二年(1923)江西開智書局石印本,《續編》及《補正》有民國二十二年(1933)開智書局石印本。歐陽輔在其撰於民國癸酉(1933)的《集古求真續編·緒言》言編撰過程甚詳:“前編出版後,謬承海内同志馳書獎詡,光陰荏苒,屈指計之已閱十年,自甲子(1924)春由滬返章門舊寓,檢查敝簏尚存墨拓數百幀,金石書百餘帙,長日無俚,伏案披覽其中,頗有前編所漏略未及登載者,加以今年朋友所惠贈坊肆所新購,擇其尤約二百種輯爲《續編》,惟

① 林鈞《石廬金石書志》,民國十二年(1923)寶岱閣刻本。

② 參王長英、黄兆鄲著《福建藏書家傳略》,福建教育出版社,2007年,第119—124頁。

省會湫隘囂塵,且不免應酬爲勞,作輟無時,己巳(1929)秋攜稿歸里,欲杜門習靜,修飾而增損之……仍以第三次稿付印,偶有憶及則書之於眉,暫告結束,聊以自慰爾。……《前編》稿本粗定,未及發刊,即被兵禍,逃之滬上,始克付印,今忽忽已閱十稔,又成《續編》與《補正》。……癸酉(1933)良日歐陽輔棠丞甫自記。"可知其著述之艱辛不易。

歐陽輔在《集古求真補正・緒言》中説:"余于前清金石家,所最瓣香崇拜者,惟葉鞠裳先生一人而已。《語石》一書,精博宏通,古今絶作。余屢讀之下,覺有小誤數十條,謹疏於眉端,倘先生尚在人間,當呈其所業,以爲進見之階。倘已歸道山,則當作《語石考正》,附於此册尾,以表私淑之忱。蓋自效弟子之勞,非攻先生之短,校其小疵,以完其大醇。使先生見之,必莞爾而首肯也。"於此亦可見前人之宅心仁厚、和遜謙恭。

(二)近人對《語石》的補訂

近人對葉昌熾《語石》的補訂,以民國時柯昌泗《語石異同評》最爲著名,其稿本經陳公柔整理,與原書並行於世。國家圖書館所章鈺題跋本《語石》,其中部分跋語已經吴琦幸刊布①,頗有益於讀《語石》者。此外,韓鋭《語石校注》、王其禕點校本《語石》與《中華書局本〈語石〉標點匡謬釋例》②一文、盧芳玉《〈語石〉研究》與《〈語石〉標點錯誤舉例》二文于《語石》錯訛疏漏處皆有補訂。③ 民國林鈞《石廬金石書志》之"《語石》十卷"條,載繆荃孫對《語石》的補訂數條,皆爲切實之論:

> 是本經藝風前輩手自批校,其中如"碑陰褒斜道石刻"條下批曰"荃孫同治甲戌親訪是刻,碑在最高處,釋文刻於下,並不連,取稍平處磨治刻之。漢碑不磨,宋則磨矣"云云。又"石經"條下批曰"荃孫在大足觀張湆父書《古文孝經》,在北山,《輿地碑目》已載之。《家人卦》,寶慶三年刻在中江銅山巖"云云。又于"字書小學類"第一則下批曰"荃孫見滋陽《韓詩外傳》拓本上數行即《衡波傳》九曲珠事,非《外傳》也"云云。"經幢"條下批曰"昌平學官元加封,可配二程誥敕"云云。"造象"條下批曰"丙午四面像,西魏恭帝時造,都中所見太平真君神麢皆僞品。樊文卿之嘉興,陳壽卿以金大安爲吕光之大安,欺人即自欺也"云云。又"碑文襲舊"條内所引唐龍朔元年《雷大岑造象》批曰"僞造不足論"云云。"施石"條内所引唐

① 參吴琦幸《北圖所藏〈藏書紀事詩〉和〈語石〉的批注本》,《文獻》1987年第1期,第248—252頁。據吴文知,章鈺所批并不以校勘爲務,而是就原書之内容進行勘正。章鈺長期在京爲官,後又寓津,與羅振玉交厚,頗觀羅氏所藏金石,故常提供大量新出土或葉氏未曾寓目的石刻材料。

② 王其禕《中華書局本〈語石〉標點匡謬釋例》,原載《中國典籍與文化論叢》第六輯,中華書局,2000年,第416—431頁。又載党懷興、趙望秦、張新科主編《中國古典文獻論叢》,中國社會科學出版社,第460—479頁。

③ 南京圖書館館藏目録著録有薛鳳昌《語石考證》稿本一册,索引號爲GJ49176,筆者負笈金陵期間曾屢爲查訪,館員皆云已佚失。

《叱干公三教道場文》批曰“此文摹厓在北周《文王碑》之次”云云。又“石經”條下廣州高宗《真草孝經》，葉載“嘉慶末，平陽儀克中搜得之，書刻年月别爲石，已亡”，繆正“已亡”爲“今存”。他若“墓誌”條内“李黼”正作“李輔”，“浮圖”條内魏若《暉法》、《凝禪》“在陝中”，正爲“在澄城”。“經幢”條内天寶四年成都鐵幢正“成都”爲“閬中”。“題名”條“施南”正爲“宜昌”。“刻字”條内所引《中興軍中書劄子》正“中興”爲“永興”諸類，更難枚舉，皆足正刻本之訛。兹帙當屬稿本傳抄，故序後有“癸卯初秋緣督又記”一則，刊本無此記而多“己酉三月”一跋。①

此外，顧廷龍先生文集中收録《霜根老人手批語石跋》，述及章鈺之《語石》題跋，其文雖涉及《語石》校訂之文字不多，然而對我們理解晚清學人的金石情緣極有助益，亦可爲吴琦幸《北圖所藏〈藏書紀事詩〉和〈語石〉的批注本》作一注脚。録之爲全文作結：

辛未秋後，龍負笈來舊都，謁式丈於織女寓齋，以金石目録之學請益。丈即出此書見示，簡端加墨滿幅，間有吴氏昌綬印臣手筆，或爲訂補，或志見聞，鄉先輩銘心之作，得此補苴，益稱精審矣。龍即借歸傳録一過。明夏省親南下，攜示妻弟潘君景鄭承弼，又據傳一本。迄今忽忽七年，丈已墓有宿草，遺書亦存燕京大學。龍與校理之役，檢閲及此，重加讀展，乃見丈於此數載中又增益甚多。最後所記爲“甘肅吴挺《世功保蜀忠德銘》”一條，其語曰：“近得繆荃孫舊藏拓本，當即緣督所贈。聞《甘肅通志》僅録碑目而未録其文，曾屬同鄉顧起潛寫出，亦以拓本模糊，未克成篇，姑存篋中，備一目而已。丙子七月晦，患惡瘡，强坐記。”按是碑立于宋甯宗嘉泰三年，乃挺子曦請於朝，敕高文虎譔，陳宗召書者，額篆則宸翰也。拓本罕覯，銘詞雖載省志，而碑文從未經著録，丈即屬龍試爲録出，只以椎拓不精，紙幅又鉅，不易展辨，方勉録三之一，適須從事他役，不能續爲秘笈，又不敢久閣，因先送回，卒未能成丈之志，媿疚何如！而丈筆札之勤，雖病不廢，豈後生所可企及，俯仰人天，喟焉歎息！戊寅正月，顧廷龍補記。②

晚清金石學極盛，因而有集大成之《語石》問世，而諸家於私藏之《語石》上補正批跋，必爲數不少。以上諸家補訂批注，柯昌泗之《語石異同評》業已整理，繆荃孫批注雖有吴琦幸稍爲披露，然亦需全面整理，其他如章鈺等批注望有心且有緣者輯録之，以餉世之好金石者。則本文之纂輯，庶幾可得其拋磚引玉之功用。

【作者簡介】 趙陽陽，1983年生，河南偃師人，南京大学文学博士，西北大學文學院講師。主要從事版本目録學、藝術文獻學研究。

① 林鈞《石廬金石書志》卷十二“記載類”，民國十二年(1923)寶岱閣刻本。

② 顧廷龍《顧廷龍文集》，上海科技文獻出版社，2002年，第183頁。

英文目錄